TE BASTA
MI GRACIA

PALABRA

© Arzobispado de La Habana, 2002
© Ediciones Palabra, S.A., 2002
  Paseo de la Castellana, 210 - 28046 MADRID (España)

Diseño de cubierta: Francisco J. Pérez León
I.S.B.N.: 84-8239-650-1
Depósito Legal: M. 17.970-2002
Impresión: Gráficas Rogar, S.A.
Printed in Spain - Impreso en España
Con licencia eclesiástica

Card. Jaime L. Ortega Alamino

Te basta mi gracia

EDICIONES PALABRA, S.A.
MADRID

PRÓLOGO

UNA VIDA DEDICADA
TOTALMENTE A LA IGLESIA

Pocas tareas he asumido con tanta alegría como la de escribir un prólogo a los escritos de un amigo muy querido en una Iglesia heroica a quien tanto amo.

El querido Cardenal Jaime Lucas Ortega y Alamino fue llamado al servicio episcopal en el año 1978, apenas al inicio del pontificado de Juan Pablo II, cuando este servidor comenzaba también a ser Obispo. Tres años más tarde asume la Sede Metropolitana de San Cristóbal de la Habana y fue en la Asamblea del CELAM, en Puerto Príncipe, cuando tuve la dicha de conocerlo. Nació entonces una amistad hecha de afecto fraterno y solidario, lleno de admiración hacia un Pastor entregado totalmente a su Iglesia y a su Patria.

En 1989, cuando fungía como Secretario General del CE-LAM visité por primera vez la Perla de las Antillas y, desde entonces, parte de mi corazón se quedó en Cuba.

La Divina Providencia quiso confiarme en 1995 la Presidencia del Consejo Episcopal Latinoamericano, contando con el privilegio de que el Cardenal Ortega fuese uno de los Vicepresidentes. Pude consolidar así la convicción de encontrarme con un Sacerdote, con un Obispo y con un Cardenal según el Corazón de Dios.

Si pudiera definir el ministerio de este Pastor ejemplar, lo resumiría de la siguiente manera: la vida del Cardenal Jaime Lucas Ortega y Alamino ha sido una vida llena de objetivos claros y santos: los de la Iglesia.

Su Eminencia el Cardenal Ortega ha entendido la naturaleza y misión de la Iglesia y ha vislumbrado, es más, se ha metido en su medida y perspectiva desde su ministerio como Obispo de la Santa Madre Iglesia Católica.

Los elementos que definen y constituyen la naturaleza y la misión de la Iglesia, de acuerdo con la voluntad de quien es su Fundador y Fundamento, determinan también la naturaleza y la misión del ministerio episcopal del Autor de este libro.

El Arzobispo Ortega, al reflexionar sobre sí mismo y sobre las funciones propias de su ministerio, ha tenido presente las notas características de la Iglesia, como ella misma expresamente las ha ilustrado, de manera especial en los Concilios Ecuménicos y sobre todo en el Vaticano II y se ven reflejadas en las palabras de pastor que encontraremos en este volumen.

El Cardenal Ortega ha entregado su vida a la Iglesia, una Iglesia que es en Cristo un sacramento, esto es, signo e instrumento de la íntima unión con Dios y de la unidad de todo el género humano. Ha entregado su vida a fin de que los creyentes de su querida isla de Cuba tengan acceso al Padre por medio de Cristo en un mismo Espíritu (Cf. *Ef* 2, 18). Se ha entregado como pastor de almas a una Iglesia que es el redil, cuya puerta única y necesaria es Cristo (Cf. *Jn* 10, 1-10); es también el campo de Dios (Cf. *1 Co* 3, 9), el edificio de Dios (*1 Co* 3, 9) cuya piedra fundamental es el mismo Señor, piedra angular (Cf. *Ef* 2, 20; *Hch* 11). Es asimismo la casa de Dios (Cf. *1 Tm* 3, 15), en la que habita su familia, la habitación de Dios por el Espíritu (Cf. *Ef* 2, 19-22; *Ap* 21, 3), y sobre todo el templo santo, que justamente en la Liturgia es comparado a la Ciudad santa, a la nueva Jerusalén. Como denota el libro que tenemos entre manos, el Cardenal Ortega se ha entregado en alma y vida a la Iglesia, que es el cuerpo cuya cabeza es Cristo.

Se trata de un Obispo que se ha constituido en signo e instrumento, por medio del cual la Iglesia visible, Cristo, está presente entre los hombres y mujeres de Cuba, y continúa su misión, dando a los fieles su Espíritu Santo. Por esta causa, su ministerio episcopal ha hecho que el cuerpo de la Iglesia se distinga; en efecto, su ministerio no se ha fundado solamente en las capacidades personales del pastor de almas, sino en la íntima unión con Cristo, de quien recibe y comunica a los hombres la vida y la energía.

Un Obispo para la unidad y la comunión

El Cardenal Ortega ha entregado su vida a la Iglesia, Cuerpo de Cristo uno y visible, en el que existe una estrechísima comunión y se manifiesta una estructura social, dotada de pluralidad de órganos, ministerios y oficios, y enriquecida por el Espíritu Santo con variedad de dones para la mutua utilidad. De allí que el Cardenal Ortega armoniza su tarea propia en la labor de la Iglesia con la tarea y responsabilidad de los otros, especialmente de aquellos que el Espíritu ha puesto para apacentar la Iglesia de Dios.

Un Hombre que edifica la constitución jerárquica y orgánica de la Iglesia

Entre los dones del Espíritu en la Iglesia sobresale la gracia de los Apóstoles, es decir, el ministerio de la dirección de los fieles y de la comunidad, confiado por Dios a los Obispos y ejercido por estos con la cooperación de los demás ministros sagrados. El ejercicio del ministerio del Cardenal Ortega y de las demás Instituciones de la Iglesia que se le han confiado se han desarrollado según los principios de la unidad de gobierno, de la división de tareas y de oficios, de la sincera ayuda recíproca y de la complementariedad, y prueba de ello es este libro.

Un Misionero con claros objetivos misioneros

Un Obispo sabe que la Iglesia tiene la misión de anunciar y propagar el Reino de Dios hasta los últimos confines de la tierra, a fin de que todos los hombres crean en Cristo y de esta manera consigan la vida eterna, y que, aun existiendo deplorables divisiones entre los cristianos, la Iglesia y sus Ministros persiguen el objetivo de que todos los creyentes en Cristo se reintegren en la perfecta unidad y comunión, y así lleguen a ser «un solo rebaño y un solo pastor» (*Jn* 10, 15).

El preclaro contenido de los discursos del Cardenal Ortega denotan que se trata de un Obispo consagrado a la misión específica de la Iglesia, que es de orden religioso, no político o económico o social. Y, no obstante, precisamente de esta misión religiosa se desprenden responsabilidades y brotan luz y fuerzas que pueden contribuir a construir y consolidar la comunidad de los hombres según la Ley Divina.

Notas características de su Ministerio Episcopal

El Cardenal Arzobispo, como miembro de la Iglesia y al mismo tiempo cabeza y pastor del pueblo cristiano que se le ha confiado a lo largo de estos 20 años, ha debido armonizar en su propia persona los aspectos de hermano y de padre, de discípulo de Cristo y de maestro de la fe, de hijo de la Iglesia y, en un cierto sentido, de padre de la misma, por ser ministro de la regeneración sobrenatural del Pueblo de Dios. Esta doble dimensión que ha caracterizado al Cardenal Ortega tiene su origen, por una parte, en el bautismo y en la confirmación por los que el Obispo, como todos los demás miembros del Pueblo de Dios, participa del sacerdocio común de los fieles; por otra, en la plenitud del sacramento del orden, por el cual participa del sacerdocio ministerial o jerárquico, como quien hace las veces y representa a Cristo, para formar y regir el Pueblo de Dios.

Ha sido característico del Cardenal Ortega enseñar con autoridad la Palabra de Dios y ser su testigo, custodiándola con fidelidad e interpretándola auténticamente; ha presidido el culto cristiano en nombre de Cristo y dispensado los misterios de Dios; ha reunido y gobernado la Iglesia particular que se le ha confiado; ha escogido a sus colaboradores en el sagrado ministerio y los ha dirigido y pastoreado; ha sido constituido verdadero y auténtico Maestro de la fe, Puente y Pastor.

Revestido de la plenitud del ministerio sagrado, el Cardenal Arzobispo ha sido el signo viviente de Cristo presente en su Iglesia, testimonio del Verbo de Dios, cuya vida comunica por medio de los sacramentos. Asimismo ha sido signo de la Iglesia presente en el mundo, estando al frente de los miembros del Cuerpo místico de Cristo en Cuba.

En virtud de su consagración sacramental y por la comunión jerárquica con el Colegio Episcopal, cabeza y miembros, el Cardenal demuestra en sus escritos que está íntimamente unido a la Iglesia, y como ligado a ella por un vínculo místico, de tal manera que merece, a semejanza de Cristo, el apelativo de «esposo».

En efecto, correspondiéndole la tarea de ordenar y delegar para los oficios divinos a todos los demás ministros, y de reunir a la Iglesia particular que peregrina en Cuba, por medio del Evangelio y de la Eucaristía en el Espíritu Santo, el Cardenal refleja visiblemente en sus escritos, de manera especial, la imagen de Cristo esposo de la Iglesia.

Para el cumplimiento de sus graves deberes de maestro, sacerdote y pastor sobre la porción de la grey del Señor que le ha sido asignada, el Cardenal Arzobispo ha tenido la necesidad de la colaboración de toda la comunidad: no solo, aunque principalmente, de los presbíteros y de los diáconos, quienes por medio del sacramento conferido por el Obispo se hacen partícipes del sacerdocio jerárquico o sagrado ministerio, sino también de todos los demás fieles. Estos, en efecto, en virtud del sacerdocio común, son llamados a tomar parte en el apostolado común en la Iglesia y a ofrecer a los pastores una colaboración responsable, bajo la dirección y la autoridad de los Obispos. Cuba, a pesar de las dificultades que en su proceso histórico se ha encontrado, ha sido ejemplo y modelo de perseverancia y de florecimiento de la vida y misión de los laicos.

Por razón de la plenitud del sacerdocio jerárquico y de su peculiar comunión con Cristo Cabeza, el Cardenal Arzobispo ha tenido la estricta obligación de presentarse como «perfeccionador» de la grey en el sentido de que, viviendo en la caridad, en la humildad y en la simplicidad, ha debido ser maestro, promotor y ejemplo de la perfección cristiana para los clérigos, los religiosos y los laicos.

Y, finalmente, la índole pastoral del oficio apostólico del Cardenal Ortega y su ministerio de la Palabra y de la gracia de Dios, totalmente ajenos, por su misma naturaleza, a cualquier concepción y estructuras mundanas, muestra con toda claridad, especialmente en el contexto socio-religioso en el que ha ejercido su ministerio, que su misión y su actividad tienen y han tenido únicamente carácter espiritual y eclesial, y han hecho ver con la mayor nitidez que, a semejanza del Sumo Sacerdote, el Obispo es verdaderamente Siervo de Dios y Siervo de los siervos de Dios.

Enhorabuena querido Jaime, y que sigas prodigándote sin reservas a esa bella porción del Pueblo de Dios, que encomendamos cada día en la oración y en la gratitud por un testimonio ejemplar que nos alienta en el camino. Que Nuestra Señora de la Caridad del Cobre les bendiga a todos y especialmente a los lectores de este profundo magisterio. Que Ella les ayude en la gozosa tarea de «remar mar adentro» como nos ha recordado el Santo Padre Juan Pablo II para que el nombre y la vida del Señor Jesucristo, el mismo ayer, hoy y siempre, reinen en Cuba.

Con afecto entrañable,

ÓSCAR ANDRÉS Card.
RODRÍGUEZ MARADIAGA SDB
Arzobispo de Tegucigalpa

RETROSPECTIVA HISTÓRICA

VEINTE AÑOS DE MINISTERIO PASTORAL DE SU EMINENCIA EL CARDENAL JAIME LUCAS ORTEGA ALAMINO COMO ARZOBISPO DE LA ARQUIDIÓCESIS DE SAN CRISTÓBAL DE LA HABANA

El día 27 de diciembre de 1982, comenzaba, el hoy Cardenal Jaime Lucas Ortega Alamino, su ministerio pastoral como Arzobispo de La Habana.

Llegaba procedente de Pinar del Río, donde había servido como Pastor al pueblo de Dios de aquella diócesis, desde enero de 1979 durante casi tres años completos.

Estaba entonces por iniciarse en toda nuestra patria aquel período que se llamó Reflexión Eclesial Cubana, cuyas siglas REC se hicieron pronto populares entre nosotros, y que se extendió desde 1982 hasta 1985. Fue este un tiempo de renovación y reflexión pastoral como preparación al primer Encuentro Nacional Eclesial Cubano, ENEC, celebrado en 1986 en la recién remodelada Casa Sacerdotal y que constituyó un hito en la historia de la Iglesia en Cuba. La Iglesia salía como de un profundo letargo y se dinamizaba en todas sus estructuras y órganos y agentes de pastoral. Los católicos cubanos siempre tendremos que hacer referencia a este acontecimiento como un punto de partida para los nuevos rumbos de la pastoral en Cuba, en una Iglesia orante, encarnada y evangelizadora. Esto sería corroborado y profundizado con nuevo dinamismo apostólico y misionero en el Encuentro Conmemorativo del ENEC, celebrado diez años más tarde en febrero de 1996 y que se llamó ECO y el Santo Padre dio en llamar Segundo Encuentro Eclesial Cubano.

La Arquidiócesis de La Habana avanzó por esos caminos de pastoral de conjunto, renovando las Vicarías Episcopales, creando nuevas comunidades parroquiales, al dividir en territorios menos extensos algunas de las grandes parroquias que desde principios del siglo xx, o fines del xix, se extendían por la cada vez más poblada y amplia zona urbana del territorio arquidiocesano. Al mismo tiempo se emprendía la ardua y perseverante tarea de reparación o remodelación de un sensible número de templos y casas parroquiales, sobre todo en la zona rural de la arquidiócesis.

La creación del Secretariado de Pastoral, la renovación de las Vicarías Episcopales y su reestructuración territorial, la puesta en marcha del Plan Nacional de Pastoral de Conjunto son otros tantos aspectos que señalan el camino del fecundo quehacer apostólico de la Iglesia local bajo las sabias orientaciones del Pastor Diocesano.

Recordamos el dinamismo misionero que, por esos mismos años, constituyó el paso de la Cruz de la evangelización de América, entregada por el Santo Padre en Haití en 1984 a los Obispos de América Latina para culminar en 1992, al celebrarse los quinientos años de la evangelización del continente, y que fue recorriendo de Occidente a Oriente toda nuestra Patria.

Luego vino para nosotros la peregrinación con la imagen de la Virgen de La Caridad en 1989, de amplia aceptación y respuesta por parte de todo el pueblo habanero, como preparación a una anunciada visita del Papa a Cuba. La visita del Santo Padre se llevaría a cabo, finalmente, nueve años más tarde, en enero de 1998. Fecha inolvidable para todos los cubanos. También preparada con exquisito esmero pastoral por una misión «puerta a puerta» y por las Misas celebradas en distintas zonas pastorales, en torno de nuevo a la venerada imagen de Nuestra Señora de La Caridad.

¿Quién puede olvidar la visita del Santo Padre, con todos los actos que la jalonaron, sobre todo los celebrados en la Arquidiócesis: el discurso en el Aula Magna de la Universidad, frente a los restos del Siervo de Dios Padre Félix Varela, el emocionante encuentro con el mundo del dolor en el leprosorio del Rincón, la Misa final en la Plaza José Martí, la bendición de la primera piedra de nuestro seminario, que está a punto de comenzar a construirse, el almuerzo y encuentro con los Obispos cubanos en el Arzobispado... Su conmovedora despedida en el aeropuerto de Rancho Boyeros...

Si retrocedemos al mes de noviembre de 1994 recordamos la peregrinación de doscientos cubanos que acompañara a Su Eminencia a recibir, de manos del Santo Padre, la Púrpura Cardenalicia.

El simposio «Ecclesia in America», en diciembre de 1999, con la participación de personalidades nacionales y extranjeras y con la brillante Conferencia Magistral de S.E. Mons. Jean-Louis Tauran, sobre las relaciones de la Iglesia Católica con un Estado moderno.

El Año Jubilar de 2000 ambientado por los tres años previos dedicados a Jesucristo, al Espíritu Santo y al Padre, incorporados sabia y fructíferamente a nuestro plan pastoral y a la preparación inmediata de la visita del Papa a nuestra patria.

¿Cómo no recordar con emoción la procesión inaugural del Año Jubilar por nuestras calles habaneras en los últimos días de diciembre de 1999?

Las celebraciones todas que fueron jalonando el Año Santo y llenando de estandartes representativos de los distintos sectores del pueblo de Dios, en el templo catedralicio... Jubileo de los enfermos, de los jóvenes, de los artistas, de los trabajadores, de los alumnos de escuelas católicas, de los sacerdotes, de los diáconos, de la vida consagrada... etc.

Ya próximo a finalizar el año, el Simposio Teológico sobre la Eucaristía los días 5, 6 y 7 de diciembre y a continuación el Congreso Eucarístico, durante el cual, el sábado 9, hicieron la Primera Comunión 2.000 niños frente al Seminario y, como colofón, la solemne procesión con Jesús Sacramentado por las calles de La Habana en la que participaron prácticamente la casi totalidad de los Obispos cubanos, para culminar en la jubilosa Eucaristía de clausura bajo un cielo crepuscular que amenazó con la lluvia, que finalmente cayó al terminarse la celebración.

Volviendo atrás algunos años, recordamos que, desde 1989 a 1993 primero, y desde entonces hasta después de la visita del Papa en 1998, Su Eminencia ocupó la Presidencia de la Conferencia de Obispos Católicos de Cuba por dos períodos consecutivos y acaba de ser reelecto para este cargo en la última asamblea plenaria del episcopado, el 6 de diciembre próximo pasado.

Es imprescindible señalar la sucesiva y fecunda presencia en Cuba de los Nuncios Apostólicos: Giulio Einaudi, Faustino Sainz Muñoz y Beniamino Stella y del actual Nuncio de Su Santidad Su Excelencia Mons. Luis Robles Díaz, quienes han sido los eficaces vínculos de unión dinámica y de comunión de la Sede de Pedro con esta Iglesia Particular que Su Eminencia preside.

Si quisiéramos detenernos en la dimensión de las vocaciones al servicio pastoral, nos encontramos con que Su Eminencia ha ordenado cuatro obispos, que por orden cronológico son: Su Excelencia Mons. Mariano Vivanco, Obispo de Matanzas, ordenado en 1989. Su Excelencia Mons. Carlos Baladrón, ordenado en 1992 como Obispo Auxiliar de La Habana y designado en 1998 Obispo de la Diócesis de Guantánamo-Baracoa. Este humilde servidor, ordenado en 1992 como Obispo Auxiliar de La Habana. Y Su Excelencia Mons. Salvador Riverón, ordenado en 1999 como Obispo Auxiliar de La Habana.

En cuanto a sacerdotes, en total, lleva ordenados treinta y seis entre diocesanos y religiosos. También ha ordenado veintiún diáconos permanentes, los últimos cuatro el pasado día 15 de diciembre.

No pueden contarse las obras de caridad y de promoción humana que ha llevado a cabo Su Eminencia en el barrio de la Habana Vieja donde está enclavado el Arzobispado, entre otras, la restauración del inmueble que está situado en frente del Arzobispado, la restauración de varias escuelas del barrio. Las dos guarderías infantiles, la ayuda a enfermos, ancianos y necesitados, la atención a madres solteras y otras muchas, que sería prolijo enumerar, pero que, si nuestra memoria humana las olvida, Dios las tiene muy presentes y se hallan todas ellas escritas con letras indelebles en el Libro de La Vida.

Por todo esto, la Iglesia Diocesana da gracias al Señor por habernos concedido tal Pastor, y al Pastor, por haber correspondido al llamado del Señor.

¡AD MULTOS ANNOS!

Mons. ALFREDO PETIT VERGEL
Obispo Auxiliar de La Habana

EDITORIALES PUBLICADOS EN EL BOLETÍN DIOCESANO *«AQUÍ LA IGLESIA»*

NUEVA ETAPA EN LA VIDA DE LA IGLESIA*

Fue el ENEC el momento fuerte de un movimiento de concienciación que produjo en nuestra Iglesia un modo nuevo, participativo, corresponsable de comprender, preparar y realizar la misión de la Iglesia y su acción pastoral.

Fue el ENEC un acto de Fe de la Iglesia que está en Cuba, con todo lo que conlleva una andadura de fe: conversión, adhesión a Cristo y a su mensaje, compromiso evangelizador que las dificultades no logran empañar.

En nuestra Arquidiócesis de La Habana hemos celebrado los EPEC; los encuentros parroquiales, que han sido, más que el eco del Encuentro Nacional en cada Comunidad, la concreción de ese estilo propio del ENEC de pensar y de vivir la misión de la Iglesia en cada barrio o en cada pueblo.

Pero al año justo de la celebración del ENEC afloran sin duda muchas preguntas:

—¿Ha podido la Iglesia encontrar un espacio más amplio y seguro para su acción pastoral después del ENEC?

¿La clara disponibilidad al diálogo serio y constructivo en todas las instancias de la vida nacional ha hallado el eco adecuado que permita esperar una participación más amplia de los cristianos en la construcción de la sociedad?

Sintiéndose plenamente parte del pueblo cubano y plenamente identificados como cristianos, miembros activos de la Iglesia, ¿los católicos cubanos van ocupando su lugar en la sociedad sin privilegios pero sin discriminaciones? En una

---

* Fragmentos de la homilía pronunciada en la celebración por el primer aniversario del Encuentro Nacional Eclesial Cubano. *Boletín diocesano*, marzo 1987.

23

palabra: ¿los pasos seguros que ha dado la comunidad eclesial se han correspondido con una real ubicación y adaptación de los católicos en esta sociedad nuestra? ¿Se sientan también las bases para que pueda la Iglesia superar la situación de tolerancia limitada y desarrollar su misión en un clima de mayor confianza?

Hay distintos signos positivos, a veces tímidos, que parecen orientarnos en el sentido de un optimismo moderado. Pero es corto el tiempo de un año para aventurar respuestas definitivas.

Nosotros, con nuestro ENEC, estamos haciendo un aporte nada despreciable al hallazgo de nuevos caminos de comunicación y diálogo respetuoso entre los cristianos y los marxistas en los países que practican el socialismo real.

El ENEC ha hecho que los ojos de nuestros hermanos de Europa Occidental, América del Norte y especialmente de América Latina se vuelvan atentos hacia la Iglesia Católica en Cuba: ¿Podrá de hecho la Iglesia en Cuba, o sea, podrán los católicos cubanos sostener en la vida de cada día las tesis de confianza, identidad y diálogo que por medio del ENEC anunciaron a un mundo que las recibía no sin sorpresa? ¿Puede de verdad la Iglesia vivir y desarrollarse en un país de socialismo real? Estas y otras preguntas se repiten desde muy diversos ángulos.

Si en los años sesenta o setenta para algunos hermanos nuestros, entre ellos muchos latinoamericanos, todo parecía depender de nosotros católicos cubanos en cuanto a la posibilidad de comunicación y convivencia en un país marxista, el momento histórico actual se inclina en forma positiva en favor de la Iglesia que está en Cuba en cuanto a su capacidad de presencia y acción pastoral y los cuestionamientos se hacen más insistentes del lado de las estructuras socio-políticas y de la ideología oficial.

Este estado de opinión podría expresarse así: La Iglesia parece que quiere y puede, el Estado parece que quiere, ¿llevará adelante de hecho este proyecto?

Un diálogo realista solo puede mantenerse con perseverancia de quienes de un lado y de otro están convencidos de la necesidad de esta vía.

Es evidente que, por su misma naturaleza, el papel del Estado es el más activo en este diálogo que es, por lo tanto, de índole muy singular.

La Iglesia Católica en Cuba, al aprobar el Documento Final, no emitía una solemne declaración que dejaría fijadas en detalle sus posiciones en cuanto a distintos aspectos de la historia, de la política, de la economía o de la vida de la nación o aun de la misma Iglesia.

El ENEC trazó más bien líneas generales muy precisas, pero guardando siempre una imprescindible altura de miras:

1° La Iglesia Católica acepta que su misión pueda llevarse a cabo en Cuba con su organización socialista. La Iglesia quiere ser una Iglesia encarnada.

2° La Iglesia en Cuba está consciente de su misión y, con las modalidades propias del medio en que se encuentra, busca el modo de ponerla por obra. La Iglesia quiere ser evangelizadora.

3° La Iglesia, fiel a su Señor y con el lenguaje y la teología del Concilio Vaticano II, pone su confianza en Dios. Solo una Iglesia orante puede encarnarse en el contexto histórico donde se halla y anunciar allí a Jesucristo.

Pero los frutos del ENEC no fueron sembrados para cosecharlos a corto plazo y la impaciencia no ayuda a la maduración.

Mucho camino tiene que hacer el ENEC en nosotros católicos, en nuestras comunidades y aun en nuestros corazones, para que pueda también hacerlo en la historia de nuestro país.

Si la realización del ENEC fue, en su momento, un acto de fe de la Iglesia que está en Cuba, hoy es ciertamente un canto a la Esperanza.

EL TRIUNFO DE LA VIDA*

Queridos hermanos y hermanas:

La próxima Semana Santa nos lleva a recorrer con Jesús el doloroso camino de la Cruz. El fracaso, la afrenta, el sufrimiento, la soledad en medio de la pena, todo lo que nos iden-

---

* Boletín Diocesano, *Pascua de Resurrección,* abril 1987.

tifica trágicamente como humanos, encuentra su expresión más acabada en la pasión de Cristo y su muerte de Cruz.

Pero el vencimiento de las situaciones difíciles, la superación de lo aparentemente imposible, con la inmensa alegría que esto conlleva, son también las características de toda empresa humana en sus aspectos más exaltantes. El escarpado camino del Calvario termina más allá de una tumba vacía con la resurrección de Jesucristo, que es su triunfo total y definitivo. Este es un combate en el cual Jesús no vence al enemigo, como sucede en nuestras guerras, matándolo: sino que, juzgada la muerte como enemiga de todos, es derrotada justamente con la vida: «¿Dónde está, muerte, tu victoria?».

Creer en Jesús es creer en la vida, en el triunfo de la vida sobre la muerte; es vivir afirmando que la última palabra es de la vida.

El cristiano, porque cree en la vida, trabaja para que en el mundo llegue a establecerse una *CIVILIZACIÓN DE LA VIDA*.

Hay muchos gérmenes de muerte que pueden infectar las mentalidades de los hombres y mujeres de fines de este siglo, de modo que nos acostumbremos insensiblemente a participar en la construcción de una *CIVILIZACIÓN DE MUERTE*.

La guerra, los medios violentos de responder a otras violencias sistematizadas; la familiaridad con la que nos referimos a cifras de millones de muertos por el hambre, el criterio cada vez más claramente expresado de que hay vidas que estorban: niños que, aunque hayan sido concebidos irresponsablemente, no deben nacer por su inoportunidad, o por cálculo económico o de mayor comodidad, o porque pueden presentar malformación congénita.

Los ancianos parece que sobran en muchos hogares y crece el número de casas para ancianos que no encuentran un sitio en las familias. Hay vidas que, en sus etapas finales, parecen inútiles. En algunos lugares, después de habernos ya acostumbrado a interrumpir violentamente el proceso de la vida antes del nacimiento, se comienza a hablar con claridad de la muerte planificada de las personas «inútiles».

No nos llamemos a error; no hay cultura de la vida porque se fabrique un niño-probeta o porque se practique inseminación artificial de la mujer que ansía tener un hijo. Una manipulación inconsiderada de la vida contiene siempre fuertes elementos de desprecio o banalización de la misma vida humana. Toda afirmación de la vida para sí mismo: más larga vida a todo precio con exclusión de las vidas «molestas» que interfieran o «limiten» mi vida, sean niños indeseados o ancianos inútiles, es una muestra de claro egoísmo. Si se acompaña esto de un aprecio por la vida que viene a enriquecer mi vida: el niño querido y planificado, las plantas, los bosques, los animales, mi perro... entonces la egolatría se revisa de una cínica crueldad.

Se crea así una mentalidad de vida disfrutada, gozada, como una propiedad privada.

No queda lugar para el heroísmo, para dar la vida por una causa noble, por amor a la Patria o por el servicio al prójimo. Curiosamente se cuida tanto la vida, que se destruyen los más altos valores de la existencia: el sacrificio, el olvido de sí mismo, la abnegación.

Es difícil que surjan así vocaciones para entregar la vida al servicio de los enfermos, de los ancianos, de la Sociedad o de la Iglesia.

El cristiano tiene un aprecio de la vida recibida como don y que se entrega en el amor. Somos los seguidores de Jesucristo que nos dice: «No hay amor mayor que aquel de DAR LA VIDA por los que amamos», «quien ama su propia vida la pierde y quien la entrega la gana para siempre».

Formemos a nuestros niños y jóvenes cristianos para una CULTURA y CIVILIZACIÓN DE LA VIDA; la vida recibida como regalo de Dios y entregada, como la de Cristo, por amor a todos.

En Semana Santa celebramos el triunfo de la vida entregada sobre la muerte injustamente inferida, o sea, el triunfo del Amor sobre el egoísmo y el odio. Esta es la Pascua de los cristianos.

Los felicito con la alegría de la Resurrección, y los bendigo muy especialmente en este tiempo de gracia.

EL AÑO SANTO MARIANO*

El Papa Juan Pablo II ha convocado la celebración de un AÑO SANTO dedicado a la Santísima Virgen María nuestra Madre. Quiere el Santo Padre que el tiempo que nos separa del año 2000 se convierta en un gran ADVIENTO que prepare la conmemoración del segundo milenio del nacimiento de Jesucristo.

Como en todo ADVIENTO, la figura que María debe ocupar un lugar central para disponernos, con ella y como ella, a preparar los caminos del Señor por medio de la grande y nueva Evangelización que espera nuestro mundo.

En una carta encíclica que el Santo Padre dirige a toda la Iglesia nos propone a la Virgen María como modelo del creyente que, en medio de oscuridades y pruebas, peregrina en la fe.

No nos falta, pues, a los cristianos, en nuestro peregrinar de esta última parte del siglo XX, el acompañamiento amoroso de la Virgen Madre. Este AÑO SANTO debe redescubrirnos a todos el papel de María en el misterio de nuestra Salvación.

Queridos hermanos y hermanas:

Con hondo sentido eclesial, con gratitud y entusiasmo, acogemos en nuestra amada Arquidiócesis de La Habana esta iniciativa del Papa Juan Pablo II y nos aprestamos a convertir el AÑO SANTO MARIANO que pronto se inicia en un claro anuncio del advenimiento del año 2000 de la era cristiana.

Cuando la Cruz Misionera recorrió recientemente durante un año nuestra diócesis, se produjo entre nosotros una profunda sensibilización acerca de la inaplazable vocación evangelizadora de la Iglesia. Las comunidades del campo y de la ciudad, grandes o pequeñas, experimentaron al paso de la Cruz, el poder de Cristo Jesús para movilizar los corazones en el sentido del bien, de la conversión, del servicio y del amor.

Ahora, el AÑO SANTO pondrá más en evidencia el papel de María con respecto a la Iglesia, que se esfuerza en cumplir

---

* *Boletín Diocesano,* mayo de 1987.

su misión de proclamar a Jesucristo a los hombres y mujeres que viven en la última etapa de este siglo.

La Virgen María es la estrella de la evangelización que anuncia a la tierra el amanecer de Jesucristo, sol de Justicia, Luz del mundo.

Es mi deseo, que he confiado muy especialmente a la misma Virgen María en su dulce advocación de Nuestra Señora de la Caridad, Patrona de Cuba, que este AÑO SANTO brinde a todos los cristianos de esta Arquidiócesis de La Habana una especial oportunidad de ahondar en el espíritu evangelizador que reavivó entre nosotros el paso de la Cruz Misionera. Desde lo alto de la Cruz, Jesús nos dio por Madre a María; confiándole a Ella el fruto de su entrega sacrificial: la comunidad de sus discípulos, la Iglesia.

Al suceder este AÑO SANTO, dedicado a la Virgen María, al tiempo de gracia y bendición que fue el paso de la Cruz por nuestra Arquidiócesis, me permito repetirles las palabras que Cristo Crucificado dirigió al discípulo amado: «Hijo, ahí tienes a tu Madre».

Los invito a acoger a María en sus casas, en sus corazones, en su apostolado. Ella garantizará la continuidad de la misión que, al paso de la Cruz, tuvo en la Arquidiócesis un momento privilegiado.

María de la Caridad no dejará que se pierdan en nuestra Iglesia Diocesana los frutos de evangelización que brotaron de la Cruz Misionera y nos afianzará en este AÑO SANTO, en los propósitos del ENEC de ser una Iglesia ANUNCIADORA de Cristo, cuyos miembros nos reconocemos parte de nuestro pueblo con el cual peregrinamos en la historia, pero hallando la fuerza y el coraje para seguir esta peregrinación en el mismo Jesús resucitado en quien hemos puesto nuestra fe.

Demos gracias a Dios que nos ha dado como inspiración y modelo en este caminar a María, la Madre.

Los invito a todos a participar con fervor en la solemne apertura del AÑO SANTO MARIANO que tendrá lugar el domingo de Pentecostés (7 de junio), a las 5 de la tarde, en la Parroquia y Santuario de Ntra. Sra. de la Caridad en esta Ciudad de La Habana y a estar presentes en sus parroquias o iglesias el día 8 de junio en que se celebrará la apertura del

AÑO SANTO en cada una de las comunidades de la Diócesis, pues el Papa Juan Pablo II ha querido que este AÑO JUBILAR sea celebrado en todos nuestros templos.

Esperando que el AÑO SANTO los haga crecer en el amor a Cristo y a su Iglesia bajo la mirada maternal de la Virgen, los bendice con todo afecto, en Jesús y María de la Caridad, su Obispo.

LA ÉTICA, DIVERSAS INQUIETUDES Y UNA NOVELA*

En la hora estelar de la Televisión, una novela que aborda el tema de las relaciones amorosas ha suscitado muchas inquietudes. De hecho no es la primera emisión televisiva que trata de modo preocupante el tema de estas relaciones. También ha habido artículos en periódicos y revistas que, yendo de una opinión a otra, dejan al menos una estela de indecisión y desorientación en un sector de tanta importancia.

El ser humano ha elaborado, a través de milenios, modelos de comportamiento que han quedado incorporados a lo que modernamente se llama la conciencia colectiva de la humanidad. Estos modelos son de particular interés con respecto al sexo, la relación hombre-mujer, o madre-padre-hijo, etc.

El pudor para cubrir las partes del cuerpo que tienen que ver con la reproducción o para referirse al sexo en el lenguaje; los tabús en relación con el sexo; la ritualización del compromiso matrimonial; la consideración de algunos aspectos de la vida sexual bajo el ángulo de lo sagrado, etc., manifiestan que, desde épocas primitivas y en todas las culturas, lo relacionado con el sexo ha sido tratado de manera especial, con seriedad, con respeto y aun con reverencia sacral.

En Cuba, nuestra cultura, además de compartir evidentemente esas premisas universales, se expresa, en sus concepciones y modos de comportamiento con relación al amor entre el hombre y la mujer, según la herencia cultural hispánica, marcada por la ética cristiana.

---

* *Boletín Diocesano,* junio 1987.

Valores como la primacía del amor sobre el mero placer; la preparación para el matrimonio por un período de noviazgo; la fidelidad en la vida conyugal; la perdurabilidad del amor; la importancia de la familia, y otros, están muy presentes entre nosotros e incorporados a nuestra manera de concebir el amor y sus realizaciones.

Cuando estos valores fallan o faltan en las relaciones hombre-mujer, nuestro pueblo, en su casi totalidad, los experimenta como carencias lamentables. No puede, por tanto, echarse por tierra en una obra que se percibe como orientadora, un conjunto de valores sin que se produzca, paradójicamente, desorientación, sorpresa o molestia.

Estamos ante un tema extraordinariamente delicado porque toca la intimidad del ser humano, lo cual tiene que ver con la inviolabilidad de la misma persona. Por tanto, la superficialidad y la trivialidad en el tratamiento de un aspecto tan importante de la vida es, de por sí, motivo de preocupación.

En la vida social hay que presentar MODELOS DE COMPORTAMIENTO que inspiren a las nuevas generaciones y que afiancen y den seguridad a las generaciones más adultas, de modo que estas puedan ejercer su irreemplazable función de guiar a sus hijos y nietos. Sin una cierta continuidad no hay educación posible.

La fría presentación de lo que algunos llaman «realidad» puede ser artísticamente discutible, pero no es formadora. La realidad puede ser degradante a veces y hay que superarla con valores como el sacrificio, el desinterés o el heroísmo.

Nada de eso aparece en esta novela. Un conjunto de seres débiles, movidos por estímulos momentáneos (ni siquiera son pasiones), son incapaces, una de guardar fidelidad al que fue a cumplir una misión internacionalista, otra de vivir sin un hombre aunque este sea un desastre; o parecen todos trabajar, estudiar y vivir al margen de la misma historia, teniendo como eje de sus existencias una lánguida preocupación sexual que da la impresión de ocupar el centro de sus vidas, pero sin llegar a entusiasmarlos siquiera.

No es solo que el sexo esté tratado trivialmente, es que toda la vida está banalizada: no hay metas, ni ilusiones, ni esperas encendidas de amor, ni esperanza, ni siquiera celos; hay un vacío total que asusta. ¿Será que a la vaciedad de la vida corresponde, lógicamente, la vaciedad en el amor?

Creo, más bien, que, si el amor humano es despojado de abnegación, de don de sí, de fidelidad, de sacrificio, el resto de la vida sufre también las consecuencias. Lo que más me impresiona es haber oído a algún joven diciendo: ¡pero si esa es la realidad! y diciéndolo con una convicción digna de causas mejores.

Algunos padres cristianos me han dicho: yo no dejé que el muchacho o la muchachita vieran la novela. No sé si habría que haberla visto junto con ellos para, a cada capítulo o a cada escena, decirles claramente que eso NO es así y explicarles por qué.

A ustedes, padres y madres de familia, les corresponde clarificarse lo más posible para poder ser los formadores de las conciencias de sus hijos e hijas. Esta misión insoslayable se la ha confiado Dios nuestro Padre, al compartir especialmente con ustedes su paternidad universal.

Los animo a esto y los bendigo a ustedes, a sus hijos o nietos y a todos.

MENSAJE A LOS JÓVENES*

Queridos jóvenes de la Arquidiócesis de La Habana:

En este verano, sus convivencias se centran en la Virgen María, dentro del marco especial del AÑO SANTO MARIANO.

El Santo Padre proclamó este AÑO SANTO extraordinario para preparar a los católicos del mundo entero a celebrar los dos mil años del nacimiento de Jesucristo, nuestro Redentor.

Cristo, su mensaje, su amor, su muerte redentora, su resurrección gloriosa, deben ser proclamados a los hombres y mujeres de fines de este milenio, porque solo Jesús puede curar el mundo de la violencia química de la bomba atómica o de la violencia biogenética de los experimentos indiscrimina-

---

* *Boletín Diocesano,* julio 1987.

dos en esa rama de la ciencia con sus terribles consecuencias. Solo Jesús puede curar, a nuestra humanidad dolida de hambre física de centenares de millones de seres humanos y del hambre de Dios de una gran parte de los pobladores de la Tierra. Solo Jesús puede curarnos del miedo. Miedo político o racial, miedo al terrorismo, miedo a la catástrofe nuclear, miedo al SIDA, miedo al otro, miedo a vivir, miedo al vacío, a la nada, miedo al miedo...

Desde hace más de treinta años, la juventud del planeta ha vivido como atrapada dentro de tres coordenadas que parecen armar trágicamente la estructura de esta época: violencia, droga y sexo.

Estas tres coordenadas se entrecruzan y se apoyan una a la otra y dan la impresión de sustentar una cultura juvenil violenta, erótica y alienada.

Las manifestaciones artísticas de esta «cultura» son ilustrativas: en la música del rock se vuelve duro, agresivo en la forma de presentarse sus intérpretes, en sus voces desgarradas y en sus gestos. Algunas actuaciones sugieren la acción oculta de la droga.

En el arte cinematográfico se pierde el límite entre lo erótico y lo pornográfico y aun se ha pretendido elevar la pornografía al rango de arte.

La violencia lo invade todo: el canto, la danza, la relación sexual, que se asemeja cada vez más a la violación. En las relaciones interpersonales predomina el estilo del enfrentamiento. Se adoran las artes marciales, en las que, en forma fantástica, los hombres ¡y las mujeres! combaten entre sí con palos, cadenas, pies, manos y gritos.

El fruto de esta pseudocultura: el cansancio, el vacío.

El gran ausente: el amor.

Ha demorado en establecerse el pansexualismo que, sin embargo, llega ahora con retraso, como las modas caducas, cuando el mundo comienza a cansarse de él y a temerle por sus consecuencias: relaciones sexuales en la adolescencia, consideración del sexo como un placer del que hay que disfrutar sin límites. En la playa, en el campismo, no prima el aspecto deportivo o el contacto con la naturaleza, sino la exhibición del cuerpo, la ingestión de alcohol y la multiplicación de ocasiones para un «desahogo sexual». Nos asusta la maternidad precoz. En toda lógica debiera asustarnos aún más la precocidad sexual. La educación sexual se vuelve una propaganda al preservativo; y aquí también el AMOR es el gran ausente. Apena ver esos «robots-de-hacer-el-amor» que son ya tantos de nuestros adolescentes.

La violencia acompaña también esta ola sexual y se incorpora a los gustos y categoría de nuestra juventud. Con frecuencia, las relaciones humanas se establecen a partir del esquema: ataque-defensa. ¿Para qué aprendes Karate? Para defenderme si alguien me ataca...

Toda esta cultura es ajena a la fe cristiana, contraria a ella, absurda y falsa, disminuye al ser humano en sus posibilidades de crecimiento espiritual, lo priva de la alegría, le roba la felicidad.

¿Qué les pido a ustedes en este AÑO SANTO?

Que fijen sus ojos, queridos muchachos y muchachas, en María la Virgen: María es el SÍ de la humanidad a Dios para que Jesucristo entre en nuestra historia.

Hacen falta hombres y mujeres jóvenes que den un SÍ rotundo a Dios, también en esta hora del mundo:

SÍ a la vida,

SÍ al esfuerzo, al sacrificio,

SÍ al AMOR,

SÍ al gusto de vivir y de servir a los demás,

SÍ a la felicidad de embarcarse con Jesucristo en la aventura de cambiar este mundo.

Fíjense que no les pido un NO a todo lo que estimo riesgoso para nuestra juventud, porque quien dice un SÍ definitivo a CRISTO solo tiene que dejarse llevar por la fuerza arrolladora del amor, que lo hará desechar todo lo falso.

Establezcan unas coordenadas nuevas para una nueva civilización del amor.

Hay que sustituir:

El puro sexo por el verdadero amor; la violencia por la amistad y la paz; y la alienación y el descompromiso por el entusiasmo de creer en Jesucristo y la Esperanza de transformar el mundo por medio de Él.

Prepárense desde ahora a ser esposos y esposas que sabrán amarse y aceptar de Dios los hijos con amor, para comunicarles estabilidad y felicidad en sus vidas.

Prepárense para ser hombres y mujeres que trabajan con desinterés, que no pretenden dominar o aplastar a los otros, sino servir y ayudar. Vean siempre en su prójimo a un amigo. Háganse apóstoles de la nueva cultura del AMOR.

Les suplico lean detenidamente esta carta mía y reflexionen sobre su contenido, para que las Convivencias de este AÑO SANTO MARIANO puedan resultar de veras orientadoras para sus vidas al reafirmarlos en los valores que brotan del Evangelio de Jesús.

Queridos jóvenes, para ustedes reviste una especial significación este AÑO SANTO, ustedes son los hombres y mujeres adultos del comienzo del tercer milenio de la era cristiana.

Sobre sus hombros descansa la Iglesia del año 2000; de ustedes depende el anuncio del Evangelio en el próximo milenio. Tengo confianza en ustedes, espero su respuesta, no a mí, sino a Cristo.

«Si ustedes no son mejores que los fariseos y los publicanos...»

Con el afecto de siempre los bendice su Obispo.

VIDA Y MISIÓN DE LA IGLESIA*

Situación general

La Arquidiócesis de La Habana tiene, aproximadamente, dos millones novecientos mil habitantes. El número aproximado de católicos bautizados es de un millón doscientos mil, o sea, el 41,3% de los habitantes.

La Arquidiócesis de La Habana tiene dentro de sus límites a la capital de la Nación cubana.

El número de visitantes eclesiásticos, católicos o de otras confesiones, políticos, de los medios de comunicación social, profesionales, hombres del mundo de la cultura, turistas, et-

---

* Fragmentos del Informe del Sr. Arzobispo de La Habana al Consejo Diocesano Pastoral. *Boletín Diocesano*, agosto-septiembre 1987.

cétera, que pasan por esta ciudad y entran en contacto con los organismos y personas de la Iglesia: Arzobispo, Vicario General, Superiores del Seminario, sacerdotes, religiosas y laicos, es notable.

Estas relaciones internacionales no cesan de crecer en los últimos años y reclaman tiempo y energías de los que estamos al frente de esta Iglesia.

La situación de la Iglesia en su diálogo formal con el Estado da la impresión de haber entrado en una fase de estancamiento a partir de la misma celebración del ENEC.

No ha habido retrocesos a situaciones anteriores pero los avances que se lograron, especialmente a partir del año 1985, parecen frenados. Así lo hice notar en la Homilía para conmemorar el primer Aniversario del ENEC.

Hay signos siempre alentadores de que este proceso de diálogo realista reemprenderá un ritmo menos lento en un futuro próximo.

En diversos sectores, sin embargo, se nota un progreso en el clima de distensión y diálogo: en el campo de la Cultura; la Cátedra de Cultura «P. Félix Varela» ha reunido a católicos, cristianos de otras confesiones, indiferentes, marxistas, etc. En el estudio de nuestra historia y el nivel de relaciones humanas alcanzado allí es muy positivo. También en relación con la cultura, en el sector del cine, ha habido una creciente colaboración entre la Oficina Católica Internacional de Cine (OCIC) y el ICAIC y los lazos humanos son también muy positivos.

Un interés mayor por la publicación en la prensa internacional cubana de asuntos referentes a la Iglesia y una relativa mejoría en cuanto al trato de las cuestiones religiosas en los medios de comunicación son también de signo positivo.

Algunos cristianos trabajadores de mediana edad, que pueden comparar con épocas anteriores, notan en su medio un clima nuevo, más distendido, aunque es mucho aún lo que falta por lograr.

En suma, la Iglesia vive y reafirma su compromiso del ENEC y esto no puede perderse de vista en nuestro plan para el nuevo año pastoral.

Valoración positiva

Como Pastor de esta Arquidiócesis aprecio, en general, que la tónica organizativa se ha mantenido.

La apreciación general de los EPEC parece ser positiva. Sus conclusiones denotan en conjunta una progresiva asimilación del espíritu del ENEC.

También valoro positivamente que se ha mantenido la preocupación misionera, sobre todo alrededor de las fiestas patronales y en los tiempos fuertes de Adviento-Navidad y Cuaresma-Semana Santa.

Lagunas: El proceso de organización, en general, debe consolidarse. Debe reestructurarse y revitalizarse la Comisión Diocesana de Liturgia. La selección y la calidad de los cantos, la participación de los fieles, su formación litúrgica son urgentes.

Hay que crear una conciencia seria de que la Iglesia depende económicamente de sus fieles. Que cada parroquia o iglesia tenga su suscripción parroquial o comunitaria. Que la nueva generación tome conciencia de este deber. *Hay que potenciar la colecta anual.*

Es importantísimo que nuestras iglesias estén reparadas, pintadas y resulten acogedoras. El templo es un signo muy elocuente de lo que es la Iglesia en su momento y lugar determinados.

Prospectiva:

Tenemos una Iglesia Diocesana viva que no parece haber perdido entusiasmo al finalizar el proceso de Reflexión Eclesial que culminó en el ENEC; que no parece tampoco haber desaprovechado el fervor dejado por la Cruz de la Evangelización a su paso.

Según las estadísticas, los habitantes de La Habana parecen también beneficiarse del clima de mayor distensión que reina en la ciudad y sus alrededores y de las facilidades propias de una gran ciudad, donde, por otra parte, el fenómeno de la religiosidad popular más o menos sincrética favorece la expresión de la fe. Se puede constatar, además, cierto despertar religioso sobre todo entre los jóvenes.

La principal preocupación pastoral actual del Obispo es la de que nuestra Iglesia Diocesana no falle en este momento. Que sea capaz de poner en tensión al máximo sus posibilidades pastorales: –por la creación de ministerios laicales; –por el establecimiento del diaconado permanente; –por la adquisición de una conciencia misionera en nuestras comunidades.

Aún menos que en lo económico, nuestra Iglesia no puede depender del extranjero en cuanto a agentes de pastoral.

Esta Iglesia, en su mayoría de conversos provenientes de sectores más bien populares, pues muchos católicos de formación tradicional provenientes de escuelas y/o movimientos católicos ya han muerto o abandonado el país, está urgida de profundización en la fe y de formación, pero no por métodos escolares, sino por la vivencia del misterio cristiano en la oración litúrgica y en la oración personal o grupal.

El conjunto de factores que facilitan el acceso de nuevos cristianos a nuestra Iglesia postula una comunidad cristiana vital:

— que acoge en la fe y en la oración al que se convierte;

— que se beneficia del entusiasmo y el gozo de los neo conversos;

— que es capaz de relanzarlos al mundo con la energía nueva del Espíritu como un fermento también renovador y misionero.

Es necesaria, pues, una pastoral para la conversión que ponga a la comunidad en proceso de continua conversión por la oración, que impida que nuestras comunidades aparezcan frías, pasivas y estáticas a los ojos de quienes buscan inquietamente a Dios. Comunidades capaces de ser puntos de recepción y de lanzamiento de los nuevos cristianos, que se hacen nuevas, se renuevan con los nuevos, con los recién llegados.

Aquí está para mí la continuidad de la misión. La misión es un grito, un alerta, la conversión es un yo me quedo, yo voy contigo, yo soy como tú.

Pero la responsabilidad es ser nosotros fervientes en el seguimiento de Cristo y fieles a la acción del Espíritu, si no, los que llegan podrían «convertirse» a la mediocridad, adaptarse a la pasividad o a la monotonía de una práctica religiosa habitual, heredada, sin brillo.

Espero, queridos católicos habaneros, que estos aspectos del informe de su Pastor al Consejo Diocesano de Pastoral los animen a todos a informarse más sobre la vida de nuestra Iglesia para luchar y trabajar por ella con verdadero amor. Al inicio de este Año Pastoral los bendigo con todo afecto.

MARÍA, MUJER DEL ADVIENTO*

Queridos hermanos y hermanas:

El *Adviento* es el tiempo de la espera de Jesús. Estos días que nos separan de la Navidad están dominados por la figura de una mujer que se nos muestra en la cumbre de su feminidad porque espera una hijo: *MARÍA*.

Muy particularmente en este AÑO MARIANO fijamos nuestra mirada en la Virgen expectante para contemplar en ella a la mujer en toda la sublimidad de su ser, con todas sus virtualidades.

Dijo una conocida autora: «la mujer es como el cauce del río de la humanidad, del cual el hombre es la corriente impetuosa». Si el cauce es de piedra, las aguas correrán limpia y ordenadamente hacia el mar. Si el cauce es de fango, las aguas turbias, que no sirven ni para apagar la sed, desbordan las márgenes, se salen de «madre» y arrasan con todo.

El hombre y la mujer son distintos, pero no son opuestos, sino complementarios; como las raíces y las ramas de un mismo árbol, una y otro son la condición para las flores y los frutos.

Todo empeño igualitarista de hacer a la mujer totalmente semejante al hombre es violatorio de la dignidad de la mujer; como lo sería para el hombre si trataran de hacerlo idéntico a la mujer.

Pero en un mundo dominado por el hombre, los esfuerzos más serios por la promoción de la mujer pueden estar hechos por hombres con criterios demasiado masculinos: «tenemos

---

* Mensaje de Adviento. *Boletín Diocesano*, noviembre-diciembre 1987.

que darle plena dignidad a las mujeres: hagamos que sean como nosotros», o por mujeres tan influidas por criterios masculinos durante siglos y milenios de sometimiento a los hombres, que llegan a pensar: «para tener plena dignidad, las mujeres tenemos que llegar a ser como los hombres».

Muchos hombres y mujeres de hoy se ponen así de acuerdo, pero casi siempre con criterios muy masculinos, acerca del papel de la mujer, de su liberación, de la familia, de la fidelidad, del divorcio, etc. Es quizá el último, o el penúltimo esfuerzo del machismo, que, cual lobo con piel de oveja, vuelve a proponerle a la mujer el patrón masculino de comportamiento como el que es correcto, el que promociona y libera.

Modo astuto de arrebatarle a la humanidad la riqueza tremenda e indispensable de lo auténticamente femenino.

¿Quién afirma que la eficacia vale más que la dulzura?

¿Quién dijo que fuerza es mejor que inspiración, que lo bello es lo útil?

¿Por qué el hogar es una prisión y la máquina de un taller es la libertad?

¿Tener un hijo es haber llegado demasiado tarde a la consulta de ginecología o es un gozo y una realización humana?

¿La virginidad es una escuela de amor, de pureza, de fortaleza de espíritu, que hace a la mujer capaz de un amor definitivo y que pone al hombre frente a la seriedad del amor verdadero; o es una barrera para que unos cuantos aprendices de pseudoamor sacien sus deseos?

Para ser moderna una mujer adulta o joven, ¿tiene que aceptar o al menos repetir una triste escala de valores que le propone cierta literatura, un tipo de cine y la opinión irreflexiva y masificada de las peluquerías o del barrio?, ¿pueden una mujer o un hombre cristianos dejarse ganar por un estado de opinión gris y mediocre?

Si nos inhibimos es decir que estamos convencidos de que la mujer es el alma del hogar, o que es bella la maternidad y un valor sublime la virginidad. Si no anteponemos en la práctica estos valores espirituales a toda una gama de criterios ramplones, tengamos cuidado, pudiéramos estar dejándonos impregnar por una mentalidad falsa, difusa, que aparece en distintos sistemas e ideologías, pero que tiene un denominador común: presentar como progreso y modernidad un comportamiento humano donde los valores no cuentan o se sacrifican a intereses económicos, políticos o de grupos de presión.

De la calidad de la mujer en una época determinada depende la marcha total de la civilización.

Que no dejen las mujeres de desempeñar hoy su propio papel: dulzura, inspiración, belleza de espíritu, corazón y sentimiento valen más que violencia, sexo, cálculo frío y crueldad. De esto último están llenas las páginas de la historia. Pero esta historia la han hecho los hombres y la han escrito también los hombres. Creo que la hora de la mujer no ha llegado aún; no se la dejen arrebatar, queridas jóvenes, queridas madres y esposas.

En la Virgen María deben hallar Uds. su propio modelo actual de vírgenes y de madres. En ella debemos también encontrar los hombres inspiración y alma, pues sin esto no crecemos ni siquiera en estatura humana.

¡Bendita sea la Virgen María, que nos da a Jesús en esta Navidad y siempre!

EL TRABAJO HUMANO*

Al comenzar un nuevo año hacemos normalmente muchos y variados propósitos y no pocos de ellos tienen que ver con nuestro trabajo. Trabajo en la producción y los servicios, trabajo en el hogar, en la agricultura o la construcción, en el sector de la ciencia y de la técnica o en las distintas artes. Pero trabajo siempre transformante e indispensable, de un modo u otro, para la creación de riquezas, pues no existe otra forma de aumentar los bienes materiales, sino por medio del trabajo del hombre (ver Encíclica sobre el hombre trabajador del Papa Juan Pablo II). También las posibilidades de crecimiento espiritual del ser humano dependen en gran medida de su propio trabajo.

---

* *Boletín Diocesano,* enero 1988.

Por estas razones, la actitud del cristiano ante el trabajo y la integración de la actividad laboral en su vida de discípulo de Jesucristo son partes fundamentales de su espiritualidad.

La Biblia, en sus primeros capítulos, nos presenta la creación del mundo como un «trabajo creador» ejecutado por Dios mismo. Al comienzo del libro del Génesis, el autor sagrado, que recoge antiquísimas tradiciones orales de su pueblo, describe a Dios que llama de la nada a las estrellas, que hace florecer la tierra y la puebla de animales, que sitúa por último al hombre y la mujer en medio de todo lo creado y ve que todo lo que ha hecho «es bueno». Concluido el quehacer inicial que da origen a cuanto existe, nos dice la Biblia, en su profundo e ingenuo lenguaje, que «descansó Dios de todo el trabajo que había hecho».

El Creador es un Dios actuante, que realiza preciosamente su obra creadora, que goza con el fruto de su trabajo cuando ve que todo le ha quedado bien, que puede descansar tranquilo después de la labor realizada.

Pero ese Dios ha creado al hombre a su imagen y semejanza. ¿Qué quiere decir esto? Que el ser humano tiene un parecido con Dios, que, como Él, debe trabajar creativamente, gozar con los bienes producidos y descansar de su trabajo, lo cual no es solo cesar de obrar, sino sentirse feliz con la obra realizada.

Dios ha dado al hombre, y a la mujer, una especial participación en su poder creador colocándolos por encima de las cosas, de los animales y de la naturaleza toda para que «domine sobre los peces del mar, sobre las aves del cielo, sobre los ganados y sobre todas las bestias de la tierra» (*Gn* 1, 2-6).

Esto es capaz de hacerlo el hombre consciente y libremente, en forma ordenada y planificada por su condición de ser no solo material, sino también espiritual. Por esto, además, si es fiel al plan del Creador, encontrará siempre nuevas ocasiones para engrandecer la creación entera, porque desde la siembra manual que se realiza inclinándose sobre el surco, hasta la exploración del espacio extraterrestre, la actividad humana debe ser una respuesta al mandato solemne del Creador: «Llenen la tierra y sométanla».

Es hermoso todo cuanto hasta aquí hemos dicho, citando la Biblia, con respecto a la vocación del hombre al trabajo. Pero hay también un lado penoso en el trabajo humano y la Biblia no lo ignora: «Comerás el pan con el sudor de tu rostro» (*Gn* 3, 19). Es especie de maldición que pesa sobre el trabajo, aparece en la Sagrada Escritura después que el hombre se llenó de soberbia, se rebeló contra Dios y cometió el pecado. El hombre irreconciliado, víctima de sus caprichos, está expuesto siempre a la tentación del menor esfuerzo, del placer, de la comodidad y de la inconstancia. Y así muchos de los sudores y de las penas que acompañan al trabajo provienen de que algunos hombres lo vuelven difícil y penible para otros hombres o porque nosotros mismos trabajamos sin motivaciones válidas, sin gusto, o conscientes de no estar obrando rectamente. En una palabra, si el ser humano deja de presentarse y actuar en medio de la Creación como imagen de un Dios que, por ser bueno, lo hace bien todo, y se constituye él mismo en un pequeño dios que proyecta su propia imagen egoísta y ambiciosa, disponiendo a su antojo y en su provecho de los bienes de la tierra, si busca el propio bienestar desentendiéndose del de los demás, si pretende con el trabajo no solo dominar la naturaleza, sino dominar y explotar también a otras personas, si la obra emprendida no es buena, si destruimos el entorno natural y humano inconsideradamente, falla entonces en nosotros el proyecto creador de Dios en detrimento de la humanidad de hoy y del futuro.

Es necesario resituar en una perspectiva de fe el valor del trabajo para los trabajadores cristianos, especialmente para los más jóvenes.

Para someterse a la ley del trabajo y para dignificarlo aún más, Jesucristo, el Hijo de Dios, trabajó con sus propias manos. Y si algún despistado discípulo de los inicios del cristianismo pretendió que el seguidor de Jesús solo debía dedicarse a esperar la llegada del Reino de Cristo, recibió una concluyente respuesta del Apóstol San Pablo que ha pasado, a modo de refrán, al lenguaje popular: «quien no trabaja que no coma».

Pero no basta la simple presentación de un ideal que, en

su formulación, se descubre de por sí hermoso, para que el hombre ame al trabajo y lo valore rectamente porque, si somos realistas, debemos reconocer los aspectos arduos y aun desagradables del trabajo humano: cuánto tedio lleva consigo la monotonía de muchos trabajos y empleos; ¡cuánta tensión física o emocional producen otros!, ¡qué desgaste de fuerzas se da en trabajos que nos parecen a veces inútiles o mal orientados! Cuánta miseria acompaña en ocasiones la actividad laboral: jefes cómodos o tiránicos, compañeros indolentes o despreocupados, relaciones humanas difíciles por causa de envidias, celos o ambiciones. Y no caigamos en el facilismo de ubicar estos males siempre en los otros. Cualquiera de nosotros y cada uno de nosotros puede durante un tiempo o sostenidamente actuar así en algunos de estos campos. Cualquiera puede hacer más difícil su propio trabajo o el de los demás. No basta, pues, con aclarar las motivaciones de fe, es necesario también interiorizarlas personalmente y mantener un esfuerzo virtuoso, con respecto al trabajo. Esta perseverancia debe nutrirse en la oración y en la vida eucarística y la marcha toda de la vida laboral ha de revisarse en el Sacramento de la Confesión de los pecados para ahondar en las motivaciones cristianas del trabajo y renovar propósitos y actitudes ante él.

En sus reuniones, los laicos trabajadores encuentran un medio muy apropiado para el intercambio y el apoyo común en sus esfuerzos por llenar su vida laboral con un aliento evangélico.

Toda acción humana, y por tanto el trabajo, aun en sus aspectos más difíciles, puede transformarse en acto redentor.

Es verdad que el trabajo redime en cierto grado al hombre. Pero es verdad también que el trabajo humano debe ser continuamente redimido por el mismo hombre. La maldición primitiva que pesaba sobre el quehacer del hombre en la tierra resulta borrada por la entrega de Cristo en su trabajo redentor del huerto y de la Cruz. Unidos a Él también nosotros podemos rescatar el trabajo humano, aun en sus aspectos menos interesantes, y hacer de él una ofrenda agradable a Dios y fructífera para la humanidad.

Un año de verdadera renovación en su vida laboral les desea con todo afecto su Obispo.

LA EUCARISTÍA*

Al inicio del Santo tiempo de Cuaresma quisiera exponerles, queridos católicos habaneros, esta inquietud pastoral. La participación, en la Eucaristía durante los días laborables de la semana se reduce en muchas de nuestras comunidades a un grupo de personas mayores al que se unen algunos cristianos más que van a orar por los familiares o amigos difuntos por quienes se ofrece especialmente la misa. Pero el número de estudiantes, de trabajadores, de amas de casa, en fin, de cristianos jóvenes y de mediana edad que participan en la Eucaristía los días ordinarios de la semana es muy reducido.

El cúmulo de trabajo o de actividades escolares y los horarios no adecuados para la celebración de la misa influyen en la falta de participación eucarística de no pocos cristianos, pero también debe mencionarse un cierto descuido de la vida eucarística por parte de muchos que en otros tiempos participaban en la misa varias veces por semana y aun diariamente. Además, en nuestros adolescentes y jóvenes no se ha favorecido una participación más seria y frecuente en la Eucaristía y, en ocasiones, falta en ellos una justa valoración del sacramento del Cuerpo y la Sangre del Señor. En la homilía dominical, en la catequesis, en las palabras orientadoras que siempre decimos al celebrar el sacramento de la confesión, no queda a veces suficientemente claro el lugar que debe ocupar la Eucaristía en la vida de un cristiano.

La Eucaristía es la oración por excelencia del cristiano, el alimento espiritual indispensable para no desfallecer en el camino del bien, es la presencia de Cristo resucitado que nos llena de fortaleza para resistir a tantas tentaciones que nos asaltan cada día y para hacernos capaces de luchar contra el pecado que pretende anidar en nuestros corazones. Si en el corazón del discípulo de Jesús hay frecuentemente y mejor

---

* *Boletín Diocesano*, febrero 1988.

aún, cada día, un espacio amplio para Cristo Eucaristía, no quedará sitio allí para el desaliento, ni para la mediocridad, ni para el pecado.

Es claro que sacar el tiempo para participar en misa algunos días de la semana, además del domingo, conlleva ciertos sacrificios: perder un rato de sueño en la mañana, llegar más tarde a casa al final de la jornada laboral o terminadas las clases, volver a salir por la noche, después de la comida, cuando desearíamos ponernos cómodos y descansar, etc. Como la Cuaresma es tiempo de sacrificio, de más oración y de serios esfuerzos por vivir santamente, me ha parecido oportuno recomendarles muy encarecidamente, queridos cristianos, que se propongan hacer de estos cuarenta días de preparación para la celebración de la muerte y resurrección de Jesucristo una Cuaresma Eucarística por medio de la participación frecuente y aun diaria en la Santa Misa. Este es un modo excelente de cumplir los propósitos de una Cuaresma donde estén presentes los esfuerzos por la propia santificación, la oración más intensa y el espíritu de sacrificio.

Los invito, pues, con insistencia, queridos hermanos, a hacer de esta Cuaresma un tiempo de renovación en la vida eucarística de todos ustedes, niños, adolescentes, jóvenes y adultos. Con mi bendición.

LOS DERECHOS HUMANOS*

Asistimos a una creciente sensibilización del mundo actual sobre el respeto a los Derechos Humanos, pero, desafortunadamente, este tema se presenta en estos momentos como un tópico mencionado con frecuencia en función de intenciones mayormente políticas. Tal parece que en los foros internacionales se propone todo lo referente a los Derechos Humanos para acusar a algunas naciones más que a otras de incumplir con los acuerdos básicos que garantizan estos derechos y, en ocasiones, esto se hace más bien con el ánimo de atacar o desacreditar a algunos países en razón de estrategias

---

Boletín Diocesano, marzo 1988.

a todas luces políticas. A menudo no resulta claro que el interés primero al tratar este asunto sea el hombre y su dignidad, sino sobre todo el descrédito y la condenación de un país considerado enemigo. El mejor modo de promover los Derechos del Hombre no será nunca el de utilizarlos como arma política, pues este método contiene en sí mismo cierta minusvaloración de los Derechos Humanos, al instrumentalizar para otros fines el tratamiento de una cuestión de tan vital importancia.

De este modo se ha vuelto muy difícil, por no decir imposible, abordar el tema de los Derechos Humanos en forma objetiva y desapasionada. La Iglesia Católica, tanto en el Concilio Vaticano II, como a través de numerosos documentos de la Santa Sede y de muchas intervenciones del Papa, recuerda siempre la necesidad de respetar y promover los Derechos Humanos y esto por razones éticas y radicalmente evangélicas, colocando siempre al hombre en el centro de su preocupación y situándose la misma Iglesia en la defensa de estos derechos, por encima de cualquier política de bloques o de una nación en particular, sin privilegiar ni omitir ninguno de esos derechos y exigiendo su cumplimiento a todos los pueblos de la tierra por igual, no importa los sistemas económicos, políticos y sociales que estén vigentes en cada nación.

Y así, en distintos países, o en reuniones internacionales, ha intervenido la Iglesia de diversas maneras para reclamar la puesta en práctica de todos los Derechos Humanos, desde el derecho a la vida del niño antes de nacer, hasta el derecho a la libertad de expresión y de asociación, pasando por los derechos esenciales a la libertad religiosa, a una vida digna, al trabajo justamente retribuido, a la educación y la cultura, a la asistencia sanitaria, a la participación de todos en la vida pública, sin discriminación por motivos de raza, sexo, cultura o religión, etc.

No quiere, pues, la Iglesia Católica de Cuba, en momentos de tan alta tensión política (y lo digo refiriéndome a algunos modos de plantearse el tema de los Derechos Humanos en la Conferencia de la ONU en Ginebra con respecto a Cuba), emitir juicios de valor sobre la puesta en práctica o no de determinados derechos humanos en nuestro país, pues la Iglesia Católica en Cuba, y en el mundo entero, tiene su modo propio de propugnar esos derechos y este no coincide siempre con las políticas de los distintos estados. Aún menos en esta coyuntura deseamos que pueda interpretarse de otro modo nuestra actuación.

Ahora, cuando la humanidad comienza a dejar atrás la época del terror nuclear, cuando intentamos empezar a construir la paz no a partir de las amenazas de destrucción, sino en forma positiva, es preciso que el estilo agresivo y amenazador que con respecto al tema de la Paz ha existido en nuestro mundo, no se traslade a otros campos, como este de los Derechos Humanos, pues el mejor modo de promover estos derechos y de servir a la causa del hombre no es el de utilizarlos como arma de combate contra un grupo humano considerado como adversario, sino por la búsqueda de un diálogo claro, respetuoso, objetivo y no propagandístico sobre tan importante tema.

VISITA A CUBA
DEL CARDENAL JOHN J. O'CONNOR,
ARZOBISPO DE NUEVA YORK*

Para nuestra Iglesia en Cuba, esta visita reviste gran importancia, ante todo, por su significado. Un Cardenal de la Iglesia viene a visitar la Comunidad Católica de Cuba y esto nos llena de regocijo.

Todos los Obispos, en comunión con el Obispo de Roma, que es el Papa, comparten una responsabilidad solidaria en el cuidado de la Iglesia entera. De modo que al Arzobispo de La Habana no puede resultarle indiferente cómo va la Diócesis de Lima en el Perú o la de Maputo en Mozambique, ni al Arzobispo de Nueva York le da lo mismo que la diócesis de Santiago de Cuba o la de Pinar del Río o La Habana tengan pocos sacerdotes o necesiten reparar sus tempos o imprimir catecismos para sus fieles.

Pero si además el Arzobispo es un Cardenal, su responsa-

---

* *Boletín Diocesano*, abril 1988.

bilidad cobra un matiz particular, por ser un colaborador del Papa que forma parte de esa especie de Senado o Consejo, llamado Colegio Cardenalicio, que es muy cercano al Santo Padre en la atención a la Iglesia Universal.

Esta es la razón por la cual siempre valoramos mucho la visita de Obispos, procedentes de otras naciones, y más aún la visita de un Cardenal, como la del Cardenal John J. O'Connor, Arzobispo de Nueva York.

La nacionalidad del visitante, su carga pastoral al frente de una diócesis, grande o pequeña, es un aspecto secundario, aunque también debe destacarse que resulta muy alentador para la Iglesia de un país la presencia de Obispos de Iglesias hermanas que están histórica y geográficamente cercanas a nosotros.

Hablo con toda propiedad de Iglesias hermanas, porque en nuestra manera de concebir la comunidad de los creyentes en Cristo no caben criterios de «Iglesias influyentes» o «Iglesias poderosas». Esos adjetivos han sido tomados del lenguaje de la política internacional y trasladados inconsideradamente, a veces, a relación entre las Iglesias.

De hecho, los obispos norteamericanos en sus visitas a Cuba y en sus relaciones con los obispos cubanos y con nuestra Iglesia se han comportado siempre como hermanos, y no ciertamente como hermanos mayores. Han acogido nuestras sugerencias, escuchado con atención y comprensión y supeditado su actuar a la iniciativa de los obispos cubanos.

Nada ha hecho la Conferencia de Obispos Católicos de Estados Unidos con respecto a nuestro país que no haya sido solicitado, aprobado y sostenido por la Conferencia Episcopal Cubana. Con nuestro respaldo o patrocinio se han producido las declaraciones de los obispos de Estados Unidos pidiendo el cese de sanciones económicas contra Cuba, la búsqueda de soluciones conciliadoras, de acuerdo al espíritu del Evangelio, para los conflictos históricos existentes entre Cuba y Estados Unidos, a fin de mejorar las relaciones entre los dos pueblos y gobiernos, la puesta en libertad y traslado a Estados Unidos de varios centenares de presos por asuntos relacionados con la política, el progresivo contacto con la realidad de la Iglesia Católica en Cuba, etc. Con respecto a esto último, no podemos pasar por alto la amplia difusión que se ha dado al ENEC y el interés que la Iglesia Católica en EE.UU. ha puesto en el estudio del Documento Final del ENEC, sobre todo por parte de muchos católicos cubanos residentes en ese país.

La visita del Cardenal O'Connor se inscribe dentro de este estilo de relación fraterna que es característico de la Iglesia Católica. Nosotros lo recibimos con gratitud y alegría en esta Arquidiócesis de La Habana, pues sabemos que su presencia en Cuba hará avanzar más las relaciones de afecto y trabajo con la Iglesia hermana de Estados Unidos. Estamos seguros también de que nuevas e interesantes iniciativas han de surgir en el curso de esta visita con respecto a la misión apostólica de la Iglesia y que todas ellas redundarán en un bien mayor para las Comunidades Católicas de Cuba y de Estados Unidos.

Se produce esta visita, y esa es su motivación fundamental, dentro del año de celebraciones por el bicentenario del nacimiento del Padre Félix Varela. Este cubano ilustre desempeñó su ministerio sacerdotal como párroco y como vicario general en la misma diócesis de Nueva York, de la cual el Cardenal O'Connor es actualmente Arzobispo. Él ha tenido sumo interés en visitar la Patria y la Iglesia de origen de aquel insigne sacerdote, pensador, escritor, patriota y santo en este año dedicado a honrar su memoria.

¡Bienvenido, venerado Cardenal O'Connor, nuestra Arquidiócesis lo recibe con gozo y profundo afecto!

LOS JÓVENES DE HOY*

La juventud actual parece caracterizarse por una especie de inseguridad que, si bien es propia del adolescente, se prolonga más de lo debido, sea por falta de raíces sólidas y reconocibles, o por no tender la voluntad hacia ideales sublimes y trascendentes, o por la ausencia de valores estables, universalmente aceptados, que puedan asentarse en lo eterno para darles consistencia y perdurabilidad. La impresión es la

---

* *Boletín Diocesano*, mayo 1988.

desorientación que no se origina solo en la subjetividad todavía indecisa del adolescente, sino que se afianza y se prolonga por la imprecisión, las vacilaciones o abstenciones que el joven percibe en el ambiente familiar y social y aun en la Iglesia.

Sírvanos de ilustración el tema fundamental del amor entre el hombre y la mujer.

Cuando se escuchan al respecto voces que pueden estimarse autorizadas, estas no suelen captarse con toda nitidez, pues los expositores no se lanzan a sacar las últimas conclusiones de sus propias proposiciones, generalmente ambiguas. En otras ocasiones, las mismas son presentadas con descarnada crudeza, derribando valores y tradiciones, proponiendo un naturalismo con visos de postura científica que desconcierta a los mayores y da a los jóvenes una salida aparentemente fácil, aunque provisional y riesgosa, ayudando de este modo a cavar un foso más profundo entre la joven generación y las generaciones precedentes.

Abundemos un poco más en este modo de proceder: Se afirma, por ejemplo, que a la edad de quince o dieciséis años no hay madurez biológica ni psicológica para la maternidad, y esto es absolutamente cierto. Se dice que no hay tampoco madurez espiritual para el matrimonio, pues para el mismo se requiere responsabilidad para aceptar los compromisos personales y sociales inherentes a él y esto también es cierto. Pero se concluye recomendando el «cuidado» con relación a los embarazos; se ataca veladamente o con sorna desenfadada la virginidad y queda flotando en el ambiente una especie de sugerencia para hacer uso del sexo como una buena diversión pues esto es «natural».

Curioso concepto de lo natural este que brota como un hongo venenoso de una argumentación tan torcida.

Porque si la maternidad no está de acuerdo con la naturaleza humana a edades muy tempranas por razones biológicas, si los sentimientos paternales y maternales aparecen más tardíamente en la vida del hombre y de la mujer; si a la edad de dieciséis o diecisiete años no hay aún capacidad para establecer relaciones amorosas estables porque no ha madurado aún psicológicamente la persona para aceptar un compromiso de fidelidad y entrega y, además, los jóvenes están aún en la etapa de su preparación profesional y de su ubicación social; en suma, si el ser humano no está dispuesto para asumir en edades tempanas, con todas sus consecuencias y compromisos, una vida sexual plena, es erróneo concluir que, dada la presencia del instinto, debe hallársele al mismo un modo de desahogo sin riesgos biológicos ni sociales y sin compromiso alguno, solo por no privarse del placer.

No es bueno argumentar torcidamente aunque la conclusión parezca agradar a la juventud. Si, según la naturaleza humana, el hombre y la mujer no están preparados para relaciones sexuales plenas durante el tiempo de la adolescencia y primera juventud, lo recto es que los jóvenes aprendan primero a integrar en sus vidas todo ese conjunto de factores biológicos, psicológicos, sociales y espirituales que se asocian para constituir una persona madura y feliz. Esto es lo realmente *natural*.

El mejor modo de integrar estos factores no es dando rienda suelta al más indomable de ellos, el instinto sexual, con una «carta de libertad» otorgada por un «natural» deseo de placer que debe satisfacerse a toda costa.

Hay muchos placeres, y aun gustos, que el humano debe aprender a limitar e incluso algunos de ellos a los que debe renunciar completamente: es necesario moderarse en el consumo de alimentos que son dañinos, es bueno renunciar al tabaco, se debe evitar el uso excesivo de alcohol y hay que decir no a la droga.

No se preparan mejor el joven y la joven para una vida familiar estable y plenificante por medio del juego sexual indiscriminado. Así no se hace el aprendizaje del amor. Donde no hay lucha, esfuerzo, sacrificios y búsqueda ennoblecedora, falta lo cualitativamente humano y se degradan tanto el hombre como la mujer, pero aún más la mujer, porque su fibra es más sensible y tierna. En eso ella es superior al hombre. Que no se busque nunca la igualdad rebajando lo bueno para encontrar la paridad en lo mediocre.

Pero el mal que se sigue de este procedimiento desborda el ámbito de la sexualidad y disminuye la capacidad del joven o de la joven para encontrar la VERDAD y vivir sólidamente establecidos en ella. Me refiero a verdades vitales, es decir, a las que son decisivas en la existencia de hombres y mujeres:

— qué es lo malo y qué es lo bueno,

— lo natural no siempre es fácil y agradable,

— la mentira, la falsedad, el placer o el simple deseo no pueden fundamentar ningún comportamiento válido,

— la satisfacción de los instintos primarios no es suprema ley de la existencia humana.

En ningún campo de la vida humana pueden darse arreglos «satisfactorios» que comprometan la vocación del hombre y la verdad y a la superación de sí mismo por el esfuerzo y la virtud.

Sobre todos estos temas y otros más se pronunció nuestro último Consejo Diocesano de Pastoral y yo les propongo brevemente algunos de ellos para su reflexión. Con mi bendición.

UNA VISITA AL PAPA JUAN PABLO II*

Los Obispos cubanos vamos a Roma el próximo mes de agosto. Cada uno de nosotros hará oración junto al sepulcro del príncipe de los Apóstoles, celebraremos la Santa Eucaristía en la Basílica de San Pedro y visitaremos también las Basílicas de Santa María la Mayor y de San Juan de Letrán. Nuestra peregrinación a Roma es volver al origen, es ir a beber en la fuente de la tradición y de la historia que es, para todo católico, la Urbe Romana.

Pero, además de venerar el lugar del martirio del Apóstol Pedro y de orar sobre su sepulcro, nos encontraremos también cada uno de nosotros, personalmente, con el Sucesor de Pedro, el Papa Juan Pablo II. Esta visita a Roma y este encuentro con el Vicario de Cristo se realiza cada cinco años. El Papa recibe a cada Obispo durante quince minutos aproximadamente. ¡Qué poco tiempo!, pensarán algunos. Sin embargo,

---

* *Boletín Diocesano*, junio-julio 1988.

¡cuánto tiempo nos regala el Papa!, que debe recibir de igual modo que a nosotros a los casi 3.000 Obispos del mundo. Y no es recibir a los Obispos el único quehacer del Pastor Universal. Recibe también a jefes de Estado, diplomáticos, grupos de científicos, de artistas, de profesionales y a tanta gente. Todos los miércoles se reúne con el pueblo para la Catequesis, sea en la Plaza de San Pedro, sea en el aula Pablo VI.

Cada domingo visita las parroquias de Roma y sus alrededores. Ustedes conocen sus viajes por el mundo entero y su trabajo incansable por la Iglesia y por la humanidad, sus esfuerzos constantes por la Paz y la justicia en nuestro mundo, su amor a la juventud, su llamada a la *nueva evangelización* al encaminarnos hacia el año 2.000 de la era Cristiana y todo esto lo proclama el Papa en discursos, cartas y documentos de innegable valor.

Cumple así el Santo Padre el mandato que Jesús dio a Pedro cuando le confió la Iglesia y que vale para todos sus sucesores hasta Juan Pablo II y siempre: «apacienta mis corderos, apacienta mis ovejas».

Para nosotros, Pastores del pueblo de Dios en Cuba, esta visita al Papa se inscribe como un momento excepcional y fundamental en nuestras vidas. Y esto no porque tengamos la oportunidad de estar cerca de un hombre extraordinario durante algunos minutos, sino porque nos sabemos acogidos, escuchados y sostenidos por quien hace presente a Jesucristo en medio del grupo apostólico y porque sabemos también que no estamos ante el Papa a título personal, sino como pastores de una porción del único Pueblo de Dios, la Iglesia, que conducimos en íntima y efectiva comunión con él. De veras, el encuentro con el Papa es un tiempo de gracia.

¿Pero qué le diremos los Obispos cubanos al Santo Padre? ¿Qué le diré yo, Arzobispo de La Habana, a Juan Pablo II?

Los Obispos abriremos nuestro corazón al Papa y estaremos más ansiosos de escuchar que de hablar. El Papa tendrá delante de sí el resumen del informe que ya le hemos enviado y que lo familiariza con la vida de cada Iglesia local. Además, el Santo Padre sigue muy atentamente las incidencias de la vida de la Iglesia en Cuba. Está al tanto de la llegada de nuevos sacerdotes y nuevas religiosas para el servicio de nuestro pueblo, sabe que en estos últimos años hemos recibido la visita fraternal de Obispos de Francia, de Estados Unidos, de España y de América Latina. Dos Cardenales nos han visitado en este período: el Cardenal Pironio, a quien el Papa pidió que presidiera nuestro Encuentro Nacional Eclesial, y el Cardenal O'Connor, de Nueva York. Madre Teresa ha estado más de una vez entre nosotros y nos ha dejado a sus hermanas en Cuba. Todos le han dicho al Papa y al mundo que la Iglesia en Cuba, fiel a su Señor, está viva y entregada a su misión.

Nosotros diremos también al Santo Padre que la Iglesia sigue creciendo en el brío evangelizador que nos dejó el ENEC y que, aunque todo no es perfecto, vivimos nuestra fe en un clima de esperanza.

Yo le diré que en la Arquidiócesis de La Habana los católicos quieren al Papa, que lo conocen y lo saben cercano y que, como en toda nuestra Iglesia, en Cuba, el ENEC se va haciendo realidad paso a paso en la organización y en el trabajo pastoral de nuestra Arquidiócesis, que los habaneros y todos los cubanos esperamos saludarlo un día aquí en nuestra Patria.

Quizás haya algo no tan bueno que deba decirle al Santo Padre y que preocupará su semblante. Son algunas de esas cosas que entristecen el corazón del Obispo y que él, el Padre común, las siente como propias, pero haremos de todo oración, tanto de las penas como de las alegrías, y escucharemos absortos las palabras profundas del Pastor.

¿Qué nos dirá el Papa? De esto les hablaré a mi regreso de Roma. Ahora les pido que recen por esta visita de los Obispos cubanos.

Los bendice de corazón, antes de partir su Obispo.

A LOS JÓVENES DE LA ARQUIDIÓCESIS*

Queridos jóvenes católicos de La Habana:

El AÑO PASTORAL, que comienza en septiembre con la Novena y Fiesta de la Virgen de la Caridad y se extiende hasta agosto del año próximo, los ha colocado a ustedes en el cen-

---

* *Boletín Diocesano*, agosto 1988.

tro de la atención de la Iglesia diocesana. Cuando se reunió el Consejo Diocesano de Pastoral el pasado mes de mayo, tratamos de la juventud, es decir, de ustedes, de sus preocupaciones y alegrías, de lo que ustedes pueden aportar a la Iglesia en vitalidad, creatividad y trabajo apostólico. También consideramos la disponibilidad, capacidad organizativa y poder inspirador que toda la comunidad eclesial debe desplegar para acoger a los jóvenes, especialmente a los recién llegados, a fin de transmitirles el gozo y la esperanza que brotan del Evangelio de Jesús.

Acaban de celebrarse las Convivencias de los jóvenes de nuestra Arquidiócesis en los meses de julio y agosto.

En ellas, ustedes mismos han reflexionado sobre los reclamos de la juventud y el modo de responder a ellos. Se han planteado seriamente también la necesidad de organizarse adecuadamente para cumplir su misión de cristianos. Nuestros grupos parroquiales deben pasar de ser simples grupos de amigos para convertirse en verdaderos grupos apostólicos.

A ustedes no los une solamente el hecho de tener una misma fe y participar en la misma Eucaristía, a ustedes los une también, muy estrechamente, la misión que Jesucristo les ha confiado: «anuncien el Evangelio a toda la creación».

De este modo, el grupo de jóvenes católicos debe identificarse al igual que el grupo de los primeros apóstoles de Jesús, no solo porque están con Jesús, sino porque hacen lo que Jesús les dice: «Ustedes son mis amigos si hacen lo que les digo». Y Jesús, cuando reza por ustedes al Padre, como hizo por los primeros apóstoles, manifiesta su decisión de enviarlos a evangelizar: «Padre, como tú me enviaste al mundo, también yo los he enviado al mundo».

Para reconocer que somos un grupo formado según el dinamismo propio que Jesús imprimió al conjunto de sus seguidores, tenemos que analizar atentamente si lo que Jesús nos dice en la intimidad de la oración nosotros lo proclamamos en las plazas con el testimonio de la vida y el anuncio explícito del mensaje cristiano.

Un grupo apostólico de jóvenes se reúne, comparte el Evangelio, descubre en común la grandeza de su fe y hace revisión de vida, pero no revisa únicamente la vida personal de los miembros del grupo, respondiendo a la pregunta ¿como estoy viviendo lo que Jesús me pide?; sino que revisa además la vida apostólica de cada miembro del grupo y de todo el grupo como tal, respondiéndose a la pregunta ¿qué estoy haciendo, qué estamos haciendo del envío de Jesús a proclamar el Evangelio a todo el mundo? ¿Soy catequista, sea de niños, de adolescentes o de catecúmenos jóvenes o adultos? ¿Tengo alguna actividad concreta con respecto a los pobres, a los enfermos u olvidados? ¿Formo parte de algún equipo misionero que va a otra iglesia para animar la vida de las comunidades más pequeñas y necesitadas?

¿Nuestro grupo se ocupa de los jóvenes que llegan a nuestras comunidades? ¿Sé yo personalmente invitar y apoyar a los jóvenes que están en búsqueda? ¿Nos preparamos en grupo por la oración y el estudio serio para vivir nuestra misión en el mundo actual, de cara a la historia, conscientes del papel que debe desempeñar un cristiano en el campo del trabajo, en la escuela, en el seno de la familia y en la sociedad, en general?

El propósito es que en cada parroquia, en cada comunidad eclesial, exista un grupo de jóvenes que vibren con su compromiso apostólico. Es necesario, queridos jóvenes, que ustedes estudien detalladamente todo lo que el Documento Final del ENEC dice con respecto a la juventud y su relación con la fe católica.

Escucha como dicha para ti, muchacho o muchacha de nuestra Iglesia, aquella palabra de Jesús que es el lema de nuestra diócesis en este AÑO PASTORAL: «JOVEN, A TI TE LO DIGO, LEVÁNTATE».

Su Obispo espera una respuesta viva y rápida a este mandato de Jesús y los bendice con el afecto de siempre.

HOMENAJE AL P. FÉLIX VARELA*

Para honrar al P. Félix Varela no voy a hablar de él en esta hoja diocesana. Hubiera querido, más bien, pedirle prestada

---

* *Boletín Diocesano*, septiembre-octubre 1988.

su pluma y su verbo para que fuera su voz la que resonara de nuevo, como en las lecciones de Filosofía o en las cartas de Elpidio, y tratara hoy como supo hacerlo magistralmente ayer, un tema que le era tan querido, el de la juventud.

Esto tenía en mente, queridos diocesanos, cuando escribía lo que pienso de la crisis actual de la juventud. Y estas palabras quieren ser mi humilde homenaje al santo sacerdote que se empeñó en enseñar a pensar a los jóvenes que él tanto quería.

Hoy nos hallamos en un momento de la historia de la humanidad en que, sin comparación con ninguna época anterior, el tratamiento de la cuestión juvenil se ha vuelto difícil y nos acercamos a ella con escepticismo o perplejidad, porque de hecho existe una crisis en la juventud, tanto de los países desarrollados como de la mayoría de los países en vías de desarrollo. Tampoco nuestro país escapa de esta crisis.

Para explicar esa situación no hay que culpar apresuradamente a los adultos y a las instituciones civiles o religiosas de incomprensión, de intolerancia, de falta de modernidad, etc. Estas inculpaciones se convierten rápidamente en mercancía de venta fácil entre la juventud, pero quienes adulan así los oídos juveniles, hartos de quejas, exigencias, regaños o didácticas alabanzas, no hacen otra cosa que atizar a largo o corto plazo la misma insatisfacción de los jóvenes.

Estamos ante un problema. Lo primero que es necesario para encarar un problema es planteárselo. Desconocer un problema de esta envergadura nos llevaría a modos de proceder inadecuados, que no corresponden a la realidad en que nos hallamos. Tampoco es buen método o, mejor, no es ningún método, seguir el procedimiento ingenuo e ineficaz del avestruz, que se aquieta hundiendo la cabeza en un agujero para no ver a sus perseguidores.

Para un problema de esta índole, nadie tiene soluciones hechas, sobre todo porque es propio de la juventud el querer buscar por sí misma las respuestas a sus inquietudes. La perplejidad, la vacilación, el dejar que busquen solos y que hallen o se pierdan solos, no es tampoco una actitud responsable de parte de padres, educadores, ministros de la Iglesia o guías juveniles. Aún menos efectiva resultaría la imposición automática de normas estrictas para configurar un comportamiento uniforme.

Y no es que el joven de hoy rechace más que el de ayer las leyes o preceptos, es más bien que no acepta pautas o normas que no sea capaz de hacer suyas, interiorizándolas, descubriendo su valor intrínseco para su propio desarrollo humano o el de la colectividad.

He ahí precisamente lo que el joven busca a veces desbocadamente o con actuaciones contrastantes en otras ocasiones, pero siempre con pasión: ejercer la libertad. Esta libertad la considera el joven, y en esto tiene razón, uno de sus mayores bienes.

El poder decidir nos personaliza, es decir, nos hace personas capaces de tomar un camino, de asumir una situación, de proyectarnos hacia el futuro. Educar es eso, ayudar a los jóvenes a hacer buen uso de su libertad. Pero nuestro discurso suena hueco, si desde una alto pedestal aconsejamos sea prudencia, sea rebeldía.

El joven de hoy no nos pide un quehacer aceptable, nos pregunta más bien: ¿qué has hecho tú y por qué lo has hecho así? Ellos no aceptan fachadas y solo comprometen su libertad ante lo que sienten auténtico. Por esto, para la juventud, todo es cuestionable y la credibilidad depende más de las personas mismas que de los argumentos que se les presentan.

Nosotros hemos de tener el coraje de decir a los jóvenes cómo somos y la valentía de invitarlos a ser mejores de lo que somos nosotros. Cuando la Patria, la Fe religiosa, los grandes ideales, tropiezan con la realidad de nuestras personas, debemos tener la humildad de Juan el Bautista, que dijo a sus discípulos, a la vista de Jesucristo: «es necesario que Él crezca y que yo disminuya». Ante Dios, la Patria o los ideales más nobles de la humanidad, todos debemos disminuir. Dios, la Patria, el amor de los hermanos, nos *trascienden*, son más que tú, que yo y que nosotros todos. Por estas realidades sublimes nadie se ha sacrificado bastante, nadie ha hecho lo suficiente, «somos siervos inútiles». El mismo Jesús respondió al joven que se le cruzó en el camino y que lo llamó Maestro bueno: «¿por qué me llamas bueno? Bueno es solo Dios».

Solo desde esta humildad –y «la humildad es la verdad»,

en frase feliz de Santa Teresa de Jesús– podemos entablar el imprescindible diálogo con la juventud. Es esta verdad existencial la que ellos buscan, es esta verdad la que estarían dispuestos a escuchar: no somos buenos, no somos perfectos, hemos hecho las cosas erróneas o falsas que ustedes critican, pero tenemos las misma preocupación de ustedes por salvar al mundo, queremos aportar nuestra experiencia para que ustedes no caigan en esos mismos pecados. Tampoco ustedes son perfectos, pero el mundo moriría de un frío peor que el del invierno nuclear, si ustedes no nos dan su entusiasmo, su vigor, su inconformidad transformada en fuerza constructiva.

Tenemos que bajar al plano de esta verdad todos los que tenemos responsabilidades: los padres de familia, los educadores, los sacerdotes, pero también los obispos, los gobernantes, los responsables de la opinión pública.

Situados en el nivel de la humildad –que es la verdad–, podríamos entonces hablar de escucha, comprensión y aun de exigencia y abnegación, pero repito, ubicados en esa verdad que respeta y promueve la libertad. Si no es así, es fácil deslizarse hacia un trasnochado paternalismo.

Se impone, pues, queridos hermanos, sobre este tema de la juventud, una grande y seria reflexión que tendría que abarcar todos los estratos de la sociedad, pero que al menos nosotros podemos comenzar en nuestra Iglesia. A esto los invito. Con mi bendición.

EL PAPA VIENE A CUBA*

¡Que venga! ¡Que venga!, fue el grito unánime de los casi cinco mil católicos habaneros congregados en nuestra Catedral, cuando el Cardenal Etchegaray, en su reciente visita a Cuba, preguntó a la multitud qué cosa deseaba que, a su retorno a Roma, él dijera al Papa.

Hemos sabido ya que el Cardenal Etchegaray tuvo la oportunidad de sostener un encuentro con el Santo Padre, a

---

* *Boletín Diocesano*, febrero 1989.

quien expresó estos sentimientos no solo de los católicos habaneros, pues en cada Catedral de las siete diócesis de Cuba que visitó el Cardenal se produjo, ante esta pregunta, una respuesta igualmente decidida y entusiasta por parte de los numerosos fieles que colmaron los templos en todas esas celebraciones.

Los católicos cubanos hemos anhelado una visita del Papa a Cuba. También estamos persuadidos de que son muchos los cubanos que respetan y admiran al Papa Juan Pablo II aunque no sean católicos o creyentes y que desearían su presencia entre nosotros.

Cuando el Papa Juan Pablo II visitó México en 1979, fue invitado a hacer en La Habana la escala técnica de rigor en su viaje de regreso a Roma. Pero aquel fue el primer viaje del Papa y sus proyectos eran entonces los de hacer auténticas visitas pastorales a todas las Iglesias en los diferentes países del mundo. En esos planes incluía ciertamente a Cuba, a fin de poderla visitar con detenimiento.

Sabemos bien que esas visitas han llevado ya al Santo Padre a todos los continentes, recorriendo en ocasiones durante varios días países enteros para sostener allí encuentros con los jóvenes, las familias, los enfermos o con hombres del mundo de la ciencia, del arte o de la política. Ha celebrado también el Sumo Pontífice una y otra vez la Eucaristía para el pueblo de Dios que se congrega en gran número en cada uno de sus viajes, ansioso de escuchar la palabra de su Padre y Pastor.

Los católicos cubanos hemos deseado siempre que el Papa venga a Cuba para una visita pastoral de este género y, en repetidas ocasiones, el Papa Juan Pablo II nos ha expresado a los obispos de Cuba sus deseos de hacer una visita pastoral a nuestro país. Esperábamos, pues, que esta invitación pudiera concertarse con el gobierno cubano.

¿Por qué debe el gobierno invitar al Papa si él viene a visitar la Iglesia? Porque la Iglesia es siempre parte del pueblo donde se halla implantada. Esto es lo que hemos repetido con insistencia en el documento final del ENEC al decir que la comunidad católica quiere participar activamente en el quehacer de nuestro pueblo «del cual formamos parte». Esto es también lo que significa una iglesia encarnada, o sea, presente, encajada en la realidad, atenta al mundo donde vive y en diálogo perenne con él. Por otra parte, la figura del Papa desborda los límites de la Iglesia Católica y del cristianismo para convertirse en un hombre universal, reconocido por sus esfuerzos en pro de la humanización de la vida, por la paz y por el desarrollo de todos los pueblos. Es normal que cualquier gobierno del mundo no solo permita que el Papa visite a los católicos que viven en el país, sino que considere un honor recibir esta visita.

No es para mañana la visita del Papa Juan Pablo II. Quizá no sea posible hasta el año 1990 o después, pues el calendario de viajes del Papa está lleno, pero esto nos da más tiempo para preparar espiritualmente su venida. El grito unánime de los fieles: ¡que venga!, se transforma ahora en otra aclamación fuerte y esperanzada: querido Santo Padre, ¡lo esperamos!

RELIGIÓN Y ÉTICA*

Recientemente y motivado, sobre todo, por el diálogo del Presidente Fidel Castro con periodistas y un grupo de religiosos en Venezuela, se ha suscitado de nuevo el interés por el papel que puede desempañar la Iglesia en la forja y mantenimiento de modelos de comportamiento ético, tanto en lo personal como en lo social.

El uso entre nosotros de un vocabulario nuevo, que acompañó desde los inicios los grandes cambios estructurales que se produjeron en nuestro país después de la Revolución, dejó a veces en la sombra, y en otras ocasiones mal parada, la moral cristiana, que por generaciones había sido considerada en Cuba como el marco dentro del cual se producían los comportamientos generalmente aceptados o rechazados por nuestro pueblo.

Una muestra de esta tendencia es el empleo del término «moral burguesa» aplicado a toda la ética existente antes de

---

* *Boletín Diocesano,* marzo 1989.

la Revolución, con una habitual presentación de la misma en los medios de comunicación como un modo falso e hipócrita de concebir las relaciones familiares, la fidelidad conyugal, el amor y la vida misma. Esto se agrava, sobre todo, cuando por palabras o símbolos se identifica moral burguesa con moral cristiana: el malvado del serial lleva al cuello un crucifijo o una medalla, la mujer infiel a su marido y que guarda apariencias de dignidad y recato, aparece en la novela saliendo de una iglesia rosario en mano. Era necesario rechazar la falsa moral y todo parecía indicar que esa era la moral de los cristianos, la que la Iglesia había enseñado.

Por otra parte se comenzó a hablar cada vez más de la moral socialista, la cual, obviamente, pone el acento en los comportamientos sociales del hombre, en su actitud hacia el trabajo, en su disponibilidad para construir, superando el egoísmo, un mundo más humano.

Es comprensible que, urgidos por las nuevas situaciones que exigían también nuevas respuestas morales, se haya pasado por alto lo referente a la moral sexual en la juventud, a la ética matrimonial, a las relaciones en el seno de la familia y a todo lo que pertenece a la esfera personal o privada.

Las generaciones más adultas continuaron refiriéndose en su comportamiento ético al viejo bagaje, bueno o malo, recibido anteriormente, pero se sintieron cada vez más inseguros para transmitir sus valores a las nuevas generaciones.

Estas, que son nuestros jóvenes de hoy, han reclamado a menudo orientaciones precisas, han disfrutado, bajo otros aspectos, de la aparente libertad de una moral permisiva, pero experimentan en general un profundo vacío. Hay ausencia de valores y falta de fundamentación para algunos valores propuestos en la sociedad, pero no suficientemente interiorizados.

La educación sexual, los consejos ofrecidos por psicólogos u otros especialistas, las normas recogidas en instrumentos legales como el Código de la Familia, no bastan por sí solos para crear una ética integral. El comportamiento humano está comandado por valores apreciados vivencialmente como tales, necesita de ideales, de inspiración, de un aliento que le llega de niveles más altos que la realidad inmediata y cotidiana en la que estamos inmersos. La poesía, la buena literatura, el arte en todas sus expresiones, la religión, le brindan ese fuego necesario para que las cosas tengan alma.

Hasta allí, hasta esa profundidad del ser que la Biblia llama el «corazón del hombre», llega con su poder inspirador y transformador el Evangelio de Jesucristo.

Sí, la Iglesia siempre ha levantado ante los hombres la luz de Cristo para que ilumine las tinieblas del error y del pecado y quiere hacerlo también hoy en medio de nuestro pueblo. Esa es primordialmente su misión y de modo preciso expresábamos en el ENEC esa disposición de servir al pueblo cubano exaltando los valores humanos, que son también cristianos y brindando, a todo el que quiera aceptarla, la inspiración y la luz del Evangelio de Jesús.

Ahora bien, ¿cómo desterrar prejuicios acumulados durante tanto tiempo acerca de la moral cristiana?, ¿cómo llegar hasta los jóvenes, los esposos y las familias, en general, sin acceso a la escuela y a los medios de comunicación? Nadie mejor que nosotros sabe que la acción de la Iglesia es, ante todo, directa y personal, pero las condiciones del mundo moderno exigen también el uso de las diversas posibilidades existentes.

Los interrogantes siguen abiertos, pero los católicos en Cuba nos sentimos en la mejor disponibilidad de trabajar con los medios a nuestro alcance para promover los valores humanos que pone en evidencia el Evangelio, a fin de apoyar cuantos esfuerzos se hagan en nuestra sociedad para que una ética sana informe la vida de todos los cubanos.

Con los mejores votos por una feliz Pascua de Resurrección para todos, los bendice su obispo.

LA EDUCACIÓN SEXUAL*

En distintos escritos de periódicos y revistas relacionados con la educación sexual es frecuente encontrar un lenguaje que resulta insultante o ridiculizante, según se le considere, para tratar de un modo genérico a algunos enemigos innomi-

---

* *Boletín Diocesano*, abril 1989.

nados de la mencionada educación. Me explico. Cuando van a publicarse una serie de artículos sobre el sexo, estos llevan habitualmente un preámbulo en el que se anuncia que se hablará de sexo, que se hará con toda claridad y casi siempre se hace notar que todavía quedan mojigatos, cavernícolas, hipócritas, etc., que se ruborizan ante la sola mención de este tema. No falta después un avance de tono audaz, que sirva de aliciente al lector para que regrese a la sección de la próxima semana.

¿Estará la Iglesia entre los enemigos ridiculizados y no nombrados de la educación sexual? La Iglesia Católica no se opone a una sana y oportuna educación sexual, pero juzga necesarias ciertas condiciones para su correcta aplicación, pues la educación sexual tiene algunas características particulares.

1.– LA EDUCACIÓN SEXUAL TIENE SUS LÍMITES. El tratamiento de los problemas sexuales da siempre pie a largas exposiciones orales o escritas. Nunca parece saciarse la gente, especialmente en algunas edades tempranas de la juventud, o curiosamente en la etapa de decadencia, de hablar u oír hablar del sexo. Pero al mismo tiempo, no hay quizá otro tema que produzca más hastío que este y, así, quienes reciben información sobre ese tópico, terminan casi siempre diciendo: ¡eso ya lo sabíamos!, para indicar de ese modo la poca novedad que hallan en el asunto. A menos que se empiece a hacer un elenco de extrañas aberraciones o problemas psiquiátricos relacionados con el sexo, los cuales suscitan una curiosidad más o menos morbosa y producen en los hipocondríacos (personas aprensivas que creen estar enfermas de todo y que hoy abundan tanto) la impresión de creer que sufren de algunas de esas anomalías o dificultades. La vulgarización de la medicina puede ayudar a descubrir muchas enfermedades por sus síntomas y puede crear también un comportamiento neurótico con respecto a la salud, lo cual es una enfermedad. ¡Cuidado con los comportamientos neuróticos con relación al sexo, no por miedo al «tabú», sino por saturación de informaciones de todo tipo!

2.– LA EDUCACIÓN SEXUAL TIENE SU MOMENTO. Esto significa que no debe llegar demasiado tarde, pero tampoco demasiado pronto y que debe impartirse de modo apropiado a cada edad.

Cuando los artículos que tratan sobre estos temas son publicados en periódicos o revistas de gran circulación que son, por lo tanto, leídos por toda la familia, es seguro que también los niños leerán con cierta avidez esos escritos no adaptados a su edad, donde a veces parecen dar la razón al hermano o hermana mayor en comportamientos que los pequeños saben incluso reprobados por sus padres. A menudo se ponen en evidencia problemas sexuales del adolescente o el joven de más edad que despiertan curiosidad del niño y lo sitúan en guardia hacia su propia sexualidad en cuestiones que él o ella no pueden aún comprender.

En ocasiones, los padres resultan descalificados en estas materias o son tildados de incomprensivos y los niños y adolescentes pueden sentirse entonces como pequeños monarcas que merecen un trato especial y permisivo en lo referente al sexo.

Así no se presta ningún servicio a la educación general de los más jóvenes y por esta vía se obtienen a menudo en niños y adolescentes efectos contradictorios a los deseados en una educación sexual sana, como son: el surgimiento de inquietudes innecesarias, aprendizaje precoz, molestia y por lo mismo rechazo, al verse los adolescentes retratados en sus intimidades y debilidades, aparición de cierto cinismo en la conducta sexual y, como consecuencia de todo esto, un acrecentamiento de la dificultad para entablar el diálogo necesario con los padres y educadores en relación con estos temas.

3.– LA EDUCACIÓN SEXUAL TIENE UN ESTILO PROPIO DE IMPARTIRSE. No parece conveniente difundir en un periódico que es leído por toda la familia una información sexual multipropósito, que pretende a un tiempo instruir a los adolescentes y enseñar a los padres de estos cómo hablar del sexo a sus hijos y cómo comprenderlos en sus problemas sexuales, pero que intenta además «derribar prejuicios» de adultos, sean padres, abuelos o tíos «desfasados» a quienes, ora con ironía, ora con palabras duras, se les increpa por su incapacidad para acepta lo que los autores proponen como el modo nuevo de concebir la sexualidad.

En cualquier orden de cosas, cuando pretendemos llegar a un fin determinado, lo primero que hay que hacer es fijarse claramente un objetivo y escoger después los medios idóneos para alcanzarlo. Si se quiere instruir a los padres acerca de la educación sexual de sus hijos, debe buscarse el foro apropiado o la publicación adecuada para llegar hasta ellos; de modo que sientan que se les habla con privacidad y respeto sobre un asunto de tanta seriedad e importancia. Si se habla a los jóvenes, ellos también deben sentir que sus dudas, inquietudes o dificultades no son ventiladas sin respeto a su intimidad y esto incluso con relación a sus propios padres y familiares. Hay que cuidar de que los miembros de la familia no se encuentren al descubierto los unos frente a los otros en este delicado aspecto de la vida.

4.– El mejor medio para la educación sexual es LA FAMILIA Y EL DIÁLOGO PERSONAL O EN PEQUEÑOS GRUPOS CON ADOLESCENTES Y JÓVENES DEL MISMO SEXO. La literatura sobre este tema debe ser dirigida a diferentes grupos: a muchachos, a muchachas, a padres de familia, a educadores, etc. Toda lectura, clase, conversatorio o simple conversación sobre el tema de la sexualidad debe respetar la dignidad de la persona humana, sus convicciones morales, que están en conexión con las tradiciones recibidas y, lo que es aún más importante, que dependen de la conciencia libre y personal de cada ser humano, que es inviolable.

Cuando se trata de los católicos, su fe en Dios, explicitada en las enseñanzas de la Iglesia, esclarece sus conciencias en la toma de decisiones de cualquier clase, también evidentemente en lo que atañe a la vida sexual. Nadie puede, pues, imponer una «doctrina sexual» uniforme, considerándola como si fuera la única válida y universalmente aceptada y rechazando con desdén, sorna o agresividad los que son considerados por algunos, con justo derecho, como valores humanos fundamentales, tales como la virginidad, la castidad, la protección y defensa de la vida en el seno materno, el papel irreemplazable del matrimonio y del núcleo familiar para la felicidad de la persona y para el bien total de la sociedad, etc.

No nos oponemos a la educación sexual, pero la consideramos con toda la seriedad y responsabilidad que requiere el tratamiento de cualquier tema que tenga que ver con la intimidad y la sacralidad de la persona humana. Los jóvenes, adolescentes, padres y madres cristianos deben estar muy al tanto de esto, tener convicciones muy firmes y darlas a conocer y defenderlas siempre que sea necesario.

EL VALOR SAGRADO DE LA VIDA*

En el diario Granma, en su edición del día 18 de mayo, en primera plana se podía leer. «Posible prevenir la hemofilia con diagnóstico prenatal». Con avidez, pero en vano, busqué en la información algunos datos sobre la posibilidad de influir en el embrión humano afectado por la hemofilia para curar esta enfermedad. Solo hallé, con dolor, que se daba a conocer cómo la hemofilia puede inscribirse ya también en la larga lista de enfermedades detectables en el embrión o en el feto humano para que los padres «puedan decidir...».

¡Cómo se ha avanzado por este camino! Primero se detectó en el seno materno al enfermo cerebral profundo, al idiota, cuya presencia nos va resultando cada vez más inaceptable en un mundo bien organizado como el que soñamos, ya vamos por la hemofilia.

Inevitablemente vino a mi memoria el rostro de un joven poeta, escritor de brillante inteligencia y fina sensibilidad, graduado universitario, trabajador incansable, a quien tuve la dicha de conocer y tratar. Era hemofílico. ¿Nos hubiéramos privado de su trato, de su amistad, de los aportes que él hizo a la vida, solo porque sus padres hubieran decidido «sabiamente y a tiempo» que ese niño no debía nacer? Hablo en pasado porque este joven murió en plenitud de vida y de facultades creativas y no de hemofilia, sino de un terrible accidente automovilístico.

¿Hasta dónde se puede llegar por este camino? Mi pregunta no es hasta dónde podrá llegar la investigación científica, porque es previsible que llegue lejos y, de hecho, ya sabemos cuánto se ha alcanzado en el campo de la genética.

Mi pregunta es otra: ¿hasta dónde llegará el ser humano en sus decisiones sobre la vida, en la manipulación de los ele-

---

* *Boletín Diocesano*, mayo-junio 1989.

mentos que transmiten la vida y en sus atentados a la vida misma. ¿Cuál es el derecho del hombre a decidir sin freno alguno sobre la vida humana? En una palabra, ¿es aceptable desde el punto de vista ético todo lo que es científicamente posible?, ¿cuál es el límite que la ética pone a la ciencia?

De cara a estas preguntas no se puede proponer simplemente como solución la conocida respuesta que ofrece la más rancia filosofía liberal, la cual consiste en dejar que cada uno decida libremente lo que desea según su conciencia, y que aquel que tiene «principios religiosos» sea respetado en su decisión.

La ética social no puede abandonarse a decisiones de orden subjetivo. Tiene que haber un conjunto de normas claras, basadas en realidades objetivas, que preserven al hombre de un subjetivismo que se hace más riesgoso a medida que aumentan las posibilidades científicas.

Lo primero a tener en cuenta es la naturaleza misma del ser humano y su intrínseca dignidad.

Ante el desarrollo de las investigaciones genéticas y sus implicaciones en el desenvolvimiento de la vida humana es necesario que se adopten en la sociedad posturas éticas, que se originen en el conocimiento y respeto de la persona humana. Para eso debe formarse una conciencia social con respecto a determinados procedimientos científicos. Ni cada individuo dejado a su subjetividad ni un grupo reducido de científicos y técnicos pueden tomar decisiones trascendentales sobre la vida humana. Esto vale para múltiples actos de la medicina moderna: ¿quién decide que la muerte se ha producido y que puede tomarse un órgano para ser trasplantado?, ¿puede tomarse tejido nervioso para un trasplante a partir de un feto abortado intencionalmente con ese fin?, ¿puede prestarse un útero para la implantación de óvulos fecundados «in vitro»?

A la par de los descubrimientos científicos debe producirse en el ser humano un afirmamiento de la conciencia moral que impida que la ciencia deshumanice al hombre. Cuando se soslayan los requerimientos de la ética, la ciencia tiende a estancarse, no se sobrepasa en sus búsquedas y empieza a contentarse con soluciones fáciles y a corto plazo. No se trata de una crítica a la ciencia, sino todo lo contrario, de una invitación a ir siempre más lejos. Hoy se hace cada vez más necesario un diálogo serio y profundo entre ciencia y ética.

En el centro de estas preocupaciones está el hombre mismo y su destino. Nuestra fe cristiana nos hace descubrir en cada ser humano la imagen de Dios, cualquiera que sea su condición física o mental o su abyección moral, lo cual es mucho peor.

El humanismo cristiano sitúa al hombre en el mismo sitial elevado en que Dios lo ha colocado, sobre todo al hacerse hombre en Jesucristo. Él quiso identificarse para siempre con cada ser humano, especialmente con aquel que sufre. Y así leemos en el Santo Evangelio: «Señor, ¿cuándo te vimos enfermo o en la cárcel y te visitamos?, ¿cuándo te vimos desnudo, con hambre o con sed y te asistimos?... Cada vez que lo hicieron a uno de esos pequeños, a mí me lo hicieron».

Cada hombre o mujer lleva en sí la imagen de Dios, cada ser humano que encontramos en nuestro camino es Jesucristo que pasa a nuestro lado, todos nosotros somos templos vivos de Dios. No profanemos la más perfecta obra de Dios: la criatura humana. El mundo hermoso y perfecto que soñamos no será aquel en que no haya anormales ni enfermos, ni feos, ni torpes, sino el mundo donde el amor ponga remedio u olvido a muchos males y donde todos seamos capaces de sacrificarnos con alegría por los demás.

Los bendice su Obispo.

LA PENA DE MUERTE*

Los acontecimientos dolorosos de los pasados días, que culminaron con la sentencia de muerte y ejecución de cuatro altos oficiales del ejército cubano, han actualizado dramáticamente en nuestro país el tema de la pena de muerte.

Para nosotros, católicos, ha habido en esta ocasión especiales motivos de reflexión, pues la oficina de prensa de la

---

* *Boletín Diocesano*, julio-agosto 1989.

Santa Sede informó que el Papa Juan Pablo II había pedido a las autoridades cubanas, por razones humanitarias, clemencia para los sentenciados.

Por otra parte, en la transmisión televisada de la sesión del Consejo de Estado que consideraba la ratificación o no de la sentencia capital impuesta por el tribunal, el Vicepresidente Carlos Rafael Rodríguez, al explicar su voto a favor del mantenimiento de la pena máxima, hizo referencia a un católico practicante que aprobaba en este caso, como algo inevitable, ese proceder.

También en un reportaje televisivo en el que se abordaba en la calle a distintas personas para pedir su opinión sobre la sentencia, una señora que se proclamó católica dijo ser partidaria de la ejecución.

Creo, pues, pertinente y aun necesario exponer a ustedes, queridos hermanos, no solo la escueta doctrina católica sobre la pena de muerte, sino las corrientes actuales sobre este tema dentro del pensamiento católico, acorde con la sensibilidad creciente en el mundo contemporáneo con respecto a la protección y defensa de la vida humana.

Cualquier pena judicial debe tener para nosotros cristianos, como significado principal, el de ser una pena medicinal o de enmienda, es decir, que ayude al sentenciado a transformar su vida.

Algunos moralistas católicos han argumentado que la pena sirve, además, como retribución por el delito cometido. Sería la puesta en práctica del viejo refrán de la lengua castellana: «el que la hace la paga». De hecho, en países de larga tradición cristiana se ha mantenido durante siglos la existencia y el uso de la pena capital apoyándose en concepciones de ese género, como también en el valor ejemplificador de la pena, o sea, en su capacidad de intimidación para prevenir que se produzcan delitos similares, dado el temor provocado por el castigo. Este se convierte así en un castigo ejemplar.

La mentalidad moderna rechaza cada vez más estos dos últimos argumentos. El primero de ellos: «tal delito merece tal castigo» no puede nunca cumplirse en la práctica con relación a la pena capital. Si se condena a muerte a un hombre por haber matado a otro hombre, ¿qué se hará entonces con quien cometió una masacre?, porque todo ser humano tiene una sola vida para «pagar».

Para el sentir cristiano hay implícito un sentimiento de venganza en ese modo de pensar que no se aviene al perdón y la misericordia que aparecen en cada página del Evangelio. En cuanto al valor ejemplar de la pena, también la práctica nos demuestra, y las estadísticas lo comprueban, que la lucha contra la delincuencia no tiene un aliado tan eficaz en la pena de muerte. Países que no la aplican desde hace decenios tienen más bajos índices de criminalidad que otros que la mantienen vigente. Además, queda la interrogante que la sensibilidad creciente sobre los derechos del hombre no cesa de proponer: ¿puede privarse de la vida a una persona para que esto sirva de ejemplo a otras?

Solo nos quedaría analizar el efecto medicinal de la pena, que en caso de ser de muerte se descarta, pues no existe posibilidad de enmienda en una persona a quien la misma muerte la priva del tiempo necesario para cambiar de vida. A este respecto, los argumentos inspirados en la fe religiosa no tienen validez, por ejemplo, si el reo se arrepiente de sus pecados, Dios lo perdona y comienza en la eternidad una nueva vida para él. Los jueces de un tribunal no pueden tomar decisiones sobre la eternidad y la vida futura, esto le corresponde solo a Dios. Además, el condenado a muerte puede no tener ninguna fe religiosa y, en consecuencia, no aceptar una eventual enmienda de este orden.

Subyace en toda esta reflexión una pregunta clave: ¿tiene el Estado derecho a privar de la vida a un ciudadano? Los antiguos nunca discutieron este derecho. En épocas pasadas, la teología católica lo apoyaba mayoritariamente. Pero los antiguos también concedían al Estado el Derecho a amputar miembros del cuerpo humano. Recordemos la vieja ley del talión: «ojo por ojo y diente por diente». También aceptaron como un derecho del Estado aplicar la tortura con fines ejemplificadores o para obtener la confesión de un prisionero. Hoy todo esto nos parece monstruoso.

Esta sensibilidad moderna para la protección de la vida humana no se da únicamente entre los católicos, pero tiene en el pensamiento cristiano actual una profunda simpatía. Puede un católico atenerse a la vieja concepción teológica sobre la pena capital, pero si escruta el Evangelio y atiende a la sensibilidad actual de la humanidad se inclinará, naturalmente, por la no aceptación de esta pena, aun en casos muy graves.

Esto cuadra mejor a la misericordia y al amor cristiano. Guiado por esos nobles sentimientos, el Papa Juan Pablo II pidió, en el caso que nos ocupa, clemencia para los acusados. Estos son también mis sentimientos personales, entre otras cosas porque no puedo olvidar, como cristiano, que soy el seguidor de un condenado a muerte clavado en una cruz entre dos malhechores, el cual dejó como legado inolvidable a sus jueces y ejecutores un sublime reclamo de misericordia: «Perdónalos, Padre, porque no saben lo que hacen». Con mi bendición.

NOS PREPARAMOS PARA RECIBIR
AL PAPA JUAN PABLO II*

Queridos habaneros:

Nuestra Arquidiócesis comienza su preparación para acoger con todo el corazón al Papa. Su visita no es para mañana, pero el tiempo es breve y queremos que la presencia del Santo Padre entre nosotros sea en verdad una celebración de nuestra fe. Porque para aquellos que profesamos la fe católica, la venida del Papa es realmente una venida del Señor, es decir, un acontecimiento espiritual que debe tener en la vida de todo católico hondas repercusiones personales.

Desde ahora conviene preguntarnos quiénes y cuántos serán los católicos visitados por el Papa.

El catolicismo cubano tiene sus propias características. Activamente presente en el tejido social desde antes de formarse en nuestra isla una conciencia nacional y fuerte, cohesionador de esa misma nacionalidad y de nuestra cultura, ha dejado entre nosotros fechas, nombres, obras de arte, monu-

---

* *Boletín Diocesano*, septiembre 1989.

mentos y también hombres y mujeres ilustres, escritores, pensadores, santos popularmente recordados. Pero el catolicismo en Cuba no es únicamente objeto de atención histórica ni mucho menos arqueológica. Porque más que fiestas, edificios o nombres de calles, la fe cristiana ha establecido en Cuba formas de comportamiento y ha marcado un estilo en las relaciones entre los hombres para configurar un modo de concebir la vida toda. La fe católica ha contribuido a modelar los sentimientos y hasta muchos gustos y preferencias de nuestro pueblo; la unidad de la familia, la compasión por el que sufre, el sentido de solidaridad en el dolor y tantas cosas más que son auténticos valores humanos, encontraron en la fe cristiana promoción y apoyo.

La religión, o si se quiere aún, la religiosidad, no es solo ceremonia o rito cuando del cristianismo se trata y es frecuente, lo sabemos muy bien los sacerdotes, que encontremos hombres y mujeres de cualquier edad que se definen ante nosotros como católicos, o como creyentes, a partir de actitudes personales y modos concretos de obrar:
— yo no me quejo nada,
— yo no le guardo rencor a nadie,
— yo siempre trato de hacer el bien,
— yo nunca le hago mal a nadie,
— si alguien me hace daño le dejo eso a Dios.
Padre –nos dicen–, yo creo que así cumplo con Dios. ¡Y tal vez no sospechan qué cerca están del Reino de Dios!

Más que simples costumbres rituales, la religión católica ha sabido sustentar entre nosotros un conjunto de valores que, por ser auténticamente cristianos, son también muy humanos y altamente necesarios para la convivencia social. En Cuba, como en vastas regiones de América Latina, católico es tanto el que va a la Misa varias veces por semana como el que va todos los domingos o el que contribuye a colmar los templos solo en Navidad, en Semana Santa o en las Fiestas Patronales. Específicamente en nuestro medio existe el católico oculto, que se ha limitado en sus manifestaciones públicas, pero que no deja de rezar cada día o de llevar, quizás no al cuello, pero sí en su billetera, una medalla de La Caridad, un crucifijo o una oración escrita. E insisto, no podemos olvidar a esos hombres y mujeres que por miles y miles nos dicen que «respetan a Dios y procuran hacer el bien aunque no vayan mucho a la Iglesia» y lo enseñan así a sus hijos y nietos.

Para todos ellos, y en primer término para aquellos que parecen más alejados, viene el Papa. A todos esos católicos de estilos diversos debe llegar la noticia de la visita de Su Pastor. Todos los católicos debemos prepararnos para la venida del Santo Padre. Por esto, a partir del 1 de octubre se inicia en esta Arquidiócesis de La Habana una etapa preparatoria a la visita del Papa Juan Pablo II. Queremos dar a conocer a nuestros hermanos la Misión del Pastor Supremo de la Iglesia, de modo que se dispongan a recibirlo como al Vicario de Cristo, es decir, como a aquel que hace presente a Jesucristo, que habla en su nombre, que viene «en nombre del Señor».

En esta Misión, que abarcará todas las iglesias de nuestra diócesis, estaremos acompañados por la imagen Peregrina de la Virgen de la Caridad. Todos conocemos el amor y la devoción del Papa Juan Pablo II por la Virgen María, Madre de la Iglesia. El lema de su escudo Pontificial es «TOTUS TUUS», o sea, todo tuyo, todo de María para ser solo de Cristo. Todos los cubanos católicos tenemos una especial devoción a la Virgen María de la Caridad. Ella ha precedido y presidido todos los grandes acontecimientos de nuestra historia. Con ella queremos disponernos a recibir, llenos de amor, al Papa Juan Pablo II. Como en las bodas de Caná, María nos repite hoy: «HAGAN LO QUE ÉL LES DIGA», o sea, «hagan lo que les diga Jesús, lo que les diga el Papa en nombre de Jesús».

Si obedecemos el mandato de la Virgen y hacemos lo que Jesús nos dice en su Evangelio, el amor, la paz, la esperanza entrarán en nuestras vidas. Este es el mensaje que nos trae el Papa Juan Pablo II, que viene en nombre del Señor. Preparemos sus caminos participando activamente en esta gran Misión.

Los bendice su Obispo.

LA VIRGEN DE LA CARIDAD
RECORRE NUESTRAS IGLESIAS*

¡Viva la Virgen de la Caridad! ¡Viva el Papa! Son aclamaciones familiares para los que hemos asistido durante estos dos últimos meses a las iglesias del Cerro y del Vedado que han acogido, con el entusiasmo de multitudes desbordantes, la imagen peregrina de la Patrona de Cuba.

Este peregrinar de la Virgen está asociado a la venida a Cuba del Papa Juan Pablo II, pues en nuestra Arquidiócesis de La Habana hemos querido preparar la visita del Santo Padre por medio de una misión que se extiende progresivamente a todas las iglesias a medida que pasa por ellas la imagen peregrina de la Virgen de la Caridad.

Un grupo de reporteros de la TV italiana que transitaba frente a alguna de las iglesias de la ciudad, al leer los carteles que anuncian la venida del Papa y ver el flujo incesante de fieles que visitan a la Virgen, tuvieron la impresión de que el viaje del Santo Padre sería en los próximos días. Les respondí que faltaba al menos un año para el mismo y los periodistas me preguntaron entonces por qué tanto tiempo de preparación. Cuando formulaba mi respuesta pensé también escribir algo de ella para ustedes, queridos católicos habaneros.

La visita del Papa tiene un profundo significado espiritual que saben aquilatar sobre cualquier otra motivación los católicos que han recibido una buena formación cristiana. Pero hay en nuestro pueblo muchos cristianos bautizados en la Iglesia Católica y aun muchos creyentes no bautizados, que carecen no ya de formación religiosa, sino de la más elemental información acerca de la fe y de la religión cristiana. Aún más, hay un auténtico desfase cultural con respecto al catolicismo, al cristianismo y a la religión en general en muchos cubanos con menos de cuarenta años. Esto se da incluso, y resulta entonces más llamativo aun en personas con conocimientos especializados, según su profesión o con una aceptable cultura general.

Una serie interminable de anécdotas puede ilustrar lo que

---

* *Boletín Diocesano*, diciembre 1989.

digo. Desde el diálogo entre dos niños, escuchado accidentalmente por el párroco, cuando de pie en la iglesia ante la imagen de Cristo crucificado, trataban de explicarse uno al otro quién habría matado a ese hombre y uno afirmaba que a este lo mataron los «yankis», mientras el otro respondía: no, en esa época no había «yankis», a este lo mataron los «indios». Hasta el joven estudiante universitario que pidió a un compañero católico que lo acompañara a visitar la Virgen de la Caridad y, en el camino, lo asedió a preguntas. Una de las más increíbles fue si a Jesucristo lo había condenado a muerte la Santa Inquisición.

A la primera reacción de sonrisa por la aparente comicidad de estas situaciones, sucede otra preocupación por esas notables ausencias en los patrones culturales de hombres y mujeres que han nacido y vivido en un país occidental de tradición cristiana e ignoran la simbología, el lenguaje y los valores de esa cultura. Pero la situación se vuelve casi dramática cuando nos hallamos, por ejemplo, ante un joven que experimenta un auténtico sentimiento religioso que no logra expresar: si intenta hacer la señal de la cruz, su gesto es un remedo torpe y extraño, si pretende rezar el Padrenuestro tiene que esperar que otro le vaya diciendo en voz alta las palabras para repetir él a cada frase lo escuchado. Estas son escenas cotidianas en nuestras iglesias.

Casi tres décadas sin escuelas católicas, con muy pocos niños y adolescentes en las catequesis parroquiales, con una instrucción escolar basada en la filosofía materialista, sin apenas mención positiva alguna de los grandes temas cristianos en los medios sociales de comunicación, no han logrado borrar los sentimientos religiosos, porque yo me atrevería a decir que el asombro religioso ante el mundo físico en su inmensidad abismal, ante el mundo moral con sus heroísmos y abyecciones y ante uno mismo y su propio misterio existencial, es imborrable del alma humana. Pero sí se ha logrado desvanecer la matriz cultural cristiana de nuestro pueblo dejando en su sitio, para muchos hermanos nuestros, un gran vacío.

El ateísmo llega al hombre con sus argumentos, pero se ve casi siempre forzado a combatir ese asombro inicial y las reflexiones esenciales que él genera. No pocos seres humanos se sienten así en cierto modo como agredidos y, cuando tienen ocasión, vuelven a esa intuición primera, a esos pensamientos básicos de la vida donde la persona humana encuentra sus propias raíces.

Nuestra misión preparatoria a la visita del Papa quiere dar esta oportunidad a aquellos hermanos nuestros que desean expresar su fe y en algún grado reencontrarse a sí mismos. La Virgen de la Caridad: la Madre, la Patria, la Paz, la familia, el papel de la mujer en la vida, la oración, el amor, la confianza, el saber que Dios nos ama, la esperanza... todo se agolpa en el corazón del cubano que ve entrar en la iglesia, mecida por un mar de brazos, la imagen pequeña y familiar que nos dice tantas cosas. Y faltan las palabras y las lágrimas brotan de los ojos. Por eso preparamos con tanto tiempo la visita del Papa, porque hay que dar tiempo al católico sincero y sencillo de nuestro pueblo para que pueda redescubrir su fe, encontrarse consigo mismo y aprender de nuevo a expresar estos sentimientos. A ese cristiano, consciente de la grandeza de su propio ser, debe dirigir su palabra, su mensaje de amor y esperanza, el Papa Juan Pablo II cuando nos visite.

Con mi bendición.

LA ESCUELA CUBANA Y LA FE RELIGIOSA*

Como Pastor de la Arquidiócesis de La Habana es frecuente que escuche de los párrocos de la ciudad o del campo un relato parecido a este: «la Catequesis iba muy bien, el grupo de niños era constante, se habían incorporado nuevos niños enviados por sus padres, pero la maestra habló en la escuela y dijo que los niños no debían ir a la iglesia o simplemente preguntó en clase quiénes iban a la iglesia y algunos levantaron la mano, otros se sintieron atemorizados. Los padres de algunos niños dicen que los seguirán enviando, otros padres sienten temor... Resultado, el domingo pasado faltaron varios niños, incluso de los interesados y entusiastas».

---

* *Boletín Diocesano*, febrero 1990.

78

Bueno, mis oídos ya conocen estas historias hasta la saciedad, pero jamás podré habituarme a ellas.

¿Qué lleva a los maestros a actuar de ese modo? ¿Una pasión antirreligiosa personal? Esto podría darse en algún caso, pero no en tantos casos. ¿Orientaciones precisas recibidas para aplicarlas en cada oportunidad? Estoy casi seguro de que no se dan instrucciones para que el maestro actúe directamente en forma negativa sobre los niños que van a la iglesia. En repetidas ocasiones y en diversos lugares, los maestros y maestras han sido llamados al orden por haber obrado de este modo. Además, las autoridades competentes nos han reafirmado una y otra vez que no se dan orientaciones de este tipo, sino todo lo contrario. ¿Por qué siguen entonces produciéndose con abrumadora frecuencia y monotonía situaciones como las que describí más arriba?

Al analizar en conjunto estos hechos se descubre que no es ni la súbita inspiración, ni una precisa orientación lo que genera esas actuaciones de los maestros, sino una consideración habitual de la fe religiosa que depende de la formación ideológica que ellos han recibido. Si el maestro ha aprendido que, para ser un humano realmente desarrollado, evolucionado, moderno, es necesario tener una visión materialista del mundo, está pensando también que, como educador, entre sus deberes fundamentales está el de formar niños y niñas con una conciencia materialista, «científica», de la realidad. Así me lo expresaba una de las maestras de una escuela cercana a este Arzobispado que fui a visitar personalmente el mes pasado para interesarme sobre lo que había sucedido con algunos niños del catecismo de la Catedral. Al decir a los maestros que me atendían que hogar, iglesia y escuela deben colaborar para que el niño crezca armoniosamente, me respondió una de las maestras en forma categórica: «nosotros no podemos ayudar a la religión porque, al contrario, debemos lograr que los niños tengan una visión materialista del mundo».

Ahí está la clave del problema. El maestro se halla siempre en una situación del doble compromiso. Probablemente ha recibido una orientación para que no haga de la cuestión religiosa un conflicto con los niños que frecuentan la iglesia;

pero, por otra parte, en la formación académica recibida, en círculos de estudios, en cursillos o reuniones se insiste en que el maestro, que es el formador de las nuevas generaciones, debe luchar por que los niños tengan una concepción llamada «científica», materialista del universo. Se comprende entonces cómo los maestros, colocados en un perenne conflicto de intereses, cometen con tanta frecuencia un desliz.

Aun cuando la queja llega a niveles superiores y los educadores implicados son amonestados por sus expresiones o maneras de actuar en el caso determinado de un niño católico, los maestros sienten que la llamada al orden consiste en no utilizar tales o cuales métodos, pero quedará siempre incólume el principio ideológico de que debe seguir luchando contra las «ideas religiosas». Porque hay que remontar más alto, hasta la Plataforma Programática del Partido Comunista de Cuba y la Constitución de la República, documentos en los que se afirma, en el primero, como competencia propia del Partido, la lucha para formar a las nuevas generaciones en las concepciones materialistas, «científicas», acerca del mundo, y en el otro, la aspiración del Estado a que esto llegue a ser realidad para el conjunto de la sociedad.

Es evidente que el maestro experimenta que tiene, como formador, más que un deber, un mandato del Estado y el Partido para educar en esos conceptos ateos-materialistas a la nueva generación y que, dentro de esa lógica, trate de impedir que los niños acudan a otras fuentes en donde puedan recibir otra visión del universo, referido en este caso a la trascendencia, a Dios.

Por eso, las preguntas que tenemos que hacernos no se refieren solamente al ámbito escolar, sino que van más allá: ¿puede el Estado optar oficialmente por una visión determinada del mundo que excluye a Dios y a la religión para formar en ella a todos sus ciudadanos?, ¿puede la escuela llamarse laica, o sea, sin ninguna referencia a lo religioso, si tiene de hecho en su programa de educación que luchar por erradicar las «ideas religiosas» de los niños? Evidentemente, estas preguntas son meramente retóricas, porque la respuesta, tanto ustedes como yo, la sabemos: NO.

Si no llegamos en nuestro análisis hasta aquí, si no se

plantea esta concepción político-filosófica fundamental para cuestionar su validez, no será posible salvaguardar los derechos del niño y de todo ciudadano a vivir según su fe en Dios y su concepción del mundo. Casi injusto me parece apostrofar al maestro que, en un exceso de celo, trata de impedir que los niños «vayan por caminos torcidos». En último término está cumpliendo con lo que él estima su deber.

Las responsabilidades hay que encontrarlas más arriba, en conceptos plasmados en documentos muy serios, pero no imposibles de ser sometidos a revisión. En una palabra, todas mis preguntas pueden resumirse en esta: ¿Tiene una organización socialista del Estado que casarse necesariamente con el ateísmo como parte integrante de su programa oficial? También sé la contestación de esta pregunta, pero la dejo sin respuesta, pues aquella que tendría valor de ley para cambiar las situaciones descritas no depende de mí.

Con mi bendición.

HE VISITADO AL PAPA*

Acabo de regresar de Roma, donde he tenido la alegría de encontrar al Papa Juan Pablo II.

El miércoles 14 de marzo nos recibió el Papa durante más de una hora, al Arzobispo de Santiago de Cuba y a mí. En esta ocasión tuvimos la oportunidad de explicar al Santo Padre cómo se preparan las diócesis de Cuba para su visita pastoral a nuestro país y el cariño y entusiasmo de los católicos cubanos que lo esperan con ansias.

El Santo Padre, con extraordinaria generosidad, se mostró dispuesto a visitar, durante su viaje a nuestra Patria, todas las diócesis de Cuba y anticipó por nuestro medio una bendición a los católicos cubanos.

Yo le hablé especialmente del recorrido misionero de la Virgen de la Caridad por todas las iglesias y parroquias de la Arquidiócesis de La Habana y de la devoción de los católicos habaneros a nuestra Madre y Patrona.

---

* *Boletín Diocesano*, abril 1990.

Nuestra visita a Roma dejó en mí la impresión de que se acerca el tiempo de la visita del Papa. Así lo comentábamos antes de salir de la Ciudad Eterna con el Cardenal Etchegaray, Presidente de la Pontificia Comisión Justicia y Paz. El Cardenal visitó nuestro país y celebró la Jornada de la Paz en la Catedral de La Habana el 1 de enero de 1989. Allí, los católicos habaneros manifestaron con expresiones de júbilo su deseo de que el Papa viniera a visitarnos. En abril de ese año fuimos a Roma y llevamos al Papa la invitación oficial de la Conferencia de Obispos de Cuba para que realizara una visita pastoral a nuestro país. Un mes más tarde, el Gobierno cubano, por medio del Dr. José Felipe Carneado, que dirige la Sección de Asuntos Religiosos del Comité Central del Partido, y que viajó a Roma especialmente para esto, hizo llegar también su invitación oficial al Santo Padre para visitar a Cuba.

En nuestra reciente estancia en Roma se precisaron ya muchos detalles de la venida del Papa. Ahora falta solo fijar la fecha. Esperamos que sea pronto. Así lo pedimos a la Virgen de la Caridad Nuestra Madre. También les pido, queridos diocesanos, que vivan una fervorosa Semana Santa, en verdadero espíritu de oración por nuestra Iglesia en Cuba, por el Papa, para que el Señor lo fortalezca física y espiritualmente en su misión y para que tengamos la dicha de verlo pronto entre nosotros.

Les anticipo mi felicitación por Pascua de Resurrección y los bendigo de corazón.

¿CATÓLICOS EN EL PARTIDO COMUNISTA DE CUBA?*

Los medios de comunicación, prensa, radio y televisión, se han hecho eco en este últimos mes de las deliberaciones que se han producido en diversos plenos del P.C.C. celebrados en distintos lugares del país. En ellos encontramos, casi siempre, entre los asuntos tratados, la eventual aceptación de

---

* *Boletín Diocesano,* julio 1990.

los creyentes como miembros del P.C.C. en el próximo Congreso de esa organización. De ordinario, el resultado del debate parece inclinarse hacia un rechazo de cualquier discriminación por razones religiosas en lo que se refiere a la pertenencia al Partido.

Este tema de la pertenencia de los creyentes, específicamente de los cristianos, al Partido Comunista cubano es una inquietud que se ha presentado con más frecuencia en visitantes u observadores extranjeros, sean clérigos o laicos, venidos tanto de América del Norte como de Latinoamérica o Europa. Su preocupación es justa y su razonamiento, lógico: siendo así que la plena participación política es un derecho del ciudadano y que el Estado cubano está estructurado según un sistema de partido único, la imposibilidad de pertenecer a ese partido por razones de fe religiosa constituye una limitante en el ejercicio de los derechos políticos de quienes, teniendo fe religiosa, quisieran participar en esa organización. Esto se torna así discriminatorio. Más o menos en este sentido van también las discusiones en los distintos plenos.

Sin embargo, la Iglesia Católica en Cuba no ha insistido nunca en la revisión de esa limitación, que, por otra parte, constata y no considera justa. ¿Por qué ha sido esto?

Primeramente, porque la abolición de la discriminación de los creyentes con relación a su pertenencia al Partido nos parece que debe llegar al término de un proceso de normalización de la situación del católico en la sociedad, que tiene más implicaciones numéricas, sociológicas, psicológicas y políticas que la posibilidad de participación, poco significativa por voluntaria y por su carácter selectivo, de algunos católicos en el Partido. En segundo lugar, con respecto a esa pertenencia quedan importantes dudas por aclarar. Se admite a algunos creyentes al Partido, pero ¿se admitiría también que los que ya son miembros del Partido vuelvan a practicar una religión que abandonaron años atrás por cualquier circunstancia, o que otros militantes comiencen a frecuentar una iglesia y deseen, por ejemplo, que sus hijos sean bautizados? En otras palabras, ¿el Partido Comunista de Cuba pasará a ser un partido laico que no tiene en cuenta si el militante es creyente, ateo o agnóstico?

Si la respuesta fuera afirmativa, ese sería el primer paso para evitar los gravísimos problemas de conciencia que enfrentaría un católico que quisiera pertenecer al Partido tal y como hoy lo conocemos, porque un católico que fuese aceptado en esa organización teniendo en cuenta su fe religiosa, pero al mismo tiempo, y aunque no se le exigiese en esos puntos su adhesión personal por respeto a su conciencia, se supiera parte de una entidad política que en su Programa propugna la extensión del ateísmo a partir de una visión del hombre y del mundo sin referencia a Dios, se vería en una imposible encrucijada.

En otras palabras, el creyente sería admitido en un Partido que, en la cuestión religiosa, toma partido por la no creencia como la mejor propuesta para el hombre y para la sociedad. En esta segunda variante, repito, el escollo de conciencia para un católico sería insuperable.

Me pregunto con toda seriedad si habrá la suficiente madurez para responder en breve plazo, con la debida articulación y coherencia, a todos los interrogantes que esta nueva situación puede suscitar.

Más práctico, y más urgente aún, me parece que sería someter a la Asamblea Nacional del Poder Popular un proyecto de ley sobre religión donde se plasmaran los derechos y deberes del creyente y de las instituciones religiosas en nuestra sociedad. Es verdad que nuestra Constitución en su artículo 54 garantiza la libertad de culto, pero las constituciones siempre enuncian genéricamente principios y normas que deben ser explicitados con frecuencia más tarde en leyes complementarias. Dentro del proceso de rectificación y perfeccionamiento del socialismo en que se encuentra empeñado el Partido, el gobierno y demás sectores de la sociedad en Cuba, una ley sobre la libertad religiosa que instrumentara todo lo que la Constitución de la República enuncia al respecto sería mucho más efectiva con respecto a la totalidad de los creyentes, confesiones religiosas e instituciones que las integran, que la entrada de algunos creyentes en el Partido.

Una cosa no se opone a la otra, pero tanto las clarificaciones sobre la naturaleza y programa del Partido en lo tocante a la religión, como una explícita Ley de libertad religiosa, deben ser las premisas normales de la entrada de creyentes al Partido, o al menos presentarse como factores concomitantes, no sea que, llevados justamente por la buena intención, corramos el riesgo de quemar etapas.

Decidí escribir estas líneas al pasar por una esquina de nuestra capital y leer una gran pancarta que dice: «Tu contribución al IV Congreso, tu opinión». Pues aquí va la del Arzobispo de La Habana, que espero que sirva también para orientar sus reflexiones, queridos hermanos y hermanas de esta Iglesia habanera. Con mi bendición.

EL ECUMENISMO*

En este siglo XX, y sobre todo a partir de la celebración del Concilio Vaticano II, el tema del Ecumenismo está siempre presente en las reflexiones de la Iglesia Católica. La preocupación por promover la unidad de los cristianos tampoco está ausente de nuestros planes pastorales. La palabra «ecumenismo» se refiere justamente a esa unidad deseada vivamente por Jesucristo y suplicada por Él mismo en su oración al Padre: «*que todos sean uno para que el mundo crea que tú me has enviado*».

La unidad de nosotros cristianos en la fe y en el amor, llegando a constituir una sola Iglesia, es, en el querer de Cristo, la condición y el medio para que la humanidad lo acepte a Él como enviado de Dios y Salvador.

La actualidad del ecumenismo saltó a los primeros planos en los centros de interés de los católicos cubanos cuando, en fecha no lejana, un grupo de cristianos pertenecientes al Consejo Ecuménico de Iglesias de Cuba, sostuvo un diálogo con el Presidente Fidel Castro que fue dado a conocer, primero, en la prensa escrita y, más tarde, a través de extractos del vídeo tomado en esa ocasión y difundido después por la T.V. cubana.

La ausencia de la Iglesia Católica, la cual no ha pertenecido nunca a este Consejo Ecuménico que agrupa a un buen número de denominaciones cristianas de Cuba, llamó la atención, sobre

---

* *Boletín Diocesano*, septiembre 1990.

todo a los católicos que están menos al tanto de la vida de la Iglesia y de su participación en otros foros religiosos. Algunos llegaron a creer que estaba presente en aquella reunión. También se prestaba normalmente a confusión la nomenclatura empleada: las palabras ecuménico, evangélico, episcopal, denominaciones, etc., no forman parte del vocabulario habitual de nuestros noticieros de T.V., de radio o de la prensa escrita y el pueblo no las comprende adecuadamente.

Fueron muchos los que se acercaron a sacerdotes, religiosas o católicos conocidos para preguntar si la Iglesia Católica estaba presente en la reunión, si no formaba parte de ese Consejo, si los católicos estábamos alejándonos cada vez más de los protestantes, si la Iglesia Católica estimaba positivo el balance de aquella reunión, si no deseaba también la Iglesia Católica una reunión similar, etc.

Respondiendo ordenadamente repito que la Iglesia Católica no estaba representada en aquella reunión ni por sacerdotes o religiosos ni por laicos, entre otras cosas, porque, como ya dije, nuestra Iglesia no forma parte del Consejo Ecuménico de Iglesias de Cuba.

Esto no significa que nuestras relaciones con los hermanos cristianos evangélicos sean malas, al contrario, existen entre nosotros lazos de fraternidad y, en muchos casos, de verdadera amistad.

Lo que nos une a quienes tenemos fe en Cristo no es la coincidencia en organizaciones ni en reuniones, sino la adhesión al mismo Señor y Salvador que nos redimió por su sangre derramada en la Cruz, haciendo de nosotros hijos de Dios que podemos invocar al Señor del cielo y de la tierra llamándolo Padre con la fuerza del Espíritu Santo que se nos ha dado. Esta realidad espiritual crea en nosotros una especial fraternidad. Estos lazos, gracias a Dios, tratamos de estrecharlos siempre entre nosotros.

Tanto por parte de nuestros hermanos cristianos evangélicos, como de los católicos en Cuba, existe, mayoritariamente, una búsqueda incesante de la plena unidad que Jesucristo quiere para su Iglesia. Para llegar a alcanzarla no cesamos de orar unos y otros y, desde hace ya muchos años, lo hacemos a menudo juntos.

Evacuadas las primeras dudas, paso a considerar lo que constituye otra preocupación de nuestros fieles católicos y también de algunos hermanos evangélicos: ¿fue positivo el balance de aquella reunión? En las conclusiones hechas por el Presidente Fidel Castro hubo una apertura hacia la fe religiosa y sus manifestaciones concretas en Cuba, que me pareció en general positiva. Al día siguiente de la segunda transmisión me apresuré a comunicar esta impresión favorable a la Oficina de Asuntos Religiosos del Comité Central del P.C.C.

Sin embargo, del animado diálogo entre nuestros hermanos y Fidel salió, al calor del rápido intercambio de ideas, una conclusión, que apareció destacada también en un titular del periódico «GRANMA»: «No importa ser creyente o no, lo importante es ser revolucionario». La afirmación no es nueva, la hemos conocido desde los inicios de la Revolución cubana. Pero estos treinta años que han pasado nos sugieren una reflexión muy seria sobre este tópico que me hubiera gustado ver esbozada en la misma reunión por nuestros hermanos evangélicos.

Han pasado muchos años antes de comenzar a detectar con claridad y tratar de superar entre nosotros la discriminación por motivos religiosos. Sería riesgoso, después del camino andado, añadir a la condición de creyente cualquier calificativo que se haría indispensable para que un ciudadano fuera aceptado con su fe religiosa.

La verificación de la pertenencia de una persona a una confesión religiosa determinada se hace a través de hechos constatables, por ejemplo: está bautizado en una iglesia determinada, asiste alguna vez a las ceremonias religiosas, declara pertenecer y saberse parte de una comunidad o congregación, etc. Nunca podrá esgrimirse, para reclamar los derechos de un creyente, la devoción en sus oraciones o el amor que pone en las obras de caridad que hace a su prójimo. Estos últimos son factores subjetivos que caracterizan de veras a un buen cristiano, pero que no definen su pertenencia a una Iglesia por carecer de objetividad. Solo los hechos crean la objetividad indispensable para actuar según el derecho.

El término revolucionario puede volverse un calificativo

cargado de subjetividad. Una persona puede reclamar su condición de revolucionaria a partir del seguimiento del pensamiento de Rosseau o de las ideas de Marx. Un hombre convencido de que solo la lucha armada cambiará la sociedad puede considerarse revolucionario y otro, devoto seguidor de Mahatma Ghandi, apostará por la no violencia, diciendo que los no violentos han sido los más grandes revolucionarios y citará a Martin Luther King e, incluso, a Jesucristo. ¿Ha habido un hombre que haya incidido más en la historia para transformarla que Jesús de Nazaret?

Revolucionario, como devoto, como reaccionario, como santo son adjetivos que no admiten una total objetivación y quedan entonces expuestos a la interpretación y el juicio de otras personas, que normalmente los aplicarán o no con su propio grado de subjetividad. Por eso, el Derecho Romano tiene un axioma que dice que no se puede juzgar «de internis», o sea, de lo interior del hombre, sino solo sobre sus hechos.

El respeto a la conciencia de las personas en cuanto a su fe religiosa, como es un derecho muy esencial del ciudadano, debe apoyarse en los hechos y estar garantizado por la ley, evitando así toda apreciación subjetiva, la cual no está exenta nunca de pasión cuando de política se trata.

De estos y otros temas me gustaría tratar en un diálogo amplio, pero no televisado ni publicitado, sino discreto, sereno y profundo.

Los invito a orar, queridos hermanos y hermanas, por la unidad de los cristianos y a no escatimar esfuerzos para que a todos los niveles, por medio de intercambios constructivos, se pongan en claro las motivaciones del cristiano en su vida social.

LA SANTERÍA, ¿RELIGIÓN DE LOS CUBANOS?*

Es frecuente, en los últimos tiempos, que los medios de comunicación de nuestro país se refieran a las «religiones

---

* *Boletín Diocesano*, noviembre 1990.

africanas» o a los «cultos afrocubanos». Incluso en algunas incursiones que han hecho estos medios sobre la fe religiosa en general, esta es presentada sobre todo como una manifestación de lo que comúnmente nuestro pueblo conoce como «santería». Por ejemplo, en el programa de T.V. «*Puntos de vista*», dedicado al tema de la religión, no hubo ninguna entrevista con católicos de sólida formación, tampoco se incluyeron a cristianos de las distintas congregaciones evangélicas que existen en Cuba y aún menos se dio allí la presencia de un sacerdote católico o de un ministro de otra denominación. (Sí estuvo presente algún babalao). Solo hombres y mujeres de fe espontánea y popular, en su mayoría sincrética, eran abordados por los entrevistadores.

Da la impresión de que, al difundir tanta información sobre cultos africanos y presentar las manifestaciones de religiosidad popular más o menos sincréticas como las más comunes entre los cubanos y en dependencia más de los cultos africanos que de la Iglesia Católica, se pretende atribuir un rango de religión independiente y aún predominante a lo que no pasa de ser, en gran número de creyentes, una característica de su religiosidad o una modalidad en la expresión de su fe religiosa.

No es posible iniciar siquiera un análisis serio de este tipo de religiosidad en el breve espacio de esta hoja, pero es necesario, al menos, decir una palabra sobre el tan mencionado sincretismo. Este fenómeno ocurre cuando los credos o cultos de dos o más religiones o tradiciones religiosas se entremezclan. Así pasó en Cuba con las diversas expresiones religiosas africanas traídas a Cuba por los esclavos de aquel continente. Estas se mezclaron y confundieron entre sí y recibieron un fuerte influjo del catolicismo, que era la religión de los españoles y sus descendientes criollos, marcando ellas a su vez la religiosidad popular católica con creencias y ritos.

Muchos factores culturales, sociales y políticos intervienen en los procesos de sincretización, en el cual prácticamente nunca llegan a borrarse los elementos iniciales implicados en ese proceso como para quedar fundidos en uno solo totalmente nuevo. La religión más organizada, la que tiene conceptualizaciones y preceptos más elaborados y presenta una ética más coherente, logra al final el influjo mayor y definitivo.

En la fiesta de la Merced del pasado año, un grupo de periodistas, al terminar la Misa, me rodeó para preguntarme sobre el sentido de la fiesta y mis opiniones acerca del gran número de participantes, la pregunta clave me la dirigió una joven reportera: ¿por qué la Iglesia es tan tolerante y permite que personas que tienen creencias sincréticas participen en el culto católico? Le di mi respuesta que contiene a la vez varias preguntas: ¿quién tiene el medidor del grado de sincretismo de cada persona?, ¿por dónde pasa la línea divisoria en el espíritu humano para que yo pueda rechazar a alguien al considerarlo sincrético?

En suma, ¿quién puede ser capaz de juzgar de la interioridad del hombre que se acerca lleno de fe a la Iglesia? Hasta aquí, mi respuesta en aquella ocasión. Y ahora añado: la mirada del Pastor, la mirada del sacerdote, tiene que ser la misma de Jesucristo. Multitudes de gentes sencillas lo rodeaban. Una mujer del pueblo, narra el Evangelio, quería tocar la orla de su túnica para curarse de sus hemorragias. Un ciego, esperando recuperar la vista, gritaba desde el borde del camino: Jesús, ten piedad de mí.

Eran hombres y mujeres del pueblo que se acercaban a Él con sus supersticiones sus creencias peculiares y sus tabús. En más de una ocasión, Jesucristo hizo elogios de ellos: «En pocos de mi pueblo he encontrado tanta fe» (*Lc* 7, 9). «Yo te alabo, Padre, Señor del cielo y tierra, porque has ocultado estas cosas a los sabios y entendidos y se las has revelado a la gente sencilla (*Mt* 11, 25).

No, la actitud de Jesús no es condenatoria, su mirada no es la del sociólogo, que estudia en equipo los comportamientos y hace después clasificaciones artificiales. No es tampoco la mirada del periodista que informa de lo que ocurre externamente, pero que no puede penetrar en el corazón del hombre. Esa mirada de Cristo y su preocupación por la humanidad: «Siento pena de la multitud que vaga como ovejas que no tienen pastor» (*Mt* 9, 36), es la misma que debe tener la Iglesia que Él nos dejó. Nosotros debemos continuar también el estilo pastoral de nuestro Maestro y Señor. Él no dejaba a esa muchedumbre en sus creencias ingenuas y elementales. Apreciaba y alababa su sencillez, pero les hacía dar pasos en el sentido del bien, del amor, de la justicia y de la verdad.

Sin rechazos, amándolos, Jesús les predicaba la religión verdadera: no es tal o cual alimento estimado impuro que coma el hombre lo que mancha su alma, lo que daña al hombre no es lo que entra de fuera, sino lo que sale del corazón, «del corazón proceden las malas intenciones, los homicidios, los adulterios, las fornicaciones, los robos, los falsos testimonios, las difamaciones» (*Mt* 15, 19). Los creyentes de religiosidad popular que acuden a nuestras iglesias reciben con gozo y gratitud este mensaje y lo sienten suyo. Un gran número de ellos se sorprenderían al ser llamados sincréticos, pues no conocen ni siquiera la palabra. Casi todos ellos se definen a sí misos como católicos o creyentes.

De hecho la mayoría de los cubanos de religiosidad popular no son sincréticos, en el sentido que entendemos aquí, sino que profesan una especie de catolicismo popular que hallamos también en países de vieja cristiandad como España o Italia. Algunos estudiosos se sorprenderían al constatar que muchas de las creencias populares que acompañan a nuestro catolicismo cubano son, con leves variantes, las mismas que encontramos den Andalucía o en Islas Canarias. Y en cuanto al sincretismo afro-católico, su gama varía desde una simple superstición hasta la pertenencia activa a cultos afrocubanos. Esto último se da más en la costa norte de las provincias de La Habana y Matanzas, Guanabacoa, la ciudad de Matanzas y Cárdenas son centros fuertes de religiones afrocubanas y su influjo alcanza a la religiosidad común del pueblo de esta zona en mayor o menor grado. Este fenómeno que observamos con más amplitud en la ciudad de La Habana, no se aprecia en Pinar del Río, apenas en las provincias de la región de Las Villas, muy poco en Cabagüey, Tunas y Holguín y es de otra índole en Santiago de Cuba y Guantánamo. Sin embargo existe una extendida y arraigada religiosidad popular en todas esas regiones y ésta es de matriz católica.

Prácticamente todos estos creyentes tienen una referencia mayor o menor a la Iglesia Católica. Muy pocos de estos hermanos nuestros llegarían a considerar el Catolicismo como «otra religión» de la cual podrían prescindir totalmente.

En los últimos años ha florecido en Cuba la santería en todos los estratos de nuestra población, sin importar el color de la piel o la edad, pues muchos son jóvenes, ni la militancia política. Esto es un signo del despertar religioso de nuestro pueblo. Las creencias de tipo animista, por no tener estructuras institucionales conocidas, por no requerir los serios compromisos éticos del cristianismo, por la flexibilidad de conciencia de quienes la practican, les permite disimular y aun negar su fe, ha hecho que muchos hayan franqueado con más facilidad el anónimo umbral de la puerta de un curandero, que penetrar en la iglesia de su barrio.

Pero no pocos de los que han comenzado el camino de la búsqueda de Dios por esas vías han llegado a la plena fe católica más tarde. Este andar no es inusitado: es bastante común acceder de la religiosidad popular, aun sincrética, a la fe liberadora de Jesucristo.

El camino inverso, el del desgaje y separación del tronco católico, el de retroceder la historia a sus complicados orígenes a partir de presupuestos intelectuales o ideológicos, o el de conformar artificialmente realidades religiosas nuevas, no tiene nunca éxito, porque la cultura de un pueblo se integra por sedimentación y es muy difícil desentrañar las capas que la han formado.

Nadie puede crear artificialmente un comportamiento cultural y, en el dominio de la cultura, los desgajes provocados son siempre transitorios, ya que los retoños renacen con más vigor un tiempo después de la poda. Tengan esto en cuenta los que, como sociólogos o periodistas, analizan estos fenómenos, de modo que lo hagan con objetividad y respeto, sin olvidar que se están moviendo en los hondos y complejos dominios del sentir religioso.

Nosotros, a quienes nos toca anunciar el Evangelio a toda la creación, siguiendo el modelo de Jesucristo y con la sabiduría secular de la Iglesia, unimos al respeto, el amor de acogida y la audacia de mostrar a todos nuestros hermanos al Dios verdadero, con su carga de exigencia y su misericordia sin límites.

Sirva esta reflexión a sacerdotes, religiosos, religiosas y fieles laicos, empeñados como estamos todos en la Evangelización de nuestro pueblo. Con mi bendición.

LA GUERRA*

Con dolor hemos visto cómo ha saltado a los primeros planos de la atención mundial el tema terrible de la guerra al desencadenarse un conflicto de grandes proporciones en la zona del golfo Pérsico, en el cual están envueltos, junto a los Estados Unidos, numerosos países que atacan a Irak en respuesta a la invasión de Kuwait por aquella nación.

Una vez más, la acción violenta desata el mecanismo fatal de una reacción más violenta aún y quedan sumergidos en un mar de sufrimiento: hombre y mujeres, niños y ancianos, jóvenes soldados de uno y otro bando y sus familias.

Dejando a un lado los análisis tradicionales del derecho internacional sobre guerras justas e injustas y situándonos, en forma realista, ante la capacidad destructiva de los armamentos modernos, con el costo humano y económico de un conflicto bélico, mientras vastas regiones del planeta sufren hambre y están en un estado de postración frente a cualquier plan de desarrollo que, por falta de recursos, son incapaces de emprender, no se ve cómo hoy pueda justificarse plenamente la violencia bélica. La sensibilidad moderna, gracias a Dios, parece descubrir, cada vez con más claridad, que la guerra y la violencia no son caminos que conducen a ningún bien.

Por esto, el Papa Juan Pablo II, poco después de conocer el rompimiento de las hostilidades en el golfo Pérsico, declaraba con tristeza (y cito libremente): «Ha sido una gran derrota de la humanidad». En efecto, la humanidad, una vez más y cuando menos lo quieren los pueblos, ha perdido la batalla de la Paz.

La frase del Papa no es una simple declaración pacifista: él no condena únicamente esta guerra, su frase supera los ar-

---

* *Boletín Diocesano*, febrero 1991.

gumentos ya manidos sobre «injusto agresor» o «legítima defensa» y mira al horizonte de una humanidad que debe descalificar TODA guerra, sea entre naciones diversas o al interior de los estados, por ser una falsa solución a los problemas del mundo.

Hoy nos impacta, por la masividad de los desplazamientos militares y el amplio uso de armamentos, el conflicto del Golfo, pero hace más de diez años, cerca de nosotros, en El Salvador, un país se desangra con una guerra fratricida que ha costado, al decir de algunos bien informados, más de sesenta mil vidas humanas; guerra que ha desgastado las energías de un pueblo que no la desea. Solo cuando el Arzobispo Romero cae fulminado o cuando son asesinados los padres jesuitas parece el mundo darse cuenta de que en ese país se reprime y se mata a mansalva, solo cuando la guerrilla lanza una ofensiva sobre barrios de la capital, que siempre parece ser la última, sentimos la urgencia de buscar un arreglo pacífico al conflicto, que será el único camino para que el pueblo salvadoreño alcance la paz.

Al mismo tiempo que el conflicto del Golfo Pérsico avanzaba con masivos bombardeos, cuando los ojos y oídos del mundo estaban fijos en el Oriente Medio, las tropas del gobierno central de la Unión Soviética entraban en dependencias oficiales de las naciones de Lituania y Letonia y ocurrían allí numerosas muertes; en Perú, «Sendero Luminoso» seguía matando y la violencia de los magnates de la droga en Colombia y de las facciones guerrilleras, que no aceptan las propuestas de paz, continuaban ensangrentando a aquel país.

Todas estas acciones violentas, rápidas o de larga duración, todas estas guerras de distinto tipo, son batallas perdidas por la humanidad, porque lo que es condenable es la filosofía de la guerra.

A la guerra y a la violencia hay que sacarlas de cualquier estrategia para el desarrollo o para el cambio político. No puede construirse sobre la destrucción del otro o de los pueblos. A la filosofía del enfrentamiento hasta llegar a las armas hay que poner un ideal de diálogo y solidaridad para construir un mundo nuevo sobre bases positivas. En una palabra, al estéril mecanismo del odio hay que salirle al paso con el programa constructivo y restaurador del amor, que tiene sus propias armas en el perdón, la reconciliación y la misericordia. Es este el Evangelio de Jesucristo. El destino del mundo se juega entre estos dos proyectos; o el del odio y su expresión que es la violencia con su secuela de destrucción y muerte o el del amor con sus frutos de conciliación, solidaridad y paz.

El *amor* es la propuesta de *Jesucristo* y yo, queridos hijos, en rechazo de TODAS las violencias, quiero repetir con ustedes la afirmación feliz del evangelista San Juan, que es la de nuestra fe cristiana: «*Nosotros hemos conocido el AMOR y hemos creído en ÉL*».

Al darles mi bendición los invito a orar insistentemente por la PAZ en el mundo.

IGLESIA Y SOCIEDAD*

Con motivo de los grandes cambios políticos ocurridos en Europa oriental, se ha puesto una vez más sobre el tapete el papel de la fe religiosa y de la Iglesia Católica en el seno de la sociedad.

Algunos observadores que pensaban desde su propia ubicación política y solo en esa clave, juzgaron elogiosamente los más, o en forma condenatoria los menos, el papel desempeñado por las Iglesias en los procesos de transformación que se produjeron en esos países, deslizándose sin embargo, con alguna frecuencia, hacia consideraciones o argumentos simplistas sobre las intenciones que tuvo y las metas que se proponía la Iglesia en aquel movimiento que, en breve, cambió el mapa político de Europa, al desaparecer el «campo socialista».

Al hablar de enfoques simplistas me refiero a quienes han opinado, no importa que sea en forma aprobatoria o de censura, que la Iglesia propiciaba un cambio de sistema porque perseguía o apoyaba de este modo metas políticas de grupo o de partido que se avenían a la organización de la sociedad que Ella desea para sí. He ahí justamente el simplismo que

---

* *Boletín Diocesano*, marzo 1991.

incluye, además, cierta dosis de desconocimiento acerca de la naturaleza de la Iglesia Católica, de su misión y de su Doctrina Social.

Es necesario dejar en claro que la razón última que mueve a la Iglesia en su acción pastoral, en cualquier lugar del mundo, no es ni puede ser otra que su propia misión, la misión que su Único Maestro y Señor, Jesucristo le ha confiado: anunciar el Reino de Dios; un reino de justicia, de amor y de paz, basado en el olvido de sí y en el servicio desinteresado al otro, que abarca, en su extensión, incluso al enemigo. Los cambios de orden político, tan profundos como puedan ser, con sus secuelas de nuevos regímenes de gobierno, no conciernen sino secundariamente al Reino de Dios. Lo que a la Iglesia le importa es la capacidad que ella pueda tener para realizar, en condiciones óptimas y a través de las generaciones, la obra que le ha sido confiada por el Señor con vistas a la santificación y la salvación de los seres humanos.

Ahora bien, ese Reino de Dios proclama... «dichosos a los perseguidos por buscar la justicia... a los que trabajan por la paz... a los misericordiosos porque alcanzarán misericordia». Las palabras de Jesús contienen un llamado a la acción y lanzan a los cristianos a un programa universal de servicio que abarca desde el establecimiento de la concordia y el equilibrio social hasta la atención al preso, al enfermo y al que sufre. Por esto, el espacio de libertad que recaba la Iglesia para su misión implica también el ser capaz de promover, por la acción de sus miembros, los valores humanos que están contenidos en el mensaje que Ella anuncia, de poder organizarse para la búsqueda de la Paz y la justicia y para desarrollar la acción misericordiosa que le confió su Señor.

A Ella se la debe escuchar cuando reclama misericordia, reconciliación o justicia, no como a quien está de parte de una u otra facción o en desacuerdo con una línea política determinada y a favor de otra, sino como quien tiene su propio modo de abordar los problemas del hombre y de intentar soluciones a partir del Evangelio. Sus propuestas pueden o no ser aceptadas, pero es necesario que, en cualquier caso, llegue a reconocerse la índole propia de su misión, a fin de evitar penosas simplificaciones.

En los países de Europa oriental, la Iglesia deseaba, ciertamente, mayores espacios para anunciar el Evangelio. Otros, dentro de aquellas sociedades, buscaban también sus propios espacios políticos, económicos o sociales. Pero la coincidencia en búsquedas simultáneas no significó siempre ni forzosamente identidad de puntos de vista, ni mucho menos de objetivos.

Con respecto a este modo propio de ser y de expresarse la Iglesia es oportuno traer a la memoria las declaraciones del Papa Pío XII ante un congreso internacional de historiadores en el año 1955: «La Iglesia tiene conciencia de haber recibido su misión y su tarea por todos los tiempos a venir y para todos los hombres; en consecuencia, no puede ligarse a ninguna cultura determinada... Incluso, la unidad religiosa propia de la Edad Media no le es específica, pues ella era una nota típica de la Antigüedad cristiana dentro del Imperio Romano de Oriente y Occidente, de Constantino el Grande a Carlomagno. La Iglesia Católica no se identifica con ninguna cultura; su esencia se lo prohíbe». (D. C. 1955, p. 1255).

Esta postura de la Iglesia no es indiferencia social, ni falta de patriotismo o de espíritu nacional, sino un modo superior de salvaguardar la libertad de los hijos de Dios ante los poderes de este mundo, justamente para poder servir mejor a la humanidad y la Patria. Quede como muestra reciente y evidente de esta afirmación la clara opción evangélica del Papa Juan Pablo II por la Paz, antes y durante la guerra del Golfo Pérsico. Esto le permitió hablar diáfanamente a las conciencias de todos los implicados en el conflicto, aun cuando para un buen número de dirigentes mundiales parecía prevalecer la fuerza de las armas.

Al desempeñar este papel, la Iglesia ni pretende situarse por encima de nadie, sino poner a Dios por encima de todo y de todos, de modo que el hombre no se pierda ni estropee nuestro mundo dejándose arrastrar por sus propias pasiones.

Creo que los no católicos, y aun los no creyentes, pueden llegar a aceptar esta intención ética, que mira a lo alto solo para que aprendamos a ocuparnos mejor del hombre y de la Tierra y lograr así que la humanidad sea realmente feliz.

Queridos hijos: en esta Semana Santa oremos por la unidad y la comprensión entre todos. Los bendice su Obispo.

EL ATEÍSMO:
UNA VISIÓN REDUCTIVA DEL HOMBRE*

Mucho podría escribirse acerca de la última gran carta encíclica del Papa Juan Pablo II que trata sobre lo que se ha venido llamando desde hace decenios «la cuestión social»; nos detendremos, sin embargo, en su enseñanza sobre el ateísmo.

Al considerar la obra presente del mundo, los grandes cambios ocurridos en Europa y avizorar el futuro con sabiduría y profundidad, el Santo Padre se refiere al influjo del ateísmo en los problemas que llevaron a su fin a los sistemas socialistas de Europa oriental.

El Papa nos presenta una honda reflexión, avalada por su experiencia personal, sobre los factores de esa crisis que no fue provocada solamente por una desacertada gestión económica o un mal manejo de la política, sino además por los condicionamientos antropológicos propios de la filosofía marxista que sustentaba ideológicamente a aquellos sistemas.

Para el marxismo que hemos conocido en los países de Europa del Este, el hombre es un ser cerrado a la Trascendencia, es decir, pensado sin referencia a nada eterno, sin relación última o primera con Dios, porque la no existencia de Dios es un postulado de aquella filosofía.

Pero ¿puede un presupuesto de índole teórico incidir tanto en el decursar de la historia reciente y concreta de los pueblos?, ¿no será un reclamo exagerado del hombre de fe el considerar como medular lo que fue estimado recientemente por algunos marxistas como una afirmación más bien ocasional y no indispensable a aquella filosofía y su praxis?

«No es posible comprender al hombre, considerándolo unilateralmente a partir del sector de la economía, ni es posible definirlo simplemente tomando como base su pertenen-

---

* *Boletín Diocesano*, junio 1991.

cia a una clase social. Al hombre se le comprende de manera más exhaustiva si es visto en la esfera de la cultura a través de la lengua, la historia y las actitudes que asume ante los acontecimientos fundamentales de la existencia, como son nacer, amar, trabajar, morir. El punto central de toda cultura lo ocupa la actitud que el hombre asume ante el misterio más grande: el misterio de Dios. Las culturas de las diversas naciones son, en el fondo, otras tantas maneras diversas de plantear la pregunta acerca del sentido de la existencia personal. Cuando esta pregunta es eliminada, se corrompen la cultura y la vida moral de las naciones...» «La verdadera causa... es el vacío espiritual provocado por el ateísmo, el cual ha dejado sin orientación a las jóvenes generaciones y en no pocos casos las ha inducido, en la insoslayable búsqueda de la propia identidad y del sentido de la vida, a descubrir las raíces religiosas de la cultura de sus naciones y la persona misma de Cristo, como respuesta existencialmente adecuada al deseo de bien, de verdad y de vida que hay en el corazón de todo hombre» (C. A. 24).

«Precisamente en la respuesta a la llamada de Dios, implícita en el ser de las cosas, es donde el hombre se hace consciente de su trascendente dignidad. Todo hombre ha de dar esta respuesta, en la que consiste el culmen de su humanidad y que ningún mecanismo social o sujeto colectivo puede sustituir. La negación de Dios priva de su fundamento a la persona y, consiguientemente, la induce a organizar el orden social prescindiendo de la dignidad y responsabilidad de la persona.

El ateísmo del que aquí se habla tiene estrecha relación con el racionalismo iluminista, que concibe la realidad humana y social del hombre de manera mecanicista. Se niega de este modo la intuición última acerca de la verdadera grandeza del hombre, su trascendencia respecto al mundo material, la contradicción que él siente en su corazón entre el deseo de una plenitud de bien y la propia incapacidad para conseguirlo y, sobre todo, la necesidad de salvación que de ahí se deriva» (C. A. 13).

Como se ve, el Papa Juan Pablo II concluye, como lo intuyó claramente su predecesor León XIII, que el ateísmo no es accidental al marxismo, sino que tiene mucho que ver con su concepción del hombre y de la historia y con los métodos que ha utilizado para tratar de transformar las sociedades donde se implantó como sistema. Visto así, después de las experiencias históricas concretas, el enfoque acertado del Santo Padre pone más en claro los esfuerzos y luchas de la Iglesia en tantos lugares y a través de tantos años para poner en guardia a sus fieles contra los peligros de las ideologías que incluyen el ateísmo en sus postulados principales y las dificultades y sufrimientos de los creyentes cristianos y de otros credos en los países donde estas ideologías han guiado la organización de la sociedad.

Esta seria y documentada enseñanza del Papa Juan Pablo II puede ser de gran utilidad para cuantos estiman que el ateísmo debe ser desechado como parte del presupuesto filosófico obligatorio del pensamiento político moderno. Creo que también puede ser útil entre nosotros. Con mi bendición.

CONCIENCIA CRISTIANA
Y SITUACIONES CRÍTICAS*

En esta ocasión, queridos hermanos, deseo hacer un breve examen de lo que es la conciencia y su modo propio de expresión en un cristiano, a fin de analizar adecuadamente la actitud asumida por los católicos ante un problema actual de participación social: ¿puede un cristiano formar parte de las Brigadas de Acción Rápida?

La mayoritaria respuesta negativa de los católicos es digna de una reflexión seria, que explique ese comportamiento no a partir de criterios políticos, sino fundamentándolo en motivaciones de conciencia.

Salta así al primer plano la importancia que tiene la conciencia en una actuación realmente humana.

Todas las constituciones modernas proclaman la libertad de conciencia como una prerrogativa propia del ciudadano, necesaria para la convivencia social.

---

* *Boletín Diocesano*, octubre 1991.

La ética cristiana considera a la conciencia como el centro personal, interior, inviolable de dictamen moral, o sea, el que hace el análisis e indica en qué sentido se debe o no actuar. La orden para actuar la da la voluntad: «voy a hacer esto» o «no haré eso jamás». Pero el juicio sobre lo bueno o lo malo de una acción lo emite la conciencia. Algunos, más popularmente, llaman a ese diagnóstico interno del espíritu humano: «la voz de la conciencia».

Todo el mundo debe seguir su conciencia, pero es imprescindible que esa conciencia esté, objetivamente, referida al Bien.

Me explico, nadie puede llegar a actuar siguiendo una conciencia perversa que le hiciera ver que lo mejor es lo malo; por ejemplo, asesinar a una persona. Aunque subjetivamente alguien dijera «haber seguido la voz de su conciencia» para cometer un crimen, sería siempre culpable, porque estaba actuando con una conciencia torcida, con mala conciencia.

Esto, que parece realmente difícil, puede llegar a suceder. Digo difícil porque lo natural de la conciencia es alertarnos sobre lo malo. La conciencia es ese cosquilleo interior que no te deja actuar cuando el hecho es objetivamente malo y que te mantiene intranquilo y molesto después de haber obrado mal.

Pero los humanos, por debilidad, temor o error, podemos ahogar nuestra conciencia o desoír sus llamados.

Por todo eso, el centro interno de diagnóstico sobre lo bueno y lo malo, que llamamos conciencia, debe estar bien equipado con conceptos claros, ideas precisas y, sobre todo, con una orientación general de la persona hacia el Bien y la Verdad, que ayuden al ser humano a emitir un juicio limpio y cierto sobre su actuación futura.

Esto, que llamamos «formar la conciencia», comienza en la infancia más tierna y tiene que actualizarse siempre en la vida, hasta su momento final.

Nosotros, cristianos, sabemos que la conciencia es un don precioso de Dios al hombre, para que este actúe según el Bien, que es lo que Dios quiere, y no caiga en la maldad, en la falsedad del pecado, que ofende a Dios.

101

Lo propio de la ética cristiana es iluminar la mente del hombre con la Luz del Evangelio, de la enseñanza de Jesucristo sobre el mismo hombre, sobre la verdad, el bien, el amor y nuestra dependencia amorosa de un Dios que es Padre de todos.

El Evangelio ayuda así al seguidor de Cristo a formar su conciencia, sobre todo en la delicadeza del amor al prójimo.

El cristianismo saca sus últimos criterios para el juicio moral sobre una acción a realizar, del mensaje sublime de Jesús: hay que servir a los demás y no servirse de ellos... la misericordia está antes que el juicio... perdona siempre... el prójimo del otro es quien lo atiende y ayuda... Algunos de estos principios se han incorporado a la conciencia colectiva de nuestros pueblos cristianos y se han convertido en refranes populares: «haz bien y no mires a quién».

Se comprenden así las hondas razones de un católico para no participar en nada que pueda lesionar el amor que debe a todos los seres humanos, sean como sean y piensen como quieran pensar. De ahí el rehusar la participación en estas Brigadas de Acción Rápida.

Esta participación ha sido solicitada de modo voluntario. No se viola así la conciencia de cada uno. Pero es preciso que ni las presiones sociales, ni condicionamiento político alguno, disminuyan la capacidad de los invitados para que puedan seguir, de veras, su conciencia y responder con libertad.

Sin embargo, aun con esto no se salvan los obstáculos morales de un proyecto que lleva en sí la contraposición, la división en el seno de la gran familia cubana, donde todos debemos ser hermanos, y que puede ser germen de violencia y aun de agresiones físicas. Esto se ha dado ya, lamentablemente, en más de un caso.

El llamado de Cristo y de su Iglesia para estos momentos difíciles, como para cualquier otra situación, no es otro que una invitación al amor entre hermanos, a la reconciliación y a la paz.

Por todo esto, la conciencia cristiana no solo dice no a la participación personal en esas acciones, sino que se inquieta y sufre cuando las mismas se producen.

Es hora, pues, de oración sostenida y confiada, para que

el amor entre todos los cubanos sea el factor fundamental que nos ayude a superar nuestras dificultades e inspire, en lo adelante, la necesaria reflexión y los modos de actuar.

DICIEMBRE:
MES DE LA NAVIDAD*

Los preparativos de la Navidad, la fiesta y sus ecos llenaban el mes de diciembre y se extendían hasta la celebración de los Reyes Magos el día 6 de enero.

La Navidad, como en cada uno de los países de Iberoamérica, se había inculturado en Cuba, es decir, se había metido en el alma del pueblo cubano. La comida de Nochebuena era muy nuestra; preparada con productos del país: arroz, frijoles negros, cerdo, yuca, dulce de naranja y buñuelos hechos en casa acompañados con melado de caña.

Santa Claus no pudo pisar tierra firme en Cuba. Nuestras familias tradicionales defendieron con calor de trópico a nuestros tres reyes magos, venidos del desierto ardiente, frente al gordo nórdico y bonachón vestido de rojo y con barba de nieve. Los cubanos preferimos, antes que el árbol de Navidad, el Nacimiento con el niño yaciendo en el heno seco entre una vaca y un asno, contemplado con arrobamiento por la Virgen María y San José. Escuelas, establecimientos comerciales, casas particulares, se disputaban en cada pueblo y ciudad cuál había sido el nacimiento más creativo, el más auténtico o el más bonito.

La Nochebuena congregaba a la familia en casa de los abuelos, o en casa del hermano, si los abuelos ya nos habían dejado. Era la gran reunión anual de la familia. Ese día se olvidaban grandes o pequeños agravios y no nos planteábamos problemas: ¡es Navidad!, nos decíamos todos, sabiendo que algo nuevo pasa cada año al celebrar el nacimiento del Niño-Dios.

Todo el fin de año y los comienzos del mes estaban llenos de luces, de espíritu festivo y el 6 de enero era el día de los re-

---

* *Boletín Diocesano*, diciembre 1991.

galos con su historia de reyes que se volvían diminutos para pasar por las rendijas de las puertas y dejaban los juguetes a los niños. Siempre recuerdo a mi buen obispo Alberto Martín Villaverde, que convertía el obispado de Matanzas en un inmenso almacén y taller de reparación de juguetes. Allí él mismo, con decenas de católicos, arreglaban y pintaban miles de juguetes. Repártanlos el 5 de enero en la medianoche, avisen a las familias para que los esperen –decía el obispo–, así los niños tendrán sus juguetes al amanecer del día 6.

Soñábamos en aquella época con tiempos distintos en que todos los niños al despertar encontrarían los juguetes que les habían dejado los Reyes. En algunas Navidades tristes por convulsiones políticas, soñábamos con Navidades llenas de Paz y Felicidad para todos. Pero un poco de tiempo después no hubo más Navidades ni Reyes.

Nunca he escrito algo de este estilo porque nunca he podido aceptar que para escribir sobre la Navidad en Cuba haya que usar los tiempos pasados del verbo. Ninguna explicación sobre la supresión de la Navidad en mi país me ha satisfecho jamás, porque los pueblos necesitan de las tradiciones que agrupan a la familia, cuando, dejando a un lado criterios y puntos de vista, nos reencontramos en los amores esenciales, para permitir que broten los sentimientos de ternura, compasión y amistad, que son los más realmente humanos e imprescindibles para la convivencia.

Necesitan los pueblos ese tipo de fiesta, necesitan los niños, y también los adultos, las leyendas inofensivas que no faltan a ningún pueblo de la tierra. No me acostumbro a niños sin leyenda, ni a ver reunida la familia solamente en la funeraria cuando, tristes, despedimos a un ser querido.

Los católicos hemos tratado de conservar la Navidad contra viento y marea, tanto en su manifestación religiosa: la Misa del Gallo, los villancicos, el Nacimiento en la iglesia, la fiesta de los niños del catecismo, como en las familias, que han luchado por comer juntos la noche del 24, por visitarse en esos días.

Pero toda la organización de la sociedad no facilita el que podamos guardar la hermosa tradición navideña.

No hay receso escolar, se suprimieron las vacaciones que

se extendían desde Navidad hasta Reyes. Puede ser que el 25 de diciembre un niño de primaria tenga un examen de matemáticas. Es probable que muchos adolescentes estén en esos días en un plan de escuela al campo. Otros adolescentes y jóvenes estudian en escuelas en el campo y no recesan y pasan la Navidad lejos de la familia. Tampoco hay receso laboral el 25 de diciembre, que no es fiesta civil.

No es la ausencia de buenos manjares lo que hoy extrañamos ni son la nostalgia o la añoranza quienes guían estas líneas; son las carencias espirituales de nuestras familias, es la falta de vivencias de este género en nuestros niños y jóvenes, es esa ausencia de oportunidad para experimentar grandes y profundos sentimientos humanos lo que sentimos como un reclamo. Esa noche del espíritu está esperando una estrella, la estrella de Belén que nos guíe a todos hasta el pesebre, donde contemplado por María y José está Jesucristo, el Hijo de Dios hecho hombre.

Con mi bendición, les deseo una Feliz Navidad.

LA MISIÓN DE LA IGLESIA HOY Y SIEMPRE*

La naturaleza de la misión de la Iglesia se descubre al conocer la misión de Jesucristo, el Hijo de Dios hecho hombre, quien viene no solo a traernos una palabra, un mensaje de parte del Padre, sino que Él mismo es la Palabra hecha carne que «habitó entre nosotros». Compartiendo nuestra condición humana nos muestra la cercanía de Dios y su amor a nosotros desde dentro de nuestra misma historia. Por medio de Jesucristo, Dios «incursionó» definitivamente en la historia humana. Con su entrega hasta la cruz nos perdona y, con su triunfo sobre la muerte por la resurrección, nos colma de vida.

Pero también por medio de Jesucristo, Dios responsabilizó de nuevo al hombre con su hermano, rompiendo la cadena fatal de durezas de corazón y de crueldades que desde el principio de la creación habían inficcionado las relaciones

---

* *Boletín Diocesano*, marzo 1992.

entre los humanos. La expresión más gráfica de ello la hallamos en el libro del Génesis, donde Caín responde a Dios, que le pregunta por su hermano Abel: «¿acaso soy yo el guardián de mi hermano?».

Sí, vino a decir Jesús, tú eres guardián de tu hermano y aún más, cada hombre es tu hermano. Esto es lo que la Iglesia, incansablemente, proclama a cada generación, a cada pueblo, a cada ser humano: Tú eres amado de Dios, estás reconciliado con Dios y lleno de vida al adherirte a Cristo por la fe, pero para ser de Cristo debes también amar a tu hermano, incluso al pecador, al distante, al que te ofende, al enemigo, porque Dios ha tenido misericordia contigo y debes ser misericordioso.

«Si ustedes aman a los que los aman, ¿qué mérito tienen?», dirá Jesús, y su apóstol Juan sentenciará más tarde: «quien dice que ama a Dios y no ama a su hermano, es un mentiroso». Jesucristo compromete así a su seguidor con las vidas de sus semejantes.

Nada, pues, más extraño a la religión cristiana que lo alienante, como hablar del «otro mundo» con desentendimiento de este. Al contrario, Jesús implica nuestra historia concreta en la posibilidad de entrar en el Reino de los Cielos: «Vengan, benditos de mi Padre... porque tuve hambre y me dieron de comer...». He ahí justamente en qué consiste la religión de Jesucristo: hacer de todo lo que constituye la trama de la existencia humana un acto de amor al prójimo y de alabanza a Dios.

«Nada humano me es ajeno», dijo el antiguo filósofo. En un sentido más hondo puede repetirlo el cristiano: todo dolor humano, toda carencia en el orden físico, moral o espiritual, me interesa, porque la dignidad humana ha sido exaltada en la persona de Jesucristo, a quien yo sirvo.

Por esto la Iglesia, que es el Cuerpo de Cristo, es decir, extensión en el tiempo y en el espacio de Jesucristo, su cabeza y guía, está inmersa en todo lo que de un modo u otro puede afectar la vida de los hombres.

Propiamente no se puede decir que la Iglesia «incursiona» en asuntos de este mundo cuando se interesa y preocupa por los problemas del hombre de hoy, considerados globalmente o en sus incidencias concretas, porque Dios no «incursionó» por un tiempo en la tierra por medio de Jesucristo, quien, al subir al cielo, hubiera dejado cerrada su misión, sino que antes de partir la confió a los suyos: «vayan al mundo entero y anuncien esta buena noticia». Y a esos mismos discípulos de Jesús, que lo contemplaban despedirse de ellos como quien asciende a lo alto, un ángel les dice: «hombres de Galilea, ¿qué hacen aquí plantados mirando al cielo?...». La pregunta implicaba una desaprobación, un llamado al dinamismo, hecho a unos hombres concretos, galileos en aquel caso, australianos, suizos o cubanos en la hora presente.

El compromiso del cristiano está en la tierra, esto es, justamente, lo novedoso de la religión de Jesús, esto forma parte de la Buena Noticia que debemos anunciar a todos y constituye la esencia de la ética cristiana. Aquí se apoyan los fieles cristianos para su actuación y en forma muy particular los pastores de la Iglesia, los obispos y el Papa, que tienen la grave misión de enseñar y orientar a todos los cristianos sobre los deberes de su religión.

Es así como los católicos nos sentimos confirmados, sostenidos e iluminados por el Papa Juan Pablo II cuando, sea en sus viajes, sea en cualquier otra ocasión, y fiel a su compromiso con la humanidad, enfrenta a los responsables de los pueblos con las terribles desigualdades que mantienen a vastas porciones del planeta en condiciones de extrema miseria, o cuando defiende el derecho a la vida de todo hombre, desde el niño por nacer hasta el anciano o el enfermo incurable, cuando rechaza la guerra como un mal sin paliativos, o cuando perdona con un abrazo y una sonrisa sin reservas al hombre que atentó contra su vida y lo llevó al borde de la muerte.

Cuando el Santo Padre sirve de este modo a la Iglesia y a la humanidad, los católicos nos sentimos afianzados y los pastores acogemos su testimonio como modelo que cada uno debe seguir en su propia iglesia particular para cumplir fielmente nuestra misión pastoral.

Sí, queridos hermanos y hermanas, esta misión de la Iglesia, incomprendida y aun atacada en ocasiones, es también parte integrante de su acción evangelizadora, porque prolonga el actuar de su Maestro y Señor, porque los discípulos no pueden dejar de sentir y hacer como Jesús, ni de cumplir su mandato.

Con mi bendición.

LOS SUFRIMIENTOS
DE JESUCRISTO*

Queridos hermanos y hermanas:

Avanza la Cuaresma, que nos conduce paso a paso, con Cristo Jesús, hasta la ciudad santa de Jerusalén. Allí, después de ser aclamado por el pueblo que lo recibió con palmas en las manos, el Mesías es entregado por los jefes civiles y religiosos de su nación al gobernador romano, quien «preguntó» a la multitud qué quería que hiciese con Jesús de Nazaret. Y otra vez el pueblo, el mismo que unas horas antes lo aclamara jubiloso como a un rey, manipulado ahora por los poderosos, grita con furia: ¡Crucifícalo!

He ahí el sufrimiento incomparable de Jesucristo: haber vivido sembrando amor y experimentar el desprecio y aun el odio, con todo lo que este tiene de irracional y diabólico; haber luchado por todos los medios para despertar en los suyos los mejores sentimientos humanos: la solidaridad, el espíritu de servicio, el desprendimiento, y ver desatadas a su alrededor las peores pasiones del hombre, que le son totalmente extrañas: la traición del delator Judas, la cobardía de Pedro, el cinismo del depravado Herodes, el acomodamiento de Pilatos, la ferocidad del pueblo enardecido contra Él.

Los latigazos, la corona de espinas encajada en sus sienes, los clavos atravesando sus manos y sus pies, la respiración angustiosa y la sed abrasadora, no fueron para Jesús sus mayores sufrimientos. Después que encomendó su espíritu al Padre y sus divinos ojos se cerraron a esta tierra, las imágenes que Él se llevó consigo, grabadas en lo hondo de su ser de Hijo de Dios, fueron las de hombres de puños cerrados y gestos amenazantes, caras contraídas por la mueca terrible del

---

* *Boletín Diocesano*, abril 1992.

odio, risas estúpidas y movimientos acompasados de multitud despersonalizada. Sí, ese fue el grande e inenarrable sufrimiento de nuestro Salvador y no ha habido ningún otro mayor, o siquiera igual, ni lo habrá jamás.

Porque tuvo que ver delante de sí, en pleno despliegue de actuación programada, el modelo de humanidad que Él vino a borrar de la faz de la tierra y... seguir amando: «Padre, perdónalos...». Sabía que todo estaba por hacer, que debía surgir un hombre nuevo transformado por el amor para que pudiera nacer un mundo nuevo, y moría víctima de la violencia, Él, que no era violento: «aprendan de mí –había dicho– que soy manso y humilde de corazón y hallarán descanso para sus almas». ¡Qué cierto es que los violentos y los soberbios no encuentran nunca descanso! No solo la paz del corazón se da cuando las pasiones agresivas son dominadas y se aquieta el espíritu, también de esa pacificación interior dependen la estabilidad de los pueblos y la concordia social, «dichosos los mansos, porque ellos poseerán la tierra».

Bien sabía Jesús, además, que sus sufrimientos habrían de perdurar, de algún modo, a través de los siglos. Y esto es así a tal punto que, al leer o escuchar los relatos de la Pasión de Nuestro Señor Jesucristo que nos presentan los cuatro evangelios, nos parece estar viendo rostros de hoy y oyendo voces conocidas, pues la pasión de Jesús dura hasta nuestros días. En cada hombre víctima de la violencia, del abuso, de la marginación, sigue Cristo padeciendo.

En los rostros tristes de los niños maltratados, malqueridos, no aceptados, se refleja la mirada desoladora de Jesús que va cargando su cruz.

Cristo muere en cada mujer que vende su cuerpo como objeto de placer, en los jóvenes o viejos que se embrutecen con el alcohol o la droga, en los millones de seres que sufren hambre y desnutrición o carecen de instrucción o de cuidados médicos en nuestro riquísimo planeta.

Pareciera así que la marcha de la humanidad se hace penosa, como la subida de la cuesta del monte Calvario. Quizá porque los humanos hemos establecido nuestras propias reglas de juego y no nos decidimos a aceptar el desafío del amor que nos ha lanzado Jesús. Los deseos de comodidad, de éxito, de placer o de predominio nos hacen temer el riesgo de amar y servir sin condiciones.

Pero los cristianos no somos los seguidores de un hombre sublime, condenado a muerte al fracasar su proyecto bello pero impracticable. Somos los discípulos de Cristo, resucitado y glorioso, que vive y que da vida; porque ciertamente en la cruz el gran derrotado fue el mal en todas sus formas: el odio, la mentira, el pecado y aun la muerte. Cristo, poderoso con el poder del amor, que es poder de Dios, triunfó de la misma muerte y con ese mismo poder nos vivifica a nosotros hoy, para que no dejemos de proponer su invariable, sencillo y difícil programa a cada hombre y mujer, a las familias, a los jóvenes, a los trabajadores de la ciudad y del campo, a los responsables de las naciones de la tierra: «ámense unos a otros como yo los he amado». A partir de este mandato de Jesucristo y de su muerte redentora que lo avala, los cristianos tenemos una visión del mundo y de la historia, una concepción de las relaciones entre los hombres y entre los pueblos, una manera de tratar los conflictos, unas convicciones esenciales acerca de la dignidad del hombre, del sentido de la vida, de los valores humanos y de cuáles son los medios auténticos para promoverlos.

Celebrar la muerte y la resurrección de Cristo en esta Semana Santa es reafirmar nuestra fe en la verdad de su mensaje y acrecentar nuestra esperanza en que el amor y la vida tendrán siempre la última palabra. ¡Feliz Pascua de Resurrección!

Con mi bendición.

MARXISMO Y RELIGIÓN:*
PARA UN TEMA VIEJO,
UN TRATAMIENTO NUEVO

Recientemente, en distintos órganos de prensa de Cuba, han aparecido reportajes sobre la participación de algunos jóvenes cristianos en un campamento de trabajo agrícola.

---

* *Boletín Diocesano,* mayo 1992.

Tanto el modo de expresión de los jóvenes entrevistados en esos reportajes como el enfoque periodístico del tema parecen de los años sesenta. Seré más explícito.

Hablar hoy por un lado de marxistas, asimilándolos a no creyentes que son a un tiempo jóvenes comunistas y, por otro lado, de cristianos como conglomerado humano aparte, afirmando que ambos grupos se «encuentran» en el trabajo agrícola, y así muestran que «pueden» colaborar y se sienten bien juntos, resulta por lo menos una descripción totalmete anacrónica.

Pues ¿qué han hecho durante más de treinta años los cristianos en sus centros de estudio, en sus centros de trabajo, en períodos de labores agrícolas, en el Servicio Militar, etc., sino trabajar, estudiar o servir a sus semejantes codo a codo con otros creyentes o no, marxistas o no, miembros o no del Partido Comunista o de la U.J.C.? En muchísimos casos ha habido una amistad seria entre ellos, conociéndose la fe cristiana de unos, el ateísmo del otro o la militancia oficial de otro, que no era realmente ateo. Porque esa es otra constatación que no debe dejar de hacerse: La no creencia, el marxismo y la militancia política no coinciden siempre. Hay no creyentes que no son marxistas ni miembros del Partido y ha habido siempre miembros del Partido que han sido creyentes, aunque no lo expresaran públicamente.

Cuando el Gobierno cubano se apresta a suprimir las alusiones indebidas a la religión en documentos legales como la Constitución de la República, cuando parece que nos vamos encaminando hacia un estado laico, no es conveniente seguir hablando un lenguaje que consagraba al marxismo como una religión y al «encuentro» de marxistas y cristianos como una especie de reunión «ecuménica» entre dos «iglesias».

La confusión de planos no añade claridad a las situaciones que han sido conflictivas, sino más bien las oscurece.

No hace mucho tiempo, en un municipio de esta Arquidiócesis, el Presidente del Poder Popular invitaba al párroco del pueblo a que convocara a los católicos el domingo en la Misa para que formaran un grupo de recogedores de papas. El sacerdote, en toda lógica, le respondió que todos los hombres y mujeres de la comunidad católica, jóvenes o adultos, en edad laboral o escolar, estaban yendo a recoger papas con sus centros de trabajo, con sus escuelas o con otras organizaciones sociales; ¿por qué habría que integrar un grupo de recogedores de papas católicos como si estos no fueran parte del pueblo y realizaran las mismas labores que todo el mundo realiza?, ¿habría que «sacarlos» de la papa para ir a recoger papas bajo otro título?

La petición de este dirigente se inscribe en el mismo contexto de los reporteros ya citados, es decir, dentro de una mentalidad de «ellos» y «nosotros» con relación a los cristianos, como si estos no fueran parte activa de nuestro pueblo. Pero este modo de pensar y de actuar debe se superado, pues, entre otras cosas, está en la base de no pocas discriminaciones.

Los católicos no tienen por qué hacer profesión comunitaria de fe en la realización de tareas sociales o productivas, ni siquiera para demostrar su disponibilidad o buena voluntad.

Supongamos, por ejemplo, que los miembros del Partido Comunista tuvieran que hacer corporativamente un Vía Crucis con los católicos para demostrar que respetan la libertad religiosa o que promueven la amistad entre los que son miembros del Partido y los que no lo son, o que rechazaran toda discriminación por motivo de religión... Bastaría con mostrar esas actitudes en la vida diaria y que quien sea católico vaya a hacer el Vía Crucis (aun si es militante del Partido), y quien no lo sea que no lo haga. Pero, sobre todo, que tanto el uno como el otro sean sinceros al hacerlo o dejarlo de hacer.

En este tiempo de Pascua, el apóstol San Pablo nos invita a celebrar la Resurrección del Señor con «sinceridad y verdad» (*1 Co* 5, 8). Ese es el estilo de vida que el cristiano debe mostrar en su comportamiento social y esto tiene que hacerlo cada día.

Con mi bendición.

LAS RELACIONES ENTRE CATÓLICOS Y PROTESTANTES*

Históricamente, en Cuba las relaciones entre la Iglesia Católica y la amplia gama de confesiones protestantes que existen en nuestro país fueron difíciles y a vece tensas, dependiendo de las características de cada grupo religioso protestante y de la estrategia que desplegaran frente a la Iglesia Católica. Las diferencias entre las distintas confesiones protestantes existentes aquí han sido grandes, pero se daba casi siempre una unidad operativa entre ellas en sus posturas ante la Iglesia Católica, que era colocada habitualmente a la defensiva, como el enemigo a derrotar.

Creíamos que esto era ya una triste historia pasada entre nosotros, la historia que no debía siquiera ser recordada, si no fuera porque esos métodos tan reprobables están haciendo de nuevo su aparición en nuestros campos y ciudades. Por los relatos de algunos párrocos, religiosas y laicos de nuestra Iglesia, los seguidores de distintas congregaciones protestantes, sea en campañas de evangelización, sea en celebraciones públicas en nuevos lugares de culto que esas congregaciones van abriendo en diversos sitios, o en sus mismas reuniones habituales, repiten los viejos argumentos anticatólicos y atacan duramente a la Virgen de la Caridad, la figura del Papa, el celibato de los sacerdotes, el culto de los santos, etcétera. No es infrecuente escuchar acusaciones de «idolatría» lanzadas contra los católicos porque «adoran» imágenes o referencias al Papa como al anticristo, o hacer mención de la «acción del demonio» en el culto católico.

El hecho de que determinadas actividades protestantes son publicitadas en cierto grado por los medios de comunicación social cubanos puede crear en el pueblo la impresión errónea de que las confesiones protestantes gozan de algún tipo de aprobación en esos ataques a los católicos. En estos momentos cobran matices especiales esos viejos métodos.

La evangelización de nuestro mundo, incluida la de nuestro pueblo cubano, no puede hacerse a partir de la división de los cristianos. Si es verdad que hay confesiones cristianas dis-

---

* *Boletín Diocesano*, junio 1992.

tintas, y ya esto es un mal, puede existir el respeto, y aún más, el amor, entre los seguidores de Jesucristo, que deben anunciar al único Salvador, sin entrar en ataques a otras confesiones, pues estos pueden resultar hirientes y desdicen de la caridad cristiana, que es el distintivo del seguidor de Jesús de Nazaret: «Ámense unos a otros como yo los he amado».

La súplica de Jesucristo, «Padre, que todos sean uno para que el mundo crea», si bien no puede cumplirse lamentablemente aún, después de las fracturas y divisiones surgidas de criterios y concepciones diferentes, puede al menos realizarse paso a paso en el amor, el cual, aun reconociendo lo que nos separa, pone el acento en lo que nos une y, sobre todo, crea un clima de respeto al hablar del otro.

La Iglesia Católica en nuestra Arquidiócesis de La Habana y en otras diócesis de Cuba está realizando una misión evangelizadora. El Papa Juan Pablo II ha pedido a la Iglesia Universal que los católicos celebremos los 2000 años del nacimiento de Jesucristo con una evangelización nueva en su ardor, nueva en su expresión, nueva en sus métodos.

Es evidente que esta acción evangelizadora consiste en llevar el anuncio de Cristo Salvador a los hermanos, pero en nuestro programa misionero no se incluye ningún ataque a otras confesiones cristianas protestantes y no vamos a variar estos propósitos porque hayan surgido estas penosas experiencias que hemos descrito.

Es importante que no se ahonden las divisiones entre cristianos y que ninguno de los que deseamos servir al Señor y anunciar el Evangelio cedamos a la tentación de gastar nuestras energías en atacarnos unos a otros. Esto no puede ser obra del Espíritu Santo, que es agente de unidad y de comprensión, por lo tanto, debemos rechazarlo como contrario al designio de amor y unidad que Cristo Jesús nos deja en su Evangelio al describirnos cómo debe ser su Iglesia.

Acabamos de celebrar la fiesta de Pentecostés, la venida del Espíritu Santo sobre los discípulos de Cristo. El Espíritu Santo lanzó a los apóstoles a las plazas, los llevó hasta los confines del mundo con un solo empeño: anunciar a los hombres que «tanto amó Dios al mundo que nos envió a su Hijo». Este, al morir en la Cruz y resucitar en gloria, vence al odio, a la muerte, triunfa de las tinieblas del pecado, nos perdona y nos hace participar de su misma vida divina. «Jesucristo ayer, hoy y siempre», es el centro de nuestro mensaje, la Buena Noticia que no podemos dejar de proclamar. Que nada humano, que ningún criterio terreno nos distraiga de esta misión.

Con mi bendición.

«LA VIOLENCIA»*

El ser humano siempre ha hecho uso de la violencia: las luchas, las guerras, son tan antiguas como la misma humanidad y las virtudes que han sido exaltadas en los héroes de la antigüedad tienen que ver todos con la fuerza mostrada en el combate. De otro lado, la humildad y la mansedumbre en el comportamiento eran exigidas únicamente a los esclavos. Pero he aquí que Cristo Jesús las pide para todos los que libremente quieran aprender de Él, que siendo llamado Maestro y Señor, se puso a lavar los pies de sus discípulos: «Aprendan de Mí, que soy manso y humilde de corazón».

Estas virtudes cristianas a veces son admiradas, pero muchos no se deciden a vivirlas, porque exigen, más que un gran esfuerzo, una grandeza de alma. Escuchamos frases como estas: «esas palabras de Jesús de poner la otra mejilla son muy bonitas, pero yo no haré nunca eso». La prensa, la radio, el cine y la televisión, por su parte, reflejan un mundo violento. En los países donde es posible, la gente compra armas para defenderse, donde no, aprenden judo, llevan en sus bolsos productos químicos que paralicen al agresor, etc. Siempre se vive a la defensiva, esperando ser atacado, porque es posible ser atacado.

Hablo de este tema, porque, en momentos de grandes dificultades económico-sociales como los que sufrimos, aumenta la irritabilidad y todo el mundo se vuelve más irascible en palabras y hechos. Se empuja para adquirir lo indispensable para la vida o para tomar el primer medio de transporte

---

* *Boletín Diocesano,* octubre 1992.

que se presente. Hay molestias, quejas, rebelión interior y todo va creando un estado de ánimo amargo, predispuesto a la agresividad.

¿Cómo hablar de dulzura, de mansedumbre, al niño o al adolescente, que se ve rodeado de tanta violencia, si, además, nosotros mismos nos dejamos arrastrar por ella? Solo desde la fe puede presentarse la virtud cristiana de la mansedumbre, de la humildad. No olvidemos que esta humildad cristiana no disminuye ni al hombre ni a la mujer, al contrario, les da a ambos la estatura del humano del futuro. La agresividad es herencia de un pasado primitivo. Ha llegado la hora de aprender de Cristo a decir no a la dureza de corazón, no a la agresividad, no a la violencia.

Es la hora de no tener vergüenza de ser como Cristo, mansos y humildes de corazón, sin olvidar que Jesús promete a los mansos una especial felicidad: «Dichosos los mansos porque ellos poseerán la tierra». Esto es lo que tienen que aprender de Cristo nuestros niños en el catecismo y en el hogar. Este es el testimonio de mansedumbre que debe dar el cristiano en su trabajo y en su barrio, sobre todo en los momentos difíciles en que hay que exigir justicia y verdad, pero sin odiar ni dañar a nadie.

Todos experimentamos la necesidad de ternura, de delicadeza en el trato, de sentimientos bondadosos, tanto en la vida familiar como en el medio laboral o estudiantil y en la sociedad en general. Esto es más que la cortesía o la educación formal. Estas últimas se pueden aprender en casos de relaciones públicas, pero la humildad, la mansedumbre, la actitud cristiana de no violencia son parte de un modo de ver la vida a partir de valores que la fe cristiana pone en evidencia por estar íntimamente ligados a la relación del hombre con Dios y al amor que debemos al prójimo.

Por la humildad nos reconocemos ante Dios como seres humanos en nuestros justos límites: no somos pequeños dioses para merecerlo todo y dominar a los otros. Somos nada más que eso: simples humanos amados por Dios a pesar de nuestros pecados. De esta constatación fundamental viene nuestra capacidad de amar a los demás porque ella dispone el espíritu para acoger y vivir el amor radical y sin límites que Jesucristo establece como ley fundamental entre los hombres.

Esta visión del mundo identifica al cristiano y contrasta con otras cosmovisiones inspiradas en sistemas filosóficos cerrados a Dios y a la trascendencia. Es en este plano de la vida real y de las relaciones concretas entre los humanos en el seno de la comunidad familiar, laboral y política donde se distingue netamente lo propiamente cristiano. Renunciar a la comprensión, a la escucha paciente, a la misericordia, en una palabra, a la mansedumbre, nos descalificaría como seguidores de Jesucristo.

Con mi bendición.

LA REUNIÓN DEL EPISCOPADO LATINOAMERICANO EN SANTO DOMINGO*

Queridos hermanos:

Recién llegado de la IV Conferencia General del Episcopado Latinoamericano en Santo Domingo, a la cual asistí en mi condición de Presidente de la Conferencia de Obispos Católicos de Cuba, se hace obligada una referencia a esa reunión que marcará la acción pastoral de la Iglesia Latinoamericana y del Caribe en los últimos diez años de este siglo y en los comienzos del Tercer Milenio de la Era Cristiana. Si realmente un acontecimiento eclesial de esa trascendencia puede resumirse en una palabra, esta sería: Esperanza.

La IV Conferencia se ocupó de la Evangelización de América Latina y del Caribe. Evangelizar es anunciar a Jesucristo a los hombres y mujeres de hoy. «La Iglesia existe para evangelizar», «la razón de ser de la Iglesia es la evangelización». Son afirmaciones que hemos escuchado del Magisterio eclesiástico, y más de una vez al Papa Juan Pablo II.

Al tomar como línea pastoral prioritaria la Evangelización de América Latina y el Caribe, no está la IV Conferencia de Santo Domingo retractando, como algunos afirman, lo dicho en las Conferencia anteriores de Medellín y Puebla, con

---

* *Boletín Diocesano*, noviembre 1992.

117

respecto a la justicia social y a la opción preferencial por los pobres.

Nada más falso, pues los Obispos reunidos en Santo Domingo hemos asumido decididamente todo lo expresado en esas dos grandes reuniones generales del Episcopado latinoamericano. En aquellas ocasiones, se denunciaron con energía las causas de los grandes males que ha venido sufriendo esta región del mundo y se propusieron caminos justos y evangélicos para solucionarlos. ¿Por qué al tomar la evangelización de Latinoamérica y el Caribe como línea pastoral habríamos de abandonar la denuncia de lo mal hecho y la evidenciación de sus causas? Esta interpretación se debe a no haber comprendido que evangelización significa anunciar íntegramente el mensaje de Jesús, que no podría nunca proclamarse sin incidir en la realidad concreta en que debe encarnarse y vivir la Iglesia.

En esta IV Conferencia, como lo hizo en Puebla y antes en Medellín, la Iglesia ejerce su misión profética, poniendo al descubierto los males que han hecho su aparición en los años que van de Puebla a Santo Domingo y los que se han agravado en este período. Entre ellos están: el empobrecimiento creciente de inmensos sectores de la población, el aumento del narcotráfico con su secuela de crímenes, la corrupción administrativa que amenaza con hacer naufragar en algunos países las recién recuperadas democracias, los drásticos ajustes económicos que recaen sobre los más pobres, el riesgo cierto de absolutización del mercado, con olvido del ser humano que queda subordinado frecuentemente a mecanismos económicos objetivamente injustos, las violaciones de los derechos humanos, los múltiples ataques contra la familia, origen y custodia de la vida, duramente castigada en su estabilidad e integridad por el divorcio, el sexualismo, la acción corrosiva de algunos medios de comunicación, las campañas antinatalistas propugnadas frecuentemente por entidades internacionales y la práctica creciente del aborto.

Larga y dolorosa se hace esta lista de miserias. Para enfrentarlas, la Iglesia mira hacia esa desafiante realidad con los ojos esperanzados de la Fe, la ilumina con el Evangelio y halla en la Palabra viva del Señor y en sus sacramentos inspiración y fortaleza. La Iglesia convoca a todos, según su vocación, pero especialmente a los laicos, a participar activamente en los esfuerzos por superar los males que persisten en América Latina y el Caribe, de modo que mejore la calidad de vida de los hombres y mujeres de esta región, tanto en lo material como en lo espiritual.

El modo propio de participación de la Iglesia es el que le confió su Maestro y Señor: «Vayan al mundo entero y anuncien el Evangelio», es decir, anuncien a todos la Buena Noticia de Jesucristo. Cristo es Buena Noticia porque ha venido a rescatar a todos de sus males, especialmente a los pobres. ¿Por qué habrían de oponerse entonces evangelización y promoción humana?

El Documento Final de Santo Domingo recoge esos dos aspectos tal y como en lo concreto ambos se integran entre sí, porque anunciar a Jesucristo es proclamar el amor como la fuerza liberadora que vence todos los obstáculos y se opone al odio que anida tanto en el poderoso que oprime o explota, como en quien pretende salvar al hombre de sus males por la violencia ciega. Ni el propietario despiadado que arrebata sus tierras a los indios en Brasil, matando y saqueando, ni las crueles campañas de «Sendero Luminoso» en Perú quedan a resguardo frente a la luz de la verdad evangélica sobre la dignidad del hombre y sus derechos.

Sucede, sin embargo, que de acuerdo a las distintas concepciones sobre la convivencia humana o correspondiendo a las diversas ideologías, algunos preferirían que la Iglesia hablara solo de la familia o del pecado personal y no hiciera nunca referencia a la cuestión social. Otros, por el contrario, aceptan y alaban a la Iglesia cuando, ejerciendo su misión profética, condena los excesos del liberalismo o defiende los derechos de los pobres, pero rechazan sus llamados a la integridad de la familia o a la reconciliación o a la no violencia.

Es propio de los seguidores de Jesús, lo predijo el Maestro: «Si me han odiado a Mí, también los odiarán a ustedes», y anteriormente había advertido ya a sus discípulos cuáles son los riesgos de la misión profética, poniéndolos en guardia ante la tentación de querer complacer o agradar a todos con sus palabras: «Dichosos ustedes si los hombres los odian, los expulsan, los insultan y los consideran unos delincuentes a causa del Hijo del Hombre... esa es la manera como trataron a los Profetas en tiempos de sus padres». Pero «pobres de ustedes cuando todos hablen bien de ustedes porque de esa misma manera trataron a los falsos profetas en tiempos de sus antepasados» (*Lc* 6).

Falsamente profética sería la Iglesia si intentara agradar con su enseñanza a todos y en todo momento. La única seguridad de la Iglesia es su fidelidad y su amor a Jesucristo y no la aprobación que reciba de unos u otros.

Ahí está, pues, la palabra profética de la Iglesia latinoamericana y caribeña en Santo Domingo: «Quien tenga oídos para oír, que oiga». Con esta frase, repetida tantas veces por Jesús cuando nos presenta sus enseñanzas más exigentes, concluyo esta vez, no sin antes comunicarles todo el afecto y la cercanía del Papa Juan Pablo II, con quien tuve la dicha de conversar un buen rato en Santo Domingo. Llegue, por mi medio, hasta ustedes su bendición.

MENSAJE DE NAVIDAD*

Llega la Navidad y, para quienes tenemos ya algunos años, llega con ella la nostalgia. Sí, la Navidad es fiesta de nostalgia para todos, y si hablo de personas adultas es porque entre nosotros la nueva generación no ha conocido, sino de modo muy limitado, el clima particular que rodea esta celebración cristiana. En realidad, los únicos que no sienten nostalgia en Navidad son los niños. Ellos se sumergen en el misterio de la Navidad con sentimientos germinales.

¿Han contemplado ustedes alguna vez la escena del Nacimiento de Jesús teniendo a un niño asido de la mano? ¿Se han detenido alguna vez con un niño delante de un árbol de Navidad con sus luces parpadeantes? Allí, todo se vuelve posible: que la mula y el buey, con su aliento, den calor al Niño en una noche tan fría y que el pastorcito que llega de lejos tocando la flauta, ¡a esas horas de la noche!, sea también un

---

* *Boletín Diocesano*, diciembre 1992.

niño, que el Niño que está en el pesebre nos mire y sonría, que la estrella que remata el árbol de Navidad sea exactamente la misma que indicó a los Magos el camino de Belén, que se le puedan escribir cartas a un Rey, no para hablarle de esa cosa que pone tan serias a las personas mayores y que se llama política, sino para pedirle juguetes. Esta es la Navidad, que sembró para siempre la nostalgia en nuestras almas.

Y ¡qué dicha que haya sido así!, porque esa nostalgia es más que recuerdos placenteros de horas felices. Es añoranza de algo que puede estar perdido u oculto en un rincón del propio ser: tal vez aquella trasparencia que me permitía ver más allá de lo concreto o la dulce certeza de que el bien, la sencillez y la belleza pueden darse la mano, sin dudas la seguridad de que el amor familiar da más calor y alegría que un apartamento bien amueblado... y aquellas grandes y primeras intuiciones: tengo que ser bueno, tengo que portarme siempre bien con los demás y querer mucho a todo el mundo.

Nuestra nostalgia es la de encontrarnos con que se ha opacado aquella transparencia inicial, se ha complicado lo que fue tan simple, se nos ha endurecido el corazón y hemos perdido el camino de la ternura.

Nostalgia de no ser buenos, de algo que nos falta y que, sin saberlo, tuvimos cuando el Niño del pesebre nos sonrió y la estrella del árbol navideño se encendió mil veces después de apagarse otras mil... Nostalgia de Dios.

Saludable y necesaria nostalgia. Nostalgia antigua y perenne, la misma de Santa Teresa de Jesús: «Vivo sin vivir en mí»; la de San Agustín: «Señor, Tú creaste mi corazón para Ti y estará siempre inquieto hasta que descanse en Ti».

El gran filósofo español Ortega y Gasset decía que: «el hombre es proyecto», que el futuro que el hombre vislumbra para sí mismo es lo que da sentido al presente. Sin desdecir completamente al filósofo, creo también que el hombre es nostalgia. Nostalgia del niño que fuimos y que nos sigue llamando al simple y elemental proyecto inicial: ser bueno ante Dios, ser bueno con los demás, amar a todos.

Nostalgia y futuro serán los dos momentos del péndulo de la vida que no cesa de oscilar. Pero hay muchos hombres y mujeres parecidos a esos antiguos relojes colocados en un inmenso salón, cuyo péndulo está inmóvil: ni nostalgia ni futuro, nada. ¿Acaso no es el vacío lo que más hallamos en el corazón del hombre y la mujer de hoy? Esa ausencia de añoranza y de proyecto paraliza a muchos en su ser y en su acción, porque el vacío interior es la nada y, según el postulado de la antiquísima filosofía, «de la nada, nada se hace».

Queridos hermanos y hermanas: nosotros necesitamos la nostalgia de la Navidad, necesitan nuestros niños tener hoy la experiencia de la Navidad para que mañana puedan sentir su nostalgia. Esa nostalgia nos permite retornar a lo mejor de nosotros mismos y al amor infinito de Dios, para rehacer siempre el proyecto de nuestra vida y mirar confiados hacia el futuro.

Y si pareciera que el vacío se adueña de tu alma y no hallas el método para reencontrarte contigo mismo y con Dios, escucha las palabras de Jesucristo en su Santo Evangelio, Él tiene la fórmula: «Si ustedes no vuelven a ser como niños, no entrarán en el Reino de Dios». Decídete, pídele al Señor que te conduzca asido de la mano, como niño, hasta el pesebre de Belén, hasta la luz de la estrella, y déjate llevar allí de la imprescindible nostalgia que nos devuelve a la vida.

Con mi bendición, ¡feliz Navidad!

PRIMERO, EL HOMBRE*

En su reciente discurso de comienzos de año al Cuerpo Diplomático acreditado ante la Santa Sede, el Papa Juan Pablo II dijo a los embajadores de los ciento cuarenta y cinco países que están representados en el Vaticano, que «el verdadero corazón de la vida internacional no lo es tanto el Estado cuanto el hombre».

Esta importante y comprometida afirmación es la expresión, hecha sentencia, de una filosofía política que hunde sus raíces en el Evangelio de Nuestro Señor Jesucristo. El Evangelio muestra en todo momento a Jesús como liberador del hombre, a quien restituye la libertad en que Dios lo ha crea-

---

* *Boletín Diocesano*, enero 1993.

do, frente a todo intento de condicionamiento por parte de las instituciones de la sociedad.

Ante la ideologizada estructura social de su pueblo, Jesús de Nazaret rompe lanzas por el hombre, oprimido por leyes, preceptos, esquemas de comportamiento y opiniones formales, que cercaban a sus coterráneos, les endurecían el corazón y les impedían buscar la verdad.

En la vida de los seres humanos, peores con mucho que las necesidades materiales, aparecen los juicios y procedimientos clasificatorios, aquellos que ubican a los hombres en grupos bien delimitados de buenos y malos, de aceptables e indeseables.

«Maestro, ¿quién ha pecado, este o sus padres para que esté ciego?». La reacción de Jesús fue tajante: «Ni ha pecado él, ni pecaron sus padres». Queda claro que la historia de la humanidad no se presenta como una novela simplista de buenos que hay que premiar y de malos destinados al castigo.

Para sanar a un leproso, excluido por la sociedad a causa de su enfermedad, Jesús lo toca. Al tocarlo lo sacó de su aislamiento, porque era un marginado a quien nadie se acercaba.

El discípulo de Cristo debe comprender que el ciego y el leproso son simplemente hombres, sin etiquetas ni connotación alguna y, como ellos, todos los seres humanos.

La mujer adúltera, rodeada de hombres severos que están a punto de apedrearla por su mala conducta, halla en Jesús perdón y comprensión. Rompe así el Señor la alineación de los hombres en bandos: de un lado, los intachables y dueños de la situación y, del otro, los que han fallado, los débiles, que no deben tener acceso al cónclave de los probados e irrefutables «... Quien no tenga pecado, lance la primera piedra». Ese es el más alto clamor de misericordia que se ha escuchado sobre la tierra. Misericordia, sí, compasión. Tenla tú hoy con tu prójimo, porque necesitarás que la tengan contigo mañana: «Dichosos los misericordiosos, porque ellos alcanzarán misericordia».

Precisamente, en el Evangelio Jesús reprueba a menudo la observancia legalista de las normas establecidas que cerraba el paso a la misericordia. El sábado era el día sagrado y no podía violarse el descanso ni siquiera para auxiliar a otro en apuros. Este aberrado comportamiento brinda al Maestro la oportunidad de poner el amor al hombre por encima de esa ley y propicia un enunciado solemne que trasciende la ley del sábado y se hace compendio de doctrina y principio universal en labios de Jesús: «El sábado es para el hombre y no el hombre para el sábado».

Sustituyan el sábado por cosas, dinero, trabajo, Estado... y llegarán a la misma afirmación que ha hecho el Santo Padre ante el Cuerpo Diplomático del Vaticano. El hombre es primero; el dinero es para el hombre, el trabajo es para el hombre, el Estado es para el hombre y no el hombre para el Estado, ni para el dinero, ni para cosa alguna. El hombre no existe en función de nada ni de nadie.

Decir que el fin del hombre sobre la tierra no puede subordinarse nunca a ninguna otra instancia, sino que cada ser humano debe ser considerado en sí mismo y respetado no por lo que hace o tiene, ni según lo que piensa, sino por su misma dignidad humana, por lo que él es. He ahí la constatación frontal de la cual fluyen todos los demás derechos humanos, desde el derecho del niño a nacer, hasta el derecho a morir con dignidad, pasando por todos los demás derechos del hombre: el derecho a una vida digna, a rendirle a Dios pública y privadamente el culto merecido, a un trabajo justamente remunerado, a pensar y expresarse libremente, a fundar una familia y a ejercer sin interferencias indebidas su autoridad paterna, a educar a sus hijos según sus propias convicciones... No había que esperar a que las Naciones Unidas publicaran una Declaración para propugnar y defender esos derechos, porque los derechos no nacen de ninguna declaración, son exigidos por la dignidad intrínseca del hombre. La Declaración Universal de los Derechos Humanos solo viene a consagrar lo que fue desde siempre: «Y dijo Dios, hagamos al hombre a nuestra imagen y semejanza». Cada hombre lleva en sí un reflejo divino. La persona humana es inviolable, sus derechos son sagrados. Dios lo ha querido así.

Esta situación del hombre en el mundo, reconocida teóricamente por la inmensa mayoría de los pueblos de la tierra, no es aceptada en la práctica por muchos gobiernos que, en sus países, no tienen en cuenta unos u otros de esos derechos.

En los foros internacionales, cuando se hace mención de un país determinado, se piensa en sus gobernantes, en su sistema político, pero raramente en los hombres y mujeres que integran ese país. Así se ha dirimido muchas veces en la historia de la humanidad cuáles son los derechos de los Estados, olvidando al hombre y a la mujer concretos que integran los pueblos y que cargan con las consecuencias.

Sin embargo, en su discurso al Cuerpo Diplomático ante la Santa Sede, el Papa hace notar: «... lo que es, sin duda, una de las evoluciones más significativas del derecho de las naciones que ha tenido lugar en el siglo XX: la emergencia del individuo en la base de lo que se llama el "derecho humanitario". Existen intereses que trascienden los Estados: son los intereses de la persona humana, sus derechos».

Según este criterio humanitario, la Iglesia ejerce su acción caritativa. Así lo ha hecho siempre y en toda circunstancia, sin etiquetas que marquen a los hombres: «este es de tal o cual bando», «aquel tiene esta u otra ideología» o «pertenece a esta o aquella nación»; sin preguntar previamente las causas de la marginación o de la prisión, socorriendo simplemente al marginado porque es marginado y al preso porque es preso. En una palabra, atendiendo al hombre porque es hombre y, lo más importante, con un cuidadoso sentido de individualidad, que distingue al hombre concreto de la humanidad, del Estado, de la colectividad y lo trata de él, de ella, de tú y no solamente de ustedes o nosotros.

Jesús consagró este modo de actuar y la comunidad de sus seguidores, la Iglesia Católica, «experta en humanidad», en frase feliz del Papa Pablo VI, se sabe insoslayablemente comprometida en esta lucha por el hombre en cualquier latitud, bajo cualquier sistema político. Para entender el por qué no hay que apelar a explicaciones sociológicas, políticas o de otro orden, basta abrir el Evangelio en cualquier página. Allí está el pensar y el sentir de Jesucristo sobre el hombre.

De la fuente pura de los hechos y palabras del Hijo de Dios bebe el cristiano su valoración del hombre y de sus derechos. Alimentado con esta Palabra de Vida, se compromete a trabajar sin descanso para que cada ser humano tenga el sitio que le corresponde en la vida. «Porque tuve hambre y me diste de comer, tuve sed y me diste de beber, estaba desnudo y me vestiste, fui forastero y me hospedaste, estaba en la cárcel y me visitaste... Señor, ¿cuándo te vimos así y obramos de ese modo? Cada vez que lo hicieron con uno de esos necesitados, a mí me lo hicieron».

¿Hacen falta más razones?

Con mi bendición.

CARIDAD Y SOLIDARIDAD*

En una entrevista al miembro del Comité Central y Presidente del ICAP, Sergio Corrieri, publicada en la edición de «Granma» del 2 de enero de 1993, responde el entrevistado a una pregunta del periodista diciendo: «*La Caridad no tiene nombre, no tiene cara, no implica un compromiso, pero en esta solidaridad que recibimos se sabe lo que está defendiéndose...*», etc.

Resulta sorprendente en el párrafo la triple afirmación sobre la caridad: «*sin nombre..., sin cara..., sin compromiso*». No he conocido jamás otra apreciación tan negativa y rotunda sobre la virtud que debe caracterizar al cristiano en su ser y en su obrar.

Me parece, sin embargo, que este juicio está basado en dos presupuestos inexactos: primero, con respecto a la índole misma de la caridad y, después, en la consideración de la caridad como actitud opuesta a la solidaridad. Primeramente, la palabra caridad significa amor. El uso de este término de origen griego se difunde con el cristianismo y aparece en la Biblia, por primera vez, en el Nuevo Testamento. Es un vocablo al cual se le dio un uso religioso nuevo porque el amor que había predicado y testimoniado Jesucristo era de una novedad y radicalidad tales, que se necesitaba una palabra nueva para expresarlo, y esta fue «caridad», que quiere decir amor gratuito, desinteresado, que lleva al don de sí mismo.

---

* *Boletín Diocesano*, febrero 1993.

El amor de caridad se va perfilando en las palabras y en los gestos de Jesús: «Han oído que se dijo a lo antiguos: ama a tu amigo y odia a tu enemigo, pero Yo les digo más: amen a sus enemigos y recen por los que los persiguen» porque «Si ustedes aman a los que los aman, ¿qué mérito tienen?».

A alguien que preguntó a Jesús cuál era el mandamiento más importante de la Ley de Dios, el Maestro respondió: «El primero es amarás al Señor tu Dios con todo tu corazón, con toda tu alma, con todo tu ser, y el segundo es igual al primero: amarás a tu prójimo como a ti mismo». Jesús lleva así el amor al hombre hasta la cumbre del amor a Dios. Después, San Juan en su Primera Carta insistirá de modo concluyente sobre esta primacía de la caridad: «... quien dice que ama a Dios y no ama a su prójimo es un mentiroso».

Jesucristo enseñó que el amor se muestra en la entrega y el sacrificio: «Nadie tiene amor mayor que aquel que da la vida por quienes ama» y probó, al morir en la Cruz, que Él había amado hasta el extremo.

La caridad es, pues, un amor sin fronteras, que no distingue entre amigos y enemigos, es un amor sacrificial, con olvido de sí para servir al otro, es amor imprescindible para el seguidor de Jesús: «en esto conocerán todos que ustedes son mis discípulos, en que se aman unos a otros». La caridad tiene, pues, un nombre: amor, pero tiene además muchos nombres: los de los hombres y mujeres que, sin diferencia de raza, credo o pertenencia política, son alcanzados por la acción liberadora y bienhechora del amor.

La caridad tiene cara, tiene rostro: son los rostros demacrados de quienes tienen hambre, o los rostros olvidados de los pacientes del leprosorio, o de los niños o adultos con avitaminosis; pero también tiene la cara del prisionero, del anciano abandonado por su familia, del enfermo del SIDA rechazado por la sociedad, del adolescente o del joven incomprendido por sus padres.

Con todos estos es el compromiso, más que económico, moral y espiritual, que nos obliga a dar algo de lo que tenemos derecho a poseer: nuestros bienes materiales, nuestro tiempo, nuestro descanso, nuestra vida. Aquí podría dejar la palabra a una Hija de la Caridad o a una Hermanita de los Ancianos Desamparados o a un Hermano de San Juan de Dios. ¡Vaya si la caridad lleva un compromiso!

La Iglesia sabe lo que es este compromiso y, para tratar de cumplirlo a nivel universal, ha creado una organización internacional de ayuda y solidaridad que ha llamado precisamente CARITAS, que en latín significa «caridad».

Quizá se confunda la caridad con la frase dicha a un transeúnte por un pobre anciano sentado en los escalones de una iglesia: *«haga usted la caridad»;* pero la reducción de la caridad a esa situación entrañaría un desconocimiento de lo que ha sido históricamente la obra caritativa de la Iglesia.

La caridad y la solidaridad están en una relación muy estrecha. No se distinguen oponiéndose, sino más bien, como se diría en la filosofía tomista, como el género y la especie. La solidaridad especifica a la caridad. Cuando hablamos de solidaridad nos referimos a las acciones que, como muestra de caridad, emprendemos con una persona o con un grupo humano para apoyarlos en sus propios esfuerzos.

Pero tanto la caridad cristiana como su expresión privilegiada, la solidaridad, se refieren a relaciones entre personas, grupos o conglomerados mayores, por motivaciones humanas y cristianas.

Es válida en los movimientos políticos, sindicales, ideológicos, etc., la solidaridad entre los que integran movimientos afines. Pero la caridad, que es amor y servicio desinteresado al ser humano sin distinción alguna, no puede subordinarse a una solidaridad política, ideológica o religiosa, porque la misma caridad exige que el hombre sea lo más importante, que el ser humano esté en primer lugar. Por esto puede afirmarse que la caridad sí tiene nombre, no tiene etiquetas; sí tiene cara, no tiene fachada; sí implica un compromiso, no con una ideología, ni con un sistema, ni con un gobierno, ni con una confesión religiosa, sino con cada hombre y con todos los hombres.

Con mi afecto y bendición.

EL HIJO DEL HOMBRE
TIENE QUE PADECER*

Todos nosotros, como Pedro, a quien Jesús dijo en una ocasión esa frase, quisiéramos, queridos hermanos y hermanas, responderle al Salvador: Señor, ¿por qué tiene esto que suceder?, ¿por qué ese dolor tuyo y también por qué esos dolores nuestros?

Dios nos ha creado para que seamos felices, nos lo vuelve a repetir el Catecismo de la Iglesia Católica. Nos lo dice también, desde lo hondo de nuestro ser, el ansia inmensa de felicidad que llevamos siempre con nosotros. Mas los seres humanos, que no han errado en pretender la felicidad, sí se han extraviado en el modo de procurarla.

Un culto desenfrenado a los gozos sensibles ha igualado equivocadamente felicidad y placer. Se pierde así el sentido del esfuerzo, del trabajo, del dominio personal que es fuente de equilibrio y condición de la felicidad, se escapan los instantes agradables de la vida cotidiana: compartir sosegadamente en familia o jugar un rato con un niño, persiguiendo a menudo proyectos que parecen proporcionar más placer y que se vuelven inalcanzables e incluso peligrosos para la estabilidad de la misma persona y de su familia. La adicción al alcohol, a las drogas, al sexo, a los juegos de azar, son algunos de los caminos, exclusivos o simultáneos, por donde el hombre y la mujer de hoy pueden transitar en la falsa percepción de que placer es igual a felicidad.

Otra vía torcida hacia la felicidad consiste en identificarla con la posesión de bienes materiales, de cosas que se buscan ansiosamente como necesarias. No me refiero a los bienes materiales imprescindibles para alimentarse, mantenerse limpios, vivir en un lugar adecuado y acogedor o disfrutar convenientemente del descanso y la recreación que restauran las fuerzas y estrechan los lazos familiares y de amistad. Hablo del consumismo, que es una fiebre de tener todo lo que, siendo más o menos útil, es a menudo innecesario y hasta dañino.

---

* *Boletín Diocesano*, marzo 1993.

Me dirán que en Cuba no hay consumismo, porque no existe la propaganda comercial, ni bienes de consumo para alimentar esas prácticas. Pero ha surgido entre nosotros un consumismo potenciado justamente por las carencias económicas, por el turismo, que actúa como agente de propaganda, por las películas, por algunas telenovelas, etc. Existe en el mundo una cultura consumista y nosotros no podemos sustraernos de ella negando a priori que ejerza su influencia aquí; como existe actualmente una cultura hedonista, o sea, del placer que se introduce por todas partes. Hablando con más exactitud pudiéramos decir que la cultura actual tiene, entre otros, estos rasgos: es consumista, hedonista y violenta.

Porque la violencia completa trágicamente el cuadro de la cultura presente como un acompañante indispensable y lógico: quien desea desenfrenadamente tener y no alcanza lo que quiere, roba y mata. Quien es un adicto al alcohol o a la droga usa la violencia para procurarse esos ingredientes y bajo el efecto de ellos se vuelve con frecuencia irresponsablemente violento.

En las películas que circulan entre los consumidores de videos el criterio de aceptación para un buen número de ellos es la cantidad de sexo y violencia que contenga el filme. en esto no quedan casi nunca defraudados, pues con droga, sexo, guerra, golpes a lo occidental o a la japonesa, crímenes y sordidez se construyen los pobres argumentos de muchas películas.

No nos engañemos, esa «cultura» está configurando la vida de los jóvenes cubanos, de ustedes, queridos jóvenes católicos, los que llevan tiempo en nuestra Iglesia o los que inician, por medio del catecumenado, su camino de fe. Esa pseudocultura entra en la familia, en la vida de la pareja, en sus criterios de felicidad para ellos y para sus hijos.

La larga y artificial división del mundo en bloques, reclamando los ideólogos de cada uno de ellos que el bien total se hallaba en su propia filosofía y en sus propios mecanismos de organización social, ha hecho que, al margen de los sistemas políticos vigentes, aparezca una cultura global autónoma, que encuentra en la insatisfacción del ser humano, especialmente de la juventud, un firme asidero. ¡Qué precipitada conclusión la de haber pensado hace unas décadas que el avance de la ciencia o el desarrollo económico o una particular formación ideológica podrían producir por sí mismos la felicidad que el hombre ansía!

Pero ¿tiene el cristianismo un proyecto de felicidad para el ser humano? «Quien quiera ser mi discípulo, niéguese a sí mismo, tome su cruz y sígame». Esa es la invitación de Jesús. ¿Puede el camino de la Cruz conducir a la felicidad? Jesucristo presenta un código de felicidad que contradice los postulados de la actual pseudocultura global.

Frente a la avidez de tener cosas, al gozo desenfrenado de placeres y a la violencia ciega, Jesús en el Sermón de la Montaña proclama dichosos a los pobres en el espíritu, a los limpios de corazón y a los pacíficos. Y expresa allí también la causa de su dicha: ellos serán llamados Hijos de Dios, verán a Dios, de ellos es el Reino de los Cielos. Ni más ni menos, Jesucristo pone la felicidad del hombre en su posibilidad de abrir su corazón a Dios. Pero, para poder «ver a Dios», vivir como hijos suyos y pertenecer a su Reino de paz y amor hay que desprenderse de muchas cosas que nos ocultan al Señor, de pasiones y placeres que ciegan los ojos del alma, de odios y agresividades que roban la paz del espíritu. Para esto hay que negarse a sí mismo, hay que abrazar el sacrificio, hay que clavarse en la Cruz. Y es así como esa Cruz te salvará de ti mismo, de tu egoísmo, de tu capricho, porque te liberará de esas insatisfacciones peligrosas que engendran toda clase de deseos. De este modo, la Cruz de Cristo se convierte en camino hacia la felicidad.

En verdad, «el hijo del hombre tiene que padecer» y quien quiera ser su discípulo debe aceptar con decisión tomar la Cruz y seguir a su Salvador. Pero ese padecer es el sacrificio liberador que restaura la paz del corazón y nos pone en camino de felicidad. Triste y doloroso es el padecer las consecuencias de las ambiciones propias o ajenas, las frustraciones por no poder disfrutar todo lo que quisiéramos, la crueles amarguras que el odio y la violencia dejan en nuestras vidas. Para que no padeciéramos todo eso, «el Hijo del Hombre tiene que padecer».

En esta Semana Santa los invito a revivir en la oración el

camino de Jesús, a través de la Cruz, hacia la Resurrección y la vida, acompañándolo en su entrega para participar también de la felicidad de su triunfo sobre el mal y la muerte. Con votos anticipados de una feliz Pascua de Resurrección, los bendice su Obispo.

UNA FIESTA DE LA VIDA Y DEL AMOR*

Con la Luz de Cristo rompiendo las tinieblas de nuestros templos y de nuestros corazones, hemos iniciado en la pasada noche de Pascua las celebraciones anuales de la Resurrección de Nuestro Señor Jesucristo. No festejamos los cristianos el triunfo vengador de Cristo, quien, al surgir glorioso del sepulcro, vendría a dejar aplastados a sus torturadores, como sucede en las proezas de los héroes invencibles de ciencia ficción, que vuelven a vivir una vez y otra, después de haber sido aparentemente vencidos, para burlarse de quienes los persiguen.

La resurrección de Jesucristo, como su paso por la historia de la humanidad, con su culminación sangrienta en la Cruz, lleva la marca del mismo Jesús de Nazaret, su sello propio, su estilo, descrito de antemano tan prodigiosamente por el profeta Isaías: «*He ahí mi siervo a quien sostengo..., no gritará ni voceará por las calles, la caña cascada no la quebrará, el pábilo vacilante no lo apagará*».

No hay clamor de Resurrección, como no hubo clamor de Cruz. Desde lo alto del madero, los labios del crucificado musitaron palabras de perdón para quienes no sabían lo que hacían, y cuando entregaba su espíritu en manos del Padre, su grito desgarrador, un suspiro final de dolor, no fue proferido contra nadie, ni para increpar a otros, más bien estuvo dirigido a nosotros, a nuestros corazones endurecidos, y dichosos los que tienen oídos para oírlo.

No había que esperar al domingo de Pascua para celebrar a Jesucristo vencedor, porque en la tarde plomiza del Viernes Santo, desde la Cruz, el mal fue vencido por el bien, el odio

---

* *Boletín Diocesano*, abril 1993.

por el amor, la agresividad y la barbarie con la dulzura y el perdón.

Ese es el camino de Jesús, el que empezó en Galilea y, pasando por el Calvario, se hace Buena Noticia al amanecer del domingo de Resurrección. De veras ha triunfado el amor, y Jesús pide a los suyos que vayan a anunciarle esto al mundo entero, a darle esa buena noticia a todos: el odio, el abuso del poder, la fuerza bruta, los malos sentimientos, resultaron vencidos por la fuerza suave e incontenible del amor, que se origina en Dios.

Celebrar la Pascua es optar por la vida y el amor, escoger para esto el mismo camino del amor recorrido por Jesús. Así, nuestra fe en Cristo Jesús irá siempre acompañada de un amor que «trasciende toda filosofía»: reconciliador en todo momento, capaz siempre de perdonar, que no paga el mal con mal, ni apela a la violencia para imponer sus puntos de vista o rechazar los de los demás y que no acepta que el odio tenga ninguna fuerza constructiva. Cristo nos da una visión del mundo y una tarea en el mundo, que tienen como horizonte la siembra y el cultivo de un amor al estilo propio, que va más allá de las relaciones interpersonales, porque el amor cristiano tiene que ver con el mundo del trabajo, con la educación de las nuevas generaciones, con la economía, con las diversas estructuras de la sociedad, con las relaciones entre países y con el establecimiento de una paz verdadera. Cristo, vencedor de la muerte y del odio, envía a los suyos a llenar el mundo de amor, hasta que se afiance en la tierra una CIVILIZACIÓN DEL AMOR.

Los imagino a ustedes, queridos hermanos y hermanas, leyendo este mensaje de Pascua de Resurrección después de llegar a sus casas agobiados, no tanto por el trabajo, sino por las dificultades que tuvieron en la mañana con el transporte para llegar hasta el centro laboral o en la tarde para regresar a casa. Seguramente estarán estropeados, después de pedalear un buen rato, o caminar muchas cuadras, tratando ahora de preparar, con lo que hay, algo de comer y comentando las incidencias del día, la agresividad de la gente en las colas, el individualismo que se acentúa siempre en situaciones de penuria. Querámoslo o no, la crisis económica se interrelaciona con la situación social y, con tristeza, comprobamos a veces que todos podemos envilecernos, yendo cada uno a lo suyo y despreocupándonos de los demás y eso a pesar de las características del pueblo cubano, que es amistoso y solidario.

Hoy más que nunca debe vivir y testimoniar el cristiano en nuestro medio, con actitudes, hechos y palabras, la alegría de Cristo resucitado. Nunca como hoy deber ser la comunidad de los seguidores de Jesús, su Iglesia, sembradora de paz y esperanza en los corazones. Muchos de los hermanos nuestros que se acercan a la fe católica vienen justamente en busca de todo eso y de los valores que se afianzan en la fe en Jesucristo.

Porque no se reduce la inspiración evangélica para el cristiano, inmerso en la colectividad humana, a una actitud de no violencia. Esta es indispensable en los seguidores de Jesús. Pero la acción del cristiano en la familia, en la sociedad, en la política, en la vida sindical o profesional consiste en ser constructor activo de una civilización donde el amor cristiano, como la Luz de Cristo en la noche pascual, vaya venciendo progresivamente las estructuras de odio y de muerte que esclavizan al hombre, para que triunfe la vida y la esperanza.

En este empeño no encontramos siempre puertas abiertas, ni caminos trillados. Recordemos que el dilema está planteado en el Evangelio de San Juan... «*Porque vino la Luz al mundo y algunos amaron más la tiniebla que la Luz*». El Señor Jesús no ignoraba este reto y el Evangelio es, de principio a fin, un cántico a la libertad del hombre. Jesús Resucitado se aparece a los suyos y los envía a anunciar su Buena Noticia a toda criatura: «*el que crea y se bautice se salvará, el que no crea, se perderá*». Los apóstoles se supieron siempre proclamadores, anunciadores de Cristo y así hoy también los cristianos. La aceptación o el rechazo dependen de cada hombre o mujer y del uso que cada uno de ellos haga de su libertad, pero la Buena Noticia debe ser anunciada, más aún cuando experimentamos cómo lo reclaman el hombre y la mujer de hoy. En el mismo anuncio evangélico hallarán también nuestros hermanos nuevas claves de interpretación de la realidad:

el triunfo de Cristo no comenzó al resucitar, se inició en la Cruz y la Cruz de cada día y de estas horas, vivida como ofrenda y en total entrega a Dios Padre, en actitud de reconciliación que incluye el perdón y la misericordia, debe ser, para los cristianos que forman la Iglesia en Cuba, causa de alegría, de paz y de esperanza, y este modo de seguir el camino de Jesús es en sí un anuncio y contiene una invitación explícita para todos nuestros hermanos. «Vengan a ver lo que ha hecho conmigo el Señor».
Con mi bendición.

CUBA:
¿ATEÍSMO O SANTERÍA?*

Hasta épocas recientes, hace aún menos de diez años, era frecuente encontrar en publicaciones extranjeras, o en conferencias pronunciadas en diversos centros de estudios de países de Europa occidental o de América una inclusión de Cuba entre los países que presentaban un perfil ateo. Personas autorizadas en Cuba declaraban con frecuencia a la prensa nacional o extranjera que la religiosidad del cubano era mínima, que el influjo de la religión era irrelevante, que en nuestro país había muy pocos creyentes, generalmente personas de edad avanzada que no habían superado las etapas precientíficas anteriores, que hoy, con los avances de la ciencia y la difusión de la educación, esos rezagos del pasado iban superándose. Estas expresiones se relacionaban casi siempre con la religión católica y las religiones cristianas, en general, con poca o ninguna referencia a la santería.
Al viajar a Europa y a otras partes de América para participar en alguna reunión, en el asalto habitual que hacen los periodistas a los obispos que vienen de Cuba, me encontraba ante insistentes preguntas sobre el ateísmo del pueblo cubano. Sentía extrañeza al verme forzado a contestar negando a priori ese pretendido ateísmo, el cual, por otra parte, parecía estar avalado por hechos, que los mismos periodistas ha-

---

* *Boletín Diocesano*, junio 1993.

bían podido comprobar. Los cubanos escritores, artistas, marineros, estudiantes, no incluían el nombre de Dios en sus conversaciones, sobre todo comparando esto con la familiaridad con que se hace en nuestros pueblos latinoamericanos. Ningún pelotero cubano hacía la señal de la cruz en su turno al bate, ni el corredor en su arrancada. No se descubría una cruz ni una medalla ni ningún signo religioso en el atuendo exterior de un cubano, quien por demás eludía el tema religioso expeditivamente.

¿Cómo explicar a un periodista extranjero que este comportamiento y las demás manifestaciones de irreligiosidad correspondían a una imagen y no a la realidad existencial e histórica del cubano? Porque hay actos que, a fuer de repetirlos, llegan a crear convicciones falseadas aun en los mismos que los ponen. Aquel aparentemente dominante ateísmo sociológico era simplemente una imagen proyectada hacia el mundo como fruto «necesario» de un cambio social inspirado en el marxismo, que en esos momentos estimaba imprescindible la negación de la vigencia de la fe religiosa en una sociedad transformada.

¡Cuál será ahora nuestra sorpresa cuando nos abordan los periodistas, primero en Caracas, después en México, preguntando por nuestra opinión sobre Cuba, centro de la santería!, o para cuestionarnos sobre cuál es la acción de la Iglesia ante la pujanza de la santería. Sin faltar una periodista que me habló de Cuba como «exportadora del satanismo al continente».

Difícil de explicar, pero, como en el caso anterior de ateísmo, se trata también de una imagen y no de la realidad. Aquel proceder tenía motivaciones ideológicas, este se origina en la propaganda turística.

No niego por un momento que hay un resurgir de la fe, o mejor formulado aún, una manifestación cada vez más libre de los sentimientos religiosos del pueblo cubano. Esto es cierto en la Iglesia Católica y en otras iglesias cristianas, las cuales, a partir del propio dinamismo de sus comunidades o congregaciones, ven acrecentarse el número de sus fieles.

Algo diverso ocurre con la santería. Una propaganda nacional e internacional turística convierte a La Habana en meca de peregrinaciones. Los anuncios incluyen una invitación a confiar en los poderes de los babalaos del país. Hay precios establecidos, hay ritos organizados para grupos especiales. Esto es peligroso. Como lo es que alguien diga haber visto a la Virgen María y se haga publicidad de ello, con el fin de organizar peregrinaciones a la casa del vidente y así obtener los dividendos turísticos que esto trae, facilitando la transportación hasta el lugar, las fotos, los souvenirs, etc.

Estos modos de proceder constituyen un uso indebido de la fe religiosa y resultan dañinos a la misma fe, la cual se folcloriza, se comercializa y queda despojada de su más profunda esencia espiritual. De otro lado, estos buscadores de lo maravilloso, que están dispuestos a pagar para encontrarlo donde se lo ofrezcan, no encarnan el tipo de hombre o mujer de fe capaces de inspirar con su ejemplo a otros seres humanos y los malos ejemplos, por rebote, pueden afectar a muchos hermanos nuestros.

Me parece que turismo sí, pero no a toda costa ni de cualquier clase y esto, en el caso que nos ocupa, incluso para bien de nuestros hermanos de religiosidad afrocubana. Algunos de ellos me han manifestado su preocupación.

Los bendice su obispo.

NAVIDAD 1993. EL NACIMIENTO DE JESÚS Y LA VIDA DEL HOMBRE*

Al inclinarse este año ante la escena perenne del pesebre de Belén, donde yace un niño casi al descampado, sostenido solo por el afecto esencial de una madre, vuelvo a escuchar las palabras de Evangelio de Juan: *«Tanto amó Dios al mundo que le envió a su hijo...»*.

Es inseparable de ese sentimiento sobrecogedor ante el anonadamiento de Dios, una mirada al entorno de Jesús, que no es solo la cueva donde está recostado, sino el mundo tan amado por Él. El mundo de Herodes y de Augusto César,

---

* *Boletín Diocesano*, Navidad 1993.

pero también este mundo nuestro y esta hora de la historia, los días postreros del año 1993.

La Navidad debemos celebrarla también en Cuba como un acontecimiento para aquí y para esta hora, porque entre nosotros, como en todos los pueblos de la tierra, estos días son días que invitan a la reflexión y a la oración.

Sigamos el hilo de la vida del Niño de Belén, que había nacido lejos de su pueblo de origen por los azares de la política imperial, un curioso censo que obligó a desplazarse a su familia. Lo vemos después, aún pequeño, conocer las amarguras del exilio. Tuvo su familia que huir a Egipto pues, también por razones políticas, el niño corría peligro. Trabajo y pobreza en Nazaret al regreso del involuntario destierro y, más tarde, todos conocemos mejor su historia.

Jesús sale a las calles y plazas, recorre los caminos polvorientos de su tierra y, hablando el lenguaje que los suyos podían comprender, les da, especialmente a los pobres, una buena noticia: el anuncio de un Reino distinto al del imperio, fundado en una nueva ley de amor. Sin tregua anduvo el Mesías curando enfermos, perdonando y enseñando a perdonar. Y habló de amor, incansablemente habló de amor, de modo que al odio no le quedara ningún espacio. Y llegaron las críticas: ¿quién era ese Jesús para dirigirse al pueblo?, ¿de dónde le viene esa sabiduría? No cumple con su religión (se atrevieron a juzgar de su actuación utilizando los mismos textos de la Biblia). Y la política, ah... ¡la política! Estaba incursionando Jesús en algo reservadísimo, que a él no le competía, estaba criticando, quizá acusando, a la autoridad. Y sus intenciones: no es amigo del César y quiere hacerse rey. Todo quedó claro. Y lo clavaron en la cruz.

Por razones políticas nació lejos de su casa, por razones políticas vivió exiliado, por razones políticas lo condenaron y fue ejecutado. Y Jesús no era un político, pero su enseñanza tenía que ver con la política y también con el trabajo y con la vida del hogar, con la sociedad de su tiempo y con las relaciones interpersonales, con la moral sexual y con el modo de rezar y de adorar a Dios; porque su mensaje está dirigido al hombre en su integridad, ese hombre que no puede ser compartimentado y que nadie, sino solo Dios, puede reclamar para sí en su totalidad.

A ese hombre dirigimos los obispos cubanos nuestro mensaje: «El amor todo lo espera». Es el mensaje mismo de Jesús, proclamando para el tiempo que vive ahora nuestra Patria. Al modo de Jesús hemos hablado de amor y de reconciliación entre nosotros los cubanos que vivimos en esta tierra o fuera de ella. Hubo algún periodista que llevó cuenta de las veces que mencionamos la palabra amor en nuestra carta. Seguro que muchas menos de lo que lo hace el Nuevo Testamento o alguna de las obras de Martí. Sí, hemos sido repetitivos en el amor, como lo fue Jesús. Esto lo han agradecido tanto los católicos como los no católicos por innumerables cartas o personalmente.

Porque los cubanos experimentamos, en este momento de nuestra historia, que es algo más que la economía lo que hay que estimular y transformar; son también las actitudes ante la vida, los sentimientos, los modos de pensar y de actuar los que deben cambiar, de manea que se puedan movilizar las voluntades en el orden del bien, del derecho, de la verdad y de la justicia.

Nuestra fe cristiana nos reafirma en la convicción de que solo el amor es capaz de generar esas energías positivas que necesitamos para superar la actual crisis de valores que sufrimos en lo personal, en la familia y en la sociedad.

Es evidente que, al hablar del hombre en su concreto vivir, hayamos llegado hasta la dimensión política de la existencia humana. Esto no es incursionar en terreno ajeno, sobre todo cuando la política ha tomado tanto espacio en la vida del cubano, que en estos años muchos han tenido «un problema político» en su centro de trabajo o de estudio o en la organización a que pertenecen por llevar un crucifijo al cuello o por escribir cartas a sus familiares o amigos en el extranjero o por leer un libro de Octavio Paz. Más bien hay que preguntarse: ¿hasta dónde puede llegar la política sin que el hombre sufra menoscabo en su libertad?

Lo que está en juego hoy en nuestro mundo es el papel del Estado con respecto a la persona humana, más aún que en relación con la economía. Porque puede aceptarse cierto control del Estado en la esfera económica, justamente para beneficiar a las personas individuales; pero un control indebido o excesivo de las personas, por parte del Estado, afecta la creatividad del hombre y su rendimiento laboral y paraliza muchas iniciativas, quedando, paradójicamente, coartada la misma proyección social del individuo.

Al hacerse hombre en Jesucristo, Dios ha apostado por el hombre y, así, todo intento por parte de cualquier entidad humana por reclamar para sí la mayor parte o la totalidad de la interioridad del hombre entrará en conflicto con la enseñanza de Jesús, con sus seguidores, con su Iglesia. Al presentar a su hijo Jesús en el templo, María escuchó del anciano profeta estas palabras: *«este niño será signo de contradicción»*. Y más tarde los discípulos oyeron que su Maestro les decía... *«No es el discípulo más que el Maestro... Cuando el mundo los odie, recuerden que primero que a ustedes me odió a mí... si me persiguieron a mí, también los perseguirán a ustedes»*.

A los cristianos no nos sorprenden, pues, las críticas y los rechazos, aun cuando sean brutales. Esa furia es vieja, tiene casi dos mil años y conocemos sus causas profundas que tienen que ver con la esencia misma de nuestra fe. Un Dios que se hace hombre exalta la condición humana y reclama para el hombre el trato reverente que se da a lo sagrado. La defensa de la dignidad del hombre y de su libertad es así parte intrínseca de la fe cristiana y esto puede tornarse a veces molesto.

Cada año, la Navidad, con su ternura avasalladora, nos pone otra vez de rodillas, con magos y pastores, ante la escena ingenua que contiene la verdad más exigente y consoladora de esta vida: el hombre ha sido dignificado por Dios.

Ante Jesús Niño repetimos en oración nuestro compromiso cristiano de trabajar con amor por la justicia y la verdad. Solo así llegará la «Paz a los hombres que ama el Señor».

Los invito, queridos hijos, a unirse en esta Navidad en oración de esperanza y a renovar su compromiso cristiano de amar al modo de Jesús, sin buscar recompensa y aceptando todos los riesgos.

Los bendigo con afecto y pido al Señor les conceda una Feliz Navidad.

LA LECCIÓN DE LA CRUZ*

Queridos hermanos:

Estoy realizando, en estrecha colaboración con los obispos auxiliares, la visita pastoral a nuestra Arquidiócesis de La Habana. En el recorrido del Pastor y su encuentro con la gente, le sale al paso el sufrimiento extremo de nuestro pueblo.

Se trata de un dolor múltiple, habitual, que se refleja en las miradas y aflora en las palabras de hombres y mujeres de toda edad. Dificultades acumuladas con la alimentación, los medicamentos, el transporte, las faltas a veces demasiado prolongadas de electricidad y la carencia de medios para cocinar los alimentos, configuran, entre otras cosas, esa angustia ambiental, más acentuada en los ancianos y en los enfermos crónicos y sus familiares más inmediatos.

La ausencia de plazos previsibles para el alivio de estos males desafía cualquier esperanza y genera también variados análisis de la situación, sin que dejen de aparecer aquellas consideraciones que tienen que ver con la economía, la organización social y la política.

Pero el Pastor no es ni un economista ni un político, y esto lo sabe bien el pueblo. Por eso, en su encuentro con el obispo, de un modo u otro y sin que medien muchas palabras, la gente se refiere inmediatamente a Dios. También lo hacen porque saben que el obispo, al igual que el sacerdote, se acerca a ellos en nombre del Señor.

Entonces nos dicen: Padre, ¿nos está escuchando Dios? Padre, pídale a Dios por todas estas cosas. Y es frecuente que vuelva a oírse aquella expresión que tiene de pregunta y de queja, cuya respuesta parece ser un silencio reverente; la que muchos seres humanos han sentido quemarles los labios, la misma que Jesús, en nombre de la humanidad sufriente, hizo

---

* *Boletín Diocesano*, febrero 1994.

suya en lo alto de la cruz: «*Dios mío, ¿por qué me has abandonado?*».

Fluye en esos momentos, de modo significativo por su frecuencia y seriedad, una reflexión, popular si se quiere, pero ciertamente inspirada en la fe. ¿Qué hemos hecho nosotros para sufrir tantas cosas? Y casi siempre los mismos que se preguntan responden espontáneamente, como pensando en voz alta: «Quitamos los cuadros de Jesucristo, escondimos el crucifijo que llevábamos al cuello, apartamos a nuestros hijos de la fe y ahora ellos mismos nos lo echan en cara. Nos olvidamos de Dios y ahora Él se olvida de nosotros». Oí decir a un hombre de mediana edad: «Me peleé con mi hermano que se fue de Cuba y ahora tengo que bajar la cabeza y pedirle dinero».

Hay, sin duda, apreciaciones no justas en esas reflexiones que parecen olvidar la misericordia de un Dios que se nos revela con toda su ternura en la Sagrada Biblia: «*Mis pensamientos son pensamientos de paz y no de aflicción*» (*Jr* 29, 11). «*¿Puede olvidarse una madre del hijo de sus entrañas?; pues aunque ella se olvidara, yo no te olvidaré...*» (*Is* 49, 15). Aun si hubiéramos cometido pecado olvidándonos de Dos, volviéndole las espaldas, la voz del mismo Dios, en su Palabra revelada, nos asegura que siempre habrá perdón para quienes se arrepientan: «*Yo no quiero la muerte del pecador –dice el Señor–, sino que cambie de vida y viva*» (*Ez* 18, 23).

Pero, aun teniendo todo esto hoy por cierto, hay intuiciones válidas implícitas en ese modo de discurrir de nuestro pueblo que está impregnado de sabiduría. Porque el problema cubano no es solo una cuestión de dinero, ni se circunscribe únicamente a lo político. Hay algo en nuestra situación que trasciende mecanismos económicos y actuaciones políticas; entre nosotros está en juego nuestra postura como pueblo ante la VIDA, y digo bien la vida y no la historia. Porque al decir vida entramos de lleno en el tejido complejo de lo humano, donde se fraguan y conservan los valores, donde nacen y se enraízan los quereres. Encarar la vida es preguntarnos también por su significado, por su origen, por nuestra relación con quienes comparten a nuestro lado la aventura de vivir y así, al descampado, aceptar o rechazar nuestra responsabilidad como hombres y mujeres.

Y ¿qué hemos hecho nosotros con la vida? Fíjense que la pregunta no es: ¿qué hemos hechos nosotros en la historia? Porque la historia es ese gran escenario en el que aprendemos a actuar. Allí somos profesionales o técnicos, cantantes, militares, gobernantes o escritores; campesinos o profesores. En la historia, algunos tienen un rol destacado y otros forman parte de la gran mayoría anónima.

Pero en la vida somos padre, madre, hijo, hermano, novio o novia, amigo o enemigo, así sin adjetivos; o somos, con adjetivos, la pobre madre que perdió a su hijo trágicamente, o el padre enfermo a quien nadie visita, o la buena hermana que se fue de Cuba y no recibe nunca carta de su hermano o el amigo de antes que, por razones ideológicas y políticas, dejó de tratarnos.

¡Cuánto hemos hablado de la historia, de sus hazañas, de sus héroes y sus traidores! ¡Cuán poco hablamos de la vida, de sus dolores, de los reclamos más sentidos del corazón humano, siempre necesitado de compasión, siempre en búsqueda de esperanza!

Al repasar nuestra vida descubrimos lo que echamos por la borda, lo que no supimos guardar celosamente y ¡cuánto se nos endureció el corazón aprendiendo a actuar en el gran escenario de la historia... que no es la vida! ¡Qué claras parecen entonces las palabras de Jesús!: «*¿De qué le vale a alguien ganar el mundo entero, si malogra su vida?*» (*Lc* 9, 25).

Es así como aquella especie de examen de conciencia colectivo que he escuchado más de una vez de los labios del pueblo puede desembocar en sentimientos de frustración y de culpa. De ahí que tantos hermanos nuestros se vuelvan hacia el autor de la vida, buscando en Dios el sentido de sus existencias o la posibilidad de rehacerlas y de hallar perdón y misericordia, porque, aun entre sombras, muchos intuyen que esta necesidad de vida en plenitud solo puede colmarla aquel que nos dijo: «*Yo he venido para que tengan vida y la tengan en abundancia*», Jesucristo Nuestro Señor. Dios nos ha llevado, a través de los apremios de nuestra historia reciente a experimentar no solo carencias materiales, sino insuficien-

143

cias vitales. Si «*no solo de pan vive el hombre*», no es solo pan lo que le falta al hombre en Cuba hoy.

En el tiempo de Cuaresma que está comenzando, subimos con Cristo hasta la cima del Calvario y allí aprendemos, al pie de la cruz, mirándolo a Él, la lección perenne del sufrimiento: lo que puede el amor, donde se halla la verdad, el precio que hay que pagar por ser fieles a lo esencial.

Es esto y no castigo, es esto y no olvido, la lección del dolor, la lección de la Cruz.

¿Por qué no hacemos en esta Cuaresma el intento de aprenderla?

Con mi bendición.

«IRSE DE CUBA»*

En la homilía del día 1 de enero, en la iglesia Catedral de La Habana, al inaugurarse el Año Internacional de la Familia, decía que en estas tres últimas décadas la familia cubana está marcada por la separación de sus miembros a causa de la salida del país de una parte de los mismos. Es cierto también que hay familias que se han marchado con todos sus integrantes, los cuales, generalmente, han podido reunirse en el extranjero en forma sucesiva, pero el número de los que no han alcanzado ese objetivo es alto. Lógicamente, pues, mucho se ha hablado en estos años de la reunificación familiar, pensando en quienes han quedado en Cuba separados de sus familiares cercanos. Sin embargo, a medida que pasa el tiempo, la reunificación familiar parece convertirse cada vez más en un sueño irrealizable. Es muy alto el número de cubanos residentes en el extranjero con familiares cercanos en Cuba. Por otro lado, el tiempo complica naturalmente la historia familiar y se producen casamientos y nuevos nacimientos que amplían el número de los allegados en una proporción notable, creándose así una cadena, cuyos eslabones no cesan de multiplicarse y que parece no tener fin.

Están, además, los que no tienen ningún familiar cercano

---

* *Boletín Diocesano*, marzo 1994.

en el extranjero, pero desean abandonar el país. Unos y otros buscan todos los medios posibles para hacerlo: visas por terceros países, viajes de visita a familiares en Estados Unidos sin retorno a Cuba, estancias de trabajo o estudio que se vuelven interminables e implican, de hecho, una especie de emigración y la temeraria decisión de atravesar en balsas, pobremente construidas, el Estrecho de la Florida, poniendo en peligro la vida propia y aun la de niños o de mujeres gestantes. No se sabe el número exacto de muertos en este empeño. Algunos calculan que la cuarta parte, o aun la tercera de los que se lanzan al mar, muere en el intento. Si el año pasado llegaron a Florida por esta vía unos tres mil cubanos, ¿cuántos perecieron en esa terrible aventura? La salida del país constituye un drama real en la historia cubana contemporánea. No es mi propósito emitir juicios y señalar responsabilidades, sino hacer un llamado a las conciencias y a los corazones para enfocar esta situación con verdadera sensibilidad que nos lleve a todos a la reflexión y a la oración.

Las posturas históricas ante la salida de los cubanos del país han sido, fundamentalmente, dos: la condena indiscriminada de todo el que se va o la alegría en quienes se marchan y en algunos de sus familiares, amigos u otros que comparten la misma ilusión de salir del país.

Pero ¿no habrá otro sentimiento más hondo que pueda ser compartido por todos los cubanos, tanto por los que tradicionalmente se indignaban y aun proferían insultos contra quienes se iban, como por los que han mostrado una alegría un tanto superficial ante el propósito logrado de irse de Cuba? Sí, existe un sentimiento verdadero que siempre ha estado presente y que poco se ha expresado: el dolor. Dolor en quienes se van por abandonar su tierra, y su gente; dolor en quienes se quedan, porque el país se empobrece al perder sus hijos. Dolor porque se nos va el médico amigo, el artista o el deportista que seguíamos en sus éxitos, dolor por el escritor destacado, por el pintor preferido o por el vecino de tantos años que era como de la familia, por el amigo con quien jugamos de niños o por los ancianos que quedan más solos aún, pendientes, de ahora en adelante, de las noticias de sus hijos y nietos.

Es verdad que este dolor siempre ha existido en quienes se van y en quienes se quedan, pero ha sido acallado, disimulado, sea por una alegría superficial y hasta chocante en algunos casos, o enmascarada por una furia insana en otros. Pero es la hora de dejar esos disimulos, de quitarnos las máscaras y de decir bien alto que la partida del país de tantos cubanos es un dolor, a menudo personal y cercano, en ocasiones profundo, pero es también, sobre todo, un sufrimiento comunitario, compartido, es el dolor de la Patria que se queda sin sus hijos.

Aun si algunos de ellos fueran díscolos o menos amorosos, la Patria, como una gran familia, debe ser capaz de cargar con todos sus hijos y congregarlos en el amor. Esa es la Patria «con todos y para el bien de todos» con la que soñara Martí; sueño todavía no alcanzado, pero irrenunciable por justo y verdadero. Dejemos que estos sentimientos altos y nobles se abran paso, derribando las cortezas artificiales que no expresan nuestro real sentir.

En estos días de Semana Santa, la Cruz en la que fue clavado Nuestro Señor Jesucristo se alza ante nosotros como expresión viva del sufrimiento redentor. El Salvador escogió, para salvar, el camino del dolor. Ningún otro camino hubiera podido ser redentor. En la gama de los sentimientos humanos, la ira, el cinismo, la indiferencia, la venganza o la ambición, no redimen. Redimen la compasión, la comprensión, la misericordia y estas no pueden darse sin amor y sacrificio, sin una dosis de dolor aceptado y compartido. A la Patria se le sirve también sufriendo por ella, porque el dolor es redentor.

Por esa misma cruz del Señor, en estos días sagrados en que celebramos la muerte y Resurrección de Jesucristo, el Hijo de Dios vivo, quiero hacer una súplica a aquellos que arriesgan sus vidas lanzándose al mar especialmente a los jóvenes, para que no cedan a la tentación de correr esa suerte. La vida es un don d Dios y no debe ser arriesgada sino por razones muy poderosas, como salvar otra vida. No dejen en los corazones de sus madres, padres, hermanos y amigos un sufrimiento irreparable. Que no haya ninguna madre que arriesgue la vida de su hijo pequeño en una acción tan peligrosa. Aprendamos, en fin, a penar y sentir en esa clave humana que es capaz de transformarnos a todos cuando encontramos lo mejor de nosotros mismos.

Con mi bendición y mi oración por que tengan ustedes una Feliz Pascua de Resurrección.

LA DOCTRINA SOCIAL DE LA IGLESIA*

La era poscomunista, sin guerra fría, pero no sin conflictos armados regionales, es este período de la historia donde no está resuelto, ni con mucho, el angustioso problema de la pobreza, que atenaza a la población mayoritaria de vastas zonas de la tierra.

Como única solución a este drama de fin de siglo, aparece el reforzamiento de la macroeconomía, el libre mercado, la abstención del Estado con respecto a medidas sociales, las privatizaciones, etc. A todo este estilo de conducir la economía se le llama con frecuencia neoliberalismo.

Frases como «terapia de choque», «reajuste económico» y otras se hacen familiares a los pueblos empobrecidos que aprenden a escuchar este vocabulario, algunos con esperanza, los más con temor.

El derrumbe del llamado socialismo real en el este europeo, entre otras cosas por su incapacidad para producir los bienes necesarios para que se alcance un nivel aceptable de bienestar, ha representado para la humanidad, en la década de los noventa, una búsqueda exclusiva de modelos de organización económica con denominadores comunes que, sobre todo en los pueblos menos desarrollados, acentúan las diferencias entre ricos y pobres, al hacer que los ricos sean cada vez más ricos y los pobres, cada vez más pobres.

La falta de alternativa hace pensar a algunos en un nuevo sistema que podría tomar lo mejor del antiguo comunismo y lo mejor del capitalismo. Otros sueñan con un modelo de sociedad que no tenga ningún parentesco con los viejos sistemas y que sea de veras efectivo para remediar los males de la miseria y la postración de los pueblos.

---

* *Boletín Diocesano,* mayo 1994.

Tres son, pues, fundamentalmente las opciones teóricas de los medios intelectuales y laborales ante la situación de los pueblos para este fin de siglo y de milenio:

— Una recuperación del marxismo, incluso reformado, que pudiera dar batalla a cierto tipo de capitalismo salvaje y ganarle en buena lid.

— Una instauración universal del capitalismo liberal que podría generar, con cierta rapidez, las riquezas necesarias para rescatar de la miseria al mundo empobrecido de más de la mitad del planeta.

— La creación de un nuevo sistema híbrido de socialismo marxista y de capitalismo liberal o totalmente diverso de ambos, como única solución para la humanidad actual.

Una palabra clave se extiende, sin embargo, por toda la tierra: *CAMBIO*. Y esa palabra se refiere a una realidad, quizá desconocida, pero nueva, que reemplace por otros los modelos establecidos en muchos países. Normalmente, este deseo de cambio se refiere a la economía, pero incluye también la política. En este último campo es *DEMOCRACIA* la palabra clave, aunque sea entendida con matices diversos por todos los que la pronuncien, pero teniendo, sin embargo, en todas las conciencias, un basamento común, el de una *LIBERTAD* no condicionada que haga a cada hombre y a cada mujer dueños de sus destinos. En los esbozos de cambio, libertad y transformación económica aparecen ligadas por una relación necesaria.

Quizá sean estos últimos los dos pensamientos más claros que afloran en las mentes de muchos seres humanos, afectados por el hambre y la desesperación: *CAMBIO Y DEMOCRACIA*, porque el cómo llegar a instrumentar esas transformaciones repito que permanece en el ámbito de la formulación teórica de nuevas utopías, en la añoranza de otras o, en la mayoría de los casos, en la simple repetición del modelo económico y político en voga.

¿Qué puede hacerse? Las posturas teóricas que tienen que ver con el marxismo, con el neoliberalismo o con un eventual «tercer sistema» tienen el peligro de ser justamente teóricas. Su verificación práctica en un caso no dio resultado, en otro da resultado inmediato para los más grandes o poderosos y, en otro, no pasa de ser un sueño todavía sin verificación. Pero los pueblos no pueden esperar. La miseria, el hambre y las enfermedades no se compaginan con la paciencia para aguardar viejos o nuevos experimentos. Es necesario actuar prontamente y con realismo, que se distingue del pragmatismo, porque este es frío y calculador y aquel tiene precisamente en cuenta la realidad total del hombre que sufre. Con realismo se debe aceptar que hay un tipo de organización económica en el mundo, dentro de la cual deben moverse los pueblos, sobre todo los países pequeños y pobres. Dentro de ese mundo, pero sin conformarse a las peores cosas de ese mundo, deben producirse los *CAMBIOS* necesarios en cada país y debe establecerse una solidaridad internacional para alcanzar cambios estructurales globales. Otra palabra clave para esta hora de *CAMBIOS* en el interior de las naciones y en las relaciones entre los pueblos es *SOLIDARIDAD*.

La solidaridad debe sustituir el superado concepto de «lucha de clases» para reemplazarlo por actitudes nuevas que generan acciones nuevas como compartir, apoyar, cooperar. Nos acercamos aquí a la *DOCTRINA SOCIAL DE LA IGLESIA*, la cual, inspirándose en el Evangelio de Jesucristo, reclama de los políticos, economistas, hombres de empresa y trabajadores que consideren la cuestión social con un definido sentido ético, para que las realidades de la economía y de la política no queden reducidas a mecanismos eficaces, sin consideración de los grupos humanos, hombres, familias, pueblos, que pagan, por ejemplo, las consecuencias de una economía de mercado dejada al juego ciego, y a menudo despiadado, de la oferta y la demanda, o que se resienten de la falta de audacia para tomar decisiones en momentos de urgencia, sea por razones ideológicas, sea por búsquedas teóricas que no tienen suficientemente en cuenta la realidad.

En suma, la doctrina social de la Iglesia sitúa al hombre en el centro de la cuestión social. No son sistemas, sino los pueblos quienes protagonizan la historia y, ante los pueblos sufridos y desesperanzados, con realismo, con prontitud, es necesario tomar lo mejor de lo que la economía global puede ofrecer en sus aspectos prácticos, enjuiciando siempre desde la ética, no desde las ideologías, sus proposiciones, para hacer que las cosas marchen lo mejor posible para los hombres y mujeres que viven, sufren y esperan hoy.

El comunismo se derrumbó como sistema económico, pero dejó un sentido de igualdad, y un empeño consecuente en la repartición de bienes, que constituyeron para muchos pueblos motivos de esperanza.

No se trata de fabricar con algunos restos una nueva ideología, sino de aceptar aquellas inspiraciones que hoy han dejado tantos sentimientos de frustración, y tenerlas en cuenta, porque, al fin y al cabo, en ellas están las aspiraciones más secretas de los pobres. También la doctrina social de la Iglesia, que se funda en el destino universal de los bienes de la tierra, que el Creador quiso que fueran para todos y que hace repetir al Papa Juan Pablo II que sobre toda propiedad privada hay una hipoteca social, puede inspirar a políticos, cristianos o no, en la estructuración de una organización económico-social que ponga al hombre, éticamente considerado, en el centro de las preocupaciones de quienes rigen los destinos de los pueblos. Un hombre creado por Dios en dignidad y libertad, un hombre que no debe ser solo receptor, sino agente en medio de otros hombres con quienes debe actuar en solidaridad, es decir, con amor, al estilo de Cristo.

La Doctrina Social de la Iglesia no formula, por lo tanto, un sistema nuevo, sino que presenta unos principios, de los cuales se pueden deducir tres líneas concretas de acción que tengan en cuenta la urgencia de los pueblos y, sobre todo, la inviolable dignidad de la persona humana.

Invito a los movimientos laicales y a todos los cristianos en general a profundizar, con los medios a nuestro alcance, en la Doctrina Social de la Iglesia. Su conocimiento y la incorporación de sus principios a la vida personal, familiar y eclesial es condición para ese cambio positivo al que todos aspiramos y que no puede tener lugar sin un cambio de mentalidad y de corazones.

Los bendice con afecto.

AHORA, COMO CARDENAL*

Sí, sigue siendo la VOZ DEL OBISPO, aunque el Obispo sea ahora Cardenal. Porque la misión de enseñar la recibimos en plenitud los obispos con nuestra consagración episcopal. El Obispo es así el Maestro por excelencia del pueblo de Dios que el Señor le ha confiado. Esta misión la ejerce especialmente en su propia diócesis; por el hecho de ser obispo de la Iglesia una, santa, católica y apostólica implica una responsabilidad sobre todo el rebaño de Cristo que es compartida con todos los obispos en comunión con el Papa.

Una expresión actual de esta corresponsabilidad son las Conferencias Episcopales, las cuales reúnen a los obispos de un país o región para considerar las líneas pastorales comunes que deben seguirse. El Sínodo de los Obispos, que se reúne en Roma cada tres años, es una manera muy concreta de ejercer esa solidaridad en la conducción de la Iglesia. En esta asamblea, los obispos, venidos del mundo entero en representación de sus conferencias episcopales, tratan un tema específico que les propone el Papa.

El Arzobispo de La Habana es ahora Cardenal y esto añade nuevos matices a las responsabilidades que ya tiene de regir la Arquidiócesis de La Habana y de ser miembro de la Conferencia de Obispos Católicos de Cuba, pues el Cardenal tiene una especial comunión con el Santo Padre y participa por ello en las preocupaciones y proyectos del Romano Pontífice con respecto a la Iglesia Universal. Para poner esto en evidencia se le asigna una iglesia en Roma y pasa a ser así miembro del clero de la Ciudad Eterna. Nada de esto cambia en ningún grado su misión episcopal, pero indica que el alcance y la responsabilidad de su tarea pastoral reciben un renovado impulso de sus nuevas funciones como miembro del Colegio Cardenalicio y de esa particular cercanía al Papa que universaliza aún más la acción propia del obispo y le confiere mayor proyección.

Por eso he estado visitando todas las diócesis de Cuba, comenzando por la Basílica y Santuario de Ntra. Sra. de la

---

* *Boletín Diocesano*, abril 1995.

Caridad de El Cobre. Por eso he visitado también a los cubanos residentes en Madrid o en Caracas y un poco más adelante visitaré a los que viven en Estados Unidos. Pues si la responsabilidad propia del obispo lo lleva también a desplegar su ministerio más allá de los límites de su diócesis y la especial colaboración con el Santo Padre confiere al Cardenal una acción pastoral más amplia en relación con toda la Iglesia, esta debe desplegarse normalmente en primer término con sus coterráneos, dondequiera que ellos se encuentren.

Al inicio del Pontificado del Papa Juan Pablo II, muchos no comprendieron sus viajes pastorales. Atendían más a sus implicaciones políticas o aun económicas que a la motivación real del Santo Padre: visitar cada una de las Iglesias que él preside desde su Sede de Roma para anunciar personalmente a Jesucristo a cada cristiano.

Algunos pudieran preguntarse también sobre los viajes del Cardenal cubano y encontrar respuestas evidentes a mis desplazamientos en Cuba, mostrando mayor curiosidad por mis visitas a los cubanos católicos residentes en otros países.

Es verdad que los obispos propios de los cubanos que viven fuera de nuestra Patria son aquellos de sus lugares de residencia; pero existen variadas y serias razones para que desde Cuba se les visite regularmente, además de las ya explicadas con anterioridad. En mi caso, muchas de ellas son inherentes a la misión episcopal proyectada con más amplitud por la pertenencia al Colegio de Cardenales, pero debe añadirse también que la Iglesia ha tenido siempre una atención especial hacia los nacionales de un país que viven fuera de las fronteras geográficas de su Patria, ucranianos, polacos, irlandeses, libaneses, que se han establecido en diferentes países; mejicanos e hispanoamericanos, en general, residentes en Estados Unidos han merecido siempre el cuidado pastoral de la Iglesia de su país de origen. En ocasiones, los grupos de inmigrantes partían con sus capellanes.

En casi todos los casos se da la visita periódica, siempre que es posible, de algún obispo especialmente designado en su nación para mantener las relaciones de los católicos con sus comunidades de procedencia; estrechar los lazos fraternales y animarlos en su vida de fe en un medio diferente de su lugar de nacimiento.

Esta ha sido también la práctica de la Iglesia Ortodoxa Rusa con los cristianos emigrados de ese país y aun durante los años anteriores a los cambios ocurridos en aquella nación.

Como pasa con los sentimientos patrióticos, y aún más, con los lazos de afecto que la fe católica establece entre los cristianos y de parte de ellos con sus pastores, estos se agrandan con la distancia y el tiempo de separación. Aunque el católico cubano viva en Tampa, en New Jersey o en Miami y rece cada domingo en la Misa por el obispo del lugar, a quien reconoce como su pastor y guía, el afecto, el recuerdo, las vivencias, la cultura, lo mantienen muy unido a la comunidad católica de su pueblo natal, de su iglesia en La Habana, en Camagüey o en Santiago. En su memoria está vivo el recuerdo del Obispo que lo confirmó, a quien mencionaban siempre en la Misa dominical de su parroquia en Cuba y las familias no olvidan el padre de la iglesia que cerró los ojos de su madre y los acompañó en el dolor, el que celebró la misa festiva el día en que la muchacha cumplió quince años, el que los casó y les bautizó a los hijos. Los católicos de Cuba se llevan en sus corazones el sonido de las campanas de su pueblo y le envían a la Virgen cada año tela de brocado para que estrene un manto nuevo en la fiesta patronal. La Iglesia que vive en Cuba nunca ha pasado por alto estos sentimientos que forman parte de nuestra historia presente.

Aun cuando el tema de la emigración cubana se hizo espinoso y revistió por mucho tiempo características muy dolorosas, con rupturas radicales, incomunicación entre miembros cercanos de una misma familia, silencios inexcusables o palabras hirientes, siempre los obispos y sacerdotes que hemos visitado los países y regiones con grupos grandes de cubanos hemos celebrado para ellos la Santa Eucaristía, hemos predicado la palabra de Dios y mantenido el contacto entre los católicos residentes fuera de Cuba y sus comunidades cristianas en nuestro país. En muchas ocasiones, cumpliendo con nuestro sagrado ministerio de reconciliación, hemos acercado a familias separadas, o aliviado el sufrimiento de una madre que no sabía de su hijo aquí o allá y logró tener noticias de él, o hemos llevado el consuelo a quienes estaban lejos cuando murió un ser querido y les contamos sus últimos momentos y la fe con que enfrentó el tránsito siempre desgarrador de la muerte, o hemos comunicado a una familia la noticia del feliz retorno de alguno de sus miembros más queridos a la fe, la Iglesia. Por estas sendas del alma humana sembradas de rosas y espinos transita siempre la Iglesia con su misión propia de plantar la semilla buena del amor y de la paz.

En el campo civil se han dado también en Cuba pasos para borrar aquella consideración negativa y excluyente de la emigración cubana que tantos sufrimientos trajo consigo y tantas huellas dolorosas dejó en los corazones.

Hace mucho más de una década que quedó acuñado el apelativo de «*comunidad de cubanos residentes en el exterior*» como modo propio para referirse a los cubanos del extranjero y así vinieron a sustituirse afortunadamente otras frases que no queremos recordar. Todo cubano que vive fuera de nuestro país viaja a Cuba con un pasaporte cubano y cada vez más se abre paso el criterio de que somos una sola nación con diferentes matices en nuestra expresión cultural, ¿por qué no tendría también la Iglesia que está en Cuba una especial consideración a esos católicos cubanos que sirvieron aquí a su Iglesia, a veces con abnegación, que fueron nuestros feligreses y que están unidos a nosotros como hermanos en la fe y en el amor al mismo suelo patrio?

En este trabajo de reencuentro y acercamiento, la fe católica no es solo concurrente al esfuerzo múltiple por derribar barreras y tender puentes. Es, además, ireemplazable en su propia misión.

Podrán los hombres juzgar con mirada extrínseca las motivaciones de tal o cual para reanudar sus contactos con la familia en Cuba o en el extranjero, según el caso. Unos hablarán de intereses económicos, otros de ablandamientos políticos. Solo el confesor conocerá el dolor profundo del corazón que se abre a él para decirle que no podía soportar más en su conciencia el peso de ignorar a su hermano, que no podía vivir más, sabiendo el sufrimiento de su madre por la ruptura entre sus propios hijos. Es en esas urdimbres hondas del alma donde se anudan los sentimientos más profundos y el ser humano es

154

más persona, allí en donde únicamente puede entrar Jesucristo para sanar y salvar. Allí es donde la Iglesia alcanza al hombre concreto para hacerlo beneficiario de sumisión. Nadie sino Cristo y su Iglesia puede cumplir esta tarea. Nuestro pueblo dentro y fuera de Cuba está urgido de esta curación en su alma nacional. Los obispos cubanos estamos conscientes de esto y con ellos el Cardenal de los cubanos que encarna ahora el sentir de sus hermanos obispos y de los católicos cubanos de dentro y fuera del país. Es hora ya de que nuestro pueblo sea el protagonista de una historia que tanto le atañe y le duele.

Así lo fue en la Plaza de la Catedral y con la Iglesia repleta cuando recibió a su Cardenal. Así ha sido en el Cobre, en Holguín, en Camagüey, en Pinar. No fui yo quien dijo en aquellas ocasiones las palabras definitivas. Fue el pueblo de Dios el que gritó con firmeza: *¡Sí, creo!*, quien proclamó ante el mundo la fe de tantos cubanos.

Por esta razón visita el Cardenal a su pueblo aquí y dondequiera que vivan los cubanos. Ni temores ni intentos de manipulación podrían detener a la Iglesia en su sagrada e imprescindible misión. Esa es la lección que nos ha dado el Papa Juan Pablo II y que yo creo haber aprendido en su maravillosa escuela de estos casi 17 años de Pontificado que son los mismos de mi ministerio episcopal, ya que fui uno de los primeros obispos nombrados por él.

A ustedes, queridos católicos cubanos, que me han colmado de afecto y de delicadezas de todo orden, les pido su oración para que me mantenga siempre fiel en esta misión y los bendigo con el cariño de siempre.

LA ACCIÓN SOCIAL
DE LA IGLESIA CATÓLICA
Y LAS AYUDAS HUMANITARIAS*

Desde los comienzos del cristianismo, como lo atestigua el Libro de los Hechos de los Apóstoles, los primeros discípulos de Jesucristo, siguiendo las enseñanzas y el ejemplo de su

---

* *Boletín Diocesano*, agosto 1995.

Maestro, manifestaron una especial preocupación por los más pobres o desfavorecidos.

Aquella Iglesia naciente se organizó, desde sus orígenes, para el servicio de los más necesitados. Los Apóstoles eligieron diáconos que se ocuparon de atender a las viudas y a los pobres, pues «*nosotros debemos atender a la oración y al ministerio de la Palabra*» (*Hch* 6, 4).

Ya en este relato histórico aparece claramente diversificada la triple misión de la Iglesia: la alabanza del Señor por medio de la oración, que es su misión sacerdotal; predicar y enseñar, o sea, su misión profética, y la diaconía o servicio: su misión regia, es decir, proclamar con signos precisos que el reinado de Cristo ha comenzado, un reino de justicia, de amor y de paz en el cual reinar es servir: «*quien quiera ser el primero entre ustedes, sea el servidor de los demás*» (*Mt* 20, 27).

Por medio de esta misión servicial o caritativa, la Iglesia despliega siempre y en todas partes su acción social, atendiendo solícitamente a los más necesitados, porque «*a los pobres los tendrán siempre con ustedes*» (*Jn* 12, 8).

Esta palabra de Jesús no es un anuncio fatal sobre la permanencia de la pobreza en el mundo, aunque desgraciadamente, dos mil años después de su paso por la tierra, hay numéricamente más pobres hoy que en tiempos de Cristo. Jesús alude, más que a la triste persistencia de esa condición social, al deber de remediarla eficaz y directamente: «*a los pobres los tendrán siempre con ustedes*», o sea, viven junto a tu casa, no puedes pasar de largo, no se les puede categorizar masivamente, convirtiéndolos en porcentajes, haciéndolos entrar en estrategias económicas como últimos beneficiarios de un desarrollo o de un «progreso» que siempre los va dejando al margen. Para el cristiano, el pobre está ahí, ahora, no puede esperar, lo tenemos siempre con nosotros y reclama lo suyo.

Evidentemente, la Iglesia de Jesucristo quiere el crecimiento económico y el aumento de la producción, pero también la distribución de las riquezas, la participación de los más pobres en los beneficios, que deben alcanzar a todos. Siguiendo el realismo práctico de Jesús, no es posible aplazar la respuesta a la súplica angustiosa del pobre para cuando la situación económica sea más favorable, «*nos apremia el amor de Cristo*» (*2 Co* 5, 14). Debemos tomar en consideración al pobre concreto, al que llama a nuestra puerta, al que está siempre con nosotros. «*Si el hermano o la hermana están desnudos y carecen del alimento cotidiano y alguno de ustedes les dice: vayan en paz, caliéntense y coman, pero no les dan con qué satisfacer sus necesidades, ¿de qué les servirá?* (*St* 2, 15-16).

Estas son las razones evangélicas, cristianas y, por ende, profundamente humanas que históricamente han movido a la Iglesia para realizar en todas partes su acción caritativa y social que le es propia y connatural. Este servicio lo ha prestado la Iglesia en Cuba ininterrumpidamente, desde los primeros hospitales que se fundaron en la época colonial hasta nuestros días.

En los años 60 y 70, la comunidad católica se organizó sin ninguna ayuda extranjera para brindar sostén económico a las familias que se iban del país y cuyos miembros adultos quedaban sin trabajo; contribuyó con las familias pobres que tenían presos que socorrer, para que pudieran llevarles los alimentos que periódicamente recibían, y siguió ayudando a muchos otros necesitados.

Estas acciones se apoyaron en la capacidad de compartir lo poco o de dar desde nuestra misma pobreza. Con ese estilo raigalmente cristiano, sigue actuando hoy CARITAS cubana. Durante la proliferación de casos de polineuritis, varias parroquias se organizaron con recursos alimentarios propios, allegados con el esfuerzo solidario y generoso de los fieles, para atender a centenares de pacientes. Por medios muy diversos, y poniendo siempre en práctica el consejo de Jesús: «*que no sepa tu mano izquierda lo que hace tu mano derecha*», la Iglesia en Cuba ha tratado de cumplir con el apremiante requerimiento de su Señor: Estuve con hambre, desnudo, preso o enfermo y ustedes me asistieron... «*cada vez que lo hicieron a uno de esos pobres a mí me lo hicieron*» (*Mt* 25, 40). En el necesitado que la Iglesia ayuda, ella contempla siempre el rostro doliente de Jesús.

Así ha servido y sirve CARITAS cubana a hospitales, círculos infantiles y hogares de ancianos, a los alcohólicos anónimos, a las familias en las que algún miembro padece el síndrome de Down, a ancianos y enfermos crónicos en sus hogares, o trayendo medicamentos específicos que no hay en Cuba y que los médicos recetan a sus pacientes, consiguiendo sillas de ruedas y otros medios ambulatorios, contribuyendo a techar y reparar casas afectadas por desastres naturales, etc.

CARITAS y, con ella, la Iglesia Católica en Cuba comenzaron a prestar muchas de estas ayudas sin las necesarias facilidades para su acción, con una mirada sospechosa de proselitismo o de búsqueda de protagonismo por parte de algunos funcionarios que se ocupan en nuestro país de las ayudas humanitarias. Se han dado después pasos positivos en la comprensión del papel humanitario que pueden desempeñar los cristianos en nuestra sociedad y en hallar los modos apropiados para que la Iglesia Católica llegue a ejercer con toda libertad la acción social y caritativa que le es propia. Por medio de esta acción han resultado beneficiados ya amplios sectores de nuestro pueblo, que tanto lo necesita en la situación difícil que ahora atravesamos.

En este empeño de servicio social, no solo CARITAS cubana, sino también la Conferencia de Obispos Católicos de Cuba y otras instancias de la misma Iglesia han recibido una ayuda amplia y generosa de otras Iglesias católicas de Europa, América del Norte y América Latina y de Organizaciones no Gubernamentales Católicas y no Católicas. A petición de la Unión Europea, CARITAS ha participado en la distribución de alimentos enviados como ayuda humanitaria por los países de Europa que integran dicha Unión. En el pasado mes de junio, convocada por el Consejo Pontificio «Cor Unum», tuvo lugar en Roma una reunión de varias personas representativas de la Iglesia en Cuba con más de veinte organizaciones internacionales católicas de ayuda humanitaria. En dicho encuentro, esas instituciones mostraron su interés en aumentar su ayuda a Cuba en colaboración con la Iglesia Católica en nuestro país. Algunos de estos planes comienzan a estructurarse ya.

Por todo esto resulta sorprendente que, en recientes declaraciones, el Sr. Richard Nuccio, Asesor del Presidente norteamericano William Clinton, mencione por su nombre a CA-

RITAS Cuba, haciéndola aparecer como un organismo dependiente en alto grado *«en su presupuesto»* de ayudas de Estados Unidos, que, por otra parte, no detalla, dando la impresión que estas provienen del gobierno de ese país. CARITAS no *«presupuesta»* su programa de ayudas basándose en contribuciones de ningún país u organismo internacional, pues no sabe de antemano los donativos con que contará, ni en cantidad ni en calidad, para un período de tiempo determinado. Es cierto que una parte apreciable de los donativos recibidos proviene de organismos de la Conferencia de Obispos Católicos de Estados Unidos o de otras instituciones católicas de ese país, pero los fondos para esas ayudas han sido recolectados entre los fieles católicos norteamericanos. Al gobierno de Estados Unidos solo se le han solicitado los permisos para permitir el embarque de esos envíos a Cuba.

Resulta aún más sorprendente que, en las declaraciones del Sr. Nuccio, aparezcan las ayudas a CARITAS cubana como formando parte de una estrategia política del gobierno de Estados Unidos para erosionar el poder del Estado en Cuba. Esas intenciones expresadas por el Sr. Nuccio pueden existir en el pensamiento de quienes elaboran la política del gobierno norteamericano con respecto a Cuba, pero seguramente no están presentes en la mente de los donantes: sea la Conferencia de Obispos norteamericanos u otras organizaciones católicas de ese país y no lo están absolutamente en el pensar y en el sentir de la Iglesia Católica en Cuba, cuyas únicas motivaciones se sitúan, como hemos dicho antes, en nuestro amor al prójimo y en el servicio al necesitado en total fidelidad a Jesucristo.

Creíamos estar seguros de que las instancias implicadas en las ayudas humanitarias del gobierno de Cuba conocían muy bien nuestra independencia y nuestras intenciones cristianas, y por lo tanto estrictamente humanitarias, con respecto a la actuación de la Iglesia en Cuba en favor de los necesitados, pero en un artículo recientemente aparecido en el periódico Granma, el autor parece quedar envuelto en la duda que siembra el Sr. Nuccio y, muy probablemente, contribuye a sembrarla en sus lectores.

Se imponen, pues, algunas aclaraciones: La Iglesia tiene su misión propia en orden al servicio del prójimo y nadie debe tratar de instrumentalizarla ni de subordinarla a estrategias políticas o de cualquier otro orden. Las sospechas a este respecto pueden tener serias implicaciones y resultan, además, ofensivas.

La Iglesia Católica en Cuba, ajena a toda manipulación y conservando la propia identidad de su misión social caritativa, continuará desplegando sus esfuerzos humanitarios inspirados en el Evangelio con ayudas de diversas instituciones de diferentes países, con el propio esfuerzo de los católicos cubanos, superando prejuicios y dificultades de cualquier orden y con el solo propósito de servir dignamente a nuestro pueblo.

Este servicio desea prestarlo la Iglesia, junto con otras instituciones humanitarias que tienen propósitos similares, contando con la buena voluntad y la colaboración, no solo de los fieles cristianos, sino de todos nuestros hermanos cubanos.

UN LUGAR DE ENCUENTRO*

De nuevo sale *Aquí la Iglesia* con su sección *La Voz del Obispo*. Los católicos de La Habana se habituaron a ver en sus parroquias, en algún momento del mes, esa hojita que les traía un mensaje de su Obispo y algunas noticias. Digo en algún momento porque no se trataba de una publicación periódica, con fecha fija, sino eventual, incluso en algunos meses no llegaba a salir.

Es probable que siga siendo así, pues se trata de una especie de «*lugar de encuentro*» del Arzobispo con los católicos de la Arquidiócesis y de los católicos de la Arquidiócesis unos con otros, por medio de las noticias, que comunican lo que cada parroquia, grupo o movimiento está realizando en el campo de la Pastoral de la Iglesia o da a conocer los planes pastorales de la Arquidiócesis durante el mes o el año. Pero

---

* *Boletín Diocesano*, junio 1998.

no siempre tenemos las posibilidades de que llegue a tiempo a sus lectores.

El tiempo preparatorio de la visita del Papa fue intenso y reclamó muchas energías para que nuestras comunidades católicas se dispusieran a acoger con devoción y afecto filial, como de hecho lo hicieron, al Sucesor de Pedro. Hoy han pasado ya cinco meses de la Visita del Santo Padre y su voz profética resuena aún en lo profundo de nuestro ser, reclamando de todos una respuesta clara y personal, a su llamado para que se abran las puertas a Cristo, ¿qué estamos haciendo con el mensaje esencialmente evangélico, y por ende renovador, que nos dejó el Papa Juan Pablo II?

Entre las iniciativas diocesanas para acoger esa rica doctrina del Pastor supremo de la Iglesia, es necesario también que se escuche la voz del Obispo, cuya misión es la de enseñar, santificar y guiar al pueblo que Dios le ha confiado. Por eso, además de las homilías que en tantas ocasiones y en diversos lugares llegan a los fieles, quiero que haya, al menos mensualmente, una palabra del Pastor diocesano que los reúna a todos en su escucha, que sea expresión del magisterio habitual de la Iglesia y como un eco de la voz del Papa.

Nuestras comunidades están integradas hoy por numerosos fieles que han llegado a la Iglesia recientemente. Muchos se preparan, a través de un serio catecumenado, para recibir el bautismo o la confirmación, o para poder acercarse a la mesa del altar y recibir el cuerpo y la sangre de Cristo en el sacramento de la Eucaristía. Esta hoja está hecha pensando especialmente en ellos.

El camino de la fe no termina mientras estemos recorriendo el camino de la vida, pero este andar se hace más esforzado en sus inicios, cuando, junto al gozoso descubrimiento de Jesucristo que nos sale al paso y nos muestra su amor, se siente la necesidad de esclarecer criterios, de adecuar nuestras vidas a ese amor cristiano que, en palabras de San Pablo, trasciende toda filosofía. No es que todo el que llega a la fe haya tenido anteriormente una vida azarosa o en extremo pecaminosa. Esto puede también suceder y el encuentro con Cristo debe, justamente, sanar, hacer que el pecador experimente el perdón y tome plena conciencia de que el amor de Dios es misericordioso, no condena, no rechaza, sino acoge y bendice. Sin embargo, una vez reconciliados con Dios, ¿cómo enrumbar la vida por el camino ascendente y pedregoso del seguimiento de Jesús? «*Ancho es el camino que lleva a la perdición*»... «*estrecho es el sendero y angosta la puerta que conduce a la vida*», son palabras del mismo Señor en el Evangelio y en otro lugar nos dice: «*quien quiera ser mi discípulo que se niegue a sí mismo, que cargue con su cruz y me siga*», porque «*quien guarda su vida la pierde y quien la entrega la gana para siempre*».

Estas palabras de Jesús contienen una visión del hombre de cara a su historia personal, de frente a su destino, y constituyen el fundamento de una ética distinta, cuyos valores no coinciden sino parcialmente con los valores que se aceptan o se presentan en la vida cotidiana, que incluye el hogar, el centro de trabajo o de estudio, el descanso y las diversiones, la relación con el vecindario y con la sociedad, pero también valores individuales, que los cristianos llamamos siempre personales: ¿cómo concibo el amor, cuál es el eje central que sostiene mi sentido de la vida, qué lugar tiene en mi existir el sufrimiento y la muerte, quién es mi prójimo, qué es la verdad?

Estas y otras fueron las preguntas que los hombres, desde sus primeros discípulos hasta Pilato, le hicieron a Jesús. Estas son las eternas preguntas que el ser humano lleva siempre dentro y que en muchas ocasiones no llega a formular, sea porque no se atreve, sea porque muchas solicitaciones de orden material e inmediato pueblan su existencia y llegan a aturdir o a no dejar pensar. Otros encuentran algún tipo de respuesta en otras corrientes religiosas, filosóficas o ideológicas.

El encuentro con Cristo Jesús provoca, invariablemente, el encuentro del hombre consigo mismo. Cristo es la luz, «*yo soy la luz del mundo, quien me sigue a mí no andará en tinieblas*». Y esa luz aclara muchas cosas buenas o favorables y pone en evidencia otras dañinas o peligrosas. En la ceremonia del bautismo se le entrega al que acaba de ser purificado en la fuente bautismal una vela encendida, mientras se le dice: «*se te entrega luz para que brille... camina siempre como hijo de la luz... hasta que llegues un día al encuentro del Se-*

ñor». Bautizarse es, pues, emprender un camino nuevo en la vida.

San Pablo, dirigiéndose a los que habían accedido a la fe cristiana por el bautismo, les dice: «*ustedes antes eran tinieblas y ahora son luz en Cristo*». He ahí resumido el programa de un cristiano, pero ¡qué difícil hacerlo realidad en la práctica! El mismo San Pablo usa una comparación radical para indicar cómo debe producirse ese cambio de vida: «*tienen que despojarse del hombre viejo y revestirse del hombre nuevo*».

En épocas pasadas, pero aún recientes de nuestra historia nacional, se convirtió en un reto el dar a conocer la fe religiosa en un centro de estudio o de trabajo, sobre todo cuando alguien comenzaba una nueva actividad laboral o una nueva etapa escolar y debía ratificar en algún expediente escrito su pertenencia a alguna iglesia. Esto hacía que uno de los actos más significativos que debía realizar un cristiano era esa especie de confesión pública de la fe, lo cual, como es lógico, llenaba de satisfacción al propio cristiano y le atraía el aprecio de su comunidad. Pero, como contrapartida, muchos llegaron a considerar que eso bastaba para ser un buen discípulo de Cristo.

Hoy no se presenta ya, afortunadamente, el problema de una confesión formal de fe, sino el verdadero y perenne desafío del seguimiento de Jesucristo, confesarlo ante el mundo con la vida, con la palabra y el gesto acordes con su enseñanza y con el modelo que tenemos en él. Para todos los cristianos que integran la Iglesia en Cuba, este es el gran emplazamiento que nos presenta nuestra historia contemporánea.

Porque no se trata de una respuesta eventual, aun de consecuencias duraderas, sino de una actitud perenne y casi siempre contrastante. El Evangelio es siempre intransigente con el pecado y el mal, pero comprensivo con quien obra perversamente, propone sin cesar el bien, exigiendo, si es necesario para alcanzarlo, el sacrificio; llena de paz y de felicidad el corazón humano, pero no por los medios falaces que el mundo ofrece. En fin, su código existencial no tiene equivalencias plenas en las propuestas de ningún otro sabio, filósofo o pensador, porque Jesucristo, «*el único que ha visto al Padre*», nos lo ha dado a conocer.

Nuestra Iglesia es una Iglesia de orígenes, una Iglesia de comienzos. Por eso deseo que esta hoja diocesana contribuya a que los hombres y mujeres, jóvenes o adultos que hoy llegan a nuestras comunidades o aquellos que están en ellas ya de tiempo, pero que necesitan renovar su mentalidad, encuentren aquí un medio propicio para integrar una Iglesia conocedora de la fe en Cristo y de sus exigencias, preocupada por promover al hombre según el Evangelio, y que vive dinámicamente su misión de anunciar a Jesucristo a todos nuestros hermanos.

Pido al Señor nos ayude en esta nueva etapa de *Aquí la Iglesia* y quiero que llegue a todos, con el afecto de siempre, la bendición de su obispo.

LA FAMILIA: SUS DERECHOS Y DEBERES*

Celebramos el pasado sábado 25 de julio en los terrenos del Sanatorio de San Juan de Dios la jornada de la familia en nuestra Arquidiócesis. La Misa al aire libre, bajo el sol de una mañana luminosa de verano, mantuvo, a pesar del calor, la atención de los participantes, cerca de 2.000, si contamos algunos centenares de niños y adolescentes que acompañaron a sus padres. Especialmente la homilía interesó a las familias, reunidas de pie ante el altar.

El tema, lo constataba una vez más al contemplar los rostros de padres y madres y de algunos abuelos, resulta apasionante. Todas las referencias afectivas del ser humano están en la familia; la felicidad futura de los más jóvenes dependerá de su posibilidad de integrar, en un mañana no muy lejano, una familia estable y armónica.

Pero hoy, como nunca antes en la historia de muchos países de Occidente, la vida familiar está en peligro. Los que forman familias duraderas y felices sienten amenazado de algún modo el espacio de su mundo familiar y temen por los más jóvenes. Quienes tienen ya experiencias traumáticas, como divorcios, en el caso de los adultos, o abandono por parte de

---

* *Boletín Diocesano*, agosto 1998.

alguno de los progenitores, cuando se trata de niños, adolescentes o jóvenes, abordan el tema familiar con una dosis más o menos grande de escepticismo y aun de tristeza. Los padres sienten la urgencia de educar a sus hijos para la familia en familia. Saben que ese es su deber y desean cumplirlo, pero no descubren cómo y se enfrentan, además, a algunos obstáculos que parecen insalvables.

La familia es una institución de derecho natural. El hombre y la mujer que se aman, que se comprometen en matrimonio y engendran hijos, forman la primera sociedad natural sobre la tierra. La familia es así anterior a toda otra agrupación humana. La familia es anterior al Estado, porque es también anterior al clan y a la tribu.

Esta afirmación no se refiere solo a la historia de la humanidad y a la preexistencia de la familia en el tiempo con respecto a cualquier otra institución humana. La aseveración no es solo cronológica, sino también ontológica. Esta última palabra necesita explicación: quiere decir que la familia no solo ayer fue primero que el Estado, sino que lo es también hoy, por su propia naturaleza. En el orden de las asociaciones humanas que existieron en el pasado, que existen hoy y que existirán siempre, la familia es primero que cualquier otra cosa.

Los derechos de la familia provienen de su propia naturaleza de primera sociedad natural, por tanto, no son otorgados por ningún Estado, ni por las Naciones Unidas, ni por ninguna Declaración de Derechos.

Los Estados y los organismos internacionales pueden y deben reconocer los derechos de la familia y, aún más, deben ayudarla a alcanzar esos derechos; pero no serán nunca una fuente de derecho familiar. Una madre lacta a su hijo porque eso es natural, no porque el médico o un programa de televisión hayan dicho que la leche materna es la mejor. Aunque el médico y el programa de televisión prestan un gran servicio a la familia cuando recomiendan la lactancia materna, cuando apoyan lo natural. Sucede a veces lo contrario en las legislaciones de algunos países y las Conferencias sobre Población de las Naciones Unidas, que aprueban leyes o hacen recomendaciones que no son según el orden natural.

Los parlamentos de algunas naciones que han considerado, y en algunos caso aprobado, leyes declarando «familia» a una unión entre homosexuales y otorgándoles el carácter de «matrimonio» y el «derecho» de adoptar niños, han actuado contra el orden natural de la especie humana y contra el mismo Derecho Natural, y utilizando incluso un lenguaje propio del Derecho en lo que es una inadmisible ficción de Derecho.

Otro tanto puede decirse de la proclamación del derecho de la mujer al aborto. Esto es realmente una perversión del derecho. Lo que es de derecho natural inviolable es el derecho a la vida del niño por nacer. Sobre esto último volveré con más calma en otra ocasión.

La ignorancia práctica con respecto a la naturaleza misma de la familia, estableciéndose en las relaciones del Estado con el individuo normas que no tienen en cuenta la naturaleza familiar de la persona, es uno de los obstáculos con que se enfrenta la familia hoy. Esto puede darse en tiempos de guerra, en situaciones excepcionales, pero que han sido siempre de gran calamidad para pueblos e individuos.

Toco aquí el tema de la separación del hombre o de la mujer del hogar por períodos largos por motivos de trabajo, o la habitual separación de los hijos demasiado jóvenes aún, por razón de estudios. Estas son realidades de nuestra vida social, mencionadas por el Papa Juan Pablo II en su homilía de la ciudad de Santa Clara, cuando celebró la Misa por la familia.

En el caso de profesionales que parten sin su pareja por períodos de uno, dos o más años es frecuente que se enfríe el amor, que se llegue a la ruptura de uniones que, en muchos casos, tenían las condiciones y las características de la estabilidad.

En cuanto a los adolescentes que, para hacer estudios secundarios y sobre todo preuniversitarios, deben forzosamente realizarlos en centros alejados de sus hogares, sería bueno dejar sentados algunos principios.

A la Iglesia no le parece mal que el trabajo manual o intelectual acompañe el tiempo de estudio de un adolescente o de un joven. El trabajo y el deporte contribuyen a que la juventud sea sana. Sin embargo, este trabajo no tiene que ser siempre agrícola.

La Iglesia no reprueba la educación de muchachos y muchachas en el mismo centro docente. Hoy nuestras escuelas católicas en el mundo son prácticamente todas mixtas y las hermanas salesianas dirigen un preuniversitario donde hay jóvenes de uno y otro sexo y los Padres Jesuitas y los Hermanos de La Salle dirigen escuelas donde están igual número de hembras y varones. Hace poco saludé en Roma a las muchachas del *team* de nado sincronizado que habían ganado una medalla mundial, y que estaban practicando en la piscina del Colegio de La Salle, pues casi todas estudiaban allí.

No creo que deban desaparecer todos los internados de adolescentes y jóvenes, pues la situación actual de la familia, aun las dificultades de espacio en la vivienda, hacen que algunos jóvenes prefieran estar internos en una escuela. Pensemos, además, en los casos frecuentes de padrastros no deseados, de sucesivas e inestables uniones de algunos de los progenitores, o de la imposibilidad de los abuelos, o de una abuela, de hacerle frente a la educación de un adolescente hoy. Estos casos son frecuentes, sin descontar aquellos que, por la distancia de sus hogares, por ejemplo, comunidades campesinas muy alejadas, no tendrían la posibilidad de estudiar si no existieran sitios que los acogieran convenientemente.

Lo que la Iglesia ha dicho en varias ocasiones por medio de sus obispos, y yo lo he dicho frecuentemente, lo que el Papa enunció con toda claridad en Santa Clara, es el derecho de la familia, y también del muchacho y la muchacha, de optar por la permanencia en el hogar si estos tienen la posibilidad por sus calificaciones, de hacer estudios preuniversitarios e incluso de hacer externos sus estudios en centros para alumnos de alta calificación escolar. Las fórmulas para combinar el estudio con diversos tipos de trabajo pueden ayudar en la misma orientación vocacional de los jóvenes.

Vuelvo aquí al derecho natural: un padre y una madre que quieren conservar bajo el techo paterno al muchacho o la muchacha de catorce o quince años están actuando según el derecho que la misma naturaleza les da, por ser los procreadores y primeros educadores de sus hijos.

Ni la psicología moderna, ni la experiencia acumulada indican que la separación forzosa del hogar ayude a la formación del muchacho o de la muchacha. Campismos, acampadas, caminatas de varios días con esfuerzo, trabajo y austeridad, son siempre beneficiosos y cumplen su cometido de hacer que el joven ejercite su libertad y aun que aprenda a apreciar más su hogar.

Estos beneficios se pierden normalmente en prolongadas estancias fuera de la casa que generan siempre vacíos afectivos, relaciones sentimentales precipitadas, dejadez y descompromiso con la vida de familia. Y esto último es preocupante, porque cada uno de esos jóvenes de uno u otro sexo debe fundar una familia y debe aprender a compartir tareas domésticas, preocupaciones por los ancianos, solidaridad con todos en los momentos difíciles. Este «trabajo» en el seno de la familia es lo que preparará padres y madres responsables. Y los ciudadanos de una nación no deben capacitarse solo para ser ingenieros, médicos, artistas o deportistas, sino para ser esposos o esposas, madres o padres, hijos o hijas capaces de atender con amor a sus padres ancianos, de sacrificarse cuando los niños son pequeños, de superar con amor las crisis e incluso de tender una mano a otro que no es miembro del núcleo familiar.

Concluyo expresando mi convicción de que, cuando un tema está vivo y palpitante en las mentes y corazones de muchos, y así es el tema familiar en Cuba hoy, la Iglesia, por la voz de sus pastores, debe aportar su punto de vista fundado en el Evangelio y en su experiencia. Y creo que este punto de vista debe ser tenido en cuenta.

Me complace que el tema de la familia se encuentre revalorizado hoy entre nosotros los cubanos. Este es un buen signo, pues de la recuperación y la vitalidad de la familia depende en gran medida la felicidad de la nación.

Con afecto les bendice su obispo.

PUEBLO RELIGIOSO
Y ESTADO LAICO*

El pueblo cubano es mayoritariamente religioso. Recientemente, al celebrarse la fiesta de la Virgen de la Caridad, Patrona y Reina de Cuba, volvíamos a ver, de un extremo al otro del país, todas nuestras iglesias repletas en las horas fijadas para las Misas, pero también un desfile interminable de gente que, llevando velas o flores, acudían a cualquier hora del día a la iglesia de su pueblo o de su barrio para rendir homenaje a la Madre de Jesucristo, nuestro Salvador, y madre de los cubanos. En los lugares donde ha habido procesiones, estas han sido nutridas y llenas de devoción popular; como lo fueron en la misión que preparó la visita del Papa Juan Pablo II a nuestro país, cuando centenares y centenares de miles de personas siguieron a la Virgen peregrina en su recorrido por toda Cuba. La religiosidad del pueblo no se manifiesta solo en esas ocasiones, ni de ese modo. Hay en general un respeto por lo sagrado en el pueblo cubano que hace que no tenga en su vocabulario, habitualmente, palabras ofensivas hacia Dios o hacia la religión. Es frecuente que se vean signos religiosos en las casas o en el uso de prendas de vestir. Muchos cubanos que no se identifican a sí mismos como católicos, ni como protestantes o evangélicos, afirman, sin embargo, que creen en Dios. Algunas encuestas dan un 85 % de creyentes; otras, un poco más.

Esta religiosidad del cubano ha sido mal analizada por autores foráneos y considerada con superficialidad en artículos de prensa redactados con prisa turística por quienes, en su visita al país, han sido llevados a un toque de tambor organizado con miras folclóricas más que religiosas y describen el inusitado rito como la religión del cubano, o se asoman un día entre semana a la puerta de una iglesia y describen la asistencia como escasa en número y compuesta por personas mayores y ese es el dato que difunden al mundo entero.

Durante años, en décadas recientes, la religiosidad de

---

* *Boletín Diocesano*, septiembre 1998.

nuestro pueblo fue prácticamente ignorada y aun declarada en vías de desaparición.

Qué incomprensible se hacía para muchos observadores internacionales de la cuestión religiosa en Cuba aceptar que tantos cubanos respondieran a una simple pregunta sobre su fe diciendo que «¡no creían en nada!». El análisis psico-social de esas respuestas, si quería ser científico, no podía asimilar las conclusiones a las que conducían. Si nos situamos en la década del 70, donde este modo de reaccionar se hizo común, estábamos solo a poco más de quince años de encuestas realizadas en Cuba, entre otras, la de la Agrupación Católica Universitaria, que arrojaban cifras cercanas al 90 % de cubanos que creían en Dios. ¿Cómo había podido borrarse en tan poco tiempo todo vestigio de fe en un pueblo cuyas componentes hispano-africanas son las mismas de tantos pueblos en Latinoamérica, que tienen una religiosidad conocida y muy similar en sus expresiones a la de Cuba?

Algunos de aquellos curiosos se mostraban entonces escépticos con respecto a la religiosidad anterior del cubano, pero otros, los menos, sospechaban de la sinceridad de las respuestas. Porque resultaba también sorprendente que hubiera un enmascaramiento tan extendido de la fe religiosa.

Si aquellos buscadores y aun nosotros mismos fuéramos a las obras de los patricios fundadores de nuestro pensamiento nacional, el Padre José Agustín Caballero, el Padre Félix Varela y Don José de la Luz y Caballero, encontraríamos en sus escritos, donde ponderan la verdad y la veracidad, no pocas referencias al disimulo y a la falta circunstancial de sinceridad en el seno del pueblo cubano, eso que hoy se ha dado en llamar «caretas», es decir, pensar una cosa y expresarse y comportarse de forma contraria a lo pensado.

Así lo describe el Padre Varela en El Habanero (*Máscaras Políticas* Tomo I N°1): «*Es tan frecuente entre los hombres encubrir cada uno sus verdaderas intenciones y carácter, que la percepción general de que esto sucede, parece que debía ser un preservativo para evitar muchos engaños en el trato humano... Siempre abundan estos enmascarados... Nada hay más fácil que conocerlos si se tiene alguna práctica en observar a los hombres*».

Como se ve, el Padre Varela no refiere únicamente al cubano este defecto, sino que lo considera frecuente entre los seres humanos. La experiencia de otras latitudes corrobora lo anterior. Recientemente me visitaba un obispo ortodoxo del Patriarcado de Moscú y me contaba cómo el pretendido ateísmo del pueblo ruso no correspondía a una realidad existencial, sino que fue más bien un fenómeno de apariencia social motivado por las circunstancias, algo muy parecido a lo que sucedió en Cuba.

La Constitución de 1976 consagró en Cuba el ateísmo de Estado que venía ya avalado por la praxis oficial desde los comienzos de la década del 60. La supresión, en la reforma constitucional de 1992, de la mención del ateísmo como característica del Estado cubano y la declaración de Cuba como Estado laico fue un gran paso en el camino hacia la libertad religiosa en nuestro país.

También en esta ocasión cierta praxis había precedido la definición de la laicidad del Estado y esta praxis, si bien no ha llegado aún a adecuarse a lo que es realmente un verdadero Estado laico, tiene ahora un fundamento constitucional donde apoyarse, aunque en cierto grado ha permanecido un modo de considerar la fe religiosa, y al hombre o la mujer de fe, según la vieja concepción ateísta del Estado.

En el tiempo que precedió a la visita del Papa a nuestro país, y sobre todo en los mismos días de su visita, se tuvo una experiencia más amplia de lo que es un Estado laico moderno. Apareció la Iglesia en los medios de comunicación, se hicieron más visibles los signos religiosos, el pueblo dejó a un lado viejas inhibiciones y se respiraba un clima de distensión y naturalidad con respecto a expresiones públicas de la fe.

Después de la visita del Papa volvió el silencio sobre la Iglesia a los medios de comunicación social y renace la tendencia a reducir la fe al ámbito estrictamente privado. Se notan también otros rezagos aún del antiguo ateísmo estatal. En un caso es un maestro que dice al alumno que no puede llevar una cadena al cuello con un crucifijo, o una medalla de la Virgen. En el otro es la profesora de un Preuniversitario en el campo que advierte a un muchacho o a una muchacha que no puede llevar su Biblia a la escuela, y en un centro de trabajo dijeron a un joven que no podía usar allí un *pull over* con la efigie del Papa.

Lo que llama la atención es que, a veces, se apela a la Constitución de la República para cosas de este género, diciendo que la razón para esas prohibiciones es que Cuba es un Estado laico. Así me lo expresaba un artesano que tiene su licencia de venta y, bajo su sombrilla del mercado callejero, me propuso una muy buena talla de un crucifijo, pero de forma muy oculta, sacándolo de un maletín, porque «tallas religiosas no se pueden vender, este es un país laico».

Creo que el término laico ha sido tomado por muchos como sinónimo de ateo. Laico es un Estado que no toma partido ni por, ni contra la religión. Mucho mejor lo expresó el Papa Juan Pablo II en su homilía en la Plaza de la Revolución de La Habana.

«En este sentido, cabe recordar que un Estado moderno no puede hacer del ateísmo o de la religión uno de sus ordenamientos políticos.

El Estado, lejos de todo fanatismo o secularismo extremo, debe promover un sereno clima social y una legislación adecuada que permita a cada persona y a cada confesión religiosa vivir libremente su fe, expresarla en los ámbitos de la vida pública y contar con los medios y espacios suficientes para aportar a la vida nacional sus riquezas espirituales, morales y cívicas.»

La preparación de la visita del Papa Juan Pablo II a Cuba, y su ulterior realización, afianzan nuestra esperanza en la posibilidad de un camino nuevo para la fe cristiana en el seno del pueblo cubano gracias a la concepción laica del Estado. Después de la visita del Pontífice, no creo que se haya producido una total involución, pero debemos orar y trabajar por que no se estanque ese proceso que debe conducirnos a la verdadera libertad religiosa.

A los laicos cristianos toca siempre reclamar, según esta condición laica del Estado, en su mismo medio laboral o estudiantil, o en el desarrollo de su misión como miembros de la Iglesia, los derechos que tienen a la expresión de su fe justamente por ser Cuba un Estado laico.

No olviden que el Papa Juan Pablo II insistió más de una

vez en el protagonismo del laicado y en que no esperaran que nadie hiciera por ustedes lo que ustedes pueden y deben hacer por ustedes mismos. Yo, por mi parte, tengo confianza en que se puede avanzar por el camino emprendido.

VIOLENCIA Y VALORES*

Algunos acontecimientos terribles han ensombrecido en estos días el horizonte de la vida cotidiana de nuestra capital. La índole misma de las abominables acciones perpetradas deja en la población una pesada carga de preocupaciones y presagios. Crímenes llenos de crueldad, como el cometido al estrangular a una mujer madre de dos niños, cristiana activa y comprometida de la Iglesia Evangélica, y otros hechos incalificables, estremecen las conciencias y sumergen en el dolor y en la consternación a las familias, a los amigos y a toda la sociedad.

Por medio de esta publicación diocesana, queremos manifestar a la familia de la víctima, Esther Nieto Selles, nuestra más sentida condolencia que acompaña nuestra oración por que Cristo Jesús conceda a Esther el gozo de la Resurrección y fortalezca a su familia en la esperanza cristiana del triunfo del amor y de la vida sobre el mal y la muerte.

Nos sentimos también cercanos, en la oración, a los familiares de otras víctimas.

Se abre ante todos el vacío abismal que estos acontecimientos repetidos generan y surge entonces una doble posibilidad: el vértigo, que puede arrastrarnos al abismo, o la reflexión que nos permita agarrarnos de principios firmes, de razones altas que tiren de nosotros hacia arriba, en sentido contrario al impulso ciego que el vértigo produce.

No resulta fácil intentar compartir esta reflexión, aun con muchos de ustedes, queridos hermanos y hermanas, que son cristianos católicos que frecuentan la Misa cada domingo. Nunca es fácil pensar al borde de un precipicio, donde solo parecen funcionar los resortes instintivos, pero es necesario

---

* *Boletín Diocesano*, octubre 1998.

hacerlo, pues ante hechos tan desoladores se han escuchado, en nuestras mismas comunidades cristianas, opiniones de marcada violencia: «quien hizo eso debe ser fusilado en la plaza pública», dicen algunos, y otros proponen acciones más descarnadas aún, que prefiero no describir.

Si tú sientes así, has dejado que los mismos sentimientos desnaturalizados que hay en el corazón de esos asesinos y violadores tomen por asalto tu propio corazón. Es esta una terrible paradoja: queriendo repudiarlos a ellos te haces como uno de ellos.

No se trata, evidentemente, de que la justicia no aplique el peso de la ley a quien obra mal, sino de conservar la cabeza fría, o mejor aún, el corazón misericordiosamente cristiano, para preguntarnos: ¿pueden solo la escasez, las necesidades materiales, producir hechos de esta índole? ¿Es necesario, para robar, llegar a violar y masacrar? ¿Qué es entonces lo que pasa con esos asesinos y violadores? ¿Es completo su equilibrio psíquico? ¿Qué condiciones en su vida de niños, de adolescentes, de jóvenes los llevaron a despeñarse por la pendiente absurda de la violencia y del sadismo como para ensañarse a veces en personas ancianas o indefensas?

Si somos capaces de detenernos y pensar estaremos más cerca de la justicia, y nos alejaremos de los impulsos instintivos y salvajes. Por eso existen los procesos judiciales, donde todo se investiga, se descubren los factores agravantes o atenuantes y el grado mayor o menor de responsabilidad del delincuente. Este es el modo de responder con humanidad a la barbarie.

Hace poco contemplé con horror cómo, en un país latinoamericano, el pueblo enardecido amarró a un árbol, roció con gasolina y prendió fuego vivo al violador de una joven. Un operador de vídeo tomó impasible la escena completa hasta el último suspiro del infortunado malhechor, mientras la escena era contemplada por hombres, mujeres y ¡niños! de aquel poblado, convertidos todos en cómplices, incluyendo al camarógrafo profesional, de un crimen, al menos tan horrendo, como el cometido por aquel desgraciado.

No creo que esto pueda llegar a producirse entre nosotros, temo más bien que el sentir de muchos se identifique imaginativamente con estas formas de proceder, pensando que la respuesta violenta a actos violentos es la mejor solución para erradicarlos. En este momento de la vida nacional se hace imprescindible que los cubanos aprendamos a enfrentar con enfoques renovados, fundados sobre valores personales, familiares y sociales, esta ola fatal, quizá algo nueva para nosotros, pero que desde hace algún tiempo crece y se expande por el mundo, arrastrando consigo, entre otras cosas, violencia, desenfreno sexual, consumo de drogas y algunas desgracias más.

Estos males nos golpean ya: primero fue visible la prostitución, después comenzaron a llenarse de rejas las ventanas, terrazas y balcones de La Habana por miedo a los asaltos y, desde hace poco tiempo, se produjo subrepticiamente la aparición entre nosotros de un agente destructor de las personas y desencadenante de delitos: la droga. Algunas madres llegan a nuestras iglesias llorando porque sus hijos e hijas les llevan el dinero de la casa para adquirirlas.

Hay desorientación en las familias y la simple represión no podrá ser remedio eficaz para estos males que deben ser señalados para advertir a todos de su presencia. En la última situación descrita, la del consumo de drogas, hay que preparar a las familias para que estén día a día atentos a cualquier cambio en el comportamiento de sus hijos y aconsejar a los padres que se muestren en todo momento como amigos que tratan a sus hijos con cariño, sobre todo en sus crisis de cualquier tipo.

La permanencia del adolescente en el hogar y el calor familiar serán decisivos en la batalla por salvar a los jóvenes de cualquier peligro, sea de caer en la delincuencia o de dejarse arrastrar por las drogas o por el alcohol. El regaño airado no funciona, hace falta una dosis grande de paciencia y comprensión. Cuando el preadolescente o el adolescente comienzan a deslizarse por los caminos de la delincuencia, nada que se parezca a una cárcel podrá salvarlos, al contrario, la cárcel se convierte en una horrible escuela del delito donde muchos entran como aprendices y salen bien entrenados.

Siento que estamos, desde el punto de vista psicológico y social, poco preparados para enfrentar una crisis que no tiene que ver, sino en pequeña escala, con las condiciones materiales que afectan a nuestro país, pues esta se halla presente también en sociedades consumistas, incluso con economías de abundancia.

Compartimos globalmente con el resto del mundo, como sucede hoy en todo, una crisis existencial del ser humano, que no sabe su papel sobre la tierra, que no encuentra sentido a su vida, que no descubre un proyecto para el futuro. El muchacho o la muchacha no llegan casi nunca a formular esta desazón conceptualmente, pero la viven con intensidad y con rechazo. Este ha sido el mundo que los mayores les hemos regalado. Quizá les parezca que lo único bueno es escapar de él por el sexo, por la droga o por el alcohol o dedicarse en su rebeldía a hacer imposible la vida de otros para tratar de vivir ellos mejor o sin esfuerzos. La terapia para estos males ha sido en todas partes un cierto permisivismo complaciente que poco a poco se torna en desenfreno. Perspectivas y soluciones falsas, en las cuales todos tenemos una buena dosis de responsabilidad y, tal vez, de culpa.

Por eso es más fácil, ante la brutalidad de los delitos que hoy deploramos, dar rienda suelta a la ira y descargarla sobre el rufián. Así, la culpa será siempre de otro y no corremos el riesgo de un examen de conciencia colectivo, donde podamos llegar a la conclusión de que, si el mundo está así, todos somos en cierto grado responsables de eso. Responsables por la falta de afecto familiar, por la siembra cotidiana y amarga de violencia en el hogar, en la calle, en el centro de trabajo, por disfrutar solo las películas que traen su invariable cuota de violencia y sexo, por ser intolerantes, incomprensivos, tajantes, por haber hecho un mundo frío, sin exigencias morales, pero también sin lugar para la ternura y el olvido de los agravios, por haber excluido del lenguaje y de la vida las palabras misericordia y perdón. En una palabra, por haber contribuido a una quiebra de valores que ha alcanzado ya a los adultos que se vuelven incapaces, en muchos casos, de infundirlos en las nuevas generaciones.

Pero quiebra no quiere decir ausencia total, sino desorientación e inseguridad. Los individuos y las familias se quedan a menudo perplejos ante los enunciados que les llegan de entidades nacionales o supranacionales, a través de los medios de comunicación, que contienen puntos de vista, indicaciones o sugerencias que van en contra de valores personales, familiares y aún sociales que están incorporados, en alto grado, al sentir del pueblo.

Tengo ante mis ojos una propaganda proveniente de un organismo de Naciones Unidas, que acompaña la difusión del preservativo en centros secundarios de Cuba. En el mismo cartón donde se encuentra pegado el preservativo se lee: «el sexo es el más divertido de todos los juegos, pero en cualquier juego hay que protegerse... con cascos, rodilleras, etcétera». Después se recomienda el uso del preservativo para protegerse de embarazos y enfermedades.

Me produce estupor pensar que se ponga en manos de un muchacho o una muchachita de trece o catorce años un texto avalado por la relevancia del que lo distribuye, donde se lee que «el sexo es el más divertido de todos los juegos». Si esto es cierto, ¿qué impide que, además de ser divertido, sea también productivo? De ahí al jineterismo no hay más que un paso. ¿Y dónde queda el valor superior del amor, con la entrega del corazón a quien se ama, con toda la sublimidad y la responsabilidad que esto conlleva, como fidelidad, dedicación y olvido de sí mismo? ¿Cómo puede luchar la familia, aunque crea en esos valores y los propugne, contra un ataque tan frontal?

Y justamente en esas situaciones se halla la causa de muchos males sociales y no primordialmente en las necesidades materiales de la gente. Creo que hay en nuestro pueblo condiciones para llevar la pobreza con dignidad. Lo que debilita a hombres y mujeres para enfrentar las situaciones difíciles es sentir que se agotan sus reservas morales, que los valores que se estimaron más sagrados hoy quedan relativizados o abolidos. Entonces el ser humano se queda sin armas para luchar y sucumbe de mil modos diversos.

Si al menos la tristeza que nos producen los acontecimientos que hoy lamentamos nos hiciera tomar conciencia de la verdadera naturaleza del problema, algún bien podría salir de tanto dolor.

Al terminar pido sus oraciones por todos aquellos que

sienten inseguridad y miedo y quiero que mi bendición llegue a ellos y a todos ustedes.

OTRA VEZ, LOS DERECHOS HUMANOS*

Se cumplen, el día 10 de diciembre, los 50 años de la Declaración Universal de los Derechos Humanos por la Organización de las Naciones Unidas. Después de dos terribles guerras mundiales, la humanidad entera quiso fijar un código de derechos esenciales que garantizaran la justicia, la libertad y la paz para todos los hombres. Este esfuerzo gigantesco está aún en sus comienzos, pues pocos países del mundo respetan íntegramente los derechos del hombre.

Para comprender la importancia que tienen para la Iglesia los derechos humanos, o mejor, los derechos de la persona, que es más adecuado llamarlos así, es necesario mirar al hombre y a la mujer en su mismo ser, como la obra maestra de Dios en medio de la creación: a su imagen y semejanza los creó, hombre y mujer los creó» (*Gn* 1, 27).

La grandeza del hombre y la mujer consiste en que Dios los ha levantado por encima de la creación, haciendo que participen de la sabiduría, de la capacidad de amar y del poder de Dios sobre todo lo creado. La criatura humana está puesta en medio de la creación «para que domine sobre los peces del mar, sobre las aves del cielo, sobre los ganados y sobre todas las bestias de la tierra» (*Gn* 1, 26). El hombre, que comparte con otras especies la vida animal, es un ser también espiritual, que comparte con Dios el dominio del mundo natural.

Solo el ser humano puede detenerse ante la naturaleza y contemplarla con ojos de poeta, o escudriñar sus misterios con la agudeza del científico y transformarla con su trabajo para que produzca «alimento para todos» (*Gn* 1, 29).

En el texto sagrado de la parábola histórica de la creación del hombre y la mujer, Dios los pone a ambos en el paraíso para que disfruten plenamente de todo lo creado. Dios

---

* *Boletín Diocesano*, noviembre 1998.

había creado al hombre libre y, frente al árbol simbólico de la ciencia del bien y del mal, le pide al ser humano que no intente siquiera aproximarse a la difusa línea divisoria que separa lo bueno de lo malo. Su libertad debe ser usada solo para el bien.

El relato bíblico nos cuenta después cómo el hombre eligió desde el principio el camino tortuoso del mal. Había hecho un mal uso de su libertad, pero Dios, que había corrido el riesgo de crear al hombre libre, no variaría su decisión. El hombre pierde la felicidad del paraíso, pero Dios no lo priva de su libertad, porque la libertad es esencial para la plena dignidad del hombre, para su realización como persona. No puede haber opciones, ni decisiones, ni amor, ni bien superior sin libertad.

Esta es la revelación de Dios acerca del ser humano, que aparece en los tres primeros capítulos de la *Biblia,* en el libro del *Génesis.* Esta es también la primera carta de derechos de la persona humana, no elaborada en preceptos ni enmarcada en un código, sino expresada en la raíz profunda de todo derecho: la dignidad de la persona, creada por Dios como un ser no solo animal, sino también espiritual, capaz de decisiones con respecto al resto de la creación y a su propia acción en medio de ella, provista para esto de libertad.

Los textos bíblicos del Antiguo y del Nuevo Testamento, en su conjunto, no nos presentan un elenco de derechos del hombre, sino de deberes del hombre. En los mismos capítulos del *Génesis* donde se exalta la dignidad de la persona humana se enuncian una serie de deberes: domina sobre la tierra, hazla producir, ganarás el pan con el sudor de tu frente, no sigas el camino del mal. En el libro del *Éxodo* aparece ya un código de deberes, conocidos tradicionalmente como los Diez Mandamientos: no matarás, no mentirás, no robarás, honrarás a tu padre y a tu madre... En el Nuevo Testamento, Jesucristo, que no vino a abolir la antigua ley, añadió preceptos nuevos que contienen nuevos deberes: ámense unos a otros, sean misericordiosos, luchen por la justicia, trabajen por la paz, perdonen a sus enemigos. *La Biblia* se dirige a un ser libre, capaz de decisiones, y lo hace responsable del bien común, pues, si cada hombre cumple esos deberes, quedan asegurados los derechos de todos.

Históricamente, el tema de los Derechos Humanos hace su aparición con la modernidad, y lo hace con unos perfiles ideológicos marcados por el individualismo, que fue la ideología dominante del mundo occidental en los siglos XVIII y XIX, y que el filósofo Emmanuel Mounier describe de este modo: «ideología que propugna un hombre abstracto... dios soberano en el corazón de una libertad sin dirección ni medida que, desde el primer momento, vuelve hacia los otros la desconfianza, el cálculo y la reivindicación; instituciones reducidas a asegurar la no usurpación de estos egoísmos. Tal es el régimen de civilización que agoniza ante nuestros ojos, uno de los más pobres que haya conocido la historia». Esta ideología es la antítesis del pensamiento cristiano y su mayor adversario.

En aquella primera fase del reconocimiento de los derechos humanos en los siglos XVIII y XIX, decir derechos humanos era decir derechos individuales. Para la ideología liberal, el individuo es fin en sí mismo y la sociedad y el Derecho existen para facilitarle al individuo el logro de sus intereses. Esta manera de hablar había sido prácticamente abandonada más tarde, cuando se fueron introduciendo los derechos sociales en las constituciones de diversos Estados, pero en los últimos años ha vuelto a ser utilizada habitualmente, sobre todo por algunos anglosajones que siguen teorías y políticas neoliberales. Se comprende por qué, en su primera fase y en algunas de sus manifestaciones contemporáneas, la Iglesia no se muestre entusiasta de esta manera de concebir los derechos humanos y prefiera definirlos, más bien, como derechos de la persona.

Uno de los más grandes aportes del cristianismo a la historia del pensamiento ha sido el concepto de persona. El cristianismo naciente distingue la persona del antiguo concepto de individuo que había en su época. Para los griegos y los antiguos romanos, cada ser humano era un individuo, pero solo algunos individuos eran personas: los varones libres; pues ni los esclavos, ni las mujeres, ni los niños eran personas. Pensemos en el impacto que, en un contexto social como ese, podían causar las afirmaciones de San Pablo en su carta a los Gálatas: «ya no hay judío ni griego, ni esclavo ni libre, ni hombre ni mujer, ya que todos ustedes son uno en Cristo Jesús» (*Ga* 3, 28).

El aporte cristiano fue monumental y cambió la historia del mundo: la fraternidad universal, la igualdad entre los seres humanos, llamados a ser todos hijos de Dios, extendió a todos sin distinción de razas, condición social, sexo, edad, etcétera, su consideración como personas. Ya en el siglo II después de Cristo, Tertuliano consideraba al feto en el seno de la madre como persona. De hecho, en el pensamiento actual, la persona es mucho más que el individuo. Individuo es una categoría numérica, es uno del montón. Considerar a un ser humano solo como individuo es rebajar su condición. No debe decirse nunca: «hay un individuo tocando a la puerta», sino «hay una persona tocando...».

Muchos oponen aún hoy los derechos sociales a los mal llamados «derechos individuales», priorizando a unos o a otros según se siga una ideología más o menos liberal u otra de inspiración marxista. Sin embargo, en su mensaje de la Paz para este año 1998, el Papa Juan Pablo II repite una vez más que los derechos humanos deben ser considerados todos integralmente. El viejo concepto de individuo, que trae consigo una carga precristiana y que es reductivo de la realidad del hombre concreto, no facilita una comprensión unitaria de los derechos humanos.

A la luz del concepto de persona se comprende más claramente esta integración. Lo social no se opone a lo personal, puesto que el hombre, como persona, nunca es un ser aislado, sino que se encuentra siempre en relación con otros hombres. Antes que el niño sepa quién es hay unos rostros que lo miran, unas manos que lo acarician y unas voces que le cantan, lo arrullan y le dicen palabras de cariño. Son los mismos que lo trajeron a la existencia por amor y que forman con él y alrededor de él la primera comunidad a la que ya pertenece. La persona es, por su propia condición, un ser necesitado de los otros y necesario para los otros.

Los derechos sociales a la alimentación, a la salud, a la educación, tienen como fin el bien personal del hombre que es un ser social. Las libertades personales: en cuanto a la fe religiosa, a las ideologías, de residencia y de circulación, de expresión, de reunión y asociación, de enseñanza, son derechos personales del hombre en el seno de una sociedad. No son derechos «individuales» para un ser aislado, sino «personales» para un ser social por naturaleza. Por esto se complementan todos los derechos y hallan su unidad en el único sujeto de todo derecho que es la persona humana.

Un hombre que no tenga asegurados sus derechos sociales no es tratado dignamente como persona, tampoco lo es un hombre que no tenga garantizados sus derechos personales a la integridad física y moral, a las libertades personales, civiles y políticas. El ser en relación, que por naturaleza es el hombre, exige que se respeten los derechos inherentes a su persona, tanto sus derechos sociales como personales.

Mucho camino queda por transitar para que la humanidad alcance el disfrute íntegro de todos sus derechos. En primera línea de trabajo, para ponerlos en acción, deben estar los cristianos, y el modo propio y personal de hacerlo es cumpliendo con los deberes evangélicos de justicia, solidaridad y servicio en medio de la sociedad, sin dejar por eso de reclamar, por todos los medios legales posibles, la puesta en práctica de todos los derechos de la persona humana, tal y como lo exige la dignidad propia del hombre, creado por Dios libre y responsable del mundo.

Que este aniversario suscite la reflexión de hombres de Estado, partidos políticos, juristas, científicos y del mayor número de pobladores de nuestro planeta, muy especialmente de los jóvenes, de modo que se tomen decisiones y se ejecuten proyectos para que, en el próximo siglo y milenio, el ser humano de cualquier condición, raza o religión, llegue a vivir según la dignidad personal que Dios Creador le ha conferido. Es una ocasión privilegiada para que, antes de que termine el siglo, en el seno de cada nación, todos examinen su conciencia y para preguntarnos también nosotros en Cuba: ¿qué estamos haciendo por los derechos integrales de la persona humana?

RECUERDO Y PROYECCIÓN DE LA VISITA A CUBA
DEL PAPA JUAN PABLO II*

Ha finalizado el año 1998, un año de especial significado para la Iglesia en Cuba, pues comenzó con la visita del Papa Juan Pablo II a nuestro país. Un año en el cual ha gravitado sobre nosotros, con su carga convocante y comprometedora, una frase del Papa que resultó programática e impulsora de una acción en Cuba y con respecto a Cuba: «*que Cuba, con sus inmensas posibilidades, se abra al mundo, y que el mundo se abra a Cuba*».

Ha transcurrido un año desde aquel inolvidable 21 de enero en que Juan Pablo II pisara y besara nuestra tierra cubana. Algunos lo miran como un tiempo en el cual nada ha pasado y consideran que el deseo expresado por el Papa pudo haber quedado como una bella frase más. Otros descubren aspectos positivos, dependiendo de los signos que se leen y de la manera de leer esos signos. Ha habido un signo al final del año que ha sido la celebración de la Navidad, no solo de manera excepcional, sino anunciada ya como una fiesta civil que va a perdurar, con las consiguientes posibilidades de participación de los estudiantes, que tienen también en 'esas fechas' sus días feriados. Este es, quizá, el último signo positivo que hemos tenido durante el año pero hubo otros anteriores que deben ser tomados en consideración.

Un signo puede ser sustancial, si lo contemplamos a la luz de nuestra historia pasada y no simplemente por el impacto momentáneo o la realidad escueta que aparece ante la opinión pública. Es imprescindible contextualizarlo en una historia de muchos años que ha tenido momentos muy difíciles en cuanto a la vida de fe de los cristianos en nuestro país. Por ejemplo, el hecho de haber tenido en Cuba varias procesiones de la Virgen de la Caridad, con motivo de la fiesta de la Inmaculada Concepción, o en ocasión de algunas fiestas patronales, puede ser un signo pequeño o no sustancial si uno lo contempla dentro del conjunto de posibilidades que pudiera tener la Iglesia o de nuevas medidas que debieran tomarse en

---

* *Boletín Diocesano*, enero 1999.

orden a ampliar el campo de acción de los cristianos en la sociedad.

Sin embargo, el hecho de que este signo se produzca en ciudades grandes, en pueblos medianos o pequeños, con una total normalidad en cuanto a la concesión de la autorización, el desarrollo del acto religioso y el fervor y la asistencia numerosa del pueblo, dando así a la gente la oportunidad de recuperar su tradición de hacer manifestaciones públicas el día de la fiesta patronal, adquiere características de algo cercano a lo esencial, es decir, al hecho de que la Iglesia tenga un espacio habitual de presencia pública y de acción en medio de la sociedad.

Hay signos positivos que deben ser considerados atentamente para saber por qué los interpretamos así. El gobierno concedió la autorización para la entrada al país de más de 40 sacerdotes y religiosas el pasado mes de noviembre. Pudiera considerarse que esto no es algo nuevo, pues permisos de entrada a personal religioso se habían otorgado en los recientes años anteriores. Sin embargo, en esta ocasión se logra la autorización a través de lo que pudiéramos llamar una negociación directa con las autoridades. El signo es nuevo, no porque constituya una novedad absoluta en cuanto al hecho mismo, sino en cuanto al modo de llegar a su concreción. Este tipo de acciones preparan una normalización en la vida de la Iglesia en la sociedad, es decir, que nada sea excepcionalmente obtenido, sino que exista una sistematicidad en lo referente a la acción y participación de la Iglesia en la vida social y en su misma acción pastoral. El camino es todavía largo, pero por él se debe llegar a otras muchas cuestiones puntuales que quedan pendientes y lograr resolverlas.

Una de ellas es la construcción de nuevos templos. En los últimos cinco años, hemos tenido que celebrar misas y administrar los sacramentos en casas de familia, en barrios y pueblos que no tienen iglesia. En Alamar hay cuatro casas donde se celebran los bautismos, la eucaristía, se imparte la catequesis, etc. Sin embargo, los espacios no son suficientes y la dignidad y la belleza del culto reclaman la existencia de un templo. Es necesario construir más de un templo en Alamar, dos al menos, dado el tamaño inmenso que tiene ese barrio.

Una parroquia de 50 000 habitantes, en cualquier país, es una parroquia que no tiene ya una dimensión humana. En Alamar hay más de 100 000 habitantes.

En Cuba es urgente la construcción de muchas iglesias, no tantas como necesitamos, porque la asistencia económica para construir nuevos templos sería también gradual; pero deben comenzar a edificarse templos nuevos y no únicamente en La Habana, sea en Alamar o en el reparto Guiteras, sino en lugares como la diócesis de Bayano-Manzanillo, Guantánamo y muchos otros. La situación es tal que, aunque se construyan nuevos templos, tendremos que seguir usando por mucho tiempo los espacios de las casas de familia.

Otra de las preocupaciones de la Iglesia en Cuba es su acceso habitual a los medios de comunicación. Dirigí un mensaje de Navidad el día 25 de diciembre por radio. Tuve la oportunidad de hablar por radio a nuestro pueblo en la fiesta de nuestra patrona la Virgen de la Caridad del Cobre. Esto es también un signo positivo, pero han sido presentaciones eventuales. Hace falta sistematizar estas emisiones, de forma que pueda haber un programa de radio católico de frecuencia al menos semanal y algún tipo de acceso habitual de la Iglesia Católica a la televisión.

La Iglesia sostiene en todas partes su derecho, que es inherente a su misión, de educar cristianamente y de modo integral a las nuevas generaciones de católicos, según la fe de sus padres. En esto, como en otras cosas, nuestra mirada debe estar puesta hacia el futuro, un futuro que hay que construir paciente y decididamente. Reclamar lo viejo pudiera prestarse a un malentendido con relación al espíritu con que la Iglesia solicita los medios aptos para cumplir su misión. Cuando la Iglesia reclama su acceso a la educación de las nuevas generaciones no pide resucitar viejas escuelas con antiguo estilo, no pide tener de nuevo un colegio de Belén o un colegio de La Salle.

Han pasado casi 40 años desde que dejaron de existir aquellos prestigiosos centros de estudio. El mundo ha cambiado y los modelos de educación católica se han diversificado. Existen en muchos lugares y también existieron en Cuba las escuelas parroquiales en pueblos y barrios, que son escuelas sencillas y accesibles económicamente al pueblo cristiano. En muchos países hay un apoyo estatal a este tipo de escuela religiosa y, además, en muchos otros se da una participación de la Iglesia en las escuelas estatales para enseñar la religión. Son muchas las modalidades que pueden ser consideradas hoy. No hay que volver a esa gran escuela privada, para quienes podían pagar. La Iglesia en Cuba no está pensando en recuperar lo viejo. Contemplamos el futuro con una mirada actual y planteamos cuestiones de fondo, de principio, que permitan esbozar después otras propuestas concretas.

Mientras tanto, la Iglesia trata, por todos los medios, de educar cristianamente y de forma integral a las nuevas generaciones de católicos: por la catequesis de niños, adolescentes y jóvenes, por encuentros y sesiones de estudio, por diversos tipos de educación no formal que incluye a los padres de los niños y de los adolescentes y a estos mismos, haciendo que descubran y aprecien los valores evangélicos, de hondo contenido humano, esforzándonos por crear en ellos actitudes ante la vida de profunda raíz cristiana y humana. En fin, apoyándolos de diversos modos en sus estudios y trabajos, para que se sientan animados e interesados en los quehaceres propios de su edad, en espíritu de servicio a la sociedad y de amor a su país.

La Iglesia tiene mucho que aportar de lo que ella siempre ha suministrado al entramado social en orden a la familia, a los valores evangélicos, que son también humanos, enaltecedores del hombre y benéficos para la sociedad. Por ejemplo, el sacrificio, la entrega a los demás, el pensar no solo en uno mismo, en su éxito personal, en sus ventajas, sino en el prójimo, en los más necesitados, en su pueblo.

La Iglesia siempre ha aportado a la sociedad un sentido de humanidad que le es muy propio al cristianismo en sus 2.000 años de historia. De ahí nuestro deseo de que se amplíe el espacio para la acción social de la Iglesia.

Cuando pasó el ciclón Georges, hubo una gran inundación en el pueblo de San Nicolás de Bari, porque la lluvia fue extraordinaria e inesperada. Inmediatamente, los católicos empezaron a distribuir lo que tenían en sus casas para ayudar a los damnificados. El párroco del pueblo y los párrocos de las iglesias vecinas llegaron con sus automóviles cargados de lo que la gente de las parroquias daba para el pueblo de San Nicolás de Bari, no solo para los católicos, sino para todas las personas afectadas: zapatos, ropas, jabón, detergente y alguna comida para el primer momento, porque el agua arrasó con todo lo que había. Algunos pensaron que se trataba de un donativo que había llegado del extranjero y que la Iglesia estaba repartiendo. Pero se estaba distribuyendo de lo que cada uno tenla en su propia casa. Todo provenía del mismo pueblo y de los pueblos vecinos.

La Iglesia puede aportar a la sociedad ese sentido de solidaridad que se manifestó en aquel momento. Se trata de un valor cristiano que el párroco debe poner en acción junto con toda su comunidad sin esperar que el obispo le avise, porque este es un movimiento espontáneo y normal en un cristiano y quienes contemplan atentamente nuestra actuación deben acostumbrarse a esta reacción rápida de servicio y de apoyo a los necesitados, no solo al nivel del pueblo de San Nicolás de Bari, sino a escala nacional. O sea, esta es una labor para la cual la Iglesia no tiene que esperar órdenes ni recibir donativos. Si tiene estos últimos, mejor, pero si no, su misión será de todos modos ponerse rápidamente en función de servir, crear espíritu de solidaridad entre todos, o mejor, apoyar el espíritu solidario que la gente tiene, pues el cubano, de suyo, lo es en alto grado y lo ha sido mucho en estas épocas de penuria y escasez. Este es un ejemplo que ilustra un modo de participación social normal que la Iglesia debe tener como algo que es propio de su misión.

Cuando queremos explorar el camino que le queda por recorrer a la Iglesia en Cuba para normalizar su vida en la sociedad, debemos hacer un recuento desde el punto de partida de esta situación presente. La Iglesia vivió primeramente un período de ostracismo y ha ido pasando por estadios de convivencia pacífica y una mayor tolerancia, hacia una etapa de presencia más aceptada en 1a sociedad; que coincide con el reconocimiento, que se extiende a otras confesiones religiosas, de que existe un sentimiento religioso en el pueblo y de que esta fe religiosa pueda aportar valores a la sociedad.

Los próximos pasos serán aquellos que nos puedan acercar a una concepción clara de que el laicismo del Estado no es un nuevo nombre del ateísmo de Estado, sino que consiste en lo que el Papa Juan Pablo II expresó en su homilía de la Plaza de la Revolución: el Estado no debe entorpecer a ninguna religión ni favorecer a ninguna religión ni tampoco a la no creencia. Todo paso que nos conduzca a esto será positivo. La Iglesia en Cuba aspira a esta modernidad bien entendida en el tratamiento de la cuestión religiosa, en general. De esto resultarían beneficiados los hombres y mujeres de nuestro pueblo que expresan y practican una fe religiosa, las Iglesias, diversas asociaciones de creyentes y el pueblo en general.

El bien de la institución eclesial y de los cristianos que pertenecen a ella no es la única preocupación de la Iglesia en Cuba. La Iglesia existe para servir al pueblo. Sus miembros, obispos, sacerdotes, diáconos, religiosas y todos los fieles laicos que la integran sor parte de nuestro pueblo, están inmersos en él, compartiendo los mismos esfuerzos y esperanzas de sus hermanos. Por un elemental sentido de pertenencia y de solidaridad, nos interesa y preocupa la situación económica y social del país, sus crisis y las mejores maneras de resolverlas; Pero, además, en razón de nuestra fe en Cristo Salvador, no podemos dejar de contrastar la realidad que nos rodea con el mensaje exigente, gozoso y reconciliador del Evangelio. La fe cristiana lleva consigo una visión del mundo y una manera de actuar con respecto a las realidades sociales, políticas y económicas que conforman una ética de la persona y de la sociedad. Esta debe ser propuesta, una y otra vez, para que toda la trama de la vida personal, familiar y nacional pueda resultar iluminada por la Palabra de Dios, en especial por el Evangelio, donde Jesucristo nos habla y pone en nuestras manos un proyecto de vida basado en el amor y en la entrega de sí mismo.

Cuando la Iglesia hace oír su voz para exhortar, amonestar o enfrentar situaciones injustas o menos humanas está ejerciendo su misión profética, que, junto con la de rendir el culto debido a Dios y la del servicio caritativo a sus hermanos, integra el quehacer pastoral que Jesucristo le confió.

Esto fue lo que hizo el Papa Juan Pablo II en Cuba cada vez que nos dirigió la palabra, cumplir su misión profética de Pastor Universal, conduciendo al pueblo cubano por caminos de verdad y de esperanza. A esto exhortó a los obispos de Cuba, al reunirse con nosotros en el Arzobispado de La Habana. Esa es la razón de ser de esta Voz del Obispo que llega a ustedes, queridos habaneros, una vez al mes.

Esperamos para este año, y para el futuro siglo y milenio, que la Iglesia sea siempre más escuchada y mejor comprendida en el ejercicio de su misión profética. Este es así. aspecto que no podemos descuidar. El testimonio y la acción de la Iglesia en Cuba deben alcanzar su debida dimensión.

Los invito a seguir creciendo en la acción pastoral de la Iglesia, sobre todo, en el cumplimiento de su misión servicial y profética en medio de la nación cubana.

Con mi bendición.

PADRE NUESTRO*

Padre Nuestro,
que estás en el cielo,
santificado sea tu nombre;
venga a nosotros tu reino;
hágase tu voluntad en ta tierra como en el cielo.
Danos hoy nuestro pan de cada día;
perdona nuestras ofensas,
como también nosotros perdonamos
a los que nos ofenden;
no nos dejes caer en la tentación,
y líbranos del mal.
Amén.

De este modo nos enseñó a rezar Jesucristo, el Hijo de Dios. Esta oración debe ser repetida con devoción por todo bautizado y por todo cubano creyente cada día, pues ella brotó del corazón de Jesús, que está profundamente unido

---

* *Boletín Diocesano*, febrero 1999.

al Padre con un amor sin límites. Es el mismo Jesús quien nos revela esta unión única en su género: «quien me ha visto a mí ha visto al Padre, porque el Padre y yo somos uno»... «mi comida es hacer la voluntad del Padre»... «nadie conoce al Padre sino el Hijo y aquel a quien el Hijo se lo quiera revelar»... «te doy gracias, Padre, porque has ocultado estas cosas a la gente importante y se las has revelado a la gente sencilla».

Una consideración atenta de esta relación de Jesús con su Padre se impone hoy a nosotros cuando el mundo frío, y con frecuencia duro, de fines del milenio, parece hallar la explicación de sus miserias en la orfandad espiritual de centenares de millones de seres humanos que no han llegado a tener, o han perdido, la noción de un Dios que es Padre. Cuando los discípulos de Jesús le dijeron: «Maestro, enséñanos a orar», Jesús les dijo: «Cuando vayan a orar digan: Padre Nuestro...» y siguió desgranando hasta el amén las palabras que hoy nos son tan familiares.

Padre y no «ser supremo», Padre y no «majestad infinita» ni «supremo hacedor». Jesús no había sido enviado para decirnos que hay un Dios eterno y todopoderoso, cosa que muchos hombres creen y otros sospechan, sino para mostrarnos cómo es Dios, atento a nosotros, inclinado amorosamente sobre cada uno como un Padre para con sus hijos. De modo que aun quien cree a medias o quien no cree puede quedar cautivado por el amor gratuito, precedente e invariable de un Dios que es Padre.

En aquella ocasión en que Jesús enseñó a orar a los suyos, después de decir las palabras de la oración del cristiano donde llamamos a Dios Padre y le pedimos que su reino de paz y de amor llegue por fin, que nos dé la posibilidad de ganar el pan de cada día y que nos perdone a nosotros que tenemos el propósito de perdonar a quienes nos ofenden, el Maestro se pone a explicar la oración que ha enseñado deteniéndose solamente en el tema del perdón: «Porque si ustedes no perdonan a quienes los han ofendido, tampoco el Padre los perdonará a ustedes». Aquí está, como siempre en el mensaje de Jesús, esa trabazón estrecha entre el culto a Dios y la relación con el prójimo que constituye el sello de identidad de una vida según el Evangelio y funda, además, un nuevo tipo de convivencia humana.

En la oración del Padre Nuestro, Jesús pone al hombre ante una nueva concepción de la divinidad, dibuja para la humanidad un nuevo rostro de Dios: el de un Padre, pero no exigente y autoritario, sino tal y como él lo describe en la inigualable parábola del Hijo Pródigo, el hijo que retorna a la casa paterna después de haber dilapilado los bienes que el padre le dio y es recibido con un abrazo del padre, que lo cubre de besos y le da una fiesta. Es de este Padre de quien habla Jesús. Así es el único Dios en quien creemos los cristianos.

Jesús nos revela la misericordia infinita de Dios, pero nos pide, además, que seamos misericordiosos como el Padre es misericordioso. Por eso insiste en el perdón de unos a otros y así la Iglesia está constituida por una comunidad de perdonados y de reconciliados. Cuando tú perdonas, no haces más que repetir con el hermano lo que Dios hizo contigo. Nadie tiene una carta de servicios prestados para presentarla ante Dios y merecer su aprobación o su premio. Todos llegamos hasta él maltrechos, como el hijo pródigo, y el abrazo del Padre nos devuelve la dignidad de hijos.

Si en la convivencia humana todos tuviéramos esa actitud espiritual de perdonados gracias a la misericordia del Padre, existiría entonces una comunidad civil de reconciliados, porque no hay perdón de Dios si no nos hemos perdonado unos a otros. Misericordia y reconciliación se reclaman mutuamente. Qué bien que en la sociedad todos se sintieran perdonados por Dios, aunque reconociéndose al mismo tiempo capaces de obrar mal, lo mismo el adulto que el joven, el profesor que el alumno, el gobernante como el gobernado, el que administra justicia como el acusado, el sacerdote como el penitente al que oye en confesión.. Si así fuera, nadie dejaría de ejercer su función propia, pero lo haría con misericordia, comprendiendo los propios límites y su real posibilidad de violarlos. Esta es la humildad verdadera.

Mas el milenio que concluye, sobre todo en estos últimos siglos, ha conocido, más que la negación de Dios, la rebelión contra el Padre, el rechazo del Dios que Jesucristo nos mostró, enseñándonos a llamarlo Padre a quien Él se sometió dulcemente. Ni misericordia, ni reconciliación, ni mucho menos humildad han sido considerados como valores en el quehacer político y social del mundo moderno. Ese es el verdadero drama de nuestro mundo al final del milenio: el rechazo del Dios de Jesucristo, del único Dios de los cristianos que es padre y establece la convivencia humana en el amor que pasa por reconciliación. Porque, en la búsqueda del bien común, la sola justicia es insuficiente, el respeto de los derechos de la persona humana es la indispensable condición, pero la actitud filial que Jesús predicó y testimonió con su vida en dependencia amorosa del Padre, es lo único que confiere esa calidad superior imprescindible a toda acción realmente humana y transformadora del hombre y de las estructuras sociales.

La batalla que se ha trabado, especialmente durante el siglo XX que concluye, es entre una visión cristiana del hombre y de la sociedad o una concepción no cristiana de las realidades humanas. Desde Nietzsche y Marx hasta Hitler y Stalin se han enfrentado, con gran costo humano, ideologías diversas, pero teniendo todas ellas en común el rechazo de Dios Padre, la ausencia de misericordia, su capacidad para generar enfrentamientos y no para auspiciar la reconciliación, o sea, se han encontrado cara a cara concepciones distintas del hombre y de la sociedad, pero ninguna de ellas cristiana. Ese fue el hondo sufrimiento del Papa Pío XII durante la Segunda Guerra Mundial. Ese es el combate gigantesco que ha emprendido el Papa Juan Pablo II en los últimos veinte años de este milenio: que los hombres, pasando por alto diferencias religiosas y políticas, se reconozcan hijos de un único Padre, que se amen, por tanto, como hermanos, decididos a reconciliarse entre sí si se han ofendido, para que llegue a forjarse una humanidad solidaria en el amor.

Hoy aún, y no solo en nuestro medio, suenan extrañas palabras tales como misericordia y reconciliación. Cuando las he empleado dirigiéndome a hermanos cubanos que viven en otros países, algunos las han rechazado a veces con incomprensión y aun con molestia. En Cuba he recibido al menos el calificativo de iluso o portador de un mensaje inaceptable. Una vez más es el corazón humano el que parece dañado por la ausencia de amor y de referencia explícita a un Dios Padre, autor de una fraternidad real entre todos sus hijos, que deben verse y tratarse como hermanos con independencia de sitios geográficos o de pensamientos políticos o religiosos.

Vienen a mi memoria, y les ofrezco a todos, las palabras del Salmo 94 que cada día inicia la oración del sacerdote cuando se pone en presencia de Dios Padre al comenzar la jornada: «Ojalá escuchen ustedes hoy su voz y no endurezcan el corazón». Y un poco más adelante, también en las palabras del Salmo, es el mismo Dios Padre quien nos advierte del peligro de no escuchar su llamada: «Porque no entrarán en mi descanso».

No entrar en el descanso de Dios es lo mismo que vivir en la inquietud o en la angustia, y esto sucede cuando tenemos el corazón endurecido y no escuchamos la voz del Señor.

En estos días de juicios y castigos, de abundantes policías que estrenan su oficio con cierta impericia, de temores fundados o infundados que crean desazón, los invito, queridos hermanos y hermanas, a no endurecer el corazón y escuchar la voz de Dios para volver a lo esencial del mensaje cristiano contenido en la oración del Padre Nuestro, que se resume en las actitudes evangélicas de misericordia, humildad y espíritu de reconciliación. Ellas apuntan hacia lo mejor del ser humano y constituyen también un programa de vida. Poniéndolo en práctica se puede contribuir ventajosamente a la construcción de una sociedad renovada, animada desde dentro por el amor. Ser *activista* de esta visión del mundo y del hombre que nos propone el Padre Nuestro entraña el riesgo de la incomprensión de algunos, pero procura grandes recompensas espirituales.

Les hago este llamado a ustedes, hijos de la Iglesia, pero también a todos los que lo deseen: acoger: «ojalá escuchen hoy su voz» y quien administra justicia o cuida el orden ciudadano cumpla su deber con misericordia, quien tiene responsabilidades al frente de distintos sectores de la sociedad las ejerza con humildad y que no se sigan generando odios o resentimientos entre los hijos de un mismo pueblo, sino que prevalezca entre nosotros un verdadero espíritu de reconciliación. Este es el camino difícil de solidaridad cristiana propia de los hijos de Dios, que el Papa Juan Pablo II nos invitó a recorrer a los cubanos.

Todavía nos parece respirar el clima de alegría y esperanza que creó el Papa con su presencia entre nosotros. En aquellos días, todos teníamos la impresión de entrar en el descanso prometido por Dios a quienes escuchan su voz. Y es que el Santo Padre llegó a nosotros con humildad para hablarnos el lenguaje de la misericordia y de la reconciliación. El abrazo de paz que nos dimos centenares de miles de cubanos en la Misa de la Plaza de la Revolución, mientras cantábamos «paz en la Tierra» con lágrimas en los ojos, alzando después las manos en alto, no es solo un momento inolvidable, es la expresión del anhelo más hondo del pueblo cubano. A no dejar sin respuesta ese anhelo está comprometida la Iglesia en Cuba, pues solo la misericordia, la reconciliación y la paz que proclama la Iglesia en nombre de Jesucristo, podrán colmarlo.

En este fin de milenio, con la mirada fija en Dios nuestro Padre, los invito a rezar detenidamente cada día el Padre Nuestro, dejándonos impregnar de la visión del mundo, del hombre y de la sociedad que está contenida en la oración por excelencia del cristiano, y les sugiero, especialmente en esta hora, detenerse en una de sus peticiones finales: «no nos dejes caer en la tentación», en la tentación del desaliento o la desesperanza, en la tentación de la tristeza o de la amargura.

Los católicos cubanos debemos ser fieles a la esperanza que el Papa vino a sembrar en nuestra tierra y no dejaremos de cultivarla en nuestros hermanos.

Que la Cruz de Cristo y su resurrección gloriosa los afiance a todos en esa misma esperanza.

Con mi bendición, les deseo una Feliz Pascua,

LA IGLESIA EN CUBA HACIA EL AÑO 2000*

En 1996, el Papa Juan Pablo II sorprendía al mundo convocando a todos los hombres y pueblos para celebrar el año

---

* *Boletín Diocesano,* marzo 1999.

2000 como un «gran año jubilar», es decir, un tiempo que llene de júbilo a la humanidad por el acontecimiento único en la historia que vamos a conmemorar: el nacimiento de Jesús de Nazaret en Belén de Judá.

La sorpresa estriba en el modo de celebración que propone el Papa al considerar que no puede hacerse una conmemoración festiva de la encarnación del Hijo de Dios sin una decisión firme de sanar los males del mundo. Por eso, el Santo Padre invita a acciones concretas de reconciliación entre seres humanos y entre pueblos, y también entre los cristianos de diversas confesiones y entre todas las grandes religiones del mundo, especialmente las que creen en un solo Dios: los judíos, los cristianos y los musulmanes.

Pero también invita el Papa a la Paz, al cese de las guerras, a emplear los enormes fondos que las naciones gastan en armamentos en el desarrollo de los pueblos más pobres del planeta, a combatir el hambre y las enfermedades y no a combatirse unos a otros. Pidió el Santo Padre que los países económicamente poderosos perdonen, o al menos alivien, las deudas de los países pobres durante el año jubilar.

Quiso, además, Juan Pablo II que la Iglesia preparara la llegada del Tercer Milenio de la era cristiana con un renovado esfuerzo misionero que lleve a los corazones de mujeres y hombres de hoy un renovado deseo de conversión personal, porque sin la transformación radical del ser humano en su interioridad no hay verdadero cambio social en el sentido del bien, de la justicia, de la libertad y de la paz

El primer objetivo que persigue la Iglesia con la nueva evangelización es propiciar a todos los hombres y mujeres del mundo un encuentro con Jesucristo, que nos sale al paso a cada uno de nosotros para invitarnos a revisar nuestros criterios, a tomar en mano nuestra vida y, si es necesario, a cambiar el rumbo de nuestro andar.

Evangelizar no es, ante todo, emitir juicios éticos severos sobre la conducta de los hombres. «*Yo no he venido a condenar, sino a salvar*», dijo Jesús. La evangelización no es tampoco un empeño en atacar verbalmente las estructuras injustas, fustigando los males sociales. Como dijo el profeta acerca del Mesías, «este no voceará, no gritará por las calles».

Si bien el mal debe señalarse, la fuerza del Evangelio está en proponer caminos nuevos y para esto debemos ponernos seriamente en la escuela de Jesús, que nos dice: *«aprendan de mí que soy manso y humilde de corazón»*. Evangelizar no es únicamente mover los corazones humanos para que hombres y mujeres lloren sus pecados, sino sobre todo llevarles la alegría de saberse salvados, *porque hay más alegría en el cielo por un solo pecador que cambia de vida que por noventa y nueve hombres buenos que no necesitan arrepentirse»*, nos dice Jesús.

El mensaje cristiano es constructivo y alentador, comunica la esperanza, propone con humildad soluciones a los males, levanta el ánimo del pecador con la alegría de saberse perdonado.

Este es el programa evangelizador de la Iglesia en nuestra Arquidiócesis para preparar el próximo año santo jubilar: levantar en alto la cruz de Cristo como signo de perdón, de reconciliación y de esperanza. así lo haremos en la gran misión diocesana que llevará la imagen del Crucificado a todas las iglesias y capillas de la Arquidiócesis. Al fijar nuestros ojos en la cruz tendremos el testimonio vivo y patente del amor que nos ha dispensado Dios nuestro Padre por medio de su Hijo.

Ya a las puertas del Tercer Milenio de la era cristiana, en este año 1999 en el que la Iglesia nos invita a descubrir los insondables tesoros de amor y de misericordia que hay en Dios, debemos pedirle a Jesucristo, el Hijo amado del Padre, que nos lo muestre, pues Él solo puede hacerlo y así nos lo dijo: *«Nadie va al Padre sino por mí»*. El lema de nuestra misión diocesana será una súplica constante: *«Jesucristo, muéstranos a Dios Padre»*.

Solo cuando descubrimos que Dios es el Padre de todos despertamos a una fe lúcida, nos hacemos capaces de sembrar esperanza y nos ponemos en condiciones de vivir una verdadera fraternidad, al reconocernos como hermanos, no como individuos solidarios por pertenecer a una misma especie, sino por ser hijos del mismo y único Dios Padre.

Evangelizar es proponer caminos de fe y esperanza, pero es también sembrar amor en nuestros hermanos, en los diversos ambientes donde ellos viven, y propiciar iniciativas concretas que testimonien ese amor y lo hagan actuante. Jesucristo nunca separó el anuncio del Reino de Dios de su preocupación concreta por las dolencias de los hombres, por sus males físicos y morales, por sus necesidades. Lo mismo expresaba su sentimiento de pena por la multitud que vagaba como ovejas que no tienen pastor, que comunicaba a los discípulos su preocupación por el gentío que lo seguía y que no tenía nada de comer. Jesús, y del mismo modo su Iglesia, miran al hombre en su integridad de ser físico y espiritual y la manera de mostrarle el amor es, en múltiples ocasiones asistiéndolo en sus requerimientos de orden material y humano. Nunca pueden separarse evangelización y promoción humana, porque esto sería la negación del mismo contenido del Evangelio.

En este año del Padre en que todos los católicos reflexionamos en nuestra condición de hijos de Dios y hermanos de todos los hombres, el amor al prójimo tendrá en nuestra misión diocesana tanto peso como el anuncio del amor que Dios Padre nos ha manifestado en Cristo. En cada parroquia, en cada comunidad, por pequeña que sea, deben ampliarse los esfuerzos que ya existen o tomarse las iniciativas nuevas que puedan aliviar o sostener a ancianos, enfermos habituales, grupos desfavorecidos que vienen hacia el occidente del país en busca de mejor fortuna, personas solas que se sienten marginadas u olvidadas. Son tantas las cartas que recibo de cualquier parte de La Habana y de Cuba pidiendo lo mismo un andador para una anciana que se fracturó la cadera, como un par de espejuelos, o ayuda alimentaria, especialmente para niños o ancianos con regímenes dietéticos especiales o que tienen una dieta insuficiente... La pobreza es un mal que no es fácil de combatir y es un fenómeno de escala mundial. Siempre viene a mi mente la misteriosa frase de Jesús: «a los pobres los tendrán siempre entre ustedes». En efecto, siempre habrá un hombre más pobre que otro, pobre en recursos, disminuido física o intelectualmente, pobre en simpatía, o en afecto, adicto al alcohol, traumatizado por la vida misma.

Cuando la imagen de Cristo crucificado pase entre nosotros nos recordará que cada vez que dimos de comer o de beber a los pobres de nuestro barrio o de nuestro pueblo, cada vez que los visitamos en sus enfermedades y en sus miserias, se lo hemos hecho a Él y que el lamentable estado de Jesús en la cruz tiene que ver con el olvido y la desatención al prójimo. Cada vez que no hemos atendido a nuestros semejantes lo hemos maltratado a Él.

Algunos cuestionaron en su momento el quehacer de Madre Teresa de Calcuta recogiendo a los pobres moribundos de las calles, alimentando a los niños famélicos de los barrios más miserables. Le imputaban que así no podía acabar con la miseria del mundo Y ella respondió: *muchos gastan sus fuerzas en gritar la pobreza que hay en el mundo, yo las gasto en atender al pobre concreto que tengo delante. Ese es uno menos.* Es válida esa manera de luchar contra la pobreza. Mientras el mundo no encuentre un nuevo orden económico justo y humano, mientras existan restricciones económicas y bloqueos, estamos obligados a atender al pobre que está a nuestro lado. Es bueno también conocer y poner en práctica los principios y recomendaciones de la Doctrina Social de la Iglesia, es necesario, al mismo tiempo, que los trabajadores luchen por su dignidad y por salarios justos, es imprescindible encontrar nuevas fuentes de energía y aumentar la producción de la tierra, pero mientras tanto los hombres nacen y mueren en la pobreza y están tirados en tu puerta como el pobre Lázaro y nadie se da cuenta. Mientras haya pobres siempre habrá un pobre concreto que se cruza en tu camino y no lo podrás evitar. Si eres cristiano ya conoces el nombre de ese pobre, se llama Jesús.

Entre las iniciativas de nuestras parroquias e iglesias para asistir a los pobres están las de servir en sus salones parroquiales un almuerzo cada día o cada tercer día a los ancianos más desvalidos, sin ningún apoyo familiar, está el plan de apoyo a la tercera edad de Cáritas, dando una modesta cantidad de alimentos a los ancianos y enfermos habituales más necesitados, están las bolsas comunes de medicamentos, donde se depositan medicinas que han sobrado a las familias, a las cuales se suman otras que envían los católicos desde el extranjero y se distribuyen a los enfermos con la ayuda de profesionales cualificados, están las lavanderías parroquiales donde se lavan las ropas de cama y prendas de vestir de ancianos y enfermos, hay personas que van a limpiar las casas de otras personas incapaces de hacerlo por sí mismas... En fin, hoy no encontramos casi una comunidad cristiana que no tienda su mano a los hermanos más desfavorecidos y todo esto se hace por medio de un voluntariado activo y diligente. Este trabajo hay que consolidarlo y ampliarlo aún más en este año de la caridad, en este año del amor que es el año del Padre.

Ya en el nacimiento de la Iglesia en los Hechos de los Apóstoles, la comunidad cristiana aparece predicando el Evangelio y atendiendo a los pobres al mismo tiempo. Esto le es consustancial a la Iglesia y se repite a través de los siglos y en todo el mundo. La vocación de servicio al hombre y a la sociedad, que ha identificado e identifica siempre a la Iglesia, debe ser comprendida cada vez más cabalmente por las autoridades municipales, provinciales y nacionales de nuestro país. La Iglesia debe ser ayudada en esta tarea humanitaria de orden social y esperamos que, sin reticencias ni recelos, podamos realizar cada vez mejor nuestra misión caritativa en la sociedad.

La Iglesia brinda su apoyo a los más débiles y necesitados a través de Cáritas y no pretende con ello ser un competidor del Estado, ni un organismo paralelo a otras instituciones estatales, sino solo servir al ser humano con y por amor, siguiendo el mandato de Jesús, que con respecto al amor nos dijo: *«les he dado ejemplo para que también ustedes hagan lo mismo».*

Ni en la misión preparatoria del año 2000 ni nunca, puede la Iglesia separar el anuncio del amor que Dios Padre nos tiene del amor concreto a los hermanos, especialmente a los más necesitados. Armados así de la fe y del amor cristiano, los invito a todos, queridos habaneros, a participar activamente en esta gran misión que prepara la celebración del Jubileo del año 2000.

Que Dios Padre bendiga a todos los que con tanto amor dan sus esfuerzos, su tiempo, su experiencia y su entusiasmo a esta misión. Yo los bendigo con gratitud y afecto en nombre del Señor.

199

EL CASO DEL NIÑO ELIÁN GONZÁLEZ*

Ha ocupado la mente y el corazón de los cubanos desde hace ya más de dos meses.

La Iglesia en Cuba se pronunció con toda claridad en Nota de Prensa dada a conocer el día 8 de diciembre de 1999, publicada casi íntegra en el periódico «Granma» diez días después (la nota aparece en esta misma hoja impresa). En ella dice la Conferencia de Obispos Católicos de Cuba que el caso del niño Elián González debe resolverse según el más elemental derecho universalmente aceptado, es decir, que el menor que ha perdido a uno de sus progenitores queda al cuidado del progenitor sobreviviente. No hay ninguna razón de otro orden para privar, en este caso al padre del niño, de la patria potestad, pues no hay incapacidad física, mental o moral que le impida al padre ejercer su derecho.

Quiero reiterar en esta ocasión que esta manera de pensar es la que sustento personalmente y es invariable, pues está apoyada en la Doctrina de la Iglesia Católica, según la cual la familia, por derecho natural, es anterior al Estado y ningún Estado puede entorpecer los derechos de la familia con respecto a sus hijos. El derecho primordial de la crianza y educación de los hijos es de sus padres.

Pero lo que aquella Nota de Prensa temía se produjera, ha ocurrido. Las pasiones de distinto género, con un alto contenido político, han envuelto al niño en una enredada madeja de corrientes de opinión y procesos judiciales que obstaculizan el cumplimiento del derecho, según el cual se ha pronunciado ya el Servicio de Inmigración de Estados Unidos, al ordenar que el niño debe ser enviado a su país para estar con su padre.

Muchas cosas han sucedido en estos dos meses. El cúmulo de argumentaciones que apelan a la psicología, el medio social o la política, a favor del retorno del niño a su país, si bien persiguen completar la presentación del caso a la opinión pública, de hecho pueden oscurecer el argumento fundamental y suficiente: la custodia del menor le corresponde

---

* *Boletín Diocesano*, febrero 2000.

al padre. Por sus características, la retención del niño en Estados Unidos se ha convertido en una querella familiar, al ser una misma familia la que se ve involucrada en Cuba y en los Estados Unidos en la disputa por el menor. Resulta así extremadamente penoso que se produzcan por parte de algunos familiares, o de otras personas colocadas en uno u otro bando, expresiones ofensivas, juicios sobre el comportamiento moral de miembros de la misma familia, divulgación no respetuosa de detalles de la vida familiar que son dados a conocer sin miramientos a la opinión pública, etc. El mismo derecho prevé que los conflictos de familia deben tener un arreglo familiar. La solución del caso del niño Elián González pasa por algún tipo de acuerdo en el seno de la familia.

Pero lo más doloroso es la situación del niño, observado a todas horas por los medios de comunicación, convertido en una aberrante estrella de cine, sin el menor respeto para la dignidad de su persona. Esto hiere la sensibilidad de muchos que nos escriben, nos llaman por teléfono o nos dicen personalmente: ¿hasta cuándo va a durar esta situación?; ¿la Iglesia no puede hacer algo para que el niño vuelva? Esa misma sensibilidad impide, a veces, ver la complejidad del problema y las complicaciones a que ha conducido la demora del niño en Estados Unidos.

Cuando el problema estaba en sus inicios y era aún más manejable, a principios del mes de diciembre, pude hablar con el Cardenal Bernard Law, de Boston, quien me dijo se había dirigido a varias instancias y personas del gobierno de Estados Unidos para ofrecer la ayuda de los servicios caritativos de la Arquidiócesis de Boston a fin de facilitar el retorno a Cuba del menor. El Cardenal Law estaba preocupado por las complicaciones que podría traer la permanencia prolongada del pequeño en Estados Unidos y me informó que la Sección de Intereses de Cuba en Washington tenía conocimiento de estas gestiones. Por mi parte comuniqué al gobierno cubano la disponibilidad del Servicio Católico de Caridad de Boston y del Cardenal Law de brindar su cooperación para coadyuvar a resolver el conflicto.

Fue también una iniciativa humanitaria de mucha significación la asumida por el Consejo de Iglesias de Estados Uni-

201

dos para facilitar el viaje de las abuelas del niño a ese país, que les permitió ver a su nieto y sostener otros encuentros. Lamentablemente, las condiciones del encuentro de las abuelas con el niño no fueron adecuadas. La elección de la casa de la rectora de la Universidad de Barry, hermana Jeanne O'-Laughlin, dependió de un contacto directo del Servicio de Inmigración norteamericano con la hermana O'Laughlin, sin responsabilidad alguna de la Arquidiócesis de Miami. Esto aparece claro en una nota del Arzobispado de Miami publicada el mismo día de la entrevista. Dice la nota: *ha de saberse que la Universidad de Barry es una institución católica privada, de educación superior, que no está afiliada a la Arquidiócesis de Miami. Barry está dirigida por las religiosas dominicas de Adrian, Michigan, bajo la presidencia de la hermana Jeanne O'Laughlin. La Arquidiócesis de Miami no ha tenido participación alguna con respecto a la reunión programada para el día de hoy entre Elián González y sus abuelas. La decisión hecha al respecto partió del Departamento de Justicia, Servicio de Inmigración y Naturalización de Estados Unidos.*

Las declaraciones posteriores de la hermana O'Laughlin, cargadas de subjetividad, fueron hechas según observaciones insuficientes y son de orden sentimental. Estas argumentaciones no cuentan en el caso de un proceso legal, aunque sí tienen peso en un tema donde fácilmente se excita la sensibilidad de la opinión pública, que, en estos casos, puede verse arrastrada por un río de sentimientos en muchas ocasiones hábilmente explotados.

En el río de opiniones vertidas en Cuba durante estos dos meses se ha visto envuelta la Iglesia Católica desde antes de Navidad, empezando por un actor dramático de la televisión cubana, que emplazó «al mismísimo Papa» de manera poco cortés, diciendo al Santo Padre que cómo podría celebrar él el nacimiento de Jesús si el niño Elián no era devuelto. Poco tiempo después hizo acto de presencia el conocido brasileño Fray Betto, que aparece en Cuba en determinadas ocasiones, y da su versión no muy exacta de las cosas, pues su referencia escueta a una intervención del Papa a favor de Pinochet no es fiel. Él también clamó en tono populista por una intervención del Papa en el caso de Elián.

Una nota posterior a la visita del Ministro de Relaciones Exteriores de Cuba a Roma, publicada en la prensa cubana, hacía conocer que el Santo Padre no estaba informado de nada de lo referente a Elián. Sabemos que el cúmulo de preocupaciones y problemas que afectan al mundo se acumulan de modo sobrehumano en la mesa de trabajo del Papa. Aun así lamento que en aquel momento no estuviera informado. Aunque con respecto a las intervenciones antes mencionadas, si de mí dependiera, por el contenido y la forma de ellas, no le haría llegar ninguna información al Santo Padre. No quiero que se empañen los recuerdos maravillosos que él guarda de la delicadeza y el afecto con que fue acogido por el gobierno y el pueblo de Cuba en su visita a nuestro país; sentimientos que me ha expresado a mí personalmente en más de una ocasión y que reiteró de nuevo al Ministro de Relaciones Exteriores, Felipe Pérez Roque, en su reciente visita a Roma. Todo ello fue muy bien recogido por el periódico «Granma».

¿Qué decir de las opiniones sobre la hermana O'Laughlin? Ha habido de todo: errores teológicos graves, como presentar a una monja violando secretos de confesión, pues ni una monja confiesa, ni en su casa nadie fue a confesarse. Se ha dicho de ella que es una monja que ha encarnado al demonio, se han proferido otros insultos, alusiones, juegos de palabra y, lo que es peor, parece despuntar una generalización indebida que intenta atacar la actitud de la hermana mermando el prestigio de la Iglesia Católica como institución. Por ejemplo: referencias repetidas en los medios de comunicación social a la conducta sexual de los sacerdotes en los Estados Unidos y a estadísticas sobre clérigos enfermos de Sida.

Repito que no apruebo el proceder de la hermana O'Laughlin, pero los errores se combaten con argumentos y no tratando de destruir a las personas y a las instituciones. He visto estos dos meses de movilización nacional por el retorno de Elián a Cuba como una gran batalla bien organizada. Puede haber en las batallas francotiradores que apuntan hacia cualquier sitio y prefiero pensar que haya sido así en el caso de esas referencias a la Iglesia o al Papa, reveladoras de prejuicios o de oscuros sentimientos que esperan la oportunidad para expresarse.

Me resisto a creer que esto sea parte de la estrategia de combate, porque entre otras cosas se alteraría el modo habitual de proceder de los medios de comunicación de Cuba, que evitan lo sórdido o lo escandaloso en su relación con la Iglesia y los creyentes. Si no se tratara de iniciativas individuales en medio de una batalla que resulta ya bastante larga, y fuera parte de una estrategia, sí estaría preocupado, no solo por los efectos negativos que esto produce en los católicos y aun en los no católicos en Cuba, que se dirigen a nosotros desconcertados, sino por la dispersión de fuerzas y las malas repercusiones en la opinión pública internacional. Me inclino a pensar que se trata de graves descuidos en un proceso que tiene ya demasiada duración. Quizá algunas intervenciones en televisión hubieran podido editarse para pasar por alto opiniones o relatos, no solo referentes a la Iglesia Católica, que pueden herir la sensibilidad de muchos en Cuba y en el extranjero y que no invitan a todos a centrar su atención en el único problema real: el padre del niño Elián González tiene todo el derecho a la custodia legal de su hijo y deben buscarse los medios adecuados para que en breve tiempo la dolorosa situación en que el niño se encuentra llegue a su fin.

Queridos fieles de La Habana: les pido que tengan presente en sus oraciones a este niño, a su padre, a sus abuelas y demás familiares, así como a los que tienen que ver con el futuro del menor; de modo que lo que es derecho del padre y del niño, llegue a ser pronto una feliz realidad.

Con afecto los bendice su obispo.

VIVIR EN LA ESPERANZA*

Queridos hermanos y hermanas:
Los diferentes encuentros que tenemos mutuamente, sea en las fiestas patronales o en cualquier otra celebración diocesana,

---

* *Boletín Diocesano*, mayo 2001.

son para mí momentos especiales que disfruto y aprovecho como Arzobispo y Pastor.

Pero también es bueno aprovechar cualquier oportunidad; por ello, hace más de quince años, concebí la idea de dirigirme a ustedes mediante este boletín que, por distintas razones, a lo largo de todos estos años, ha tenido alguna que otra interrupción. Al pensar en ello ahora, me da alegría recordar a quienes no dejaron de sugerirme que volviera a «salir» Aquí la Iglesia.

Con la misma alegría reabro este puente de comunicación, y lo hago ofreciéndoles la homilía que pronuncié, el pasado 31 de marzo, en la Misa de clausura de nuestro Consejo Diocesano de Pastoral. Allí hablamos sobre el Plan Global de Pastoral preparado por la Conferencia de Obispos Católicos de Cuba, un Plan que guiará nuestros pasos como Iglesia al inicio de este Tercer Milenio de la Era Cristiana.

Estas ideas que quiero compartir con ustedes expresan mis sentimientos y esperanzas como Pastor de esta querida Arquidiócesis de La Habana, en la que juntos –Obispos, sacerdotes, religiosos, religiosas y laicos– estamos comprometidos, por nuestra fe, a proclamar el Evangelio del Señor.

Queridos hermanos y hermanas:

El evangelista San Juan coloca el relato de la mujer adúltera en forma algo sorprendente entre los incidentes que se suceden en la semana de la fiesta de los tabernáculos o de las chozas que cada año se celebraba para dar gracias a Dios después de las cosechas, en un tiempo que correspondería a nuestros meses de septiembre u octubre y era una fiesta alegre, con ramas de árboles se hacían los hebreos techumbres en los prados que rodeaban la ciudad de Jerusalén y allí pasaban las noches, viviendo al modo como lo hicieron sus antepasados, cuando durante cuarenta años atravesaron el largo desierto que los condujo hasta una tierra que ahora podían cultivar y que les daba frutos.

Por esto daban gracias a Dios. Jesús participa en esta fiesta, pero parece retirarse cada noche a un lugar cercano, al Monte de los Olivos. ¿Pasaría allí las noches en oración, como lo hizo la última noche antes de padecer?

Cada día, Jesús venía a la ciudad de Jerusalén y hablaba

205

en el templo y se mostraba públicamente enseñando, respondiendo a menudo las preguntas insidiosas de los fariseos y otros notables del pueblo. Casi al final de esta semana, después de pasar como de costumbre la noche en el Monte de los Olivos, Jesús fue al templo y allí le tendieron otra trampa, parecida a aquella de preguntarle si se debía pagar el impuesto al César o no. Ahora no se trataba de la ley romana, ante la cual Jesús encontró un argumento astuto para desembarazarse de la zancadilla, ahora se trataba de la Ley de Moisés. Ante Él, quizá tirada en el suelo, estaba una mujer sorprendida en flagrante delito de adulterio, eran todos hombres los que la rodeaban, acusándola y haciéndole a Jesús la pregunta insidiosa: *La Ley de Moisés manda que sea apedreada la mujer adúltera, ¿tú qué dices?* Y el mismo evangelista San Juan cuenta que le preguntaban esto para comprometerlo y poder acusarlo. Jesús deja que el tiempo pase en silencio, quizá hace unos garabatos en la tierra aunque el Evangelio dice que se puso a escribir. Podríamos imaginar que escribía allí la palabra *Rahamim (misericordia)*. Pero esto es imaginación, aunque no ausente de sentido. Transcurrido el tiempo de silencio, Jesús levanta la cabeza y dice a aquellos hombres que el que esté sin pecado, que lance la primera piedra y todos comienzan a irse, empezando por los más viejos, que habían tenido en su vida más tiempo de pecar. Y ahora quedan en escena Jesús solo y la mujer.

En la literatura profética del Antiguo Testamento encontramos que, muchas veces, el pueblo de Dios, el que Yahvé había escogido y librado de Egipto, haciéndolo posesión suya, cae en el olvido de Dios, en la idolatría, en la infidelidad, y los profetas hablan del pueblo como de una esposa infiel a la cual Yahvé Dios siempre perdona. Esta mujer frente a Jesús simboliza a todo aquel pueblo idólatra a veces, olvidadizo de los dones de Dios en muchas ocasiones, de dura cerviz, pero a quien Dios mira siempre con amor y quiere perdonar.

Esta mujer simboliza también a la Iglesia, al nuevo pueblo de Dios, infiel en ocasiones a su misión de anunciar al mundo la salvación traída por Jesús, encerrada en sí misma, ganada por la idolatría del dinero o del poder en algunos de sus hijos, olvidada a menudo de las maravillas que Dios obra en favor de su pueblo. Y allí está Jesús, solo Jesús, frente a su esposa, la Iglesia, a quien quiere siempre tener consigo y está siempre dispuesto a perdonar. La infeliz mujer representa por fin a la humanidad entera, la humanidad pecadora, despreocupada de Dios, supersticiosa, materialista y cargada de miserias, ese mundo tan amado por Dios al cual le entregó a su Hijo. Un mundo que Él vino a perdonar y no a condenar.

Pero Jesús no perdona con la condescendencia del poderoso que hace un gesto con la mano y evita que un condenado a muerte sea llevado al patíbulo. Jesús perdona en diálogo amistoso y amoroso con el ser humano: «¿Mujer, nadie te condena?». «Ninguno, Señor». «Yo tampoco te condeno. Anda, y en lo adelante no peques más».

Jesús tiene su mirada puesta en el futuro. Jesús no quedó atrapado ni en la ley del César, ni en las interpretaciones de las leyes de Moisés que hacían sus contemporáneos. Jesús estaba solo poseído del amor del Padre y con ese amor levanta al hombre de su miseria, lo restituye a su dignidad, lo pone de cara al porvenir con una carga nueva de esperanza en su corazón. Jesús no se presenta ni concesivo, ni falsamente condescendiente, sino veraz, pero infinitamente misericordioso: «Anda, y en adelante no peques más».

Es como si esta Eucaristía del domingo V de Cuaresma estuviera hablándonos a nosotros reunidos como la Iglesia del Señor, que peregrina aquí en La Habana en nuestro Consejo Diocesano de Pastoral, el lenguaje que necesitamos en este comienzo de siglo, al inicio de un nuevo milenio de la era cristiana. El «*anda, vete y no peques más*» se parece a aquella otra orden que dio Jesús a Pedro y que recoge el Papa Juan Pablo II en su carta apostólica *Novo Millennio Ineunte* que ha inspirado nuestros trabajos: *Rema mar adentro,* es decir, mira hacia delante y hacia lo alto, deja detrás todo lo pasado, pero tenlo en cuenta, con lo bueno y con lo malo, y afírmate en la fe y en la esperanza para andar en el futuro. Conocemos nuestras debilidades, conocía Jesús la debilidad y el pecado de aquella mujer, no la excusa a ella ni nosotros queremos excusarnos de nuestras tibiezas en el servicio del Señor y en el anuncio de Su reino, pero hay una palabra que no es nuestra, que viene de Jesús y que nos levanta: *anda, vete, no peques más,* no vuelvas a tu vida vieja, a tus cálculos materialistas, a tus intereses estrechos, rema mar adentro.

La lectura del profeta Isaías es un eco de esta voz movilizadora de Jesús en la liturgia de la palabra de hoy: *«Así dice el Señor que abrió caminos en el mar y sendas en las aguas impetuosas».* Así debe ser nuestra fe, porque así es nuestro Dios que actúa en lo impetuoso, en lo tormentoso y abre caminos lo mismo en el corazón de una mujer adúltera que en la vida de su pueblo, para hacerlo salir de la esclavitud de Egipto, como en las aguas tormentosas de nuestra Cuba de hoy, para hacernos remar a todos mar adentro poniendo nuestra confianza solamente en Él. El mismo profeta presenta a Dios con gran realismo, invitándonos a descubrir con los ojos de la fe las maravillas que Él obra: «No piensen en lo antiguo, miren que realizo algo nuevo, ya está brotando. ¿No lo notan ustedes?».

Solo la fe nota que se abren caminos en el mar, solo la fe puede descubrir ese «algo nuevo» que vive la Iglesia en Cuba cuando nos visita el Santo Padre, cuando nuestra Iglesia permanece viva y lucha por dinamizar su apostolado, cuando se abren casas de oración, cuando la inquietud por la fe aflora en tantos corazones, cuando el interés por lo sagrado parece abrir las posibilidades de un anuncio más explícito de Jesucristo. Y esto, aunque muchos dejen el país y dejen su Iglesia, y aunque muchos sientan la tentación perenne de seguir ese camino, y la Iglesia vea renacer aquí y allá actitudes o comportamientos viejos, ya desusados con respecto a la fe, mantenidos por algunos fanatizados en viejas ideologías, aunque sintamos que palabras como amor o reconciliación no son entendidas por muchos o son mal interpretadas. Seguimos confiando, porque ahí está el profeta que nos descubre el plan de Dios: «abriré un camino por el desierto, ríos en el yermo».

Cuando tenemos esta capacidad de ver, cuando la luz de la fe nos hace descubrir que Dios está realizando algo nuevo y que ya brota, crece en nosotros la esperanza: *El Señor ha estado grande con nosotros y estamos alegres.* Lo hemos cantado en el salmo. El Señor cambió la suerte de su pueblo, cambia continuamente los destinos de pueblos, de naciones, de la humanidad entera. Hay un tiempo de llorar regando la semilla y hay un tiempo de cantar recogiendo la cosecha. Muchos de los que estamos aquí hemos vivido sucesivamente estos tiempos. No es cíclica la historia del mundo y de la Iglesia, hay una línea ascendente, que la lleva mar adentro, hacia delante, hacia el futuro y puede haber en ese ascenso momentos de llanto y momentos de gozo.

Nunca el premio o la recompensa serán perfectos en nuestro peregrinar hacia el Padre. Nuestra esperanza es tal porque no se agota en esta tierra. Nos lo dice San Pablo en su carta a los Filipenses leída hoy: «No es que ya haya conseguido el premio, o que ya esté en la meta, yo sigo corriendo». Pero San Pablo sabe ya que posee un premio que él dice que Cristo Jesús le ha entregado: Es el premio y el gozo de la fe y de la esperanza en el Señor. Por eso nos dice el Apóstol: «todo lo estimo pérdida, comparado con la excelencia del conocimiento de Cristo Jesús, mi Señor... Todo lo estimo basura con tal de ganar a Cristo y existir en Él».

Queridos hermanos y hermanas:

El reclamo de espiritualidad que hay en el sondeo realizado en todas las diócesis de Cuba sobre los acentos que nuestro Plan Pastoral de fines del siglo anterior debía tener en los comienzos de este siglo, nos remiten a una necesidad para nuestra Iglesia de anclaje en Jesucristo, Hijo del Padre, dador del Espíritu. Es eso justamente lo que nos presenta el apóstol San Pablo en su carta a los Filipenses: La espiritualidad cristiana, que lo estima todo pérdida y basura con tal de estar con Cristo, de vivir en Él. Solo así podemos correr sin cansarnos, remar mar adentro, dejar a un lado las tentaciones de una vida más fácil en otro lugar, sacrificar amores legítimos para entregarnos al servicio del Señor y de su pueblo aquí en Cuba, solo así no se ahoga la esperanza en nosotros y nos hacemos capaces de descubrir que algo nuevo está brotando y solo de este modo podemos hacernos de un programa como el de Pablo: «busco una sola cosa, olvidándome de lo que queda atrás y lanzándome hacia lo que está por delante, corro hacia la meta para ganar el premio al que Dios desde arriba llama en Cristo Jesús».

Las respuestas a las angustias del pueblo cubano hoy, las respuestas a las inquietudes, vacilaciones, tentaciones y aun deseos de muchos cristianos comprometidos hoy de forjarse una vida distinta en otro lugar, quitándose muchas preocupaciones materiales, reuniéndose con los que quieren, con la mayoría de sus amigos que han partido, las nuevas tentaciones que surgen en nuestro medio de acomodarse a ese materialismo consumista en el cual no está ausente la corrupción y la negación de valores que son cristianos, en aras de la obtención de beneficios personales o familiares, en último término, la vieja tentación del hombre de hacer su deseo, de realizar su capricho, esa tentación que nos hace ser infieles, solo encuentra perdón y respuesta ante Jesús, que nos repite una y otra vez: «yo no te condeno, anda vete, pero no peques más».

Solo viviendo del Espíritu, seremos hombres y mujeres espirituales, solo así comprenderemos lo incomprensible, tendremos fuerza en nuestra debilidad, seremos capaces de lo que nos sobrepasa, de aceptar el desafío inmenso que significa estar en Cuba hoy, estar alegres en Cuba hoy, porque el Señor ha estado grande con nosotros. Así, sí podemos abrir caminos en el mar, remar mar adentro, sembrar llorando y recoger cantando, levantarnos de nuestras miserias y no pecar más y olvidarnos de tantas cosas que dejamos detrás para lanzarnos no hacia otras playas, no hacia el refugio de mis justos deseos, sino hacia el premio al cual Dios desde lo alto nos llama en Cristo Jesús.

Si nuestro Consejo de Pastoral pudiera irradiar en toda nuestra Iglesia esa urgencia de espiritualidad (urgencia de santidad, la llama el Papa) para mirar al futuro confiadamente, entonces crecería la esperanza. Así, la visita pastoral del Papa Juan Pablo II a Cuba no habrá sido en vano, pues el mensajero de la esperanza encontraría corazones capaces de abrirse con entusiasmo a la misión que Jesús nos confía.

Esto lo pido al final de este Consejo Diocesano de Pastoral a la Virgen de la Caridad, nuestra Madre, para todos los que han participado en este Consejo, para los laicos comprometidos en los movimientos, en las parroquias, para los religiosos y religiosas que trabajan en Cuba, para los sacerdotes, religiosos o diocesanos, cubanos o extranjeros, que con los obispos guían pastoralmente a nuestro pueblo. Si todos no nos penetramos de esta espiritualidad que es lo mismo que decir: si todos no abandonamos la vida centrada en nosotros que conduce al pecado, para existir en Cristo, estar con Cristo, ser de Él, hacer que su Evangelio sea nuestro alimento y que el pan de la Eucaristía sea nuestra fuerza y nuestra vida, la Iglesia, en nuestra Arquidiócesis de La Habana, no podría cumplir el plan pastoral tan bien trazado, tan en sintonía con la carta apostólica *Novo Millennio Ineunte*, porque no se trata de aprender técnicamente cómo deben hacerse las cosas, ni como trazar los objetivos a largo o corto plazo, ni de dibujar una estrategia pastoral en tantos o más cuantos años, sino de vivificar desde dentro, con la fuerza del Espíritu de Jesús, una acción que necesita, en nuestros corazones, del ardor del amor a Dios y de la entrega a los hermanos.

Queridos hermanos y hermanas, no nos desalentemos por un presente tedioso o desafiante, ni quedemos adormecidos en un pasado engañosamente radiante; es la hora de lanzarnos hacia lo que está por delante y de vivir en la esperanza.

EL DOMINGO, DÍA DEL SEÑOR*

El domingo 2 de septiembre, durante la novena a nuestra Madre y Patrona, la Virgen de la Caridad, visité el poblado de Palos, quizá el más alejado geográficamente del centro de la Diócesis, pero muy cercano y acogedor con su Obispo.

En esa visita pastoral concurrieron varias circunstancias que me impulsan a poner por escrito algunas verdades que deben ser tenidas en cuenta por todos.

Ese domingo, el Pastor de la Iglesia Arquidiocesana hacía una visita pastoral a aquella parroquia. Se estaba celebrando, como en todas las iglesias de la Diócesis, la novena a la Virgen de la Caridad, Patrona de Cuba, y en el programa de pre-

---

* *Boletín Diocesano*, septiembre 2001.

dicaciones, muy bien preparado, la homilía trataba sobre la celebración del domingo, día del Señor.

Antes de iniciarse la Misa, algunos padres de familia vinieron a traerme los saludos de sus hijos e hijas, que no podían participar en la celebración por estar en una escuela en el campo y haber comenzado, desde algunos días antes, el período de adaptación al internado para el curso que comienza. Los jóvenes me enviaban, por medio de sus padres, saludos y algunos recados: que hubieran querido cantar en el coro esa mañana o servir como acólitos en el altar, como lo hacían siempre, que estaban conmigo allí de pensamiento y con su oración y otras cosas por el estilo.

No pude dejar de referirme en la homilía a la ausencia de aquellos muchachos y muchachas y no puedo dejar de manifestar en nuestra publicación diocesana esta preocupación pastoral que viene ya desde hace algunos años, pues tiene que ver con el respeto debido a nuestra fe cristiana.

El domingo es el Día del Señor, en el cual los cristianos rendimos culto de alabanza al Dios de cielo y tierra, que nos ha salvado por la muerte y la resurrección de Jesucristo su Hijo.

En su Carta Apostólica sobre el nuevo milenio que comienza, el Papa Juan Pablo II llama la atención a los cristianos sobre la importancia del domingo. Dice Juan Pablo II: «... es preciso dar un realce particular a la Eucaristía dominical y al domingo mismo, sentido como día especial de fe, día del Señor resucitado y del don del Espíritu, verdadera Pascua de la semana. Desde hace dos mil años, el tiempo cristiano está marcado por la memoria de aquel 'primer día después del sábado' (*Mc* 16, 2. 9; *Lc* 24, 1; *Jn* 20, 1), en el que Cristo resucitado llevó a los Apóstoles el don de la paz y del Espíritu... la participación en la Eucaristía es, para cada bautizado, el centro del domingo. Es un deber irrenunciable, que se ha de vivir no solo para cumplir un precepto, sino como necesidad de una vida cristiana verdaderamente consciente y coherente... A través de la participación eucarística, el día del Señor se convierte también en el día de la Iglesia, que puede desempeñar así de manera eficaz su papel de sacramento de unidad».

Nadie debe, pues, ser impedido de participar en la Misa dominical, ni por trabajos, ni por estudios u otras actividades. Por eso, el domingo es un día de descanso en el mundo cristiano, hay receso escolar, se reúne la familia, los cristianos van a la iglesia. Los servicios imprescindibles de salud, transporte, gastronomía, etc., que lógicamente requieren el empleo de personal, deben dejar siempre la posibilidad de que en alguna hora de la mañana, de la tarde o de la noche el cristiano ocupado en ellos pueda cumplir con su sagrado deber de rendir culto al Señor en la iglesia. Grandes batallas se han dado en muchos países cristianos para que los supermercados y otros comercios no vendan el domingo. No se debe descansar solo del trabajo, sino de esa actividad mercantil que lleva a muchos a pasar más tiempo en los grandes templos del consumo que en la iglesia o compartiendo en familia.

¿Por qué los jóvenes católicos de Palos, de Jagüey Grande, de Alquízar, de San Juan y Martínez o de tantos otros lugares de Cuba, donde centenares de jóvenes católicos cursan necesariamente estudios en escuelas en el campo, no pueden salir si algún familiar los va a buscar, o tomar algún medio de transporte por sí mismos, o aun ir en bicicleta al pueblo, que a menudo está a escasos kilómetros del centro de estudios, para participar en la Misa dominical?

Cuando tomé posesión como Obispo de Pinar del Río se hicieron todas las gestiones imaginables para que los jóvenes católicos pinareños pudieran estar presentes en la ceremonia de la Catedral, donde el nuevo Obispo sería recibido el domingo y presidiría por primera vez la Santa Eucaristía como Pastor de la Diócesis. Todo fue infructuoso, evasivas, respuestas no convincentes, silencios elocuentes. Pensé entonces que, como otras cosas, esta se iría superando con el tiempo.

Pero hace ya veintitrés años que comenzó mi ministerio episcopal en Pinar del Río y se mantiene hasta ahora esa misma postura. No me refiero a que, cuando el Obispo vaya a un pueblo el domingo, desde días antes comiencen a escribirse cartas, a recibir el párroco visitas, o se consulte a La Habana y al fin, de modo excepcional, se conceda que de tal hora a tal otra los católicos puedan dejar la escuela. No estoy hablando de esto que sería una pamema. Me refiero a que todos los domingos los estudiantes católicos que están obligados a permanecer en becas puedan ir libremente a la Misa. Este es un derecho que todo católico tiene.

No me gusta apoyarme para mis reclamos en los derechos tan manidos y manipulados por unos y otros. Tengo la convicción de que fuera del cristianismo no hay derechos, porque, ¿de qué derechos se habla? Eso depende de quién hable. Si es el hombre quien se da a sí mismo los derechos, podemos hacer una lista macabra de ellos: derecho de las mujeres a abortar, derecho de cada uno a decidir su propia muerte o de la sociedad a protegerse dando muerte a un ciudadano, derecho, dicen algunos, a experimentar con embriones humanos, derecho de los homosexuales a «contraer matrimonio», derecho de los oprimidos a la violencia, derecho de los opresores a defenderse cruelmente de la violencia de los oprimidos, y así podría seguir la lista.

Si los derechos del hombre no nacen de Dios, nos perdemos en una selva subjetivista poblada de alimañas. Es el hombre, creado por Dios a su imagen y semejanza, dignificado sin límites por Jesucristo, el Hijo de Dios que al hacerse hombre le confiere una dimensión divina a la naturaleza humana, el sujeto de todos los verdaderos derechos. Es esa imagen de Dios en el hombre la que lo hace inviolable en sus derechos, en su dignidad de persona humana, enaltecida por Jesucristo, la que tiene que ser respetada como algo sagrado. Dentro de este marco de verdad, de justicia y de amor, nadie puede inventarse un «derecho» perverso.

Aun para los ateos y los creyentes de otras religiones no cristianas, el Absoluto Cristiano es el que más alto pone la cota de la persona humana y vale la pena que todos los hombres y mujeres de la tierra se beneficien de ello.

Y todo esto lo he escrito para decir que entre los derechos del hombre, creado y dignificado por Dios, el primero es el de rendirle culto a su Creador y que los muchachos y muchachas católicos que están en becas o en el servicio militar tienen, evidentemente, el derecho de alabar, bendecir y dar gracias a Dios en la Misa del domingo y ese derecho debe ser respetado.

LA PAZ, ¿UNA CANCIÓN O UNA PLEGARIA?*

La sensibilidad de hombres y mujeres del planeta se ha visto estremecida por el cruel ataque terrorista contra el pueblo norteamericano y la temida secuela de una guerra terrible y triste, como todas las guerras, desde aquellas en que los hombres se enfrentaban cuerpo a cuerpo, hasta las actuales, en que los ataques se lanzan desde centenares de kilómetros de distancia. Algo, sin embargo, tienen todas en común: la muerte y el sufrimiento ganan la partida. Cuando la violencia se desata, la vida y la felicidad pierden la batalla y la humanidad desolada padece la frustración. Este estado de ánimo, paralizante, ha sido experimentado varias veces en la vida por los que ahora tienen ya algunos años y recuerdan otros conflictos: la Segunda Guerra Mundial, la guerra de Corea, la guerra de Viet Nam y la del Golfo Pérsico. Así puede explicarse cómo en estas ocasiones sentimientos nihilistas se apoderan de hombres y pueblos, especialmente de las nuevas generaciones.

Ese es el sentir plasmado en la canción de John Lennon «Imagina» (que aparece al borde de la página). Solo el título nos pone frente a una huida de la realidad, invitándonos a refugiarnos en la imaginación, como única irrealidad en la cual seríamos felices. No trata el conocido tema de presentarnos una utopía. La utopía es una proposición que describe una organización ideal del mundo real, donde reinen la justicia y el derecho y todos los hombres puedan vivir felices. Las utopías las forjaron grandes pensadores, el primero de ellos un brillante hombre de estado y, además, santo: Tomás Moro, y pretendían, al proponerlas, encaminar concretamente al hombre hacia una sociedad renovada y dichosa.

Pero en la canción de marras se sueña con un mundo inconsistente, donde lo natural y lo sobrenatural deben ser barridos: ni cielo, ni infierno, ni religión, ni países... es la reacción de alguien que se ve oprimido por todo cuanto signifique orden social, político o religioso, y aspira a que desaparezcan las estructuras que lo sostienen. No se piensa un

---

* *Boletín Diocesano*, octubre 2001.

orden nuevo, con roles renovados para la religión, los estados y naciones, comprometidos todos en el bien común. Por el contrario, contiene la canción un planteamiento casi metafísico, para proponernos una anarquía a nivel cósmico. Se respira en el texto el mismo vaho peligroso que invadió las calles de París en 1968. De un pensamiento así nació aquella revuelta y allí comenzaron a abortar todas las verdaderas preocupaciones por alcanzar un mundo mejor, que tomaban cuerpo en Europa, en Norteamérica y en otras partes del mundo. El escape imaginativo hacia la anarquía, convertido en acción incontrolada, selló drásticamente muchas corrientes de sanas inquietudes en aquella hora de la historia.

La letra de la canción lleva en sí misma una carga negativa para aquel y para este momento del devenir histórico. Creo que las reticencias para difundirla cuando se hizo popular años atrás conservan aún hoy su razón de ser.

Cuando necesitamos inspiración de lo alto y arraigo patrio y países y estados que se preocupen del destino de la especie humana, cuando justamente es más urgente luchar por el bien y la justicia, ¿propondremos como ideal un mundo sin religión ni países? Ante la violencia desatada en este mundo global, ¿proclamaremos que soñamos con un mundo donde no haya nada por qué morir? Imaginar un mundo así equivale a forjarse un mundo en que no habrá nada por qué vivir.

¿Para qué lo queremos entonces? Y si en este mundo la vida no tiene sentido y en el mundo soñado no hay paraíso ni vida eterna, la propuesta de la canción es el absurdo.

Este nirvana concebido como «paz» es mucho más que el irenismo ingenuo de un poeta, es casi la descripción del mundo sicodélico de la droga, donde el que pretende iniciar a un adolescente le cuenta su experiencia: mira, prueba, verás cómo vuelas, cómo te escapas de este mundo y te vas con la imaginación a mundos fantásticos. Pero no es hora de escapar de la realidad, sino de afrontarla.

La bienaventuranza de los pacíficos en el evangelio de Jesús no se parece en nada a las protestas de los pacifistas. Estos últimos desfilan y claman porque no hay paz; pero Jesús proclamará dichosos a los que trabajan por la paz. Por la paz se trabaja, por la paz trabajaron pacíficamente San Francisco de Asís, Mahatma Gandhi, Martin Luther King, Monseñor Óscar Arnulfo Romero. Estos no fueron hombres que se fugaron imaginativamente a un mundo de sueños. Ellos tuvieron mucho que ver con su religión y con su país y entregaron sus vidas trabajando por la paz, bien conscientes de que tenían una razón para vivir y para morir.

Porque el soñador puede tenderse en la hierba de un parque y perderse en su mundo imaginado, pero el luchador por la paz siembra el amor en los corazones, busca y encuentra caminos de reconciliación, testimonia la validez de la no violencia y procura incansablemente la justicia. Sin un arma en la mano, de un modo u otro, ofrenda su vida.

A ustedes, queridos cristianos, les repito la palabra convocante de Jesús en el Sermón de la Montaña: «Dichosos los que trabajan por la paz, porque serán llamados hijos de Dios», y les propongo para su reflexión no una canción escapista sino una plegaria, que contiene un compromiso y un programa para la paz, que es para ti, para mí y para todos, desde ahora mismo y todos los días de nuestra vida. En esta encrucijada de la historia, que el Papa Juan Pablo II ha confesado vivir con preocupación y angustia, tenemos mucho que hacer y lo primero es orar, como lo hizo San Francisco de Asís y como hicieron todos los santos:

Señor, haz de mí un instrumento de tu paz.
Donde haya odio, que yo ponga amor.
Donde haya ofensa, que yo ponga perdón.
Donde haya discordia, que yo ponga unión.
Donde haya error, que yo ponga verdad.
Donde haya duda, que yo ponga fe.
Donde haya desesperación, que yo ponga esperanza.
Donde haya tinieblas, que yo ponga luz.
Donde haya tristeza, que yo ponga alegría.
Haz que yo no busque tanto
ser consolado como consolar;
ser comprendido como comprender;
ser amado como amar.

Porque dando es como se recibe.
Olvidándose de sí es como uno se encuentra a sí mismo.
Y muriendo se resucita a la vida eterna.
(San Francisco de Asís)

Los bendigo con la súplica de que la gracia y la paz de Nuestro Señor Jesucristo estén siempre con ustedes.

MENSAJES, CARTAS PASTORALES
Y ENTREVISTAS

CARTA PASTORAL AL CONCLUIR EL
ENCUENTRO NACIONAL ECLESIAL CUBANO*

A todos los sacerdotes, personas consagradas y laicos de nuestra amada Arquidiócesis:

Queridos Hermanos y Hermanas:

No era fácil para la Iglesia Católica en Cuba situarse de cara a la realidad histórica de nuestro país y reflexionar sobre su misión siempre actual que debe encontrar caminos de realización en un contexto político y cultural nuevo y cambiante como es el nuestro.

Las dificultades para tales consideraciones se originaban en factores diversos: algunos externos a la Iglesia y otros internos a ella, que han sido suficientemente analizados en otras ocasiones. De todos modos, a fuerza de no tocar ciertos temas, nuestros oídos se habían habituado al silencio y las palabras para expresarnos no afluían fácilmente a nuestros labios.

El fruto más significativo de este proceso de Reflexión Eclesial Cubana ha sido el de poner a nuestra Iglesia en condiciones de escuchar, en ambiente de oración y con profundo sentido evangélico, el lenguaje de los hombres y mujeres de hoy, cualquiera que sea su credo religioso o su ideología política, y comprender por esta vía que el cristiano no solo no es ajeno a las incidencias concretas de la vida económica, política y social, sino que, por su misma fe en Cristo, debe ser un participante activo en el esfuerzo por construir una sociedad

---

* La Habana, 20-III-1986.

siempre más justa y humana, un mundo donde los factores de conflicto se superen para alcanzar una paz cierta y estable, una civilización donde la verdad y el amor no sean meras palabras vacías.

Una vez tomado el pulso del acontecer real para abrir ante nuestros ojos en abanico las grandes inquietudes que los cristianos compartimos con todos los que buscan el bien, sea acerca del trabajo, la juventud, la familia, la mujer, nuestra cultura y sus características o de tantos otros asuntos que tienen que ver con cada ser humano y con la sociedad considerada en su conjunto; hemos contemplado también, teniendo en cuenta esa realidad nuestra, con mirada renovadora, a la Iglesia y sus estructuras; a fin de organizar mejor el laicado, y establecer un sentido de corresponsabilidad eclesial que se manifieste en una participación más activa de los sacerdotes, personas consagradas y laicos en la estructuración y puesta en práctica de una pastoral de conjunto que responda a los requerimientos de la Misión evangelizadora sentida y, finalmente, elegida como esencial prioridad pastoral de nuestra Iglesia.

Se hacía necesario, como complemento normal y expresión adecuada del camino recorrido por el pensar y el sentir de los cristianos cubanos en intercambios innumerables y fructíferos, una palabra que pudiera trazar sendas, iluminar zonas oscuras y desconocidas, desbrozar selvas tupidas de obstáculos y prejuicios.

Si difícil resultó acostumbrarnos a escuchar la voz exigente y hasta a veces estridente del mundo actual y de la historia, más difícil nos fue hallar la palabra que no encubriera una simple reacción, que fuera respetuosa y comprometida a un tiempo, que supiera abarcar la realidad descrita, ¡y a veces redescubierta!, sin quedar atrapada en las redes tramposas del desaliento, de la queja o aun de la fría descripción descomprometida. Había que plasmar en cada término, y en todo un Documento, ese hálito de esperanza, esa consistencia propia del amor cristiano, esa seguridad nunca autosuficiente del que habla desde la fe. Y así surgió el Documento de Trabajo como expresión de todo lo vivido y anhelado.

Después, el Encuentro Nacional Eclesial Cubano nos mostró que los Delegados al mismo, en su inmensa mayoría, se habían habituado a escuchar con atención y a expresarse con respeto; que ellos al menos estaban haciendo la experiencia de una Iglesia que es capaz de captar la realidad con sereno discernimiento y de encontrar una palabra apropiada y precisa para, con los matices propios del amor, expresar las aspiraciones más hondas y formular aún los sueños más sublimes.

Esta es una Iglesia que ha encontrado la posibilidad de escuchar y de expresarse, es decir, de entablar ese diálogo elemental que le permite ser la Iglesia Encarnada, sólidamente presente en la vida del pueblo del cual formamos parte.

No podemos, en esta hora inmediatamente posterior al ENEC, olvidar que la reflexión recogida en el Documento de Trabajo y enriquecida con tantos aportes en cada Diócesis, primero, y en el Encuentro Nacional Eclesial, después, se inició y se hizo consistente en nuestras comunidades, con la participación activa y entusiasta del pueblo de Dios en cada parroquia o iglesia.

Si los participantes en las Asambleas Diocesanas y los Delegados al ENEC han tenido el privilegio de aprender a escuchar con atención y a decir con respeto la palabra oportuna, esto los compromete en su presbiterio, en sus comunidades religiosas y en sus comunidades parroquiales y eclesiales, a llevar de nuevo a la base de donde partió, no solo el conjunto de formulaciones emanadas del ENEC y el Documento Final para ser conocido y explicado, sino también el espíritu del ENEC: ese estilo de atención y respeto, que recibe y acoge seriamente aún la crítica, y que sabe expresarse en tono de confianza y compromiso, con sentido de participación eclesial y social.

El Documento Final del ENEC debe ser reflexionado y puesto en práctica en cada una de nuestras comunidades en el mismo clima de trabajo serio y participativo que tuvo el Encuentro Nacional Eclesial y su preparación. Es necesario que se haga en cada parroquia un verdadero Encuentro Parroquial Eclesial en el cual todos tomen parte. El pueblo de Dios, el hombre o la mujer sencillos de cualquier comunidad

eclesial, tienen que hacer suyas las conclusiones y prioridades del ENEC, y esto no se logra explicando magisterial-
mente, con utilización quizá de palabras técnicas, el Documento Final a un auditorio pasivo, sino por la participación
activa de todos en verdaderas asambleas eclesiales, donde los
acuerdos del ENEC, traducidos a un lenguaje comprensible,
puedan ser asumidos personalmente por todos los cristianos.
Solo así se beneficiará toda la comunidad eclesial con el espíritu de conversión y renovación descubierto por los Delegados al ENEC como un don de Dios y que es el medio normal
donde la Iglesia debe revitalizar también su carisma evangelizador y capacitarse para ser una Iglesia Encarnada, o sea, vivamente presente entre los hombres al modo de Cristo, que
se hace uno de nosotros y comparte nuestra suerte, marcada
aún por el dolor, para desde dentro de nuestra misma historia anunciar la Buena Noticia de la Salvación que constituye
para todos «una gran alegría».

Todos ustedes, queridos fieles católicos, después de haber
seguido paso a paso la preparación del ENEC y sus incidencias acompañando los esfuerzos de los Delegados y organiza-
dores con su oración asidua y fervorosa, una vez concluido
este evento, esperan una palabra orientadora. Gracias de veras por este interés que demuestra cuán hondo es su espíritu
eclesial. Esto me llena de alegría.

Realmente ahora comienza para las parroquias el trabajo
más arduo y creador: hacer vida y verdad en nuestra Iglesia
la inmensa riqueza que el ENEC nos ha aportado.

Por tanto, una vez transcurridos los días solemnes de la
Semana Santa, durante el tiempo Pascual, se prepararán en
todas las comunidades de la Arquidiócesis sesiones informa-
tivas sobre el ENEC y su significado, con la participación de
los Delegados al ENEC cuando esto sea posible y utilizando
los medios que tengamos a nuestro alcance: impresos, audiovisuales, videocassettes, etc.

A partir de Pentecostés, fecha en que estará terminado
de preparar el Documento Final, se organizarán en cada
Parroquia o iglesia los Encuentros Parroquiales y Eclesiales
(EPEC), los cuales, beneficiándose de la savia vital que fluye del gran Encuentro Nacional, harán posible que todos

los fieles sean actores comprometidos en esta hora de la Iglesia.

La Pascua Joven, las convivencias de jóvenes y adolescentes y las próximas reuniones vicariales y diocesanas de matrimonios tendrán como tema central el ENEC y su influencia en la Misión de la Iglesia.

Por este medio convoco también al Consejo Diocesano de Pastoral para su reunión reglamentaria de este año 1986 a fin de estudiar nuestro Plan Pastoral Diocesano a la luz de las conclusiones y prioridades del ENEC. Esta reunión tendrá lugar en la Casa Sacerdotal Padre Félix Varela los días 19 y 20 del próximo mes de abril.

Vivimos un momento excepcional en la historia de la Iglesia en Cuba. La Reflexión Eclesial Cubana y el ENEC serán juzgados por su poder transformador y renovador en el orden de la Evangelización, y acerca de esto tendremos que responder todos nosotros.

El paso de la Cruz de la Evangelización por todas las iglesias de La Habana está unido providencialmente a la preparación inmediata y a la puesta en práctica del ENEC en nuestra Arquidiócesis.

El deseo de recibir las sencilla cruz de madera que nos recuerda el sacrificio redentor de Cristo, la acogida en los hogares a los misioneros encargados de visitar a los enfermos o a otras personas, el fervor de las celebraciones con la participación numerosa de fieles del barrio, todo esto nos invita a prestar atención a aquella palabra apremiante y sugerente de Jesús: «Levanten los ojos y contemplen los campos que están ya dorados para la siega» (*Jn* 4, 35).

Llamamiento este que nos llega formulado por el ENEC como prioridad pastoral: queremos que nuestra Iglesia sea evangelizadora. Es hora, pues, de levantar los ojos y el corazón.

Si hasta aquí la Reflexión Eclesial Cubana pudo desarrollarse tan admirablemente ha sido gracias a la oración de toda la Iglesia. Solo una Iglesia orante puede ser también una Iglesia Encarnada y Evangelizadora.

A la oración de ustedes confiamos este tiempo nuevo que se abre para nuestra Misión. Que la Virgen de la Caridad,

Nuestra Madre, Estrella de la Evangelización, en cuyas manos pusimos desde el inicio nuestros proyectos, nos sostenga también en esta nueva etapa.

Con afecto y gratitud los bendice su Obispo,

✠ JAIME
Arzobispo de La Habana

MENSAJE A LOS CATÓLICOS CUBANOS
Y A TODO EL PUEBLO DE CUBA CON MOTIVO
DE LA TRAGEDIA DEL REMOLCADOR 13 DE MARZO

A todos los católicos y a todos los cubanos.* Queridos hermanos: Permítanme llamarlos así, según mi costumbre, porque, como cubanos, todos somos hermanos, miembros de esta gran familia que formamos los que vivimos en esta tierra tan amada. Hermanos somos también, por nuestra condición humana, todos los que habitamos este planeta. «Todo hombre es mi hermano», fue la frase feliz que pronunció el Papa Pablo VI para expresar esta comprometedora realidad.

Pero en estos días se ha roto una vez más entre nosotros el amor fraterno. El luto entristece a muchas familias y el dolor lo siente también la gran familia cubana.

Los acontecimientos violentos y trágicos que produjeron el naufragio de un barco donde perdieron la vida tantos hermanos nuestros son, según los relatos de los sobrevivientes, de una crudeza que apenas puede imaginarse. El hundimiento de la embarcación, que llevaba también mujeres y niños, y las dificultades del rescate de los sobrevivientes no parecen ser de ningún modo fortuitos y esto añade al dolor un sentimiento de estupor y un reclamo de esclarecimiento de los hechos y de depuración de responsabilidades.

Todos saben cuál es la posición de la Iglesia Católica con

---

* Días después de la tragedia del 13 de julio de 1994.

respecto a la salida de nuestra isla de grupos de personas en embarcaciones frágiles, llevando en ocasiones niños pequeños, y cuánto hemos exhortado a nuestros hermanos a no correr este riesgo. Pero la magnitud y las causas de esta tragedia le dan características diversas.

La Iglesia Católica desea expresar su cercanía espiritual a los que sufren la pérdida de sus seres queridos, ofrece su oración por las víctimas, pidiendo al Señor fortaleza y consuelo para sus familiares y llama a todos a una seria reflexión, a la cual nos vemos obligados tanto gobernantes como gobernados, creyentes como no creyentes.

¿Qué puede llevar al ser humano a lanzarse a aventuras tan riesgosas, sino un cierto grado de desesperación o de desesperanza?, ¿qué puede llevar a otros seres humanos a oponerse con fuerza inusitada a sus hermanos, sino una mentalidad violenta? Aun cuando los modos de pensar y de obrar sean diferentes, ¿no queda espacio para la cordura?, ¿seremos incapaces de tener un corazón misericordioso conociendo y viviendo todos las mismas dificultades?, ¿adónde nos puede llevar esta pendiente peligrosa de la violencia?

Hablábamos los obispos cubanos de esta amenaza en nuestro mensaje del pasado año «El amor todo lo espera» y ahora repito el mismo llamamiento que hicimos entonces. Ante los tristes relatos de los hechos ocurridos se escuchan voces airadas que mencionan el odio. Basta ya de odios estériles y destructivos, que solo engendran más violencia. ¡NO!, ese no es el camino que debe seguir la gran familia cubana para salir de su crisis actual.

Que los hechos se aclaren, que se establezca la verdad con la justicia; pero que el odio resulte perdedor. Dejémosle la palabra a Jesucristo: «Ustedes han oído que se ha dicho: ama a tu amigo y odia a tu enemigo, pero yo les digo más: amen a sus enemigos y recen por quienes los persiguen para que sean hijos del Padre Celestial, que hace salir todos los días el sol para buenos y malos y llueve sobre justos e injustos» (*Mt* 5, 43-45).

Amor y justicia no se oponen, pero el odio y la injusticia pueden ir de la mano.

Pedimos a Dios todopoderoso, por intercesión de la Virgen de la Caridad nuestra Patrona, que en este caso triunfen la justicia y el amor, que alivien de algún modo tantos sufrimientos.

Con mi oración por la paz y la reconciliación entre todos los cubanos, los saluda muy fraternalmente.

✠ Jaime Ortega Alamino
Arzobispo de La Habana
Presidente de la Conferencia de Obispos Católicos de Cuba

MENSAJE A LOS CATÓLICOS CUBANOS Y A TODO EL PUEBLO DE CUBA CON MOTIVO DE SU DESIGNACIÓN COMO CARDENAL DE LA SANTA IGLESIA CATÓLICA*

Cuando el Excmo. Sr. Nuncio Apostólico, Monseñor Beniamino Stella, con su acostumbrada bondad y sencillez, me comunicaba hace pocos días que el Papa Juan Pablo II me agregaría al número de los Cardenales en el próximo Consistorio; después de superar esa impresión desconcertante que me han causado siempre los dones que reconozco inmerecidos, comencé a poner en orden mis ideas y lo primero que hice fue no pensar en mí, ni en mis límites, ni en la ausencia de merecimientos propios, sino en los otros.

Ante todo pensé en la Iglesia, a la que sirvo con todo mi amor y toda mi pobreza, y al mismo tiempo mi pensamiento y mi corazón se fijaron en Cuba, en mi Patria querida. Fue así como se hizo un poco de luz en mi interior y pudieron brotar al fin los sentimientos. El primero de todos, de profunda gratitud a nuestro querido Santo Padre, el Papa Juan Pablo II. Gratitud como obispo de esta Iglesia que vive, sirve y siembra el amor en Cuba. A esa Iglesia corresponde este honor, no a mi persona. ¡Cuánto y cuán hondo afecto muestra el Papa en este significativo gesto eclesial para con todos mis hermanos obispos cubanos; al escoger a uno de nosotros para integrar el grupo de sus más cercanos colaboradores!

Sé que mis hermanos en el episcopado agradecen con-

---

* La Habana, 30 de octubre de 1994.

migo este don y me ayudarán fraternalmente, como lo han hecho siempre, a prestar este nuevo servicio a la Iglesia y a la persona del Papa. Me apoyo especialmente en aquellos hermanos mayores que tanto me han inspirado en mi ministerio episcopal, cuya entrega admiro y su experiencia necesito. Cualquiera de ellos podría desempeñar mejor que yo esta alta responsabilidad.

La mirada del corazón, y «es *el amor quien ve*», dice José Martí, se fija enseguida en los queridos sacerdotes de esta Arquidiócesis y de toda Cuba, diocesanos y religiosos. Sin esos cercanos colaboradores, nuestro ministerio episcopal es impensable. Nuestra Iglesia vive y crece hoy, en gran parte, por la abnegación cotidiana y sostenida de sus sacerdotes. Un número creciente de diáconos sirve con dedicación a nuestra Iglesia en casi todas las diócesis. Ellos están muy presentes también en mi afecto. Junto a todos estos ministros ordenados, testimoniando con su vida ese Reino de amor, de justicia y de paz que Cristo vino a instaurar en nuestro mundo, están los religiosos, religiosas y miembros de Institutos de vida consagrada que configuran, con sus diversos carismas, el rostro pobre y servicial de Jesucristo presente entre nosotros. A ellos y a ellas, honda gratitud y mi cariño.

Cuando contemplo a todos estos servidores de Dios, en su conjunto, puedo decir con el salmista: ¡qué dicha convivir los hermanos todos unidos!

Estoy seguro que el Santo Padre se ha fijado en la unidad de nuestra Iglesia para conferirle este don en mi pobre persona, por eso lo considero como patrimonio de todos ustedes.

Y no solo de ustedes, sino también de los laicos, que en años largos de fidelidad han enriquecido a esta Iglesia de Cuba de modos tan diversos. Pienso ahora en mis colaboradores del Arzobispado de La Habana, en los que trabajan en la Conferencia Episcopal, en Cáritas y en otros servicios eclesiales y también en los que, como estudiantes, trabajadores, profesionales, artistas, escritores y en todas las ramas de la vida social, anuncian a Jesucristo con la palabra y el testimonio de su vida, simultaneando a menudo este su quehacer específico, con su participación en la acción pastoral de la Iglesia como catequistas, animadores de comunidades, evangelizadores o aceptando responsabilidades en la Liturgia. Gracias, queridos hijos, por haber hecho de nuestra Iglesia una gran familia, gracias por los esfuerzos que están haciendo por sembrar en sus propias familias y en las familias cubanas ese espíritu de reconciliación, de sosiego y de amor que llena los hogares cuando Cristo Jesús está presente. Mi corazón y todos mis afanes pastorales son para ustedes.

Mi reconocimiento al Santo Padre cobra matices muy particulares al agradecer vivamente como cubano esta distinción que ha querido conferir a mi Patria y que habla también del aprecio del Papa a la Iglesia Católica en América Latina.

El Papa Juan Pablo II ha tenido repetidas delicadezas hacia Cuba y ahora nos ha mostrado de nuevo su cariño con esta decisión que abraza al mismo tiempo a la Iglesia y a la nación cubana.

Son dos amores que llevo muy dentro y que se han entrelazado siempre en mí desde antes de iniciar mi formación al sacerdocio: el amor a la Iglesia, hasta no poder concebir mi vida fuera de su seno maternal, y el amor a mi Patria, lejos de la cual tampoco nunca pude imaginar mi ministerio sacerdotal ni mi simple existencia.

Quizá la distancia de mi tierra natal durante los años de mis estudios teológicos en un país al cual profeso mucho afecto: el Canadá francés, vino a reforzar en mí lo que desde niño había aprendido en la escuela primaria, y que se convirtió más tarde, en el Instituto de Segunda Enseñanza de Matanzas y en las filas de la Juventud de Acción Católica Cubana, en un claro propósito para mi vida: amar sin exclusiones y exaltar todo lo nuestro; no solo las palmas, el cielo, el paisaje o la bondad del clima, sino también los valores de nuestra gente, nuestra historia y tradiciones, cuanto en amabilidad, servicialidad y espíritu jovial nos identifica en el concierto de los pueblos, lo cubano en su raíz y en su flor.

En aquellos años de estudio fuera de mi país, me sorprendí en una ocasión llamándome exiliado ante mis compañeros, que se sintieron heridos, pues ni su trato excelente ni mi condición de estudiante justificaban aquel apelativo. Es que para un cubano estar lejos de Cuba es ser siempre exiliado y la nostalgia nos hace vivir, sin darnos cuenta, con el corazón en nuestra isla. Por eso, cuando digo cubanos, pienso también en los que no están en el suelo patrio.

Primero que todo pienso en estos momentos en mis amigos de antes y de ahora, en mis antiguos feligreses de Cárdenas, de Jagüey Grande, mi pueblo natal, de mi querida ciudad de Matanzas y de toda la diócesis de Pinar del Río, que en mis tres primeros años de obispo se me metió en el corazón. Pero tengo presente de un modo especial mi ministerio actual como Arzobispo de La Habana, mi más largo servicio a la Iglesia y a mi pueblo: trece años al frente de esta Arquidiócesis donde tanto cariño y calor humano he encontrado en sus pueblos grandes o pequeños y en la gran Ciudad. No se borrará nunca de mis recuerdos, ni de los de muchos de ustedes, cómo esta Arquidiócesis acogió con fe renovada la Cruz del V Centenario de la Evangelización; cómo desbordó las calles de la ciudad y de sus pueblos vibrando de emoción y entusiasmo al paso de la Virgen peregrina de la Caridad.

En La Habana se resumen todas las características del pueblo cubano, no solo porque aquí viven hermanos nuestros procedentes de todo el país, sino también porque su condición de capital no le ha quitado nunca la familiaridad a su gente, esa sorprendente capacidad de ser cercanos que los cubanos hemos heredado de nuestros mayores con tantos otros valores cristianos.

Esta es también La Habana cargada de historia donde nacieron el Padre Varela y José Martí, la del Obispo Espada, la del seminario San Carlos, cuna de nuestra nacionalidad, y la del Cardenal Arteaga, mi inolvidable predecesor, transido de cubanía. La Habana que le presenta su rostro al mundo en la fachada llena de gracia de su Catedral, siempre acogedora, siempre como esperando.

Y allí, detrás de sus piedras centenarias, me parece ver a ese pueblo católico que la colma en las grandes ocasiones y escucho aún el ruido ensordecedor de los aplausos de varios miles de cubanos que, en la Misa de clausura del Encuentro Nacional Eclesial, al compás de sus palmadas, gritaban Cuba, Cuba, Cuba, haciendo del solo nombre de la Patria una oración, una súplica. Hago mía esa oración en esta hora difícil para nuestro pueblo. Una oración que incluye, en primer lugar, a los gobernantes del país y a todos los hombres de buena voluntad que desean ayudarnos. Una oración para que todos los que, de un modo u otro, servimos a nuestro pueblo cubano, seamos capaces de hallar juntos los caminos que lo lleven a su plena felicidad. No tengo que esbozar un programa distinto de aquel que proclamó el Encuentro Nacional Eclesial Cubano que, más que dictar líneas de acción, afianzó a la Iglesia que está en Cuba, con decidido espíritu de conciliación, en los caminos de la inserción en nuestro pueblo. Este espíritu, que es también de participación, postula el reconocimiento social de la Iglesia, no únicamente en su función cultural o celebrativa, sino en su misión integral de anunciar proféticamente a Jesucristo, cuyo Evangelio convoca a todos los hombres a la fraternidad, a la Paz y a la Justicia.

Quiero aquí recordar las palabras que el Papa Juan Pablo II dirigió a los nuevos Cardenales en el último consistorio:

«Ustedes, queridísimos neocardenales, sean servidores cuidadosos y apóstoles de esta Iglesia, asociados a mi singular ministerio de Pedro por medio de un título nuevo y más directo.

Su empeño particular será amar a Cristo, testimoniarlo y hacerlo amar, amar a la Iglesia, defenderla y hacerla conocer.

No es tarea fácil, pero sí noble y exaltante, exige apertura y firmeza, fidelidad y dedicación sin reservas ni vacilaciones, pero esta enriquece a quien la recibe con los más altos consuelos del Espíritu Santo. Solo las personas que viven en sí mismas una auténtica pasión por Cristo y por el hombre pueden recorrer ese itinerario tan exigente de santidad, que les lleva a hacerse servidores de todos y a dar, como Cristo y en Él, "la propia vida para la redención de muchos"».

A sus oraciones, queridos hermanos y hermanas, me confió para cumplir este nuevo servicio al Señor y a su Iglesia.

Al concluir este mensaje hay dos amores singulares que no puedo pasar por alto en estos instantes de recuento y oración: mi madre, que me ha acompañado la mayor parte de mis treinta años de sacerdocio. Ella es también un don incomparable que me ha hecho el Señor. Y mi madre del cielo: la Virgen de la Caridad, Patrona de Cuba que, en su imagen de El Cobre, es para todo católico cubano un símbolo patrio que conjuga dulcemente, con abrazo maternal, el amor a Dios y a la Patria.

Al mencionarlas a ellas, a la madre de Jesús y a mi propia madre, quiero honrar a todas las madres y a todas las mujeres de Cuba.

A la Virgen de la Caridad acudimos los cubanos en momentos de lucha o de crisis. A Ella le rezaban nuestros mambises. A Ella le contamos nuestras penas y alegrías en décimas populares y le cantamos con nuestros ritmos. Como Ella quiere ser la Iglesia en Cuba, toda de Dios, toda del pueblo.

A Ella le ofrezco este nuevo servicio a la Iglesia y a mi pueblo cubano que me ha pedido el Papa Juan Pablo II y le pido su bendición de Madre para llevarlo adelante.

Y que Dios Padre, Hijo y Espíritu Santo los bendiga a todos ustedes.

✠ JAIME
Arzobispo de La Habana

MENSAJE ANTES DE PARTIR
PARA ROMA A RECIBIR
EL CAPELO CARDENALICIO*

Queridos hermanos y hermanas:

Antes de partir para Roma, donde el Papa Juan Pablo II me impondrá el birrete rojo como signo de mi designación para integrar el Sacro Colegio de Cardenales, quiero dejar constancia de mi gratitud a todos los que, de un modo u otro, me han mostrado su simpatía y afecto desde el momento en que se conoció la noticia de esta distinción, conferida en mi persona a la Iglesia Católica en Cuba y a nuestra Patria.

Tomo el párrafo de uno de los centenares de cartas y mensajes que he recibido y que es ilustrativo del sentir de nuestros católicos cubanos y de muchos en nuestro pueblo: «*No lo felicito –decía este hermano nuestro– pues me parece que estoy felicitándome a mí mismo porque, cuando un cubano resulta enaltecido, es toda la Patria y cada uno de sus hijos quienes somos honrados*». Gracias, querido hermano. Esas frases, dichas de los modos más diversos, son las mismas que he escuchado de la gente del pueblo, las que los católicos han recogido en sus centros de trabajo, en las aulas de clase y en todas partes. Cuando un acontecimiento es significativo y toca las fibras de muchos corazones, no es necesaria la difusión periodística, radial o televisiva para que sea conocido y apreciado. Lo contrario es también cierto: puede haber una gran difusión y ningún eco en la interioridad de las personas.

---

* Noviembre 1994.

Por esto, aprestándome a partir para Roma, deseo agradecer su gentileza a cuantos me han hecho llegar mensajes de congratulación: a los distinguidos miembros del Cuerpo Diplomático en La Habana, al Consejo Ecuménico de Cuba, a la Comunidad Hebrea, a diversas Logias e Instituciones fraternales y a otras asociaciones y a cuantos personalmente han escrito o enviado telegramas.

También he recibido muchas llamadas telefónicas. Entre ellas valoro especialmente la de la Oficina de Asuntos Religiosos, pues representa la única felicitación oficial.

Un grupo de católicos cubanos, junto con sacerdotes, diáconos, religiosas y religiosos de Cuba me acompañarán a Roma. Entre ellos está mi madre. Ha sido un especialísimo don de la Santa Sede y de Iglesias hermanas, que Cuba pueda estar presente en este evento que dignifica a nuestra Patria. A todos los que hacen posible esta peregrinación a Roma con su aporte económico o facilitando las gestiones de viaje en nuestro país, les estoy profundamente agradecido. Y a todos ustedes, queridos católicos cubanos y queridos hermanos creyentes, les pido una oración, para que al ponerme de rodillas delante del Santo Padre Juan Pablo II, escuche de sus labios las palabras con que impone el birrete cardenalicio color púrpura, como un programa personal de vida:

«Reciban el birrete rojo... que simboliza que ustedes deben mostrarse valerosos hasta derramar su sangre».

Y añado aquí las palabras del mismo Santo Padre hablando a los nuevos Cardenales en el Consistorio de 1991: *«Cada uno de ustedes debe estar dispuesto a comportarse con indómita fortaleza para el crecimiento de la fe, para el servicio del pueblo cristiano, por la libertad y la expansión de la Iglesia»*.

Así me ayude Dios y la Santísima Virgen de la Caridad del Cobre, Nuestra Madre.

Los bendice y los lleva consigo en el corazón su Obispo.

✠ JAIME
Arzobispo de La Habana

238

«LA IGLESIA CUBANA TIENE CONCIENCIA DE HABER ACTUADO EN CADA MOMENTO COMO DEBÍA»*

Jaime Lucas Ortega Alamino fue nombrado Obispo por Juan Pablo II en 1979 y consagrado Cardenal en la magnífica sala Pablo VI de la Santa Sede, el 26 de noviembre de 1994.

Mientras recibía el abrazo del Papa, escuchó los aplausos de los 250 peregrinos católicos que le acompañaron desde la isla para la ocasión. A su regreso a nuestro país, presidió la celebración más numerosa que haya tenido lugar en la centenaria Catedral habanera: 12 mil personas lo ovacionaron y ofrecieron sus respetos al Cardenal de todos los cubanos.

Su condición de Arzobispo de La Habana le ha permitido estar en contacto con personas de todas las regiones del planeta, tanto religiosos como ateos, diplomáticos, militares, hombres de negocios, políticos y disidentes.

En la actualidad es Segundo Vicepresidente del Consejo Episcopal Latinoamericano (CELAM) y se acerca al fin de su tercer período como Presidente de la Conferencia de Obispos Católicos de Cuba (COCC).

El Cardenal Ortega nos habla sobre la evolución de la religiosidad en la isla durante las últimas cuatro décadas, esclarece sus referencias a la santería y expone lo que puede esperar el pueblo de la Iglesia Católica que vive aquí.

---

*Entrevista publicada por la Revista «Familia Cristiana», 1997.

Hace tres años, en la misa de bienvenida que presidió en la Catedral habanera con motivo de su nombramiento como de la Iglesia, usted dijo que era bueno que el Papa eligiera un Cardenal cubano, pues Cuba era más que música y bellos lugares turísticos: «¡Cuba es también otra cosa!, ¡Aquí hay también vida en el espíritu!». Pero más de treinta años de un proyecto ideológico defensor del ateísmo, ¿no pueden haber tergiversado la conciencia religiosa de esta nación? ¿Puede decirse que Cuba sigue siendo un país religioso con todo el significado que ello entraña?

Estos años dejan, indudablemente, una huella en la religiosidad del pueblo. Hay una parte de la población, sobre todo de las nuevas generaciones, que ha vivido al margen de toda referencia religiosa y aun en hostilidad hacia lo religioso. Esto perdura aún y por eso digo que las huellas han quedado.

Pero en la historia de los pueblos, los fenómenos de enmascaramiento, disimulo o aparente desarticulación de las manifestaciones religiosas son frecuentes. Podrían estudiarse como un fenómeno sociológico más. Los hallamos en la Biblia. Los profetas hablan duramente contra los hijos del pueblo elegido que se dejaban arrastrar por las prácticas religiosas primitivas de los pueblos vecinos y aun algunos reyes de Israel cayeron en esto.

Más notable resulta, como lo vemos en los libros de los Macabeos, cuando se impone al pueblo una cultura que parecía superior, como la griega, y el templo de Jerusalén fue convertido en un gimnasio. Pero una cosa es el fenómeno sociológico, cultural, masivo y, en ocasiones, despersonalizador, y otra es la fe religiosa en lo hondo del corazón del hombre.

Esta puede solaparse, no manifestarse en algunos casos, borrarse arrastrada por una corriente, pero su capacidad de generar inquietud, búsqueda y ansias no desaparece. Por eso en la fenomenología de la religión se habla del despertar religioso de hombres y pueblos.

Desde hace algunos años se vive un proceso como este en Cuba y muchos parecen descubrir de nuevo que Cuba es un país religioso, o al menos más religioso de lo que habían pensado.

Sin embargo debemos ser más agudos y universales en nuestras observaciones: *es el hombre, donde quiera que viva y de cualquier edad y condición, el que es un ser religioso.* Cuando dirigimos a él el mensaje de la fe y del amor a Dios encontramos, a veces subrepticiamente, un aliado en su propio corazón.

San Agustín, después de años de vivir buscando y en ocasiones adhiriéndose a filosofías ajenas al cristianismo, llegó en la edad adulta al encuentro serio y personal con Jesucristo. De él es la frase famosa, que constituye una oración de reconocimiento: «Dios mío, Tú creaste mi corazón para ti y estará inquieto hasta que descanse en ti».

Esto es lo que pareció ignorarse en Cuba durante muchos años, aun como posibilidad: hay inquietudes en el corazón del hombre que solo Dios puede saciar.

Con el resurgir de las manifestaciones religiosas, hemos visto acercarse a la Iglesia personas que habían renunciado a su condición cristiana, negaron su fe católica y abrazaron un proyecto social que debió satisfacer también sus necesidades espirituales. Cuando se refieren a las experiencias vividas de carencias y dificultades, algunos hablan incluso de «castigo de Dios» a un pueblo que se apartó de Él y le dio la espalda. ¿Dios castiga así o se puede hablar más bien de una conciencia religiosa de culpa por su falta de responsabilidad, de una parte importante, no solo cuantitativa sino cualitativa de la población cubana?

A los períodos de enmascaramiento, y aun de aparente despreocupación religiosa, suceden normalmente los de toma de conciencia: se redescubre el lugar que debe ocupar Dios en la vida. Así pasó con el pueblo de Israel en la Antigua Alianza. Son varios los salmos donde se ve, en las calamidades que sufre el pueblo elegido de Dios, la mano del Señor, que quiere hacer descubrir a su pueblo el error y el pecado que cometió al olvidarlo a Él.

No es desacertado decir que se trata del reflejo de una conciencia culpable, porque en la Biblia, en los libros proféticos, Dios asegura su amor inquebrantable a su pueblo:

«Puede una madre olvidarse del Hijo de sus entrañas, pero yo no me olvidaré de ti, Israel».

Ante esa conciencia culpable, que se manifiesta entre nosotros en el modo de decir de muchos: *¿cómo pude yo no bautizar a mis hijos?*, *¿cómo no les enseñé lo importante que es la fe en Dios?*, yo repito siempre esas palabras de ternura y comprensión del Antiguo y del Nuevo Testamento. Quizá las más concluyentes y definitivas son las de Jesús: «*Yo no he venido a condenar al mundo, sino a salvarlo*».

En los últimos tiempos, usted se ha referido varias veces al intento de presentar la santería como religión oficial y ha levantado la voz con firmeza para defender la condición cristiana del pueblo cubano. Algunos han interpretado esto como una ofensiva contra las manifestaciones religiosas afrocubanas. ¿Es realmente así?

Este aparente intento se ha presentado en entidades que elaboran la propaganda turística y organizan sus actividades, en los medios de comunicación, radio y televisión, en publicaciones, etc. Cuando me he referido a esta amplia difusión he utilizado el término «religión oficial» no para indicar que las estructuras del Estado la consideran así, sino que toda esa referencia propagandística a ese fenómeno religioso lo puede hacer aparecer con esas características.

Sé que esto también molesta a no pocos creyentes más o menos sincréticos que ven vaciarse de contenido religioso sus cantos y sus ritos para convertirlos en folclore y, a veces, en espectáculo.

Estos creyentes saben bien, por otra parte, que la Iglesia Católica siempre los ha acogido con comprensión y amor cristiano. La inmensa mayoría ellos se sienten católicos, bautizan a sus hijos, piden la celebración de la Misa por sus difuntos, van a muchas fiestas religiosas de la Iglesia y nunca los hemos considerado como pertenecientes a una «religión aparte». Tampoco la inmensa mayoría de estos hermanos se considera así.

Y es esto lo que me produce mucho dolor: que desde el mundo de la propaganda y del negocio y, a veces, a partir de algunos presupuestos teóricos de estudiosos de la cultura afrocubana, se intente separar a aquellos que tienen una clara referencia católica en sus vidas y en su fe, de la Iglesia que sienten como suya y a la cual miran con amor y respeto.

La ofensiva hoy no es contra esos hermanos nuestros de fe religiosa popular, sino contra quienes pretenden desgajarlos del tronco cristiano. Pero no llega a ser una ofensiva, es solamente una puesta en guardia.

El Papa Juan Pablo II, en sintonía con el Concilio Vaticano II, ha hecho grandes esfuerzos en la senda del ecumenismo. La unidad de los cristianos es uno de los proyectos que reclaman atención dentro de la Iglesia Católica de cara al Tercer Milenio de la Era Cristiana, pero es cierto que en Cuba no se ha avanzado mucho en este punto.
Qué ha pasado aquí con el ecumenismo?

El ecumenismo en Cuba corrió más o menos la misma suerte que en el resto del mundo y, sobre todo, que en América Latina.

Después del Concilio Vaticano II, el entusiasmo ecuménico creció rápidamente y en los finales de la década del 60 y comienzos de la del 70 se llevaron a cabo múltiples iniciativas, como jornadas de oración con la participación de cristianos de distintas Iglesias. Más tarde se produjo un estancamiento y un retroceso.

Creo que la relación personal entre cristianos de diferentes Iglesias en Cuba en general es buena, así como entre muchos sacerdotes y pastores, pero no se emprenden habitualmente acciones en común.

Hay en América Latina, con respecto al ecumenismo, una situación de la que en Cuba somos partícipes en menor grado. Se trata de la aparición y fortalecimiento de grupos cristianos que no tienen las características de las Iglesias tradicionales, como la Episcopal, la Presbiteriana o la Metodista. Con estas Iglesias que acabo de mencionar ha sido más fluida la relación ecuménica, tanto en América Latina como en Cuba. Con algunos grupos de estilo pentecostal y

243

otros muy agresivos en su propaganda anticatólica, los intercambios se hacen más difíciles. Pero creo que un trabajo ecuménico debe incluir también a esos hermanos nuestros llamados a veces, de un modo no muy conveniente, fundamentalistas. Ellos se esfuerzan por vivir y proclamar valores cristianos, tienen celo misionero y actúan en consecuencia con espíritu de sacrificio. Desde el punto de vista de la fe y de su postura ética a pesar de sus ataques a la Iglesia Católica, no están tan distantes de nosotros como algunos piensan.

Cualquier diálogo ecuménico en Cuba, como en América Latina, debe incluir a esos hermanos cristianos que dan tantos signos de fidelidad y vitalidad. La ya tradicional divisa: «hay más cosas que nos unen que las que nos separan» sigue siendo válida.

Varias veces, los obispos cubanos en conjunto, y usted de modo particular, se han referido a una necesaria reconciliación de todos los cubanos, incluyendo a aquellos que viven fuera de nuestro pueblo. Hay heridas abiertas en uno y otro lado que hacen difícil aceptar la propuesta de reconciliación, incluso muchos que se llaman cristianos se resisten a perdonar. ¿No será esta una propuesta utópica, imposible de lograr? ¿Por qué seguir hablando de reconciliación y no limitarse a esperar que el tiempo pase la página?

Un cristiano no puede dejar nunca que el tiempo logre lo que nosotros debemos hacer. El eje central del mensaje de Jesucristo es el amor. Pero, para que no se confundiera ese concepto con un simple sentimiento o con una veleidad, Jesús definió en múltiples ocasiones las características de ese amor: «Ama a tu enemigo... reza por quien te persigue... si es necesario perdona setenta voces siete...».

«Si al presentar tu ofrenda ante el altar te acuerdas de que tu hermano tiene algo contra ti, ve primero a reconciliarte con tu hermano y después trae tu ofrenda».

Como se ve, ni el perdón, ni la reconciliación, como el mismo amor al prójimo: «Ámense unos a otros», son propuestas para tomar o dejar; son la médula del cristianismo y en poner en práctica esos mandatos de Jesús nos va el ser o no cristianos. «No todo el que dice Señor, Señor, entrará por eso en el Reino de los cielos, sino el que cumple la voluntad del Padre...». Y como he dejado la palabra a Jesucristo en esta respuesta, termino con una frase de Él cuando presentaba su enseñanza con todas sus exigencias: «quien tenga oídos para oír, que oiga».

Para la visita del Papa Juan Pablo II a Cuba ha sido necesario un trabajo conjunto entre la Iglesia y el Estado, algo realmente extraordinario para ambas partes, pero esto solo se refiere a la visita mencionada. ¿Debe suponerse que el diálogo continuará después? ¿Cuán importante puede ser este diálogo?

Yo no me atrevería a calificar de diálogo el trabajo conjunto de la comisión Iglesia-Gobierno para la preparación de la visita del Papa Juan Pablo II. Creo que se trata de una acción coordinada, imprescindible para que se lleve a cabo con éxito la visita del Santo Padre.

Puede ser, sin embargo, muy positiva la puesta en contacto de laicos católicos y sacerdotes con diversas estructuras administrativas y políticas, pues esto los hace sentirse menos distantes de las estructuras existentes. También permite a esas instancias gubernamentales conocer mejor a los católicos. Todo diálogo tiene como premisa el conocimiento y aceptación de las personas que se van a relacionar. Esto puede ser un buen paso para el futuro. Ha habido relaciones de buen trato y respeto entre la Iglesia y la Oficina de Asuntos Religiosos desde hace casi 25 años. Pero no podemos considerar esas relaciones como diálogo, pues se refieren a la solución de problemas prácticos para la vida de la Iglesia, la obtención de los más variados permisos, la solución de algún conflicto. Más bien se siente la Iglesia como ante una Oficina Administrativa que no concede siempre lo que se solicita.

Para el diálogo se necesitan varias condiciones:

Primero, que la Iglesia no se vea ante una instancia oficial de la cual dependa para su acción, sino que el encuentro, aun siendo oficial, tenga las características de una revisión reflexiva de la situación entre personas capaces de tomar decisiones para el futuro.

Segundo, el diálogo indispensable en nuestro país debe ser en profundidad, sobre el papel de la Iglesia en la vida de los cubanos, su acción positiva en la sociedad, sus derechos y deberes según la misión que Jesucristo le ha confiado. En tercer lugar, que permanezca siempre después una actitud de intercambio: que se entienda que el diálogo es encontrarse para llegar a acuerdos y no una posibilidad de hablar de todos los temas y volver a tratarlos una y otra vez.

Considero esto necesario para la vida de la Iglesia; sin embargo, por las experiencias tenidas hasta ahora, sobre todo en este año de la preparación de la visita del Santo Padre, no preveo que pueda realizarse en un futuro próximo.

En las últimas cuatro décadas, la Iglesia Católica cubana ha vivido experiencias singulares. Por un tiempo fue considerada «enemiga» de la Revolución; perdió poder, influencias, propiedades, miembros, vocaciones... De otro lado, los enemigos políticos de la Revolución han criticado a la Iglesia, la acusan de haber guardado silencio. Esta situación entre dos fuegos la ha llevado a vivir duras pruebas. Pero, más allá de las diferencias políticas entre bandos opuestos, ¿cree usted que la Iglesia cubana ha «pasado la prueba»?

La Iglesia cubana tiene conciencia de haber actuado en cada momento como debía. Sus obispos, nuestros fieles, sacerdotes, religiosos y religiosas de Cuba lo sienten así.

Por otra parte, el no recibir plena aprobación ni de unos ni de otros es un sello de autenticidad. Nuestra misión no se sitúa en la escala política, en esa línea donde derecha, izquierda y centro son lugares comunes de ubicación. Situarse por encima, en la altura de la fe y del amor a Dios, es lo más vulnerable, allí todos pueden atacarte. Pero no olvidemos que Cristo fue levantado en lo alto de la Cruz y desde allí, adolorido y abandonado, contempló al mundo. En estos años, los obispos de Cuba hemos asumido la altura dolorosa del Calvario. Desde allí, dejamos que sea nuestro Maestro quien responda por nosotros: «Perdónalos, Padre, porque no saben lo que hacen».

La Providencia ha querido que fuéramos los últimos, con respecto a América Latina, en la visita del Papa. Pensando en el tiempo y sus efectos, recuerdo ahora su conversación con los jóvenes en la Jornada Diocesana de la Juventud celebrada el pasado agosto. Usted dijo que le preocupaba más el momento posterior a la visita del Sumo Pontífice, ¿por qué?, ¿cuál es el desafío de la Iglesia para ese después?

Mis respuestas hasta aquí esbozan los desafíos: un diálogo con el Estado que está por comenzar en serio y que no tuvo avances durante el año de preparación de la visita del Papa, así como un crecimiento de la vida de la Iglesia, la cual necesita de medios pastorales que aún no tenemos.

Pero también existe certeza de transformaciones primordiales, que se producen ya con la visita del Santo Padre: un cambio de los corazones, un redescubrimiento de los valores cristianos, un gozo al descubrir o reencontrar la fe, una libertad interior que produce alegría y esperanza.

El gran desafío para después es sostener y alentar estas riquezas espirituales que quedan al descubierto con la visita de Juan Pablo II.

Con más de treinta años de sacerdote, dieciocho de obispo y tres como Cardenal, ¿cómo aprecia el pasado reciente, el presente y el futuro de la Iglesia que vive en Cuba? ¿Qué pueden esperar de ella los no católicos?

El pasado reciente: un despertar; el presente: una gigantesca toma de conciencia; el futuro: una esperanza que nos llevará por caminos insospechados.

Los no católicos pueden esperar de la Iglesia en Cuba todo nuestro esfuerzo por el bienestar, la felicidad y la paz del pueblo cubano. En esta perspectiva se produce la visita del Santo Padre, su mensaje nos afianzará a todos en estos propósitos.

DEBEMOS CONTINUAR SEGÚN
LAS LÍNEAS TRAZADAS POR EL PAPA*

Hace tres meses que el Papa Juan Pablo II abandonó físicamente suelo cubano. Pero, de una forma u otra, de manera perceptible e imperceptible, el encuentro del Papa con Cuba, con su Iglesia, su Presidente y su pueblo, centró a Cuba en el foco de atención mundial y todavía deja ver una estela «blanca» que desde el viejo al nuevo continente moviliza voluntades, cuestiona viejos códigos de relaciones aún vigentes, y ha llegado incluso a producir ligeras pero sustanciales reformas en la política de algunos gobiernos respecto a Cuba. Dentro de la isla y en la misma Iglesia Católica, la situación ha cambiado algo, y se espera que continúe.

El Cardenal Jaime Ortega, Presidente de la Conferencia de Obispos Católicos de Cuba y Arzobispo de La Habana, se ha referido a ello en declaraciones hechas a algunos medios internacionales. Considerando oportuno iluminar también a los fieles cubanos, Palabra Nueva cede sus páginas al Cardenal Ortega.

Después de este tiempo, aunque breve, ¿es posible hablar ya de los frutos de la visita del Papa Juan Pablo II a Cuba?

Los frutos de la visita del Papa se constatan en nuestras comunidades cristianas, en su florecimiento y entusiasmo. Esto fue notable en la Semana Santa, especialmente en la ce-

---

*Entrevista realizada por Orlando Márquez y publicada en la revista Diocesana *Palabra Nueva*, abril de 1998.

lebración de la Pascua. El Sábado Santo y el Domingo de Resurrección, decenas y decenas de miles de fieles participaron en las ceremonias en todas las iglesias de La Habana, y podemos decir lo mismo de las otras diócesis.

Más de 40.000 copias de las homilías y discursos del Santo Padre en Cuba han sido distribuidas en nuestra Arquidiócesis y la demanda continúa.

A pesar de estas cosas positivas que usted menciona, es posible percibir cierta demanda extra de muchas personas, como si esperaran algo más concreto y palpable, de manera particular de la propia Iglesia. ¿Piensa la Iglesia responder de alguna forma a esto?

El pueblo no olvida la experiencia profunda de alegría y esperanza que fueron las grandes celebraciones públicas de la visita del Santo Padre. Experiencias religiosas y humanas de esa intensidad no se repiten fácilmente. Las palabras del Papa se refirieron al ser humano, a sus ansias, a la situación de la juventud, a la familia, a la sociedad, a la economía, al amor a la Patria, a la libertad, a la justicia.

El Secretariado de Pastoral de nuestra diócesis está preparando guiones para las homilías del domingo que desgranen durante todo este año los grandes temas tratados por el Papa Juan Pablo II en Cuba, pues no basta releer sus palabras, hay que comprender por qué fueron dichas, qué alcance tienen y, sobre todo, qué se puede hacer para ponerlas en práctica.

Sin duda, una de las ideas más hermosas que el Papa transmitió durante su visita fue «Que Cuba se abra al mundo, que el mundo se abra a Cuba».

Esa es una de las exhortaciones del Santo Padre cuyo alcance hay que calibrar detenidamente. Las medidas aprobadas por el presidente de Estados Unidos, Bill Clinton, permitiendo de nuevo vuelos directos a Cuba y el envío de ayuda monetaria por los familiares y amigos residentes en Estados Unidos a los que viven en Cuba, así como la posibilidad de encontrar modos para la venta de medicinas a Cuba, constituyen una respuesta inicial al llamado del Santo Padre; es significativa también la decisión de varios países de restablecer o mejorar sus relaciones con Cuba: España, Guatemala, Santo Domingo, Argentina, que han hecho referencia explícita a la visita del Papa a Cuba en los respectivos procesos de mejoramiento de sus relaciones o contactos. Estos son países de la misma lengua y patrimonio cristiano a los cuales el Santo Padre pidió que trabajaran eficazmente para que Cuba mantenga relaciones internacionales que favorezcan siempre el bien común.

En esa esfera de la apertura del mundo con respecto a Cuba se nota un continuo movimiento que va más allá de los países y hechos mencionados.

Pero la idea del Papa tenía una correspondencia bilateral. ¿Se está abriendo Cuba al mundo?

Creo que la apertura será forzosamente recíproca, pero es cierto que algunos esperan que se vea más marcada la apertura de Cuba al mundo. Pienso que la puesta en libertad de más de trescientos prisioneros a petición del Santo Padre fue un signo también inicial de apertura.

Pero, a mi entender, se van haciendo necesarios también nuevos gestos y actitudes significativas.

En su discurso de despedida, Juan Pablo II, sin mencionar a ningún grupo concreto, se refirió a las medidas económicas impuestas desde el exterior y las calificó con dureza. En cierta forma asumió la postura de quienes condenan el embargo o bloqueo. Si consideramos el conflicto político que esta situación ha generado en estos años, comprometiendo incluso a más de un país, ¿no estará rebasando el Papa la misión pastoral y adentrándose en la esfera política?

El Papa condenó con toda claridad las medidas económicas restrictivas impuestas desde fuera del país, calificándolas de injustas y éticamente inaceptables. Cuando el Santo Padre dice medidas restrictivas se refiere al embargo norteamericano contra Cuba y a toda otra dificultad derivada de él o fruto de decisiones parecidas de otros gobiernos.

Las palabras «injustas» y «éticamente inaceptables» descalifican en general todas esas medidas económicas y no solamente las que se refieren a la compra de medicinas y alimentos. La razón profunda que lleva al Santo Padre a decir esto es el bien total del ser humano, la obligación moral de no contribuir a causar mayores sufrimientos a los pueblos. Es esto lo que el Papa declara que debe ser moralmente rechazado.

La misión cristiana del hombre no permite que para ningún fin, aunque alguien lo considere bueno, el ser humano sea sometido individual o colectivamente, de forma directa o indirecta, a privaciones, carencias, menoscabo en su salud o cualquier otro tipo de mal o sufrimiento. El Papa, que no puede sentir de otro modo, habla siempre, como Vicario de Cristo, a la interioridad del hombre, a la conciencia de los responsables de una situación y lo hace en nombre de la Ley Moral que Dios ha grabado en nuestros corazones.

Por otra parte, el sucesor de Pedro, en la guía de la Iglesia, no puede aceptar nada contrario a la concordia, a la unidad y a la paz que Jesucristo vino a instaurar entre todos los seres humanos. Resumiendo, el Papa ha explicado en sus palabras algunas de las exigencias propias de nuestra condición de cristianos.

Pero muchos opinan que el embargo o bloqueo no es la única causa de los sufrimientos del pueblo cubano y de la situación económica de Cuba.

¡Y claro que no es la única! Otras situaciones históricas, entre ellas el derrumbe del bloque de países socialistas y especialmente de la Unión Soviética, con quienes Cuba comerciaba prioritariamente y de quienes recibía apoyo económico, es una de las causas de la situación actual. Otras son los errores cometidos en el campo de la economía y las deficiencias del mismo sistema económico, pero el Papa no hacía un estudio de la situación global del país, sino que se refirió a un factor de los que más peso tienen en la crisis económica actual de Cuba, pidiendo a quienes corresponda que cambien esas medidas que pesan mucho en esa crisis y que el Sumo Pontífice considera injustas a la luz de la moral cristiana.

El hecho de no mencionar otros factores no significa que estos sean ignorados o menospreciados. En algunos de ellos, por su carácter histórico, irreversible, ya no se puede incidir, como es el caso del derrumbe del campo socialista; otros, como las medidas económicas restrictivas, pueden cambiar y esto depende de la voluntad de los hombres.

De ahí el llamado del Papa a la justicia y a una actitud ética que haga variar la situación. Creo, además, que la invitación a que Cuba se abra al mundo es un llamado a la superación de los errores y límites internos que junto con otros factores configuran la situación general de la economía nacional.

En una entrevista suya a la revista italiana Famiglia Crisitana, usted hablaba de ayudas humanitarias que parecen más un «paliativo» y «una limosna ofensiva». ¿Este juicio suyo no pone en tela de juicio la buena voluntad que pretenden demostrar las personas que envíen esas ayudas?

Cuando el Papa hizo su llamado para que el mundo se abra a Cuba, rechazando también las medidas restrictivas contra el país, surgieron diferentes iniciativas en las distintas esferas del gobierno de los Estados Unidos.

Una de esas iniciativas, que llegó a concretarse, han sido las medidas dictadas por el presidente Clinton con respecto a los vuelos, el envío de dinero por las familias y la posibilidad de vender medicinas a Cuba.

Estas medidas si constituyen una respuesta al llamado del Santo Padre y alivian las restricciones y el aislamiento impuestos a Cuba.

Pero había también otra propuesta en algunos medios oficiales norteamericanos, que no quería ningún alivio de las medidas restrictivas, sino una «ayuda humanitaria» en alimentos y medicinas dada por el mismo gobierno de Estados Unidos, sea a través de la Iglesia Católica, sea de otra organización no gubernamental, manteniendo todas las restricciones económicas.

Esta «ayuda» no hubiera correspondido a la solicitud del Santo Padre y habría tenido un aspecto ofensivo: reafirmar, por un lado, las restricciones y el aislamiento que son algunas de las causas de las dificultades y aliviar, por otro, esas mismas dificultades no es una proposición que siga una lógica sana.

Era, a ese tipo de «ayuda humanitaria», a la que me refería exclusivamente y no a las ayudas humanitarias que nos han llegado desde Estados Unidos por medio de organizaciones católicas como el Servicio Católico de Ayuda (Catholic Relief Service); como los Caballeros de Colón y la Orden de Malta, y en ocasiones por iniciativa de los propios cubanos que residen en el exterior. A través de Cáritas Cubana hemos recibido de esas organizaciones más ayuda en medicamentos y en alimentos que de ninguna otra en el mundo. Bien saben los miembros de esas organizaciones la inmensa gratitud que sienten hacia ellas la Iglesia en Cuba y el pueblo cubano.

Este tipo de ayuda humanitaria, venida de Estados Unidos, Canadá, España, Alemania, Italia y de otros países, es hoy por hoy indispensable y exalta la solidaridad humana y cristiana que el Santo Padre quiere que sea universal.

En otra parte de su entrevista, usted se refería al diálogo con las autoridades y a los espacios que necesita la Iglesia para realizar su misión. Eminencia, ¿qué pasos continuarán dándose en las relaciones Iglesia-Estado y cómo espera la Iglesia cubana alcanzar esos espacios necesarios que, hasta el momento, parecen distantes?

En esto, como en otras cosas, debemos continuar según las líneas trazadas por el Papa. En su discurso a los obispos cubanos, el Santo Padre nos reafirmó en el camino del diálogo, camino que se ha propuesto sostenidamente la Conferencia de Obispos de Cuba en sus relaciones con las autoridades de la nación. En ese discurso a los obispos nos dijo, y aquí cito textualmente: «Busquen estos espacios de forma insistente, no con el fin de alcanzar un poder –lo cual es ajeno a su misión–, sino para acrecentar su capacidad de servicio. Y en este empeño, con espíritu ecuménico, procurar la sana cooperación de las demás confesiones cristianas, y mantengan, tratando de incrementar su extensión y profundidad, un diálogo franco con las instituciones del Estado y las organizaciones autónomas de la sociedad civil».

Aunque las cuestiones pendientes son difíciles, como la invitación del Santo Padre a buscar nuevas perspectivas en el campo de la enseñanza y la educación de los niños, los adolescentes y jóvenes; como el acceso habitual de la Iglesia a los medios de comunicación social, y otros; la Iglesia cubana, siguiendo el magisterio del Papa Juan Pablo II y las enseñanzas del Concilio Vaticano II, no cesará de procurar que se dé un diálogo franco y abierto sobre esos temas de importancia fundamental para el pueblo de Dios.

ENTREVISTA DURANTE LA CONFERENCIA DE PRENSA
AL FINAL DE LA XVII REUNIÓN INTERAMERICANA
DE OBISPOS*

Pregunta TVE.– *Cardenal, parece que hay una cierta preocupación en algunos medios sobre el Proyecto de Ley de defensa de la economía y la independencia cubanas, que indica que cualquier intercambio de información, reunión, que pueda coincidir con los objetivos de la Ley Helms-Burton será castigado. ¿Cómo ven ese proyecto de ley en el marco que se ha estado hablando ahora, de evolución de la sociedad cubana?*

Cardenal Ortega.– Ayer se discutió mucho sobre el delito común en la Asamblea, y estuve siguiendo todo lo que se refería a las penas como cadena perpetua, pena de muerte. Ya saben lo que se piensa con respecto a esas penas por parte nuestra. La pena de muerte siempre es un recurso trágico que la Iglesia en su doctrina hoy, como una adquisición consagrada también en el Catecismo de la Iglesia Católica, en las declaraciones del Santo Padre recientemente en Saint Louis, Missouri, volvió a insistir sobre esto, la pena de muerte la vemos como un mal que no puede remediar otro mal. El Papa ha hablado mucho de la cultura de muerte, y cuando dice cultura de muerte se refiere a una manera de resolver los problemas acudiendo a la última posibilidad: ante el niño por nacer con una malformación congénita, eliminarlo; ante una

---

* La Habana, Hotel Palco, 16-II-1999.

persona anciana o demasiado sufrida por una enfermedad, terminar con esa vida; ante un homicida o violador, cuyo caso parece no tiene remedio, acabar con él. Es una mentalidad la cultura de muerte, a eso se refiere el Papa, y esa mentalidad está extendida por el mundo entero, crece y se va estableciendo. Lo he visto ayer, y he visto que ha habido una referencia a este pensamiento del Santo Padre, y nosotros repetimos aquí, y podemos repetir todos los que participamos en esta asamblea, que no, que no es una manera de resolver. El problema está más allá, como también se reconoció ayer –hay que decirlo–, el problema está en los valores, en la educación, en la familia, en tantas cosas que deben mejorarse para evitar que el ser humano vaya por estos caminos.

Es verdad que esto se reconoció, y ahí nosotros tenemos una opinión coincidente, más definitiva. Me parece que es lo primero, lo esencial. Las penas deben ser el último recurso.

En la ley se han incluido también una serie de delitos que tienen que ver con la información. Sí, también preocupa porque dependerá mucho del juicio de quien interpreta el tipo de información, el tipo de noticia, el tipo de contacto hecho, la intención de las personas, incluso las palabras de las personas. Son riesgosas siempre estas formulaciones. Ayer las vi escritas, hoy no he tenido noticia de cómo ha quedado definitivamente aprobada, o si ha sido aprobada. Pero sí preocupa, porque hay mucho de esto que puede estar sometido a interpretaciones personales, o de un grupo, pero que deje a las personas muy expuestas ante cualquier tipo de opinión. Sí, me preocupa esto también, como me preocupaba las penas excesivas o las penas de muerte, según las noticias que teníamos ayer.

Pregunta Notimex.– *Abundando en este aspecto, el Parlamento cubano también tendría que aprobar una ley de protección de la economía, que considera delito la ayuda financiera o el respaldo a instituciones y grupos independientes. Como la Iglesia, y la Conferencia Episcopal de Estados Unidos en coordinación con la Conferencia Episcopal de Cuba, se ha preocupado desde hace mucho tiempo por el apoyo a los grupos más desfavorecidos de la sociedad, quisiera saber en qué medida pudiera afectar esta disposición* *en vías de aprobación, los mecanismos de solidaridad que se puedan establecer entre las Conferencias Episcopales del Continente, hacia los grupos más desfavorecidos de la isla.*

Cardenal Ortega.– No creo que la interpretación de ese acápite de la Ley tenga que ver con las distintas Iglesias o con la Iglesia Católica, no lo creo. Vuelvo a decir que todo depende de la interpretación, pero me atrevo a avanzar que no tendrá que ver seguramente con la Iglesia Católica o con otras Iglesias, porque nunca ha sido considerada la Iglesia como una organización o un organismo independiente en Cuba, sino como Iglesia. El status jurídico de la Iglesia en Cuba no concuerda con el de una ONG, con el de un organismo o asociación independiente, de hecho, la Iglesia Católica ni siquiera está en el Registro de Asociaciones, tiene status de Iglesia establecida, y así es como tiene sus propiedades, incluso las propiedades tradicionales que desde el tiempo de la colonia ha heredado, por ejemplo, la Catedral de La Habana, es propiedad de la Iglesia Católica no en tanto que es una asociación o una organización independiente, sino en tanto que es Iglesia, y que está reconocida así, con un derecho que pudiéramos llamar consuetudinario como tal. No me parece que esto se refiera a las ayudas que recibe la Iglesia, para lo cual nunca ha habido dificultades, ni en cuanto a su misma Pastoral ni en cuanto a sus planes de ayuda a los desfavorecidos, personas pobres, etc.

Pregunta DPA.– *Quisiera saber si esta reunión es como un cántico de paz hacia el mundo y cómo creen ustedes que esto puede influir en las relaciones entre Cuba y Estados Unidos.*

Cardenal Ortega.– No sé si debo contestar yo o alguno de mis hermanos aquí presentes... Es evidente que las reuniones nuestras son un verdadero ámbito de paz, no solamente un cántico de paz. No solo sale al exterior un sonido pacífico, sino que dentro de nosotros mismos se vive una fraternidad muy especial en estos días, y es eso lo que quiere ser esta reunión. Influir en un diferendo tan difícil, largo e histórico, político, geopolítico es muy difícil. Las Iglesias, tanto de Cuba como de Estados Unidos, han hecho esfuerzos por que se superen estas dificultades. Sin embargo, la Iglesia, y lo decía en mis palabras de bienvenida en el Seminario, ha podido diseñar, a pesar de que nuestros dos países tengan un diferendo tan grande y un verdadero distanciamiento. Las Iglesias de Estados Unidos y Cuba han podido diseñar una relación de amistad, de fraternidad, como con cualquier otra Iglesia latinoamericana; eso es lo propio de la Iglesia Católica, eso es lo propio de la fe cristiana. Una fraternidad que va por encima de todo esto. Mi deseo era que, ojalá, el modelo de relación inspirado en la fe cristiana, que existe entre nuestras dos Iglesias, pueda ser tomado en cuenta para superar el diferendo político, económico, histórico, entre Cuba y Estados Unidos. El influjo sobre el gobierno americano para que el bloqueo económico sea levantado, pues la Conferencia del episcopado norteamericano ha hecho ese esfuerzo muchas veces. Cualquier esfuerzo por parte nuestra para una mayor comprensión de la realidad de nuestros dos países también ha sido hecho por nosotros. La Conferencia Episcopal cubana hace muchos años viajó a Estados Unidos, estuvo en el Departamento de Estado, en la Casa Blanca, tratando de pedir en aquella ocasión que se levantara el bloqueo de las medicinas. Estos esfuerzos son antiguos y han sido coordinados entre ambas Conferencias, con un gran respeto mutuo entre los obispos norteamericanos y nosotros, y un contacto siempre muy claro para decir y pensar juntos en este campo.

Mons. Theodore McCarrick.– Yo pudiera añadir... lo que dijo el señor Cardenal es exactamente la política de la Iglesia estadounidense. Nosotros hemos recibido a nuestros hermanos de la Iglesia cubana con brazos abiertos y estamos siempre con ellos. Y es nuestro deseo, la misma meta, suavizar, mejorar, de cambiar de una manera más pacífica las relaciones entre nuestros dos países. Y la política de nuestra Conferencia siempre ha sido tratar de suavizar el embargo para poder llevar a nuestra familia cubana, aquí en la isla, las medicinas, la alimentación que necesitan tanto. Esa ha sido la política de todos nosotros y va a seguir siendo la política de la Iglesia Católica norteamericana.

Pregunta La Croix.– El clima de tolerancia, que fue el mensaje principal del Papa aquí en Cuba, no se expresa en las medidas jurídicas tomadas un año después de esta visita. Quisiera pedir si ustedes no ven en esto un fracaso. Y la segunda pregunta relacionada con el documento del Papa sobre las Américas, quería saber cómo se expresa concretamente el espíritu de comunión al cual el Papa está llamando.

Cardenal Ortega.– Había dicho que era preocupante: adjetivo que empleé para decir que era preocupante la aprobación de la pena de muerte, las condenas fuertes, la inclusión de esta serie de delitos... Y puede ser que una de las preocupaciones sea esa. No solamente preocupante con respecto al futuro, sino preocupante con respecto al espíritu que dejó la visita del Papa. Efectivamente, siempre uno espera que el mensaje que el Papa dejó en los corazones de los cubanos pueda afianzarse. Yo, ante estas medidas, también pienso que no contribuyen a afianzar la confianza, por lo menos en los espíritus. Puede ser que sí, que algunas medidas creen alguna seguridad en cuanto al orden, con respecto a la delincuencia, etc., pero puede ser que haya ciertas inquietudes de este tipo, que son del espíritu humano. Y ahí, pues, muchas de ellas se pueden compartir, algunas de ellas con ustedes, con otros, y entonces pensar que el mensaje del Papa tiene una fuerza mucho mayor que la fuerza religiosa para la Iglesia católica en Cuba; que también las palabras del Papa deben calar hondo en las estructuras de la sociedad, como esta carta postsinodal de la sociedad americana en general, pero también como parte del mundo y de América, en Cuba. Todo lo que dice el Papa ahí: solidaridad, acerca de deuda externa, acerca de injusticia, de corrupción, es muy válido; tiene un gran peso para nuestra América; también todo lo que dice con respecto a los derechos de la persona humana, también tiene un gran valor. Toda la doctrina del Santo Padre que es la del Sínodo de América –muy bien recogida y muy bien potenciada por el Documento– creo que debe ser tenida en cuenta y sería un gran beneficio para todos nuestros países de América, incluyendo para el nuestro, andar por esos senderos de misericordia, reconciliación, paz, comprensión, ¡que también construyen la sociedad y que también impiden muchos males en la sociedad! Debía ser también parte de una gran meditación nuestra, una gran meditación nacional.

Pregunta ANSA.– *Ustedes trataron sobre las realidades y desafíos de la Iglesia en Cuba. Las realidades quedan más o menos claras a partir de la discusión del Parlamento y de las medidas que se están tomando. En cuanto a los desafíos, el Cardenal podría decirnos cuál será el aporte de la Iglesia para superar esta gran crisis moral que se vive en Cuba. Y una segunda pregunta para el Presidente del CELAM: es un tema recurrente hablar de la expresión del Papa que Cuba se abra al mundo y el mundo se abra a Cuba, ¿han debatido en el seno de la Iglesia cuándo Cuba se va a abrir a Cuba?*

Cardenal Ortega.– Creo que esta última pregunta me correspondería a mí, porque no va a ser el Presidente del CELAM quien va a decir cuándo Cuba se va a abrir a Cuba; pero tampoco me corresponde a mí porque es como una pregunta hecha a todo el País y que debía encarnar yo como respuesta. Yo no encarno a toda la Nación cubana. Quizá habría que hacer esa pregunta a quienes encarnan la Nación cubana y no a ninguno de nosotros.

En cuanto a la otra pregunta, la Iglesia siempre tiene mucho que aportar, y así lo decía yo en mi último boletín Aquí la Iglesia, para los fieles de La Habana que alcanzan a tener la hoja, porque son 25.000 y no alcanzan, pero decía yo que la Iglesia tiene mucho que aportar, porque es experta en humanidad, tiene muchos años de existencia, conoce cuáles son las miserias del hombre y no pretende estar por encima de nadie, pero tiene su propia visión del mundo que puede ayudar a restañar heridas, a fortalecer a la familia en su papel, a darle sentido de esperanza a los hombres, a llenar a la juventud de ilusiones e ideales en contra de todas las desesperanzas y falta de interés que podemos a veces constatar. Ese es el modo que tiene la Iglesia, predicando el Evangelio, haciendo que el Evangelio se encarne en una realidad y haciéndolo vida; eso lo estamos haciendo desde hace tiempo y lo seguiremos haciendo siempre con el mismo interés, prestándole como cubanos un servicio a nuestro país.

Pregunta CNN.- *El Papa Juan Pablo II en México presentó las conclusiones del Sínodo de las Américas, y uno de los puntos más importantes era la necesidad de intensificar y dinamizar el proceso de evangelización hacia el Tercer Milenio. ¿Cómo piensa la Iglesia cubana intensificar y dinamizar un proceso de evangelización donde la Iglesia tiene problemas y restricciones muy concretas que conocemos todos?*

Cardenal Ortega.- La Iglesia ha encontrado en Cuba, desde hace años, un camino de evangelización bastante activo, que algunos a veces descubren en otros lugares. Nosotros hemos evangelizado de puerta en puerta, yendo a las casas de las personas. Algunos me dicen: «eso no lo podemos hacer en tal lugar, porque hay condominios y un policía en la puerta que no deja pasar a nadie». En algunos lugares de otros países hay un lugar con 150 casas con una cerca y un policía, y nadie puede entrar allí a evangelizar. Nosotros entramos a todos los edificios, a todas las casas, repartimos evangelios, en estos últimos años hemos repartido 3 millones de evangelios. La campaña evangelizadora ha sido bastante grande. Hemos establecido muchas Casas de Oración donde se lee la Biblia, donde se reúnen los cristianos y rezan, en barrios y pueblos sin templos. En esos lugares donde se va constituyendo una comunidad se celebran incluso los sacramentos, la Misa, se bautizan a los del barrio; en algunos lugares se crea la parroquia aunque no exista el templo, pero que tienen como sede cuatro a cinco casas de familia convertidas en Casas de Oración. Quizá no tengamos el modo de evangelizar por estaciones de radio, que transmitan durante todo un día propaganda evangélica o religiosa, pero tenemos ese otro modo, y según ese otro modo hemos visto crecer nuestra Iglesia y hemos visto la respuesta de los cubanos. Ese fue el modo como invitamos a la Visita del Papa; no teníamos una serie de programas para decir quién era el Papa, pero salimos a cada casa a decirle a todos que el Papa era el sucesor de Pedro y que venía a traernos un mensaje de amor y de paz. Yo creo que fue efectiva nuestra manera de hacer aquella propaganda, y también el modo de preparar a nuestra gente que estuvo no solo allí presente con respeto, sino vibrando de entusiasmo en las celebraciones de la Eucaristía en cada una de nuestras ciudades y sobre todo aquí, en La Habana. Por lo tanto hay esos modos. Seguir con estos métodos, encontrar métodos nuevos, como digo yo también en mi último boletín también, tenemos que acceder a los medios de comunicación, esperamos tener un mayor acceso a los medios de comunicación. Tenemos que tener siempre una posibilidad de llegar más a la juventud, siempre la educación de los jóvenes nos preocupará, en el sentido de una cierta participación en la educación integral de la juventud, de un modo quizá moderno, activo, no con la posesión de grandes centros de educación que de momento la misma Iglesia no podría asumir.

Pero la Iglesia no se siente bloqueada internamente para evangelizar. San Pablo decía: «¡Ay de mí si no anuncio el evangelio!». ¿Para qué existe la Iglesia si no es para eso? ¡Ay de nosotros si no tuviéramos ese empuje evangelizador que tiene que vencer todas las dificultades! y San Pablo dice «la Palabra de Dios no está encadenada», tampoco puede estar encadenada para nosotros. Por eso, siempre lucharemos. Pero hasta ahora se ha probado que hemos podido llevar el mensaje, y que podremos seguir llevándolo, cada vez más, y con nuevos medios para el futuro, como nos lo pidió el Papa. Eso sí es tarea de la Iglesia, si no no habría Iglesia, tendríamos que decir entonces «Iglesia o Muerte».

Nota: Este es un borrador inicial que incluye solo las preguntas respondidas por el Cardenal Ortega, que envío a los Señores obispos para su conocimiento. No se han incluido en este borrador las preguntas hechas a otros participantes en la rueda de prensa.

Saludos,
Orlando Márquez.
La Habana, 18 de febrero de 1999

CARTA PASTORAL, UN SOLO DIOS PADRE DE TODOS, CON MOTIVO DEL AÑO SANTO JUBILAR*

Queridos hijos:

Cercano ya el año Santo Jubilar, cuando nos aprestamos a celebrar los 2000 años del nacimiento de Nuestro Señor Jesucristo, quiero dirigirles esta carta pastoral que sirva de reflexión a los sacerdotes, diáconos, religiosos, religiosas y laicos de las diferentes parroquias y comunidades de la Arquidiócesis.

Conocen las ovejas al pastor y el pastor las conoce a ellas. Saben los pensamientos y el sentir del corazón de su Arzobispo que se expresan en sus homilías y en diversos escritos. Pero la celebración de los 2000 años del nacimiento de nuestro Salvador me inspira, y casi me obliga, a escribirles una especial carta pastoral para que sea leída en común, meditada personalmente, usada como instrumento de reflexión en grupos de jóvenes y de adultos, en los distintos movimientos, en nuestras parroquias y casas de oración. Está también esta carta a la disposición de todos nuestros hermanos cristianos o no, creyentes o no, para que todos puedan compartir o conocer el espíritu que anima a la Iglesia Católica en la celebración de los 2000 años del nacimiento de Nuestro Señor Jesucristo.

La pastoral de conjunto es más que una serie de planes de trabajo que todos deben ejecutar en modos y tiempos determinados. Es también un espíritu, una manera de hacer, que

---

* 18-X-1999.

nos debe identificar como comunidad Arquidiocesana. Para avanzar todos juntos, caminando en el espíritu del Señor, pues ningún otro espíritu puede animarnos en nuestro andar, insisto en que es necesario conocer bien el pensamiento y el sentir del obispo, pastor de esta porción del rebaño que Jesucristo, por medio del sucesor de Pedro, ha puesto bajo su guía y cuidado. Es, pues, en nombre de Cristo como me dirijo a ustedes.

Jesucristo estará siempre en el centro de nuestra atención, en Él debe fijarse la mirada de nuestro corazón, su amor vivificará y dará un alcance ilimitado a los otros legítimos amores que se anudan a nuestra existencia. Conocer a Jesucristo es cumplir la voluntad de Dios Padre, seguirlo es hallar el único camino verdadero que da vida, Él es Alfa y Omega, principio y fin. Jesucristo es el mismo ayer, hoy y siempre. No se nos ha dado otro nombre en el cual podamos ser salvados. La razón de ser de la Iglesia que Él fundó es proclamar que Jesucristo es el Señor, que «*tanto amó Dios al mundo que le entregó a su único hijo*»... (*Jn* 3, 16). Él pasó haciendo el bien, fue clavado en el madero de la cruz y resucitó victorioso del sepulcro. Esto lo debemos anunciar hasta los confines del mundo, a tiempo y a destiempo, pasando a veces por toda clase de pruebas, obedeciendo a Dios antes que a los hombres.

Con el apóstol San Pablo, cada hijo de la Iglesia debe ser capaz de repetir: «*Ay de mí si no anuncio el evangelio*» (*1 Co* 9, 16). Ese es el invariable programa pastoral de la Iglesia: anunciar a Jesucristo. También lo será para el próximo milenio. Esa fue la propuesta de los obispos de toda América, reunidos en el Sínodo especial para el continente americano: que en el siglo que comienza la Iglesia propicie «el encuentro con Jesucristo vivo, camino para la conversión, la comunión y la solidaridad en América». Así lo recogió el Papa Juan Pablo II en la exhortación apostólica sobre la Iglesia en América. En esto ha estado empeñada nuestra Iglesia Arquidiocesana desde antes de la preparación de la visita del Papa Juan Pablo II a Cuba: en dar a conocer a Cristo a nuestro pueblo.

La evangelización ha sido una preocupación pastoral constante para nuestra Iglesia Arquidiocesana en los últimos tres años y continuará siéndolo, con nuevas facetas, en el siglo venidero. El evangelio de Jesucristo es el precioso tesoro que tiene la Iglesia y que debe ofrecer a nuestro mundo. Pero *«este tesoro lo llevamos en vasos de barro»* (*2 Co* 4, 7). Quiero decir con esto que contamos con medios limitados, con poco personal consagrado al servicio del Señor, que la Iglesia no tiene ni escuelas propias ni la posibilidad de participar en el programa educativo de los niños y jóvenes cubanos para llevarles a los bautizados el mensaje de Cristo y la ética que lleva consigo. Tampoco está presente la Iglesia de manera habitual en los grandes medios de comunicación del país. Ante nuestros ojos se abre el campo inmenso de la mies, que es abundante, pero los operarios son pocos. Hemos de orar, pues, incesantemente, por el aumento de las vocaciones al sacerdocio y a la vida consagrada. Ante el panorama inmenso de hombres y mujeres con sed de Dios o en búsqueda de sentido para sus vidas, ansiosos de un mensaje de amor y de esperanza, se siente la Iglesia desbordada en su misión. Con el salmista levantamos los ojos hacia lo alto preguntándonos: *«¿de dónde nos vendrá el auxilio?»* (*Sal* 120). Y el Señor nos responde a cada uno como al apóstol: *«te basta mi gracia, mi fuerza se prueba en la debilidad»* (*2 Co* 12, 9). Esa es la experiencia que ha hecho la Iglesia en Cuba en estas últimas décadas, confiada solo en el poder del Señor. Ha sido en verdad una Iglesia pobre, *«pero enriqueciendo a muchos»* (*2 Co* 6, 10).

Solo la oración ha podido mantener a la Iglesia en su puesto de trabajo pastoral a través de estos años, con poquísimos recursos humanos o materiales y enfrentando tensiones y dificultades reales. No fue casual que el primer «Encuentro Nacional Eclesial Cubano» (ENEC), al diseñar el modelo de Iglesia que debía configurarse en Cuba, la haya descrito como una Iglesia ante todo orante. Es la oración la que caracteriza una fe viva. Quien cree se dirige a Dios con súplicas, alabanzas y acción de gracias, sabiendo que todo procede de Él y que nosotros somos *«siervos inútiles, solo hemos hecho lo que teníamos que hacer»* (*Lc* 17, 10). En la oración supera la Iglesia las horas difíciles. En oración aprende a mirar confiada hacia el futuro.

Me dirijo a ustedes, pues, en clima de oración, de modo que todos, además de reflexionar sobre la vida de la Iglesia y la realidad donde ella vive, puedan también orar, inspirándose en esta carta.

En este año del Padre que nos introduce en el Gran Jubileo del año 2000, la oración del cristiano, la que Jesucristo nos enseñó a rezar, será el marco y la trama de esta carta pastoral. Al decir de San Agustín, todo está contenido en el Padrenuestro, nada podemos pedir que no esté incluido en la oración por excelencia del cristiano. Sus peticiones son, por otra parte, tan amplias y universales, que cualquier hombre, de cualquier religión, puede rezar el Padrenuestro.

¿Con qué bagaje interior de preocupaciones y expectativas rezamos los cubanos el Padrenuestro a las puertas del tercer milenio de la era cristiana?, ¿cuál es nuestra actitud profunda al dirigirnos a Dios creador? Los invito a ponerse con toda confianza ante el Señor para que, al invocarlo con fe, puedan encontrar en él la lucidez y la paz que tanto necesita el ser humano y que solo se alcanzan cuando nos abandonamos confiados en las manos de Dios Padre.

PADRE

¡Cuántas veces y de qué modo llama así Jesús a Dios! En el entusiasmo de su primera adolescencia: «*es hora de ocuparme de las cosas de mi Padre*» (*Lc* 2, 49). En los momentos de alegría, cuando el Reino de Dios es acogido, sobre todo por los pobres: «*yo te alabo, Padre, porque has ocultado estas cosas a la gente importante y se las has revelado a los sencillos*» (*Mt* 11, 25). En la angustia ante la inminencia de su pasión: «*Padre, si es posible que pase de mí este cáliz sin que yo lo beba...*» (*Mt* 26, 39). En el trance de la muerte, pensando en nosotros: «*Padre, perdónalos, porque no saben lo que hacen*» (*Lc* 23, 34); y finalmente, al entregar su vida por nuestra salvación: «*Padre, en tus manos encomiendo mi espíritu*» (*Lc* 23, 46).

¡Qué acentos tiene la palabra Padre pronunciada por Jesús en su lengua natal: Abba! Está cargada de familiaridad y de cariño. Es como el «papá» que dice el niño entre las primeras palabras que empieza a pronunciar. Es hermosa la costumbre tradicional cubana de enseñar al niño que comienza a hablar y a relacionarse con su entorno a llamar a Dios así: «Papá-Dios». Y cuando aprende a expresar con un beso su amor a la mamá, al papá y a cuantos lo rodean, entre las primeras cosas que hace está dedicar sus besos a Papá-Dios, a quien reconoce donde quiera que ve el rostro de Jesús, tan común en nuestras casas en la imagen del Sagrado Corazón. Mucho le falta aun al niño para saber que quien ve a Jesús ha visto al Padre, o que Dios Padre debe ser ante todo amado y alabado, pero ya entre las cosas bellas que merecen sus besos está el rostro de Jesús que él llama Papá-Dios. También los mayores que enseñan al niño tienen presente en su memoria que el Dios todopoderoso del cielo y de la tierra es ante todo un Padre. De este modo, de los labios de María y de José aprendió Jesús, niño, en su hogar de Nazaret a llamar a Dios Abba, Padre. Así se dirigió siempre en su oración a Aquel de quien es el hijo eterno. Nadie como Él ha podido decir con tal propiedad y unción esta palabra, porque «nadie conoce al Padre sino el Hijo» (*Mt* 11, 27).

Jesús experimenta, pues, su condición de hijo de una manera única y, sin embargo, nos enseña a llamar a Dios como Él lo llama. Si El no nos lo hubiera mandado, nosotros nunca nos hubiéramos atrevido a hacerlo, por eso decimos en la misa, antes de rezar el Padrenuestro: «fieles a la recomendación del Salvador... nos atrevemos a decir». Es en realidad una osadía llamar al Padre de Jesús, Padre Nuestro, y nos atrevemos a ello porque Cristo nos lo mandó. Solo si el Espíritu Santo pone en nosotros los mismos sentimientos de hijo que hay en Cristo Jesús somos capaces de decir de veras Padre.

Hay en Dios, al mismo tiempo, el amor firme y vital del Padre, comunicador de seguridad y de audacia, y la ternura y la compasión de una madre, capaz de acogernos en todo momento y de aliviar todas nuestras penas. Con lenguaje paterno y materno a la vez se dirigió Dios a nosotros en el Antiguo Testamento: «*has visto que el Señor tu Dios te ha llevado como un hijo por todo el camino*» (*Dt* 1, 31). «*Podrá una madre olvidarse del hijo de sus entrañas pero yo no me olvidaré de ti*» (*Is* 49, 15).

Dios Padre-madre es fuente y origen de toda vida y del amor. En Él debe hallar su raíz e inspiración cada una de nuestras familias. ¡Qué importante es que el hombre y la mujer sepan cumplir su papel paternal y maternal en el seno de su hogar! El amor del padre y de la madre es un reflejo del amor de Dios y se hace indispensable para el crecimiento feliz de los hijos. Son amores complementarios con respecto al hijo, como lo son los sexos con respecto a la misma pareja. Dios, plenitud de amor paternal-maternal, al crear al ser humano, repartió su inmensa capacidad de amar en dos criaturas distintas que «*hizo a su imagen y semejanza, hombre y mujer los creó*» (*Gn* 1, 27). Ni la madre sola ni el padre solo pueden dar a sus hijos un amor completo. Gran mal el del divorcio, que separa lo que Dios ha unido en su plan creador.

Los niños, adolescentes y jóvenes cubanos, en gran número, viven con tristeza la separación de sus padres. Incluso aquellos adolescentes cuyos padres están unidos experimentan, como preocupación grande en sus vidas, el que sus padres lleguen a separarse un día. Tan frágil sienten la institución familiar.

Con interés y agrado he constatado, en estos años recientes de mi ministerio como Arzobispo de La Habana, que la familia goza de un aprecio creciente en las nuevas generaciones y que las generaciones adultas redescubren, en medio de nostalgias y frustraciones, el valor irreemplazable de la vida familiar. Muchos y muchas jóvenes cubanos creen hoy que la felicidad está, ante todo, en crear una buena familia unida y estable. En los medios de comunicación se nota también un apoyo nuevo a la institución familiar. Pero las avenidas que conducen a este puerto seguro de la familia están plagadas de obstáculos. A muchos jóvenes les falta el modelo familiar que deberán reproducir en sus vidas. El sistema de internado obligatorio para diversos estudios secundarios y preuniversitarios no favorece la vida familiar. Los jóvenes se ven sometidos a una continua información reductiva, que pretende ser orientación sexual, muy centrada en el placer sin riesgo, que deja a un lado toda la amplia gama de potencialidades del amor, de su perdurabilidad, de la belleza del noviazgo como preparación psicológica y espiritual al matrimonio, de la ayuda mutua, de la complementariedad de los sexos, del papel y la responsabilidad de los esposos en la transmisión de la vida, etc.

En este último campo pesa sobre la familia cubana el drama del aborto. Porque existe ya una mentalidad abortista en buena parte de nuestro pueblo. Sobre la humanidad del siglo XXI gravitará el crimen del aborto como la expresión más clara y la raíz del desprecio a los derechos humanos, a la dignidad plena del hombre. Es una terrible deuda que, por la conversión y la enmienda, debemos saldar con Dios nuestro Padre, autor de la vida, en el nuevo siglo que se inicia.

Si se viola el claustro materno para expulsar de allí una vida inerme, y esto es aprobado y aceptado legalmente, no hay ya muchas posibilidades de que sean respetados los demás derechos del hombre. Cuando se manipula o se suprime la vida humana, los corazones de hombres y mujeres se envilecen y de ahí se siguen otros muchos males. Primero fue el niño por nacer, después serán los ancianos con vida vegetativa, los enfermos terminales, los incurables, y se va considerando normal la eutanasia, el suicidio asistido, la muerte sin sufrimiento, etc. Una vez que se instala la cultura de la muerte, la vida humana comienza a valer poca cosa.

El Movimiento Familiar Cristiano, los grupos Pro-Vida y la pastoral familiar, en coordinación con la pastoral juvenil, tienen ante sí un campo inmenso para sembrar en la sociedad una cultura de la vida que oriente a los jóvenes hacia matrimonios felices y estables y sostenga y apoye a las familias en sus esfuerzos por mantenerse unidas y por superar sus crisis.

La valoración de la castidad y la virginidad hasta el matrimonio, el noviazgo vivido como una etapa de extraordinaria belleza espiritual, el ejercicio de la paternidad y maternidad responsables por el uso de medios naturales para recibir a los hijos en los momentos mejores para el niño y para los esposos, todo ese ir contra la corriente del placer por el placer, pondrán al joven y a la joven del año 2000, a novios y esposos que franquean este umbral, en la corriente creadora de amor y de vida que mana de Dios Padre.

Las familias que tienen hijos en internados lejos del hogar deben extremar sus cuidados para mantener una comunicación fluida con sus hijos y han de hallar creativamente todos los medios aptos para que los lazos familiares no se debiliten, ni pierdan los adolescentes y jóvenes su responsabilidad con relación a la familia. La familia es la primera educadora de sus hijos y los padres de familia deben, por lo tanto, hacer valer su derecho a que los niños y adolescentes se eduquen permaneciendo en sus hogares y asistiendo a la escuela como externos, a menos de existir dificultades especiales que impidan que sea así.

Los hombres actúan, a menudo, según una lógica fría y a veces cruel, porque forman parte de una humanidad huérfana, que desconoce a Dios Padre, origen de la vida y fuente del amor. De ese Dios que es amor debemos ser testigos y portavoces, en nuestro mundo, todos los cristianos, al entrar en el tercer milenio del cristianismo. Para esto debemos anunciar a Dios Padre con un corazón de hermanos.

Padre nuestro...

La oración del cristiano no dice Padre mío, sino Padre nuestro. Unida a nuestra condición de hijos de Dios está nuestra condición de hermanos de todos los hombres. Dios es Padre de todos, no solo de quien lo invoca llamándolo así, o de quienes están bautizados en nuestra Iglesia Católica, sino de los cristianos de otras iglesias y de los adherentes a grupos religiosos que se proclaman seguidores de Jesús. Todos los que tenemos fe en Jesucristo, único Salvador, debemos esforzarnos por rezar con un solo corazón el Padrenuestro. Al cumplirse los 2.000 años del nacimiento de Nuestro Señor Jesucristo, es hora de pedir juntos que la unión de los cristianos se haga realidad; que se cumpla cuanto antes el deseo de Jesús: *«que todos sean uno para que el mundo crea»* (*Jn* 17, 21).

Debe ser un proyecto de cada parroquia o comunidad reunirse los cristianos católicos con otros cristianos de su pueblo o barrio en una fecha determinada, especialmente en la semana de oración por la unidad de los cristianos, para proclamar juntos nuestra fe en Jesucristo y rezar unidos, como hermanos, el Padrenuestro.

Dios es también Padre de los que tienen una religión natural. Son aquellos que temen y respetan a Dios, pero no conocen a Jesucristo ni su evangelio. Creen en un Dios todopoderoso, grande pero distante, que castiga, que es un justo juez, que todo lo que ha de pasarnos en nuestras vidas «lo tiene escrito» en lo que constituye el «destino» de cada uno, etcétera. Nosotros tenemos la dicha de conocer al Padre porque Jesús nos lo ha revelado y eso ha sido un regalo de Dios, por tanto tenemos el deber de compartir esa dicha con nuestros hermanos que tienen esa religiosidad natural o popular. Ellos constituyen la mayoría del pueblo cubano, que cree en Dios, e incluso muchos fueron bautizados de niños en la Iglesia Católica, pero no han llegado a descubrir la riqueza del amor del Padre revelado por Jesucristo. ¡Cuánto tenemos en común con ellos y cuán obligados estamos a invitarlos y animarlos para que *gusten y vean qué bueno es el Señor*! (*Sal* 34).

Algo parecido se puede decir de los seguidores de cualquier religión. Hay un único Dios que es Padre y lo es también de aquellos que profesan distintos credos. Están, además, aquellas personas que, con toda sinceridad, dicen no creer en Dios. En Cuba son minoría, pero su presencia nos estimula a los cristianos, de un modo u otro, a agradecer a Dios las riquezas de nuestra fe. No pocas veces se trata de hombres y mujeres de gran valor humano, de fina sensibilidad, de corazón bondadoso. Nos alegra saber que Dios Padre, a quien nos dirigimos en nuestra oración diaria, es también Padre de esos hermanos nuestros, aunque ellos lo desconozcan.

Así, al decir «Padre nuestro» no invocamos al Dios de nosotros los católicos, sino al único Dios Padre, creador de todos. Si somos hijos de un mismo Padre, se abre paso en nosotros esta hermosa y comprometedora verdad: «*todo hombre es mi hermano*» (Pablo VI).

Nuestra Iglesia Arquidiocesana tiene como uno de sus objetivos, en su plan pastoral, la misión. La misión solo puede ser respetuosa del otro si se realiza en el espíritu del Padrenuestro. Cuando vamos a evangelizar no nos acercamos a alguien a quien le falta todo, sino a un hermano que tiene conmigo y contigo, en común, lo más importante: es hijo del único y mismo Dios, nuestro Padre.

¡Cómo se agiganta la figura del ser humano cuando la contemplamos a la sombra amorosa de Dios Padre! Qué atención y respeto merece cada hombre en su extraordinaria dignidad, sobre todo el desvalido, el enfermo, el que está en prisión, el pobre porque no puede adquirir lo necesario para la vida con el salario que gana, el anciano que tiene una pensión muy reducida... todos son hijos de Dios. ¿Cómo pasar de largo ante el hombre maltrecho, cómo hacerse sordo a las quejas de los inconformes con el medio social, sean jóvenes o adultos, que viven en un repliegue parcial o total, aspirando muchos de ellos, especialmente los más jóvenes, a irse de Cuba, porque se sienten cansados de las limitaciones materiales o agobiados por la insistencia ideológica y la falta de opciones? También estos son hijos de Dios y hermanos nuestros.

Me preocupa en gran manera qué puede hacer la Iglesia para contribuir a crear un clima de familia grande en nuestra tierra, donde los hijos de un mismo Padre se sientan como hermanos y no quieran marcharse de la casa paterna.

La Iglesia intenta lograr una postura espiritual positiva en quienes integran la comunidad cristiana pero, como dice Jesús en el evangelio: «*no se pone un remiendo nuevo a un paño viejo, pues, lo nuevo tira de lo viejo y se hace un roto mayor*» (*Mt* 9, 16). La Iglesia está inmersa en la realidad social que la desborda. Solo los mejores de sus hijos son capaces, en la oración y la ofrenda de sí mismos, de asumir la realidad con las cargas que hoy conlleva. Pero la mayoría está menos dispuesta al sacrificio. Esto, que es así en los cristianos, vale igualmente para otros cubanos hermanos nuestros. Y es algo perfectamente humano. Se hace necesario entre nosotros un habitual sentido de misericordia, como la que Dios Padre tiene con cada uno de nosotros y con toda la humanidad, para considerar la situación de esos hermanos, pero sin dejar nunca de presentarles el gozo de la fe y de la esperanza cristianas como un caudal de gracia capaz de hacer posible que puedan forjar en Cuba una vida feliz.

La misericordia equivale en ciertos aspectos, en el lenguaje secular, al realismo, con el cual se comprende a cada uno en su situación concreta. Toda fe religiosa y cualquier ideología han de tener conciencia de la real condición humana, que es siempre frágil, si no quieren deslizarse en un irrealismo peligroso. Los cristianos seguimos considerando a los débiles, a los quejumbrosos, a los que se cansan del camino esforzado que Cristo les propone, hermanos nuestros. Así debe ser también en la convivencia civil, porque Dios Padre mira a todos con la comprensión de su amor misericordioso y porque cansarse y no estar de acuerdo es propio del hombre creado libre por Dios y eso constituye una clara expresión de la dignidad humana. Además, en muchas ocasiones, el cansancio o la disparidad de pareceres estarán plena y objetivamente justificados.

La misericordia incluye, además, no solo comprender las condiciones del otro, sino también hacerse eco del clamor de todos los hombres y mujeres, especialmente de los pobres, de los que sufren, de los indefensos, de los inconformes. Dice Jesús en el evangelio: «*¿acaso un Padre a quien su hijo le pide un pan le daría una piedra?*» (*Mt* 7, 9). Dios Padre misericordioso responde con amor a quien le suplica y Jesucristo nos pide a sus discípulos que actuemos del mismo modo: «*sean misericordiosos como el Padre es misericordioso*» (*Lc* 6, 36). En nuestra decisión de cumplir este mandato del Señor, descubrirán nuestros hermanos la misericordia del mismo Dios para con ellos.

Acogiendo el sentir de los que sufren de algún modo la marginación social, nos decía el Papa Juan Pablo II en su homilía de la Plaza de la Revolución en La Habana: «*aunque los tiempos y las circunstancias cambien, siempre hay quienes necesitan de la voz de la Iglesia para que sean reconocidas sus angustias, sus dolores, sus miserias. Los que se encuentren en estas circunstancias pueden estar seguros que no quedarán defraudados, pues la Iglesia está con ellos y el Papa abraza con su corazón y su palabra de aliento a todo aquel que sufre la injusticia*». No solo el Papa debe hacer esto, sino también es deber del obispo a quien él le ha confiado una porción del rebaño y con el obispo debe hacerlo también toda la Iglesia diocesana.

Los animo, pues, a seguir mostrando su amor y su solidaridad a través de las obras de Cáritas en su programa de atención a los ancianos, a los enfermos y a otros necesitados. ¡Cómo quisiéramos tener más recursos para atender a tantos y tantos que reclaman nuestra ayuda! Cuán beneficioso sería recibir donativos del extranjero en alimentos, para ser distribuidos a estas personas carentes de lo necesario. La Iglesia siempre espera que sea reconsiderada esta limitación que tiene para su acción de servicio a los más necesitados dentro de la sociedad, pero anhela, aún más, que en esta tierra que amamos podamos producir el alimento que necesita nuestro pueblo, sin tener que recibir ayuda desde fuera de nuestro país.

Es grande la creatividad de nuestra Iglesia para ir en ayuda de los más necesitados: comedores para ancianos en varias parroquias e iglesias, lavanderías para enfermos, ancianos y necesitados en otras, atención a las madres solteras o madres solas con un cuidado integral de ellas y de sus niños, y tantas iniciativas más que no cesan de surgir, a pesar de las limitaciones que experimentamos para mostrar nuestra solidaridad y nuestro amor, que es uno de los compromisos fundamentales de nuestra fe católica: «*cuanto hicieron a uno de estos, los más pequeños, a mí me lo hicieron*» (*Mt* 25, 40). También a través de la Pastoral Carcelaria, la Iglesia ejerce esa misión, visitando a los presos y ayudando a sus familiares. A nuestra comisión diocesana de Justicia y Paz, y con más frecuencia aún a la mesa de trabajo del Arzobispo, llegan las reclamaciones de personas que tienen problemas en el medio laboral, con sus viviendas, de orden judicial o social, o padecen situaciones que consideran injustas.

En la ciudad de La Habana, y en muchos otros lugares de la Arquidiócesis, se ha extendido mucho en los últimos años la presencia de un buen número de personas que han llegado de las provincias orientales de Cuba en busca de mejores oportunidades de vida. A doble título son hermanos nuestros: por ser hijos de Dios y por ser cubanos. La acogida y la solidaridad no puede faltar en el buen trato que la comunidad cristiana está obligada a dar a estos hermanos, que deben ser recibidos como hijos de un mismo Dios Padre. Pero, además, cada católico, en su medio de estudio, de trabajo o en el vecindario, debe testimoniarles personalmente a ellos su amor cristiano. No pocos, afectados por su situación social como emigrados internos, vienen a solicitar la ayuda de la Iglesia. Recurren a la Iglesia ellos, como muchos otros, después de haber recorrido muchas instancias, sin llegar a ninguna solución. Acuden a la Iglesia personas con diversos problemas porque saben que la Iglesia, a través del tiempo y en todas partes, no deja de ejercer su misión misericordiosa.

Quizá una de las mayores contrariedades que puede enfrentar la Iglesia en su misión de solidaridad con los pobres y con los que sufren, es que su voz no sea escuchada o atendida en relación a esos casos. Es necesario encontrar cauces para que se oiga el clamor de quienes sufren menoscabo en sus derechos como persona o cualquier otra injusticia. Leemos en la Biblia, en el Salmo 10: «*Tú, Señor, escuchas el clamor de los humildes, confortas su corazón, les haces caso, haces justicia al huérfano y al oprimido*». En la canalización de las inquietudes de los pobres, la Iglesia siempre está dispuesta a servir, en razón de su propia misión.

Quienes estamos en la obligación de atender a esos reclamos debemos pensar que no siempre estaremos en la condición de quien tiene medios económicos, prestigio social o poder político. Los años, el azar, cambios externos o en nosotros mismos pueden hacer, llegado el momento, que necesitemos nosotros de la misericordia de los demás. En nuestras comunidades católicas, a cuántos hermanos nuestros hemos recibido en estos últimos años, con amor y misericordia, que en años pasados tuvieron buena posición económica y ahora son pobres y, en otro orden de cosas, a otros que mantuvieron actitudes severas con los cristianos, por ser cristianos, desde los cargos que ocupaban entonces y hoy participan de la vida de la comunidad católica. El refranero popular traduce todo esto diciendo: «*hoy por ti, mañana por mí*». Estos son los primeros principios de acción en los que la sabiduría popular, de inspiración cristiana, ha fundado la convivencia humana. Jesús lo expresa admirablemente en el sermón de la montaña: «*dichosos los misericordiosos, porque ellos alcanzarán misericordia*» (*Mt* 5, 7). En una palabra, al decir Padre nuestro nos comprometemos a vivir de hecho nuestra condición de hermanos de todos en el amor y la solidaridad.

... que estás en el cielo...

El cielo simboliza ese plano de infinita elevación espiritual en que Dios vive y actúa. Desde «lo alto» tiene Dios una visión superior de todas las cosas. Por eso decimos ante lo incomprensible, ante lo que nos supera: solo Dios sabe. Esa es nuestra seguridad. Nuestra confianza es que Dios está por encima de todo, nuestro Padre está en el cielo. En el tren de la vida, cada uno de nosotros ocupa una ventanilla y ve pasar el paisaje que está a su lado. Tal vez el que viaja de pie en el último vagón, mirando lo que deja detrás, tenga la visión propia del historiador. El conductor del tren, con su vista fija hacia delante, puede ser como un futurólogo o un profeta. Solo hay uno que tiene una visión privilegiada, es ese trabajador que camina por encima de los carros en algunos momentos y lo ve todo desde arriba, simultáneamente. Este es el que, aunque muy remotamente, se parece a Dios nuestro Padre.

En su oración, Jesús levantaba siempre significativamente su mirada al cielo, como para indicar la realidad superior que Él anunciaba. Así lo atestiguan los evangelios en más de una ocasión: «*Jesús, levantando sus ojos al cielo, dijo: gracias, Padre, por haberme escuchado*» (*Jn* 11, 41-42). Este gesto suyo estuvo presente en la última cena, cuando instituyó la Eucaristía: «*tomó pan y, elevando sus ojos al cielo, lo partió y lo dio a sus discípulos...*» (*Lc* 22, 19). La escena recuerda las palabras de Jesús cuando habló del pan de vida: «*mi Padre es quien les da verdadero pan del cielo*» (*Jn* 6, 32).

En su última aparición a sus discípulos, Jesucristo resucitado se aleja de ellos ascendiendo hacia lo alto, y un ángel aparece diciéndoles: «*hombres de Galilea, ¿qué hacen ustedes ahí plantados mirando al cielo?, ese Jesús que hoy asciende volverá un día...*» (*Hch* 1, 11). El mensaje es claro: es en esta tierra donde tenemos que realizar las tareas que Jesús nos ha confiado. Pero al mismo tiempo nuestra mirada tiene que ser muy alta para que las acciones a veces mezquinas de los hombres y sus instituciones, o los proyectos reductivos o rastreros de algunos seres humanos, no entibien nuestro ardor ni nos sumerjan en el desaliento, o en algo peor, en hábitos de pensamiento demasiado terrenales: consideraciones políticas, económicas o sociales paralizantes, que suscitan temor o apatía, tanto como fiarse demasiado de los estudios sociológicos y de las acciones programadas y muy poco de las acción del Espíritu Santo. *«Échate atrás, Satanás, tú piensas como los hombres, no como Dios»* (Mt 16, 23), dijo Jesús a Pedro cuando este calculó, con normas de prudencia humana, que no era oportuno que Jesús fuera a Jerusalén.

Pensar como Dios es llegar a tener una visión de la historia, de nuestra historia, que participe de la sabiduría infinita de Dios, de su paciencia con los pecadores, es ir más allá y más alto, mirando la realidad desde la fe. Esta visión es más abarcadora y profunda que la de la política y las ideologías. Es ver al hombre en toda su dignidad y grandeza, para sostenerlo en sus esfuerzos por alcanzar su real estatura humana. Pero es también comprenderlo misericordiosamente, con todos sus límites, para tenderle la mano y levantarlo en los peores momentos de su vida.

Nos dice San Pablo: *«si han resucitado con Cristo busquen las cosas de arriba, donde está Cristo a la derecha del Padre, no busquen las cosas de la tierra»* (Col 3, 1). Solo mirando alto puede el cristiano librarse del vértigo que produce el mundo abismal en que vivimos. A las puertas del año 2000, nuestra visión del mundo, de nuestra vida personal, del apostolado de la Iglesia, tiene que abrirse a un horizonte excelso, con una perspectiva de fe muy alta que nos haga ver con la mirada de Dios, y no con la de los hombres, el mundo que nos rodea. Este es el modo de vivir la esperanza en los tiempos finales de este siglo y en el que pronto comenzará.

Esta esperanza grande y enaltecedora la reclaman hombres y mujeres de nuestro pueblo como también de otras partes del mundo. El Papa Juan Pablo II vino a Cuba como mensajero de la verdad y de la esperanza. Durante los cuatro días de su presencia entre nosotros nos sentimos liberados de muchas ataduras y con un gran regocijo. Realmente, el Papa estaba sembrando esperanza. Estoy convencido de que el obispo debe estar en medio de su pueblo como un hombre de esperanza. El anuncio de Cristo a nuestros hermanos tiene que hacerse con talante esperanzador y, para esto, la Iglesia Arquidiocesana, en sus parroquias, capillas, casas de oración y movimientos, debe cultivar la esperanza. La esperanza no es un ingenuo entusiasmo que hiciera ver el futuro color de rosa, sin reparar en las dificultades presentes. Es la certeza de que Dios Padre tiene en sus manos los hilos de la historia y Él la conducirá por caminos de justicia, de paz y de amor. Quien vive de veras su esperanza cristiana, ayuda al advenimiento de esa vida nueva. Recuerden bien: Dios está por encima de todo, solo Dios sabe, nuestro Padre está en el cielo.

... santificado sea tu nombre...

¿Cómo podemos santificar nosotros el nombre de Dios? En la vida social se escucha a veces decir que alguien ha puesto en alto el nombre de su familia, que un deportista o un artista ha engrandecido el nombre de su patria. Pero ¿qué podemos nosotros añadir al nombre de Dios, cuya grandeza es infinita? ¿Cómo podríamos santificar el nombre de Dios que es ya santísimo?

Sin embargo, puede haber, por otra parte, quienes mencionan el nombre de Dios con desprecio o con insultos. Hay otros que tienen el nombre de Dios en los labios, pero con su vida desmienten su condición de creyentes, son egoístas, están cargados de odio, sus acciones son malas y detestables. Estos denigran el nombre de Dios. Otros, por fin, con su bondad y sus obras buenas, hacen exclamar a muchos: ¡bendito sea Dios! De ahí se sigue que es en nosotros y por nosotros, como nos dice San Agustín, que el nombre de Dios resultará menospreciado o santificado.

Por razones históricas aún recientes, los cubanos tenemos una especial sensibilidad frente a la mención o al silencio del nombre de Dios. En el período de ateísmo militante en que les tocó vivir y crecer a dos generaciones de cristianos en Cuba, llegó a no pronunciarse el nombre de Dios ni siquiera en las expresiones familiares o tradicionales como: «... si Dios quiere...» o «... con el favor de Dios». Se había creado una artificial censura social que llevaba a todos a silenciar el nombre de Dios, sin que esto significara, en muchos casos, que no se creyera en Él. Tal vez por eso, hoy se le pronuncia con más conciencia de lo que se está diciendo y con más respeto y devoción. Tengo la impresión de que ahora hay menos riesgos entre nosotros de faltar al segundo mandamiento: «*no usarás el nombre de Dios en vano*» (*Ex* 20, 7).

Pero es claro que será no solo con nuestros labios, sino con nuestras vidas, con nuestro testimonio de cristianos, como santificaremos el nombre de Dios y lo pondremos en alto. Quien esto hace, cumple el deseo de Jesús: «*sean perfectos como el Padre celestial es perfecto*» (*Mt* 5, 48). Este llamamiento a la santidad nos lo hace el Señor a todos, obispos, sacerdotes, diáconos, personas consagradas y laicos, en una hora de la historia donde solo se persigue la comodidad, el éxito, el provecho personal, el placer y cuanto agrada a los sentidos.

Pareciera que nadie quiere oír hoy hablar de sacrificio, de esfuerzo o de disponibilidad para servir, sobre todo en nuestro medio, donde la gente está tan agobiada por los asuntos cotidianos de la vida: precaria economía familiar, con precios altos para comprar aun lo esencial, salarios y contenidos de trabajo que dan poca o casi ninguna satisfacción laboral, más las dificultades de todo tipo con el transporte, el agua, la electricidad, etc. ¿Cómo hablar de abnegación y santidad a personas que esperan, más bien, un poco de alivio a sus preocupaciones cotidianas?

Pero la santificación de la vida familiar, del trabajo, de todo el quehacer humano, en el seno de la sociedad, no tiene por qué añadir sacrificios y esfuerzos a los ya demasiado numerosos que pide a un cubano medio la hora presente. Más bien se trata de enfrentar las penalidades, y el agobio que ellas producen, con un espíritu nuevo: «*Vengan a mí los cansados y agobiados y yo los aliviaré*», dice Jesús (*Mt* 11, 28).

Vayamos al evangelio. En el pasaje en que Jesús se ve ya abocado a su muerte por la furia de los jefes y notables del pueblo, le oímos decir de forma rotunda: «*mi vida nadie me la quita, soy yo quien la doy*» (*Jn* 10, 18). Jesús transforma desde dentro de su corazón la realidad exterior. Esta sigue siendo objetivamente la de una cruz en la cual debe morir. Pero, de suplicio infame, Él la convierte en ofrenda. En esto no hubo resignación, sino un acto libre de entrega. Así, Jesús santificaba el nombre del Padre. Por eso pudo decir lleno de paz al final de su agonía: «*Padre, en tus manos encomiendo mi espíritu*» (*Lc* 23, 46). Nunca fue más libre un hombre que cuando el hijo del hombre, clavado en una cruz, puso su espíritu, con toda libertad, en manos del Padre. No se ha visto tampoco una santidad mayor.

Nuestra cruz de cada día se alza ante nosotros a veces desafiante; pero el aplastamiento o la resignación nos deshumanizan, nos esclavizan. Solo el acto libre del corazón, que convierte en ofrenda las cargas y las penas de cada día, puede santificar el nombre de Dios en nosotros y por nosotros, sin añadir ninguna carga objetivamente nueva a las muchas que ya existen, sino haciendo que desde dentro de nosotros mismos se transforme todo cuanto externamente nos pesa o nos cuesta, en fuente de alabanza a Dios. «*Mi yugo es llevadero y mi carga, ligera*» (*Mt* 11, 30). Jesús se compromete con nosotros a hacer soportables los esfuerzos que Él nos pide. Nuestra actitud de ofrenda redundará en bien de nuestras familias, de los compañeros de estudio y de trabajo y de todos en general, pues contribuirá a desterrar de nosotros la queja y la amargura que nos afectan personalmente y dañan también a otros.

Por otra parte, no debemos tampoco olvidar que, al mismo tiempo que el temor al esfuerzo, y quizá porque la convivencia entre los cubanos se ha hecho más dura y seca, existe entre la gente una gran nostalgia de bondad y de auténtica santidad. En la muerte de una buena madre, sus hijos exclaman con desconsuelo: «era una santa», y todos comprenden que la vida de alguien que es bueno y hace felices a los demás tiene un valor extraordinario. Misión del cristiano es salir al encuentro de esa nostalgia de bien que hay en tantos hermanos nuestros, por medio del trato fraterno y la amistad.

De la cruz aceptada y ofrecida nace la alegría propia del cristiano. Y acerca de esto hay otra promesa de Jesús: «*nadie podrá quitarles esa alegría*» (*Jn* 16, 22).

Los animo, pues, a convertir la cruz de cada día en ofrenda. Prueben a hacerlo y verán con qué gusto después, al rezar el Padrenuestro, podrán decir: santificado sea tu nombre.

... venga a nosotros tu reino...

Ante las guerras, las injusticias, las esperanzas fallidas, la falta de libertad y las miserias de todo tipo, surge el clamor de todos los hijos de Dios: venga a nosotros tu reino, transfórmese la realidad en que vivimos según los designios amorosos de Dios.

Jesús hablaba a menudo del reino de Dios. Contó a los suyos varias parábolas para explicar las características que lo identifican, y así lo compara a una *«semilla pequeña que se siembra»* (*Mt* 13, 31) y produce después un árbol grande. De este modo quiere hacer comprender que el reino de los cielos se funda en la humildad. *«Se parece también el reino a un tesoro que halla un hombre en un campo, va y vende todo lo que tiene y se queda con el campo»* (*Mt* 13, 44). En efecto, cuando en nuestras vidas hemos descubierto la verdad sobre Dios y sobre el hombre, encontramos un tesoro y todo lo demás sobra. Pero no está integrado el reino de los cielos por hombres y mujeres perfectos, dentro de él puede haber buenos y malos. Jesús compara el reino de Dios a la red que es *«lanzada al mar y recoge toda clase de peces»* (*Mt* 13, 47), después el pescador separa los buenos de los que no sirven. Nunca se elimina el mal de la humanidad eliminando a los «malos», haciendo una sociedad de «buenos»: todos entran en la red. Solo Dios separará a los «malos». Solo Él sabe quién lo es de verdad y Él es misericordioso. Además, Él tiene también el poder de cambiar lo malo en bueno, obrando un milagro si fuera necesario.

Tanto hablaba Jesús de ese reino, que sus oyentes le preguntan en qué lugar se hallaba y Él les responde: *«está dentro de ustedes»* (*Lc* 17, 21). En efecto, Jesús había venido a traer el reino de los cielos a la tierra y lo había puesto en el corazón de quien estuviera dispuesto a aceptar su código de amor, de humildad y de verdad. Todo aquel que lo acepte y lo haga realidad en su vida, pertenecerá ya a ese Reino.

Se ensancha de veras el corazón cuando nuestra mirada se extiende más amplia y más lejos hasta alcanzar las perspectivas grandiosas del reino de Dios tal y como es exaltado en el prefacio de la solemnidad de Cristo Rey: es el reino de la verdad y de la gracia, el reino de la justicia, del amor y de la paz. Situados así, toma contornos nuestra esperanza. La historia de la humanidad, dentro de la cual se ubica nuestra historia personal y la de la nación cubana, se nos revela entonces como un ayer que preparó un mañana más radiante. Se abre también ante nosotros, iluminado con una luz nueva, el futuro de la historia como la posibilidad de un mundo, donde la vida de los hombres alcance una calidad humana superior, dentro de un nuevo orden mundial. En esa nueva realidad se tendría en cuenta la identidad de los pueblos y la dignidad integral del hombre, incluyendo, evidentemente, que se dé al ser humano, en cada nación de la tierra, el trato que merece según la justicia, con un total respeto a su libertad.

No pretendo presentar aquí un sistema político o económico nuevo que sería difícil de diseñar de antemano, sino los grandes valores del reino de Dios que deben impregnar la vida de hombres y pueblos, si queremos una humanidad feliz. Esta realidad estará más allá del capitalismo, del comunismo o de cualquier otro sistema conocido hasta hoy y forzosamente tendrá muy poco en común con cualquiera de ellos. Puede tratarse de una utopía, sí, de una utopía cristiana que nace de nuestra fe en Dios Padre, que tanto amó al mundo que nos entregó a su hijo Jesucristo para que, precisamente, sembrara en la tierra la semilla del reino de Dios.

Algunos anunciaron no hace tanto tiempo el fin de las utopías y también el fin de la historia. Puede ser que, con el fin del milenio, haya llegado también el final de algunas utopías forjadas por los hombres, según coordenadas demasiado entusiastas y faltas de realismo. Puede ser también que algunos autores hayan confundido la historia con la interpretación filosófica o ideológica que otros hicieron de ella. Pero la utopía de un mundo mejor abierto a lo imprevisto de Dios, y la historia de la humanidad como sucesión trascendente de acontecimientos, dentro de los cuales Dios salva al hombre y a los pueblos, se afirman en el umbral del tercer milenio como una expresión luminosa de la esperanza de los cristianos, que, al soñar así el reino de Dios, encuentran cada día mayor fuerza para construirlo en nuestra tierra. Porque al final del milenio tenemos derecho a soñar con un mundo nuevo.

Es tarea precisa de los laicos católicos sembrar los valores del reino de Dios en la sociedad donde viven. En esto deben empeñarse los jóvenes católicos, las familias, los trabajadores cristianos, los estudiantes y profesionales.

No se necesitan cambios de orden político o social como condición previa a esta acción. Más bien el anuncio y la vivencia del evangelio de Jesucristo llevan consigo un cambio que es para todo momento y lugar, y este cambio comienza dentro de nosotros mismos. Somos los seres humanos los primeros que debemos cambiar para que, mediante la transformación de cada uno según los más altos valores humanos, el mundo cambie. Solo así se logrará que el servicio y la solidaridad reemplacen al individualismo, que la actitud de compromiso personal con la historia de los hombres tome el lugar de la masificación, y que el amor y la comprensión desplacen la dureza y la falta de misericordia en las relaciones humanas. Paso a paso irá surgiendo entonces ese mundo nuevo donde brille la justicia, se viva en libertad y se consolide la paz. Trabajar por el advenimiento del reino de Dios debe ser la tarea y la pasión del laico cristiano en Cuba.

Mientras nos entregamos con esperanza a la construcción de esa nueva humanidad, no cesamos de suplicar a Dios Padre: venga a nosotros tu reino.

... hágase tu voluntad en la tierra como en el cielo...

Ante todo debe quedar bien claro cuál es la voluntad de Dios Padre sobre la vida de los hombres. Jesucristo nos lo explica de este modo: *«esta es la voluntad del Padre, que todo el que ve al Hijo y cree en Él, tenga vida eterna»* (Jn 6, 40). El querer de Dios es, pues, que todos seamos salvados por medio de la fe en su hijo Jesucristo.

Cuando decimos «hágase tu voluntad», pueden hacerse dos interpretaciones diversas e igualmente válidas de nuestra súplica. La primera de ellas es que se cumpla en el mundo lo que Dios quiere, y esto será siempre un bien para todos. La otra manera de comprender el «hágase tu voluntad» es que cada uno de nosotros cumpla de veras en su vida la voluntad de Dios. Esto último lleva consigo un acatamiento de parte nuestra, sometiendo la propia voluntad a la de Dios, como la Virgen María cuando el ángel del Señor le anuncia que será la madre del Salvador y ella responde: «*hágase en mí según tu palabra*» (*Lc* 1, 38).

En realidad, al decir «hágase tu voluntad», suceden ambas cosas, estamos pidiendo que la salvación y todos los bienes que Dios Padre quiere para el hombre se realicen en nuestras vidas, pero al mismo tiempo suplicamos que el Padre nos dé la luz de su Espíritu Santo para que podamos descubrir lo que Él quiere de nosotros, y nos dé, además, la docilidad y fortaleza necesarias para aceptarlo o ponerlo por obra. A esto último se refieren las palabras que completan esta súplica: «hágase tu voluntad EN LA TIERRA COMO EN EL CIELO».

En la tierra, nosotros podemos hacer la voluntad de otro a medias, a regañadientes, bajo protesta. Desafortunadamente, no tienen siempre los hombres la posibilidad de actuar libremente y, al sentirse impedidos en su libertad, se habitúan a comportarse con doblez, con insinceridad. De hecho, la libertad no es una prerrogativa otorgable o no por los gobiernos o las instituciones humanas, sino un modo propio de ser del hombre, creado libre por Dios. El hombre que no es libre se habitúa a cumplir sin aceptar, a hacer sin querer, y vive insatisfecho y triste. De este modo no se puede cumplir la voluntad del Padre. En el cielo, los ángeles y los santos realizan con júbilo y alabanza la voluntad de Dios. Y es eso lo que pedimos en el Padrenuestro: que así como en el cielo se cumple con alegría y prontitud el querer de Dios, de la misma forma se cumpla por parte nuestra en esta tierra la voluntad del Padre, tratando de hallar los medios posibles para realizarla, incluso si las contingencias humanas reducen la posibilidad de acción que nos confiere nuestra innata condición de seres libres. Cuando actúa de este modo, se adueña el hombre de su libertad interior. Esto le hace descubrir o recuperar su condición de hombre libre, aun si, externamente, viera limitadas sus libertades civiles o de otro orden. «Si se mantienen en mi Palabra, serán verdaderamente mis discípulos y conocerán la verdad, y la verdad los hará libres» (*Jn* 8, 31-32).

No decimos «hágase tu voluntad» solo en amaneceres tranquilos o en tardes serenas, lo decimos también en noches borrascosas, en momentos inciertos, en situaciones límite. Buscar la voluntad de Dios para con nosotros y los que nos rodean exige un ejercicio de oración confiada, en el cual debemos entrenarnos desde la niñez. La médula de la oración cristiana es dejarnos instruir sobre el querer de Dios Padre, para abandonarnos confiados y alegres a su voluntad.

Impresiona a veces saber que los cristianos toman decisiones trascendentales en sus vidas sin confrontar seriamente sus deseos o proyectos con la voluntad del Padre, sea en la oración, en la confesión o en consulta a un guía espiritual. Así, muchos piden a Dios que los planes propios, que ellos consideran los mejores, se realicen cuanto antes en sus vidas, y lo piden a menudo con insistencia. De esa manera, tal parece que la oración del Padrenuestro estuviese vuelta al revés: «te ruego, Padre, que se haga mi voluntad».

¿Cuál es la voluntad de Dios para con nosotros, cristianos, y para todos los cubanos en el comienzo del tercer milenio?

Cuando queremos saber la voluntad de Dios para con nuestro pueblo y nuestra Iglesia en Cuba, tenemos que prestar atención a su palabra revelada: *«mis pensamientos son pensamientos de paz y no de aflicción»* (Jr 29, 11).

Pueden ocurrir en la mente humana muchos y variados pensamientos, nacidos de la desesperación o de la desesperanza, de experiencias duras o dolorosas en nuestras vidas, de sentimientos reprimidos o exacerbados de justicia, aun inspirados en buenos propósitos o en la misma fe cristiana. Estos pensamientos, humanamente comprensibles, no se originan, evidentemente, en los pensamientos de Dios para con nosotros y pueden generar amargura o tristeza, desembocando a veces en caminos de escepticismo: «Dios se ha olvidado de nosotros», o en caminos sembrados de actitudes o acciones que pueden contradecir el amor cristiano, el perenne propósito de reconciliación y diálogo que el evangelio y el Papa nos proponen, y anular en la práctica toda esperanza. Es necesario escuchar de nuevo la voz de Dios: *«mis planes no son los planes de ustedes, los caminos de ustedes no son mis caminos... Como el cielo es más alto que la tierra, mis caminos son más altos que los de ustedes, mis planes más altos que sus planes»* (Is 55, 8). Llega entonces el momento de decir: hágase tu voluntad, en la oscuridad la fe, en el abandono propio del amor, poniendo toda nuestra esperanza en Dios nuestro Padre, como lo hizo Jesús en su oración del huerto: *«Padre, si es posible, que pase de mí este cáliz sin que yo lo beba, pero HÁGASE TU VOLUNTAD y no la mía»* (Lc 22, 42).

No olvidemos que, poco antes de esta súplica, el evangelio nos dice que Jesús comenzó a sentir miedo. Yo interpreto así el «no tengan miedo», que el Papa dirigió en Cuba a los cubanos, incluyéndome a mí y a los demás obispos, a los sacerdotes y a los fieles todos: No tengan miedo del camino de Dios que Cristo recorrió hasta la cruz; no tengan miedo de ver que la propuesta del amor, de la reconciliación y del diálogo pueda desembocar en el aparente fracaso de la cruz; no tengan miedo de seguir amando y perdonando desde la cruz. Y creo escuchar a Dios Padre que nos dice: «como mis pensamientos son pensamientos de paz y no de aflicción, la resurrección y la vida de la Iglesia en Cuba y el bien del pueblo cubano brotarán de esa cruz aceptada y ofrecida al Padre. Ese fue el camino de Jesús, ese ha sido el camino de los mártires de todos los tiempos hasta hoy, cualquier otro camino no será mi camino».

Queridos hijos e hijas de esta Arquidiócesis de La Habana: no tomen ningún camino fácil, distinto al de la cruz, no se dejen llevar por ningún otro espíritu que no sea el del Señor, y animados por Él, los invito a decir con su obispo a Dios Padre, como cristianos que viven en Cuba al final de este milenio: «hágase tu voluntad». Así dijo Jesús al Padre al acercarse los momentos de su pasión y de su cruz. El Padre no le respondió bajándolo de la cruz, sino resucitándolo a una vida de gloria. Solo en la aceptación de la voluntad del Padre tendremos también nosotros resurrección y vida nueva.

... danos hoy nuestro pan de cada día...

Con estas súplicas se inician las cuatro peticiones finales del Padrenuestro.

Cuántos y cuán diversos y profundos significados encierra la oración que dirigimos a Dios Padre, pidiéndole el pan de cada día. El pan quiere decir también los demás alimentos, el vestido, el techo para cobijarnos, el trabajo que haga posible todos estos bienes indispensables y el salario justo para adquirirlos. Pedir todo esto hoy para el día de hoy es un acto de confianza, de abandono en las manos de Dios Padre, es confesar que Dios está ante todo, que con Él todo es posible y sin Él nada podemos hacer. Es reconocer, en adoración profunda, que el esfuerzo humano es inútil sin Dios, como lo expresa el Salmo 126: «Si el Señor no construye la casa, en vano se afanan los albañiles; si el Señor no guarda la ciudad, en vano vigilan los centinelas».

Cuando los hijos de Dios rezan al Padre, no están pidiendo que el pan y lo necesario para la vida «caigan del cielo», sin ningún esfuerzo propio. Con ello mostramos, más bien, la actitud espiritual del verdadero creyente, que es la de ponerse ante Dios Padre con las manos vacías, para que Él siga creando a través de nuestro trabajo, nos dé la salud y la fuerza para trabajar, dé también el coraje y la perseverancia al que no encuentra trabajo para ganarse su pan, y no permita que se sienta solo en su pobreza, sino que halle manos solidarias que se le tiendan en esa hora difícil. Nuestro pan de cada día es todo eso y llega a nosotros de las manos de Dios Padre.

Pero en el mundo organizado, tecnificado e injusto en que vivimos, pasa por muchas otras manos. Son numerosas las instancias humanas que intervienen para que el pan de cada día llegue a todos: un centro laboral, una empresa, un jefe inmediato, una crisis económica nacional o internacional, el Estado, un consejo de dirección... El cristiano, por ser hijo de Dios, sabe que tiene el derecho de ponerse ante Dios Padre, pasando por encima de tantos intermediarios, y decirle: danos hoy nuestro pan de cada día, a mí, a mi familia, a mis amigos y compañeros de trabajo, a tanta gente en el mundo que carece de lo necesario, que sufre hambre.

Por su misma dignidad de hijo de Dios, tiene también el hombre derecho al pan, al trabajo, al salario justo y a la seguridad social. Estos derechos fundamentales deben estar garantizados, y, en caso de necesidad, deben ser reclamados, por todos los medios lícitos, ante las instancias pertinentes. La Doctrina Social de la Iglesia nunca separa la producción de los bienes necesarios al hombre, de las condiciones laborales y sociales en que esos bienes se producen. De modo que el desarrollo de un país no se mide solo por el crecimiento económico de orden numérico, sino por la participación real del trabajador en los bienes producidos. Pedir a Dios el pan de cada día no exime al hombre del trabajo, ni tampoco del reclamo de sus derechos como trabajador. No olvidemos que Jesús en su evangelio proclama dichosos a «los que tienen hambre y sed de justicia» (*Mt* 5, 6).

Existe también, desgraciadamente, el hambre de pan. El hambre no es solo la falta total de alimentos para saciar el deseo de comer. Es también la mala alimentación y la desnutrición, por no acceder a las cantidades mínimas de alimentos, o por no comer la variedad de productos alimenticios necesarios para el normal desarrollo o equilibrio de las funciones vitales. De estas faltas nutricionales han sufrido en esta década y sufren aún muchos cubanos, especialmente los niños y los ancianos. Es particularmente preocupante en los niños, pues se compromete su crecimiento y el desarrollo de su inteligencia, y ambas cosas pueden influir negativamente en esta generación y en la inmediata. La talla de los niños y niñas que vienen a nuestras catequesis ha disminuido en general en estos últimos años. Si bien la situación alimentaria ha mejorado un poco, sobre todo para quienes reciben ayuda monetaria de sus familiares en el extranjero y porque ha crecido algo la producción agrícola en La Habana, las deficiencias nutricionales distan mucho aún de haberse superado.

Repito ahora lo que dijimos los obispos de Cuba en el año 1993 en la carta pastoral «El amor todo lo espera», y cito libremente: aun con la situación de bloqueo, las tierras de Cuba son capaces de alimentar mucho mejor a su pueblo. En La Habana, con algunas reformas en los modelos de producción agrícola, se ha podido comprobar que esto es posible en cierto grado. Si estas reformas se profundizan y se extienden aún más, las carencias de la población seguramente seguirán decreciendo. Al pedir a Dios el pan de cada día, le estamos pidiendo también que ilumine las mentes y mueva las voluntades de quienes tienen como responsabilidad prioritaria crear las condiciones para que el pan de cada día llegue a todos nuestros hermanos.

Se impone recordar aquí el claro rechazo que hizo el Papa Juan Pablo II de las medidas económicas restrictivas impuestas a Cuba desde el exterior y calificadas por el Santo Padre como «injustas y éticamente inaceptables». Ustedes saben, queridos habaneros, que ese es también el sentir de su obispo, expresado junto con todos los obispos de Cuba en más de una ocasión: el rechazo de todo aquello que pueda añadir penurias y dificultades al pueblo cubano y entorpecer su desarrollo. En estos términos, el Papa y los obispos de Cuba nos hemos referido al bloqueo.

Siendo los EE.UU. de Norteamérica la nación que ha impuesto estas medidas a nuestro país, la Iglesia en Cuba y nuestro pueblo se han beneficiado, sin embargo, de la solidaridad mostrada por la Conferencia de Obispos Católicos Norteamericanos, quienes, además de rechazar las medidas económicas restrictivas hacia Cuba, nos envían con frecuencia distintas ayudas, sobre todo en material médico y medicinas. Esto lo han hecho también los obispos y las organizaciones católicas de varios países: Alemania, Italia, España y otros. Los gobiernos pueden estar distantes o enfrentados, pero la Iglesia es la gran familia de los hijos de Dios, que brinda siempre su amor y su ayuda a los hermanos que lo necesitan en cualquier parte. Por esto, al rezar el Padrenuestro, no podemos dejar de pensar con gratitud en estas Iglesias hermanas que nos han mostrado y nos muestran su solidaridad.

Esta sensibilidad de la Iglesia hacia el hombre y sus necesidades se comprende a partir de la naturaleza de nuestra fe, que fija siempre sus ojos en el modo de obrar de Jesucristo. Junto al mar de Galilea, Jesús había hablado a la multitud, enseñándoles durante mucho tiempo. Esa multitud había seguido a Jesús a un lugar alejado de cualquier centro urbano y el Maestro, al ver la hora y la distancia que los separaba de cualquier poblado, dijo a sus discípulos: «*hay que darles de comer a toda esta gente, no podemos dejar que se vayan vacíos, pues desfallecerían en el camino»* (*Mt* 15, 32). Esta preocupación de Jesús lo llevó a multiplicar los panes y los peces que, en pequeño número, llevaban algunos de aquellos sencillos auditores suyos, y los distribuyó a la multitud. Narra después el evangelio que todos comieron hasta saciarse y eran unos cinco mil. Jesucristo muestra así su preocupación por el hombre concreto y sus necesidades. No vino Jesús a traer un mensaje desencarnado, sino que Él, como su Iglesia, tendrían siempre una atención concreta a las necesidades materiales de la humanidad.

Un poco después, en la otra orilla del lago, a donde la multitud había seguido a Jesús, Él les dijo: *«yo soy el pan vivo bajado del cielo, si alguno come de este pan vivirá para siempre»* (*Jn* 6, 50). Jesucristo, que había multiplicado y distribuido el pan material, capaz de sostener la vida del hombre aquí en la tierra, se refiere ahora a un pan espiritual, que es su misma persona, su enseñanza, el mensaje de amor que Él nos entrega de parte del Padre. Este pan nos da plenitud de vida para siempre.

Ya el Antiguo Testamento nos había dicho: *«no solo de pan vive el hombre, sino de toda palabra que sale de la boca de Dios»* (*Dt* 8, 3). Jesús nos lo confirma: si el hombre necesita el pan como sustento de su vida material, necesita de Cristo, pan vivo bajado del cielo, para alimentar su vida espiritual. Al pedir a Dios nuestro pan de cada día, además del sustento cotidiano, pedimos al Señor que alimente nuestro espíritu con el pan de su Palabra, que llega a nosotros en la Sagrada Escritura, especialmente, por medio del evangelio.

Cuando en la última cena Jesús, tomando el pan en sus manos, dijo: «esto es mi cuerpo que se entrega por vosotros» (*Lc* 22, 19), y lo dio a comer a sus apóstoles, el pan de cada día adquirió una nueva posibilidad: ser signo de la presencia real de Cristo en medio de su pueblo. Jesucristo se nos da a sí mismo en el sacramento de la Eucaristía, con toda su realidad humana y divina. Comer su cuerpo y beber su sangre es entrar en profunda comunión con Jesús. También en nuestra petición del pan de cada día imploramos de Dios Padre que nuestra vida de cristianos se haga más eucarística, al participar en la Santa Misa y recibir el Cuerpo y la Sangre de Cristo. La presencia del Señor en nosotros debe transformarnos según el modelo perfecto que tenemos en Él. Alrededor de la Eucaristía, sacramento de la presencia de Jesucristo, se establece y crece la Iglesia.

El Papa Juan Pablo II ha deseado que el año 2000 sea un año eucarístico por excelencia, para dar gracias a Dios que, en su infinito amor a nosotros, nos entregó a su Hijo Jesucristo. Él perpetúa su presencia en el mundo a través de la Eucaristía. Por esto convocaré próximamente un Congreso Eucarístico, que se celebrará en esta Arquidiócesis de La Habana los días 8, 9 y 10 de diciembre del año 2000, para dar gracias al Padre por el don que nos ha hecho de su Hijo. Les pido desde ahora que cada vez que recen el Padrenuestro, al llegar a las palabras: «danos hoy nuestro pan», tengan una súplica especial por el Congreso Eucarístico de La Habana. De esa celebración y del año eucarístico que la precede, podemos esperar un gran bien espiritual para nuestra Arquidiócesis.

En resumen, con el pan de cada día lo pedimos todo al Padre: el sustento material y el alimento del espíritu. También lo esperamos todo de Él, que es dador de todo bien.

... perdona nuestras ofensas como también nosotros perdonamos a los que nos ofenden...

Esta súplica al Padre tiene una vinculación con nuestra actitud hacia el prójimo. El perdón que recibimos de Dios nos compromete a perdonar al hermano. Es la única súplica, de las que contiene el Padrenuestro, que Jesucristo mismo explicitó a sus discípulos, al enseñarles a dirigirse a Dios Padre con esa oración: «Porque si ustedes perdonan a otros sus faltas, también los perdonará a ustedes su Padre celestial, pero si no perdonan a los hombres, tampoco el Padre los perdonará a ustedes» (*Mt* 6, 14).

La insistencia de Jesús está, lógicamente, explicada por las barreras, sobre todo afectivas, que encuentra el perdón en el corazón humano, no solo para que sea otorgado en un caso específico, sino, aún más, cuando debe ser asumido como actitud válida y perenne en la vida. «*Preguntó Pedro a Jesús:*

¿cuántas veces debo perdonar a mi hermano, hasta siete veces?... respondió Jesús: no te digo hasta siete veces, sino hasta setenta veces siete» (Mt 18, 21).

Hay una razón superior, existencial, o si se quiere metafísica, para que Jesús insista en la centralidad del perdón como actitud enraizada en la vida de sus discípulos. El ser humano solo puede situarse ante Dios en su verdad de hombre si se reconoce pecador, sea que pide perdón, sea ya perdonado. La manera falsa de llegar hasta Dios es la que aparece en el relato de la creación. Allí, el tentador dice al hombre: *«seréis como dioses»*(Gn 3, 5). Este deseo irrefrenado de ser como Dios conduce al hombre a la búsqueda del poder y la grandeza que hay en Dios, sin tener en cuenta que el Creador muestra su inmensidad, sobre todo, en su amor y su misericordia. Es así como debemos parecernos a Dios: *«sean misericordiosos como el Padre es misericordioso»*(Lc 6, 36), nos dice Jesús. Nuestra postura ante el Padre es, pues, la de pobres pecadores necesitados de misericordia. Esa es nuestra real condición. Solo es humilde quien se sabe y se reconoce ante Dios con esta pobreza radical. Santa Teresa de Jesús nos enseña que «la humildad es la verdad». Si no aceptamos nuestra humilde realidad ante Dios, viviremos en la mentira, en la falsedad acerca de nosotros mismos, nos creeremos «alguien» o llegaremos a pensar que valemos más que los otros. Pero quien se ha beneficiado del amor de Dios no puede permanecer ya más en la arrogancia. Esto sería un modo de ser falso, una manera clara de no vivir en la verdad. Así el perdón de las ofensas se erige en medidor del ser o no ser cristiano, y es una fuente segura de verificación de que estoy situado ante Dios y ante la vida en humildad, en la verdad sobre mí mismo y sobre mi ser de hombre.

Los cubanos no somos proclives al perdón. Nos llevamos proverbialmente bien y pasamos muchas cosas por alto, pero hay a menudo cierta arrogancia en nuestro trato: lo sabemos todo, lo nuestro es siempre mejor... Quizá por eso las situaciones de penuria en la población, por ejemplo, el deterioro de la ciudad de La Habana, las dificultades ambientales y visibles, nos humillan personal y colectivamente. Hay también, dentro de esto, un sello de dignidad que nos caracteriza como cubanos. Pero no son estos los aspectos más preocupantes de nuestro ser nacional, aunque son rasgos de comportamiento colectivo que pueden ser modificados para mejorarlos.

Mencioné «el pasar por alto», bastante común en nuestras relaciones interpersonales, como un modo de comportamiento que no significa precisamente perdonar. Únicamente el perdón sana las heridas, si no, quedan como cubiertas superficialmente por un velo, pero abiertas. Hay que cerrar las heridas. Aunque una herida sana deja casi siempre alguna cicatriz. Esta es la memoria personal o colectiva que, de hecho, no debe borrarse. En caso de ser así no habría perdón, sino amnesia y sería imposible hacer el repaso histórico de nuestra vida o de la vida nacional. El perdón es, justamente, reconocer la herida y estar dispuestos a sanarla, con el dolor y la dosis de humildad que esto lleva consigo.

Lo más difícil del perdón es tomar la decisión de perdonar y encontrar motivaciones serias y válidas para que el perdón sea cierto y no se pida o se otorgue por conveniencias o para quedar bien. Puede haber motivaciones humanas muy serias para perdonar, como salvar la unidad de un grupo humano, el bien de una familia, la armonía en el seno de la sociedad, sobre todo cuando la historia de los pueblos ha pasado o pasa por épocas convulsas y solo la reconciliación de los ciudadanos puede lograr el bien mayor de la paz y de una convivencia nacional sana y feliz.

La motivación cristiana para el perdón es de un alcance más hondo y se apoya en todo cuanto he dicho anteriormente. Los hijos de Dios consideramos que cada ser humano es hermano nuestro y que toda ruptura en la familia humana es contraria al querer de Dios y lo ofende. Debemos comprender desde nuestra fe la debilidad, la obcecación o la saña del otro, pues también nosotros somos pecadores y, en algunos momentos, podríamos actuar así. Si somos un poco buenos es solo porque Dios nos ha amado mucho y nos ha perdonado mucho. Las motivaciones de la fe cristiana para el perdón refuerzan las demás motivaciones humanas válidas para una situación determinada.

El código difícil del perdón debe aplicarse entre los cubanos con las características de nuestra historia pasada y reciente. El cubano tiene conciencia de la fuerte carga cristiana que hay en el perdón. En las etapas en que el nombre de Dios dejó de pronunciarse en la conversación corriente, también se excluyó el término «perdón» para excusarse por una importunidad o un simple tropezón. Se introdujo entonces la palabra «disculpe». Cuando a alguien se le escapaba un «perdón» siempre otro le recordaba: «perdón no, disculpe». El lenguaje expresa y crea hábitos mentales. Así pudo hacerse esta extraña adquisición en nuestras categorías éticas: «el perdón rebaja, el perdón es indigno».

Lo primero que debemos procurar como creyentes en Cristo, hijos de Dios Padre, es revalorizar el perdón en la mentalidad de muchos cubanos. El perdón no es signo de debilidad, sino de grandeza de espíritu. Los rencores, los sentimientos de venganza, dañan a las personas en su equilibrio psicológico y hacen que muchos pierdan la paz del espíritu o la alegría de vivir. Los sentimientos de agresividad o violencia hacia el otro no son factores constructivos en el seno de la sociedad, sino causa de divisiones, celos o enfrentamientos. Estos contravalores deben ceder su lugar al valor congregante y cohesionante del amor, que favorece la unidad y la paz, tanto en la persona como en la sociedad.

No podemos olvidar que la praxis filosófica en Cuba ha sido dialéctica y, llevados por circunstancias históricas concretas, se han acentuado mucho los aspectos que tienen que ver con la lucha y el enfrentamiento de situaciones adversas. Pero detrás de los hechos, de las batallas, de campañas de cualquier tipo, están las personas que, de uno y otro lado, recuerdan, rumian y, en muchos casos, no perdonan.

En estos años se han producido históricamente acontecimientos que dejan huellas no solo físicas, sino también en el corazón de los hombres y mujeres que fueron afectados por ellos. Independientemente del juicio que cada uno pueda hacerse de los hechos en sí, debemos aspirar a que se produzca el perdón entre las personas que se han visto envueltas en ellos. Hombres y mujeres que estuvieron en prisión y sus familiares. Gentes, en su mayoría sencillas, del pueblo, afectadas por acciones de guerra o por actos terroristas. Personas que han sufrido actos de repudio, sobre todo durante la etapa difícil de El Mariel, y así podríamos enumerar otras muchas situaciones más que han dejado secuelas dolorosas en muchos corazones. La justicia debe siempre intervenir para juzgar los hechos que le atañen y a sus responsables, pero las personas afectadas por esos u otros hechos deben llegar a perdonarse.

Lo más trágico de estas situaciones es extender el sentimiento de rencor o de venganza a grupos humanos enteros, a los cuales se les ve formando un todo con aquellos que infirieron directamente el sufrimiento. Pisamos aquí un terreno delicado y muy sensible, pero la cadena fatal del odio solo se rompe introduciendo en ella eslabones de amor y esto se logra, sobre todo, por medio del perdón. El perdón es un factor de primer orden para el diálogo dentro de la sociedad. Animo a los católicos habaneros a adoptar en sus vidas una actitud de perdón en consonancia con su fe y ojalá mis palabras pudieran llegar a muchos otros cubanos de buena voluntad.

Algunos afirman que es necesario en Cuba, o mejor, entre los cubanos, un proceso de reconciliación. No niego los bienes que podrían derivarse de él si es bien entendido, pero el perdón otorgado generosamente a las personas, el no extender indiscriminadamente el rechazo o el rencor a grupos humanos enteros, la disponibilidad de sembrar amor entre todos y de nunca atizar el odio, son iniciativas que cada cristiano, por su misma fe, debe poner en práctica sin dilación, si no lo ha hecho ya. Entre nosotros son muchos los que así obran. Ese es ya un proceso de reconciliación, pues este no se da, de hecho, sin personas reconciliadas entre sí.

El tema del perdón nos lleva también a las cárceles. Allí hay hombres y mujeres penados por la ley, pero que deben experimentar el perdón y la amistad de los cristianos. Es alta relativamente la población penal de Cuba. ¡Qué terrible es la cárcel! Es estar privado de la posibilidad de desplazamiento, es estar alejado de los afectos de amigos y conocidos, es vivir sin la familia y sus amores: esposo, esposa, padres, hijos, hermanos. Es estar privado de iniciativas, de relaciones, de libertad. La cárcel, como ha sido concebida hasta ahora, es realmente inhumana y lo es prácticamente en todos los países del mundo. Esta institución, tal y como es hoy, debe desaparecer en el próximo siglo, porque constituye una verdadera escuela del delito, un lugar donde el ser humano tiene pocas posibilidades de cambiar para iniciar una nueva vida y donde, con frecuencia, queda dañado física y psicológicamente. Se han hecho ya muchos estudios para tratar de abolir los actuales sistemas carcelarios, aunque todavía esto parece ser un sueño.

Mientras tanto, debe procurarse que esa vida, trágicamente disminuida que lleva el prisionero, se alivie y sus condiciones y posibilidades mejoren siempre. Los estudios modernos indican que un altísimo porcentaje de los que están en prisión lo integran hombres y mujeres víctimas de problemas sociales, familiares y psicológicos. Todos tenemos un grado mayor o menor de responsabilidad en la prisión de cada uno de esos hombres y mujeres.

Por esto la Pastoral Carcelaria trabaja activamente con las familias de los presos para que no dejen de ir a verlos, para que, además de algunas cosas de comer, les lleven el cariño que tanta falta les hace. La fe cristiana puede ser una ayuda valiosa en la situación concreta del preso. Por medio del sacerdote, el diácono o la religiosa que visita la cárcel, se intenta prestar directamente esta ayuda a los encarcelados, pero es poco el número de reclusos que tienen acceso a este servicio. La entrevista estrictamente personal alarga y complica las visitas. ¡Qué bueno sería que el sacerdote pudiera enseñar allí, además, en grupo, la palabra de Dios! ¡Cuánto quisiera yo mismo celebrar a los presos la Santa Misa por los días de Navidad o en otra ocasión! En la oración de los fieles de la Eucaristía dominical y de las fiestas, nunca debemos dejar de rezar por aquellos que están en la cárcel.

Qué deseable sería también, ante un tiempo de gracia y reconciliación como es el año 2000, que hubiera en Cuba una amplia amnistía de presos de cierta edad, enfermos, de buen comportamiento o que ya han cumplido buena parte de su condena. Esto sería como un gran perdón de la sociedad hacia algunos de sus integrantes menos favorecidos.

El tiempo de perdón que es el Año Jubilar se inspira en la antiquísima tradición del pueblo de Dios en el Antiguo Testamento, de celebrar, cada cierto tiempo, un año en el que quedaban borrados los compromisos onerosos y se perdonaban las deudas. Por esta razón, el Papa Juan Pablo II ha puesto en evidencia el aspecto social e internacional del perdón, al aproximarse el Año Santo Jubilar.

Otro de los temas a los que el Santo Padre se refiere en el marco de este Año es el de la Deuda Externa. Esta deuda, que agobia a tantos países pobres, debe ser renegociada ventajosamente para los deudores o condonada parcial o aun totalmente a algunos de ellos, de modo que puedan entrar en el nuevo milenio con mejores posibilidades de desarrollo. Esperamos que esta petición del Santo Padre, que ya ha encontrado acogida en algunos medios financieros, suscite una pronta respuesta, que sea favorable a los pueblos más pobres de la tierra.

En este año de gracia en el que todos deben procurar la reconciliación por medio del perdón, también la Iglesia pide perdón. En las jornadas de penitencia celebradas en cada una de las zonas pastorales de la Arquidiócesis, no solo se acercaron al sacramento de la reconciliación muchos fieles, sino que la Iglesia pidió comunitariamente perdón por los pecados de sus hijos. No habían sido cometidos personalmente por quienes hoy son miembros de la Iglesia, sino por algunos que históricamente pertenecieron a ella. Acogíamos así el sentir del Santo Padre, que ha recomendado insistentemente, en el espíritu del Año Jubilar, que la Iglesia pida perdón en cada país o región, en cada continente, por los pecados de sus hijos, que tanto daño hicieron a sus hermanos en la fe y que provocaron la sorpresa y el escándalo de muchos otros.

Entre las peticiones de perdón que hizo el Arzobispo en nombre de la Iglesia, hubo una que muchos han agradecido personalmente y se refería a nuestros hermanos negros. La Iglesia pedía perdón por la esclavitud, que arrancó a sus antepasados de su tierra natal para someterlos a una vida inhumana. La abominable institución de la esclavitud de los africanos, tan condenada por el Padre Félix Varela, fue un triste negocio montado por cristianos. La Iglesia, o sea, toda la comunidad católica, siempre estará en deuda con esos hermanos nuestros que experimentaron también, más tarde, la discriminación en varias de nuestras escuelas, porque no podían estudiar allí. Les pido a ellos perdón, en nombre de nuestra

Iglesia, y quiero poner en guardia a los católicos habaneros contra los sentimientos de discriminación, que nunca han desaparecido totalmente en Cuba, pero que tienden a aumentar en los últimos tiempos, al menos en La Habana. La discriminación de los seres humanos por razón de su raza, su cultura, su origen, su religión, es un pecado gravísimo y un cristiano no puede dejar que en su corazón aniden sentimientos que ofenden a Dios, pues van contra el precepto del amor a los hermanos.

Es bueno también decir que la Iglesia perdona, perdona a quienes puedan tener alguna responsabilidad en los sufrimientos de sus pastores, de aquellos obispos a quienes correspondió vivir, con tristeza, tiempos aciagos para nuestra Iglesia. Perdona la Iglesia por las situaciones vividas por sus sacerdotes, sometidos a veces a tensión, desgastados en el ejercicio de un ministerio que en ocasiones se hizo difícil. Perdona por los laicos católicos, limitados en sus posibilidades de estudio, de trabajo o de participación social. Y la Iglesia debe perdonar de verdad. Sería contradictorio que estos recuerdos, necesarios para que se comprendan hoy muchas realidades de nuestra historia eclesial, pudieran suscitar en la comunidad católica sentimientos aunque fuera remotamente parecidos al rencor.

La Iglesia que pide perdón es también la Iglesia que perdona, si no, sería una farsa decir: «perdona nuestras ofensas como también nosotros perdonamos a los que nos ofenden». En este espíritu positivo y constructivo quiere la Iglesia Católica trabajar en Cuba por el bien de nuestro pueblo. Con esta confianza en la capacidad del cubano para sobreponerse a lo sórdido y perdonar agravios, deja atrás este siglo y mira hacia el 2000.

... no nos dejes caer en la tentación y líbranos del mal.

Estas dos peticiones han estado siempre unidas por causa de su mismo contenido. Una tentación es una especie de sugerencia interior o exterior que nos invita a pensar o actuar mal. Cuando la inspiración propia o el consejo de otro nos animan a hacer el bien, no se trata ya de una tentación, sino de un buen deseo que puede desembocar en un buen propósito. Tentación y mal son, pues, términos que se reclaman el uno al otro. En la traducción latina tradicional y en nuestra antigua versión española, esta conexión entre ambas peticiones se hace más evidente: «no nos dejes caer en la tentación, mas líbranos del mal» (*Lc* 11, 4).

Merece la pena que nos detengamos brevemente en la frase: «no nos dejes caer en la tentación». ¿Acaso Dios nos pondría en la tentación, nos tendería una especie de trampa, como una zancadilla para probarnos? Vayamos al sentido de la frase, siguiendo antiguas traducciones y la opinión de varios expertos. Nos resulta menos ambigua si la ordenamos y explicitamos válidamente de este modo: «cuando llegue la tentación, no nos dejes caer», o de este otro: «no permitas que seamos vencidos por la tentación».

La tentación se define, pues, por el mal que nos sale al paso. Por esto, la última súplica del Padrenuestro exige toda nuestra atención. La escritora de origen hebreo Simone Weil reflexiona sobre la estructura del Padrenuestro en estos términos: «con la palabra Padre se inicia la oración, con la palabra mal se concluye. Hay que pasar de la confianza al temor: solo la confianza da la fuerza suficiente para que el temor no cause una caída» (Citada por el Cardenal Martini en su libro «*Padre Nostro*»).

En toda esta Carta Pastoral he querido llevarlos, paso a paso, a una actitud espiritual de confianza para enfrentar las dificultades que realmente existen y pueden abrumarnos, pero que deben ser superadas si estamos sostenidos por un Dios Padre que nos tiene en sus manos y que tiene poder para fortalecernos y librarnos de todos los males.

«Líbranos del mal» es la súplica más común del Padrenuestro. Aunque venga al final de la oración, es la que más frecuentemente se escucha: «¡Que Dios nos libre!», así se dice de la enfermedad, ante una catástrofe natural como ciclones o terremotos; pero también de los desatinos propios, como es el cometer una locura. Pedimos a Dios que nos libre también de las acciones incontroladas de otro, de la guerra, de los accidentes, en fin, de cualquier situación difícil.

Largamente me he referido en esta Carta a la misericordia, el amor, el perdón, la solidaridad, la aceptación de la voluntad de Dios y el abandono en sus manos de Padre. Estos son los pilares de nuestra espiritualidad cristiana. Tenemos que pedir con insistencia al Padre que nos libre de tomar actitudes y modos de comportamiento que destruyan los fundamentos de esa espiritualidad, como son la incomprensión, la dureza, el rencor, el individualismo, vivir según mis gustos y caprichos, dejar que el corazón y la boca se nos llene de quejas y protestas, alejarme de Dios y de su Iglesia. Fíjense que de la enfermedad, de un accidente, de una catástrofe natural, podríamos ser librados por la acción de Dios, que impediría con su poder que estos males ocurran. Pero no puede el Padre librarnos del odio, del individualismo, ni de mi rebelión y mis quejas, sin una participación mía, sin mi esfuerzo personal por arrancarme esos sentimientos del corazón para permanecer en la fidelidad al evangelio. Esta lucha es a menudo dolorosa y nos hace compartir la cruz de Cristo: «*quien quiera ser mi discípulo que se niegue a sí mismo, que tome su cruz y me siga*» (*Mt* 16, 24). De los otros males, Dios puede librarnos por su intervención, aun milagrosa; del mal moral y espiritual, de la falta de amor y de confianza, solo nos libra por medio de su cruz, que debemos compartir.

¿De qué mal principalmente debemos ser liberados al inicio del Tercer Milenio los católicos cubanos?

Por encima de todo, de la falta de esperanza. Pienso que este es un mal presente en cierto grado en todo el mundo, pero que afecta de modo especial a muchos en nuestro pueblo. Hoy son pocos entre nosotros los que conciben de algún modo el futuro. Y esto es primordial para los jóvenes. Los signos sociológicos de la desesperanza están ya entre nosotros: nacen muy pocos niños, la mujer en edad de procrear, en buen porcentaje, no llega a dejar en su descendencia otra mujer que la reemplace. Disminuirá nuestra población, y esto sin contar el gran número de los que emigran. Los jóvenes no se deciden a casarse, viven juntos, no son capaces de establecer un proyecto común. Me preocupa que los adolescentes y jóvenes cubanos no puedan ni imaginar una respuesta a esta pregunta: ¿cómo ves tú a Cuba en los próximos veinte años? Y, evidentemente, tampoco sabrían qué decir sobre su futura familia, sus hijos, sus trabajos. Y todo esto en el umbral del año 2000, al inicio ya de un nuevo siglo. Situación espiritual esta inquietante, y aun peligrosa, pues puede ser la puerta de entrada del alcoholismo, las drogas, el individualismo, el escapismo, y no quisiera ni mencionarlo de nuevo, por el dolor que me causa, del deseo de partir, que es la negación de toda esperanza compartida para sumergirse en una esperanza propia e individualista.

Padre Nuestro, líbranos del mal de la desesperanza.
Tu Iglesia no es más que esa parte de nuestro pueblo
que sigue a Cristo
y que lo alaba como su Señor y Salvador.
Pero vive, trabaja y lucha
en las condiciones que todos enfrentan
y con las mismas tentaciones de sus hermanos.
Te pedimos, con todas nuestras fuerzas:
no nos dejes caer en la tentación del desaliento,
de la postración,
de la amargura,
de la queja estéril,
de la falta de compromiso,
de la apatía.
Líbranos del mal de la desesperanza.

CONCLUSIÓN

En clave de esperanza les he escrito esta carta pastoral. Señalar elementos difíciles o poco entusiasmantes, presentes en nuestro medio, no significa que nos detengamos ante ellos desconcertados ni que volvamos la espalda indiferentes. Cualquiera de estos dos modos de proceder sería justamente actuar como quien no tiene esperanza. Al repasar con ustedes las palabras hondas y comprometedoras del Padrenuestro, los he invitado a mirar alto, a confiar en Dios y en su amor de Padre, a ahondar en las fuentes de nuestra esperanza cristiana para proponerla a tantos que la anhelan e, incluso, a quienes dicen que la han perdido. «*Para Dios, nada hay imposible*» (*Lc* 1, 37), dijo el ángel a María. San Pablo nos abre a la esperanza: «*todo lo puedo en aquel que me conforta...*(*Flp* 4, 13) *para quienes aman a Dios todas las cosas contribuyen al bien*» (*Rm* 8, 28). Y añadió más tarde San Agustín: hasta el pecado. «Esperar contra toda esperanza», esa es nuestra postura cristiana de cara al Tercer Milenio. La Iglesia en nuestra Arquidiócesis camina en las huellas dejadas en nuestra Patria por el Papa Juan Pablo II. Él vino a Cuba como sembrador de esperanza.

Con celebraciones en plazas y parques, en todas las zonas pastorales de la Arquidiócesis, hemos preparado el advenimiento del tercer milenio del cristianismo, proclamando que en Cristo crucificado y resucitado está nuestra esperanza. Los discípulos de Cristo vemos el futuro como un espacio inmenso donde hay que regar la semilla del reino de Dios, como un tiempo maravilloso en el cual la Iglesia debe ser un faro de esperanza para nuestros hermanos. «*Levanten los ojos, miren los campos listos para la cosecha*» (*Jn* 4, 35).

El año próximo se cumplirán los 2.000 años del nacimiento de Jesucristo Nuestro Señor, y el Santo Padre Juan Pablo II ha querido que sea marcado este acontecimiento, que tanto significado tiene para el mundo cristiano, con un año de renovación espiritual: es el Año Santo Jubilar y debe ser un año en el cual toda la Iglesia Católica vibre con la conmemoración de este evento por la oración, la conversión del corazón, la solidaridad con el pobre, y toda acción que manifieste la unidad de los hombres y mujeres que integran esta gran humanidad que entra en el próximo milenio. También ha invitado el Papa Juan Pablo II a los hombres e instituciones de este mundo a asociarse de algún modo a este tiempo de renovación y de gracia.

Roma y Jerusalén serán los centros mundiales de celebración y de peregrinaciones del Año Santo. En cada diócesis del mundo lo serán la Iglesia Catedral y las iglesias que el obispo designe como lugares de peregrinación y encuentro. Además de la S.M.I. Catedral de La Habana, he designado como lugares de peregrinación durante el Jubileo: el Santuario de Nuestra Señora de la Caridad del Cobre en Salud y Manrique, el Santuario de Jesús Nazareno en Arroyo Arenas y el Santuario de San Lázaro en el Rincón. Peregrinando a estas Iglesias con las debidas disposiciones, pueden los cristianos beneficiarse de la indulgencia plenaria.

Desde ahora convoco a todos los fieles católicos para la apertura del Año Santo Jubilar, que tendrá lugar el día de Navidad, sábado 25 de diciembre, llevando en procesión desde la Iglesia y Santuario de Nuestra Señora de la Caridad hasta la Catedral de La Habana, el libro de los evangelios, abierto en la página que nos recuerda que *«la Palabra se hizo carne y habitó entre nosotros»* (*Jn* 1, 14). Este caminar hasta la Catedral será un símbolo del camino de fe y esperanza que debe recorrer la Iglesia en el próximo siglo y milenio.

Cómo no tener presente en la celebración del Año Santo a la Virgen María, hija predilecta del Padre, en cuyo seno se encarnó el Hijo eterno de Dios por obra del Espíritu Santo. María ha tenido, como ninguna otra criatura, la más profunda experiencia de vida trinitaria. Le pedimos a ella que anime la esperanza de nuestra Iglesia Arquidiocesana de La Habana. Que cuanto hagamos sea para alabanza y gloria de la única e indivisa Trinidad: Padre, Hijo y Espíritu Santo.

Queridos hijos, pongo en sus manos esta Carta a los dieciocho días del mes de octubre del año del Señor de 1999, fiesta de San Lucas Evangelista.

✠ JAIME Card. ORTEGA

HOMILÍAS

MISA DE CLAUSURA DE LA ASAMBLEA DIOCESANA DE LA REFLEXIÓN ECLESIAL CUBANA DE LA ARQUIDIÓCESIS DE LA HABANA*

Queridos sacerdotes, religiosos, religiosas y laicos que han participado en nuestra Asamblea Diocesana de la REC, queridos hermanos y hermanas:

Esta celebración de la Vigilia de la Natividad de San Juan Bautista sirve de marco a la clausura de un evento eclesial que nos prepara para la magna Reunión de la Iglesia en Cuba que será el Encuentro Nacional Eclesial, mientras que deja ya, con sus deliberaciones, con el trabajo inspirado, entusiasta y creador que ha precedido esta Jornada y con el Espíritu profundamente eclesial que ha reinado durante la preparación y el desarrollo de la Asamblea, una huella imborrable en la vida de nuestra amada Arquidiócesis que contempla ahora con renovado entusiasmo el futuro inmediato que se abre a su misión evangelizadora y a todo su trabajo pastoral.

Cuando la Iglesia se congrega alrededor de su Obispo y se afianza en su razón de ser que no es otra que, en absoluta fidelidad a su Señor, anunciar proféticamente a los hombres y mujeres de nuestro tiempo el mensaje del amor, de la verdad y de la vida, nos sobrecoge siempre lo tremendo de nuestra misión, la magnitud de esta empresa en comparación con nuestra debilidad personal y comunitaria.

«Ay, Señor mío, ¡Mira que no sé hablar!», ese es el lamento de Jeremías en la lectura profética de hoy. Es la objeción que siempre ponemos a Dios, cuando nos pide nuestra colabora-

---

* Catedral de La Habana, 23-VI-1985.

ción para proclamar su Reino y entramos a calcular nuestras posibilidades a partir de las capacidades humanas con que contamos: soy un muchacho, no sé hablar –dijo Jeremías.

No tenemos suficientes agentes pastorales, nos faltan medios de comunicación apropiados, no existe la adecuada preparación ni la técnica pastoral, ni podemos hablar –diríamos nosotros.

No digas soy pequeño, «que donde yo te envíe irás, y lo que yo te mande dirás. No tengas miedo que yo estoy contigo, te doy mi palabra». Esa es la respuesta de Dios.

Y esta palabra tú la empeñas hoy con nosotros, Señor, Tú la diriges a tu pueblo que peregrina en La Habana y que concluye ahora su gran Asamblea Diocesana. Nosotros, con la mirada agradecida de la fe puesta en Ti, te alabamos con el salmista: A Ti, oh Dios, «porque Tú fuiste mi esperanza y hasta hoy relato tus maravillas». Porque «no hemos visto a Jesucristo y lo amamos, no lo vemos y creemos en Él y nos alegramos con un gozo inefable y transfigurado».

De ese Cristo ha tratado nuestra Asamblea. A Él lo seguiremos, Él es la meta de nuestra fe y ahora nos toca anunciar, con la fuerza del Espíritu, estas cosas que los ángeles ansían penetrar.

Y en esta fecha conmemorativa, inspirándonos en nuestro compromiso, se agiganta ante nuestros ojos la figura del Bautista; el heraldo decidido, firme, enraizado en la cultura y en el acervo religioso de su pueblo, fácilmente reconocible por su estilo de vida, por su palabra tajante, y hasta por su modo de vestir, como hombre de Dios, profeta, predicador. Juan encarna la fidelidad a lo mejor de las tradiciones religiosas de su nación, es el buscador de Dios, que fue a encontrar al Señor en el desierto, donde sus antepasados tuvieron la indecible experiencia de su acción salvadora de su cercanía. En su estilo y en su quehacer el Bautista recorre los caminos seguros tazados por la sabiduría de los profetas que lo precedieron: austeridad, energía, vida contrastante. El mismo Jesús decía a sus contemporáneos que no era precisamente una caña movida por el viento lo que iban a encontrar en pleno desierto. Porque al desierto acuden sus coterráneos para ver a aquel hombre que viste con piel de camello y se alimenta de miel silvestre. Todos desean escuchar su verbo encendido. Pero Juan no era la luz. Él había venido para dar testimonio de la luz y tuvo que aceptar no solo el cuestionamiento de los hombres: ¿Eres Tú el Mesías? ¿Eres Tú el Profeta?; sino la sorprendente iniciativa de Dios que le sale al paso en forma desconcertante, por medio de aquel Jesús, su pariente, que no vive como profeta, que no viste como profeta, que no se retira al desierto a esperar que los hombres acudan a Él, sino que recorre calles y plazas y busca a sus discípulos en su medio de trabajo, al borde del lago, cuando repasaban sus redes de pescadores. Ese Jesús que habla con dulzura de los lirios del campo, de las aves del cielo, del Padre, de los niños; que cuenta el amor de Dios en parábolas, que aparece libre y liberador de cara a las más férreas tradiciones religiosas de su pueblo y a las costumbres sociales más arraigadas: se sentaba a la mesa y comía con los pecadores, hablaba en público con las pobres y despreciadas mujeres; pero que sabía también cambiar el tono habitualmente tierno con que se dirigía a los sencillos por la palabra enérgica y cortante que fustigaba al religioso hipócrita o ponía en guardia al rico y al poderoso del riesgo de perder sus vidas.

Jesús *sí era la luz,* que alumbra a todo hombre que viene a este mundo. Pero, como ninguna otra luz, esta es deslumbrante, cegadora.

Ante Jesucristo solo cabe la aceptación humilde que comienza por negar; no soy el Mesías; no soy el Profeta y que se prolonga en obsequio, en reverencia; es necesario que Él crezca, que yo disminuya, no soy digno de desatarle la correa de su sandalia.

Después Juan tuvo que ir aún más lejos; olvidarse de sí, de su grupo de iniciados, para señalar al Cordero de Dios, al que quita el pecado del mundo, y dejar que sus antiguos seguidores se pusieran en la escuela del nuevo Maestro.

Queridos hermanos y hermanas: En tiempos de crisis, cuando la validez de la religión como factor positivo inspirador de la vida es impugnada, cuando son pocos los que viven decididamente el riesgo de la fe, la pequeña comunidad de los creyentes experimenta su debilidad ante lo desproporcionado de su misión y, salvada en el mejor de los casos del desaliento, o aún para combatirlo, es casi normal que se cohesione alrededor del culto a su Señor, siguiendo los caminos trillados, que son siempre seguros. Así, replegados en nuestro desierto, que, más que lugar de encuentro con Dios, es sitio de apartamiento y de tranquilidad, vivimos nuestra fidelidad a la Iglesia y a Dios, en quien creemos. Allí esperamos que lleguen los hombres con su religiosidad espontánea, con sus búsquedas y sus ansias y tratamos de iniciarlos en nuestro camino, que sabemos verdadero y generador de felicidad.

Pero he ahí que Jesús nos sale al paso –y es eso lo propio de Jesús–. ¿No se hizo Él encontradizo de María de Magdala, del ciego del camino o del grupo de los diez leprosos? Y lo hallamos de nuevo, donde siempre: en las calles, en las plazas en medio de los hombres y mujeres de hoy, donde se construye el mundo.

Allí está extrañamente presente en el silencio que sobre él se cierne, lo descubrimos en el lecho de dolor del enfermo, en el sudor de los trabajadores, en el reclamo de auténtico amor de tantos corazones juveniles o en las ansias secretas de paz y verdad de muchos de nuestros hermanos.

Y se sobresalta, entonces, nuestro mundo interior, nuestro corazón de discípulo de Cristo siente que es incompleta nuestra fidelidad, que está lastrada de elitismo, de superficial complacencia en algunos logros, que pudieran resultar aún nocivos si no desembocan en nuevas actitudes de compromiso con la vida, con los hombres y mujeres de nuestra hora. ¿De qué nos serviría nuestro aprecio por la unidad, el hondo sentido comunitario y la alegría de compartir la fe en un grupo de hermanos, si todo se queda ahí y no se hace palabra elocuente, anuncio exaltante, en resumen, misión de Iglesia?

¿Para qué recibimos entonces el Bautismo de Jesús, en Espíritu Santo y fuego, si seguimos replegados, estáticamente fieles, establemente seguros, pisando terreno conocido?

Como Juan, ante Jesús debemos quedar desestabilizados, perder nuestras falsas seguridades y lanzarnos a la búsqueda de una fidelidad realmente dinámica, que no se expresa solo en la guarda celosa de los dones recibidos, sino que se ejercita al modo del atleta, que solo se sabe fiel cuando todo su ser está en tensión hacia la meta que tiene por delante.

Para esto tenemos que andar en las huellas de Jesús, volver a ponernos de veras en su escuela.

Ese es el sentido de esta Asamblea Diocesana y de todo el proceso que hemos llamado Reflexión Eclesial Cubana.

Nos hemos querido situar bajo la luz que es Cristo para llegar a ser testigos de la Luz; como Juan el Bautista nos hemos dejado interpelar por los hombres sobre nuestra autenticidad, sobre nuestra fiabilidad. Y deseamos responder con humildad como Pastores, como pueblo de Dios; aquí está la Iglesia con los errores y pecados de sus miembros de ayer y de hoy, pero afortunadamente los que la integramos *no somos* el Mesías, *no somos* el Profeta. En medio de nuestras miserias y también de nuestras grandezas pasadas y presentes anunciamos a Alguien que es más que nosotros mismos y que sí puede salvar.

Nuestra misión es que Cristo sea libremente conocido, amado, seguido. No queremos parecernos a un círculo de iniciados, sino seguir los pasos del Cordero de Dios, y correr los riesgos que Él ofreció a quienes quieren ser sus discípulos.

Y así miramos con interés hacia nuestro mundo para descubrir que el desafío que este nos lanza no está dirigido únicamente hacia la fe religiosa o hacia al Iglesia Católica, sino al hombre mismo.

Cerrado sobre sí mismo, a veces sin ningún sentido trascendente de la vida y de los acontecimientos, albergando en su seno la carga explosiva que podría hacerlo estallar doce veces; con las dos terceras partes de la humanidad hambrienta y miserable soportando sobre sus hombros el peso del resto de los habitantes del planeta, mejor alimentados y, en menor número, escandalosamente ricos y satisfechos; el mundo de hoy contempla con admiración sus propios avances, sea en el vencimiento de las enfermedades, en el uso de la energía, en el control de los procesos biológicos o en la exploración del espacio extraterrestre.

Pero mira a un tiempo con temor el desequilibrio ecológico, la contaminación ambiental, la manipulación genética, la banalización de la vida humana, la pérdida rápida de valores esenciales de la existencia, la crueldad en las relaciones interpersonales. ¿Estará el futuro del hombre solo en la ciencia? Pero no todo lo que es científico es moralmente bueno.

El futuro del hombre está en su conciencia, en su capacidad de decir sí o no a lo que le proponen sus propios descubrimientos. No es Dios quien está amenazado en nuestro mundo, es el hombre. Y está amenazado por los mismos hombres.

Quien necesita ser salvado es el hombre. Y el salvador de los hombres es Jesucristo. Nosotros, cristianos, tenemos el deber de proclamar esto hoy, para ser fieles al mismo Cristo y porque el Evangelio es Palabra de futuro, no descifrada aún en su hermosa simplicidad.

Nosotros, Iglesia de Jesucristo, no podemos estar ausentes en esta hora de la historia del hombre, de la historia de Cuba. Sentados a una misma mesa, en diálogo franco, trabajando codo a codo por el bien de los demás, diciendo siempre NO a lo que nos parece que puede deshumanizar, respondiendo con prontitud cuando se trate de esfuerzo, sacrificio y amor, reclamamos nuestro puesto en este taller donde se fragua el mañana.

Como cubanos que vimos brillar la luz del sol en el cielo azul de nuestra Patria, nosotros, cristianos de Cuba, que sabemos de brisas suaves y de vientos de huracán, que compartimos los mismos azares con todo nuestro pueblo y que juntos albergamos anhelos de paz y bienestar para todos en nuestra querida tierra, nos hemos esforzado en demostrar que son algo más que buenos deseos nuestras palabras.

En efecto, por comenzar con lo más conocido:

Ahí están los hombres y mujeres consagrados que se entregan al cuidado de los necesitados en hospitales o en centros de atención de ancianos, pero ahí están sobre todo nuestros laicos católicos: profesionales, obreros, empleados, técnicos, amas de casa, los que han integrado el mayor número de nuestra Asamblea y constituyen también mayoritariamente la Iglesia. Su servicio asiduo y abnegado a la sociedad, su disponibilidad para el esfuerzo, su sentido de la disciplina, de la solidaridad y del deber, los identifican casi siempre en el centro de trabajo, en el barrio o en la escuela.

Y ahí están, también, ¿por qué no? los sacerdotes y las religiosas que son los animadores de todo el cuerpo eclesial, quienes con su palabra, su trabajo constante, a menudo no apreciado, apoyan espiritualmente a sus hermanos en un compromiso con el mundo, son fuente de inspiración para adolescentes, jóvenes y matrimonios cristianos y portadores de consuelo y esperanza para ancianos y enfermos.

Ellos haciendo esto, predicando sin cesar el amor y la reconciliación, también trabajan por el mejoramiento de la sociedad y procuran el bienestar de sus hermanos.

La Reflexión Eclesial Cubana se propuso desde sus inicios como meta y como lema: que la Iglesia Católica debía ser en Cuba signo de comunión en medio del pueblo del cual forma parte. Esto quiere decir que los católicos deseamos vivamente poner todo el dinamismo del amor cristiano al servicio de la sociedad como elemento reconciliador que propicie la unidad y el diálogo.

Nuestra Asamblea ha reafirmado ese propósito de que la Iglesia en Cuba sea cada vez más una comunidad de fe y de amor solidaria con todos los hombres y no un círculo estrecho de iniciados.

Nosotros aspiramos ahora a que se transforme la mirada con que se nos observa, para que no se siga considerando la comunidad de los creyentes en Cristo como un coto cerrado y ajeno en medio de la colectividad.

Aspiramos a pasar de la tolerancia callada o de la mera aceptación *a la plena participación*, sin demagogias ni triunfalismos, pero también sin disimulos vergonzantes.

Como cubanos, como cristianos, esperamos que nuestros hermanos no creyentes, desde su humilde puesto de trabajo o desde los cargos más relevantes de la Nación, se hagan también solidarios con nosotros en este empeño nuestro de ser seguidores consecuente de Jesucristo que queremos participar activamente en la construcción de un mundo mejor sin dejar de ser lo que somos y sin necesidad de ocultarlo.

Todo esto lo digo en plena fidelidad al espíritu que animó esta Asamblea y antes de presentar al Padre en esta Eucaristía la ofrenda del Cordero sin mancha que derramó su sangre por todos los hombres en prueba de un amor sin fronteras.

No sé si será mi voz como la del Bautista que clamó en el desierto, pero sí estoy persuadido de que diciendo estas cosas, se preparan los caminos del Señor, que son siempre los de la Verdad, el Amor y la Paz.

Que el Señor los bendiga a todos.

MISA CRISMAL*

Queridos Sacerdotes, Hermanos y Hermanas:

Como cada Cuaresma, pero más aún en este año del Encuentro Nacional Eclesial Cubano, la Misa Crismal tiene en nuestra Arquidiócesis de La Habana un carácter de gran celebración diocesana.

La Iglesia en Cuba, renovada y vivificada por el ENEC, y en plena fidelidad a su vocación de ser para todos nuestros hermanos signo del amor de Dios a los hombres, se congrega en esta ocasión junto al Obispo y su presbiterio para, en la escucha de la Palabra y en clima de oración, tomar clara conciencia de su sacramentalidad, es decir, de su condición de Pueblo de Dios que hace camino en la historia como parte de nuestro pueblo cubano esforzándose por cumplir, con su ser y con su obrar, la Misión de hacer a Jesucristo presente en medio de todos los hombres y mujeres, nuestros hermanos, que viven, luchan, trabajan, se alegran o sufren cotidianamente a nuestro lado, junto a nosotros.

Saber y sentir a todos los hombres con nosotros es el requisito básico para el cumplimiento de nuestra Misión como Iglesia. Porque la Iglesia revela a Jesucristo y lo hace presente. A través de ella, es decir, de todos nosotros cristianos, también Cristo actúa hoy; se incorporan nuevos hermanos a la marcha del Pueblo de Dios, crece el Cuerpo de Cristo y se perfecciona la alabanza que la humanidad debe rendir a su Creador y Padre.

Para lograr esto, el Hijo de Dios recorrió un camino descendente hasta nosotros, único modo para que nosotros pu-

---

* Catedral de La Habana, 20-III-1986.

diéramos llegar hasta Dios. «Por nosotros los hombres y por nuestra salvación bajó del cielo...» decimos en el (Credo).

«Jesucristo, siendo de condición divina, se despojó de su rango y tomó la forma de servidor», se anonadó a sí mismo»... dirá San Pablo. De este modo, «la Palabra se hizo carne y habitó entre nosotros» (*Jn* 1), y entró en la historia humana con un nombre dado de lo alto: «Dios-con-nosotros». Experimentamos así toda la cercanía, la solidaridad, la intimidad de Dios, que inicia en Jesucristo un modo singular de presencia, marcado por un amor de dejación de sí para que todos los hombres lleguen a participar de su misma vida. Este es el misterio de la Encarnación. No encontramos casi ninguna homilía o reflexión de San Agustín que no remonte a esta realidad germinal de la espiritualidad cristiana: la abnegación, el don de sí, esa dulce exigencia de la que está transido todo el Evangelio no son más que el reclamo de aceptación universal de ese estilo radical del amor de Dios que llegó hasta la entrega en su Hijo Jesucristo. Y así, el que era desde siempre, sin dejar de ser quien era, pero anonadándose, «haciéndose uno de tantos», comenzó a ser de un nuevo modo, comenzó a ser como nosotros para poder estar con nosotros. Este había sido siempre el Plan de Dios desde el inicio: estar Él con los hombres y que los hombres estuvieran con Él. En los albores de la Creación, antes de que el pecado ensombreciera el horizonte del destino humano, Dios se paseaba familiarmente por el Paraíso «con la brisa de la tarde» (*Gn*).

Siglos antes de que llegara la plenitud de los tiempos con la venida del Salvador, Dios habló a sus elegidos y de modo personal les dijo a muchos de ellos: «no temas, yo estoy contigo...».

La frase nos resulta familiar: es la que, con pocas variantes, hemos dicho a un amigo que atraviesa una prueba difícil; es la misma frase que se nos ahogó en la garganta y que quisimos pronunciar en la pena o la angustia de algún compañero de trabajo o de estudio o aun de un simple conocido, cuando poníamos nuestro brazo sobre sus hombros o la estrechábamos la mano.

Estar contigo, estar conmigo, estar con nosotros. Esta es la palabra perenne, definitiva, estremecedora que nos dice

Dios en su Hijo Jesucristo, el Enmanuel, Dios-con-nosotros. Este hombre impuesto por el Altísimo expresa lo que es la persona, el porqué de su vida y de su acción en el mundo.

¡Y qué bien llevó Jesús ese nombre! Él está siempre en medio de sus contemporáneos.

¿No es este el Hijo del carpintero?

¿Su padre no es un obrero y sus parientes no son de aquí?

Pero Jesús no solo es de su tiempo por ser identificable. Es hombre de su tiempo porque se identifica con la gente, con su gente, que son los pobres, los pecadores aquellos que nadie quiere que estén a su lado y a los que Él ha venido especialmente a buscar. «Yo he venido a anunciar la salvación a los pobres, a los cautivos la redención» y «lo acusaban de comer y beber con los pecadores…».

De este modo, el Jesús *sacramento del Padre*, es decir, el que hace presente la sacralidad de Dios en lo cotidiano asumido y transformado. Lo humano es su vehículo, su medio. La vida compartida es la manera que Él tiene para hablar del Padre y del amor que el Padre tiene a los hombres. Cuando su Palabra se hace parábola o discurso didáctico o conversación personal está dicha desde la barca a donde se siente muy cerca de la orilla del lago, rodeado de muchedumbre; o puesto a la mesa en casa de Simón, cuando les explica a los serios y bienpensantes que la pecadora que lo está tocando ama mucho y alcanzará mucha misericordia. Y en la casa de sus amigos, mientras espera que sirvan la mesa, le dirá a Marta que ella se pone nerviosa por muchas cosas y que solo una es necesaria: buscar a Dios de todo corazón y ponerse a su escucha.

La orilla del lago, la casa del amigo, la mesa de una comida familiar, los prados del campo, las escalinatas del templo… son los lugares donde Jesús habla, porque en ellos están los hombres y mujeres de su tiempo, pobres o acomodados, letrados o ignorantes, santos o pecadores.

La palabra reveladora de Jesús alcanza al hombre en su realidad cotidiana, en su medio vital, porque está dicha donde se hallan aquellos que pueden escucharla, porque quien la dice tiene muy en cuenta las expectativas y los obstáculos internos de sus interlocutores, porque sabe hablar del lenguaje de la historia cuando esta se está desarrollando ante sus ojos. Jesús es un hombre *situado*. Puede resultar atrayente, íntimo, exigente o desconcertante, pero nunca extraño a lo humano y a lo concretamente e inmediatamente humano. Él se ubica donde se entrecruza el tejido de la vida.

Cuando el ENEC, al final de su maravillosa semana de trabajo y oración, pidió que nuestra Iglesia en Cuba, para ser evangelizadora, fuera realmente una Iglesia Encarnada, no quería decir ni más ni menos que hoy nosotros, que formamos el Cuerpo de Cristo en nuestra Patria y prolongamos aquí su presencia salvadora, debemos integrar una Iglesia también *situada*, que sabe escuchar y que tiene qué decir. Iglesia que puede resultar en ocasiones sorprendente, pero que, por fidelidad a su vocación y a su Señor, no puede ser jamás extraña al mundo, a nuestro pueblo, a su historia actual.

Algunos, aun creyentes, quisieran que la Iglesia se ocupara únicamente de la religión, que hablara un lenguaje que ellos llaman «exclusivamente religioso», que fuera solo una Institución con funciones culturales para satisfacer los gustos casi estéticos o las necesidades psicológicas de determinados grupos humanos.

Pero justamente, la novedad revolucionaria de Jesucristo fue la de sacar lo religioso del ámbito cerrado de lo puramente religioso, para trasladarlo a la vida y establecer definitivamente lo que ya habían anunciado los profetas: «que esta es la religión que Dios quiere».

Después de Jesús, quienquiera que se considere su seguidor, sea levita, sacerdote o laico, no puede pasar de largo dejando tirado al borde del camino al prójimo maltrecho; después de Jesús no se puede dividir a los hombres en judíos y samaritanos, esclavos y libres, puros y pecadores; después de Jesús no puede haber ofrenda en el Templo, si no hay reconciliación en la vida; después de Jesús no puedo decir que amo a Dios si no amo al hermano.

Esta religión que pasa por el hombre, que atraviesa lo humano como única vía de alcanzar al verdadero Dios, no es solamente apta para mejorar las relaciones interpersonales; vale también para fundamentar la vida social, económica y política, y favorece en el interior de los Estados y en las relaciones internacionales el surgimiento de una auténtica Paz.

Cuando la Iglesia vive de veras el Plan de la Encarnación no puede menos que dejar una estela de servicio, de conciliación, de bondad y de Paz en medio de la Sociedad. Así, en estrecha colaboración con todos los que procuran el bien y con profundo espíritu de comunión, va construyendo solidariamente la Civilización del Amor. Esto lo ha venido haciendo humildemente la Iglesia en Cuba por sus instituciones de servicio asistencial, por la exhortación continua a sus hijos a dar lo mejor de sí en bien de su Pueblo, por la acción de sus laicos comprometidos.

Pero ahora después del ENEC, la Iglesia toda: Obispos, personas consagradas, sacerdotes y laicos, asumen con actitud pastoral el ser una Iglesia que pone un acento prioritario en cumplir, en medio de nuestro pueblo, el plan de la Encarnación, que tuvo en Jesucristo su realización perfecta y en quien nosotros encontramos gracia y fortaleza para actualizarlo hoy.

Esto significa que, aunque en algún momento anterior, hubiera sido así, después del ENEC, la Iglesia no puede pasar de largo. Después del ENEC, la Iglesia no puede ceder a la tentación de aceptar pasivamente las divisiones de los hombres en campos contrapuestos. Después del ENEC, la Iglesia no puede presentar su ofrenda si no trabaja a un tiempo, en clima de diálogo, por la reconciliación; después del ENEC, los creyentes en Jesucristo debemos identificarnos en Cuba no porque respondamos que somos creyentes a la pregunta de un formulario escrito, sino porque respondamos con la vida a los requerimientos del amor a los hermanos.

En esta prioridad de ser una Iglesia Encarnada hay una exigencia de seria conversión, a fin de alcanzar una renovación verdadera.

Ustedes, queridos presbíteros, ministros de la reconciliación, heraldos que convocan al pueblo de Dios a la conversión; sacerdotes de la nueva religión de Jesucristo, cuyo culto pasa necesariamente por la vida; renovarán ahora sus promesas sacerdotales, que consisten precisamente en la entrega total de la vida en espíritu de servicio a todos los hombres.

Les suplico en este día de gracia, después de nuestro retiro espiritual, que, alentados por el ENEC, pongan también el acento en ser decididamente e inspiradoramente para su pueblo, los sacerdotes de una Iglesia que, por fidelidad al plan de la Encarnación, quiere vivir realmente insertada en la historia presente.

La bendición de los óleos y el Crisma y la celebración Eucarística nos llevan a la cumbre de la presencia sacramental de Cristo. Que también nuestras vidas sacerdotales se asemejen a lo que familiarmente tratamos y seamos para nuestros hermanos bálsamo que alivia y conforta y alimento que fortalece su espíritu, sosteniéndonos todos según propia vocación en el propósito común de ser una Iglesia Encarnada al modo de Jesús.

VIII ANIVERSARIO DEL INICIO DEL PONTIFICADO DE SU SANTIDAD JUAN PABLO II Y DESPEDIDA DE LA CRUZ DE LA EVANGELIZACIÓN DE LA ARQUIDIÓCESIS DE LA HABANA*

Excmo. Sr. Pro Nuncio de Su Santidad en Cuba, Mons. Giulio Einaudi, Excelencias, distinguidos miembros del Cuerpo Diplomático; queridos hermanos y hermanas:

Hace casi justamente dos años, nuestro Santo Padre Juan Pablo II entregaba a los Obispos de cada uno de los países latinoamericanos, que habían acudido a la República Dominicana para representar a sus respectivas naciones, una Cruz de madera semejante a la que hoy preside nuestra celebración. Comenzaba así solemnemente la novena de años que nos conducirá al quinto Centenario de la llegada de la fe cristiana a nuestras tierras.

Hoy, cuando nuestra comunidad diocesana se reúne para dar gracias a Dios por el espléndido Pontificado del Papa Juan Pablo II, pidiendo al Señor que nos lo conserve feliz y lleno de vitalidad, nos proponemos todos: el Arzobispo, los sacerdotes, las demás personas consagradas y los fieles de esta amada Arquidiócesis de La Habana contribuir un poco a

---

* Catedral de La Habana, 26-X-1986.

la felicidad de nuestro querido Santo Padre con un regalo que no es de «oro ni plata», sino que está hecho de oración, de esfuerzo y de alegría misionera.

Concluimos esta tarde un año de incansable tarea evangelizadora en nuestra Arquidiócesis. La Cruz del V Centenario de la Evangelización ha recorrido todas nuestra iglesias y capillas; los fieles se han congregado en gran número en todas partes. Los enfermos han sido visitados, los sencillos, los pobres han recibido la buena noticia. Sabemos que esto va a alegrar el corazón del Santo Padre que es modelo de evangelizador para toda la Iglesia. Pedimos a Ud., querido Sr. Pro Nuncio, que haga llegar hasta el Papa Juan Pablo II este gozo nuestro que será también suyo.

Pretendemos, así, parecernos, aunque sea pálidamente, a los discípulos de Jesús, que retornaban de sus primeras andanzas y relataban al Maestro «muy contentos» cómo se manifestaba entre ellos la acción a de Dios (*Lc* 10, 17).

«En aquel momento, Jesús, lleno de alegría por el Espíritu Santo, dijo: Te alabo, Padre, Señor del cielo y de la tierra, porque has mostrado a los sencillos estas cosas que han quedado escondidas para sabios y entendidos» (*Lc* 10, 21).

Sí, el Obispo, los sacerdotes, los religiosos, religiosas y fieles todos de La Habana estamos de regreso de una gran misión y con Cristo alabamos al Padre que ha sido reconocido y adorado por tantos hermanos nuestros «a quienes el Hijo ha querido darlo a conocer» (*Lc* 10, 22).

Los Obispos de Cuba acogimos en Santo Domingo, junto con esta Cruz sencilla y simbólica, el deseo expreso del Papa Juan Pablo II que nos convocaba para una segunda evangelización en nuestras tierras. «Es necesario reevangelizar a la América Latina», decía el Papa al inaugurar esta novena de años que estamos celebrando. Reevangelizar, porque Jesucristo no es un desconocido en nuestros pueblos, pero su nombre y su palabra deben resonar de nuevo en los oídos y en los corazones de los hombres y mujeres que integran la población de un continente predominantemente joven.

Los gestos y actitudes que marcan la vida de los latinoamericanos, también de los cubanos, con tantos rasgos de amor sacrificado, de servicio desinteresado, de preocupación por la justicia y la verdad, deben reencontrar las fuentes de agua viva donde hunden sus raíces. Es necesario que la memoria cristiana del pueblo se haga clara y explícita, que la fe que se hizo cultura no quede aprisionada en moldes culturales; que la tradición riquísima que constituye nuestra herencia cristiana no sea borrada por falta de aliento vital. Que el culto al Dios verdadero, que es ofrenda de la vida al modo de Jesús, no se cambie por el culto al dinero, al prestigio, al poder o al placer. Muchos riesgos debe afrontar el cristiano para que su fe no sea simple recuerdo desgastado, pura tradición acríticamente aceptada, o comportamiento cultural con matices cristianos realmente presentes pero apenas discernibles. He ahí el gran espacio para la misión.

Con facilidad nos hemos percatado, durante este año misionero, de los diversos elementos presentes en la fe simple de muchos hermanos nuestros. Sorprendidos hemos descubierto un vivo recuerdo o una gran añoranza; una extraordinaria capacidad para transmitir tradiciones y creencias, aun entre los más sencillos, o por parte de los que tienen una fe de un modo u otro sincrética. Pero también en muchos otros, cuya memoria religiosa está aparentemente borrada, descubrimos emocionados el hambre de Dios, el deseo de una paz y una felicidad que se sospecha pueden venir de «alguien» que es más que nosotros.

Con sus creencias y nostalgias, con sus expectativas o con sus temerosos atisbos, el pueblo de nuestra Arquidiócesis de La Habana nos ha devuelto con creces los frutos de nuestro empeño evangelizador. Al recordarnos lo esencial, al repetirnos con lenguaje sencillo y concreto lo que nosotros pensábamos que estaba olvidado, al decirnos su esperanza o contarnos la aceptación serena de sus penas, nosotros también hemos sido evangelizados. Pueden sumarse a este humilde testimonio personal, el de los sacerdotes, las hermanas de distintas Congregaciones y los laicos cristianos de todas nuestras iglesias. Este ha sido tal vez el fruto más preciado del recorrido misionero de la Cruz.

Nuestras comunidades eclesiales, a menudo encerradas en sí mismas y, en algunos momentos más difíciles, enfermas de desesperanza, han comenzado a descubrir el horizonte ancho del Reino de Dios. Hablo con toda intención de Reino de Dios, porque la misteriosa realidad de ese Reino, que Cristo describe a sus discípulos de modos tan variados, nos permite situar adecuadamente a la Iglesia y a los cristianos que en ella se agrupan, con respecto al mundo que nos rodea.

Los católicos no formamos parte simplemente de una institución religiosa canónicamente delimitada, que se contradistingue de su entorno porque los que la integran se someten a sus normas y cumplen sus preceptos.

Un organismo de este estilo es siempre estático y tiende a la autoconservación, practica forzosamente un tipo de proselitismo selectivo y gasta sus energías en el mantenimiento y en el limitado crecimiento de la misma institución, cuyos propios fines parecen coincidir cada vez menos con las aspiraciones y metas de aquellos que no forman parte de ese conglomerado.

De ahí que Cristo envíe a sus discípulos a hacer la experiencia de encontrarse con lo humano concreto que se manifiesta en cada hombre y en cada mujer. Y allí, en las plazas, en las calles, y hoy en el centro de trabajo o de estudio, en el vecindario y aun en el seno del mismo hogar asistimos admirados al descubrimiento de que hay muchos que creen, muchos que esperan una palabra para creer, muchos que buscan, muchos que sufren por no encontrar, muchos que viven como creyeran, muchos que parecen ya no vivir por falta de esperanza. Y en todos, una sed insaciable de amor y de paz.

Y entonces, con la experiencia religiosa fundamental de sabernos enviados, como Isaías, como Pedro o como Pablo, como Francisco Javier o Vicente de Paúl, captamos que el Reino de Dios está ahí, solo esbozado en ocasiones, explícito y claro, en otras, esperando siempre que una Palabra salvadora lo ponga en evidencia y lo rescate de su ser anónimo. Y de un golpe, con fuerza impetuosa fluyen precisas e iluminadoras, las parábolas de Jesús: el Reino de Dios se parece a una semilla pequeña (*Mt* 13, 31), se parece a un puñado de levadura que una mujer pone en la masa (*Mt* 13, 33); es como una fiesta que el Rey preparó para la boda de su hijo y a la cual terminó por invitar a los paralíticos, a los pobres y a los olvidados (*Mt* 22, 1-14). Es como una finca donde el dueño llama a todos a trabajar y los trata con igualdad (*Mt* 20, 1-16). Es como un hombre que siembra buena semilla en su campo, pero el enemigo le sembró mala yerba (*Mt* 13, 24 ss). Se parece el Reino de Dios a una red que se echa al mar y recoge toda clase de peces... (*Mt* 13, 47).

Los horizontes de este misterioso reino son los de la humanidad, o mejor, los del corazón del hombre. Sus fronteras son las de la libertad humana, sacralmente respetada, por el Creador.

Este reino no se programa, se anuncia y se construye si bien ya está en ciernes en medio de nosotros. Jesús nos invita a levantar los ojos para contemplar los campos listos para la cosecha. Y así las acciones del que trabaja por este reino no son las de ordenar, organizar o calcular, sino las más evangélicas de invitar, sembrar, llamar o recoger.

Invitar sobre todo a los cojos, los ciegos, los pobres y los olvidados.

Sembrar, aunque nazca la cizaña dentro de nuestro trigo.

Recoger, o llamar a todos por igual.

¡Qué lejos estamos del mundo de las estadísticas o del lenguaje obsoleto que se refiere a la «práctica religiosa»!

¡Qué difícil se hacen las reglas de la sociología cuando las coordenadas pasan por la imprevisible libertad del hombre!

¿Cómo calcular lo invisible? ¿Cómo saber la fuerza germinal de la semilla escondida en la tierra? ¿Cómo prever el número, cuando solo se lanza una invitación? y ¿por qué desanimarnos cuando no responden los que tienen el corazón comprometido, si siempre están dispuestos los sencillos, los humildes, los que son realmente libres?, ¿y podemos extrañarnos entonces de encontrar cizaña dentro del trigo? Para proclamar este Reino, para llamar e invitar, para sembrar e insistir, somos pocos, somos un puñado, como la levadura que la mujer echó en la masa.

La Iglesia es pequeña y debe ser humilde como la semilla que se siembra en el silencio. Así queremos reconocernos. Y todo esto, Señor, que ya lo sabíamos, todo esto que el Encuentro Nacional Eclesial Cubano nos propuso proféticamente como estilo pastoral, o sea, encontrar nuestro ser Iglesia en la Misión que Tú nos has confiado, lo hemos experimentado con alegría al paso de esta Cruz y lo reconocemos como don inapreciable de tu amor.

Los invito, pues, a todos, queridos diocesanos, a entrar en la dinámica exaltante del Reino de Dios.

Los que lo anuncian, todos ustedes y yo, queridos hermanos, «no llevan saco ni alforja, ni nada semejante». No vamos pertrechados. No podemos ir llenos de ideas y de proyectos elaborados, ni cercar con prejuicios propios o heredados, ni querer imponer o exigir, sino proponer y animar. Al hacer esto los discípulos de Cristo no trabajamos únicamente en beneficio de la Iglesia, considerada esta como coto cerrado. Esto sería desconocer la «religión de Jesús», porque Su mensaje es transformador de las conciencias y llega por este medio a cambiar las mismas estructuras sociales, apoyando todo lo noble, justo y digno, para desechar lo que no se aviene a nuestra talla humana.

Es necesario despojar los términos de evangelización, misión y anuncio, de una carga, tal vez merecida, de temor al proselitismo, al triunfalismo, a la cruzada.

Lo que Jesús llama Reino de Dios no es un frío concepto exclusivo; es una realidad existente y vital, inclusiva de todo lo bueno, de todo lo realmente humano. Es imposible proclamar el Evangelio, sin hablar de la justicia, del bien, del servicio, del amor. Es también imposible predicar a Cristo sin descubrir lo bueno, lo justo, donde quiera que se encuentre, para apoyarlo y animar a los hombres en sus empeños más nobles. La novedad de Jesús, la que exasperó a los fariseos y molestó a los jefes políticos y religiosos de su pueblo, fue que Cristo no resultaba ser excluyente.

Para él no había samaritanos ni publicanos; él no estaba afiliado al grupo de los fariseos que eran los religiosos más estrictos y cumplidores; a menudo puso como ejemplo en sus parábolas una de estas personas despreciadas por sus formas de pensar o de sentir: el samaritano fue el único prójimo de aquel hombre apaleado por bandidos y a quien un sacerdote y un levita dejaron abandonado.

El publicano rezó mejor que el fariseo. Y en su grandiosa parábola del Rey que viene con sus ángeles al final de los tiempos, este pone en el lugar de honor a muchos que ni siquiera habían oído hablar de él pero que dieron de comer a los hambrientos, vistieron a los desnudos y asistieron a los presos o enfermos. Jesús, al decir de San Pablo, «derribó con su cuerpo el muro que separaba y dividía a los hombres». Nosotros, sus discípulos, si aceptamos tomar su cruz, no tenemos más remedio que seguir los pasos del Maestro. Y así nos hemos propuesto en el Encuentro Nacional Eclesial Cubano ser «Iglesia sin fronteras, solidaria en el amor».

Pocas horas antes de partir para Cuba, adonde venía con la ilusión, que es hoy casi realidad, de fundar una casa en nuestro país, la Madre Teresa fue interrogada por un periodista: –¿qué es para Usted un comunista? «Un hijo de Dios», –respondió sin dilación la Madre. Esa es la versión actual de una auténtica seguidora de Jesús de cara a las líneas divisorias trazadas obstinadamente por los hombres. Por lo tanto, misión, evangelización y anuncio, para derribar fronteras, para aunar voluntades, para despertar a todos al bien, a la verdad y al amor.

Este es el estilo de Iglesia Evangelizadora que les propone su Obispo al término de este año misionero según el espíritu del ENEC.

Y siguiendo la dinámica del Reino que debemos anunciar y tratar de construir en nuestra Arquidiócesis, estas son las tareas que les propongo para el futuro inmediato. Es evidente que en el Reino de Dios hay privilegiados: los sencillos, los enfermos, los niños. Ellos deben ocupar un lugar preferente en nuestra acción pastoral. Están vivas en mi mente y serán para siempre imborrables las imágenes de nuestro pueblo levantando en alto las cruces de madera al entrar el Obispo en la iglesia, o tocando dulcemente la Cruz bendecida por el Papa, o besándola con reverencia. Queridos sacerdotes y religiosas, a ese pueblo sencillo debemos llevar la certeza del amor de Cristo.

Queridos cristianos todos, nuestra responsabilidad con respecto a estos hermanos nuestros es tan grande como la gracia que Dios nos ha hecho de conocer a Jesucristo y servirlo.

Los enfermos, los ancianos, los imposibilitados, están entre nosotros para que recordemos los límites de toda existencia humana, para invitarnos a la ofrenda confiada, para enseñarnos con sus vidas, aparentemente ineficaces, a crecer en la auténtica esperanza que rebasa las fronteras del tiempo presente y se abre a la eternidad. La atención a los enfermos y ancianos por parte de los sacerdotes, de las personas consagradas, y de todos los cristianos, no es solo una tarea caritativa de una institución que, entre sus otros quehaceres, se ocupa de los desvalidos; sino la acción propia de quienes, siguiendo a Jesucristo, proclaman un Reino de Amor al cual pertenecen preferentemente «los cojos, los ciegos y los paralíticos», que tienen, por causa de su misma incapacidad, un particular derecho de ciudadanía en este Reino que se nutre de lo olvidado, que crece a partir de lo que no cuenta. Al inclinarse atento ante el lecho del enfermo tiene el sacerdote la experiencia más sublime de su misión.

Y por último los niños, nuestros niños, tan numerosos en las celebraciones al paso de la Cruz, mirando con sus ojos grandes al crucificado... y preguntando ¿quién es?, como si presintieran que ese Jesús, a quien no conocen, tiene un especial interés en que les permitan llegar hasta Él: «dejen que los niños se acerquen a mí». Porque Jesús ha puesto al niño en medio de los adultos como paradigma. «Si ustedes no vuelven a hacerse como niños no podrán entrar en el Reino de Dios».

Nosotros no nos acercamos a los niños pensando solamente en el mañana. En la lógica desconcertante de Jesús, el niño es importante porque es pequeño, como lo es el enfermo por su incapacidad, o el pobre porque nada tiene. No importa lo que será mañana, hoy debe descubrir y vivir él su maravillosa condición de niño y aprender que Dios lo ama y que Jesús lo sitúa en lugar preferente. Ese será el único modo de dejar algunos jalones que le permitan más tarde, en la edad de las preocupaciones o de los desvaríos, volver a ser como cuando era niño y reencontrar la felicidad. En mi recorrido por la Arquidiócesis he hallado muchas iglesias sin catequesis. Nos faltan sacerdotes, nos faltan religiosas que puedan atender debidamente a los niños. Falta también generosidad y espíritu de sacrificio para poder afrontar una tarea que es impostergable. Nunca es más sacerdote el párroco o el rector de una iglesia que cuando él mismo da la Catequesis a los niños. La Catequesis de los niños es también una forma eminente de apostolado seglar» C.T. No debe haber una sola iglesia en la Arquidiócesis, ni una sola capilla donde no exista la Catequesis para los niños. Si los niños faltan en nuestra Iglesia el Reino de Dios se hace irreconocible y nos incapacitamos para predicarlo.

Queridos diocesanos: En el Encuentro Nacional Eclesial nos propusimos ser una Iglesia Evangelizadora. Nuestro consejo diocesano de pastoral optó por esta prioridad.

Ahora, después del recorrido misionero de la Cruz y mi visita Pastoral a toda la Arquidiócesis, les pido que este esfuerzo evangelizador se concentre en los sencillos, en los enfermos y en los niños.

Excelentísimo y querido Sr. Pro Nuncio, en este día de oración por el Santo Padre deseamos ofrecerle también al Papa, por medio de S. E., nuestros futuros esfuerzos evangelizadores.

Quiera Dios que, en fecha no lejana, pueda el mismo Papa Juan Pablo II, en persona, visitar nuestra Iglesia y animarnos en estos empeños.

Así lo pedimos insistentemente al Señor.

Nuestra oración se hace hoy particularmente profunda a escasas horas de la gran reunión de Asís, convocada por el Papa Juan Pablo II, donde altas figuras representativas de todas las religiones de la tierra se congregarán con el Santo Padre para orar por la Paz del mundo.

Unidos al Papa ofrecemos la Santa Eucaristía por el bien y la concordia de todos los pueblos de la tierra.

PRIMER ANIVERSARIO DE LA CELEBRACIÓN DEL ENCUENTRO NACIONAL ECLESIAL CUBANO*

Un año después de habernos reunido para el ENEC en esta misma iglesia, convertida entonces en aula de trabajo reflexivo, de diálogo y de futuro, nos congregamos aquí esta noche para celebrar la Santa Eucaristía, sin pretender un ba-

---

* Casa Sacerdotal, 18-II-1987.

lance actualmente imposible en relación con aquel Encuentro que hubo de trazar las líneas pastorales para un tiempo tan amplio de la vida de la Iglesia en Cuba, que sus frutos apenas empiezan a ser cosechados en la hora presente.

Fue, en efecto, el ENEC el momento fuerte de un movimiento de concienciación que no solo generó aquel evento significativo, sino que produjo en nuestra Iglesia un modo nuevo, participativo, corresponsable de comprender, preparar y realizar la misión de la Iglesia y su acción pastoral; con una referencia clara y realista a nuestra historia reciente y pasada, sin el lastre de nostalgias estériles con una consideración positiva del presente, sin caer en fáciles optimismos, pero lejos también de todo pesimismo sombrío; con una proyección para el futuro que tiene en cuenta lo vivido, que supo nutrir su aval reflexivo en el Concilio Vaticano II, en Medellín y Puebla, pero que encuentra la razón de su esperanza en la capacidad incalculable del Evangelio para abrirse camino en el corazón de los hombres y mujeres de hoy, porque la figura sublime de Jesús tiene un poder siempre actual para cautivar las voluntades, porque la fuerza del Espíritu Santo que nos prometió el mismo Jesús obrará también hoy las mismas maravillas que en los tiempos apostólicos, que en los grandes momentos de renovación en la historia de la Iglesia.

Fue, pues, el ENEC un acto de Fe de la Iglesia que está en Cuba, con todo lo que conlleva una andadura de fe: conversión, adhesión a Cristo y a su mensaje, compromiso evangelizador que las dificultades no logran empañar.

«Venían los apóstoles contentos de haber comparecido ante el Consejo, porque fueron hallados dignos de padecer la afrenta por el nombre de Jesús» (*Hch* 5, 41). Sí, como acto de Fe, el ENEC ha difundido alegría en nuestra Iglesia, que no ignora los problemas pero que los encara sin amargura. Todo esto configura un modo nuevo y vital de estar los cristianos presentes como Iglesia, sacramento de salvación para nuestros hermanos aquí y ahora.

En nuestra Arquidiócesis de La Habana hemos celebrado los EPEC; los encuentros parroquiales, que han sido, más que el eco del Encuentro Nacional en cada comunidad, la concreción de ese estilo propio del ENEC de pensar y vivir la misión de la Iglesia, en cada barrio o en cada pueblo.

Al visitar los EPEC y llegar a las distintas comunidades, a veces en pleno desarrollo de una plenaria, en ocasiones durante las reuniones de equipo, que recorría con interés, escuchaba siempre los mismos temas: los niños, los enfermos, los hermanos de religiosidad sencilla y popular, el templo abierto, las mentes abiertas, los corazones abiertos...

Temas iguales y totalmente nuevos en cada parroquia, en cada sitio diverso: porque las modalidades eran distintas para acoger a los hermanos de la parada del ómnibus que está junto a la iglesia y que entran en ella o para tener en cuenta, en las felicitaciones de Navidad y Año Nuevo, a las escuelas del barrio, al Círculo Infantil vecino, a la fábrica que está dentro del territorio de la parroquia o a la cercana estación de policía.

En cada barrio, en cada pueblo, nos situábamos en este tiempo y cada uno en su propio espacio. No es ya la Iglesia que acuerda intercambiar postales de Navidad con otras comunidades católicas y, cuando más, cristianas de distintas denominaciones. No es más la iglesia que reunía al pequeño grupo de cristianos responsables para hablar de la conveniencia de mandar a hacer un parabán a fin de que los que esperan el ómnibus en la acera no molesten. Es una iglesia que en Asamblea numerosa propone abrir sus templos al que espera el ómnibus, y que quiere, llegadas las Fiestas de Navidad y Fin de Año, llevar a todos sin distinción sus buenos deseos y su amistad.

Por estos signos que, repito, no pueden por sí solos presentar un balance positivo del ENEC, podemos, sin embargo, comprobar que algo ha pasado en la Iglesia que está en Cuba.

Por nuestra parte, los trabajos de este año en la Conferencia Episcopal se han orientado a sentar las bases para que los acuerdos del ENEC se hagan efectivos en todos los sectores de la vida de la Iglesia en nuestro país.

Pero en las mentes de todos ustedes, queridos hermanos y hermanas, y me atrevería a decir, de todos los católicos cubanos, al año justo de la celebración del ENEC afloran sin duda muchas preguntas:

¿Ha podido la Iglesia encontrar un espacio más amplio y seguro para su acción pastoral después del ENEC?

¿La clara disponibilidad al diálogo serio y constructivo en todas las instancias de la vida nacional ha hallado el eco adecuado que permita esperar una participación más amplia y decidida de los cristianos en la construcción de la sociedad?

Sintiéndose plenamente parte del pueblo cubano y plenamente identificados como cristianos, miembros activos de la Iglesia, ¿los católicos cubanos van ocupando su lugar en la sociedad sin privilegios pero sin discriminaciones? En una palabra: ¿los pasos seguros que ha dado la comunidad eclesial se han correspondido con una real ubicación y aceptación de los católicos en esta sociedad nuestra? ¿Se sientan también las bases para que pueda la Iglesia superar la situación de tolerancia limitada y desarrollar su misión en un clima de mayor confianza?

Hay distintos signos positivos, a veces tímidos, que parecen orientarnos en el sentido de un optimismo moderado. Pero es corto el tiempo de un año para aventurar respuestas definitivas.

Fueron, por otra parte, excesivamente entusiastas las expectativas de muchos católicos y aun de algunos no católicos, fundadas en acontecimientos precedentes o casi simultáneos al ENEC ocurridos fuera del ámbito eclesial y que parecían generar esperanzas de un andar más despejado y firme por nuevos caminos de comprensión y diálogo.

Porque detrás y antes de este año transcurrido están concepciones y enfoques difíciles de variar. En su historia de desarrollo real en distintos países, el socialismo ha elaborado modelos de comportamiento con respecto a la Religión y los creyentes que han nacido y se han estructurado casi siempre en situaciones conflictivas, pero que se asientan además en presupuestos teóricos de difícil modificación.

Cuba no es un país aislado en el conjunto de naciones organizadas según el socialismo real. A este respecto ha tenido una importancia extraordinaria el diálogo católico-marxista celebrado el pasado año, en el mes de octubre, en Budapest, Hungría, en el cual Cuba estuvo representada.

Allí se abordaron temas teóricos de mucha significación

para marxistas y católicos por la repercusión concreta que tienen en la vida de las personas y de los pueblos. Todo adelanto que se produce en cuanto a la consideración de la fe religiosa y de los cristianos en algunos de los países socialistas siempre tendrá una repercusión favorable para todos los demás.

También nosotros con nuestras búsquedas, con nuestro ENEC, estamos, estoy seguro, haciendo un aporte nada despreciable al hallazgo de nuevos caminos de comunicación y diálogo respetuoso entre los cristianos y los marxistas en los países que practican el socialismo real.

De otro lado, el ENEC ha hecho que los ojos de nuestros hermanos de Europa Occidental, de América del Norte y especialmente de América Latina se vuelvan atentos hacia la Iglesia Católica en Cuba: ¿Podrá de hecho la Iglesia en Cuba, o sea, podrán los católicos cubanos sostener en la vida de cada día las tesis de confianza, identidad y diálogo que por medio del ENEC anunciaron a un mundo que las recibía no sin sorpresa? ¿Puede de verdad la Iglesia vivir y desarrollarse en un país de socialismo real? Estas y otras preguntas se repiten desde muy diversos ángulos.

Pero Cuba es parte de América Latina y, en nuestro continente, estos cuestionamientos adquieren ribetes de urgencia en cuanto a respuestas concretas y verificables en la historia.

Algunos habían dudado de la capacidad creativa de la Iglesia Católica en Cuba para desarrollar su vida en un país socialista. Después del ENEC, con los cinco años de Reflexión que lo precedieron, el mito de una Iglesia Católica que sería en Cuba estática, inflexible o rutinaria comenzó a desvanecerse. Son cada vez más numerosos los visitantes de países latinoamericanos de toda la gama humana imaginable que frecuentan nuestro país y casi todos, aun los turistas, muestran un marcado interés por la Iglesia y su vida actual. La facilidad en la comunicación por la lengua y la cultura comunes descubren fácilmente a estos viajeros cuál es nuestra verdadera realidad eclesial: la comunidad católica no es muy numerosa si atendemos a la cantidad de practicantes, es mucho más grande en cuanto al número de creyentes que se identifican con ella.

El influjo de la Iglesia en la cultura es innegable y su lugar en la historia resulta patente. Hay en Cuba una Iglesia viva, abierta al diálogo, deseosa de participación en la sociedad, en toda fidelidad al Evangelio. Es una comunidad empeñada seriamente en su misión.

Si en los años sesenta o setenta para algunos hermanos nuestros, entre ellos muchos latinoamericanos, todo parecía depender de nosotros, católicos cubanos, en cuanto a la posibilidad de comunicación y convivencia en un país marxista, el momento histórico actual se inclina en forma positiva en favor de la Iglesia que está en Cuba en cuanto a su capacidad de presencia y acción pastoral, y los cuestionamientos se hacen más insistentes del lado de las estructuras socio-políticas y de la ideología oficial.

Este estado de opinión podría expresarse así: La Iglesia parece que quiere y puede, el Estado parece que quiere, ¿llevará adelante de hecho este proyecto?

Un diálogo realista solo puede mantenerse con la perseverancia de quienes de un lado y de otro están convencidos de la necesidad de esta vía y se deciden también en uno y otro lado no solo a comprender estáticamente a la otra parte, sino a captar el ritmo del interlocutor para avanzar por este difícil camino. No pueden dejar de considerarse tampoco los condicionamientos que siempre existen y la mayor o menor agilidad en la marcha de los diversos grupos que componen cada uno de estos sectores que intentan dialogar.

Sin embargo, y esto lo intuye cualquier cristiano, aun el mas sencillo; en el caso de la relación del Estado con los católicos, no se trata de dos simples corrientes de pensamiento que intentan comprenderse; sino de un Estado que tiene el deber de garantizar los derechos y velar por los deberes de todos y de un sector nada despreciable del pueblo que quiere cumplir con sus deberes ciudadanos y ejercer plenamente sus derechos a proyectar y organizar su vida según la fe cristiana, a educar a los hijos en su propia fe y a servir a la humanidad y a la sociedad concreta donde vive inspirándose en su misma fe, dando razón de su esperanza a quien se la pidiera.

Es evidente que, por su misma naturaleza, el papel del Estado es el más activo en este diálogo que es, por lo tanto, de índole muy singular.

Hemos llegado así a un momento crucial en el cual siguen aún vivas las esperanzas, pero en el que apuntan ya algunas frustraciones o quizá impaciencias.

Las expectativas sobre el ENEC pueden haber sobrepasado las metas y los métodos que se propuso la Iglesia para el Encuentro Eclesial.

La Iglesia Católica en Cuba, al aprobar el Documento Final, no emitía una solemne declaración que dejaría fijadas en detalle sus posiciones en cuanto a distintos aspectos de la historia, de la política, de la economía o de la vida de la nación o aun de la misma Iglesia.

El ENEC trazó más bien líneas generales muy precisas, pero guardando siempre una imprescindible altura de miras, que hiciesen justamente del Documento Final un valioso instrumento inspirador del pensamiento y de la acción concreta de la Iglesia en los años a venir. Todo el documento tiene una preocupación: mantener lo que hemos llamado frecuentemente *un espíritu* que pueda después animar tanto la vida interna de la Iglesia como su relación con la sociedad. El Documento refleja así fielmente la esencia del ENEC y hay que leerlo en profundidad y en sus opciones básicas que aparecen desde el inicio y que se repiten prácticamente en cada sección, para formularse al final en lo que hemos llamado «las grandes líneas pastorales de la Iglesia en Cuba»:

1° - La Iglesia Católica acepta que su misión puede llevarse a cabo en Cuba con su organización socialista. La Iglesia quiere ser una Iglesia encarnada.

2° - La Iglesia en Cuba está consciente de su misión y, con las modalidades propias del medio en que se encuentra, busca el modo de ponerla por obra. La Iglesia quiere ser evangelizadora.

3° - La Iglesia, fiel a su Señor y con el lenguaje y la teología del Concilio Vaticano II, pone su confianza en Dios y se muestra muy exigente consigo misma de su identidad, que la hará reconocible por todos y en cualquier parte como la auténtica y nueva religión que Jesús dejó a sus seguidores. La calidad de su presencia y su acción evangelizadora en nuestro país dependerán de su unión y fidelidad a Jesucristo y de su dependencia amorosa de Él por la oración. Solo una Iglesia orante puede encarnarse en el contexto histórico donde se halla y anunciar allí a Jesucristo.

Insisto, se hace necesaria esta lectura en profundidad, para comprender las verdaderas metas del ENEC.

No pretendíamos tampoco los católicos cubanos en una reunión solemne y con una vibrante declaración final reafirmar nuestro propósito de estar siempre al servicio del pueblo cubano y proclamar nuestro amor a Cuba.

El ENEC se había propuesto decir esto con la vida, desplegarlo en la historia, hacerlo realidad no solo con palabras, aunque con palabras también está dicho, sino con gestos, actitudes y hechos duraderos.

«Por sus frutos los conoceréis». «No puede un árbol bueno dar frutos malos ni un árbol malo dar frutos buenos». Esta es la prueba experimental que Jesús propone a sus discípulos para analizar sus vidas y las de los demás. La Iglesia en Cuba no intenta proponer ninguna otra norma para mostrar su disponibilidad de servir, su deseo de compartir y su amor a la Patria.

Pero los frutos del ENEC no fueron sembrados para cosecharlos a corto plazo y la impaciencia no ayuda a la maduración.

El tiempo transcurrido desde la conclusión del ENEC no puede ser sometido a un riguroso balance; pero nos brinda la oportunidad de relanzar, al año exacto de aquella magna reunión, los altos propósitos que emanaron de aquel Encuentro.

Además, la distancia que nos separa de él nos permite considerar sus metas y aspiraciones con un grande y necesario realismo. Mucho camino tiene que hacer el ENEC en nosotros católicos, en nuestras comunidades y aun en nuestros corazones, para que pueda también hacerlo en la historia de nuestro país.

Para conmemorar este aniversario, celebramos la Eucaristía, que es presencia entre nosotros de Cristo Resucitado, vencedor de todos los límites que el pecado ha puesto en el hombre.

Nos congregamos hoy en clima de recordación y fiesta, con la clara sensación de hallarnos al inicio de un sendero esforzado y en ocasiones abrupto, pero a la vez hermoso y necesario.

Si la realización del ENEC fue un acto de fe de la Iglesia que está en Cuba, al año de aquel acontecimiento, nuestra celebración de hoy es ciertamente un canto a la Esperanza. Así sea.

MISA DE REAPERTURA DE LA IGLESIA
DE SAN FRANCISCO DE ASÍS*

Excmo. Sr. Pro Nuncio Mons. Giulio Einaudi, representante entre nosotros del Papa Juan Pablo II.

Queridos hermanos y hermanas:

En 1599, el Convento antiguo de San Francisco hace donación de un solar dentro de su término para que la Tercera Orden Franciscana, que se había unido a la Cofradía de la Santísima Veracruz en sus cultos, fabricase una Capilla para sus ejercicios y juntas; obra que se llevó a cabo entre 1608 y 1618. Se llamó Capilla de la Veracruz.

En 1841, al ocupar el Gobierno colonial el Convento de San Francisco por la ley de la exclaustración, la Tercera Orden Franciscana es despojada de su Capilla. La Tercera Orden Franciscana gestiona la devolución; y el Capitán General propone trasladar la Capilla a la Iglesia de San Agustín, sita en el ángulo de la calle de Cuba con la de Amargura, de donde habían tenido que salir los agustinos, afectados por la misma ley de exclaustración.

El 25 de abril de 1842, la Junta de la Tercera Orden Franciscana pide al Regente del Reino la permuta de su Capilla, por compensación, por la Iglesia de San Agustín. Esta Iglesia comenzó a construirse en 1608 por religiosos ermitaños de San Agustín; pero por haber permitido su fundación el Obispo D. Alonso Enríquez de Almendáriz sin previo acuerdo con el Capitán General, Vice-Real Patrono, no llegó a continuarse hasta el año de 1633.

En sesión del 9 de enero de 1843 de la Tercera Orden

---

* Iglesia de San Francisco de Asís, 23-XII-1987.

Franciscana se da cuenta de haberse recibido la Real Orden del 2 de noviembre de 1843 permutando la Capilla de la Veracruz por la iglesia de San Agustín. Se suspende provisionalmente la sesión, trasladándose los miembros de la Junta a dicha iglesia a entonar un Te Deum de acción de gracias.

Después de muchas luchas, la Tercera Orden Franciscana consigue que el Obispo Diocesano dispusiera el restablecimiento de la Primera Orden de San Francisco en el ex convento de San Agustín. Tomaron posesión definitivamente el 19 de septiembre de 1896.

Tanto en la iglesia como en el Convento se hicieron grandes reformas. En el año 1925 se inauguró la iglesia reconstruida gracias a los esfuerzos gigantes del P. Juan Pujana. De lo viejo solo se respetaron las paredes exteriores, pero aun ellas hubo que levantarlas a mayor altura, después de reforzarlas y revestirlas, de acuerdo con el estilo general del renacimiento español. Su altar mayor, de escayola, es grandioso, de primoroso gusto. En su nicho principal está colocada una bellísima estatua de San Francisco, esculpida en caoba cubana por J. de Guraya; es, según los críticos, una verdadera obra de arte.

La Iglesia fue cerrada al culto el lunes de Pascua de Resurrección, 11 de abril del año 1966. Y vuelve a celebrarse esta noche la Eucaristía en ella a los veinte años y nueve meses de haber cesado en sus funciones como templo católico, en el Día de Navidad del año del Señor de 1987.

Queridos hermanos y hermanas:

Como traídas involuntariamente por el texto sagrado que ha sido proclamado en esta Liturgia de Navidad, pasan ahora con nitidez ante mis ojos las imágenes finales de una formidable película: «Sacrificio», del desaparecido director Andrei Tarkowsky.

Bajo un árbol casi seco, pero reflorecido como por milagro en su rama más alta, un niño tendido sobre la yerba y mirando las hojas verde-tierno que se recortan en el cielo, evoca a su padre, internado desde esa mañana en un manicomio. Y lo recuerda de pie, regadera en mano, junto al árbol, reseco en aquel momento y al que acababa de regar con una terca convicción que no parecía fundarse en ninguna experiencia del mundo vegetal, el pequeño había escuchado entonces, de labios del papá, unas misteriosas palabras que repetía ahora dulcemente, en voz baja:

«En el principio era el Verbo, y el Verbo estaba en Dios y el Verbo era Dios».

El retoño del árbol, la vida recobrada más allá de las apariencias de muerte, todo, es posible porque el Verbo era desde el principio, porque Dios existe desde siempre. Si hoy celebramos Navidad es porque la Palabra era al principio y la Palabra era Dios y la Palabra se hizo carne y habitó entre nosotros.

Nosotros, las personas inviolables y dignas, y las cosas, en su exacta realidad, somos verdad porque hay alguien que es antes que todo y está al principio de todo y sin él «no se ha hecho cosa alguna de cuantas han sido hechas». Su ausencia de nuestro pensar o de nuestro querer deja a los árboles y a los corazones secos, y no hay más razón de vivir que la de esperar la primavera universal, que llegará infaliblemente, no por causa de nuestros obstinados riegos, que son solo muestra de una necesaria perseverancia, sino porque en el principio era el Verbo y el Verbo es Dios y Dios todo lo hace y todo lo puede.

Como árbol seco plantado en esta esquina nos pareció durante casi veinte años esta iglesia antigua, que no antigua iglesia en toda puridad idiomática y recta intención. Aquí, justamente, donde se cruzan la calle de Cuba, que ha llevado el nombre de la Patria por mucho tiempo, primero como promesa, después como cumplimiento, y la calle de Amargura, recorrida tantas veces por generaciones de habaneros, acompañando a Jesús que, en su camino hacia el Calvario, apuró hasta las heces el cáliz amargo del dolor... Y la calle guardó para siempre, en su nombre, la amargura de Cristo.

Se encuentran, pues, en este ángulo privilegiado de La Habana Vieja, en el símbolo de los nombres, dos amores para mí inseparables, el de Jesucristo y el de la Patria. Pero esta esquina, en un momento, se tornó encrucijada de caminos y a los católicos nos llegó a parecer, como en esos sueños sin sentido, que nos ponen en sobresalto, que la fachada norte del templo, la que da sobre la calle de la Amargura, se hacía larga, interminable, y como alta y sombría. Muchas veces mirábamos hacia arriba cómo se recortaba la torre triste sobre un cielo extrañamente gris. Y un día vimos maravillados que el árbol seco comenzaba a florecer, precisamente en su alta torre, en sus techos, recorridos por obreros que los reparaban amorosamente. Y hoy el templo augusto, recobrando su dulce eco inicial, oye resonar de nuevo en sus naves las palabras eternas: «En el principio era el Verbo y el Verbo era Dios».

Para este florecer sabemos bien del riesgo perseverante de algunos jardineros, desde hombres con responsabilidades públicas, hasta el último pintor, y esto lo agradecemos de veras. Pero también ahora, al despertar del doloroso letargo y descubrir aquí la iglesia de San Francisco de Asís, esplendorosa, en su justo tamaño, da más gracias a Dios porque «sin él no se ha hecho cosa alguna de cuantas han sido hechas».

Redescubrir esta iglesia en su real dimensión, a casi dos años del ENEC, en esta Navidad que ha traído al mundo tanta esperanza de Paz y de reconciliación, se vuelve significativo para los católicos cubanos, que no deseamos limitar el alcance del hecho a lo que tiene que ver inmediatamente con este templo, sino referíalo a la vida toda de nuestra Iglesia en Cuba. Porque no hace falta un gran esfuerzo reflexivo para comprender que el camino de la Iglesia es un peregrinar con Cristo en la fe, transitando también por la calle de la Amargura. Pero, manteniéndonos voluntariamente dentro del simbolismo de las cosas y de los nombres, los católicos cubanos no podemos pasar nunca de largo, porque Cuba está en la esquina, nos sale al paso, la fachada principal de la iglesia se abre sobre ella. Por esto, ante los ojos afiebrados de amor de San Francisco de Asís queremos, al reabrir su templo al culto del Único Dios, que se abra también un tiempo de esperanza, que esta esquina recobre su contorno tradicional, criollo y sea lugar de encuentro.

Esta iglesia es la única de la ciudad de La Habana que tiene como titular a San Francisco de Asís, el santo que dejó la casa rica de su padre y se fue a reparar iglesias y a fabricar belenes, para que los hombres pudieran tocar con sus manos a Dios-con-nosotros, la Palabra hecha carne en Jesús de Nazaret, para que pudiéramos hallar en la pobreza de Dios la capacidad de crear una nueva fraternidad fundada en el desasimiento. Reconocer nuestra pobreza radical es encontrar la verdadera posibilidad de ser hermanos, porque en nuestro desvalimiento comprendemos la necesidad que tenemos de los otros humanos, de los animales, de las plantas y de la naturaleza toda. Necesitamos al hermano sol y a la hermana luna, pero necesitamos también lo aparentemente inútil o superfluo, como el grillo o como la flor. El remedio para los males provenientes de la no aceptación de nuestra indigencia es la reconciliación con las personas y con las cosas, aun con la hermana muerte. Vivir reconciliados es el modo propio de ser discípulos de Jesucristo. El hombre reconciliado siembra reconciliación, la suscita aún en el enemigo: se amansa el lobo cuando es mirado con dulzura por Francisco. Por este camino, el Santo promueve la paz, que va brotando desde dentro, como un manantial, que se instala en la médula misma de la existencia y que es la consecuencia feliz de un modo de considerar el mundo y los hombres a partir de un amor universal. Este es el espíritu de la Navidad. En este espíritu que es el de San Francisco, porque es el de Cristo, se abre de nuevo este templo; en este mismo espíritu quiere la Iglesia Católica de Cuba realizar su misión.

La Paz que proclamaron los ángeles en la primera Navidad del mundo es, al mismo tiempo, don de Dios y tarea nuestra. Plantada por Jesús en nuestros corazones, debe fructificar en fraternidad y reconciliación, como supo hacerla florecer en su vida, en su tiempo y hasta hoy, San Francisco de Asís. ¡Qué hermosos son sobre los montes los pies del mensajero que anuncia PAZ!

¡Qué hermoso día este de Navidad para reabrir la iglesia de San Francisco y volver a celebrar, bajo sus bóvedas centenarias, la Santa Eucaristía, cuando la Palabra, proclamada primero, se hace carne y habita entre nosotros, «porque en esta etapa final ... «Dios ha querido hablarnos...» por el Hijo, al que ha nombrado heredero de todo, y por medio del cual ha ido realizando las edades del mundo. Él es el reflejo de su gloria, impronta de su ser. Él sostiene el universo con su palabra poderosa. A Él la gloria por los siglos de los siglos. AMÉN.

JORNADA MUNDIAL DE ORACIÓN POR LA PAZ*

Autoridades de la nación.

Excelencias, distinguidos miembros del Cuerpo Diplomático.

Queridos hermanos y hermanas:

En la octava de la Navidad, fiesta de la Paz traída a la tierra por el Hijo de Dios que nos ha nacido; junto a María Virgen, cuya Maternidad hoy exaltamos en su hondo significado para la Iglesia y para toda la humanidad; los católicos del mundo entero, convocados por Su Santidad el Papa Juan Pablo II y unidos espiritualmente a todos los hombres de Buena Voluntad, celebramos la Jornada Mundial de Oración por la Paz.

En nuestro Mensaje para la Navidad de 1989, los obispos cubanos instamos a los fieles católicos a orar, dando gracias a Dios, por los frutos de Paz y libertad alcanzados en el mundo en este año que acaba de concluir.

No habían ocurrido, en el momento de redactar nuestro mensaje, los sangrientos sucesos de Panamá y de Rumanía que, indudablemente, han ensombrecido el límpido cielo de Navidad donde debe brillar la estrella que anuncia la venida al mundo del Príncipe de la Paz.

Las sangrientas y tristes lecciones de la historia quedan como rojizos resplandores que, a falta de estrellas, pueden aclarar la noche oscura de los pueblos. La corrupción, el abuso del poder, el desoír el clamor de las gentes empobrecidas y agotadas exacerbó los ánimos en un caso y ofreció justificaciones en otro para acciones de espantosa violencia, como la sumaria sentencia y rápida ejecución del jefe del Estado de Rumanía y su esposa, si bien nos horroriza el altísimo número de muertos que la represión cruel y despiadada, desatada por ellos mismos, había producido.

Ambigua también se mostraba la situación en Panamá. Por las repetidas cartas pastorales de nuestros hermanos obispos de aquel país estábamos al corriente de la degradación de la gestión pública en la República istmeña, así como de la corrupción de sus principales gestores. Pero la ocupa-

---

* Catedral de La Habana, 1-I-1990.

ción militar violenta, con tan alto costo de vidas, nos remite siempre a la pregunta esencial de los que buscamos promover la Paz: ¿no había otros métodos que no sean los violentos para cambiar situaciones de injusticia?

Y una nueva pregunta aflora espontánea en esta indiscutiblemente nueva hora de la historia que se inicia con el creciente entendimiento entre las llamada superpotencias y los cambios radicales en los países de antigua y noble civilización de Europa Central: ¿serán olvidados en la consideración de los grandes problemas mundiales los países pobres de América Latina y las vastas y depauperadas naciones de África y algunas regiones de Asia?

¿Se centrarán las naciones con gran poder económico en la nueva realidad europea, dejando de tener en cuenta la gravedad de la situación económica de nuestros países asfixiados por una deuda que requiere esfuerzos mundialmente coordinados para enfrentarla?

Porque es necesario ir a las raíces de los conflictos para resolverlos.

Los países pequeños, jóvenes o pobres no deben quedar a merced de los más poderosos; tampoco deseamos una correlación de fuerzas que ponga al mundo en un nuevo y extraño equilibrio siempre inestable.

Por eso ahora resuenan más fuerte los llamados de los Papas en favor de la Paz, haciendo siempre clara alusión a las causas que la impiden o retrasan. No olvidemos los lemas que año tras año han sido un llamado a las conciencias y una fuerza inspiradora para quienes trabajan por la Paz. Ellos, por sí solos, delinean un programa apara la Paz. El primero de estos, en orden de prioridad evangélica: «*Todo hombre es mi hermano*». Porque si no hay una consideración amorosa del prójimo como hijo de un Padre común que nos hermana a todos en el respeto de la inviolabilidad de cada persona y en el disfrute de los bienes por el uso adecuado de ellos, es imposible ser pacífico.

Mas los deseos de Paz inspirados en el amor cristiano exigen esfuerzos concretos y una lucha incansable por eliminar las causas de la ausencia de Paz. «Si quieres la Paz, trabaja por la justicia», «desarrollo es el nuevo nombre de la Paz», «desarrollo y solidaridad: dos claves para la Paz», «si quieres la Paz defiende la vida», «no a la violencia, sí a la Paz».

Este programa para la Paz, que contiene también un método de lucha que ha sido esbozado en los temas de las Jornadas de Oración de cada año, requiere de lo que el Papa Juan Pablo II presentó como condición indispensable en su mensaje para la primera Jornada de la Paz de su Pontificado: «Para lograr la Paz, educar para la Paz», porque la «Paz nace de un corazón nuevo», nos dice también el Santo Padre en su mensaje del 1 de enero de 1984.

El Papa Pablo VI, en su mensaje para la Jornada de Paz de 1976, decía: «La Paz se afianza solamente con la paz; la paz no separada de los deberes de la justicia, sino alimentada por el propio sacrificio, por la clemencia, por la misericordia, por la caridad».

En su encíclica *Pacem in terris*, el Papa Juan XXIII recordaba que, para que haya Paz, esta debe estar fundada además de en la verdad, la justicia y el amor, en la libertad.

A este último respecto expresaba el Pontífice: «la convivencia entre los hombres tiene que realizarse en la libertad, es decir, en el modo que conviene a la dignidad de seres llevados por su misma naturaleza racional, a asumir la responsabilidad de las propias acciones». Y añade Juan XXIII: «Convivencia fundada exclusivamente sobre la fuerza no es humana. En ella, efectivamente, las personas se ven privadas de la libertad en vez de ser estimuladas a desenvolverse y perfeccionarse a sí mismas».

De todo lo dicho se desprende que la Paz sigue siendo un anhelo de un estado superior de la humanidad aún no alcanzado porque faltan las condiciones indispensables para ella: porque falta amor, falta justicia, falta libertad en muchos lugares de la tierra.

Los que vivimos en estas regiones del mundo tanto como los que habitan en Europa y América del Norte debemos percatarnos de que la Paz está en peligro mientras no sea considerada globalmente en todas sus implicaciones y en todos sus riesgos para todos los habitantes del planeta.

En su Mensaje para la Jornada de la Paz de este año, el Papa Juan Pablo II comienza constatando que: «En nuestros días aumenta cada vez más la convicción de que la Paz mundial está amenazada, y las injusticias aún existentes en los pueblos y entre las naciones, así como por la falta del debido respeto a la naturaleza, la explotación desordenada de sus recursos y el deterioro progresivo de la calidad de la vida». Este año, el Santo Padre nos habla del debido respeto a la naturaleza para el logro de una Paz verdadera. *«Paz con Dios Creador, Paz con toda la Creación»* reza el lema de la Jornada de este año que se preocupa por favorecer una conciencia ecológica en la humanidad actual. Es verdad que un hombre irreconciliado con su entorno natural difícilmente estará en armonía con Dios y con sus hermanos y más difícilmente aún podrá ser un trabajador por la Paz.

Y hace falta, queridos hermanos y hermanas, que todos seamos activos propagadores de un clima de paz en el amor para que el hombre pueda recobrar su esperanza. En nuestro Mensaje de Navidad, los obispos cubanos invitamos a nuestros hermanos a vivir «el amor evangélico como actitud y compromiso concreto en todos los planos».

Esto «trae consigo una invitación a vivir, consolidar y abrir cauces a la esperanza, cuando vemos a nuestro alrededor a muchas personas tentadas por el desaliento».

Y se plantea nuestro Mensaje todos los requerimientos para que entre nosotros, cubanos, crezca la esperanza: lo expresamos de este modo:

«Pero si es necesario, para hacer fuerte la esperanza, constatar lo alcanzado en clave de amor solidario, lo que nos permite, a unos y a otros, asumir, con realismo y sabiduría cristiana, la actitud de la pobreza y la causa de los pobres; también es necesario, como exigencia de esa misma virtud y el amor de la misma causa, verificar con sinceridad, sin formalismo ni absolutismos paralizantes, lo que nos falta por alcanzar y lo que es posible alcanzar, promoviendo con creatividad mayores niveles de participación que no necesariamente debe conducir a proyectos desfasados, que ocultan, en el fondo, sea un egoísmo individualista o un colectivismo asfixiante, tan ajenos a las necesidades y al sentir de gran parte de nuestro pueblo, como extraños a la opción preferencial que la Iglesia en Cuba y el continente ha hecho por los pobres. La mayor y mejor participación abrirá otros cauces a la esperanza. Porque la esperanza de los pobres en nuestra América, de la que Cuba es parte integrante e irrenunciable, necesita proyectos de un verdadero humanismo renovado, abierto a su propia crítica, a su mejoramiento, a la realidad del país y acorde entre nosotros al desarrollo social alcanzado hasta hoy».

Y continuamos diciendo en nuestro mensaje los obispos:

«Con nuestra invitación a vivir en el amor y a posibilitar la esperanza, creemos que estamos contribuyendo realmente al incremento de la justicia y de la paz verdaderas en nuestra nación cubana. Estamos convencidos, asimismo, de que el amor fraterno y misericordioso y la esperanza favorecen el clima de serenidad, por y para el diálogo nacional, en estos momentos en que el mundo respira aliviado de algunos de sus conflictos y de las causas que lo han originado».

A sus oraciones y su quehacer de cristianos, confío, queridos sacerdotes, religiosos, religiosas y fieles todos, estos buenos propósitos y pido al Señor en estas Fiestas de Navidad y Año Nuevo que haya oídos receptivos capaces de captar el amor y la buena voluntad con los que hacemos este llamado.

La Eucaristía, ofrenda de Cristo por todos los hombres, es siempre un reclamo de Paz y una invitación a trabajar por alcanzar esa justicia, esa verdad y esa libertad que la hacen posible. Cristo-Eucaristía debe ser también para nosotros el alimento que no nos deje desfallecer en el camino de búsqueda de una Paz verdadera. En Jesucristo, Príncipe de la Paz, ponemos nuestra esperanza.

MISA CRISMAL*

Excmo. y querido Sr. Pro-Nuncio Apostólico.

Queridos sacerdotes, queridos hermanos y hermanas:

Por la unción del Espíritu Santo constituyó Dios Padre a su Hijo Mesías y Señor, de modo que se cumpliese en Él lo

---

* Catedral de La Habana, 6-VI-1990.

que anunciara el Profeta Isaías: el Espíritu del Señor está sobre mí, porque el Señor me ha ungido.

Se ungían en la antigüedad los hombres y mujeres que se preparaban a una acción. Ungía sus músculos con aceite el atleta para disponerse al esfuerzo. Se ungió con perfumes la Reina Ester para ir a hablar al Rey en favor de su pueblo. El profeta Samuel ungió a David, el más pequeño de los hermanos, para comunicarle la fortaleza de Dios para regir a su pueblo.

Jesús reconoce en la sinagoga de Nazaret que el texto profético que Él mismo había proclamado se cumplía en su persona, Dios lo ungía para una misión: dar la Buena Noticia a los pobres, anunciar a los cautivos la libertad y a los ciegos la vista.

Estas tres categorías de hombres: los pobres, los cautivos y los ciegos deberían beneficiarse de su venida.

En primer lugar, los pobres de todos los tiempos, los miserables sin pan ni abrigo, los iletrados y sin posibilidades de abrirse paso, los marginados por la vida y por la sociedad y también los que tienen un espíritu abierto y desprendido. Ellos son los primeros en recibir el anuncio y en entrar en el Reino de los cielos porque son sencillos. Muchos de ellos parecen no comprender nada, pero entienden lo esencial; no interpretan los discursos llenos de precisiones de los doctores de la ley, pero saben quién los ama de veras. Los pobres son, pues, los primeros a quienes se dirige el mensaje de Jesús y los primeros en captarlo, porque para ellos es connatural el lenguaje del amor. Los cautivos son los hombres y mujeres que se hallan enredados en leyes, prescripciones y maneras de pensar, son los que «lavan la copa por dentro y por fuera antes de tomar en ella» porque así lo prescribe la ley y no comprenden que lo que mancha al hombre no es lo que entra de fuera, «sino lo que sale del corazón». Cautivo es también el rico que atesora cada día pensando en sí mismo y a quien hay que recordar con vehemencia que es insensato: que ¡hoy mismo Dios puede pedirle su alma! Cautivo de su pecado es el pecador, el que extorsiona a su prójimo, como Leví o como Zaqueo, la que no sabe acallar sus ansias de amor sino amando mal y pervirtiendo el mismo amor, como la Samaritana.

A todos estos esclavos de criterios propios o ajenos, de preceptos fríos y sin vida, del dinero o del sexo, ha venido a liberar Jesucristo. Su liberación alcanzará la sociedad entera pasando necesariamente por la liberación interior del hombre de toda cautividad.

El poder del Espíritu que ha ungido a Jesús puede sanar también a los ciegos. Solo es necesario que aquel que no ve le diga con corazón humilde: ¡Señor, que yo vea! y Jesús obrará el milagro. Pero la curación del ciego de nacimiento no es tan difícil como la iluminación de las mentes y de los corazones de quienes no quieren ver. En el Evangelio de Juan, el drama del pobre ciego sanado por Jesús, ante quien el pueblo se divide, la familia se abstiene y las autoridades religiosas toman la decisión de condenar, termina en una confesión de fe del que había salido de sus tinieblas: «¿Crees tú en el Hijo del Hombre?... Creo, Señor», y en una reafirmación de la oscuridad de corazón de los fariseos que acusan a Jesús de llamarlos ciegos precisamente a ellos, que se creen en posesión de la verdad. «Para un juicio he venido yo a este mundo, para que los que no ven vean y los que ven se queden ciegos».

Se cumple así en Jesús lo que el mismo San Juan anuncia en el prólogo de su Evangelio: «La Luz brilla en la tiniebla y la tiniebla no la recibió».

Jesús, ungido por el Padre con la fuerza del Espíritu, cumplió perfectamente su misión, pero llegó hasta Él el joven rico, que era dueño de muchos bienes y no pudo «vender todo lo que tenía» y se quedó sin oír la Buena Noticia que es para los pobres; salen a su encuentro los encadenados por el demonio y le gritan: ¿qué hay entre tú y nosotros, Jesús de Nazaret?, porque no querían ser liberados de su cautividad. Y los ciegos, ¡ay los ciegos!, aquellos que son víctimas de la ceguera del alma, los que no quieren ver... Estos, que podían haber sido iluminados por Cristo, han quedado más bien juzgados y condenados por la Luz.

Queridos presbíteros: ustedes, por la ordenación sacerdotal, participan de la misma unción de Jesús. El Espíritu de Dios tomó posesión de todo su ser para asociarlos a la misma misión de Cristo: llevar a los pobres de hoy el anuncio salvador, liberar a los cautivos de sus condicionamientos y de sus prejuicios o temores, de sus vacíos espirituales y para esclarecer, dar luz, iluminar al que humildemente les diga que quiere ver. Para esta misión, ustedes mismos deben ser hombres liberados, invadidos internamente de tal modo por el Espíritu Creador que no quede espacio para un yo posesivo o egoísta.

Libres de un modo excelso por la pobreza y la castidad para luchar contra las cautividades que más oprimen interna y externamente al hombre: la de los bienes materiales, la de los afectos o placeres desenfrenados.

El Espíritu con el que están ungidos es Luz que ilumina sus mentes y corazones. Si son dóciles a él por la obediencia, estarán siempre disponibles y radiantes para llenar de luz a sus hermanos.

La unción sacerdotal los ha capacitado ciertamente para su misión. Pero como en Jesús, su acción pastoral va a encontrar a ricos y a suficientes que no quieren hacerse pobres en el espíritu y se tapan sus oídos para no escuchar la Buena Nueva. Hallarán también a muchos cautivos (y ese es el caso en la hora presente del mundo), que ni siquiera comprenden que lo son y parecen sentirse felices en una vida sin otros horizontes que el inmediato quehacer y algunos pobres placeres. Y están también los que una ceguera del corazón les impide ver la Luz de la verdad, del bien o del amor.

Que nunca el desaliento prenda en sus corazones sacerdotales, queridos hermanos.

La única respuesta de Jesús ante los corazones endurecidos, ante quienes cerraban sus ojos a la luz, fue la de reafirmar la originalidad de su misión. Nadie más que el padre lo enviaba. Solo el Espíritu de Dios lo animaba. Sus obras y el Espíritu daban testimonio de Él. Y no buscó testimonios humanos. Se afianzó en la naturaleza sublime de su propia misión: ser sacramento del amor eterno del Padre ante los hombres. Los que son de Dios escucharían su voz.

También los sencillos, los pobres, los que son de Dios, escucharán la voz de ustedes. Esta voz no dice nada nuevo, repite siempre la misma y eterna verdad que enseñó nuestro Maestro: «Ámense unos a otros», y nos invitará con dulce y exigente acento a llevar hasta el extremo este amor, «porque si ustedes aman a quienes los aman, ¿qué mérito tienen? Se dijo a los antiguos ama a tu amigo y odia a tu enemigo, yo les digo más, amen a sus enemigos y recen por quienes los persiguen para que sean hijos del Padre celestial que hace salir todos los días el sol para buenos y malos y manda la lluvia a justos y pecadores».

Esta palabra que les dice su Obispo a ustedes en el día en que renuevan sus compromisos sacerdotales que los liberan de toda atadura para servir a su pueblo, es la palabra misma de Jesús. Este debe ser también su único modo de hablar a sus fieles, a los jóvenes, a los niños de la catequesis, a los ancianos y a los enfermos en el lecho de muerte. Así hablarán en el confesonario o en la conversación amistosa de la sala parroquial. Este es el lenguaje eterno del amor, el único que nosotros sabemos hablar, el que nos invita a perdonar «setenta veces siete», el del Concilio Vaticano II, que no quiso condenar a nadie, sino que nos lanzó al diálogo entre todos y con el mundo. Este es el lenguaje de nuestro inolvidable ENEC, reiterado por nuestra Iglesia cubana con matices renovados para todo nuestro pueblo.

Esta es la línea de acción de la Iglesia en Cuba y en toda la tierra; solo enviada por Dios Padre, solo movida por la acción del Espíritu Santo, viviendo en comunión como sacramento de Cristo en medio de los hombres para sembrar fraternidad, reconciliación y paz en nuestra humanidad ansiosa de estos bienes del espíritu, que son también bienes de la sociedad. Queridos hermanos en el sacerdocio: los invito a leer y a meditar la hermosa carta que el Papa Juan Pablo II ha enviado a todos los sacerdotes en ocasión del Jueves Santo. Allí se traza la vida y acción del presbítero como la obra del Espíritu Santo en cada corazón sacerdotal.

Queridos hermanos y hermanas: Su oración en esta celebración por su Presbiterio y por su Obispo es signo de la unidad de la Iglesia y de su constante deseo de renovación. En último término, renovar los compromisos sacerdotales es renovar el compromiso del presbiterio de servir a su pueblo en el amor. Acompañarnos en esta renovación la Comunidad diocesana, representada por todos ustedes aquí, es reafirmar que toda la Iglesia es un pueblo sacerdotal al servicio de sus hermanos. Como en cada Eucaristía, celebramos la entrega de Cristo por nosotros y por todos los hombres. Bendecimos en esta Misa Crismal los óleos y el Crisma que utilizamos en la administración de varios sacramentos. Por la Eucaristía y por los demás sacramentos, la Iglesia santifica a su pueblo fiel y lo asemeja a Cristo en su ofrenda al Padre y en su entrega a los hermanos. Que cada uno de nosotros haga verdad en su vida lo que celebramos en estos sacramentos.

XII ANIVERSARIO DEL PONTIFICADO DE S. S. JUAN PABLO II*

Excelentísimo Sr. Pro Nuncio de Su Santidad en Cuba, Querido Arzobispo, Queridos hermanos:

Quisiera comenzar estas reflexiones en el duodécimo aniversario del pontificado de Juan Pablo II, haciendo un «acercamiento» a la persona del Papa, a sus propósitos y a su forma concreta de actuar. Y para hacerlo, nada mejor que recorrer aquellas –como líneas programáticas– que se propuso a sí mismo al subir a la Cátedra de Pedro, en su primera Homilía el 22 de octubre de 1978.

Dijo entonces Karol Wojtyla, ex arzobispo de Cracovia en Polonia, elegido Papa el 16 de octubre: «Tú eres el Cristo, el Hijo de Dios vivo...» y continuó diciendo: «Hoy aquí, en este lugar, es necesario pronunciar y escuchar de nuevo las mismas palabras. Sí, hermanos e hijos, ante todo estas palabras porque en ellas está la Fe de la Iglesia. En ellas está la verdad última y definitiva sobre el hombre...».

Entonces el Papa se propuso tres líneas de actividad que concentraban todo lo que, poco a poco, ha ido desplegando en líneas de fiel desarrollo, de lo que, unos años antes, el Concilio Vaticano II había propuesto a la Iglesia de nuestro tiempo. Entre esas líneas sobresalía el esfuerzo por la justicia, la paz y la libertad. Y decía textualmente hace doce años: «Pretendemos dedicarnos a la consolidación de las bases espirituales sobre las cuales debe apoyarse la sociedad humana. Este deber nos resulta tanto más fuerte, cuanto más

---

* Catedral de La Habana, 21-X-1990.

perduran las desigualdades e incomprensiones que son, a su vez, causa de tensiones y conflictos en no pocas partes del Mundo, con la ulterior amenaza de catástrofes más terribles... Debemos tender –sigue diciendo el Santo Padre– a esto: que todas las formas de injusticia que se manifiestan en este nuestro tiempo se sometan a la consideración común, se les busque de verdad remedio y que así todos podamos llevar una vida digna del hombre».

Frente a este horizonte de urgentes e importantes tareas, largo anhelo del hombre de todos los tiempos, el Papa exclamaba para finalizar aquella misma Homilía: «Hermanos y hermanas, ¡ayuden al Papa! Rueguen por mí. ¡Ayuden para que pueda servirlos! Amén».

Hacer ahora un recuento de estos doce años de pontificado, resulta imposible. Tomemos entonces, aprovechando la ocasión que nos convoca y el marco de las lecturas bíblicas de la liturgia del día, alguna de las pistas, de las innumerables pistas que enmarcan la tarea de este hombre, con razón llamado Peregrino de la Fe.

Qué bueno es unir nuestras voces en una sola, para alabar el nombre santo de Dios, glorificándolo por el don de la Fe. Y qué gran bendición es el don de la Fe, el don de conocer y creer en el Padre, el Hijo y el Espíritu Santo, porque el don de la Fe ilumina los ojos de nuestro corazón (*Ef* 1, 18) concediéndonos una nueva visión de la vida, de los hermanos y de los acontecimientos.

Y es que todo acontecimiento humano asume una nueva perspectiva, cuando sabemos que Dios es nuestro Padre y que vela amorosamente por cada uno de nosotros, con bondad, con comprensión, y habiendo sido marcados con el Espíritu Santo prometido, mediante el bautismo y la confirmación se nos envía a vivir nuestra Fe, a ponernos al servicio de los demás, como testigos y como hermanos, a construir un mundo mejor.

La primera respuesta a la Fe es el agradecimiento, la gratitud a Dios, que se realiza, sobre todo, en el mayor acto litúrgico de la Iglesia: la Eucaristía. Pero la Fe que hemos recibido como un don tiene que ser vivida. El propio Señor Jesús, en la parábola de los talentos, nos pide que hagamos producir los dones que nos entrega, y el apóstol Santiago nos manifiesta que la Fe sin obras es muerta (*St* 2, 17). Este es el punto de partida de toda vida cristiana y este es también el punto de partida del Santo Padre. Es la fuerza que lo ha inspirado y lo ha convertido en el Peregrino de la Fe.

Los textos bíblicos que acabamos de escuchar nos llaman a un discernimiento. No basta tener la intención de caminar, hay que saber, además, en qué dirección se ha de marchar. Estamos en una nueva era histórica, que exige de nosotros claridad para ver, lucidez para diagnosticar y solidaridad para actuar...

Discernir los signos de los tiempos, discernir los caminos de Dios, comprender que Dios no puede ser reducido a una opción política concreta, por tentadora que aparezca, aunque el Evangelio tenga una ineludible resonancia política y se nos exija la encarnación como parte esencial de nuestro compromiso eclesial, no es tarea fácil en el orden personal. Muchísimo menos cuando casi mil millones de cristianos, que viven en distintas regiones, bajo distintos regímenes sociales, con diversas condiciones económicas y diferentes culturas, esperan la palabra orientadora que señale la dirección correcta, el rumbo adecuado que hay que imprimir al timón de la nave de la Iglesia.

A veces no resulta tan claro dar al César la moneda material que lleva su imagen impresa, y darle a Dios al hombre, que es Su imagen y que, en última instancia, solo a Dios se debe. El César, Dios, el hombre, serán los elementos que se moverán constantemente, en el ámbito de la preocupación del Papa; de este y de todos los Papas, desde Pedro a Juan Pablo II.

En la lucha por liberar al hombre de poderes alienantes, Dios llevará de la mano también, así son sus caminos de misteriosos, y así nos lo recordará el profeta Isaías en la primera lectura escuchada hoy, a personas que –como Ciro el César–, aun sin conocer a Dios, son declaradas por Él como ungidos, es decir, elegidos para su Plan.

Hace hoy exactamente doce años, Juan Pablo II, al comenzar su pontificado, hizo un llamamiento al mundo: «Abran las puertas al Redentor». Según sus propias palabras, fue algo que le vino a los labios espontáneamente. Luego lo eligió como lema y guía de la celebración del Año Santo extraordinario. Pero la frase ha sido algo más que un lema, ha sido como el espíritu que ha acompañado su peregrinar constante: abrir puertas, abrir brazos, abrir corazones al Redentor. Ciertamente, Juan Pablo II ha sido, es, un hombre de brazos abiertos, un hombre de corazón abierto, porque ha sido un Mensajero del Amor. De ese amor que es salir al encuentro del otro, desarmados de prejuicios y de violencias, viendo en él el rostro de Cristo, respetando su unicidad absoluta... Es salir al encuentro del otro asumiendo una actitud de escucha y de disponibilidad, libres de los propios egoísmos que puedan impedir ver en el otro una persona distinta y singular, con su propia historia... Es acercarse al otro con respeto, sin imponerse, sin violentarlo.... y esa actitud, ese «estilo» solo puede lograrse cuando se tienen los brazos abiertos, el corazón abierto, como Jesús en la Cruz, hasta estar dispuestos a dar, como Él, la vida por los demás.

Abrir las puertas, abrir los brazos, abrir el corazón para ver que allí, en lo más íntimo de cada hombre, hay como una espera, la espera del Amor. Porque cada ser humano tiene en sí una fuerza espiritual que no proviene de sí mismo y que le hace esperar, siempre, un mundo mejor. Y esta fuerza no puede ser ahogada, no puede ser encerrada ni domesticada por nadie. Estará allí, ignorada tal vez por nosotros mismos, silenciada por el temor, pero allí estará, siempre presente, en constante espera, colocada allí por Dios.

Y este incansable Peregrino de la Fe se ha encontrado, a lo largo de estos doce años, con millones de hombres y mujeres de todas las latitudes del planeta, quienes se sienten muchas veces amenazados por una sociedad que no han elegido, que no han ayudado a construir, pero que sin embargo forman parte de ella, con responsabilidades crecientes, sociedades que parecen enloquecer al movilizar todas sus energías para lanzarse a lo que puede constituir su propia destrucción. Estos hombres y mujeres buscan una palabra de aliento en este Mensajero del Amor, una esperanza para el camino... y el infatigable viajero ha ido llevando a todos los rincones del planeta, con su calor de hermano, razones para la espera, caminos para la acción.

«No basta denunciar, hay que hacer, hay que comprometerse en primera persona, unidos a todos los hombres de buena voluntad, en la construcción de un mundo que sea realmente a la medida del hombre, más aún, a la medida de los hijos de Dios...» Son palabras de Juan Pablo II a los jóvenes en la Plaza de San Pedro en Roma, y un poco más adelante, en el mismo encuentro, les añadiría: «La verdadera fuerza está en Cristo, el Redentor, abrirles las puertas del corazón». Este será, no solo el punto central de aquel discurso, sino una vuelta al punto de partida de su pontificado, de todo su quehacer al frente de la Iglesia.

Abrir las puertas a Cristo, abrir el corazón a Cristo, acogerlo como compañero y guía en el camino de la vida, será, ya lo hemos dicho, más que una consigna, una frase hecha o un eslogan, un estilo de vivir la Fe. «Nuestra Fe nos enseña que la iniciativa salvadora de Dios se concreta en el misterio de Cristo Redentor, Reconciliador, que libera al hombre del pecado en todas sus formas, personales y sociales. En efecto, ya la misma persona de Jesús es una reconciliación, porque en Él se reconcilian el hombre y Dios. Reconciliar es lo esencial en la Misión de Jesús y hacer esta Reconciliación viable, es misión de la Iglesia».

Como haciendo honor al nombre que asumió al llegar a la Cátedra de Pedro, el Papa ha dado a su misión pontificia un carácter profundamente misionero, y como Pablo el apóstol de las naciones, ha tomado sobre sus hombros la pesada tarea de viajar continuamente, a diferencia de los Papas anteriores que se recluían en la ciudad del Vaticano. Juan Pablo II, por el contrario, es un Papa viajero; su intensa movilidad viene a ser la puesta en práctica de aquel grito inicial de su ministerio pontificio, al que nos hemos estado refiriendo: «Abran las puertas al Redentor» y, por otra parte, viene a ser cabalmente, el cumplimiento de la orden de Jesús a Pedro: «Y tú confirma a tus hermanos...» (*Lc* 22, 32).

Sembrar la palabra del Evangelio, fortalecer la fe de los creyentes en todo el mundo, vincular más estrechamente a toda la Iglesia para mantenerla unida en una única Fe, alentar a las comunidades cristianas en medio de las dificultades que padecen en algunas regiones de la Tierra, orientar –desde cerca– concretamente, con la luz del Evangelio, las distintas circunstancias por las que atraviesa un pueblo... todo eso es propósito del Papa en sus múltiples viajes, en el fondo de los cuales hay una clara actitud de servicio, semejante a la del Maestro, que siente como una permanente inquietud misionera que le impide permanecer mucho tiempo en un solo sitio, y hace casi dos mil años le decía a los apóstoles: «Vayamos a otra parte a predicar también en las poblaciones vecinas...» (*Mc* 1, 38-39) y fue predicando en las sinagogas, plazas y caminos de Galilea. O como el apóstol Pablo, que escribía en sus cartas a los cristianos de Corinto: «El amor de Cristo nos urge», «Ay de mí si no evangelizo...».

Pero esta actitud de Juan Pablo II que ha alcanzado la cúspide del trayecto que ya habían comenzado a recorrer –en menor escala– sus predecesores en la silla de Pedro, es manifestación de una conciencia que la Iglesia ha ido adquiriendo en estos últimos tiempos, cada día con mayor intensidad.

En efecto, desde el Concilio Vaticano II, la Iglesia de Dios cobra una conciencia verdaderamente aguda, casi dramáticamente aguda, de su condición esencialmente evangelizadora. Cabría preguntarse qué se entiende por evangelizar. Sabemos bien que la salvación que Jesús vino a traer a los hombres es una salvación integral, que lo incluye todo y que debe llegar a todos, porque, de una forma u otra, todo y todos hemos quedado contaminados por el pecado y todo y todos necesitamos de la Redención. Por eso, la salvación que Jesús realiza se refiere al hombre entero: alma y cuerpo, individuo y sociedad, tiempo y eternidad, tierra y cielo... o dicho de otro modo: dimensión divina y dimensión humana del acto redentor.

Esa primera dimensión, la humana, podríamos llamarla evangelización en un sentido restringido. Mientras que a la otra podríamos llamarla promoción humana, desarrollo, liberación. En el primer aspecto, la finalidad es cristianizar al hombre, en el segundo, el propósito es humanizarlo. Ambos aspectos son inseparables.

El magisterio de Juan Pablo II no podía omitir lo referente a esas cuestiones, habitualmente llamadas sociales, y quedarse solamente en la otra dimensión del problema del hombre. Ya en su discurso a los cardenales que lo habían escogido, el 17 de octubre de 1978, el Papa presentaba como uno de los aspectos en los que quería desarrollar su misión, la lucha contra las desigualdades, las injusticias y la discriminación, que ponen en tensión, decía entonces, a la sociedad humana. Todo el hombre, todos los hombres eran, desde el inicio, preocupación del Santo Padre, que quiere contribuir, con su esfuerzo, al reordenamiento de las cosas para bien de la Humanidad...

Por esta razón, cada viaje misional que ha emprendido ha sido un momento especialmente intenso, de esa evangelización completa, por la que el Papa ha indicado a la Humanidad el camino que lleva a la salvación eterna y ha proclamado, al mismo tiempo, la forma de construir un mundo mejor, una historia digna de la condición humana.

Abarcar todos los múltiples aspectos de la actividad del Santo Padre en estos años desbordaría totalmente el horizonte de estas breves reflexiones. Sin embargo, no quisiera dar término a las mismas, sin hacer al menos referencia a otras dos notas que caracterizan su Pontificado. Me refiero a su devoción a la Santísima Virgen y su preocupación e interés manifiesto por los jóvenes.

Desde el blasón episcopal, que es como lema para su vida toda, desde los primeros pasos en su ministerio como sucesor de Pedro al frente de la Iglesia, Wojtyla dio claras muestras de una intensa devoción a María, como testimoniando con hechos aquello de «Todo Tuyo» del escudo, símbolo y definición de su pontificado. De ahí que en aquel 17 de octubre de 1978, cuando terminó la concelebración con los cardenales, luego de su elección, en la Capilla Sixtina, al dirigir a la Iglesia y al Mundo su primer Mensaje, lo concluyera diciendo: «En esta gran hora que hace temblar, no podemos menos que dirigir, con filial devoción, nuestra mente a la Virgen María, que siempre vive y actúa como Madre, en el misterio de Cristo y de la Iglesia, repitiendo las dulces palabras «Todo tuyo» que hace veinte años escribimos en nuestro corazón y en nuestro escudo, con motivo de nuestra ordenación episcopal». El rezo del «ángelus» cada domingo con una breve homilía; la recomendación del rezo del rosario; la visita a los santuarios marianos, y la continua referencia a la Madre de Jesús y de la Iglesia, marcan con un sello propio el pontificado de Juan Pablo II.

Poco después de asumir la Cátedra de Pedro, concretamente el 8 de noviembre de 1978, el Papa tuvo su primer encuentro con miles de jóvenes en la Basílica de San Pedro... Desde entonces, un fenómeno social que no tiene parangón en el mundo, los encuentros del Papa con los jóvenes, que en todos los rincones del planeta se han repetido con iguales características de adhesión, entusiasmo y comunión entre él y ellos, constituyen la otra nota característica del pontificado de Juan Pablo II.

Como haciéndose eco del Mensaje final de los Obispos reunidos en el Concilio Vaticano II, quienes dirigieron sus palabras finales a los jóvenes del mundo, el Santo Padre tiene –por así decirlo– preferencia por la juventud, y en aquella ocasión les dijo: «El Papa quiere a todos, a cada hombre y a todos los hombres; pero tiene preferencia por los jóvenes, porque ellos tenían lugar de preferencia en el corazón de Jesús, que deseaba estar con los niños y departir con los jóvenes; a los jóvenes dirigía en especial su llamamiento y a Juan –el apóstol más joven– lo había hecho su predilecto. Son los jóvenes la promesa del mañana. Son la esperanza de la Iglesia y de la sociedad...». Pero, claro, no cualquier juventud puede poseer en sí esta condición de ser esperanza de un mundo mejor, sino una juventud a la que el Papa le propone «tres ideas, como brújula para el camino...»: Buscar a Jesús. Amar a Jesús. Dar testimonio de Él. Todo un programa de vida para los jóvenes. Buscarlo, jóvenes y no tan jóvenes, porque hoy, menos que nunca, nos podemos quedar en una Fe superficial, sin compromiso con todo el hombre y con todos los hombres... Buscarlo, porque es necesario llegar a una convicción clara y cierta de la verdad de la propia Fe cristiana.

Amar a Jesús, jóvenes y no tan jóvenes, porque es una persona viva siempre, y siempre presente entre nosotros. Amarlo, en la Eucaristía, presente en su Iglesia y presente, de modo muy especial, en los que sufren... Dar testimonio de Jesús con una Fe valiente. El mundo estima y respeta la valentía de las ideas y la fuerza de la virtud. Y explicitaba el Papa: «No tengan miedo de rechazar palabras, gestos, actitudes, no conformes con el ideal cristiano. Sean valientes para oponerse a todo lo que destruye su inocencia o desflora la lozanía de su amor a Cristo. Buscar a Cristo, amarlo, dar testimonio de Él. Sea este el afán de la juventud. Esta es la consigna que les dejo.»

En estos tiempos difíciles del mundo, y, por qué no decirlo, de la Iglesia, agradezcamos a Dios el tener, en la persona del Papa Juan Pablo II, un vigoroso y permanente predicador de la verdadera Fe, quien constantemente, a través de discursos y documentos, ha procurado que el Pueblo de Dios resista las voces de las falsas ideas, las palabras de los maestros engañosos... Agradecer a este viajero incansable, mensajero del Amor, su presencia en medio de los hombres para recordarnos que «la nuestra es, sin duda, la época en que más se ha escrito y hablado sobre el hombre; la época de los humanismos y los antropocentrismos, y sin embargo, paradójicamente, es también la época de las más hondas angustias del hombre respecto a su identidad y a su destino; la época del rebajamiento del hombre a niveles antes insospechados; la época de valores humanos conculcados como jamás lo fueron antes...» y el propio Juan Pablo añade a modo de explicación: «Podemos decir que es la paradoja inexorable del humanismo ateo. El drama del hombre amputado de una dimensión esencial de su ser, el absoluto, y puesto así, frente a la peor reducción del mismo ser...».

Gracias, Señor, por habernos dado, en tu Providencia infinita, un Pastor para estos tiempos. Un Pastor que nos recuerde constantemente que, si Cristo es la Luz y esa Luz se rechaza, no queda otro destino para el hombre que el caminar en tinieblas. Gracias porque nos enseña con su propia vida, que Cristo es el Camino y, si ese camino se rehúsa, no queda al hombre otro camino que la perdición.

Termino, con palabras del propio Juan Pablo II: «El servicio de la Iglesia y del hombre se amplía cada vez más, y pide al Papa hacerse presente donde quiera que lo reclamen las exigencias de la Fe y la afirmación de los verdaderos valores humanos. Para confirmar esta Fe cristiana y para promover estos valores, el Papa se pone en camino por los caminos del mundo...».

A este infatigable viajero, a este Peregrino de la Fe, unidos a todos los hombres de buena voluntad, en el duodécimo aniversario de su pontificado, ¡Gracias!

MISA CRISMAL*

Queridos hermanas y hermanos:

Nuestra celebración de la Misa Crismal, como cada año, nos convoca desde distintos lugares de nuestra Arquidiócesis para rodear el altar del único y verdadero sacrificio, el del Cordero Inmolado por los pecados del mundo. Cercana la Fiesta de la Pascua, en la que toda la Iglesia celebra el triunfo de Cristo sobre las tinieblas de la muerte, somos invitados a recoger, en espíritu de acción de gracias, los frutos que brotaron del árbol de la cruz para colmar de vida a los seguidores de Jesús a través de todos los tiempos y en cualquier lugar de la Tierra.

Los aceites que bendeciremos solemnemente en esta Liturgia, como las aguas del Bautismo y el pan y el vino de nuestra Eucaristía, se hacen portadores de salvación, o aun presencia real de Cristo, por la fuerza del Espíritu que Nuestro Salvador había prometido a los Apóstoles en la Última Cena y que solo vendría a nosotros «cuando Él se hubiera ido», es decir, cuando hubiera hecho su retorno al Padre a través de la ofrenda de su vida en la Cruz. Por esto, en la Semana Santa exaltamos la Cruz gloriosa de Nuestro Redentor y en el amanecer de la Pascua, Cristo Resucitado nos muestra las heridas de sus manos y sus pies y su costado abierto. Porque ni su Cruz fue un fracaso ni su resurrección algo parecido a la revancha; sino que constituyen, ambas, dos facetas de una misma ofrenda, hecha por Jesús el Viernes Santo, aceptada y corroborada por el Padre ante todos los creyentes en la aurora de aquel primer domingo de la era cristiana, y revivida una y otra vez por nosotros «cada vez que comemos de este pan y bebemos de este cáliz», cumpliendo lo que Él nos mandó hacer en conmemoración suya.

---

* Catedral de La Habana, 22-III-1991.

En la fuerza del Espíritu, Jesucristo había comenzado su misión de «dar la Buena Noticia a los pobres, anunciar a los cautivos la libertad, a los ciegos la vista... dar libertad a los oprimidos... y anunciar el año de gracia del Señor». Ese fue justamente el pasaje del profeta Isaías que encontró Jesús al desenrollar el libro aquel sábado en la sinagoga de Nazaret a donde, como de costumbre, había ido y, al leerlo, proclamó a sus vecinos y amigos que ya en él, y desde ese momento, se cumplía la Escritura que acababan de oír.

Mas también debían cumplirse para todos los redimidos las palabras del profeta Joel cuando anuncia que «Así dice el Señor Dios: Derramaré mi espíritu sobre toda carne: profetizarán vuestros hijos e hijas... También sobre mis siervos y siervas derramaré mi Espíritu en aquellos días...». El Espíritu, que estaba en plenitud en Cristo, es derramado abundantemente sobre todos los discípulos en virtud de la ofrenda de la Cruz del Señor que el Padre acepta amorosamente. Para poder situarnos ante Dios en estado de reconciliación y ser capaces de ofrecerle una auténtica alabanza, Él nos «ha librado de nuestros pecados por su sangre, nos ha convertido en un reino, y hecho sacerdotes de Dios, su Padre».

En su carta a los sacerdotes para el Jueves Santo de este año, el Papa Juan Pablo II dice que la relación existente entre la Última Cena y Pentecostés es puesta de relieve por Jesucristo al prometer a sus apóstoles, al despedirse de ellos en el Cenáculo, el Espíritu Santo Consolador. Los apóstoles fueron desde el inicio conocedores de que en ellos, especialmente, se daba la acción del Espíritu para la Construcción de la Iglesia, como se demuestra después en los Hechos de los Apóstoles, cuando imponían las manos para conferir los ministerios que miraban a la presidencia y cuidado de la comunidad.

Queridos hermanos sacerdotes: nosotros tenemos, por la imposición de las manos de los sucesores de los apóstoles, una especial unción del Espíritu Santo que nos hace servidores del Pueblo de Dios a título especial y de modo exclusivo. Somos sacerdotes del Señor, quien nos ha ungido y enviado como portadores de la noticia de la salvación a todos los hombres. Pero lo somos dentro de un pueblo de enviados, un pueblo sacerdotal que ha recibido también una efusión del

Espíritu para ser testigo del Señor y mensajero de la Buena Noticia que Él confía no solo a sus sacerdotes, sino a todos sus seguidores.

El tema del envío domina la Liturgia de la Palabra en esta Celebración. Cristo se presenta como enviado por el Padre y este envío será, en el momento de su despedida, el modelo adecuado y perfecto de la misión que Él confía a los apóstoles: «Como el Padre me ha enviado, así yo los envío». De este modo, los hombres que habían estado con Jesús y que le eran cercanos, al punto de ser llamados «amigos» por el Maestro, comprenden claramente que la llamada de Jesús, junto al lago de Tiberíades o en el cruce de un camino, no era únicamente cumplida como respuesta plena estando con Él, sino que ahora, cuando era necesario que Él se fuera, el modo de ser totalmente suyo era el de partir «hasta los confines de la tierra», pues solo así el Señor parecía estar dispuesto a cumplir su promesa: «Yo estaré con ustedes siempre, hasta el fin del mundo».

Era necesario ponerse en movimiento, buscar la frontera inalcanzable de una humanidad convocada toda a la salvación. Porque Jesucristo no les confiaba a sus apóstoles pequeñas comunidades de iniciados que Él hubiera fundado. La identidad de estos constructores de la Iglesia no viene dada por su relación de servicio a un grupo determinado al frente del cual los hubiera situado el Maestro, sino que TODO el grupo, toda la comunidad de seguidores, es situada frente al horizonte casi infinito del «mundo entero»: es TODA la Iglesia la que es enviada a TODO el mundo.

Solo alargando las prospectivos de la conciencia eclesial hasta que se sitúe la Iglesia de cara al mundo vasto y siempre por evangelizar, comprenderemos nosotros, obispos y sacerdotes, cuál es nuestra verdadera identidad de pastores, pues ustedes, queridos presbíteros, no pueden reconocerse en una misma e idéntica figura sacerdotal, si se sienten pastores de una iglesia bien enmarcada y constituida o si se descubren como ministros de una iglesia misionera, que se descubre a la vez a sí misma en su relación con el mundo y con la historia que hay que transformar por el Evangelio.

Si se sitúa al presbítero dentro de la comunidad y se entiende esta –como ha sucedido en Cuba sobre todo en estos años como una Iglesia delimitada, en la cual los ministros ordenados desarrollan un servicio pastoral en favor de los creyentes, los rasgos de identificación del presbítero quedan constituidos por su relación con SU comunidad, con su obispo, con el presbiterio, ahora con los diáconos y también con la Iglesia universal. Pero, si se piensa en el pastor de una Iglesia toda ella misionera, que se sabe plantada en medio del mundo y de cara a él para anunciarle una Buena Noticia que ha recibido de su Señor, las coordenadas de la identificación del presbítero y la vivencia de su espiritualidad serán las mismas de la misión de la Iglesia con toda su riqueza y la atracción de esta figura sacerdotal, la de un constructor de la sociedad según el Evangelio de Jesucristo, de un impaciente e incansable sembrador de verdad y de valores, de un itinerante del amor, será irresistible para muchos jóvenes de dentro y de fuera de la Iglesia, que desearán orientar sus vidas según este modelo, como sacerdotes de verdadero Dios.

Bajo el empuje de una conciencia de la misión, recobrada como constitutivo esencial, la Iglesia se percata, cada vez más, de que el Pueblo de Dios no es «destinatario», sino «sujeto» de la misión. De este modo, el presbítero toma también conciencia de estar al frente no de una comunidad receptora de sus enseñanzas, organizada para que sus miembros cumplan mejor sus deberes de cristianos; sino de una porción del pueblo de Dios en marcha misionera. Y será el pastor el auténtico dinamizador de este andar, el que organiza con toda la comunidad la misión de cara al mundo, porque la misión es única y está compartida por todos los fieles y fundada sobre el único sacerdocio de Cristo. A partir de esta base común se ramifican los diversos ministerios. Pero ni el diácono ni el presbítero ni el obispo pueden dejar a un lado su sacerdocio bautismal, que nos pone a todos frente al mundo por evangelizar con responsabilidades concretas respecto a todos los hombres. Se trata de ampliar nuestro horizonte para transformar cada vez más nuestro ministerio pastoral en un ministerio misionero.

Queridos presbíteros: hoy, al renovar sus compromisos sacerdotales, que no son otra cosa que una reafirmación de su disponibilidad de poner toda su vida al servicio del pueblo de Dios en la castidad, la sencillez de vida y la obediencia eclesial, les suplico que levanten sus ojos hacia los campos inmensos del mundo, listos para la siega, donde siempre faltan trabajadores. Ensanchen hasta los límites de la increencia, de la indiferencia, de la desesperanza, del vacío existencial, de la ausencia de Dios, el horizonte de la misión que el Señor les ha confiado junto con toda la Iglesia, y entonces también se ensancharán vuestros corazones y habrá gozo espiritual, el gozo de la misión, y «nadie podrá arrancarles esa alegría». Porque la felicidad del apóstol brota de la conciencia de la grandeza en extensión y en profundidad de su misión y se nutre paso a paso de los consuelos que el Señor da a los suyos cuando palpamos la acción del Espíritu en los corazones de los hombres y mujeres que parecían distantes y se acercan a Dios. «Miren, vienen de lejos, traen a sus hijos en brazos...»

Esta espiritualidad del presbítero o del obispo no puede estructurarse prescindiendo del mundo y de la incidencia que ese mundo tiene sobre nuestra misión. Pero no son las coordenadas políticas y socio-económicas las únicas que conforman la realidad ante nuestros ojos de pastores. Ese mundo, esos hombres y mujeres, hermanos nuestros, con sus penas y preocupaciones concretas, que son también nuestras, es el vasto campo donde se siembra la semilla del Reino de Dios que yo y tú podemos dejar caer donde, sin duda, hay también mucha cizaña, pero donde la fuerza infalible del Espíritu hace posible la germinación. Repito, en la misión está la alegría del pastor y sin alegría no hay espiritualidad ni vida interior.

Pensar hoy en un pastor de Iglesia que constituya su vida interior solo sobre la red de relaciones que él tiene con las componentes internas de su comunidad significa un anacronismo. El ministro ordenado es hoy el pastor de una comunidad a la cual ayuda a tomar conciencia de su presencia en medio del mundo y a la que guía espiritualmente en el dinamismo de la misión que ella tiene y que debe desplegar incesantemente.

Por tanto, no hay más que un solo modelo que se impone indiscutiblemente a todo presbítero: el modelo apostólico. En él encuentra el presbítero de hoy su identidad, primeramente, en aquella tensión hacia un mundo que nos queda por delante sin evangelizar, sin conocer aún la Buena Noticia de la Salvación. Esta tensión es santa (a diferencia de otras «tensiones»), porque está inscrita en el destino universal del Evangelio que Jesucristo nos ha confiado. El modelo apostólico lo realiza además el presbítero por su singular relación con la comunidad, pues él ha recibido, por su ordenación, el don de conservar en ella no solo la fidelidad al mensaje apostólico, sino también la tensión apostólica de todos los que la integran. El modelo apostólico hace que el presbítero, en lugar de estar en el corazón de la Iglesia como guardián del mensaje, esté situado más bien en la frontera entre la Iglesia y el vasto mundo por Evangelizar, yendo como el Buen Pastor delante de sus ovejas. Si él estuviera en el centro, todos lo rodearían para protegerlo, si va delante, él pone su vida por las ovejas.

Por el carisma apostólico, el presbítero, de modo parecido a los primeros apóstoles, es fundador de iglesias. No solo cuando crea nuevas comunidades de base o tiene la posibilidad de abrir un nuevo templo u organizar con un grupo nuevo de cristianos un centro de culto y oración en alguna casa, sino también cuando por la incorporación de nuevos catecúmenos, por la catequesis de los menores bautizados, por el retorno de los alejados, va reengendrando continuamente a la Iglesia. Esta especial relación del pastor con su comunidad la expresaba San Pablo escribiendo a los Corintios: «Ustedes podrán tener incluso diez mil maestros en Cristo, pero no muchos padres, porque soy yo quien los ha engendrado en Cristo Jesús» (*1 Co* 4, 15).

Por eso, el espíritu de paternidad ha determinado siempre la espiritualidad del presbítero y del obispo. En la disciplina antigua de la Iglesia no se concebía una ordenación válida si no estaba destinada al servicio de una comunidad concreta.

En el momento de renovar gozosos nuestros compromisos apostólicos, ¡cómo debemos proponernos también una ascesis que purifique continuamente nuestra relación con la comunidad!: en el ejercicio de la autoridad, en la capacidad de compartir tareas y responsabilidades, en la promoción del laicado, en el olvido de nosotros mismos, para que la comunidad quede fundada únicamente sobre el Señor Jesús. Solo así podremos escuchar con un corazón sosegado el merecido apelativo de «Padre», que nos tributan los hijos de la Iglesia y casi todo nuestro pueblo.

Pero para llevar a cabo este programa de vida apostólica es imprescindible que el ministerio del presbítero no se quede cerrado en la dimensión de su comunidad, sino que se complemente en la relación con el presbiterio, con el obispo y con la Iglesia universal. Para cumplir todo este proyecto, queridos hermanos sacerdotes, ustedes y yo confiamos en la fuerza del Espíritu, con el cual fuimos ungidos el día de nuestra ordenación. En Él nos sentimos capaces y confiados para renovar nuestros compromisos sacerdotales en esta hora en que el Papa Juan Pablo II convoca a la Iglesia a una Nueva Evangelización y cuando los obispos de Cuba hemos puesto, en manos de la Iglesia que vive en nuestro país, un plan pastoral centrado en la Evangelización de nuestro pueblo. Que nuestra docilidad a la acción de Dios reavive en nosotros los dones de nuestro sacerdocio.

XXV JORNADA MUNDIAL DE LA PAZ*

Ilustrísimo Mons. Michael Courtney, Auditor de la Nunciatura Apostólica en Cuba, Excelencias, distinguidos miembros del Cuerpo Diplomático, queridos hermanos y hermanas:

Inspirados en la lectura del Antiguo Testamento, abrimos el año 1992 con una hermosa y antiquísima bendición. Nuestro pueblo pide a los sacerdotes que bendigan las casas, los crucifijos y medallas, a los niños. En la lectura del Libro de los Números, aquellos hombres primitivos hacen gala de un fino sentido espiritual: Pedían la mirada de Dios, la sonrisa de Dios y el favor de Dios; pedían ante todo la PAZ. Nosotros también queremos comenzar este año pidiendo esa paz que tanto necesitamos, que incluye el poder vivir con espíritu sosegado.

---

* Catedral de La Habana, 1-I-1992, texto transcrito por el Arzobispado de La Habana.

Iniciamos el año bajo la mirada amorosa de la Virgen María, Madre de Dios y Madre nuestra. El Hijo de Dios, que Ella contempla llena de gozo en esta Navidad, se hizo hijo de mujer para hacernos a nosotros hijos de Dios. Realmente hemos obtenido de Dios Padre una bendición que no nos hubiéramos atrevido a pedir jamás. Así también nosotros, con los pastores, rebosando de ingenua alegría, nos hemos asomado al misterio de esta Navidad.

Pero ¿qué habrá sido de los pastores de Belén?, ¿habrán vuelto a sus asuntos pequeños y agobiantes de cada día?, ¿se olvidaron pronto de lo que habían visto y oído? De ellos nada sabemos, sí estamos seguros de que María, y con Ella José, «guardaba todas estas cosas y no dejaba de meditarlas en su corazón» (*Lc* 2, 19). La Iglesia necesita de esta actitud que es la de la contemplación de Dios, la de la verdadera oración.

Si al comenzar el año 1992 queremos que Dios nos bendiga con la Paz debemos, ante todo, pedirla insistentemente al Señor. Así nos lo dice el Papa Juan Pablo II en su Mensaje para esta Jornada de la Paz de 1992.

«Antes de recurrir a los medios humanos quiero subrayar la necesidad de una oración intensa y humilde, confiada y perseverante, si se quiere que el mundo se convierta finalmente en una morada de paz, pues la oración es la fuerza por excelencia para implorarla y obtenerla. Ella infunde ánimo y sostiene a quien ama y quiere promover dicho bien según las propias posibilidades y en los variados ambientes en que vive. La oración, mientras impulsa al encuentro con el Altísimo, dispone también al encuentro con nuestro prójimo, ayudando a establecer con todos, sin discriminación alguna, relaciones de respeto, de comprensión, de estima y de amor. El sentimiento religioso y el espíritu de oración no solo nos hacen crecer interiormente, sino que incluso nos iluminan sobre el verdadero significado de nuestra presencia en el mundo. Se puede decir también que la dimensión religiosa nos impulsa a trabajar con mayor dedicación en la construcción de una sociedad ordenada donde reine la Paz.»

La intención de la XXV Jornada de Oración por la Paz está expresada en el mismo Lema con que el Papa Juan Pablo II nos la presenta al inicio de este año: «creyentes unidos en la construcción de la Paz».

El creyente, con todos los hombres de buena voluntad, se siente llamado a trabajar por establecer en el mundo los sólidos fundamentos de una Paz verdadera. Mas su aporte a este quehacer, que colma las ansias más sentidas de los pobladores del planeta, está marcado por su fe religiosa, o sea, por esa especial relación a quien todo lo trasciende, o aun por la amorosa dependencia del Dios de cielo y tierra que lo compromete de modo particular a procurar el bien de toda la creación.

Para nosotros, cristianos, que celebramos en la maravilla del nacimiento del Hijo de Dios hecho hombre, el gran don de Dios al mundo, la Navidad es anuncio e invitación a ser promotores activos de la Paz. «Paz en la tierra a los hombres amados de Dios», cantaron los ángeles a los pastores en la Noche de Belén. Esta Jornada de la Paz, celebrada siempre a una semana justa de la Navidad, recoge el eco del canto de los ángeles, y lanza para esta época, para esta hora de la historia, para el año que comienza, una convocación a la Paz, un llamado a hacer realidad el designio de Dios en todas las latitudes, entre todos los pueblos y naciones y al interior de cada país. Esta convocación a trabajar, como cristianos y católicos, por la paz, nos llega especialmente a nosotros en Cuba, que iniciamos, al decir de nuestros gobernantes, uno de los años más críticos de nuestra historia.

El aporte de los católicos a la Paz está, lógicamente, impregnado de la enseñanza de Jesucristo. Un seguidor de este Maestro no puede no ser un luchador por la Paz; «Dichosos los que trabajan por la Paz, porque serán llamados hijos de Dios» (*Mt* 5, 9). En el envío de Jesús a los suyos para anunciar la buena noticia del Reino de Dios se incluye un saludo de luz que es un programa; «Cuando ustedes lleguen a una casa digan: «Paz a esta casa» y si hay en ella gente de paz llegará hasta ellos la paz que les llevan, si no, volverá a ustedes mismos» (*Mt* 10, 12-13). «Yo les dejo mi paz –dice Jesús–, yo les doy mi paz, pero no como la da el mundo» (*Jn* 14, 27). La paz, junto con su amor hasta el extremo, constituyen el legado precioso del Salvador a los suyos. El discípulo de Cristo, invitado a trabajar por la Paz, a llevarla como divisa, sabe que la paz que anuncia y promueve no es la que el mundo puede ofrecer, limitada a veces a una ausencia de conflictos violentos o impuesta, en otros casos, por la coerción o la fuerza de las armas.

El cristiano, que conoce la bienaventuranza de los pacíficos, también conoce, porque pertenece a la misma carta magna del reino de los cielos formulada en el Sermón de la Montaña, las bienaventuranzas de los que tienen hambre y sed de justicia (*Mt* 5, 6) y de los que son perseguidos por practicar la justicia, y sabe también que en el lenguaje bíblico la justicia es más que la repartición de bienes; la justicia es lo cierto, lo no engañoso, la verdad. Esa justicia participa de algún modo de la misma santidad de Dios.

Trabaja, pues, un cristiano por la paz, cuando lo hace por los fundamentos de la Paz, por aquellos sustentos sólidos donde se establece el edificio de la auténtica paz, que son: la justicia, la verdad, la solidaridad, sometido todo al gran mandamiento del amor al prójimo, que Jesucristo equiparó al amor a Dios y que San Juan presenta en forma de sentencia en su primera Carta: «quien no ama a su prójimo a quien ve, no ama a Dios a quien no ve» (*1 Jn* 4, 20).

En su búsqueda de la Paz, el punto de vista del cristiano con respecto a las estructuras vigentes en el mundo y al estilo de su propia acción, estarán fuertemente matizados por los reclamos de su fe en Jesucristo y el seguimiento de sus enseñanzas. De ahí se derivan un conjunto de exigencias éticas en su actuar y en el contenido mismo de sus esfuerzos.

Justamente, en esas inquietudes, compartidas por los católicos con otros hombres o instituciones, por establecer las relaciones internacionales y al interior de los estados sobre las bases de una ética que debe renovar desde dentro la vida de cada pueblo y de todo el mundo, la Iglesia Católica brinda un aporte específico para el logro de una Paz auténtica.

Es evidente que, para tratar los grandes problemas del mundo, la Iglesia no habla el lenguaje de los políticos; pero si toca, y es normal y deseable que así lo haga, el amplio campo de la política desde el punto de vista de la ética iluminada por el Evangelio, es muy probable o casi inevitable que los hombres políticos y la opinión pública de uno y otro lado interpreten sus palabras en clave exclusivamente política.

Quizá algunos desearían evitar esa aparente confusión, proponiendo a la Iglesia que no hable nunca de esos asuntos; pero una Iglesia del silencio, además de no honrar las instituciones de la sociedad en que vive, sería ella misma infiel a su misión profética que le impele a anunciar la Paz que se opone a las estructuras de guerra y de muerte, a invitar a todos a la reconciliación y al perdón de los agravios, a promover, en fin, el amor, que descarta el odio y la violencia como métodos aptos para lograr cualquier fin.

Al hablar el lenguaje de la ética cristiana, el Papa Juan Pablo II, en el ámbito mundial, y los obispos de cada país, en sus propias naciones, recuerdan sin cesar a los hombres que sirven a sus pueblos en el campo de la política, y a toda la opinión pública, que la crisis del mundo y de los pueblos es ante todo una crisis moral, y que las respuestas a los graves desafíos del futuro no se hallan únicamente en ciegos mecanismos económicos, ni en sistemas cerrados de uno u otro signo, sino en la solidaridad de todos en un proyecto auténticamente humano que pueda movilizar las voluntades y los corazones.

La crisis tremenda que ha sacudido al mundo a finales del segundo milenio de la era cristiana es una crisis de valores morales. La historia probó fehacientemente que no puede asentarse el equilibrio y la felicidad del hombre sobre arsenales de armas nucleares, que el miedo no produce paz, que el terror no construye. Los bloques enfrentados solo nos dejaron un mundo empobrecido y espiritualmente enfermo. La pasión por la ideologías tiene que ceder el paso a una auténtica PASIÓN POR EL HOMBRE.

Sí, se hace necesario hablar el lenguaje de la ética que coloque al hombre con toda su dignidad en el centro de las preocupaciones de políticos e instituciones. Basta ya del lenguaje terriblemente ideologizado que habla de asesinato cuando es ultimado alguno de los que integran sus filas, pero dice «ajusticiamiento» cuando se mata al del campo opuesto. Se hace necesario el lenguaje unívoco de la ética, que llama crimen a lo sucedido en ambos casos, porque se ha matado a un hombre.

Basta ya de proponer cercos económicos que privan de productos esenciales a un país con la aprobación casi unánime de la comunidad mundial, mientras se critica, siguiendo las simpatías o las alianzas políticas, el mismo cerco impuesto a otro país. Éticamente, el procedimiento es inaceptable para todos los casos.

Se condena a gobiernos, se hacen concesiones a sistemas, se defienden hasta la muerte las ideologías; pero gobiernos, sistemas o ideologías no son los sujetos de la historia. Sujeto de la historia son los pueblos, es el HOMBRE: son los seres humanos comunes quienes sufren el hambre, los que mueren en las guerras, los que no tienen voz para ser escuchados.

El camino de la Iglesia es el hombre, dijo el Papa Juan Pablo II en su Encíclica *«Redemptor Hominis»*, porque el camino de Dios para llegar hasta nosotros fue el hombre Jesús de Nazaret, el que encontramos envuelto en pañales y colocado en un pesebre. También el hombre debe ser el camino y la meta de las preocupaciones de políticos e instituciones; el hombre es el punto común de encuentro del católico con otros creyentes y con toda la humanidad en la búsqueda de los fundamentos de la Paz, que son la justicia, la verdad y la libertad.

Es necesario insistir: El hombre, considerado en su intrínseca dignidad, puesto en el lugar de honor que Cristo le ha dado, debe ser el centro de las preocupaciones de todos los hombres y sujeto y no objeto de la historia. Todo lo humano concierne al cristiano. Dentro de lo humano, todo podemos nacerlo, fuera de lo humano, nada.

En su mensaje de Paz para el año 1992, el Santo Padre insiste sobre el respeto a la dignidad humana:

«La paz es un bien fundamental que conlleva el respeto y la promoción de los valores esenciales del hombre; el derecho a la vida en todas las fases de su desarrollo; el derecho a ser debidamente considerados, independientemente de la raza, sexo o convicciones religiosas; el derecho a los bienes materiales necesarios para la vida; el derecho al trabajo y a la justa distribución de sus frutos para una convivencia ordenada y solidaria. Como hombres, como creyentes y más aún como cristianos, debemos sentirnos comprometidos a vivir estos valores de justicia, que encuentran su coronamiento en el precepto supremo de la caridad: «Amarás a tu prójimo como a ti mismo» (*Mt* 22, 39).

«Una vez más quiero recordar, continúa diciendo el Papa, que el riguroso respeto de la libertad religiosa y de su derecho correspondiente es principio y fundamento de la convivencia pacífica. Espero que este respeto sea un compromiso no solo afirmado teóricamente, sino puesto realmente en práctica por los líderes políticos y religiosos, y por los mismos creyentes; es en base a su reconocimiento como asume importancia la dimensión trascendente de la persona humana».

Queridos hermanos y hermanas: con augurios de Paz queremos comenzar este año 1992 que se presenta para Cuba y para otros países del mundo como un año difícil.

Este año, celebramos, en la fe, la llegada de la noticia de Jesucristo y de su Evangelio a nuestras tierras de América. Cuba fue el primer territorio de esta zona del mundo donde fue plantada la Cruz de Cristo.

No se apresta la Iglesia Católica a celebraciones históricas cargadas de estériles polémicas. Conocemos las luces y sombras de la enorme empresa del Descubrimiento y la Conquista. Pero no queremos quedar envueltos en sombras del pasado, sino retamar la luz que brilla en medio de las tinieblas, la de la Cruz de Cristo y su Resurrección, y levantarla en lo alto para que ilumine con su verdad y su amor el futuro de nuestros hermanos.

Por esto celebramos este año conmemorativo con una gran Misión diocesana que dejamos iniciada hoy. Deseamos celebrar los quinientos años de la Evangelización de América evangelizando, es decir, anunciando a Cristo muerto y resucitado que nos trae la salvación. Levantando en lo alto de la Cruz, alzado en manos del sacerdote en la celebración eucarística, Él quiere atraer nuestros corazones hacia sí y también a los de tantos hermanos y hermanas nuestros que lo buscan y desean conocerlo.

Confiamos este año de 1992 con sus dificultades a la Madre de Dios, la Virgen María de la Caridad del Cobre. No

HOMILÍAS

abandones, oh Madre, a tu pueblo, libra a Cuba de llantos y afán. A Ella, a Nuestra Señora de la Caridad, confiamos también nuestra gran misión diocesana y nuestros anhelos de Paz para todos nosotros y para el mundo entero.

MISA CRISMAL*

«El Espíritu del Señor está sobre mí... y me ha enviado.»
Queridos hermanos en el sacerdocio de Cristo; queridos hermanos y hermanas:

En la lectura evangélica de esta celebración, Jesucristo se da a conocer a su pueblo como aquel que realiza en sí mismo las notas características que el Profeta Isaías describía en el Mesías de Dios; esto es, vivir bajo la acción del Espíritu y ser enviado a comunicar una Buena Noticia que es para todos, especialmente para los que sufren en su cuerpo o en su espíritu: «El Espíritu del Señor está sobre mí, porque él me ha ungido. Me ha enviado para dar la Buena Noticia a los pobres, para anunciar a los cautivos la libertad...».

Jesús se nos presenta así, al decir de la exhortación apostólica «*Evangelii Nuntiandi*», como el primer evangelizador. «Jesús mismo, Evangelio de Dios, ha sido el primero y el más grande evangelizador. Lo ha sido hasta el final, hasta la perfección, hasta el sacrificio de su existencia terrena» (Hasta aquí la cita) (E.N. 7).

Con sus palabras y sus obras hizo saber claramente que Él era el enviado del Padre, el Hijo de Dios hecho hombre. El libro de los Hechos nos lo muestra: «Jesús de Nazaret, el ungido por Dios con la fuerza del Espíritu Santo, que pasó haciendo el bien y curando a los oprimidos:, porque Dios estaba con él». (*Hch* 10, 38).

Y este primer evangelizador, ¿cómo evangeliza? Jesús anuncia el Reino de Dios, que además él mismo transparenta perfectamente en su estilo de vida humana. Y para que este anuncio no cese de oírse, Él crea una comunidad a la que le entrega su Espíritu y le confía su misión. Es la Iglesia, que

* Catedral de La Habana, 10-IV-1992.

373

debe vivir haciendo lo que su Señor le ha encomendado, prolongando así a través del tiempo y hasta el fin del mundo la acción salvadora de Cristo.

Pero si Jesús anunciaba que el Reino de Dios había llegado, porque Él, el enviado del Padre, estaba ya aquí; la Iglesia tiene en su Kerygma, en su anuncio salvador, una noticia específica que comunicar, con una originalidad histórica y sobrenatural. La comunidad fundada por Jesús debe anunciar a su Señor, debe contar su historia, la de su muerte y la de su resurrección, la del sufrimiento del Calvario bajo Poncio Pilato y la de las dudas de los discípulos ante la Resurrección del Salvador. Este anuncio lo hará con el poder que Cristo Resucitado le comunica, en la fuerza del Espíritu Santo y siguiendo el mandato del mismo Jesús: «Como el Padre me ha enviado, así yo los envío, vayan y anuncien...».

No anuncia, sin embargo, la Iglesia, como noticia salvadora, el admirable dominio de Dios sobre la creación, ni proclama primeramente la justicia, la paz y la fraternidad del Reino de Dios; anuncia siempre y ante todo a Jesucristo, muerto y resucitado. Solo Él hace germinar y crecer el Reino de Dios; solo en el señorío de Cristo, humano y divino, cercano y sublime, se comprende el amoroso dominio de un Dios inenarrable. Jesucristo será de este modo el contenido de nuestra noticia misionera: «Jesucristo ayer, hoy y siempre».

El Papa Juan Pablo II ha descrito la celebración de la cuarta Asamblea del Consejo Episcopal Latinoamericano (CELAM) en Santo Domingo, el próximo mes de octubre, como una reunión que tratará sobre Jesucristo, de modo que al salir de aquel encuentro, en palabras del Papa, «nos llevemos a Jesucristo en los labios y en el corazón», a fin de anunciarlo a todo el continente latinoamericano en esta hora de Nueva Evangelización.

Porque la Iglesia existe para llevar esta Buena Noticia a todos los hombres de todos los tiempos. No podemos concebir la Iglesia como una comunidad constituida plenamente, fuera de la cual quedaría siempre alguna oveja descarriada que habría que rescatar. Han tenido que pasar siglos para que la antigua cristiandad llegue en su reflexión a comprender que la Iglesia toda está en medio del mundo como un puñado de levadura en una masa sin fermentar aún.

Los descubrimientos geográficos de quinientos años atrás, con la extraordinaria actividad misionera que les siguió, no cambiaron mucho el modo de pensar de los cristianos respecto a la situación de la Iglesia en el mundo. Aquellas misiones tuvieron como finalidad primordial hacer que la Iglesia se extendiera a todos los pueblos, de modo que todo el mundo llegara a ser Iglesia, y esto debía producirse, según esa mentalidad, en un tiempo relativamente breve.

Por esto, el Papa Juan Pablo II habla para nuestra época de una Nueva Evangelización, que él describe nueva en su ardor, nueva en sus métodos, nueva en su expresión, y yo me atrevería a añadir: nueva también en la mentalidad de la comunidad evangelizadora que es la Iglesia.

En una Iglesia que cree englobar a todos porque todos están bautizados o porque casi todos dicen ser católicos, los obispos y presbíteros pueden llegar a concebir su acción pastoral como una suma de esfuerzos y cuidados para que el pueblo cristiano pueda salvarse. Pero el cristiano no se siente ya hoy parte de una Iglesia que ocupa el centro ancho y grande del mundo, dentro de la cual debe defenderse de las tentaciones que vienen de fuera, sino que se sabe cada vez más responsable del mensaje de Cristo de cara a ese mundo, que puede ser o no todavía cristiano o que nunca llegará a serlo.

La vida del sacerdote, la espiritualidad del presbítero, no aparece así determinada exclusivamente por una función suya de mediación entre Dios y el pueblo cristiano. Hoy cualquier pastor de la Iglesia, y ustedes lo saben bien, queridos hermanos-sacerdotes, se encuentra trabajando en dos frentes: el de su servicio a la comunidad católica establecida y el de su responsabilidad, compartida con su comunidad, en relación con el mundo que debe recibir el anuncio de Jesucristo Salvador.

Sin embargo, hoy menos que nunca podemos caer en la tentación de dividir las tareas, como nos lo advierte la Exhortación Apostólica *Christifideles laici* del Papa Juan Pablo II, como si los laicos tuvieran que asumir las responsabilidades respecto al mundo y los presbíteros, aquellas relacionadas con la comunidad. La misión de la Iglesia es única, la de hacer a su Señor presente en la historia de los humanos actuales y esta tarea tenemos que acometerla juntos.

Si el obispo, siguiendo la frase feliz de San Agustín, debe decir a su comunidad diocesana: «para ustedes soy obispo, con ustedes soy cristiano», también el presbítero tiene el deber de decir lo mismo de su sacerdocio a la comunidad que le ha sido confiada. Ni el diácono, ni el presbítero, ni el obispo, porque participen del sacerdocio de Cristo de diversos modos, pueden dejar a un lado el sacerdocio bautismal que comparten con los fieles laicos y que los pone a todos, solidariamente, frente al mundo para anunciar el Evangelio. Es así como el Pueblo de Dios de «destinatario» pasa a ser actor, «sujeto» de la misión. Nosotros lo estamos experimentando en nuestra Arquidiócesis a través de la Gran Misión diocesana con motivo del quinto centenario de la evangelización de América. Los sacerdotes, diáconos, religiosas y laicos de nuestras distintas comunidades se han desplazado, han realizado visitas, han exhortado en la iglesia a quienes, respondiendo al llamado misionero, han acudido al templo. No se ha tratado de una suplencia por la falta de sacerdotes misioneros; se trata de una toma de conciencia de que la evangelización, la misión, es una tarea de toda la comunidad eclesial.

Cuando se llega a este momento, la Iglesia debe disponerse a llevar dentro de sí todos los problemas de los hombres. Los que han salido a evangelizar saben que ellos son portadores de una noticia buena y transformadora, pero también recogen, escuchan las noticias que los hombres y mujeres les dan de sus angustias, de sus dificultades, de sus expectativas. Si la Iglesia ignorara todo esto, no podría ni siquiera alcanzar una suficiente conciencia de lo que debe hacer por el Reino de Dios y no sería posible su acción como Sacramento de Cristo en el mundo.

Tampoco podría el presbítero vivir su espiritualidad prescindiendo de la incidencia que tiene el mundo real sobre la conciencia que la Iglesia tiene de sí misma y de su misión. No se puede pensar ya en un pastor que estructurase su vida interior únicamente a partir de sus relaciones con el obispo, con el presbiterio y con su comunidad. Esto sería irreal y anacrónico. El sacerdote es hoy el pastor de una comunidad que llega a descubrir su plena identidad en el dinamismo de su misión y en su toma de conciencia de sus relaciones con el mundo. La comunidad eclesial existe para anunciar a Cristo al mundo, para construir en el mundo un haz de relaciones que permitan hacer presente a Cristo y su Reino y el presbítero es el animador, el impulsor, el coordinador solidario de todos los carismas en este único esfuerzo.

En Cuba, en los tiempos presentes, una inquietud por las cosas del espíritu, una búsqueda que pudiéramos catalogar de religiosa, acerca a muchos hermanos nuestros a las comunidades católicas. Ahora bien, el problema de la misión de la Iglesia no consiste simplemente en responder a esas demandas, sino en la necesidad de responder a ese algo más que los profetas han predicho y que Jesucristo ha cumplido, y que nuestros hermanos no parecen saber pedir.

Sigan, pues, amados presbíteros, el modelo apostólico, o sea, vivan su sacerdocio en esa tensión hacia el mundo, que es connatural al Evangelio, el cual contiene en sí un designio universal de salvación. Ustedes son los conservadores de esa misma tensión evangélica, misionera, en las comunidades que atienden pastoralmente. Conservar en la comunidad su tensión apostólica es el mejor y más auténtico modo de pastorear la iglesia que se les ha confiado. Ustedes deben prepararse y preparar a sus comunidades para que sean capaces de dar ese «algo más» cristiano, evangélico, que nuestros contemporáneos a menudo ni siquiera sospechan. Seguir el modelo apostólico es presentarnos ante los hombres con una noticia nueva e inesperada, gratificante y exigente.

Si el apóstol fue en sentido estricto fundador de iglesias, todo presbítero lo es en sentido analógico, pues él continuamente regenera la comunidad, la «construye, por la predicación de la Palabra, por las aguas bautismales, por la reconciliación de los pecadores, a quienes sirve también el pan eucarístico». De aquí nace esa singular relación del pastor con su comunidad, como expresa San Pablo escribiendo a los

Corintios: «Ustedes podrán tener incluso diez mil maestros en Cristo, pero no muchos padres, porque soy yo el que los ha engendrado en Cristo Jesús (*1 Co* 4, 15). Por eso el espíritu de paternidad ha determinado siempre la espiritualidad del presbítero y del Obispo.

Padre sí, que purifique continuamente su relación con la comunidad, sobre todo en lo que toca al ejercicio de la autoridad. Es necesario proponer solo a Jesús como Señor de la Iglesia. De este modo vive el presbítero la auténtica pobreza espiritual.

El presbítero debe ser un servidor de la unidad y para esto no debe imponer nunca sus propias opiniones temporales o privilegiar unas más que otras, como si el mensaje de Jesucristo coincidiese solamente con su punto de vista. Podrá darse el caso en que una cierta opción temporal aparezca incompatible con lo que proclama nuestra fe; pero esto no significa que la elección contraria coincida necesariamente con el absoluto de Dios. El pastor de la Iglesia salva la unidad de la fe si tiene una preocupación continua por distinguir lo contingente de lo absoluto.

Al respecto es importante la «discreción política» que la Iglesia impone a los pastores y que aparece en el canon 287 número 2 del Derecho actual. Esto no es una prohibición abusiva ni tampoco un privilegio. Se trata más bien de poner la sola Palabra de Dios en el centro de la vida eclesial. Ella será la medida con la que todos debemos medirnos y ser juzgados.

De este modo, el pastor de la Iglesia se sentirá más pobre que el cristiano común. Incluso renunciará a sus propias posibilidades humanas para que resalten las de los demás. Por esto, San Pablo escribía a los Corintios: «Sostengo que Dios nos haya puesto a nosotros, los apóstoles, en el último lugar...» (*1 Co* 4, 9). Esto no es más que llevar a vías de hecho todo lo que decía Jesús: «Aquel que quiera ser el primero entre ustedes, se hará esclavo de los otros; como el Hijo del Hombre...» (*Mt* 20, 27).

Por aquí pasa la caridad pastoral, en la cual el Concilio pone el criterio fundamental de la espiritualidad del presbítero.

Queridos hermanos: Esta celebración de la Misa Crismal, cercana a la Solemnidad de la Pascua, es sacramentalmente significativa: los óleos y el crisma para los sacramentos que regeneran continuamente la Iglesia, Cuerpo de Cristo, son consagrados por el obispo. Los presbíteros con su obispo y la presencia de numerosos fieles, hacen visible a la Iglesia diocesana, que vivificada por esos mismos sacramentos y la Palabra Divina, se dispone así a cumplir mejor su tarea evangelizadora, su misión apostólica.

En el seno de esta Iglesia, para servirla como pastores, estamos nosotros, que, al renovar nuestros compromisos sacerdotales, hechos de amor a Cristo y de entrega a los hermanos, proponemos también darnos a la misión evangelizadora con el entusiasmo y el ardor que reclaman nuestro pueblo y el mensaje del cual somos portadores. Que la Virgen María, Madre de la Iglesia, Madre de los sacerdotes, nos guarde en el seguimiento fiel y devoto de su hijo Jesucristo, a quien sea la gloria por los siglos de los siglos. Amén.

CELEBRACIÓN DE LA JORNADA MUNDIAL DE LA PAZ*

Excmos. Sres. Embajadores, Ilmo. Mons. Michael Courtney, Encargado de Negocios de la Nunciatura Apostólica en La Habana, distinguidos miembros del Cuerpo Diplomático, queridos hermanos y hermanas:

El tema de esta Jornada Mundial de la Paz pone ante nuestros ojos lo que ha venido a ser la condición de gran parte de la humanidad: la pobreza.

Sin embargo, la pobreza no es solo condición de muchos, sino efecto de una situación injusta, y por tanto, responsabilidad de no pocos seres humanos: políticos, propietarios de empresas y otros bienes, economistas, filósofos o pensadores y aun militares. De todos estos, unos son creadores de modelos de sociedad, otros ejecutores de planes ya pensados y otros participantes activos, con mayor o menor grado de conciencia, en proyectos económicos establecidos, o simples

---

* Catedral de La Habana, 1-I-1993.

beneficiarios de los mismos, también hay críticos acérrimos, dispuestos siempre a esgrimir razones demoledoras o no constructivas, pero incapaces de proponer soluciones viables para el mal que combaten.

Mientras tanto, la pobreza parece extenderse amenazadoramente por vastas regiones de la Tierra.

También los cubanos conocemos la pobreza y no ciertamente a través de estadísticas comparativas o de estudios analíticos de diversas situaciones, sino por estar experimentándola. Ese es el modo que tienen los pueblos de percibir la pobreza: como un reto cotidiano a la satisfacción de las necesidades básicas de alimentarse, mantener la higiene y cuidar la salud; surgen casi forzosamente así modos de existir que desechan anteriores esquemas válidos de comportamiento y desestabilizan la vida de hombres y mujeres en sus expresiones más comunes y esenciales.

Nunca las carencias materiales fundamentales constituyen un elemento aislable en la vida de hombres y pueblos.

Cuando el ser humano está solo pendiente de sus necesidades elementales se altera la convivencia familiar, disminuye el rendimiento laboral, crece la agresividad y pueden envilecerse en sus aspiraciones, y en los medios para alcanzarlas, tanto el hombre como la mujer, el niño, el joven o el adulto.

La pobreza produce, además, en quienes la padecen, un sentimiento de urgencia. El pobre no puede esperar; su vida y la de los suyos están en peligro. De ahí que el riesgo de rompimiento de la paz social sea cierto. A esta urgencia hay que acudir también con urgencia porque la pobreza pone en peligro la paz.

«*Si quieres la paz, sal al encuentro del pobre.*» Este es el lema inspirador que el Papa Juan Pablo II ha escogido para esta Jornada de la Paz del año 1993. Se apoya esta invitación casi personal del Papa en la experiencia de siglos de guerras, en las cuales la pobreza ha tenido con frecuencia un peso decisivo o un papel detonador.

Dice al respecto el Santo Padre:

«*El número de personas que hoy viven en condiciones de pobreza extrema es vastísimo. Pienso, entre otras, en las situaciones dramáticas que se dan en algunos países africanos, asiá-*

ticos y latinoamericanos. Son amplios sectores, frecuentemente zonas enteras de población que, en sus mismos países, se encuentran al margen de la vida civilizada; entre ellas se encuentra un número creciente de niños que para sobrevivir no pueden contar con más ayuda que con la propia. Semejante situación no constituye solamente una ofensa a la dignidad humana, sino que representan también una indudable amenaza para la paz. Un Estado –cualquiera que sea su organización política y su sistema económico– es por sí mismo frágil e inestable si no dedica una continua atención a sus miembros más débiles y no hace todo lo posible para satisfacer al menos sus exigencias primarias.»

A continuación, el Papa Juan Pablo II indica los correctivos necesarios a los mecanismos económicos que hoy son usados prácticamente en todas partes, de modo que permitan garantizar una distribución más justa de los bienes.

Llama la atención la precisión y el realismo del Papa al tratar el tema de la economía:

«No basta solo el funcionamiento del mercado; es necesario que la sociedad asuma sus responsabilidades, multiplicando los esfuerzos, a menudo ya considerables, para eliminar las causas de la pobreza con sus trágicas consecuencias».

Y añade el Papa:

«Ningún país aisladamente puede llevar a cabo semejante medida... Es necesario trabajar juntos, con la solidaridad exigida por un mundo que es cada vez más interdependiente».

Y sigue el Santo Padre:

«Todo individuo y todo grupo social tiene derecho a poder proveer a las necesidades personales y familiares y a participar en la vida y en el progreso de su propia comunidad. Cuando este derecho no es reconocido, sucede frecuentemente que los interesados, sintiéndose víctimas de una estructura que no los acoge, reaccionan duramente».

Prueba de especial realismo da el Sumo Pontífice al tratar el tema de «la deuda externa». Con relación a ella dice el Papa:

«Las condiciones de devolución total o parcial deben ser revisadas, buscando soluciones definitivas que permitan afrontar plenamente las graves consecuencias sociales de los programas de ajuste. Además, será necesario actuar sobre las causas del

endeudamiento, condicionando las concesiones de las ayudas a que los Gobiernos asuman el compromiso concreto de reducir gastos excesivos o inútiles –se piensa particularmente en los gastos para armamentos– y garantizar que las subvenciones lleguen efectivamente a las poblaciones necesitadas».

Es clara la intención del Papa de ir más allá de la denuncia, proponiendo soluciones posibles, quizá no las idealmente perfectas, pero sí alcanzables de algún modo. Detrás de estas propuestas está la ya aludida urgencia del pobre: los niños tienen hambre hoy, la gente se enferma física o psíquicamente hoy y están muriendo hoy mismo.

Ni una distribución populista de los bienes que incapacita al pobre para asumir su propio destino y ser parte activa del desarrollo, ni una política de inspiración neoliberal que centra sus esfuerzos en la acumulación de riquezas y aplaza siempre para mañana («cuando se dé la estabilización económica») el mejoramiento del pobre, pueden fundamentar un proyecto realmente humano de lucha contra la pobreza.

Es necesario, pues, que al reclamo de urgencia de los pobres corresponda un sentido de responsabilidad participativo y solidario, que tiene como primer motor la situación desesperada de los necesitados, incapaces, por causa de su misma situación, de tolerar largos plazos.

Este mismo móvil exige que se descarten los medios complejos o no experimentados por la ciencia económica, en aras de salvar con rapidez lo que se puede perder. Hay que salir pronto al encuentro del pobre.

En aparente contraste con esta urgencia de superar la pobreza, todo el Evangelio de Jesucristo parece descansar sobre la aceptación de la Buena Noticia por parte de los pobres. *«¡Te doy gracias, Padre, porque has revelado estas cosas a la gente sencilla y las has ocultado a los que son importantes!».* Así ora Jesús, al Padre, poniendo en lugar de honor a los más simples, a los más pobres.

También en su cántico de alabanza la Virgen María, que se sabe ya portadora del Mesías Salvador, engrandece con toda su alma al Señor que miró la pequeñez de ella, servidora del Dios que *«derriba del trono a los poderosos y enaltece a los pobres».*

382

El nacimiento de Jesús, el Hijo de Dios Salvador, se produce en la pobreza del pesebre de Belén y el Redentor crece en talla humana, favorecido por Dios, en el hogar pobre de Nazaret.

Cuando Jesús se presenta en público en la sinagoga de su pueblo, escoge el pasaje de Isaías que describe al enviado de Dios como alguien que viene a *dar una buena noticia a los pobres*. Jesucristo se identificará intencionalmente durante toda su vida pública con la figura de este servidor pobre y sufrido que describe el profeta Isaías, y aún más, Él propone la pobreza como fuente de felicidad y condición para entrar en ese Reino de Dios que había venido a instaurar: *«Dichosos los pobres en el espíritu, porque de ellos es el Reino de los Cielos»*. Pero pongamos atención, esto quiere decir: dichosos quienes en su espíritu son capaces de valorar el riesgo de las riquezas y sus espejismos y pueden descubrir así dónde se halla la verdadera felicidad: *«Donde está tu tesoro allí estará tu corazón»*. El corazón, el espíritu, la interioridad del ser humano; el hombre y la mujer libres de ataduras y aptos para escuchar el mensaje y darles su adhesión, a estos se dirige Jesús y solo a ellos. *«¡Quien tenga oídos para oír, que oiga!»*.

La pobreza evangélica, la que Cristo Jesús propone, es la relativización de los bienes materiales a la luz de los bienes del espíritu, de cara a Dios Padre, que nos ha mostrado su amor, y a nuestros semejantes, a quienes debemos amar como hermanos.

Por todo esto, la pobreza evangélica no puede ser presentada como la glorificación de un status social, sino como una llamada a no glorificar los bienes materiales para no quedar esclavos del ansia de poseerlos o del disfrute de ellos. *«¿No vale la vida más que la comida?»*, dice Jesús, restaurando así la escala elemental de valores. *«Insensato, hoy te van a pedir el alma»*. Con esta advertencia terrible concluye el Señor la parábola del hombre que almacenaba en su granero y solo soñaba en disfrutar. El hombre cautivo de los deseos de bienes materiales olvida su alma, olvida lo mejor de sí mismo, centra su existencia en lo que es inconsistente y perecedero.

El Evangelio nos descubre así que todo materialismo es engañoso, porque deja al hombre encerrado, de un modo u otro, dentro de los límites del mundo de las cosas.

Por esto todos tenemos el deber de ser solidarios para librar a la humanidad de aquella pobreza que no es actitud de espíritu, sino postración física, hambre y enfermedad. Porque las carencias envuelven al ser humano en su macabra espiral en la que no falta el egoísmo, y donde se incuba la violencia.

Refiriéndose a esto dice en su mensaje el Santo Padre:

La pobreza evangélica es muy distinta de la económica y social. Mientras esta tiene características penosas y a menudo dramáticas cuando se sufre como una violencia, la pobreza evangélica es buscada libremente por la persona que trata de corresponder así a la exhortación de Cristo: «Cualquiera de ustedes que no renuncie a todos sus bienes no puede ser discípulo mío» (*Lc* 14, 33).

«*La pobreza evangélica es algo que transforma a quienes la viven; Estos no pueden permanecer indiferentes ante el sufrimiento de los que están en la miseria; es más, se sienten empujados a compartir activamente con Dios el amor preferencial por ellos.* (Cf. Enc. *Sollicitudo rei socialis*, 42). *Los pobres, según el espíritu del Evangelio, están dispuestos a sacrificar sus bienes y a sí mismos para que otros puedan vivir. Su único deseo es vivir en paz con todos, ofreciendo a los demás el don de la paz de Jesús*».

Es así como la comunidad católica en Cuba desea servir solidariamente a nuestro pueblo en momentos de extrema escasez. A través de sus instituciones nacionales e internacionales como Cáritas, Misereor y otras, deseamos acudir a la urgencia de nuestros hermanos. Sabemos que la solución definitiva de nuestras carencias está en dependencia de diversos factores externos e internos. En esta Jornada de Oración por la Paz elevamos nuestras preces para que se remuevan los obstáculos que impiden la superación de las dificultades presentes y continuamos invitando a todos los católicos a cultivar sentimientos de solidaridad, a no dejarse arrastrar por el egoísmo y a compartir desde su pobreza. La caridad de la Iglesia en esta hora no se muestra principalmente por la cantidad de donaciones que podamos recibir, sino por el esfuerzo callado de tender la mano a quien lo necesite.

El Hijo de Dios, siendo rico, se hizo pobre por nosotros.

Ese es el misterio de la Navidad que estamos celebrando en estos días. Cristo Jesús nos salvó desde su pobreza, y por el pan sencillo de todos los días y el vino generoso, fruto de la tierra, se hace Eucaristía. De este modo simple, la inmensidad de Dios llega a nosotros. Salgamos también nosotros, desde nuestra pobreza, al encuentro del pobre. Siempre hay espacio para el amor cristiano en las difíciles circunstancias de pobreza que experimentamos y que afectan, sobre todo, a los más débiles: a los enfermos, a los ancianos y a los que por cualquier razón no tienen las mismas posibilidades que otros en la sociedad. Todos estos deben sentir la solidaridad de los cristianos, que no podrá expresarse siempre con bienes materiales, sino ante todo por la calidad del amor que Jesucristo ha puesto en nuestros corazones.

Con todas nuestras fuerzas queremos contribuir así a que la Paz, que Cristo trae a todos los hombres, no se vea perturbada en los corazones de los cubanos ni en nuestra vida nacional en este año 1993 que hoy comienza. Así lo pedimos en este día a la Virgen Madre de Dios que siempre intercede por su pueblo desde su altar de El Cobre. Que Ella nos alcance de su divino Hijo las gracias que necesitamos para hacer que, en este año que comienza, el amor y la fidelidad se encuentren y se besen la justicia y la Paz.

MISA CRISMAL*

Queridos hermanos y hermanas, queridos presbíteros que renuevan hoy sus compromisos como ministros del Señor:

Al llegar los días santos de la muerte y resurrección de Nuestro Señor Jesucristo, la Iglesia, nacida del costado abierto de Cristo en la Cruz, se une en oración a la ofrenda sacrificial del Redentor, propone la conversión a cada uno de sus hijos y a toda la humanidad, y renueva su adhesión a Dios en Cristo Jesús, renovando también la materia de los signos sacramentales portadores de la gracia divina.

La Pascua de Jesús, su triunfo sobre la muerte, lo re-

---

* Catedral de La Habana, 1993.

nueva todo. En la noche de Pascua se bendice el fuego nuevo y el agua nueva de la fuente bautismal. En la Misa Cristal bendecimos los nuevos óleos y el nuevo crisma. Porque de la muerte y la resurrección de Cristo ha nacido un mundo nuevo, unos hombres y mujeres renovados, renacidos del agua y del Espíritu, que serán llamados «sacerdotes del Señor», «ministros de nuestro Dios». Pues «aquel que nos amó nos ha librado de nuestros pecados por su sangre, nos ha convertido en un reino, y hecho sacerdotes de Dios, su Padre».

Quienes ejercen el sacerdocio ministerial de la Nueva Alianza renuevan con todo el pueblo de Dios sus compromisos bautismales en la noche de Pascua y renuevan además, en la Misa Crismal, los compromisos que, como servidores del pueblo de Dios, contrajeron el día de su ordenación sacerdotal por la imposición de manos del obispo.

De modo representativo, toda la comunidad diocesana se reúne en oración para participar en la bendición de los nuevos óleos, que significan la renovación total de la Iglesia por la Pascua de su Señor, y participa también la Comunidad diocesana, de manera especial, en la renovación de las promesas sacerdotales de sus ministros, de los párrocos, vicarios y rectores de iglesias que los sirven como hermanos en sus comunidades respectivas.

No solo el conocimiento personal, la amistad, la gratitud o el cariño deben animar su participación, queridos hermanos y hermanas de las distintas comunidades de la Arquidiócesis, sino también su sentido eclesial que descubre, en la fe, el significado del sacerdocio ministerial y su acción imprescindible en la edificación del Cuerpo de Cristo que es la Iglesia. Los presbíteros, por su parte, saben ver, en su presencia, la relación que ellos tienen con la comunidad cristiana. Esta relación define primordialmente al sacerdote, ministro del Señor y a través de ella se produce la relación del presbítero con la sociedad.

Así como en la Iglesia es gestado y dado a luz el cristiano, del mismo modo, dentro de la Iglesia es llamado y constituido un cristiano como presbítero y como obispo. El presbítero, pues, preside la comunidad, pero no está situado fuera de ella.

Al respecto leemos en el decreto «*Presbyterorum ordinis*» del Concilio Vat. II: «El Señor Jesús, a quien el Padre santificó y envió al mundo, hace partícipe a todo su cuerpo místico de la unción del Espíritu con el que fue Él ungido, pues en él todos los fieles son hechos sacerdocio santo y regio... No se da, por tanto, miembro alguno que no tenga parte en la misión de todo el cuerpo, sino que cada uno debe santificar a Jesús en su corazón y dar testimonio de Él con espíritu de profecía. Ahora bien, el mismo Señor, con el fin de que los fieles formaran un solo cuerpo, en el que no todos los miembros desempeñaran la misma función, de entre los mismos fieles, instituyó a algunos por ministros» (P.O. 2).

Vemos que todo el pueblo cristiano ha sido ungido y enviado por Jesucristo, pero debemos notar también cómo el ministerio sacerdotal queda situado dentro de la Iglesia. La tierra fecunda donde hunde sus raíces el presbiterado es el pueblo sacerdotal de los bautizados, la comunidad cristiana.

Y por esto sigue diciendo «Presbyterorum ordinis»: «Los sacerdotes del Nuevo Testamento, si bien es cierto que, por razón del Sacramento del Orden, desempeñan en el Pueblo y a favor del Pueblo de Dios un oficio excelentísimo y necesario de padres y maestros, son, sin embargo, juntamente con todos los fieles cristianos, discípulos del Señor... Porque con todos los regenerados en la fuente bautismal son los presbíteros hermanos entre hermanos como miembros de un solo y mismo Cuerpo de Cristo, cuya edificación ha sido encomendada a todos» (P.O. 3).

Quiere decir esto que, bajo la mirada amorosa del mismo Dios y Padre, todos, presbíteros y fieles, somos hijos; instruidos con la palabra y el testimonio de Jesucristo el Señor, que vino a servir, todos somos servidores unos de los otros, y todos somos conducidos por la fuerza del mismo Espíritu Santo. En sus «Comentarios sobre los Salmos» nos dice San Agustín: «Yo soy pastor para ustedes, pero soy oveja con ustedes bajo aquel Pastor. Desde este lugar soy como doctor para ustedes, pero soy condiscípulo de ustedes en esta escuela, bajo aquel único Maestro».

La autoridad ministerial, que es prerrogativa del ministro

ordenado, y sin la cual no puede cumplir la tarea que el Señor le ha encomendado, no pone al presbítero fuera y por encima de la comunidad, porque el pastor, sin dejar de cumplir su encargo, se sabe también apacentado por Jesús el Buen Pastor.

A menudo la costumbre de ejercer solo como ministros para los demás ha incapacitado a los presbíteros para sentirse como hermanos dentro de la comunidad que sirven. No pocos opinan que la crisis sacerdotal de los años recientes tuvo su origen en una crisis de la comunidad cristiana. Como el lugar del presbítero es la Iglesia, la reanimación de la Iglesia es imprescindible para la superación de las crisis del sacerdocio y de la crisis vocacional. Esto último es palpable entre nosotros, donde a la revitalización de las comunidades ha correspondido un discreto pero sostenido crecimiento en el número de candidatos al ministerio sacerdotal.

Es así como las comunidades comparten con sus pastores su responsabilidad con relación a las vocaciones sacerdotales. Por esto, sacerdotes y fieles deben ser solidarios en la lucha contra el clericalismo, sostenido a veces, casi sin percatarse de ello, por los fieles laicos y los presbíteros. El clericalismo, que significa un predominio del clero como «status», priva de entusiasmo a la comunidad cristiana, impide la reanimación de la Iglesia y seca las fuentes de las vocaciones al sacerdocio y a la vida consagrada. Dentro de una visión «clerical» de la Iglesia, esta puede ser considerada como una «institución de servicios religiosos» a los cuales tienen derecho los fieles.

Así los fieles cristianos son receptores de una predicación, asistentes a celebraciones y atendidos pastoralmente. A los sacerdotes se les pide en este esquema que lo hagan todo con celo y espíritu de servicio como buenos «curas de almas». Es justo decir que este estilo es del gusto de no pocos fieles católicos, pues en cierto modo los libera de sus propios compromisos. Pero crea un abismo entre el que enseña y los que aprenden, entre el que manda y los que obedecen y no hay lugar para iniciativas apostólicas diversas; parece esfumarse así el espíritu misionero y una aparente organización no deja espacio a una auténtica participación.

Mas, el Concilio Vat. II ha acentuado la perspectiva de la Iglesia-comunidad, donde todos son activos según sus carismas y no solo receptivos; llamados a recibir y también a ofrecer e invitados a compartir como hermanos. No hay lugar así para el paternalismo ni para la inmadurez insuperable de los seglares. Nace de este modo una espiritualidad de comunión que llama al laico a despertar y al presbítero a abrir fraternalmente nuevos espacios.

En el mundo actual, en nuestra sociedad cubana, resulta particularmente anacrónico un esquema que ponga aparte, dentro de la comunidad eclesial, al presbítero. Porque entre nosotros se hace evidente que no es el clero quien se halla frente a una sociedad cristiana o descristianizada; es la Iglesia entera la que está ante este mundo nuestro. Es así como hemos experimentado nosotros que la situación de nuestra Iglesia de cara a la realidad cubana nos ha puesto en el camino de la fraternidad. Camino que no debemos nunca descuidar.

Comprendemos muy bien aquí que es la Iglesia toda, como Pueblo de Dios, la que es enviada por el Señor a nuestro pueblo, a nuestros hermanos cubanos. Toda la Iglesia es por su misma naturaleza MISIONERA, evangelizadora. Comunión y misión son dos aspectos complementarios de la Iglesia. En ustedes, queridos presbíteros, deben armonizarse íntimamente la gracia de la fraternidad cristiana y la misión ministerial; y la relación de ustedes con la comunidad debe darse siempre en clave de servicio, para que quede muy en claro que su autoridad tiene como horizonte la edificación del Cuerpo de Cristo.

El presbítero, dice un autor moderno, está llamado a vivir su ministerio en la tensión permanente de tres preposiciones: «con», «al frente de» y «para».

«Con» indica la fraternidad con los demás cristianos, «al frente de» indica la autoridad recibida del Señor, «para» pone de relieve el servicio.

Estas tres características pueden resumir cuál es el carisma presbiteral: El presbítero tiene encomendado el servicio de reunir a los cristianos como una fraternidad.

De este carisma manan las demás acciones que debe ejecutar el presbítero en su ministerio.

Porque tiene esa misión de construir la Iglesia, el presbítero preside la Eucaristía y no al revés; por esto es el primer catequista de la comunidad, el consejero, el que reconcilia con Dios a los pecadores. Esta consideración del carisma presbiteral evita que el ministerio se convierta en una función administrativa que pudiera ser desempeñada correctamente, pero sin implicar al sacerdote en su misma persona.

Igual que en todo cristiano, en el presbítero el amor será el «ceñidor de la unidad». Mas, según el carisma presbiteral recibido, el sacerdote tiene en la comunidad el cuidado particular de fomentar, proteger y potenciar el amor que une a los hermanos. Esa es la «caridad pastoral», que resume la existencia espiritual del presbítero. Teniendo como modelo y guía a Jesús, Buen Pastor, el presbítero conoce, quiere, cuida, alimenta, defiende las ovejas hasta arriesgar la vida por ellas. Imitador del Pastor supremo, debe evitar todo despotismo sobre el rebaño, proceder sin intereses egoístas y apacentar no a regañadientes, sino con la mansedumbre del amor. Recuerden que al mercenario le importa poco el porvenir de las ovejas.

El servicio de reunir a los cristianos como una fraternidad, el carisma de presidir para la unidad, con el amor y la delicadeza del pastor que guía la grey, lleva en sí mismo muchas exigencias para el presbítero: Este debe renunciar a actividades sociales y políticas que sean obstáculo para promover la unidad y concordia de todos los cristianos; no debe detenerse el sacerdote en su propia fragilidad, para ser capaz de confortar siempre a los desalentados con el consuelo mismo de Dios. Esto, queridos hermanos, es tarea habitual e insoslayable en nuestro ministerio actual en Cuba: estimular a la fe y a la confianza en Dios, exhortar a la fidelidad en medio de las pruebas.

Como constructor de la comunidad, respetando la pluralidad el presbítero debe propiciar la de carismas y opciones, participación de todos: hombres y mujeres, jóvenes adultos, de una tendencia o de otra, obedeciendo a los signos que Dios emita en cada situación histórica, desde dentro o fuera de la comunidad eclesial.

Este ministerio hermoso y exigente es de síntesis y de comunión y no consiste en absorber y sustituir, sino en crear colaboración, despertar la creatividad y abrir posibilidades, con respeto de la pluralidad, en la búsqueda de la unidad.

¡Qué necesario se nos revela que, en el corazón del presbítero, para poder vivir con libertad total este carisma, no reine otro amor que el del Señor y el de la Comunidad a la cual sirve; que no obedezca a ideologías ni a consignas políticas, sino al querer insondable de Dios, y que, por el desposeimiento de sí mismo, viva esa pobreza radical que nos capacita para ser hermanos porque nos hace humildes.

Esas fueron nuestras promesas sacerdotales, las que hicimos gozosos el día de nuestra ordenación, las mismas que ahora, cada vez con más madurez, nosotros renovamos para que Cristo, el Señor, tome posesión plena de nuestras personas y la Iglesia que Él nos ha confiado encuentre en sus presbíteros y obispos la imagen viva del Buen Pastor. Renovemos, pues, queridos hermanos, bajo la mirada amorosa de Dios nuestro Padre, inspirados por Cristo, Buen Pastor, en la fortaleza del Espíritu Santo y ante la Iglesia aquí congregada, nuestros compromisos sacerdotales hechos para el anuncio y la extensión del Reino de Dios. Que María nuestra Madre, la Virgen fiel, vele con amor por nuestra fidelidad a su Hijo Jesucristo y a la Iglesia.

MISA CRISMAL*

Una vez más, cercana la Fiesta de la Pascua, se reúne la comunidad diocesana con su Obispo y su presbiterio alrededor de la Mesa Eucarística, para la celebración de la Misa Crismal, acción sacramental que tiene su fuente en la muerte y resurrección de nuestro Señor Jesucristo. Porque, de la humanidad glorificada de Jesús, después de su paso por el dolor y la muerte, brota la eficacia redentora de los signos sacramentales.

Los sacramentos incorporan a Cristo a los nuevos discí-

---

* Catedral de La Habana, 24-III-1994.

pulos y, por medio de ellos, crecen los seguidores de Jesús hasta «*la estatura del hombre perfecto*».

Purificados en las aguas bautismales, ungidos con el Santo Crisma, alimentados por el Cuerpo y la Sangre del Señor, se lanzan los cristianos al combate sin tregua del amor que todo lo puede, que todo lo espera. Y en esa lucha por ser fieles al Evangelio encuentran también los creyentes en Cristo, en los sacramentos de la Iglesia, curación y alivio para las heridas que el pecado siempre ocasiona y gracias abundantes para cumplir sus deberes en la vida cotidiana y para realizar su misión de llevar a Cristo al mundo, según lo exige su misma vocación cristiana.

El ministro ordinario de los sacramentos es el presbítero, configurado él mismo por un sacramento, a Cristo sacerdote, para hacerlo presente en medio de la comunidad de fieles cristianos que el obispo le ha confiado. Debe el sacerdote, además de unirse íntimamente a Cristo, a quien representa, descubrir en la Sagrada Escritura el modo propio de realizar Jesús su sacerdocio, de forma que pueda actuar en su nombre según el ser y la especial manera de hacer de su Maestro y Señor.

El relato evangélico nos remite hoy, por medio de la escena de la sinagoga de Nazaret, al modelo de acción sacerdotal que nos presenta Jesús cuando, apropiándose los textos de Isaías que acababa de leer, dice que en él se cumple lo expresado por el Profeta: El Señor «*me ha enviado para dar la Buena Noticia a los pobres, para anunciar a los cautivos la libertad, y a los ciegos, la vista. Para dar libertad a los oprimidos; para anunciar el año de gracia del Señor*» (*Lc* 4, 16-20).

Así queda fijado el programa sacerdotal de Jesús, que es simple y exigente. No parece haber en la mediación planes estructurados. Se dirige directamente a las personas y a ciertas categorías de personas: sufridas, desesperadas, olvidadas o tristes, con el fin de devolverles la confianza.

A partir de este anuncio habrá siempre un matiz propio en toda la acción pastoral de la Iglesia, sobre todo en lo que concierne a los más desfavorecidos. La Iglesia se hallará en todo momento ante el hombre concreto que tiene hambre, ante este o aquel enfermo sin recursos para curarse, ante la desgracia de una familia determinada, y en todos los casos con la urgencia del amor. «*Nos apremia el amor, el amor de Cristo*».

Este modo de perpetuarse la misión de Jesús en la Iglesia, implica especialmente al sacerdote, que se siente invitado a un título muy personal, por el mismo llamamiento que le ha hecho Jesús, a aprender de Él para llevar a otros consuelo y esperanza, abrir espacios de libertad interior, y aun saciar el hambre física, o procurar la curación de los enfermos con los medios que estén a su alcance.

No hay prescripciones rituales en este modelo sacerdotal de Jesús, porque el culto que agrada a Dios es: «*abrir las prisiones injustas, hacer saltar los cerrojos de los cepos, dejar libres a los oprimidos, romper todos los cepos, romper tu pan con el hambriento, hospedar a los pobres sin techo, vestir al que ves desnudo y no cerrarte a tu propia carne*» (*Is* 51, 8). Así nos lo dice el profeta Isaías.

Hay, además, en todo el Evangelio una sustitución del rito sin vida, frío y mecánico, por un culto que tiene como condición y medio al prójimo. En forma concluyente lo expresa San Juan en su Primera Carta (*1 Jn* 3, 17): «*quien vea a su hermano en necesidad y le cierre sus entrañas, ¿cómo puede estar en él el amor de Dios?*».

Recordemos que en la Cena del Jueves Santo, cuando el Señor Jesús nos dejó el Sacramento de su Cuerpo entregado y de su Sangre derramada, subrayó que esta entrega se hacía en el amor y en el servicio y para esto se puso a lavar los pies de sus discípulos, de modo que nunca fuéramos a disociar nosotros, sus seguidores, la ofrenda, el sacrificio y la comunión eucarística, del servicio amoroso a los hermanos. Por esta profunda razón la Iglesia ejerce su acción caritativa del servicio a los hombres como parte de su culto, de su alabanza a Dios. Y si dejara de hacerlo así y de sentir de este modo, sería infiel a la misión que Jesucristo le ha confiado.

Los sacerdotes, cuando presiden la Eucaristía para sus hermanos, la presiden en la caridad. Son ellos quienes convocan a la comunidad eucarística al amor fraterno y al servicio caritativo a los necesitados y son también los primeros que experimentan los reclamos materiales y espirituales de todos los hombres y mujeres que sufren. ¡Cuánta exigencia lleva consigo este culto nuevo que ofrecen el Obispo y los presbíteros en nombre de toda la comunidad eclesial! ¡Cuán desgarrador se vuelve en momentos de crisis, como la hora presente, el no poder responder a todas las solicitudes de ayuda que llegan a nuestra puerta! Muchas de ellas provenientes de instituciones de servicio social, hogares de «abuelos», escuelas de niños diferenciados u hospitales. Pero también padres y madres de familia en busca de un medicamento que alivie o que quizá cure una dolencia crónica o grave, o enfermos necesitados de un medicamento para un tratamiento ordinario, pero que no pueden hallar en ningún sitio. Amén de las carencias de cada día que nos cercan y angustien y que nos hacen preguntarnos como los apóstoles a Jesús antes de la multiplicación de los panes: «¿Cómo podemos alimentar a esta multitud en el descampado?».

Porque al descampado se sienten cada uno de ustedes, queridos sacerdotes y la Iglesia toda que no sabe hacia dónde volver los ojos para acudir a tanta necesidad. Ciertamente, es imposible, por medio de la ayuda humanitaria y la acción social caritativa, solucionar las actuales carencias materiales. Para esto se requiere una acción política y económica que desborda la misión propia de la Iglesia. Pero la urgencia del amor cristiano y la certeza de que todo aquel que acude a nosotros lo hace porque sabe que, a través de todos los siglos y en cualquier lugar de la tierra, la Iglesia ha tratado de responder con lo que tiene en sus manos, a las súplicas, constituyen la motivación que nos hace buscar por todos los medios la manera de brindar nuestro apoyo a quien se nos acerca, sin preguntar su religión, sin tener en cuenta su modo de pensar o su historia personal, simplemente porque quien pide o busca es un ser humano y, ante cada uno de ellos que nos mira implorante, resuena en nuestro corazón la voz perenne de Nuestro Señor Jesucristo: «Lo que hiciste con uno de estos, a mí me lo hiciste».

Esta incomprensible razón para los que no tienen fe, es sin embargo conocida, intuida, por aquellos mismos que no creen. Saben ellos que nos mueve una voz interior venida de lo alto que nos impele a actuar con un amor que es más que humanitarismo; por eso se acercan también a nosotros en sus necesidades, sabedores de que no nos detendremos en detalles de procedimiento cuando del amor se trata.

La Iglesia, ustedes lo saben bien, queridos hermanos y hermanas, no agota sus posibilidades de servicio caritativo contando solo con los recursos que puede hallar en su entorno inmediato. La Iglesia es universal, católica, está extendida por toda la tierra y su caridad es sin fronteras. Muchos hermanos nuestros de Europa, América del Norte, América Latina y de todo el mundo están dispuestos a brindar a la Iglesia en Cuba una ayuda solidaria que alivie algunas de las necesidades de nuestro pueblo. Más aún, organizaciones internacionales no católicas, aun gubernamentales, desean que la Iglesia pueda tener su marco propio de acción bien definido para aumentar su ayuda generosa.

Algunos planes concretos se han realizado ya, como el envío de alimentos de la Unión Europea por medio de CARITAS española a CARITAS Cuba por un valor de más de cuatro millones de dólares. Estos alimentos fueron distribuidos en hospitales, hogares de ancianos, círculos infantiles, etc., del país, con la participación activa de CARITAS cubana.

Ahora es importante para nosotros el desarrollo del plan de asistencia a la tercera edad en el cual están participando algunas de nuestras parroquias. Con este proyecto podemos dar un modesto suplemento dietético a los ancianos más necesitados que son visitados por nuestros equipos de pastoral asistencial o de CARITAS. Para extenderlo a un mayor número de parroquias, para mantener y mejorar este programa, la Iglesia cuenta con la ayuda de numerosas organizaciones internacionales, pero necesita, además, las facilidades mínimas para la adquisición y distribución de esa ayuda.

Y como esta, otras obras de servicio y de misericordia que no deben esperar por métodos y procedimientos, ni detenerse ante falsos temores de que la Iglesia quiera ocupar en la sociedad un campo que no es el suyo. El espacio del servicio a los necesitados es muy amplio y la Iglesia, que no pretende ser la única institución preocupada por las carencias y dificultades de nuestros hermanos, desea, sin embargo, según su vocación propia, responder al mandato de Jesucristo, no solo insertándose en el quehacer social del Estado con otras instituciones que brindan también su ayuda, sino prestando su servicio caritativo a los necesitados según su propio modo de acción, como comunidad de fe y amor que cumple con lo que su Señor le ha mandado: «*quien quiera ser el primero entre ustedes, debe ser el servidor de sus hermanos*», «*denles ustedes de comer*», «*cuando lo dejaron de hacer con uno de esos pequeños, lo dejaron de hacer conmigo*». Nosotros estamos comprometidos con estas palabras de Jesús.

La meta en el servicio y en el amor al prójimo es, para el cristiano, cada hombre, cada mujer, cada niño o cada anciano que requiere no solo algo que lo ayude, sino alguien que se acerque a ellos con amor. Este deber de la Iglesia es también su derecho más preciado, porque es parte de su misma fe, y la expresión privilegiada de su culto a Dios.

El sacerdocio común de los bautizados compromete a todos los que integran la Iglesia al servicio amoroso a sus hermanos, y de un modo radical el ministerio sacerdotal que la Iglesia les ha confiado, por la imposición de manos del obispo, los designa a ustedes, queridos presbíteros, como los responsables junto con su obispo, de la vivencia de ese amor servicial que busca todos los medios para manifestarse eficazmente.

Para esto, queridos sacerdotes, entregaron sus vidas al Señor en la castidad, la sencillez de vida y la obediencia a la voluntad de Dios manifestada en la Iglesia. Hoy renuevan ustedes esos compromisos sacerdotales, que los distinguen del sacerdote de la Alianza Antigua, nombrado, según su casta, para asegurar un gesto ritual.

La Alianza Nueva se expresa en un culto nuevo, tiene una sola ofrenda y un solo sacrificio, Cristo entregado e inmolado por nosotros. Y esta Alianza se fraguó en el amor que Dios nos manifestó en Cristo Jesús. Solo en la entrega de la propia vida por amor puede concebirse, pues, el sacerdocio de la Nueva Alianza. A renovar esta entrega conmigo los invito ahora, queridos hermanos sacerdotes. E invito también a toda la Iglesia diocesana, a renovar su compromiso de ser testigo del amor de Cristo para nuestros hermanos que tanto esperan de nosotros, especialmente cuando están necesitados de pan, de comunión, de alimento y de confianza.

SOLEMNIDAD DE NUESTRA SEÑORA
LA VIRGEN DE LA CARIDAD*

Queridos hermanos y hermanas:

Una vez más, el amor de nuestra Madre de la Caridad nos convoca a los cubanos en este día en que el pueblo católico de Cuba venera de manera especial a la Virgen María que dio a luz al mundo a Jesucristo, el Hijo de Dios, Nuestro Señor.

Como un día los magos que venían del Oriente encontraron a Jesús en el portal de Belén, «con María su Madre y se postraron y lo adoraron», en María de la Caridad, los cubanos hallamos a Cristo. En su imagen pequeña y morena, Ella lo trae en brazos. También así encontraron a Jesús los discípulos que, por miedo o cobardía, no habían acudido a la cita dolorosa del Calvario y, al sentir estremecerse la tierra y ver cubrirse de nubes el horizonte, corrieron con retraso al sitio del suplicio, para ver la Cruz ya vacía, porque Jesús estaba, muerto de amor por nosotros, en los brazos de María su Madre.

En la entrada de Jesús en nuestra historia, al final de su camino redentor y siempre que evocamos su presencia, la Virgen María entra en escena, está en el entorno de Jesús o es portadora de Él.

Venir a Ella es encontrarnos con nuestro Salvador y comprender, postrados en adoración, cuánto ha amado Dios al mundo que le entregó a su Único Hijo.

En Jesucristo, el amor se puede constatar, se hace visible, así lo afirma San Juan, el único de los apóstoles que estuvo al pie de la Cruz: «nosotros hemos visto el amor y hemos creído en él».

Ese amor de entrega, que llega al sacrificio, al olvido de sí y al don de la vida por los demás, se llama *CARIDAD*. No es cualquier amor, no es un simple sentimiento de benevolencia, es el amor con que Cristo Jesús nos amó hasta el extremo de morir por nosotros.

No es, pues, gratuito el título con que honramos los cubanos a la Madre de Jesús. Ese título, como toda la vida de Ma-

---

* Paroquia de la Caridad, La Habana, 8-IX-1994.

ría, tiene que ver con el amor de aquel a quien Ella trae en sus brazos.

Con ese título, Dios quiso regalarle a todo nuestro pueblo, como patrona y protectora, a la Madre de su Hijo. *«Yo soy la Virgen de la Caridad»*, se leía en la tabla sobre la cual flotaba en la bahía de Nipe, la imagen venerada hasta hoy por millones de cubanos en su altar de El Cobre.

Este título identifica también la misión de la Virgen María en relación con el pueblo de Cuba, que no es otra que la de llevarnos a todos a Cristo para que pongamos en práctica en nuestra vida personal, familiar y nacional el mandamiento nuevo y abarcador de su Hijo: «ámense unos a otros como yo los he amado».

¡Cómo deben resonar precisamente hoy, día 8 de septiembre de 1994, estas palabras en nuestros corazones!

¿Podemos, como cubanos, celebrar este año la fiesta de la Virgen de la Caridad sin sentir que, más que en ninguna otra ocasión, nuestra Madre del Cobre nos está convocando al amor?

Al amor entre nosotros cubanos, aunque pensemos distinto, al amor a la familia, necesitada como nunca de un asidero de fe y de esperanza para que no sucumba en la desesperación, al amor a la Patria en el momento difícil, en la hora crucial en que lo verdaderamente heroico está del lado del perdón, de la comprensión y de la misericordia, camino angosto y difícil como aquel que conduce al Reino de los cielos, pero el único por el que puede transitar un seguidor de Jesucristo. Camino al cual nos está llamando insistentemente en esta hora a todos los cubanos, sin excepción, nuestra Madre de la Caridad para que construyamos juntos, en espíritu de reconciliación y de Paz, esa Patria feliz que Dios quiere para todos.

¿Serán estas simplemente palabras hermosas? ¿Cómo podemos amarnos unos a otros si hay tanto rencor acumulado en muchos corazones, si nos cuesta tanto olvidar los mutuos agravios?

¿Cuál es en estos momentos el mejor modo de amar a la familia?, ¿permaneciendo juntos en los sufrimientos o rompiendo la unidad familiar en busca de nuevos horizontes? ¿Será acaso exponiéndonos nosotros mismos a la muerte o exponiendo tal vez a otros, pensando en un futuro mejor que nunca será en verdad mejor si no está reunida toda la familia? ¡Y qué larga y triste es en Cuba la historia de las familias divididas! Justamente ahora se abre un nuevo capítulo de separación familiar, si la muerte trágica no separa para siempre a los seres queridos.

¿Será un factor de poca importancia a la hora de tomar la drástica decisión de dejar su país, que se piense en la madre anciana, en los hijos pequeños, en el esposo o la esposa?

No desconozco la angustia que se esconde en sus corazones, queridos hijos, pero no se nos debe nublar la razón hasta el punto de añadir en estos momentos de crisis otros sufrimientos a los ya existentes.

Y el amor a la Patria, ¿podemos dispensarnos de él? Precisamente en estos instantes tan llenos de dolor, ¿cómo no acrecentar el amor a la Patria?, ¿cómo no hallar medios de quererla y servirla?

Preocupa lo que acontece a algunos cubanos, especialmente jóvenes, con relación a la Patria. Entre estos hallamos desentendimiento y desdén, otros muestran dureza o falta de identificación. Tenemos que reencontrar los grandes valores comunes que hagan posible un sincero amor a la Patria, sin que esto comporte una uniformidad de pensamiento o identidad de criterios.

El amor no se impone. La Patria tiene que ser amable para que nuestros niños, adolescentes y jóvenes sientan el deber de amarla. La Patria es como una buena madre: tolerante y firme, acogedora y exigente pero sobre todo comprensiva siempre.

Es responsabilidad nuestra, de todos los cubanos adultos o de cualquier edad y condición, hacer nuestra Patria amable. A esto estamos obligados los padres de familia, los maestros, quienes tienen responsabilidades de gobierno, sean civiles o militares, los obispos, sacerdotes, diáconos, religiosos y religiosas, los profesionales y los obreros, los estudiantes, las amas de casa y los agentes de orden público.

Sabemos que, cuando el adolescente escapa del hogar, es porque este no es acogedor: hay riñas frecuentes, rigidez o falta de sosiego. El consejo a los padres de familia es entonces que se acerquen a sus hijos y hablen con ellos. Que los oigan, aunque no compartan sus opiniones y que, por medio de la amistad, logren establecer los puentes necesarios de comunicación. Esto vale para la familia y para cualquier grupo humano de mayores dimensiones y complejidades.

En resumen, invocar hoy a la Santísima Virgen María de la Caridad es pedirle por cada uno de nosotros, para que la esperanza y la paz hallen sitio en nuestros corazones; es rogar por nuestras familias, por aquellas que se han roto por la falta de amor, por aquellas que están en peligro de romperse por la separación de sus miembros y también por aquellas familias que permanecen unidas, para que no desfallezcan en sus empeños por mantener y acrecentar los valores que las protegen de la mediocridad. Y ¡cómo no tener presentes de un modo especial a aquellos que han perdido sus vidas en el mar y a sus familiares...!

A través del quehacer de los cristianos y en la misión propia de la Iglesia en medio de nuestro pueblo tratamos de buscar todos los medios posibles para que triunfe el amor: el amor entre quienes vivimos en esta tierra y somos parte de un mismo pueblo, el amor en el seno de los hogares y el amor a Cuba, nuestra Patria.

Siempre es necesario que haya garantes del amor, el cual debe ser fomentado, apoyado y protegido. Dios es amor y Él lo infunde en nuestros corazones con la fuerza de su Espíritu Santo. La fe en Cristo garantiza siempre la primacía del amor por encima de odios y divisiones y la devoción a la Santísima Virgen de la Caridad, Nuestra Madre, debe ser el escudo que proteja a cada cubano de todo pensar o sentir que pueda alejarnos de ese amor de hermanos que debe reinar siempre entre nosotros.

A la Madre de Jesús, Nuestra Señora de la Caridad del Cobre, que vela como lo sabe hacer una Madre, le suplicamos que no se apague ese amor; que nunca nos cansemos de trabajar por sembrarlo en los corazones de los cubanos, por cultivarlo y hacerlo crecer.

A Ella le confiamos nuestras familias, nuestra Patria, nuestras penas y nuestras esperanzas. Virgen de la Caridad, ruega por nosotros.

SOLEMNE CELEBRACIÓN EUCARÍSTICA CON MOTIVO DE SU PRESENTACIÓN AL PUEBLO DE DIOS COMO CARDENAL DE LA IGLESIA*

Estén siempre alegres en el Señor, se lo repito, estén siempre alegres. ¿Y cuál puede ser la causa de esa alegría a la que nos invita San Pablo en su carta a los Filipenses? El mismo apóstol nos da la respuesta: el Señor está cerca. Llega así el tercer domingo de Adviento con su mandato imperioso que nos conmina a la alegría y nos infunde la certeza de poder hallarla en la presencia cercana del Señor.

La Iglesia espera siempre, pero ha establecido un tiempo específico para la espera (estas cuatro semanas que nos conducen hacia la Navidad). En ellas, los cristianos nos entrenamos en la esperanza, o sea, en la certeza de la cercanía de Dios a nosotros. ¡Necesitamos tanto la esperanza! porque no nos hacen falta ilusiones fantásticas, ni escapes absurdos de la realidad, ni entretenimientos que nos hagan olvidar los problemas. Estas vías que nos ocultan por un rato el acontecer de nuestras vidas vuelven a dejarnos, después de un corto trecho, en el mismo sitio angosto donde de veras nos hallamos y solo podrá haber entonces en nosotros una renovada sensación de vacío, justamente, un reclamo mayor de esperanza.

Hace algo más de un mes, cuando las comunidades católicas y todo el pueblo cubano conocían la noticia de que el Papa Juan Pablo II me incorporaría al Sacro Colegio de Cardenales en el Consistorio del 26 de noviembre, se acogía este hecho con gran alegría. Una alegría más notable aún por su contraste con las preocupaciones y ansiedades que marcan hoy la vida de nuestro pueblo.

Aquel gozo parecía pasar por alto los problemas cotidianos y trascendía cualquier eventual solución de los mismos. Era alegría del corazón, alegría del espíritu. Esa de la cual Jesucristo dice en el Evangelio que «nadie podrá quitar» a los suyos.

---

* Catedral de la Habana, 11-XII-1994.

¿Puede producir tanta alegría un hecho cualquiera que al parecer atañe a una persona determinada? Por muy querida que sea esa persona, el regocijo que ocasionan sus éxitos personales no abarcan más que el círculo de los familiares y amigos. Pero en este caso vimos extenderse este gozo más allá incluso de los católicos activos a otros creyentes y a otras personas que no tenían una fe religiosa determinada. Son innumerables los testimonios que los cristianos han recogido en aquellos y en estos días, donde se mezclan la alegría y la esperanza y se expresa de algún modo el fondo profundo de ese sentir.

Toda la comunidad católica, y muchos hombres y mujeres más en nuestro pueblo, se han llenado de gozo, y no principalmente, repito, por el éxito de una persona, sino porque se han sentido implicados en esta decisión del Santo Padre Juan Pablo II: él ha pensado en nuestra Iglesia, Él se ha acordado del pueblo cubano.

Los que están atentos al incansable quehacer del Papa en pro de la paz y el bienestar de los pueblos han escuchado más de una vez la voz del Santo Padre que se ha levantado pidiendo ayuda para Cuba en medio de nuestras carencias materiales y otras dificultades y han conocido también de su afecto por nuestro país, que incluye su deseo repetido de venir a visitarnos. Pero el Sucesor de Pedro ha tenido ahora para Cuba y para su Iglesia un pensamiento que concreta de manera estable el aprecio que la Iglesia Universal, personificada por el Sumo Pontífice, tiene hacia nuestro país: el Papa ha nombrado un cardenal cubano.

Y para esto no se detuvo el Pastor Universal en situaciones conflictivas del pasado o del presente. Esta vez, sin reparar en condicionamientos de ningún orden, ha mirado decididamente al futuro para enaltecer de modo muy especial a nuestra Iglesia y a nuestra nación. No ha sido hasta hoy posible su visita a nuestro país, pero se hace ahora presente en medio del pueblo cubano de modo habitual por uno de sus más cercanos colaboradores, que es, además, un hijo de esta tierra. ¡Gracias, Santo Padre, en nombre del pueblo de Cuba!

¡Qué alegría que esto haya sido así! ¡Qué bueno que en esta ocasión haya pensado en nosotros, no como pueblo del tercer mundo, ni como país endeudado, o nación dividida, es decir, no en clave de crisis, como la historia reciente nos ha habituado a ser considerados, sino como comunidad humana donde los valores que acompañan a la fe cristiana son alentados y vivificados con un gesto significativo del Supremo Pastor. ¡Qué bueno que se haya hablado en esta oportunidad de la fe sencilla, y a veces escondida por mucho tiempo, del pueblo cubano! ¡Qué bueno que podamos ser conocidos no solo por nuestros carnavales o por nuestros ritmos, por el ron o por las imágenes de aparente despreocupación que ven a través de las grandes ventanas de sus autobuses refrigerados los turistas que nos visitan! ¡Cuba es también otra cosa! ¡Aquí hay también vida en el espíritu!

Esta fue la perenne inquietud de mi ilustre predecesor, el Cardenal Manuel Arteaga y Betancourt, ¡proclamar al mundo la grandeza oculta de la Patria! Esta preocupación no murió con él, vive en todos nosotros y la acogemos ahora como herencia bendita.

Pero si el pensamiento agradecido de muchos cubanos va al Papa Juan Pablo II, no se detiene en él. Alzando a lo alto sus ojos, los creyentes cubanos fijan su mirada en Dios: «*El Señor ha estado grande con nosotros y estamos alegres*», rezaban con el salmo muchas cartas y telegramas recibidos por mí en estos días. Es Dios quien inspira nuestros buenos pensamientos, es Dios quien actúa a través de aquellos que han sido llamados al servicio del Señor. Es Cristo, Buen Pastor, quien guía a la Iglesia por medio de aquel que está al frente de todo el rebaño como sucesor de Pedro.

Y es así como la gratitud se torna en esperanza, porque cuando la mirada del corazón se encuentra con la fuente y el origen de todo bien, el Dios de cielo y tierra, Señor de la historia, dejamos los caminos plagados de abrojos de nuestros propios proyectos y atravesamos los umbrales de la esperanza. Alguien como el Papa Juan Pablo II, lleno de autoridad moral y espiritual, ha pensado en nosotros para dignificarnos como pueblo, pero a través de él, Dios ha pensado en nosotros. Dios no se olvida del pueblo cubano.

De este modo nos abrimos a la esperanza, y de allí brota y crece esa alegría profunda que tantos han experimentado. Es el mismo Dios quien ha actuado en favor nuestro. El Señor está cerca y nunca nos ha abandonado y este es un gozo de creyentes y de cubanos.

¡Qué bueno también encontrar esta oportunidad de expresar juntamente nuestra devoción a Dios y a la Patria, abrazados en un mismo amor!, porque «no es bueno que lo que Dios ha unido lo separe el hombre».

Y así, de pie en el umbral de la esperanza, serenamente, alegres y seguros de la cercanía de Dios, nos llega el momento de preguntarnos, como los israelitas hicieron a Juan el Bautista: entonces, ¿qué tenemos que hacer?

Y es normal que esto suceda, pues nadie puede asomarse a la esperanza sin cuestionarse al mismo tiempo acerca del futuro, porque la esperanza no es otra cosa que un puente tendido hacia el futuro.

La respuesta del Bautista, voz profética indicadora de caminos, relaciona la cercanía del Señor con las actitudes ante la vida que deben verificarse en gestos elocuentes. Al profeta acudieron para saber qué hacer la gente del pueblo, los hombres públicos y también los militares. Cuando Dios nos sale al paso tenemos que dar nuestra propia respuesta según la condición de cada uno. La figura del profeta se levanta en el horizonte de los pueblos para proclamar en nombre de Dios que, si cada uno no hace lo que tiene que hacer, el Dios cercano se hará distante y se acaba la esperanza. Por eso que cada cual dé de lo que tenga, que nadie sea violentado o extorsionado por otro, que se establezca la justicia.

¡Qué difícil misión la del Bautista, la del Profeta! ¡Qué difícil también la misión profética de la Iglesia! Faro de esperanza, voz que anuncia a los hombres la cercanía de Dios, pero voz que debe también recordar a todos, sea a los más sencillos o a los de algún rango social, a la sociedad entera o a sus mismos gobernantes, que cada uno debe hacer lo que le corresponde por el bien de todos los seres humanos. Clama la Iglesia cuando no se cuenta con Dios, cuando se actúa como si Él fuera un Dios lejano. Habla al corazón de los pueblos cuando se agota la esperanza y se extingue la alegría y lo hace tanto cuando su clamor es aceptado, como cuando es rechazado, incluso con violencia y, peor aún, cuando sabe que su voz, como la de Juan el Bautista, a menudo clama en el desierto.

Así, en la cercanía de la Navidad, que es fiesta de gozo porque en ella Jesús visita a su pueblo, se hace grave la voz de la Iglesia y, no solo invita con San Pablo a la alegría por lo cercano del Señor, sino, fijando también su mirada en el Bautista, convoca a todos los cristianos al compromiso de vivir en serio como seguidores de Jesús. Ese es su clamor en medio de las plazas, para todo hombre de buena voluntad que quiera escucharlo: que es hora de cambiar el corazón, que lo escabroso sea allanado, que sea enderezado lo torcido, que se preparen al Señor, que viene en esta Navidad y siempre, caminos de justicia, de reconciliación, de amor y de paz.

La Iglesia, por medio de sus obispos, que son los legítimos pastores del rebaño, no puede dejar de levantar su voz en medio del pueblo, porque junto a su misión de alabanza al Único Dios a través de su Hijo Jesucristo, y su misión de servicio y caridad, atendiendo especialmente al pobre, al enfermo, al necesitado de apoyo o de aliento, está su misión profética, que es la de:

— mover las conciencias para que los hombres y mujeres cambien en el sentido del bien;

— denunciar el mal, la injusticia, la falsedad y la falta de amor como pecados que ofenden a Dios;

— y sobre todo anunciar caminos de esperanza para el pueblo.

Esto, que le ha sido confiado a la Iglesia como un programa por Jesucristo, su Señor, tiene que hacerlo, según palabra del Maestro, en el mundo entero y hasta el fin del mundo.

¡Cómo nos lo recordaba a los nuevos Cardenales el Papa Juan Pablo II en las palabras que nos dirigió en el último Consistorio y en la homilía de la Eucaristía que tuvimos la dicha de concelebrar con él! Nos decía el Santo Padre:

«Para vosotros, queridos hermanos cardenales, y para todos los pastores de la Iglesia, el servicio al "evangelio de la vida y del amor", el servicio a la verdad proclamada por Cristo... exige también una gran valentía.

Eso atañe de modo especial a la tradición del cardenalato en la Iglesia. Es la fortaleza de los Apostóles que derramaban su

sangre por la verdad de Cristo; es la fortaleza de tantos suceso-
res suyos, pastores de la Iglesia, que por la misma causa han
estado dispuestos a sacrificar la vida y muchas veces la han sa-
crificado de hecho...
    En la Iglesia, la dignidad cardenalicia corresponde a una
doble tradición. Ante todo a la tradición de los mártires, es de-
cir, aquellos que no dudaron en derramar su sangre por Cristo.
Esto se refleja incluso en vuestros hábitos. En efecto, la púr-
pura tiene el color de la sangre. Y recibiendo la púrpura carde-
nalicia, cada uno de vosotros oye la llamada a estar dispuesto a
derramar su sangre, si Cristo lo pidiera.»

Queridos hermanos y hermanas aquí presentes y los que no
han podido venir, queridos cubanos que han compartido esta
alegría como algo íntimo y personal y han sentido renacer en
sus corazones la esperanza: Su Cardenal tiene muy en cuenta
esas palabras del Santo Padre, las hace propias y quiere ser
aquí en Cuba, con sus hermanos obispos, profeta de la Esperanza, propiciando la reconciliación y el reencuentro espiritual
de todos los cubanos, sin reparar en dificultades, sin detenernos en obstáculos, convencidos, en nuestra fe, de la fuerza poderosa del amor cristiano que trasciende toda filosofía: «ese
amor que es paciente, que es benigno, que no piensa mal, que
se goza con el bien, que todo lo aguanta, que todo lo espera».

En la Virgen María, Madre de Jesús y Madre de la Iglesia,
se apoya e inspira mi respuesta al Señor en esta nueva etapa
de mi vida, que es también una nueva etapa en la vida de la
Iglesia en Cuba.

La Santísima Virgen María tiene un papel en la Iglesia,
que es el de reunir a los hijos dispersos por el pecado y cobijarlos con amor de madre.

Esa ha sido primordialmente su misión como Madre de
los cubanos, que vela solícita sobre nuestra tierra desde su altar de El Cobre, indicándoles a sus hijos «que hagan lo que Él
les diga», o sea, aquello que su Hijo bendito, Nuestro Señor
Jesucristo, nos ha enseñado: vivir el amor con todas sus exigencias. Así llegaremos a alcanzar la reconciliación, la Paz y
el bienestar que todos anhelamos. A Ella, en su Basílica y
santuario de las montañas orientales será mi primera visita,
para celebrar allí la Santa Eucaristía bajo su mirada amo-

rosa, dándole gracias por este don que el Señor ha dado a la Iglesia y a todo el pueblo de Cuba, suplicándole también que libre a nuestro pueblo de tantas penurias y de toda aflicción y que reúna a todos los cubanos, como hermanos, en el amor de su Hijo Jesucristo.

En este andar de la Iglesia en Cuba hacia el tercer milenio de la era cristiana, en el cual se abre ahora una nueva etapa, no emprendo solo el camino desde este nuevo punto de partida. Conmigo, solidarios, hermanados por nuestra condición de pastores del pueblo de Dios, van, como siempre, mis hermanos obispos. Su alegría de estos días, compartida con toda la grey que Dios les ha confiado, su oración y la de sus iglesias, su cercanía y amistad, son para mí no solo motivo de gratitud personal, sino de acción de gracias y alabanzas a Dios Nuestro Padre. ¡Qué bueno y qué alegre es que los hermanos vivamos unidos! Esta Iglesia unida en sus pastores, en sus sacerdotes y diáconos, religiosos, religiosas y fieles, ha podido atravesar etapas difíciles y salir airosa de las pruebas. Esa misma Iglesia puede mirar ahora hacia delante con su confianza puesta en Jesucristo, el Gran Pastor del rebaño, teniendo como feliz patrimonio su unidad, su alegría y su espíritu evangelizador, con un laicado joven y en ascenso, que se forma y se prepara para ocupar su puesto en el futuro, codo a codo con sus sacerdotes abnegados y fieles.

Queridos sacerdotes, gracias. Primero a los sacerdotes diocesanos habaneros y a los religiosos que desempeñan su misión pastoral en La Habana, pero junto con ustedes a todos los sacerdotes diocesanos y religiosos de Cuba. ¡Cuántas muestras de simpatía y afecto he recibido de ustedes en la caridad sacerdotal más sencilla y auténtica! ¡Ustedes, junto con los obispos cubanos, llevan el gran peso de la presencia y la acción de la Iglesia! Es hora de gran responsabilidad, pero de verdadero entusiasmo. Es tiempo de sembrar esperanza.

A los religiosos y religiosas, testigos del amor de Cristo en medio del pueblo, les agradezco sus calladas ofrendas, su servicio sacrificial a los pobres y enfermos, su acción evangelizadora, el cuidado pastoral que ejercen de modos tan diversos. Sé de su oración y su cariño, que he sentido especialmente en estos días.

A los queridos diáconos y a sus familias, gracias también por ese modo antiguo y nuevo de servicio eclesial, por el apoyo que prestan al obispo, por su disponibilidad y amistad. En estos momentos, cuando siento sobre mí el peso de esta nueva responsabilidad, me confortan particularmente las palabras que el Papa Juan Pablo II me dirigiera, junto con el numeroso grupo de hermanos de Cuba que me acompañaron en peregrinación a Roma, en aquella inolvidable audiencia que, tan benévolamente, quiso concedernos. De este modo habló para nosotros el Papa:

«Señor Cardenal:

Le saludo con gran afecto al recibirle hoy, acompañado por su anciana madre y otros familiares, así como por algunos obispos, sacerdotes, religiosas, religiosos y seglares, que representan a tantos hermanos cubanos, unidos espiritualmente a estos actos, a quienes envío también mi entrañable saludo.

La Iglesia en Cuba, en su camino no exento de sufrimientos y esperanzas, vive en estos días unas jornadas de intenso júbilo al ser elevado usted, como arzobispo de San Cristóbal de La Habana, a la dignidad cardenalicia...

Quiero manifestarle, señor cardenal, que como Sucesor de Pedro estoy a su lado y al de los demás pastores, y les encomiendo a la protección materna de la patrona de Cuba, Nuestra Señora de la Caridad del Cobre.»

Vaya una vez más mi especial gratitud y la de mis hermanos obispos de Cuba al Santo Padre por todo cuanto ha hecho por nosotros.

Gracias en fin a todos ustedes, queridos católicos de esta amada Arquidiócesis de La Habana y de todas las diócesis de Cuba. Ustedes me han hecho de veras sentir que conciben esta dignidad cardenalicia tal y como yo lo expresé en el mensaje de aquel domingo en que se conoció la noticia de mi nombramiento: que si era cardenal de la Iglesia lo era para servir mejor a la Iglesia cubana y para enaltecer con ese servicio a mi Patria.

A todos los cubanos que por tantos caminos diversos me han hecho saber su orgullo, su complacencia, su gozo por esta nueva responsabilidad que el Papa me ha confiado y que honra a nuestro país, a los de aquí y a los de fuera: a cristianos de diversas denominaciones, a creyentes y no creyentes. A personalidades ilustres y a hombres y mujeres del pueblo. Permítanme expresarles mi agradecimiento con la súplica de que me sientan también suyo en el amor del Señor y en el amor a Cuba.

Dios los bendiga a todos, Dios bendiga a la Iglesia católica cubana, Dios bendiga a Cuba.

CELEBRACIÓN EUCARÍSTICA CON MOTIVO DE SU VISITA A LA DIÓCESIS DE CAMAGÜEY*

Excmo. y querido Sr. Obispo de Camagüey, Mons. Adolfo Rodríguez, queridos Sacerdotes, Diáconos, Religiosos y Religiosas, queridos hermanos y hermanas.

El Nuevo Cardenal cubano visita esta ciudad de Camagüey, sede episcopal de la Diócesis donde nació el primer Cardenal cubano Manuel Arteaga y Betancourt, de ilustres apellidos camagüeyanos y de innegable raigambre patriótica. Con el nombramiento de aquel primer cardenal cubano, el Papa Pío XII concedía a Cuba un sitio de honor en el Colegio Cardenalicio, exaltando de modo singular a la Iglesia en Cuba y a nuestra nación, pues fue el Cardenal Arteaga uno de los primeros cardenales de Latinoamérica.

En su mensaje al 1.er Congreso Eucarístico Nacional, celebrado en La Habana los días 22, 23 y 24 de febrero de 1947, el Papa Pío XII explicaba por qué había incorporado a un cubano al Colegio Cardenalicio:

«... *hace ya años que en vuestra Patria retoña una prometedora primavera de las almas, primavera que nosotros mismos hemos querido acelerar y decorar, haciendo lucir en medio de vosotros, por primera vez, la brillante rosa de una púrpura romana llamada a ser ornamento de su Patria, de las Antillas y de toda la América Central*».

La motivación del Papa tenía que ver entonces con la vitalidad de la Iglesia cubana. Pero una preocupación embargaba el alma del Pontífice: «*Todos ustedes –decía el Santo Padre– se*

---

* Catedral de Camagüey, 29-I-1995.

sienten orgullosos de haber visto la luz, como alguien felizmente dijo, en la 'tierra más hermosa que ojos humanos vieron' y den gracias a Dios por ser hijos de la Perla de las Antillas.

Pero, precisamente en esta placidez y suavidad en el vivir, en esta perenne y casi irresistible sugestión de una naturaleza luminosa y exuberante, en esta prosperidad alegre y confiada, se esconde acaso el enemigo; por el tronco airoso de vuestra palma real, que el suave soplo de la brisa hace cabecear con donaire, nos parece ver que peligrosamente se desliza la serpiente tentadora: '¿Por qué no comen? les dice.' –'Serán como dioses'. Y si todo el esplendor de esa poderosa atracción puramente natural no se compensara con una vida sobrenatural, potente y robusta, la derrota sería cierta».

Han pasado casi cincuenta años de aquellas constataciones y predicciones del Papa de entonces, y después de ese tiempo nosotros miramos hoy como pasado aquel futuro que Pío XII describió sombrío en lo tocante a la fe y hacemos también nuestras constataciones con respecto a la Iglesia y los católicos cubanos que han venido enfrentando el reto de unos tiempos difíciles para la difusión del Evangelio y su misma vida de fe.

Escuchemos en esta ocasión también la voz del sucesor de Pedro, ahora el Papa Juan Pablo II, en su alocución dirigida en audiencia especial al nuevo Cardenal cubano y a los Obispos y demás católicos de nuestro país que peregrinaron con él a Roma: Como lo hiciera Pío XII, Juan Pablo II explica claramente por qué ha designado un cardenal en Cuba. Dice el Santo Padre: «He querido dar también una prueba de mi afecto por esa noble y querida nación, poniendo de relieve los afanes y proyectos de esa Iglesia local que vive, sirve y siembra el amor en Cuba». Una Iglesia cuyo andar el Papa describe como «no exento de sufrimientos y esperanzas».

También alza el Sumo Pontífice su mirada hacia el futuro al decir que el hecho de tener Cuba un Cardenal es «un patrimonio y un don, un signo de aprecio que, sin duda, conducirá a todos, jerarquía y fieles, a confirmar su gran amor a la Iglesia, a estimular la generosidad en el servicio a la misma... para llevar adelante la nueva evangelización. Esto –continúa el Papa– podrá dar más vitalidad a las comunidades católicas, que, bajo la guía iluminada y sabia de sus pastores, están llamadas a ofrecer su contribución para que Cuba camine siempre hacia el progreso integral de sus ciudadanos, superando las dificultades que agobian tanto a ese querido pueblo».

Las palabras del mensaje radial del Papa Pío XII durante el Congreso Eucarístico poco tiempo después de ser nombrado el primer Cardenal cubano, estaban dichas en un marco de aparente bonanza y apuntaban hacia un futuro incierto y riesgoso para Cuba y para la Iglesia.

Las palabras del Papa Juan Pablo II al segundo cardenal cubano son pronunciadas en tiempos difíciles para nuestro país y para la Iglesia en Cuba, pero dejan entrever una aurora de esperanza.

La historia católica de Cuba no comenzó ayer. Es más, la Iglesia está ligada al nacimiento mismo de la nación cubana.

La vida de la Iglesia, en nuestra cultura cubana, ha estado ligada siempre a la vida civil, social de sus pueblos y ciudades. Los templos, ubicados en el centro del núcleo urbano fundacional, han hecho de la Iglesia parroquial el cruce de camino de muchos hombres y mujeres del campo o de la ciudad. Este es el lugar donde la gran mayoría viene a bautizar a sus hijos, donde rezan por sus difuntos o acuden en los momentos de penas y alegrías.

Las campanas de la Iglesia han marcado la vida de muchas generaciones. Sus campanarios han sido el faro simbólico que ha orientado a muchos cuando se han sentido perdidos.

Hoy vemos esa acción de la Iglesia en medio de nuestros pueblos y ciudades, de este modo: una Iglesia que llama a los corazones de los cubanos como lo han hecho siempre sus campanas y que encuentra oídos atentos que se vuelven hacia ella para reencontrar el camino de la fe. Muchos hermanos nuestros en Cuba miran hacia la cruz alta y orientadora de la Iglesia en busca de una señal que les indique que Dios está aquí, que el Dios de nuestros padres y de nuestros abuelos no nos ha dejado nunca, aun si nosotros nos alejamos de Él. Porque en Cuba se produjo un extrañamiento aparente entre la fe católica tradicional de nuestro pueblo y su vida en la sociedad.

En su normal evolución, el mundo moderno crea estructuras nuevas. Además de oírse las campanas de la iglesia del pueblo, se escuchan también los altoparlantes o los radios que pueden acompañarnos a cualquier lugar. En las grandes ciudades, los campanarios de las iglesias no son las torres más altas de la ciudad, sino los edificios de muchos pisos. Este cambio de paisaje cultural debe producir un ajuste de los modos personales y comunitarios de vivir la fe cristiana. Hoy la madre de familia puede ser una profesional o trabajadora y no solo estará en casa dedicada a labores manuales y a la atención del hogar. Aunque esta evolución cultural implica un desafío para las formas tradicionales de expresar y vivir la fe católica, las nuevas generaciones son capaces de prepararse para, también de un nuevo modo, en total fidelidad a Cristo y a su Iglesia, vivir el evangelio con toda seriedad y en plena sintonía con el mundo que nos rodea.

Pero entre nosotros, cubanos de estas últimas generaciones, se ha producido algo más que un rompimiento cultural con respecto a la fe católica que es generado por la simple y normal evolución que se ha dado en el mundo, sobre todo en este siglo XX que casi termina.

La fe del cubano ha sido sometida a la dura prueba del silencio sobre Dios, del rechazo de la misma fe como un elemento anticientífico, retrógrado e innecesario para la vida y esto al mismo tiempo que desaparecían nuestras escuelas y centros de formación y quedaba trágicamente disminuido el número de sacerdotes y religiosas, sin que, por otra parte, tuviera el mensaje cristiano la posibilidad de alcanzar la prensa escrita, la radio o la televisión. Las fechas religiosas que significaron algo en la vida del pueblo desaparecieron como días que se conmemoraban también civilmente y ni siquiera señalados en los almanaques. La Navidad del Señor, la Semana Santa, el día de los fieles difuntos, la Fiesta de la Virgen de la Caridad, Nuestra Patrona, se han mantenido como celebraciones privadas. Y lo peor de todo, un temor casi patológico se metió en el corazón de la gente. Temor a no ascender en la escala social, a no obtener un buen empleo, temor al trauma psicológico que podría producir en el niño el hecho de ir a la iglesia y ser cuestionado en público sobre su fe. Temor a que

HOMILÍAS

no pudiera estudiar en una buena escuela o a que arrastrara
en su expediente una «mancha» que le haría daño para toda
su vida. Temor a bautizar a sus hijos, a entrar en una iglesia, a
decir incluso el nombre de Dios. Del vocabulario desaparecía
el «si Dios quiere» o el «gracias a Dios». Ha parecido cumplirse inexorablemente la palabra profética de Pío XII.

Hoy, muchos de los hombres y mujeres que vivieron dolorosamente estos conflictos, que se alejaron ellos de la Iglesia y
no bautizaron a sus hijos, que ni siquiera les hablaron de Dios
en sus casas... (y en esto habría que hacer la salvedad de las
abuelas, que lucharon por mantener encendida la llamita de la
fe en el corazón de sus nietos y de sus mismos hijos) ... Hoy,
muchos de aquellos, repito, que callaron, ocultaron, disimularon su fe, nos dicen: ¿Cómo pude yo no bautizar a los niños?,
¿cómo pudimos nosotros vivir como si Dios no existiera? Algunos regresan con verdaderos complejos de culpabilidad.

Esta es una de nuestras culpas nacionales de las cuales todos debemos arrepentirnos: quienes por debilidad entraron
en el gran silencio acerca de Dios y quienes impusieron tan
dura carga a las conciencias de la gente.

No recuerdo todo esto para ahondar en heridas aún abiertas, sino porque es necesario que todos reflexionemos de
modo que algunas de esas actitudes, parcialmente superadas,
no perduren ni en unos ni en otros, para que en breve tiempo
podamos hablar en pasado absoluto de ellas.

Y no podríamos, en una celebración como esta, tener la
intención de imputar culpas, porque el pan que compartimos
en la Santa Eucaristía es Cristo que da su vida por la multitud, sin excluir ni aun a aquellos que lo llevan al suplicio, a
quienes perdona porque no saben lo que hacen. Esta solemne
oración de la Iglesia es una gran invitación al perdón, a la reconciliación, al amor.

Hay, además, otra razón para que el amor sea exaltado en
un día como hoy por nosotros, cubanos.

En el día de ayer conmemoramos el nacimiento de José
Martí, heredero indiscutible del pensamiento cristiano, que
erige el amor como cima de su obra literaria y patriótica, el
amor que le hace cultivar rosas blancas para los amigos y
enemigos.

Un amor que el apóstol de nuestra independencia considera como instrumento privilegiado para comprender la vida, la historia y el hombre mismo, que es para él una especie de sentido exclusivo del corazón humano para percibir la realidad: «*es el amor quien ve*»..., sentenciará el Maestro.

Es consolador saber que el artífice de la libertad de Cuba, aquel que plasmó con su pensamiento el contorno y el talante de la Patria, al desplegar su misión de aunar voluntades para alcanzar la libertad de nuestra nación, lo haya hecho como un abanderado del amor. Por eso, en este año en que se cumple el centenario de su muerte, todo cubano tiene que examinarse sobre el lugar que ocupa el amor en su relación con la Patria. Amor que Martí sembró como semilla en la tierra cubana. Patria regada con su propia sangre.

Dejemos la palabra al Maestro que habla de su siembra: «*Todos los árboles de la tierra se concentrarán al cabo en uno, que dará en lo eterno suavísimo aroma: el árbol del amor de tan robustas y copiosas ramas, que a su sombra se cobijarán sonrientes y en paz todos los hombres*».

Queridos hermanos y hermanas: En esta etapa de nuestra historia nacional tenemos que redescubrir esa fuerza bienechora del amor que al decir de la 1ª Carta a los Corintios, «*no lleva cuentas del mal, se goza con el bien, todo lo aguanta, todo lo espera*».

Ese amor que, en palabras inspiradas de Juan, ahuyenta el temor, porque dice el evangelista, donde hay amor ya no hay sitio para el temor.

Lamentablemente, la fe cristiana ha sido vivida entre nosotros en décadas recientes en un clima de temor y de silencio acerca de Dios. ¿Será también por eso que parece ahora menos palpable el amor?

Pero la comunidad católica de Cuba ha entrado en una nueva etapa de su vida de fe. Y no es nueva porque haya un cardenal cubano, sino al contrario: hay un Cardenal en Cuba porque la Iglesia, con pasos firmes, comenzó a andar por nuevas sendas de mayor empuje evangelizador, con un compromiso creciente de los laicos, dejando atrás temores e inhibiciones, con el consiguiente crecimiento del número de los católicos activos y un aumento gradual y sostenido de vocaciones al sacerdocio y a la vida consagrada, mientras la voz de sus obispos es tenida en cuenta por muchos cubanos que la aprecian y esperan. Es este caminar el que ha querido confirmar el Papa al nombrarme para integrar el Colegio Cardenalicio. ¡Qué gran responsabilidad, en esta hora de la historia de Cuba, encarnar esta etapa nueva que inicia la Iglesia en nuestro país!

Detrás de esta renovación de la Iglesia en espíritu y en métodos está el Encuentro Nacional Eclesial Cubano y su fructífera etapa de preparación, pero todos hemos asistido a un despertar de la fe que ha sido verdadero don de Dios.

En efecto, al miedo, a la parálisis, al lóbrego silencio sobre Dios, ha sucedido un movimiento de búsqueda, de acercamiento, donde se manifiesta una apertura de los corazones a los valores del espíritu a las tradiciones cristianas, al mundo de la fe.

Los factores históricos, políticos o sociales influyen, evidentemente, en este renacer de la fe, pero no hagamos simplificaciones que son siempre superficiales. Es frecuente que los periodistas extranjeros me pregunten si el despertar religioso en Cuba coincide con el «período especial» y su secuela de carencias materiales. Siempre respondo lo que es cierto: la búsqueda de sentido a la vida, el reencuentro del mundo del espíritu, comenzó en nosotros antes de esta etapa. A veces, sin quererlo, muchos siguen pensando en clave materialista y buscando solo causas materiales a problemas de una gran envergadura humana, olvidándose que *no solo de pan vive el hombre*.

No, no es una carencia material la que determina una andadura humana y espiritual de esta índole. Es la misma insuficiencia de las propuestas materialistas, es la soledad interior del ateísmo, es el vértigo existencial que produce el vacío de los corazones si de algún modo no se vuelven a Dios. Durante este tiempo de aparente ausencia de Dios, misteriosamente, Él se ha hecho presente y como el niño le pregunta en la oscuridad a su padre o a su madre, «¿estás ahí?», así millones de cubanos lanzaron esta pregunta angustiada y, paradójicamente, transida de esperanza. Y en medio del terrible silencio acerca de Dios se oyó una voz perenne que gritó más fuerte que nunca: «no tengan miedo», «yo estaré con ustedes siempre hasta el fin del mundo».

De nada nos hubiera servido tener a nuestra disposición todos los medios de comunicación del mundo si los corazones de los cubanos se hubieran endurecido o permanecieran fríos.

Y este actuar en los corazones es solo de Dios. Ha sido un don del Señor que ha manifestado la acción del Espíritu Santo en el alma del cubano. Esto ha sucedido en muchos casos por la mediación de la Madre que convoca y congrega, que nos indica que hagamos lo que Jesús nos diga: la Virgen Santísima de la Caridad.

Queridos hermanos y hermanas: Dios está presente en nuestra realidad cubana actual por ausencias, por búsquedas, por insuficiencias o sufrimientos. El reclamo de una religión que llene tantos espacios vacíos se hace sentir en muchos hermanos nuestros que piden la Biblia para conocer algo de Dios, quieren tener un catecismo para aprender a rezar y miran con simpatía a la Iglesia, pero Jesucristo debe ser anunciado, porque para muchos cubanos no es aún conocido.

Esa es la misión de la Iglesia, así debemos andar hacia el año 2000 de la era cristiana, si no queremos que esa sed de Dios y de vida espiritual que vemos en nuestros hermanos en Cuba hoy se desvíe por caminos torcidos, hacia el folclorismo religioso, hacia las sectas, hacia la superstición. Es fácil que la falta de una verdadera fe religiosa lleve a los pueblos a expresiones superficiales y falsas de religiosidad. El Padre Félix Varela, el primero que nos enseñó a pensar, decía que el pueblo cubano tenía como defectos la superficialidad y la superstición.

Ambas cosas están íntimamente relacionadas. No hay peligro mayor para que la auténtica fe religiosa naufrague en su expresión y en su influjo real en la vida de las personas y de los pueblos, que hacer de ella un revestimiento superficial, sin contenido profundo, sin un cambio sustancial en las vidas de quienes se manifiestan como personas creyentes.

Solo en el seguimiento de Cristo, Camino, Verdad y Vida, puede hacer el hombre la experiencia de la verdadera libertad. Solo Cristo conocido, aceptado, amado, puede liberarnos de los temores a las cosas terrenas o sobrenaturales y restituirnos la verdadera dignidad humana, la que es propia de los hijos de Dios, la que debemos descubrir y favorecer en cada uno de nosotros y en los demás.

Es necesario que el camino recorrido por nuestro pueblo de cara a la fe religiosa se consolide en el futuro inmediato. Haber dejado atrás en gran medida el temor, el disimulo o el ocultamiento con respecto a la fe, ha significado un verdadero proceso de liberación interior para muchos hermanos nuestros. Alcanzada esta alentadora posibilidad, el momento actual se nos presenta como un tiempo para la consolidación de la vida eclesial. Es la hora de la responsabilidad del laicado para que la nueva evangelización lleve a nuestra Iglesia, como portadora de Paz, de reconciliación, de renovación espiritual en el seno del pueblo cubano, hasta los umbrales del año 2000.

Consolidar la vida eclesial quiere decir que la Iglesia, replegada sobre sí misma, que conserva su identidad al mismo tiempo que cultiva una conciencia paralizante de no poder hacer nada, se transforma en una Iglesia que se sabe enviada por su Señor para dar una buena noticia a nuestro pueblo, en otras palabras, para anunciar el Evangelio de Jesucristo, muerto y resucitado, que sustituye la antigua actitud adquirida de una Iglesia que «no puede» por otra fundada en la fe, de una Iglesia que puede ser misionera, que puede catequizar a sus niños y adolescentes, que puede manifestar claramente su fe, que puede tener un Cardenal, que puede recibir un día, ¿por qué no?, la visita del Papa Juan Pablo II.

Resumiendo, una Iglesia de la esperanza, que siembra la esperanza en el corazón de nuestros hermanos. Que conoce, ama y sirve a su Señor y presta a la sociedad entera el servicio que le es propio. Los discípulos preguntaron a Jesús cuál es el trabajo que Dios quiere de nosotros. Respuesta de Jesús: que conozcan al Padre y a su enviado Jesucristo. Esa es la tarea propia de la Iglesia, dar a conocer a Jesucristo, de ella deriva su capacidad de animar la vida familiar, su acción educativa y social, su poder para convocar a todos a la reconciliación y al amor fraterno.

Hay muchas miradas sobre la Iglesia desde distintos ángulos: imaginemos la manera de apreciar el número de personas que acuden, por ejemplo, a un Santuario, por parte de quienes, ubicados frente al lugar, venden objetos religiosos. Será una mirada de interés económico. Se regocijarán de que haya mucha gente porque vendieron más. Puede haber una mirada política sobre la Iglesia. Una periodista extranjera que me entrevistaba para la T.V. de su país, dos días después de conocerse que sería nombrado Cardenal, me hizo, como primera pregunta, la siguiente: ¿Cree Ud. que el mercado agropecuario indica que en Cuba han comenzado los cambios?... Le respondí que esperaba que me preguntara primero sobre el significado de un Cardenal para la Iglesia en Cuba, sobre el número de jóvenes que se acerca a la Iglesia para pedir los sacramentos de la iniciación cristiana, sobre las vocaciones al sacerdocio y a la vida consagrada y la vitalidad de nuestro laicado.

Queridos hermanos y hermanas: puede haber muchas miradas sobre la Iglesia, pero la mirada de la Iglesia está puesta en Jesucristo y nadie debe intentar desviar nuestra vista ni a un lado ni al otro. Una Iglesia fiel y unida en Cristo ha podido subir en Cuba la cuesta a veces penosa de nuestra historia. En la esperanza continuamos nuestro ascenso, sostenidos en la fe y en nuestros esfuerzos por la Virgen de la Caridad nuestra Madre. A Ella le confiamos esta nueva etapa de la Iglesia en Cuba, que es de consolidación y crecimiento, de evangelización que promueva los valores humanos y cristianos.

Para este quehacer que Dios bendiga al querido hermano Obispo de esta Iglesia de Camagüey y a sus sacerdotes, diáconos, religiosos y religiosas, que Dios bendiga a todos los camagüeyanos.

VISITA A LA IGLESIA PARROQUIAL DE JAGÜEY GRANDE, PROVINCIA DE MATANZAS*

Queridos hermanos y hermanas:
Visitar Jagüey Grande tiene un hondo significado para mí y también para los jagüeyenses. Un hijo de este pueblo ha sido elegido por el Papa Juan Pablo II para enaltecer a la Iglesia Católica en Cuba y honrar así a todo el pueblo cubano. Miles de voces han gritado a mi paso por todas las diócesis de

---

* Iglesia Parroquial de Jagüey, 4-III-1995.

nuestro país: Cuba tiene Cardenal. Muchos de ustedes estaban presentes cuando, en la Catedral de Matanzas, dije que si todos los católicos de Cuba podían decir esto con gratitud al Santo Padre, los de esta provincia podían agregar que ese cardenal es matancero. Pero los jagüeyenses pueden decir con especial énfasis: este cardenal es de aquí, nació en Jagüey Grande.

Jagüey es para mí parte de esa historia del corazón guardada en el álbum de la memoria, que volvemos a repasar, sin esfuerzo, una y otra vez. La calle Mora donde nací, Belén, la comadrona que ayudó al parto de mi madre, el Dr. Pablo Vega que me recetaba siempre unas cucharadas que preparaban en la Farmacia de Arcocha. Los grandes aguaceros que desbordaban la laguna de Saráchaga, los dulces de «El Mallorquín», la primera vez que vi una película en el Cine «Mendía» y las carretas cargadas de caña desfilando hacia el Central Australia; el ingenio, como se decía entonces. Solo él no ha cambiado de nombre. La calle tiene ahora un número y nadie nace ya en una casa, no hay comadronas, el médico es el de la familia o el del policlínico, y no recordamos bien su nombre, las familias no son grandes como fueron la de mi padre y la de mi madre, de siete hermanos cada una, vecinos todos de este pueblo, hijos todos del mismo padre y de la misma madre, cuyas uniones duraron hasta que la muerte los separó.

Jagüey tiene también su historia grande: aquí, en esta misma iglesia, se alzó la bandera cubana cuando faltaba aún mucho tiempo para que Cuba fuera independiente; nuestras abuelas nos contaban el paso de la Invasión por esta zona y al frente de ella el General Maceo. Ya antes aquí, en Jagüey, Martín Marrero y un grupo de hombres habían oído el llamado de la Patria y respondieron presente en el «Palmar Bonito» hace justamente cien años.

De toda esta historia y de aquella más pequeña, antigua y familiar, ha sido testigo esta iglesia Parroquial, desde que devastado por un fuego el poblado y con él la iglesia de Nuestra Señora de la Altagracia del Hanábana, (del cual solo quedaba un viejo cementerio camino de la Ciénaga de Zapata), el cura párroco escribe al Obispo de La Habana una carta, conservada en los archivos de esta parroquia, que decía que se trasladaba con un grupo de vecinos hacia un lugar más alto y seco llamado *El Jagüey Grande.*

La Iglesia ha estado unida siempre a la historia de nuestros pueblos y de nuestro pueblo. Ubicada en el centro del núcleo urbano fundacional, sus campanas han marcado el ritmo de la vida de la gente. La cruz alta de su campanario ha sido el punto de referencia para los caminantes en busca de orientación. El templo se convierte así en un símbolo para los católicos, para los creyentes y para todo aquel que hunde sus raíces en un lugar determinado.

En los años sesenta fui párroco de Jagüey y me vi forzado a quitarle el techo a la iglesia, pues amenazaba derrumbe. Esperando algún medio de transporte en la esquina, un campesino de la zona me dijo, mirando las pocas vigas de madera que habían quedado después del desmonte: «mira cómo han dejado la iglesia de nosotros, la que uno está acostumbrado a ver desde que abrió los ojos al mundo. Estos curitas nuevos no se ocupan de la iglesia». No sabía que estaba hablando precisamente con ese curita. Le expliqué quién era yo y cómo había sido necesario hacer aquello. Él se sintió apenado y, antes de empezar a explicarse o a excusarse, lo primero que hizo fue quitarse el sombrero de guano. Quizá él no supo nunca la inmensa alegría que me había producido escuchar sus palabras. Después tuve la ocasión de saber cuánto querían su iglesia los hombres y mujeres de este pueblo y sus alrededores, que en comentarios a media voz expresaban su esperanza de que el templo fuera restaurado.

Corrían tiempos difíciles para la Iglesia en los años sesenta y en la década posterior. El silencio sobre Dios envolvía a los pequeños grupos de católicos fieles y una mentalidad falsamente científica intentaba imponerse en nombre de un ateísmo extraño a nuestra cultura, que incluía calificativos obligados en todo lenguaje que se refiriera a la religión para describirla como «rezago del pasado», «conjunto de ideas retrógradas» y otras frases de ese estilo.

Una brecha grande fue abriéndose entre ese lenguaje acuñado incorporando a las expresiones públicas del pueblo, por un lado, y su real pensar y sentir con respecto a Dios, a la fe y a la Iglesia, por el otro.

Escuchando las lecturas del Primer Domingo de Cuaresma sentía que nuestro pueblo había caído, de diversos modos, en algunas de aquellas tentaciones que Jesús venció en el desierto. Habíamos puesto las urgencias materiales, el deseo de un poco de estabilidad económica, la satisfacción de las necesidades inmediatas de la vida en primer término; quisimos que las piedras se convirtieran en panes y, al cabo del tiempo, nos hemos dado cuenta de que «*no solo de pan vive el hombre*».

Muchos se propusieron el ascenso en la escala social, una buena ubicación, tener cierta cuota de aceptación de poder para sentirse seguros en la vida. ¡Eso es humano, muy humano!, me dirán ustedes. Puede pasar hoy con el dólar que genera también seguridad y da cierto poder. Pero la palabra de Jesús, que vale para todos los tiempos, nos conmina a no adorar las posiciones ni el poder ni el dinero. Está escrito: «*al Señor tu Dios adorarás y a Él solo darás culto*». Casi siempre llegamos a comprender en la vida que el Absoluto es solo Dios y que nada ni nadie puede ocupar su lugar.

Y por debajo de todo esto, ¡cuánto orgullo, cuánta suficiencia! Algunos casi se encaraban con Dios. En la escena dramática que San Lucas describe en su Evangelio, a modo de una gran pieza teatral, el demonio lleva a Jesús y lo pone sobre el techo del templo, por encima de lo sagrado, y le dice: tírate abajo a ver si Dios te salva, porque la Biblia dice que Dios «*encargará a los ángeles que cuiden de ti*».

A la soberbia del espíritu del mal que cita la Biblia con sorna y sin respeto, responde la humildad de Jesús, refiriéndose también a la Biblia para obedecer dulcemente a su Palabra. Está mandado: «*No tentarás al Señor tu Dios*».

Con la Palabra de Dios, con la oración, con la fidelidad absoluta al Padre, Cristo venció el mal y de su triunfo debemos participar nosotros. Aun si caíste en esas tentaciones y sientes el rubor de la culpa, tienes a la mano la salvación. Nos lo dice hoy San Pablo en su carta a los Romanos: «*La Palabra está cerca de ti, la tienes en los labios y en el corazón... si tus labios profesan que Jesús es el Señor y tu corazón cree que Dios lo resucitó, te salvarás*».

Muchos hermanos nuestros llegan hoy a la Iglesia en

busca de esperanza, de un amor que no juzgue ni condene, de una palabra diferente que anime sus corazones desolados o tristes. Muchos traen consigo el peso de haber sucumbido a esas tentaciones vencidas por Jesús y que son el prototipo de toda tentación humana. Jesucristo aparece sereno y firme en sus repuestas al mal, pero muchos católicos nuestros experimentaron el temor como fondo oscuro de sus actitudes ante Dios, la fe y la Iglesia.

Un sentimiento estéril y pernicioso como el miedo fue llenando los entresijos del alma del creyente cubano con respecto a la expresión de su fe, miedo a no obtener un buen empleo o a perderlo o a no alcanzar una carrera universitaria. Miedo a que el niño pudiera ser identificado como creyente, a que apareciera en su expediente acumulativo la «mancha» de que iba al catecismo, miedo a bautizar un niño, a entrar en una iglesia... El nombre de Dios dejó de oírse aun en las frases populares como «si Dios quiere» o «gracias a Dios». No se saludaba al sacerdote y aun se rompían lazos familiares o de larga amistad para no quedar comprometidos.

Así fue el Jagüey Grande que encontré como párroco en los años 67, 68 y 69. Así eran los pueblos también tan queridos de Agramonte y Torriente. Pero en medio de aquel lóbrego silencio acerca de lo sagrado, el pequeño grupo de los que se mantuvieron fieles eran nuestro oasis y nuestro consuelo. Da ganas de mencionarlos por sus nombres, pero algunos ya fueron al encuentro del Señor, otros no están en Cuba y siempre puede haber olvidos lamentables. Varios de esos jagüeyenses que viven en el exterior fueron a Roma para acompañarme al Consistorio, muchos me enviaron mensajes llenos de afecto, aun aquellos que yo no conocía.

Al considerar el tiempo pasado, con sus angustias y las opciones dolorosas que alejaron a tantos de la fe de la Iglesia, se produce entre no pocos hermanos cubanos esta reflexión popular: Nos olvidamos de Dios y por eso tenemos ahora tantas penurias, escaseces y dificultades. Es que Dios nos ha castigado. Pero este pensamiento es erróneo. El Señor no es un Dios «castigador» de nuestras maldades, «Todo el que invoque el nombre del Señor se salvará», nos dice hoy la carta a los Romanos y el Salmo que hemos rezado es una invitación a la confianza: «Lo protegeré porque conoce mi nombre, me invocará y lo escucharé». Así escuchó Dios a su pueblo que sufría en Egipto y lo libró de todas sus angustias; porque el Señor «no nos trata como merecen nuestras culpas».

Animados por esta certeza de que en la fe cristiana van a encontrar acogida y comprensión, tanto quienes se acercan a ella por vez primera, como quienes retornan, a veces cansados o maltrechos, a la Casa Paterna, muchos hermanos nuestros vuelven sus ojos a la Iglesia en busca de esperanza. Algunos lamentan el tiempo que vivieron sin conocer el amor de Dios que se nos ha manifestado en Cristo, otros se duelen de haber olvidado a Dios, de no haber bautizado a sus hijos, de haber negado públicamente su fe al sentirse aislados o presionados.

Nuestro pueblo necesita una cura de amor, que sane tantas heridas. Precisamente, no he querido despertar en la memoria estos recuerdos con ánimo de ahondar en esas y otras heridas aún recientes. Pero se hace necesario una buena cura, dejar limpio todo lo dañado, que quede al descubierto, para que pueda producirse la sanación.

La gran culpa nacional de haber callado lo que se refería a Dios en nuestras vidas o la de haber impuesto este silencio a otros merece que le dediquemos un tiempo de seria reflexión, justamente para que esas situaciones, solo parcialmente superadas, no vuelvan a producirse entre nosotros.

No podríamos en una celebración como esta tener la intención de imputar culpas, porque la Santa Misa, la Eucaristía, es la oración de la Iglesia que conmemora, reviviéndola, la ofrenda de Jesús que entrega, por nosotros, su vida al Padre. «Estando con los suyos los amó hasta el extremo» y partió el pan y lo dio a comer a sus apóstoles y pasó la copa de vino para que bebieran de ella y les dijo que aquello era su cuerpo sacrificado y su sangre derramada por todos los hombres. Era el primer Jueves Santo de la historia. Al día siguiente, clavado ya en la cruz, mirando a quienes lo llevaron al suplicio, dijo: «*Perdónalos, Padre, porque no saben lo que hacen*». Nadie queda excluido del amor de Cristo, ni sus verdugos. Nadie queda excluido del amor de los cristianos, porque el mismo que nos «amó hasta el extremo» nos mandó amar a nuestros enemigos y a rezar por quienes nos persiguen, pues, si no, no somos en verdad hijos del Padre celestial.

El amor será siempre nuestro distintivo: «*en eso conocerán que ustedes son mis discípulos, en que se aman unos a otros*». Pero el amor incluye el perdón y la reconciliación. Esto es cierto en las relaciones personales, en el seno de la familia y en la vida social y política de los pueblos.

La Iglesia en Cuba debe ser una comunidad fraterna que invite a todos los cubanos a la reconciliación, al reencuentro de nuestras raíces, de los valores perdidos u olvidados y al amor.

En nuestras raíces nacionales descubrimos que la fe católica conformó nuestra manera de pensar, de ver la historia, de considerar al prójimo, de concebir la familia, la amistad, el bien y el mal, la vida y la muerte.

Fue la fe cristiana la que nos ayudó a cuajar como nación. De las aulas del Seminario San Carlos, de la mente preclara y del corazón ardiente del Padre Félix Varela salió nuestra conciencia nacional, la noción de ser un pueblo con nuestras características propias. El Evangelio de Nuestro Señor Jesucristo estuvo abonando el suelo vital de la Patria. Luz y Caballero, Mendive, Martí, son herederos directos e indiscutibles de ese pensamiento cristiano que está en la fragua de nuestra cubanía como fuego integrador.

José Martí, de quien celebramos este año el centenario de su muerte, jamás enseñó o proclamó el odio, ni aun para su adversario político o militar. Colocó siempre el amor en la cima de su obra literaria y patriótica y quiso que fuera el cimiento de la Cuba nueva a la cual ofrendó su vida, una «*Cuba con todos y para el bien de todos*». En el jardín de su corazón, él cultivaba rosas blancas para sus amigos y enemigos. En esos versos, que el mundo entero sabe y canta, se siente la fragancia fresca del Evangelio de Jesús.

Ese amor siempre presente en los escritos y en el quehacer del artífice nuestra independencia, es considerado por él como un instrumento privilegiado para comprender la vida, la historia y el hombre mismo, y lo describe como una especie de sentido exclusivo del corazón humano para percibir la realidad: «*es el amor quien ve*», sentenciará el apóstol.

En el centenario de su caída en combate, los cubanos no debemos ignorar esta faceta, a menudo olvidada del pensamiento martiano, que convoca a todo nuestro pueblo a la reconciliación y al amor.

Si los católicos cubanos, realmente motivados por el amor cristiano, que, al decir de San Pablo, «supera toda filosofía», nos decidimos, a pesar de las dificultades presentes y aquellas que estén por venir, a vivir y actuar según el dinamismo propio de ese amor, seremos capaces de sentirnos alegres con el bien, de no regocijarnos del mal, de aguantarlo todo y de esperarlo todo.

Cuando el corazón humano late con amor, genera la esperanza y ¡cómo necesita hoy nuestro pueblo la esperanza! Hace falta henchir el alma de amor para que haya esperanza, pues esta busca espacios abiertos y grandes y no puede anidar en los corazones empequeñecidos por la queja o el rencor.

Una y otra vez en estas últimas décadas, muchos cubanos han sentido cerrarse las puertas de la esperanza y no hallaron para sí y para sus familias otra salida a sus angustias, sino ir a instalarse fuera de nuestro país. Esta sigue siendo hoy, para no pocos hermanos nuestros, su única esperanza. Esto es también un dolor de la Patria y de la Iglesia.

Pero si el amor cristiano expulsa el temor y gracias a ello nuestra Iglesia vive cada día más una primavera de la fe, que ha constituido un auténtico proceso de liberación interior para tantos cubanos, si el amor cristiano expulsa además el odio y propone caminos de reconciliación y de paz, debe también expulsar del alma del católico cubano la desconfianza y el descorazonamiento. Y ¿cómo podemos hacerlo? El camino recorrido por la Iglesia en Cuba en los años pasados hasta el momento presente proyecta una luz de confianza hacia el futuro. De una Iglesia replegada sobre sí misma, temerosa en cuanto a su quehacer; de una Iglesia que tenía conciencia de no poder hacer nada, hemos pasado a ser, por don misericordioso de Dios, una Iglesia que sí puede evangelizar, que sí puede catequizar a sus niños, que sí puede celebrar a Jesucristo, aun allí donde no hay templos, que sí puede tender la mano a los necesitados en el cuerpo o en el espíritu, que sí puede crecer en número y en presencia en medio de la sociedad, que sí puede tener un Cardenal, que sí puede –¿por qué no?–, en un día no lejano, recibir la visita del Papa Juan Pablo II.

Nuestra Iglesia ha recorrido el camino que va desde las tinieblas a la luz, de la desolación al consuelo, llevada de la mano de Dios, porque esto no ha sucedido por un cambio notable en las condiciones sociales o políticas. No podemos decir que el interés por la fe cristiana, el deseo de conocer la palabra revelada que hace a tantos pedir una Biblia, que todo el movimiento de acercamiento a la fe, provengan de una más amplia acción pastoral por el aumento del número de sacerdotes y religiosas, pues con el crecimiento de la población lo que más bien ha aumentado es la desproporción entre el número de agentes pastorales y el de fieles cristianos. No se trata tampoco de una propaganda bien organizada en los medios de comunicación, pues la Iglesia no ha tenido acceso a la prensa, la radio o la Televisión. Ha sido que el extrañamiento, las inhibiciones y el miedo han ido desapareciendo del alma del cubano. Pero solo Dios puede actuar en los corazones por medio de su Espíritu Santo. Todo ha sido, pues, gracia suya.

Ahora bien, ¿por qué crecería el número de los que tienen fe (y una encuesta de la Academia de Ciencias arroja que más de un 85% de los cubanos creen en Dios)?, ¿por qué estaríamos dispuestos (y con certeza en los católicos cubanos así es), a aceptar las exigencias del amor, como son el perdón y la reconciliación, mientras persistimos cerrados a la esperanza?

La Iglesia Católica está llamada especialmente en Cuba a testimoniar la esperanza cristiana y a sembrarla en el corazón de los cubanos. No podemos fallarle a Cristo Jesús en esta hora de gracia.

El Papa Juan Pablo II, al término de la audiencia que dio a los obispos cubanos y a los 250 católicos de Cuba que me habían acompañado al Consistorio, nos dijo en un aparte a los obispos: «*la Iglesia tiene que seguir trabajando*», Y «¿cuál es el trabajo que Dios quiere?», –preguntaron una vez los discípulos a Jesús. Respuesta del Señor: «que conozcan al Padre y a su enviado Jesucristo». Ese es el trabajo propio de la Iglesia, su misión: conocer y hacer conocer a Jesucristo a nuestro pueblo y decirle que Dios ama a cada uno de nuestros hermanos con amor de Padre. En resumen, el trabajo de la Iglesia en Cuba es la evangelización del pueblo cubano. De ahí vendrán la revitalización de los valores sociales, familiares y personales y muchos otros bienes.

Nuestro gran escritor Don Fernando Ortiz, narrando la entrada en La Habana en los primeros días de enero de 1959 del ejército rebelde, describía el acontecimiento haciendo esta referencia muy especial con palabras parecidas:

«Contemplando el desfile de aquellas huestes barbiluengas hay un personaje de mármol extranjero, recién llegado, que mira con tristeza hacia un pueblo que jamás lo ha conocido» (Se refería a la estatua del Cristo de La Habana, colocada a la entrada de la Bahía unos días antes de finalizar el año 1958).

El trabajo de dar a conocer a Jesucristo es urgente y enorme. Cristo debe ser conocido y amado, para que pueda ser seguido en su doctrina de amor, de reconciliación, de paz, para que, descubriendo en Él la verdad, la verdad nos haga libres, con esa libertad del corazón cristiano, libertad de los hijos de Dios, que solo Cristo Salvador nos puede dar y que nadie nos puede quitar.

Con el Evangelio de Jesucristo entra la paz en los corazones, en la familia, en la sociedad, aprendemos el valor de la vida, del trabajo, el uso de los bienes materiales y lo que es servir al prójimo. En fin se abre una puerta a la esperanza y a la alegría. Aquí está el verdadero quehacer de la Iglesia en Cuba.

No son pocos los que miran hoy con interés el papel de la Iglesia en Cuba, pero esta no es siempre una mirada relacionada con su propia misión.

Hay muchas miradas sobre la Iglesia, algunas de sospecha o de cautela, otras de variados matices, sean sociales, políticos o de otro orden. Pero la mirada de la Iglesia está fija en Jesucristo y nada ni nadie puede desviarla de su misión ni a un lado ni al otro.

También nos dijo el Papa en Roma a los obispos de Cuba: *«Acuérdense de la Virgen»*. Pensar en la Virgen significa para cualquier cubano volver su mirada hacia El Cobre, donde nuestra Madre y Patrona vela con amor.

Que el amor de Dios, derramado abundantemente en nuestros corazones por el Espíritu Santo que se nos ha dado, haga de cada hombre o mujer católico de Cuba un testigo sereno y alegre de la esperanza.

Que, en el trabajo evangelizador de esta querida parroquia de Jagüey Grande, la Virgen de la Caridad bendiga a su querido párroco, a las religiosas y laicos comprometidos que trabajan con él.

Que Dios bendiga a todos los jagüeyenses y a los pueblos de las demás comunidades atendidas por el párroco.

VISITA A LA DIÓCESIS DE CIENFUEGOS-SANTA CLARA*

Queridos hermanos y hermanas:

En este recorrido que el nuevo Cardenal cubano realiza por las distintas diócesis de Cuba, tengo hoy la honda satisfacción de estar entre ustedes, que en el centro de nuestra isla constituyen una inmensa diócesis por su población y por su extensión. Cienfuegos-Sta. Clara tendría necesidad de tantos sacerdotes, religiosos y religiosas que pudieran atender los reclamos espirituales de los miles y miles de hermanos nuestros que llaman a las puertas de la Iglesia. Algunos lo hacen por vez primera, otros redescubrieron sus raíces más genuinas, que se hunden en la fe de nuestros padres y abuelos, en aquella fe que fue sembrada en Cuba por hombres y mujeres llegados de lejos, pero que no son extraños, porque de un modo u otro sus descendientes somos nosotros mismos.

Esa fe conformó nuestra manera de pensar, de ver la historia, de considerar al prójimo, de concebir la familia, la amistad, el bien y el mal, la vida y la muerte.

Fue la fe cristiana la que nos ayudó a cuajar como nación. De las aulas del Seminario San Carlos, de la mente preclara y del corazón ardiente del Padre Félix Valera salió nuestra conciencia nacional, la noción de ser un pueblo con nuestras características propias. El Evangelio de Nuestro Señor Jesucristo estuvo abonando el suelo de la Patria. Luz y Caballero,

---

* Iglesia Catedral de Santa Clara, 18-III-1995.

Mendive, Martí, son herederos directos e indiscutibles de ese pensamiento cristiano que está en la fragua de nuestra cubanía como fuego integrador.

No es la fe católica advenediza o irrelevante en Cuba. No lo fue en nuestro origen como nación, no lo ha sido en nuestra historia remota o reciente. No lo es ahora. No lo llegó a ser, aun en la etapa no lejana en que el ateísmo, sí advenedizo y extraño a nuestra cultura, inducido y secreta y obstinadamente rechazado, impuso un trágico silencio sobre Dios. Porque la fe cristiana como recuerdo, como referencia, como patrón de valores perdidos, ha estado de un modo u otro actuando en la conciencia, atribulada a veces, perturbada otras, de muchos hombres y mujeres de nuestro pueblo de toda la condición cultural y social, forzados a una dolorosa opción que los alejaba de su iglesia, que los hacía expresarse en una nueva clave, aparentemente científica, que llamaba regazos del pasado a lo que había sido remanso de paz y fuente de valores para tantos hermanos nuestros: su fe católica.

Entre estos contamos a decenas de miles de compatriotas que habían estudiado en las escuelas católicas, lo mismo en grandes centros de enseñanza, que en la pequeña y familiar escuela parroquial, y a otros tantos que, de niños, habían aprendido en catecismo y hecho su primera comunión.

¡Cómo se guardaba calladamente y se comentaba solo en los círculos de amigos más íntimos el recuerdo maravilloso de las hermanas o los hermanos del colegio, de los padres, de aquella maestra católica que, terminada la clase en la escuela pública, reunía a los niños y les enseñaba a rezar y a conocer a Cristo; de aquella catequista dulce y buena que nos preparó para la primera comunión! ¿Cómo pudo ser reemplazada aquella vivencia noble y afectuosa por un sentimiento contrario y pernicioso: el temor! El evangelista San Juan dice en su carta que quien ama no teme, porque el amor expulsa el temor. Y es tan cierto: una madre pierde el miedo a las llamas, si de rescatar a su hijo del fuego se trata. ¿Habrá huido entonces el amor del corazón de tantos cristianos cubanos que parecían durante años dominados por el miedo?

Miedo a no ascender en la escala social, a no obtener ciertos beneficios, a perder el trabajo o la carrera universitaria o

una buena ubicación laboral. Miedo a que el niño no alcan-
zara al final de la primaria una buena escuela, a que se trau-
matizara si era cuestionado en público sobre su fe o su asistencia a la iglesia. Miedo a entrar en un templo, a bautizar a
un niño, a mencionar en público el nombre de Dios. De una
manera increíble desaparecería del vocabulario el «si Dios
quiere» o el «gracias Dios» por una represión interna que nos
llevaba, paradójicamente, a sentir más que nunca la presencia de Dios, por causa, justamente, de aquella artificial y obligada ausencia.

Sí, Dios se hizo misteriosamente presente en la vida de la
gente. En una reciente encuesta, más del 85% de los cubanos
dicen creer en Dios.

Esa fe estuvo siempre ahí, más que dormida, sofocada y
hoy muchos de nuestros hermanos que llegan a nuestra Iglesia se preguntan en voz alta: ¿cómo pude alejarme yo de la
comunión, cómo pude dejar de bautizar a mis hijos, cómo
pude vivir como si Dios no existiera? Algunos sufren de auténticos complejos de culpabilidad; pero la culpa, llevada
como remordimiento que tortura el alma, no es cristiana, es
todavía falta de fe.

Cuando creemos en Cristo reconocemos nuestra culpa y
nuestro pecado, pero no lo hacemos ante el Dios misericordioso que, hecho hombre como nosotros y clavado en una
cruz, nos repite desde hace dos mil años a todos los pecadores su desconcertante sentencia: «*Perdónalos, Padre, porque
no saben lo que hacen*».

Esta palabra redentora y eficaz vale para todos los que
quieran acogerse a ella con corazón arrepentido. Ante la gran
culpa nacional de haber entrado en el silencio sobre Dios o
haber impuesto esta dura condición a las conciencias de
otros hombres solo cabe el arrepentimiento y todos, unos y
otros, pueden esperar el perdón del Señor que «*es compasivo
y misericordioso, lento a la ira y rico en clemencia; que no nos
trata como merecen nuestros pecados, ni nos paga según nuestra culpa*».

De misericordia y perdón trata precisamente el mensaje
de este domingo que la Sagrada Escritura nos presenta en su
altura sublime y su arrolladora exigencia. David perdona a

Saúl, porque David había caldeado su corazón, desde niño, en el amor del Señor. Era, lo que San Pablo llamaría más tarde en su 1ª carta a los Corintios, un hombre espiritual, no un hombre terrenal.

Hombres y mujeres espirituales debemos ser en Cuba los cristianos, no simples creyentes en Dios, como revela la encuesta ya mencionada. Solo se puede ser hombre espiritual si vivimos en profunda intimidad de amor con Jesucristo y hacemos en nuestra vida un seguimiento de Él.

Porque el amor es exigente e incluye siempre, y más aún entre nosotros cubanos de hoy, el perdón. El hombre terrenal lleva cuentas, no perdona, el hombre espiritual está consciente de llevar en sí la imagen de Dios comprensivo y misericordioso y no solo se sabe perdonado por su creador, sino que perdona a quien lo ha ofendido.

Hay perdones familiares: el de la madre al hijo, el del amigo al amigo, pero el perdón se torna difícil y heroico cuando debe incluir, como nos lo recuerda hoy el Evangelio de Jesucristo, al enemigo, al que nos odia, al que nos persigue. ¡Cuánta valentía exige el perdón, cuánte dignidad y entrega hay en el ser humano que es capaz de poner la otra mejilla! Es lo que hicieron los mártires de la Iglesia de todos los tiempos. Esto es lo desconcertante del cristiano que sabe serlo, tanto como el «*perdónalos, Padre*», de Cristo clavado en la Cruz.

Es lo que Martin Luther King predicó hasta su muerte a los negros norteamericanos: que no usaran la violencia, que no se armaran, que no devolvieran golpe por golpe, en fin, que pusieran la otra mejilla y todo esto para ganar una batalla contra la discriminación sostenida por aquellos que tenían todo el poder. Sabía aquel ilustre cristiano que esto no dispensaría a los negros norteamericanos de golpes, vejámenes y prisión y, en frase ungida de fe evangélica, dijo: «*nos apalearán, nos derribarán al suelo, nos arrastrarán, pero nosotros, desde el suelo, los seguiremos amando*». En pleno siglo XX se hizo así vida y luz en medio de la nación americana el Evangelio de Cristo.

José Martí, de quien celebramos este año el centenario de su muerte, cuando aunaba mentes y corazones para alcanzar la independencia de Cuba, jamás enseñó el odio, ni aun para el adversario político o militar. Él estableció el amor en la cumbre de su obra literaria y patriótica y lo puso como cimiento de la Patria. No lo pudo expresar más sencillamente que en sus versos que el mundo entero conoce y canta: el apóstol de nuestra independencia, el artífice de esa libertad siempre anhelaba por el pueblo cubano, no sabía sino cultivar rosas blancas, para los amigos y los enemigos. Preparaba una lucha, pero decía al mismo tiempo: «*Es culpable el que ofende la libertad en la persona sagrada de nuestros adversarios*» (Obras Completas, T. VIII p. 258). «*El respeto a la libertad y al pensamiento ajenos, aun del ente más infeliz, es mi fanatismo: si muero o me matan, será por eso*» (Obras Completas, T. III p. 166).

¡Cuánta savia evangélica está vivificando el pensamiento de Martí! ¡Cuán necesario es para el cubano de hoy conocer esta faceta esencial del pensamiento y el sentir martianos!

Es claro el llamado al perdón y a la reconciliación que nos hace este domingo la Palabra Revelada. Es constante e imperioso este llamado por parte de la Iglesia, en absoluta fidelidad al Señor.

Llamamos a la reconciliación y a la armonía en el seno de la familia, entre las personas en general, y al perdón que alcance aun al enemigo en el seno de la sociedad.

Queridos hermanos y hermanas: los cubanos, como pueblo, estamos necesitados de reconciliación y esta no puede darse sin perdón. El perdón no es el olvido. Quizá no sea bueno olvidar nuestras faltas y errores, para no volver a caer en ellos. La historia de los pueblos no puede tejerse de olvidos y silencios y los momentos más críticos reclaman siempre de quienes son actores en la vida nacional el perdón y la misericordia a fin de poder superarlos.

Esto exige de nosotros ser comprensivos, como el padre es comprensivo, no juzgar, no condenar. ¡Qué necesitada está la gente de no sentirse juzgada o condenada, sino comprendida y amada! ¡Cuán urgidos están los hermanos nuestros de esta cura de amor y compasión!

Es eso lo que buscan los jóvenes que por millares vienen a la Iglesia y piden el bautismo o los demás sacramentos de la iniciación cristiana: Ellos saben o intuyen que lo hallarán en Cristo.

Me han preguntado en repetidas ocasiones los periodistas extranjeros si el acercamiento de tantos cubanos de cualquier edad a la Iglesia coincidían con el «período especial». Sin darse cuenta, una cierta mentalidad materialista les hacía buscar en las carencias y penurias actuales la causa de este despertar espiritual. Pero es erróneo atribuir siempre a motivaciones materiales las inquietudes más hondas del espíritu humano. ¡NO! la gente no viene a la Iglesia procurando consuelo ante la falta de comida o de medicamentos; viene buscando misericordia, comprensión, acogida, amor. Y esta andadura espiritual comenzó mucho antes de la etapa de escasez que se ha llamado «período especial». La necesidad de una religión que llene los espacios que el ateísmo deja vacíos, que nos libre de vértigo existencial que produce la ausencia de Dios en el alma humana, eso es lo que trae a tantos hermanos nuestros a la fe.

Es así como el redescubrimiento de Dios, que es amor, ha ido expulsando el temor y la Iglesia ha comenzado a entrar en una etapa nueva de su historia. Un signo vivo y reciente de este momento de gracia ha sido el nombramiento de un Cardenal cubano por parte de Juan Pablo II. Él ha querido así confirmar el andar de nuestra Iglesia, en Cuba.

En pocas y sentenciosas palabras resumía el Santo Padre a los obispos cubanos que se habían hecho presentes en Roma para acompañarle al consistorio, su mirada de pasado y de futuro sobre la Iglesia cubana. Con tono firme nos dijo entonces: *«la Iglesia tiene que seguir trabajando!* Esto significa: presto mi apoyo a esta Iglesia que ha trabajado para que continúe su trabajo.

¿Y cuál es el trabajo que Dios quiere?, preguntaron los discípulos a Jesús. Respuesta del Señor: que conozcan al Padre y a su enviado Jesucristo. Esta es la misión de la Iglesia, conocer y dar a conocer a Cristo salvador y hacerle saber a los hombres que son amados por Dios Padre. En una palabra, evangelizar al pueblo cubano.

Habiendo vencido, pues, la parálisis y en cierto grado el temor, tenemos que dejar a un lado la conciencia estrecha de una Iglesia que no puede hacer nada por la certeza renovada y sostenida en la fe de una Iglesia que ha entrado en una nueva situación, que puede catequizar a los niños, que puede llamar a las puertas para anunciar a Cristo salvador, que puede ayudar al que sufre en el cuerpo o en el espíritu, que puede reunir a los cristianos para dar a conocer la palabra de Dios, aun allí donde no hay templo. Una Iglesia que puede celebrar públicamente a Jesucristo, que puede tener un cardenal, que puede recibir –por qué no– la visita de Juan Pablo II.

Una Iglesia que reemplazó el temor por el amor, el silencia y la inacción por la esperanza. Que está plenamente consciente de su misión evangelizadora que incluye la reconciliación y el perdón entre todos los cubanos de dentro y fuera de nuestro país: una Iglesia que habla a su pueblo por medio de sus pastores y que escucha el clamor de ese pueblo que pone su mirada de simpatía, de confianza y de fe en ella.

Pero una Iglesia consciente de que hay también otras miradas que la escrutan: la mirada de la sospecha o del rechazo, la mirada del interés social o político.

Una periodista extranjera que me entrevistaba para la T.V. de su país, dos días después de conocerse mi designación para el Colegio Cardenalicio, comenzó su diálogo preguntándome: ¿Cree Ud. que el mercado agropecuario es el comienzo de los cambios en Cuba? Le respondí que me esperaba una pregunta sobre el significado del nombramiento de un Cardenal en Cuba, sobre el creciente número de jóvenes que acuden a nuestra Iglesia, sobre el aumento gradual y sostenido de las vocaciones sacerdotales y religiosas en nuestro país, sobre el compromiso del laicado cubano en nuestra evangelización.

El contenido de la pregunta era, ante todo, económico y político, la mirada de la periodista era una mirada interesada, pero no primeramente en la Iglesia y su misión. Repito, hay muchas miradas sobre la Iglesia y variados intereses que la solicitan. Pero la mirada de la Iglesia está fija en Jesucristo y su interés es el anuncio del Reino de Dios y nada ni nadie debe desviarnos de este camino.

Porque este es exactamente el camino recorrido por tantos hombres y mujeres de nuestro pueblo, sedientos de Dios, en busca de luz y verdad. Y este sendero ha sido y es transitado bajo la acción del Espíritu Santo, que es el único que puede actuar en el corazón humano, que expulsa el odio, trae la concordia, libera del miedo, invita a la reconciliación y al perdón y siembra la paz y el amor.

Otras palabras del Papa Juan Pablo II dichas a los obispos de Cuba al final de la audiencia al nuevo Cardenal y a sus acompañantes debe inspirar el programa de nuestra Iglesia en el futuro; *acuérdense de la Virgen,* nos dijo el Santo Padre. Para nosotros, cubanos, hacernos pensar en María es volver los ojos del corazón hacia El Cobre, donde la Virgen de la Caridad, con su mismo título hermoso de Madre del amor, convoca a sus hijos al encuentro fraterno y nos abre cada vez horizontes de esperanza.

Con Ella contamos para la gran misión de la Iglesia en Cuba, para realizar en medio del pueblo cubano, que Ella ama, los trabajos que Dios quiere, para permanecer fieles y activos, para nunca separarnos más de su hijo Jesucristo y hacer lo que Él nos diga.

Que la Virgen de la Caridad anime y sostenga a la Iglesia cubana en esta nueva hora de su peregrinar, que bendiga al Obispo de esta diócesis, a su obispo auxiliar, a sus sacerdotes, diáconos y religiosas, que bendiga a todos los villaclareños (cienfuegueros, trinitarios).

MISA CRISMAL*

Una de las Liturgias diocesanas más significativas es la Misa Crismal, que celebramos un poco antes de la Pascua, la fiesta cumbre del cristiano.

De la fuerza transformadora de la Pascua de Jesucristo, vencedor de la muerte, mana la vida en abundancia que Él mismo vino a traer a los hombres. Esa vida que la Iglesia anuncia cada vez que proclama la palabra de Dios y con la cual enriquece a los hombres cada vez que administra los sacramentos. Palabra y sacramento se unen admirablemente en la persona de Jesús, Él es la Palabra que se hizo carne y

---

* Catedral de la Habana, 7-IV-1995.

habitó entre nosotros para anunciar «*la liberación de los cautivos, la libertad de los oprimidos y dar una buena noticia a los pobres*». Él es el profeta que señala el camino hacia un Reino nuevo donde brille la justicia y el amor, pero se hizo además Él mismo camino, por su ofrenda al Padre, con el poder que tiene de entregar su vida y recuperarla de nuevo.

Al ofrecer, de una vez por todas, su sacrificio en la Cruz, Jesucristo hizo de su palabra profética una acción sacerdotal que realiza la liberación ya anunciada por Él mismo. Por eso fue exaltado por Dios Padre que le dio «*un nombre sobre todo nombre*», para que al nombre de Jesús toda rodilla se doble en el cielo, en la tierra y en el abismo». De este modo quedó constituido Jesucristo Rey y Señor del Universo.

El Señor Jesús, profeta, sacerdote y Rey, entrega a la Iglesia la misión de prolongar su presencia en medio del mundo hasta el fin de los tiempos. Su orden a los apóstoles de ir a hacer discípulos de todos los hombres va precedida de la afirmación de su poder: «*Se me ha dado pleno poder en el cielo y en la tierra*». Con este poder, Jesucristo constituye a su Iglesia continuadora de su misión y le asegura una asistencia especial por medio de Él mismo: «*yo estaré con ustedes siempre*», y a través del Espíritu Santo: «*no los dejaré huérfanos, les enviaré un consolador... él les enseñará todo lo que deben saber*».

La Iglesia perpetúa, pues, la triple misión profética, sacerdotal y real de Cristo. proclama una palabra que no es suya, sino del Señor y lo hace bajo la acción del Espíritu Santo. Ofrece en la Eucaristía el único sacrificio que salva a los hombres, el de su Señor Crucificado que triunfa de la muerte por Su resurrección. Y es en el mundo testigo y fermento de un Reino que no es de poder, sino de servicio, porque Él no vino a ser servido, sino a servir.

Para manifestar la especial relación que Jesús establece entre el culto a Dios y el amor al prójimo, Él unió de tal manera su ofrenda al Padre al servicio de los hombres, que en la misma cena en que nos dejó el memorial de su sacrificio, la Santa Eucaristía, quiso dejarnos también el memorial de su servicio cuando lavó los pies de sus discípulos. De ambos gestos tenemos los cristianos un mandato de Jesús: «*hagan esto en memoria mía*», dijo de la ofrenda del sacrificio eucarístico. Y al lavar los pies de sus discípulos les manda: «*He hecho esto para que ustedes hagan lo mismo: que se laven los pies unos a otros*».

Propone nuevamente el Señor, en estas dos acciones, los dos mandamientos en los cuales Él mismo había resumido toda la ley y la enseñanza de los profetas. En la acción sacramental de su ofrenda al Padre, hecha con pan y vino, está cumplido de modo eminente el *primero de los mandamientos:* «*Amarás al Señor tu Dios, con todo tu corazón, con todas tus fuerzas, con todos tus sentidos y potencias*». Y en el lavatorio de pies está ejemplificado el otro mandamiento que es igual al primero: amarás a tu prójimo como a ti mismo.

Jesús, que no había venido a abolir, sino a completar y a dar plenitud, establece una Alianza Nueva en su sangre y un culto nuevo que incluye un modo también novedoso de vivir el amor servicial. Ese será el desafío de la Iglesia en cualquier parte del mundo y en cualquier momento de la historia de la humanidad: Hacer realidad el culto de adoración al verdadero Dios por medio de Cristo ofrecido y acogido en el corazón en la acción sacramental de la Iglesia y hacer del amor servicial al prójimo parte integrante del culto en espíritu y verdad que Cristo ha instaurado.

Para ello, el Señor Jesús instituyó el ministerio apostólico. Por la predicación de la Palabra: «*Vayan al mundo entero y anuncien esta buena noticia*» y por los sacramentos: «*bautizando en el nombre del Padre y del Hijo y del Espíritu Santo*», los apóstoles comienzan a hacer presente en medio de los hombres, no solo de Galilea y de Judea, sino hasta el confín del mundo, a Cristo resucitado, con su poder de transformar las vidas de cuantos crean en Él y se bauticen.

Pronto los apóstoles instituyeron colaboradores suyos en su ministerio propio de enseñar, santificar y guiar a la comunidad de los creyentes. De este modo, el sacerdocio cristiano se especificaría muy tempranamente en dos grados diferenciados: el obispo, sucesor de los apóstoles, y los presbíteros, colaboradores inmediatos del obispo. Así es hasta nuestros días y de esa participación sacramental en el único sacerdocio de Cristo para un especial servicio a la Iglesia es muestra y anuncio esta celebración de la Misa Crismal.

En ella los sacerdotes, ministros del Señor, renuevan su entrega a Cristo como servidores de la Palabra, de los sacramentos y de sus hermanos. Y toda la comunidad diocesana agradece en la oración el don del sacerdocio ministerial cristiano, que prolonga, para bien de todos, la acción sacerdotal de Cristo. Además, el pueblo fiel reza por sus pastores.

Toma conciencia, también la Iglesia que se congrega significativamente alrededor de su Obispo, de su propia misión profética, sacerdotal y real. Pues, si bien no todos los cristianos son ministros ordenados para enseñar, regir y santificar a la comunidad de los creyentes en Cristo, sí todos participan del sacerdocio común de los fieles. De esta manera, ustedes, queridos hermanos y hermanas, sean diáconos, ordenados especialmente para el ministerio de servir en la caridad, sean religiosos o religiosas, que por la consagración de sus vidas a Dios constituyen un llamado continuo a las conciencias de los hombres sobre la primacía de Dios y de los bienes espirituales, sean laicos, que especialmente por su acción en el mundo, en su vida familiar, en su medio de estudio y trabajo, hacen presente a Cristo por la palabra, la actuación y el testimonio; todos, como miembros del único pueblo de Dios, participan con su obispo y sus sacerdotes de la única misión de la Iglesia: anunciar a Cristo al mundo. Y de este modo toda la comunidad cristiana se dispone también a renovar su triple compromiso de ser un pueblo de profetas, sacerdotes y edificadores de un reino donde el amor y el servicio al prójimo tienen valor de alabanza a Dios.

¿Cómo debe en Cuba hoy desarrollar la Iglesia esta triple misión que le ha confiado Jesucristo?.

Primero debemos preguntarnos con quiénes cuenta para eso la Iglesia. Sabemos que a todos los cristianos encarga Jesús la misión profética de hacer llegar a los hombres el primer anuncio de Jesucristo Salvador.

Nadie, pues, debe preguntarse si esto corresponde a los sacerdotes o a los laicos, porque compete a toda la comunidad cristiana. Otro tanto debe decirse de la catequesis, que es un paso más en el conocimiento de Cristo, adaptando la metodología a los jóvenes, a los adultos, a los niños, a los ancianos o a los discapacitados. De modo similar podría responderse en lo tocante a todo el quehacer evangelizador de la Iglesia.

La pregunta válida que puede y debe hacerse el cristiano es: ¿dónde puedo servir mejor?, ¿cuál es mi carisma, el don que seguramente Dios me ha dado para que sirva mejor a la Iglesia y a los hermanos? y ¿cuál es mi disposición a servir?

Quizá te sientas llamado a promover a tu prójimo para que reconozca su plena dignidad humana y llegue a descubrir y desplegar todas sus posibilidades como persona, sabiendo que sin esto no podría nunca ser realmente cristiano. Deberás conocer para ello, con mayor profundidad y sistematización, la Doctrina Social de la Iglesia, con el fin de prepararte a un apostolado más activo como estudiante, como trabajador, como profesional, en cualquiera de los grupos que hay en la Arquidiócesis. La Comisión episcopal «Justicia y Paz» ayudará a desarrollar los esfuerzos que ya se emprenden en este campo.

También podemos responder a la pregunta de cómo realizar ahora la misión de la Iglesia, fomentando la oración y enseñando a orar, preparándonos para animar grupos de oración en barrios y poblados sin templos, como modo muy apto de llevar la Palabra de Dios a tantos que tienen sed de ella. Son numerosos y variados los grupos de oración que existen en la Arquidiócesis, en dependencia de algún movimiento o autónomos. Tal vez tú deberías integrar uno de ellos. ¿No estará faltando en la vida de muchos cristianos la dimensión esencial de la oración?

La misión sacerdotal del discípulo de Cristo no puede tampoco olvidar la consagración del mundo a Dios. Esta la realiza el cristiano por medio de su misma actuación como esposo o esposa, como padre o madre de familia, como maestro o como trabajador manual o intelectual. «*Lo que hagan, ya sea de palabra o de obra, sea todo en nombre del Señor*». El hecho de desempeñar un encargo determinante en la Iglesia como catequista, animador o animadora de pequeña comunidad, visitador de enfermos, misionero itinerante, etc., obliga aún más a los fieles laicos a dar a Dios el culto de una vida familiar, laboral o estudiantil, en plena consonancia con el Evangelio y los valores de la fe católica y con proyección en la sociedad humana.

CARD. JAIME L. ORTEGA ALAMINO

El Movimiento Familiar Cristiano, que fortalece la unión entre los esposos, el amor entre estos y sus hijos y promueve los valores de la familia, tiene un gran papel entre nosotros, precisamente a causa de la crisis que atraviesa la familia cubana. Hay también otros grupos y movimientos laicales que se preocupan por la formación integral de los laicos para hacer de sus vidas, en medio del mundo, un canto de alabanza al Creador y un testimonio de amor por medio del servicio a los hermanos.

Estos grupos eclesiales pueden ayudarlos a muchos de ustedes a cumplir su misión propia en la Iglesia y en el mundo, que proviene no de la pertenencia a ninguna de esas agrupaciones, sino del Bautismo que los incorporó a Cristo y les hace participar de su misma misión.

Una dimensión indispensable a la fe cristiana y a la acción de la Iglesia en cualquier tipo de sociedad es el servicio cristiano a todos los necesitados, sin ninguna distinción. A través de CARITAS Arquidiocesana, nuestra Iglesia tiene diversos programas para la atención a ancianos y enfermos, personas afectadas con el «síndrome de Down», apoyo a los grupos de Alcohólicos Anónimos y otros servicios más.

CARITAS no debe ser vista únicamente como una organización que provee medicamentos y alimentos, sino como una red de equipos parroquiales o eclesiales integrados por miembros de las distintas comunidades que dan su tiempo y su esfuerzo para apoyar a las personas carentes de lo indispensable para la vida física y también de afecto y atención, con el fin de promoverlos humana y cristianamente. A esta acción servicial están convocadas todas las parroquias e iglesias de la Arquidiócesis.

Queridos hermanos y hermanas: Dios los ha bendecido a ustedes con muchos y variados carismas y todos estos deben confluir en la única misión de la Iglesia. En esta hora en que nuestros hermanos se acercan a la fe en búsqueda de un nuevo sentido a sus vidas, el laicado católico cubano debe mostrar más que nunca su disponibilidad.

Al obispo corresponde armonizar los diversos carismas y ministerios, indispensables todos para el bien de la Comunidad Diocesana. En esta tarea de coordinación, los sacerdotes ejercen, con el obispo y bajo su dirección, su función propia de regir la porción de la Iglesia que el mismo obispo le ha confiado. Regir coordinando no es lo mismo que disponer con autoridad absoluta. En una Iglesia enriquecida con el ministerio de los diáconos, el testimonio y la acción de la vida religiosa masculina y femenina; donde hay diversas organizaciones, grupos y movimientos con carismas eclesiales diferentes y complementarios, cuando las comunidades parroquiales y otras iglesias se extienden a barrios y a zonas rurales creando comunidades más pequeñas que se reúnen en distintos sitios, el párroco o rector de la iglesia será cada vez más el pastor de una comunidad de comunidades, de movimientos y de otros grupos y debe privilegiar, como parte importante de su ministerio sacerdotal, su acción armonizadora y coordinadora de los variados ministerios y carismas.

Es vital que el Seminario forme a los futuros sacerdotes desarrollando en ellos la capacidad de diálogo al interior de la Iglesia, para que lleven bien a cabo su misión de regir, que compartirán subordinadamente con el obispo y que consiste en armonizar lo plural para que sirva a la unidad del pueblo de Dios en su misión fundamental de anunciar a Jesucristo a nuestros hermanos cubanos.

· Tanto los diáconos como las religiosas y religiosos no deben ser considerados ni considerarse ellos mismos como agentes pastorales supletorios en una situación de urgencia, rivalizando con desventajas, o aun con ventajas, con los presbíteros; sino que han de responder al llamado del Señor según su propio carisma y participar solidaria y complementariamente en el trabajo evangelizador que el obispo les asigne dentro de la pastoral de la Iglesia arquidiocesana.

Una seria formación del laicado para que pueda asumir tareas eclesiales como la animación de comunidades, o la catequesis de niños o de catecúmenos jóvenes o adultos y otros variados menesteres, así como para que su acción y su testimonio en el mundo sean coherentes con el Evangelio, es un reclamo urgente de la Iglesia en Cuba hoy.

Ante la búsqueda de valores espirituales y la apertura a la fe por parte de tantos cubanos, con el consiguiente crecimiento en número de nuestras comunidades eclesiales, no puede responderse solo con acogida y un primer anuncio de Jesucristo Salvador. Nuestras comunidades, integradas casi en su mayoría por nuevos miembros, muchos de ellos jóvenes, que han crecido prácticamente sin ninguna referencia religiosa en sus vidas, ignorando aún los elementos más simples de la cultura tradicional cristiana de Cuba y del mundo occidental, en el cual se encuentra enclavado nuestro país; necesitan una formación integral cristiana que les descubra tanto los valores que manan del Evangelio, como la misma grandeza y dignidad de la persona humana, su responsabilidad ante la vida, sus deberes como hijos de Dios con su prójimo y la calidad del testimonio que deben como seguidores de Jesucristo en la familia, en el trabajo, en la escuela y en la sociedad. Este es un momento de consolidación de la Iglesia, después de haberse superado en gran medida la etapa de inhibiciones, temores y perplejidades de los años precedentes.

Los invito, pues, queridos hijos, a dar un sentido muy eclesial a su oración por los presbíteros, que renueven hoy ante el obispo y ante todos ustedes sus compromisos sacerdotales para vivir en castidad, pobreza y obediencia eclesial su misión de colaboradores del obispo en la conducción del pueblo de Dios.

Pero recen no como simples beneficiarios del don del sacerdocio cristiano, por el cual los sacramentos de la Iglesia, especialmente la Eucaristía, santifican al pueblo fiel; recen también como colaboradores disponibles para llevar adelante con su obispo y sus sacerdotes la misión común a todo cristiano, aquella que Cristo confió a su Iglesia: proclamar ante el mundo un tiempo de gracia del Señor, anunciar a los pobres la salvación y a todo nuestro pueblo la esperanza. En una palabra, dar a conocer a Jesucristo, Hijo de Dios, Salvador.

Queridos sacerdotes: desbordados hoy por un quehacer pastoral que requeriría tres o cuatro veces más efectivos, sobrecargados por problemas de transporte, con su precioso tiempo perdido a menudo en preocupaciones domésticas: roturas, insuficiencias y dificultades de toda índole. Es cierto que el Señor nos ha bendecido con una cosecha abundante y nos conforta espiritualmente con tantas maravillas que ha obrado en favor de su Iglesia en Cuba, pero eso no quita que el sembrador se sienta a veces agotado, porque en algunos casos los reclamos de un mayor esfuerzo llegan después de años de esparcir incansablemente la semilla en tierra pedregosa en apariencia, o poblada de espinos, o simplemente porque esas dificultades y limitaciones, siempre superables con algún esfuerzo, duran ya sin variar demasiado tiempo y su acumulación produce cansancio.

Renovar sus compromisos sacerdotales es reencontrar la fuente fresca de la gracia sacramental del Orden; es buscar las fuerzas donde nosotros, los que hemos entregado nuestras vidas al Señor solo podremos hallarlas, en el Espíritu Santo, prometido por Jesús a sus apóstoles.

Y al tratar de fidelidad con Dios miremos con devoto amor a la Virgen fiel. Ella que comprendió pronto que «para Dios nada hay imposible» nos lo haga saber una y otra vez a nosotros, pobres servidores de Dios y de los hermanos. Así sea.

MISA CELEBRADA CON MOTIVO DE CUMPLIRSE EL CENTENARIO DE LA MUERTE EN COMBATE DE JOSÉ MARTÍ*

La celebración de la Santa Eucaristía nos reúne en vísperas del centenario de la muerte en combate del apóstol de nuestra independencia, precisamente en esta iglesia parroquial del Santo Ángel Custodio, a la cual cupo la dicha de ver renacer de su fuente bautismal a dos grandes de la Patria: el Padre Félix Varela y José Martí.

Por esta razón ha querido escoger la Conferencia de Obispos Católicos de Cuba este mismo templo, donde, por el agua y el espíritu, recibió Martí la vida nueva en Cristo que lo hizo hijo de Dios y miembro de la Iglesia, para honrar su memoria y ofrecer por él nuestras oraciones en este aniversario que significa tanto para todos los cubanos.

José Julián Martí, y Pérez, hijo de Don Mariano Martí y de Doña Leonor Pérez, fue bautizado por el Padre Don Tomás Sala y Figuerola el día 12 de febrero de 1853 en la iglesia del Santo Ángel Custodio.

---

* Parroquia del Santo Ángel Custodio, 18-V-1995.

Escueto resumen de una inscripción bautismal como cualquier otra, guardada celosamente en los Archivos de la iglesia Arquidiocesana^de La Habana, porque aquel niño, bautizado aquí hace 142 años, llegó a ser y lo será siempre el hombre emblemático de la nación cubana, su héroe, su Maestro, el apóstol y artífice de nuestra independencia, el que emprendió con alma de poeta, verbo encendido de orador magistral y pluma fácil, amena, sublime o encendida, según el lector a quien se dirigiera y la idea siempre brillante que la conducía, la tarea ingente de concitar voluntades y armar corazones para que la Patria dejara de ser sueño y empeño y se hiciera luminosa verdad.

La Patria, pasión avasalladora en la palabra martiana, amor totalizante en el corazón del apóstol.

¿Qué mejor homenaje al Maestro, en el centenario de su caída en Dos Ríos, que unir a nuestra oración por él una referencia emocionada a la Patria y una súplica al Señor por que llegue a concretarse para Cuba el sueño del apóstol?

Patria, tierra de los padres, es uno de los aspectos esenciales de la experiencia de un pueblo.

Algunos pueblos de la tierra han recibido la Patria como legado sereno, como herencia que se posee en una tranquilidad inmemorial. No es así para otras muchas naciones del mundo, que en su historia han incorporado experiencias heroicas en relación con la Patria, no solo al defenderla de ataques o invasiones, sino en su misma gestación.

Así, llena de incidencias excepcionales,se presenta la historia del pueblo de Dios en el Antiguo Testamento, que se inicia con un desarraigo: Abraham debe abandonar su tierra natal para ir a otro país del cual no sabe nada aún. En esta historia absolutamente singular es Dios quien anuncia descendencia y patria a un hombre que solo podía concebirlas como una promesa. Canaán, sitio de su nuevo asentamiento, estaba poblado por otros hombres; pero curiosamente, fiados en la promesa de Dios, Abraham y su descendencia sintieron aquel lugar como patria aún no plenamente poseída, aunque ya prometida. Así la siguieron soñando durante el tiempo en que, empujados por el hambre, habitan en Egipto, país que consideran siempre como tierra extranjera. Después del éxodo de Egipto, guiados por Moisés, cohesionados como pueblo por el sufrimiento y el largo peregrinar por el desierto y confirmados por la Alianza que Dios establece con ellos en el Sinaí, entran en Canaán, que se convierte en su propia tierra, en la tierra prometida, la que guarda la tumba de los padres y conserva ahora también el Arca de la Alianza.

Pero esta historia pasa de nuevo por el desarraigo. La invasión del gran imperio babilónico lleva al pueblo, deportado, al destierro. La dura experiencia del exilio aviva, sin embargo, el amor de los hebreos a su patria.

Junto a los ríos de Babilonia nos sentábamos y llorábamos, acordándonos de Sión; que se me pegue la lengua al paladar si no me acuerdo de ti, Jerusalén.

Allí comprende el pueblo de Dios que aquella catástrofe tiene por causa el pecado nacional y la patria lejana vuelve a ocupar un lugar central en su oración como promesa cumplida por Dios, pero arruinada por el pueblo que no fue fiel a la Alianza.

La historia de Israel se vuelve paradigmática para todos los que abrazamos la fe cristiana, porque de ese pueblo, con esa experiencia nacional única, nació Jesucristo Redentor. Quienes por cultura y fe participamos de la gran tradición judeocristiana vemos, como pueblo, reflejados y preanunciados en aquellos relatos bíblicos nuestros propios desarraigos, sueños, aspiraciones, exilios e infidelidades al legado de nuestros mayores.

¡Cuántas veces José Martí, conocedor de la Sagrada Escritura, habrá rezado por Cuba, llorado por Cuba, al recorrer las páginas del texto sagrado que hablaba de un exilio como el que él experimentaba, de un retorno a la Tierra prometida, como el que él anhelaba al pensar en su Patria. ¡Cuántas veces habrá experimentado que la Patria, Cuba, no era solo sueño, sino promesa que se cumpliría infaliblemente y cómo, seguramente, al asumir el tremendo oficio de redimir la Patria amada, habrá calculado que el premio cruel que espera a todo redentor es la Cruz.

Jesús amó a su Patria con todas las fibras de su corazón, tanto más que el suyo no era un país cualquiera, sino la tierra que Dios había dado en herencia a su pueblo. Su misión Él la desarrollaría sin salir prácticamente de los confines de su tierra, pero comprendía que su acción profética se convertía para sus compatriotas en un verdadero drama. Como en otro tiempo rechazaron a los profetas, ahora también la Patria de Jesús desdeña a quien viene a recordarles sus responsabilidades como pueblo llamado por Dios. En Nazaret, Jesús es desechado: «*nadie es profeta en su tierra*», dirá allí mismo el Señor.

Él sabe que va a Jerusalén, la capital nacional, para morir allí y cuando se acerca a ella llora sobre la ciudad culpable que no ha reconocido que Dios la visitaba (*Lc* 19, 41). «*Jerusalén, Jerusalén, ¡cuántas veces quise reunir a tus hijos como la gallina cobija a sus polluelos bajo sus alas pero tú no quisiste.*»

Me imagino cómo resultaría inspiradora para Martí la figura limpia y digna de Jesús. Cómo habrá sentido la cercanía del dulce profeta de Galilea, de aquel Maestro de maestros, cuando experimentó la incomprensión y aun el rechazo de muchos compatriotas, cuando comprendió que si venía a Cuba sería a morir y cuando, a pesar de todo, siguió adelante su tarea sin odios ni amarguras, anclado siempre en el amor, pues nunca se hizo el apóstol ilusiones fáciles con respecto a la lucha por la Independencia de nuestro país en cuanto a sus condiciones reales: Así aparece claramente en su carta a Máximo Gómez, de fecha 13 de septiembre de 1892:

«*Yo invito a Ud., sin temor de negativa, a este nuevo trabajo, hoy que no tengo más remuneración para ofrecerle que el placer del sacrificio y la ingratitud probable de los hombres.*»

Todo esto significó Patria para Martí. Una Patria que para nosotros, seguidores de Cristo, participa de ese misterio de muerte y vida que es el centro de nuestra fe y que celebramos gozosos en el tiempo de Pascua.

El nuevo pueblo de Dios que «no nace de la sangre, ni de querer de hombre» sino de la fe en Cristo y del agua bautismal, es la Iglesia. La Iglesia universal, abierta a toda raza y nación, católica, no suprime el enraizamiento de los hombres en una patria terrestre, como trataron de hacerlo algunas ideologías de este siglo. El amor a la Patria es siempre un deber para todo cristiano y es como una prolongación del amor a la familia.

Jesús amó entrañablemente a su Patria Israel y los cristianos de origen judío, como Pedro, Santiago, Juan y cualquiera de los apóstoles, también. Pero aquella patria de Israel ha perdido ya su significación sagrada para el discípulo de Jesús. Los israelitas eran hijos de la Jerusalén de la tierra, los cristianos somos hijos de la Jerusalén del cielo. Allá en lo alto, donde está Cristo a la derecha del Padre y a donde nos fue a preparar morada, alcanzaremos nuestra plena ciudadanía.

Mas esta no es una doble ciudadanía, porque las realidades del espíritu, aquellas que disfrutamos ya, como la pertenencia a la comunidad de fe y amor que es la Iglesia, o aquellas que son objeto de nuestra esperanza, como la plena participación con Cristo de «un cielo nuevo y una tierra nueva», no nos disputan el amor y el servicio a la patria terrena, al contrario, los potencian. No olvidemos la escena de los discípulos que el día de la Ascensión del Señor se quedan con la vista clavada mirando al cielo, a donde Jesús parece ascender, alejándose de ellos. De aquel aparente éxtasis los despierta la voz del ángel, del enviado de Dios que casi los reprende: «*israelitas, ¿qué hacen ustedes ahí plantados mirando al cielo?*». Ese Jesús que ahora ven partir vendrá de nuevo.

Y cuando venga el Hijo de Dios con sus ángeles convocará a todos los hombres y llamará a su derecha a algunos que Él proclamará «benditos de mi Padre» y los invitará a disfrutar del reino, «porque tuve hambre y ustedes me dieron de comer, tuve sed y me dieron de beber, estuve desnudo y me vistieron, enfermo y en la cárcel y me fueron a ver»... Y ¿cuándo, Señor, te vimos así, y te asistimos? «Cada vez que lo hicieron a uno de esos, los más pequeños, a mí me lo hicieron». La pertenencia a la gran familia que es la Iglesia, la esperanza de alcanzar el pleno disfrute de la Patria definitiva, no nos permite quedarnos plantados, mirando al cielo y mucho menos pasar de largo junto al hambriento, al desnudo, al oprimido o al olvidado, porque en cada humano que sufre vive misteriosamente Jesucristo.

Nuestro amor y adhesión a Él, nuestra mirada de esperanza hacia una convivencia humana superior, nos disponen para amar y servir a la Patria a un doble título, porque hemos nacido aquí y porque aquí nos ha plantado Dios para florecer plenamente en la eternidad feliz.

Qué bien viene recordar aquí un pensamiento de Martí en sus Escritos Europeos: «*Solo los seres superiores saben cuánto es necesario y racional la vida futura*» (Vol. II, pág. 1102) y en los Escritos mexicanos (Vol. II, pág. 691) se muestra el pensamiento de Martí con respecto a la religión y su relación con la comunidad humana: «*El culto es una necesidad para los pueblos. El amor no es más que la necesidad de la creencia: hay una fuerza secreta que anhela siempre algo que respetar y en que creer*».

Martí no concibió nunca que la fe religiosa apartara al hombre de sus tareas terrenas, sino todo lo contrario. Y así es de hecho. Nuestra fe, nuestra esperanza, nuestro amor cristiano nos comprometen al servicio de la Patria, amada con desinterés y hasta el sacrificio.

Qué urgente se hace hoy recordar sin ideologizaciones ni manejos de ningún género, resituándolo en su realidad esencial e histórica, el pensamiento de nuestros próceres.

Es necesario que se encuentre la metodología, que no puede ser otra que atender a su propia voz, para que José Martí sea escuchado, comprendido y amado por la generación actual, que solo conoce sus palabras convertidas en «refranes», pero ignora su pensamiento y sus sentimientos. A los hombres fundantes, como Martí, hay que darles simplemente la palabra.

En momentos en que tanto se obscurecen, sobre todo para los jóvenes, las razones válidas para amar a la Patria, hasta el punto que para no pocos de ellos el término que la expresa se vuelve obsoleto y su misma realidad desconocida, es necesario escuchar la voz clara y apasionada de Martí que vuelva a definirle a esta generación lo que es Patria. Esto, dolorosamente, también es necesario para nuestros jóvenes cristianos, porque, ¿quiénes son esos jóvenes sino los mismos que estudian en los centros de enseñanza, que trabajan o no trabajan, que deambulan por nuestras calles y que han venido a la fe, buscando sentido a sus vidas, carentes a menudo de esperanza?

Se impone una especie de catequesis patriótica, que haga descubrir a los niños, adolescentes y jóvenes de nuestras comunidades cristianas que la Patria es familia grande, que siempre tiene que ser amada, aunque haya culpas y defectos dentro de ella. A la Patria no podemos virarle la espalda. Escuchemos a modo de sentencia lo que dice al respecto Martí: *¡De la Patria puede tal vez desertarse, mas nunca en su desventura!*

Si en esta hora los católicos cubanos somos capaces de incorporar los valores patrios como parte de nuestra actitud de fe, estaríamos prestándole a Cuba nuestro mejor servicio, le daríamos a nuestra Iglesia un timbre de gloria al final de este milenio y honraríamos a Martí en el centenario de la ofrenda de su vida.

Que nuestra oración en el aniversario de su muerte incluya una súplica ferviente por Cuba. Que la Virgen de la Caridad recoja nuestra oración por la Patria y la presente a Jesucristo Su Hijo. Amén.

MISA CELEBRADA DURANTE SU VISITA A PUERTO RICO*

Queridos hermanos y hermanas:

El Señor me concede la oportunidad de visitar por vez primera la Isla del Encanto, tan parecida a la Perla de las Antillas en su paisaje y en su gente.

Los visito hoy a ustedes, como estoy haciendo en las diferentes diócesis de Cuba, en cuyas Catedrales, como en el Santuario de El Cobre, me repetían lo mismo que oí en Roma de labios de hermanos cubanos llegados de aquí mismo, de Miami, de España, o de New Jersey: Tú eres nuestro Cardenal.

En esa frase simple y llena de cariño hay una profesión de fe en la Iglesia, que es una y universal, católica; y hay también una declaración de cubanía: el Cardenal cubano lo es de ustedes como de los católicos de Cuba porque somos un solo pueblo, una sola nación en diáspora. Pero como un árbol, cuya sombra se extiende y sus frutos se recolectan en distintas ramas, tenemos las mismas raíces y circula en todas esas ramas la misma savia vital que nos hace ser y sentir cubanos.

¡Y qué mejor oportunidad para saludarnos que esta de

---

* San Juan, Puerto Rico, 25-V-1995.

reunirnos alrededor del altar del Señor! Él se hace siempre presente en la Eucaristía y, como en aquella primera Cena, nos vuelve a repetir su deseo: *«que todos sean uno», «que en eso conozcan todos que ustedes son mis discípulos, en que se aman unos a otros».*

Siempre cumplimos dos mandatos de Jesús en cada celebración eucarística: el mandato de hacer esto en memoria suya, para que el ser humano, débil y sin fuerzas, se alimente del pan del cielo y el mandato de amarnos como Él nos amó, hasta dar la vida por quienes amamos.

Y de amor entre cubanos tratamos aquí, a los pies de la Virgen de la Caridad, nuestra Patrona, que desde su altar de El Cobre invita a todos los cubanos, a los de nuestra tierra y a los que viven lejos de la Patria, a la reconciliación, a la paz, al amor.

De amor entre cubanos tratamos también en este año 1995 en que se cumple el centenario de la caída en combate del apóstol de nuestra Independencia, José Martí, heredero indiscutible del pensamiento cristiano de Mendive, de Luz y Caballero y del Padre Félix Varela.

José Martí, que colocó el amor en la cima de su obra literaria y patriótica, un amor alimentado en la fuente pura del Evangelio de Jesucristo; con ese amor él cultiva rosas blancas para sus amigos y para sus enemigos.

Es consolador saber que, en el quehacer fundante de la Patria, el apóstol incansable que se propuso aunar voluntades para lograr la independencia de Cuba se presenta siempre como un abanderado del amor.

Que nuestra celebración de hoy sea un homenaje de amor a Cuba, nuestra Patria, y también un homenaje al Maestro en el centenario de su caída en Dos Ríos, con una súplica al Señor por que llegue a concretarse para Cuba el sueño del apóstol.

Patria, tierra de los padres, es uno de los aspectos esenciales de la experiencia de un pueblo.

Algunos pueblos de la tierra han recibido la Patria como legado sereno, como herencia que se posee en una tranquilidad inmemorial. No es así para otras muchas naciones del mundo, que en su historia han incorporado experiencias heroicas en relación con la Patria, no solo al defenderla de ataques o invasiones, sino en su misma gestación.

Así, llena de incidencias excepcionales se presenta la historia del pueblo de Dios en el Antiguo Testamento, que se inicia con un desarraigo: Abraham debe abandonar su tierra natal para ir a otro país del cual no sabe nada aún. En esta historia, absolutamente singular, es Dios quien anuncia descendencia y patria a un hombre que solo podía concebirlas como una promesa. Canaán, sitio de su nuevo asentamiento, estaba poblado por otros hombres; pero curiosamente, fiados en la promesa de Dios, Abraham y su descendencia sintieron aquel lugar como patria aún no plenamente poseída, aunque ya prometida. Así la siguieron sonando durante el tiempo en que, empujados por el hambre, habitan en Egipto, país que consideran siempre como tierra extranjera. Después del éxodo de Egipto, guiados por Moisés, cohesionados como pueblo por el sufrimiento y el largo peregrinar por el desierto y confirmados por la Alianza que Dios establece con ellos en el Sinaí, entran en Canaán, que se convierte en su propia tierra, en la tierra prometida, la que guarda la tumba de los padres y conserva ahora también el Arca de la Alianza.

Pero esta historia pasa de nuevo por el desarraigo. La invasión del gran imperio babilónico lleva al pueblo deportado al destierro. La dura experiencia del exilio aviva, sin embargo, el amor de los hebreos a su patria.

Junto a los ríos de Babilonia nos sentábamos y llorábamos, acordándonos de Sión; que se me pegue la lengua al paladar si no me acuerdo de ti, Jerusalén.

Allí comprende el pueblo de Dios que aquella catástrofe tiene por causa el pecado nacional y la patria lejana vuelve a ocupar un lugar central en su oración como promesa cumplida por Dios, pero arruinada por el pueblo que no fue fiel a la Alianza.

La historia de Israel se vuelve paradigmática para todos los que abrazamos la fe cristiana, porque de ese pueblo, con esa experiencia nacional única, nació Jesucristo Redentor, Quienes por cultura y fe participamos de la gran tradición judeo-cristiana vemos, como pueblo, reflejados y preanunciados en aquellos relatos bíblicos nuestros propios desarraigos, sueños, aspiraciones, exilios e infidelidades al legado de nuestros mayores. Pero para todos los cubanos que viven lejos de nuestra amada isla, cuánto significado cobra la Palabra revelada cuando habla de destierro, cuando canta la añoranza de la Tierra prometida.

¡Cuántas veces José Martí, conocedor de la Sagrada Escritura, habrá rezado por Cuba, llorado por Cuba, al recorrer las páginas del texto sagrado que hablaba de un exilio como el que él experimentaba, de un retorno a la Tierra prometida, como el que él anhelaba al pensar en su Patria. ¡Cuántas veces habrá experimentado que la Patria, Cuba, no era solo sueño, sino promesa que se cumpliría infaliblemente y cómo, seguramente, al asumir el tremendo oficio de redimir la Patria amada, habrá calculado que el premio cruel que espera a todo redentor es la Cruz.

Jesús amó a su Patria con todas las fibras de su corazón, tanto más que el suyo no era un país cualquiera, sino la tierra que Dios había dado en herencia a su pueblo. Su misión Él la desarrollaría sin salir prácticamente de los confines de su tierra, pero comprendía que su acción profética se convertía para sus compatriotas en un verdadero drama. Como en otro tiempo rechazaron a los profetas, ahora también la Patria de Jesús desdeña a quien viene a recordarles sus responsabilidades como pueblo llamado por Dios. En Nazaret, Jesús es desechado: *«nadie es profeta en su tierra»*, dirá allí mismo el Señor.

Él sabe que va a Jerusalén, la capital nacional, para morir allí y cuando se acerca a ella llora sobre la ciudad culpable, que no ha reconocido que Dios la visitaba (*Lc* 19, 41). *«Jerusalén, Jerusalén, ¡cuántas veces quise reunir a tus hijos como la gallina cobija a sus polluelos bajo sus alas pero tú no quisiste»*. Qué gran amor a la Patria debe albergar el discípulo de Jesucristo en su corazón y cuán obligados estamos a preocuparnos por ella, a orar incesantemente por ella.

Me imagino cómo resultaría inspiradora para Martí la figura limpia y digna de Jesús que amó así a su tierra. Cómo habrá sentido la cercanía del dulce profeta de Galilea, de aquel Maestro de maestros, cuando experimentó la incomprensión y aun el rechazo de muchos compatriotas, cuando comprendió que, si iba a Cuba, sería a morir y cuando, a pesar de todo, siguió adelante su tarea sin odios ni amarguras, anclado siempre en el amor, pues nunca se hizo el apóstol ilusiones fáciles con respecto a la lucha por la Independencia de nuestro país en cuanto a sus condiciones reales: Así aparece claramente en su carta a Máximo Gómez, de fecha 13 de septiembre de 1892:

«Yo invito a Ud., sin temor de negativa, a este nuevo trabajo, hoy que no tengo más remuneración para ofrecerle que el placer del sacrificio y la ingratitud probable de los hombres.»

Todo esto significó Patria para Martí. Una Patria que para nosotros, seguidores de Cristo, participa de ese misterio de muerte y vida que es el centro de nuestra fe y que celebramos en este tiempo de Pascua.

El nuevo pueblo de Dios que «no nace de la sangre, ni de querer de hombre» sino de la fe en Cristo y del agua bautismal, es la Iglesia. La Iglesia universal, abierta a toda raza y nación, católica, no suprime el enraizamiento de los hombres en una patria terrestre, como trataron de hacerlo algunas ideologías de este siglo. El amor a la Patria es siempre un deber para todo cristiano y es como una prolongación del amor a la familia.

Jesús amó entrañablemente a su Patria Israel y los cristianos de origen judío, como Pedro, Santiago, Juan y cualquiera de los apóstoles, también. Pero aquella patria de Israel ha perdido ya su significación sagrada para el discípulo de Jesús. Los israelitas eran hijos de la Jerusalén de la tierra, los cristianos somos hijos de la Jerusalén del cielo. Allá en lo alto, donde está Cristo a la derecha del Padre y a donde nos fue a preparar morada, alcanzaremos nuestra plena ciudadanía.

Mas ésta no es una doble ciudadanía, porque las realidades del espíritu, aquellas que disfrutamos ya, como la pertenencia a la comunidad de fe y amor que es la Iglesia, o aquellas que son objeto de nuestra esperanza, como la plena participación con Cristo de «un cielo nuevo y una tierra nueva», no nos disputan el amor y el servicio a la patria terrena, al contrario, los potencian. No olvidemos la escena de los discípulos que el día de la Ascensión del Señor se quedan con la vista clavada mirando al cielo, a donde Jesús parece ascender, alejándose de ellos. De aquel aparente éxtasis los despierta la voz del ángel, del enviado de Dios que casi los reprende: «*israelitas, ¿qué hacen ustedes ahí plantados mirando al cielo*». Ese Jesús que ahora ven partir vendrá de nuevo. Y cuando venga el Hijo de Dios con sus ángeles convocará a todos los hombres y llamará a su derecha a algunos que Él proclamará «benditos de mi Padre» y los invitará a disfrutar del reino, «porque tuve hambre y ustedes me dieron de comer, tuve sed y me dieron de beber, estuve desnudo y me vistieron, enfermo y en la cárcel y me fueron a ver»... Y ¿cuándo, Señor, te vimos así, y te asistimos? «Cada vez que lo hicieron a uno de esos, los más pequeños, a mí me lo hicieron». La pertenencia a la gran familia que es la Iglesia, la esperanza de alcanzar el pleno disfrute de la Patria definitiva, no nos permite quedarnos plantados, mirando al cielo y mucho menos pasar de largo junto al hambriento, al desnudo, al oprimido o al olvidado, porque en cada humano que sufre vive misteriosamente Jesucristo.

Nuestro amor y adhesión a Él, nuestra mirada de esperanza hacia una convivencia humana superior, nos disponen para amar y servir a la Patria y hay cabida en ese amor para esos otros lugares como esta hermosa isla de Puerto Rico, que abre sus puertas y los corazones de su pueblo, para acogernos como en nuestra propia casa.

El parecido de esta naturaleza pródiga a la nuestra y la presencia de tantos hermanos cubanos en medio de ella trae a mi mente lo que el Papa Pío XII nos dijo hace tiempo a los cubanos.

Cuando se celebró en La Habana el Congreso Eucarístico Nacional del año 1947, el Papa Pío XII envió un mensaje radial que para muchos resultó incompresible. El Papa hacía alusión a la belleza de la naturaleza en Cuba y a la abundancia en que vivíamos los cubanos. Con palabras parecidas a estas hablaba el Papa Pío XII: «Ustedes se sienten orgullosos, y con justa razón de haber nacido en la que alguien llamó "la tierra más hermosa que ojos humanos vieron", en la "Perla de las Antillas", pero, y aquí venía la advertencia del Santo Padre: «en esa misma bondad del clima, en esa exuberancia y placidez, se anida el peligro». Y continuaba el Papa: «me parece ver que por el tronco altivo de su palma real, que se mece con donaire, se desliza la serpiente tentadora que les dice: "¿Por qué no comen? Serán como Dios"», y añadía el Papa: «si no hay en ustedes una vida sobrenatural fuerte, la derrota será segura».

El Papa Pío XII hacía alusión a un pueblo aparentemente satisfecho y despreocupado que no se daba cuenta de los grandes desafíos de la historia y no comprendía que aquella bonanza pasaría cuando volviera a bajar el precio del azúcar, que los cimientos de la Patria no estaban terminados de forjar, que teníamos todos una gran responsabilidad nacional.

Sí, queridos hermanos, no nos dimos cuenta. Pero no es la hora de inculpar a nuestros antepasados, sino de examinar ante Dios nuestras conciencias. Después de tantos avatares, después que de manera trágica parece haberse cumplido aquella extraña predicción de Pío XII, nosotros los cubanos de hoy, los de dentro y fuera de Cuba, ¿nos damos cuenta al fin de que no podemos encerrarnos cada uno en nuestro mundo, sino que con un corazón desprendido, nunca satisfecho, debemos buscar el bien de todos?

La tarea de la Iglesia en esta hora, como en todo momento, es la de convocar voluntades, despertar conciencias, para que nadie se sienta nunca seguro y satisfecho, mientras que su hermano está necesitado, triste o aquejado por variados sufrimientos.

La pregunta actual que todos debemos hacernos es: ante este llamado al amor, a la reconciliación, a la búsqueda de caminos de paz, ¿permaneceremos unos y otros indiferentes?, ¿nos parecerá el lenguaje de la Iglesia, del Evangelio, tan extraño como pareció a los cubanos del año 47 el mensaje del Papa Pío XII? ¿Nuestra historia reciente y actual nos habrá sacado por fin a los cubanos de nuestra suficiencia, de este «creernos los mejores», o «tener cada uno la verdad», que no nos permite a veces abrirnos a la comprensión y dejar que triunfe el amor?

¿O podremos por fin acoger el llamado de Jesucristo en el Evangelio y hacernos sencillos de corazón para poder apostar a la esperanza?

Cuando terminaba la audiencia que el Papa Juan Pablo II dio a los obispos cubanos y al numeroso grupo de fieles de todas las diócesis de Cuba que nos acompañaron al consistorio, el Santo Padre hizo un breve aparte con los obispos en la puerta de la sala donde nos dirigió la palabra y nos dijo rápidamente, como en sentencia, dos cosas: la Iglesia tiene que trabajar, tiene que seguir trabajando, y agregó: Acuérdense de la Virgen.

Como un mandato profético debemos acoger todas y cada una de estas breves palabras dirigidas personalmente por el Sucesor de Pedro a los obispos de Cuba.

Pero ¿cuál es el trabajo que debemos hacer? Así le preguntaron los discípulos a Jesús. Respuesta del Señor: que conozcan al Padre y a su enviado Jesucristo.

Conocer, en el lenguaje bíblico (cuando se trata de una persona), significa entrar en profunda intimidad con ella. En ese sentido decimos también en español que nadie conoce a un hijo mejor que su madre.

Nuestro pueblo no conoce a Jesucristo: la gran mayoría de los que viven en Cuba, nuestros hermanos que están en Guantánamo y muchos de los que viven fuera de nuestro país no conocen al Señor.

Nuestro gran escritor Don Fernando Ortiz, narrando la entrada en La Habana, en los primeros días de enero del año 1959, del Ejército Rebelde, describía el acontecimiento haciendo esta referencia muy especial. Con palabras parecidas decía Don Fernando: «Contemplando el desfile de aquellas huestes barbiluengas hay un personaje de mármol extranjero, recién llegado, que mira con tristeza hacia un pueblo que jamás lo ha conocido» (Se refería a la estatua del Cristo de La Habana, colocada a la entrada de la Bahía unos días antes de finalizar el año 1958).

El pueblo cubano es creyente en más del 85%, según encuesta reciente hecha oficialmente en Cuba. Tiene respeto a Dios y algunos poseen una noticia vaga acerca de Jesús; pero los cubanos estamos necesitados de esa vida espiritual sólida a la que se refirió Pío XII, para no fracasar como pueblo. Hoy por hoy, nuestra cohesión como nación dispersa y dividida en sus opiniones y modos de pensar, debe hacerse en Jesucristo y en la opción por los valores que nos propone el Evangelio.

Ese es el trabajo evangelizador que la Iglesia tiene que hacer ahora dentro y fuera de Cuba con el pueblo cubano dondequiera que se encuentre.

Cristo debe ser conocido y amado, para que pueda ser seguido en su doctrina de amor, de reconciliación, de paz. Para que, descubriendo en Él la verdad, la verdad nos haga libres, con esa libertad del corazón cristiano, libertad de los hijos de Dios, que solo Cristo Salvador nos puede dar y que nadie nos puede quitar.

Con el Evangelio de Jesucristo entra la paz en los corazones, en la familia, en la sociedad, aprendemos el valor de la vida y del trabajo, cómo hacer uso de los bienes materiales y lo que es servir al prójimo. En fin, se abre una puerta a la solidaridad, a la esperanza y a la alegría.

Para todo esto escuchemos la otra recomendación del Papa Juan Pablo II: No se olviden de la Virgen. No nos olvidemos de la Virgen de la Caridad y tengamos oídos atentos como cubanos, como católicos, a su palabra que nos encamina a Cristo: «Hagan lo que Él les diga». ¡Virgen de la Caridad, que la dicha de seguir a Cristo, que trae todas las demás, sea la de tu pueblo en Cuba y en cualquier parte! Así sea.

MISA CELEBRADA EN LA CATEDRAL DE ST. MARY*

En la Fiesta de la Ascensión del Señor, que la Iglesia celebra desde las vísperas de este domingo VII de Pascua, Dios me concede la alegría de poder concelebrar la Santa Eucaristía con mis hermanos el Sr. Arzobispo de Miami Mons. John Clement Favarola, su obispo auxiliar Mons. Agustín Román y con tantos hermanos en el sacerdocio, muchos de ellos cubanos, algunos amigos de muchos años, otros a quienes no he tenido la oportunidad de tratar con frecuencia; sobre todo aquellos que sintieron el llamado del Señor en estas tierras y aquí lo sirven, pero unidos todos por entrañables lazos de fraternidad que se anudan en Cristo, verdadero, eterno y único sacerdote.

La presencia de religiosos y religiosas entre ustedes, quie-

---

* Miami, 27-V-1995.

nes enriquecen la Iglesia con sus carismas propios, es para mí motivo de gratitud, por el significado de la vida consagrada para la comunidad eclesial y porque algunas de las congregaciones presentes hoy aquí han trabajado o trabajan en Cuba.

Están también los diáconos, sus esposas, sus familias, que prestan un inestimable servicio a la comunidad cristiana y agradezco de veras su participación. La presencia de los laicos que integran diversos movimientos, algunos de los cuales desarrollan su acción en Cuba, como el Movimiento Familiar Cristiano, el de la Renovación en el espíritu y otros, me llena también de regocijo.

Quiero saludar de modo especial a los hermanos de las diversas confesiones cristianas a quienes nos une un particular afecto en Cristo Jesús y a los hermanos del pueblo de la Promesa y de la Alianza, hermanos hebreos que comparten también con nosotros esta oración de alabanza al único Dios de cielo y tierra. Agradezco vivamente la presencia de todos. aquí hay seguramente católicos de La Habana, de Matanzas, de Pinar, de Camagüey, de Holguín, de Santiago de Cuba, de Santa Clara o de Cienfuegos.

Hay muchos lazos particulares que nos estrechan a todos; además de nuestra fe común en Dios. Son los lazos del recuerdo, del amor, o incluso de la cercanía o de la simpatía por nuestra tierra. En este día, ella nos convoca de manera especial.

Sirve de vía propicia para esta convocación el hecho de que el Papa Juan Pablo II haya decidido otorgar a nuestra Iglesia en Cuba el alto honor de estar representada en el Colegio de Cardenales por el Arzobispo de La Habana y que este tenga la magnífica oportunidad de visitarlos.

Desde el momento en que el Santo Padre me incorporó al Sacro Colegio, me propuse visitar las diócesis de Cuba y también a los católicos cubanos que residen fuera de nuestro país. Este proyecto fue recibido con calor por mis hermanos obispos de los lugares donde se asientan grandes núcleos de cubanos y, gracias a su acogida y sus cuidados en preparar un programa para el muy poco tiempo disponible, tengo yo la posibilidad de estar aquí y de brindarles también a ustedes la ocasión de un encuentro diferente. Diferente por las motivaciones de mi visita y por las razones de la presencia de ustedes en esta Eucaristía.

Hacía ya 31 años que Cuba no tenía un Cardenal. La designación de un Cardenal Cubano llega en los momentos en que la Iglesia de Cuba vive, como don maravilloso del Señor, una eclosión de fe en nuestro pueblo. Lo llamo don de Dios porque ninguno de los condicionamientos que tiene la Iglesia para su acción pastoral en Cuba ha cambiado sustancialmente en estos últimos años. Por ejemplo, no hubo más posibilidades de comunicar el mensaje de Cristo a nuestro pueblo pues no se ha producido un acceso a los medios de comunicación social ni mucho menos a las escuelas primarias u otros centros de enseñanza; pero ha aumentado de manera notoria la receptividad de los cubanos al mensaje del Evangelio y existe una búsqueda de verdad, de amor, de valores espirituales, una auténtica sed de Dios, que lleva a muchos a retornar a la fe. Otros encuentran, por vez primera en sus vidas, al Señor Jesús que les sale al paso para colmar el vacío existencial que llevaban en sus corazones y que tantos experimentan. Entre estos descuellan los jóvenes, por su número y por la calidad de su andadura espiritual.

La nuestra en Cuba es una Iglesia de reconciliados, de conversos, de catecúmenos que hacen el aprendizaje del amor cristiano. Una Iglesia de pocos medios, que vive lo esencial, que tiene que cumplir el mandato misionero de Jesús, yendo literalmente a anunciar al Señor a todos los cubanos, llamando a cada puerta, a cada corazón, para responder así a los apremiantes reclamos de tantos hermanos nuestros. Esto lo hacemos con muy pocos sacerdotes, diáconos, religiosas y con la participación de un buen número de laicos en la acción pastoral. Es una Iglesia desbordada en su misión de sembrar paz y amor en las almas de muchos de nuestros compatriotas.

Esa Iglesia, con sus características de fidelidad al Señor y al Vicario de Cristo en la tierra, de unidad entre obispos, sacerdotes y fieles, capaz de acoger al que retorna maltrecho y arrepentido a su seno materno, servidora en el amor de los necesitados que llaman a su puerta, sean quienes sean, anun-

ciadora de una buena noticia que lleva luz y esperanza a
nuestros hermanos, una Iglesia así es la que el Papa Juan Pablo II quiso enaltecer al nombrar un cardenal cubano. A dondequiera que voy me siento, pues, representante de esa Iglesia que llama, que congrega, que une alrededor de Cristo y su
Vicario y de los pastores del rebaño del Señor, a todos nuestros hermanos que buscan en sus vidas caminos de fe y esperanza.

Por esto me propuse visitarlos desde el momento mismo
de mi investidura cardenalicia, pues estoy convencido en el
Señor que esa misma acción convocadora, congregante, generadora de unidad y ciertamente reconciliadora, debe alcanzar a todos los cubanos creyentes en Cristo en cualquier sitio
que se encuentren.

¿No es esa justamente la palabra diferente que tiene que
decir la Iglesia al mundo? Jesucristo debe salir con su mensaje al encuentro del hombre actual como acontecimiento
novedoso. Es lo que el Papa Juan Pablo II llama en su exhortación postsinodal «*Christifideles laici*» la novedad cristiana.

¿En qué consiste esa irrupción novedosa de la persona de
Jesús en la vida de los pueblos? En la posibilidad de acoger
un mensaje que pueda transformar la vida de los hombres.
Los hombres han estructurado sistemas políticos, sociales y
económicos de contornos definidos y a veces antagónicos. El
más reciente de los choques de sistemas ha sido entre el comunismo y el capitalismo. Una vez que se produjo la debacle
del llamado «socialismo real» emerge triunfante, como un estilo global en la gestión económica internacional y al interior
de las naciones, la economía de mercado. Sin embargo, en su
encíclica «*Centesimus annus*» en la cual el Santo Padre describe los males del ateísmo marxista, el Papa Juan Pablo II
pone a las naciones y hombres públicos en guardia frente al
riesgo de confiar el progreso de la humanidad únicamente a
las leyes ciegas del mercado, sin ningún tipo de control sobre
sus mecanismos, lo cual puede crear situaciones de miseria y
opresión en los sectores más desfavorecidos de la población.

El razonamiento de algunos que reaccionaron desfavorablemente a este llamado del Santo Padre fue que la Iglesia
criticó el comunismo y ahora criticaba la economía de mer-

cado, ¿cuál es entonces la propuesta del Papa? La Iglesia no es una simple opositora del comunismo, la Iglesia no es tampoco una simple aliada de la economía liberal de mercado. Pero la Iglesia no está tampoco en el medio de esas dos concepciones extremas, ofreciendo su propio sistema, porque el Evangelio de Jesucristo, su mensaje salvador a los hombres, no se ubica en el mismo plano donde se enfrentan o se alían los sistemas humanos.

La Iglesia es depositaria e intérprete de la Palabra de Dios y su actuación se sitúa en la conciencia del hombre a quien se dirige para recordarle que en el mundo que le ha sido confiado por el creador para que, como rey de la creación, someta a su inteligencia y voluntad «*las aves del cielo, los peces del mar y todo lo que vive sobre la tierra*» él no tiene un dominio absoluto, sino subordinado a su Dios y Señor. Este amoroso dominio de Dios incluye la primacía de la ley del amor al prójimo explicitada de modo admirable por Jesucristo. Si el hombre responde éticamente al llamado de la Iglesia, a través de una acción humana y cristiana animada por el Evangelio, puede temperar las medidas extremas, teniendo en cuenta siempre al más desvalido y sin olvidar la dignidad intrínseca de la persona humana.

Esta voz de Dios debe ser escuchada personal y colectivamente para que el mandato supremo del amor triunfe, pues, de no ser así, la humanidad, arrastrada por el pecado, subvierte el plan establecido por Dios nuestro Padre y nacerán entonces la arbitrariedades, y el hermano odiará a su hermano, Caín matará a Abel, y se «venderá al pobre por un par de sandalias», al decir del profeta Amós.

Esa fue precisamente la lucha de los profetas en Israel: hablar de parte de Dios a las conciencias de los hombres para que cambien su comportamiento, no solo en lo personal individual, sino de cara a la comunidad donde viven. Esa es la misión profética de la Iglesia, la que Ella debe cumplir bajo cualquier sistema, la que tantos sufrimientos le ha traído en los países comunistas, la que tanta oposición o crítica le acarrea en muchos países democráticos, cuando defiende la vida y se opone al aborto, al hedonismo o a la eutanasia. Este es el verdadero enfrentamiento, no entre la Iglesia y tal o cual teoría económica o sistema político, sino entre el mensaje de Jesucristo que viene de lo alto y lo que el evangelista San Juan llama el espíritu del mundo.

«*Ustedes no son del mundo*» (*Jn* 15, 19) –dice Jesús–, «*si fueran del mundo, el mundo amaría lo suyo, pero, porque no son del mundo, sino que yo los escogí del mundo, por eso el mundo los aborrece... Si el mundo los aborrece, sepan que me aborreció a mí primero*».

¿Cuál es ese mundo del cual habla Jesús? Porque hay un mundo por el cual Cristo da la vida. «*Tanto amó Dios al mundo que le envió a su Hijo para que el mundo se salve por Él.*»

El mundo con el cual no puede pactar el cristiano es el mundo del poder, de las fuerzas ciegas del dinero, del disfrute sin límites del placer, de la utilización del prójimo como un instrumento. Es, en fin, el mundo del pecado, que se cierra a la acción de Dios.

¡Cuán desafiante es ese mundo ambiguo para el cristiano! Hoy, en la fiesta de la Ascensión, ¡qué gran tentación de quedarnos plantados mirando al cielo!, sin intervenir en esa lucha, que nos atemoriza a veces, entre el mundo iluminado por la luz de Cristo, «*Yo soy la luz del mundo*» y ese otro mundo de tinieblas marcado por el mal, que no reconoce a su salvador. «*Vino a los suyos y los suyos no lo conocieron*». Con qué prontitud olvidamos aquellas palabras definitivas de Jesús: «*No teman, yo he vencido al mundo*».

La indecisión para optar claramente por el mundo iluminado por Cristo, al que hay que salvar y no condenar, frente al mundo circunscrito a «este mundo» produce en nosotros la tibieza, la incapacidad para aceptar el espíritu del Evangelio, que contiene como ley nueva y fundamental ese amor incondicional que pide Jesús a los suyos.

Podemos imaginar el estado de ánimo en que muchos seres humanos, incluso algunos discípulos de Jesús, escuchan esta palabra del Señor: «*ama a tu enemigo, reza por quien te persigue, para que seas hijo del Padre celestial, que hace salir todos los días el sol para buenos y malos y manda la lluvia a santos y pecadores. Porque si ustedes aman a los que los aman, ¿qué mérito tienen? eso lo hacen también los malos*». He ahí la novedad cristiana, lo que hace la diferencia. Este es el verdadero antagonismo entre el pecado y la virtud, entre el amor y el odio, entre el bien y el mal. Ante una palabra como esta de Jesús, que es la invitación más desconcertante que Él nos dirige: «*al que te pegue en una mejilla, preséntale la otra*» reaccionarán de modo muy parecido un marxista leninista y un hombre de negocios de convicciones democráticas y librepensador: ambos coincidirán en rechazar ese estilo como inaceptable, propio de tontos o de débiles. «*Aquel día se pusieron de acuerdo Herodes y Pilato*», dice el Santo Evangelio cuando relata la pasión de Jesús.

Solo quien cree en Jesucristo, Hijo de Dios, y lo ama, puede aceptar ese reto. Sí, esta es la novedad desestabilizante del cristianismo cuando se vive a fondo. De este modo, tú mismo quedas desestabilizado por Jesucristo en tus falsas seguridades, hechas de fuerza y de poder, y desarmas a la vez al adversario, que se queda sin enemigo, que se da cuenta de que él mismo se envilece si sigue golpeando a quien le presenta el otro lado de su rostro.

Cuba tiene la dicha, que es la de muy pocos pueblos, de que el hombre que resume el pensamiento de nuestros próceres, aportándole su idea luminosa para hacerlo el ideario fundante de la Patria, nuestro José Martí, haya puesto el amor como centro y cima de su obra patriótica. Martí desechó el odio como fuerza negativa y su pensamiento, de indiscutible matriz cristiana, tiene su expresión privilegiada en el más sencillo y profundo de sus versos, «*cultivo una rosa blanca en junio como en enero, para el amigo sincero que me da su mano franca*» Hasta aquí esto hubiera podido decirlo cualquier otro poeta.

Lo que sí es diferente y sabe a redención, a amor sufrido, a perdón, a Evangelio son los versos que siguen: «*y para el cruel que me arranca el corazón con que vivo cardo ni oruga cultivo, cultivo una rosa blanca*». Esta es nuestra gloriosa versión cubana de «*poner la otra mejilla*».

Siempre ha hecho falta valentía para seguir este camino, en la Cuba de antes y en la Cuba de ahora, pero también aquí y dondequiera que el creyente en Jesucristo tome en serio el Evangelio y se decida a vivir su fe cristiana.

Esa valentía es la que nos hace conquistar la libertad, la verdadera libertad interior, la de los hijos de Dios, que se afianza en la Palabra de Cristo y en la verdad. Jesús decía a los judíos que habían creído en él: «*Si permanecen en mi palabra, serán de veras discípulos míos y conocerán la verdad y la verdad los hará libres*» (*Jn* 8, 31-32).

Y cuánto necesitamos los cubanos esa libertad que no se alcanza por vivir en un sitio o en otro, sino por vivir en Cristo y en la verdad.

Permítanme que les narre una historia real de pocos años atrás que me fue contada en Roma por un predicador europeo que dirigía un retiro a hombres jóvenes hispanos en la zona de New York.

Este Padre tiene una forma muy dinámica para hacer que los jóvenes reflexionen sobre su vida, siguiendo la palabra de Dios. No les da una charla, sino les manda a leer un pasaje de la Biblia y a descubrir en él lo que Dios les quiere decir según alguna pregunta que el sacerdote les ha entregado. Cada joven irá a ver privadamente al Padre y conversará con él de su respuesta.

Había en aquel retiro unos veinte jóvenes de distintos países de América Latina. Entre ellos, había un cubano. El predicador les mandó leer el relato del Éxodo, la liberación del pueblo hebreo que Dios hizo por medio de Moisés cuando los sacó de Egipto, La pregunta que todos personalmente, después de media hora de reflexión, debían contestar, era: ¿de qué tengo yo que dejarme liberar por Dios?

Pasado el tiempo reglamentario, todos fueron a comentar sus respuestas con el sacerdote: uno habló de su egoísmo, que lo tenía aprisionado, otro del sexo, dos o más del alcohol, alguno mencionó la droga, otro su exagerada afición por el deporte que le hacía perder la Misa del domingo.

Le llegó el turno a nuestro cubanito y... nada, él, gracias a Dios, estaba en Cuba y sus padres lucharon mucho por salir y ya hacía ocho años que estaba aquí, por lo tanto está liberado. El predicador quedó muy impactado de esta respuesta y por eso me la refería detalladamente. ¿No será este un joven emblemático de muchos otros jóvenes cubanos de aquí y de Cuba y aun de muchos cubanos de cualquier edad?

¿Ha conquistado la verdadera libertad, la libertad propia de los hijos de Dios el que la hace depender solamente de las condiciones externas, sin que repare en lo que le atenaza el propio corazón?, ¿es –por ejemplo– libre el que odia? Esta es una de las grandes tareas que los cristianos cubanos de Cuba y de acá debemos emprender juntos: encontrar en la palabra de Jesús y en su verdad la libertad interior que nos haga transitar unidos por los caminos del amor y la reconciliación, alumbrando, en medio del propio peregrinar de nuestro pueblo, allá y aquí, destellos ciertos de esperanza.

Cuba necesita del abrazo fraterno de los cristianos cubanos, que sea como fermento de reconciliación y anuncio de paz en el seno de nuestro pueblo de los dos lados del estrecho floridano. La misión de la Iglesia es propiciar ese abrazo, anhelar el reencuentro y suplicarlo día a día al Señor.

Esta celebración diferente, donde Cristo resucitado nos ha salido al paso, como en cada Pascua y, antes de ascender a los cielos, nos confió la misión de ser portadores de una buena noticia a todos los hombres, debe afianzarnos en esas propuestas exclusivamente cristianas, que no tienen que ver con los falsos valores del mundo, que se asientan en la Palabra de Jesús y en la verdad y que nos dan un corazón libre. No nos quedemos fijos mirando al cielo, Jesús que asciende, victorioso, nos preguntará un día qué hemos hecho del amor que Él nos dejó.

A la Virgen de la Caridad confiamos los frutos de esta visita, que no deben ser otros que la comprensión, el acercamiento y la solidaridad en el amor entre todos los cubanos.

Que Nuestra Señora de la Caridad del Cobre bendiga a nuestro pueblo.

PALABRAS EN LA ERMITA DE LA CARIDAD*

Queridos hermanos y hermanas:
Nos reunimos para honrar a María, Madre de Jesucristo y Madre nuestra, que es venerada y amada por el pueblo cu-

---

* Miami, 27-V-1995.

bano con el título tan entrañable para todos nosotros de Virgen de la Caridad.

Todavía no éramos pueblo, todavía Cuba era un conjunto de caseríos, algunos de ellos más poblados que otros y las selvas inmensas y frondosas llenaban toda la isla, cuando tres buscadores de sal hallaron flotando, en la gran Bahía de Nipe, una imagen pequeña y morena, unida de algún modo a una tabla, que hoy carcomida se guarda en la Basílica y Santuario de El Cobre. Entonces se podía leer claramente en ella: «YO SOY LA VIRGEN DE LA CARIDAD».

En el mismo hallazgo de la imagen bendita de María recibíamos los cubanos el título con el cual quería Dios que fuera honrada por todo nuestro pueblo a través de los tiempos, la Madre del Salvador.

Y desde entonces, durante más de trescientos años, los cubanos han mirado hacia el oriente de Cuba, soñando siempre con visitar a la Virgen y, cuando lo hemos logrado, nos proponemos siempre volver a verla.

El Santuario de El Cobre recoge la historia cordial, dolida, agradecida, triste o gozosa del pueblo de Cuba.

Fue El Cobre el lugar de Cuba donde los esclavos obtuvieron su libertad, mucho tiempo antes que la ley que terminó con aquella inicua institución fuera promulgada. Es como si quienes estaban cerca de la casa de la Madre no pudieran vivir en cautiverio.

Cuando España acepta su derrota en la guerra de Independencia, y los mambises no pueden desfilar junto al ejército norteamericano que entra triunfante en Santiago de Cuba, el General Agustín Cebreco convoca al ejército mambí para que vaya a El Cobre y allí en una Misa celebran nuestros patriotas la victoria que era suya.

En todas las ocasiones difíciles, los cubanos han vuelto sus ojos a la Virgen de la Caridad. ¡Ella había acompañado a nuestros patriotas en los campos de batalla y por eso en el año 1915 los veteranos de la Independencia encabezados por el General Jesús Rabí piden al Papa Benedicto XV que proclame a la Virgen de la Caridad Patrona de Cuba. En el año 1936, la Virgen de la Caridad fue coronada por el entonces Arzobispo de Santiago de Cuba Valentín Zubizarreta.

En mi visita a la Basílica, la primera que hice en Cuba después de celebrar en la Catedral de La Habana, el Arzobispo de Santiago, mi querido hermano Mons. Pedro Meurice, quiso que usara la casulla que llevó el día de la Coronación el Arzobispo Zubizarreta. Ningún sacerdote u obispo la había usado más. Sobre ella quiso que luciera la cruz pectoral que llevó a todos los rincones de la Arquidiócesis de Santiago de Cuba aquel misionero incansable que amó a Cuba y a la Virgen de la Caridad como pocos cubanos, Mons. Enrique Pérez Serantes.

Ese pastor de gran talla física y espiritual pensó siempre que la evangelización de Cuba pasaba forzosamente por la Virgen de la Caridad y así lo dijo en varias ocasiones. Qué sabias y ciertas han sido sus apreciaciones. Cómo hemos comprobado el papel de la Virgen en las misiones que hemos realizado en las distintas diócesis de Cuba por el 5° Centenario de la Evangelización. La imagen de la Virgen peregrina reunía a su paso por las iglesias y capillas del campo y la ciudad a miles de cubanos que le rezaban, le cantaban y la colmaban de flores.

Las imágenes misioneras de la Virgen de la Caridad visitan sin cesar las casas de muchísimos cubanos, que esperan su turno para recibirla y la familia y los vecinos se reúnen el día que está en la casa y le rezan con devoción.

La celebración eucarística que presidí en El Cobre a los pies de nuestra Madre, cubierto por aquellos símbolos que tanto tienen que ver con la historia de la Iglesia en nuestra Patria, se convertía toda ella en signo para la generación presente y en hito para las generaciones futuras. Signo de la continuidad de la Iglesia, fiel a su misión de sembrar el evangelio en nuestra tierra, siguiendo el testimonio de los buenos pastores que Dios ha dado a nuestro pueblo. Hito, por las circunstancias históricas en que se celebraba aquella hermosa liturgia, precisamente cuando el Papa Juan Pablo II daba su respaldo de supremo Pastor a la acción pastoral de nuestra Iglesia, nombrando cardenal al Arzobispo de La Habana, hijo de ese mismo pueblo cubano, Él venía a poner este nuevo servicio a la Iglesia y a la Patria a los pies de la Virgen de la Caridad, en una hora de gracia para la fe cristiana, cuando nuestros hermanos abren sus corazones a Dios en busca de sentido para sus vidas, sedientos de valores espirituales, necesitados no solo de pan material, sino de «*toda palabra que sale de la boca de Dios*».

Los recuerdos que guarda el Santuario de El Cobre en sus ofrendas y ex-votos no son solo los de los grandes acontecimientos que jalonan la historia de la Iglesia y de Cuba; es, como dije al principio, la historia popular del pueblo de Cuba y valga la redundancia.

Allí está la muleta que alguien dejó al dar sus primeros pasos después de un accidente, está el salvavidas firmado por todos los marinos de un mercante cubano que naufragó y se hundió en el Atlántico Sur hace algunos años, los grados militares de altos oficiales del ejército, las insignias, por centenares, de quienes terminan su servicio militar, hay tierra de Angola y de Etiopía y tierra de la región oriental, que el astronauta cubano llevó al cosmos y trofeos deportivos de las olimpiadas y cartas ingenuas a la Virgen de muchachas que le dan gracias a la Madre por haber dejado atrás una vida no buena. Hay cartas de madres que piden por sus hijos, que no saben dónde están. Hay verdaderos testimonios de fe y de conversión sinceras.

Cuando en años pasados parecía que la historia de la fe en Cuba se había interrumpido, que el ateísmo con su sombra opaca cubría los corazones, en el Santuario de El Cobre esa historia continuaba y sus protagonistas seguían siendo los mismos: nuestro pueblo y la Virgen de la Caridad.

Por eso no es extraño que haya una ermita dedicada a la Virgen de la Caridad en Miami y que haya una iglesia o parroquia con especial devoción a la Virgen de la Caridad dondequiera que hay un grupo significativo de cubanos.

Como el Santuario de El Cobre en nuestras montañas orientales, todo templo católico que congrega a los cubanos para rendirle culto a la Virgen Madre de Dios y Madre Nuestra debe estar marcado por el signo del amor, título con el cual Dios entregó a María al pueblo cubano.

A esta ermita acuden los cubanos que llegan a estas tierras, también ella puede contar la historia del pueblo cubano de este lado del mar. Ese mar que se torna amenazador en los

huracanes e inmenso e interminable cuando tantos hermanos nuestros se han lanzado a cruzarlo. ¡Cuántos testimonios
del corazón recoge aquí la Virgen de la Caridad de quienes rezaron agradecidos a sus plantas por haber llegado!

Cuántas oraciones desoladas y tristes de las familias de
Cuba y de acá ha recibido la Virgen por quienes perecieron
en el fatal intento.

Virgen de la Caridad, Patrona de Cuba,
Madre de todos los cubanos:
Atiende la oración de tus hijos en este día.
Más que en otras ocasiones,
hoy sentimos la fuerza unificadora de tu presencia.
Cuando tú flotas sobre el mar,
él deja de ser oscuro y proceloso.
Cuando tu imagen bendita se alza sobre las aguas
                                    embravecidas,
releemos anhelantes, entre las nubes que te rodean,
el título que indica tu misión,
la que el Dios de cielo y tierra te contó
al hacernos el regalo de tu sonrisa tierna, como de niña:
«Yo soy la Virgen de la Caridad».
Tú eres la Virgen del amor.
Seguros de tu protección, las aguas tormentosas se tornan
limpias, tranquilas y serenas,
como cuando tu Hijo, Jesucristo, anduvo sobre ellas con
                                    paso firme.
Y se abre ante nosotros, como espacio de esperanza,
este mar cercano que baña con sus aguas las costas de
                                    aquí y de allá
Madre de todos los cubanos.
cuando este mar se agite y se vuelva amenazante,
levanta los ojos de nuestro corazón hasta ti
y muéstranos a Jesús, el fruto bendito de tu vientre que
                                    traes en brazos.
No dejes nunca que el estruendo de las olas traicioneras
                                    de las pasiones
nos impida escuchar la voz de tu hijo
que nos repite siempre el mismo mandato:
Ámense unos a otros como yo los he amado.

Llámanos la atención como madre buena,
vuelve a darnos tu consejo de Caná: «Hagan lo que Él les
diga».
Para que llegue el tiempo de la reconciliación
y de la paz para Cuba y para todos los cubanos.
Virgen de la Caridad, ruega por nosotros.

Amén

MISA CELEBRADA EN LA UNIVERSIDAD DE SANTO TOMÁS*

Queridos hermanos y hermanas:

Desde el momento en que el Papa Juan Pablo II me impuso el birrete que me señalaba como el segundo cardenal de la historia de nuestra Patria, venir a encontrarme con la comunidad de los cubanos del sur de la Florida formó parte de mi programa de visitas a mis hermanos cubanos de dentro y fuera de nuestro país.

En Roma, cubanos que peregrinaron conmigo desde Cuba para participar en el consistorio y otros que fueron desde la Florida, New Jersey, California, España, Puerto Rico o Venezuela, revelaban con su sola presencia que la nación cubana está ampliamente extendida fuera de las fronteras de su insularidad y que su pertenencia a ella es vivida con intensidad por los cubanos que residen en distintas regiones del mundo, hasta el punto de sentir con sus hermanos de Cuba, y como algo propio, la alegría de que el Papa Juan Pablo II haya nombrado un cardenal cubano.

La presencia de ustedes, aquí como en Roma, habla también por sí misma de la posibilidad que tenemos los cubanos de encontrarnos cuando nos reúne un ideal noble, capaz de levantar los corazones por encima de mediocridades, disputas domésticas o actitudes de recelo, a pesar aún de las hondas heridas causadas por situaciones históricas difíciles, e incluso dolorosas, que no pasan sin dejar huellas profundas en muchas vidas.

Este factor congregante que he llamado «ideal» yo lo re-

* Miami, 28-V-1995.

470

fiero a una realidad trascendente, es decir, capaz de superarnos a todos, a ustedes y a mí, que nos relativiza a todos. Porque muchas virtudes tenemos como pueblo los cubanos, pero también algunos defectos. Uno de ellos puede ser nuestra aparente suficiencia, que nos hace, por ejemplo, expresarnos unos frente a otros en términos absolutos. Díganme si no les resulta familiar una frase como esta: (Chico, tú estás completamente equivocado). Es así como podemos responder, con toda naturalidad, a la primera frase que nos dirija alguien despistado o desconocedor de un tema o que exprese simplemente una opinión diferente a la nuestra. Y como esas otras: nunca podré estar de acuerdo contigo, tú no sabes nada de eso, etc. ¡Cuánta necesidad tenemos los cubanos, como pueblo, de relativizar nuestra situación y de relativizarnos también cada uno de nosotros mismos, de modo que seamos capaces de encontrarnos y hacerlo para expresarnos nuestro amor de hermanos, para ahondar en nuestras raíces comunes, para sentir como un solo pueblo. Esa fraternidad se ha vuelto entre nosotros una cima no fácil de escalar. Por eso tenemos que mirar muy alto, único modo de evitar el vértigo que produce el giro rápido y repetido de los acontecimientos a nuestro alrededor.

La historia antigua y reciente de la nación cubana ha contribuido seguramente a reforzar nuestros sentimientos de reafirmación como pueblo y como personas.

Una muestra de lo que ha sido nuestra historia lo son ustedes mismos. No ha sido fácil la vida del cubano que vino a asentarse en estas tierras, o que fue a vivir a otros lugares lejos de su país. No era un simple emigrante quien llegaba aquí en busca de trabajo. Sí, evidentemente necesitaba trabajo y techo, pero se trataba además, en el caso de ustedes, de hombres y mujeres, adolescentes, niños o ancianos, que al llegar aquí sabían que dejaban detrás sus bienes, sus afectos, su Patria, con un carácter trágico de definitividad.

Salir de Cuba significaba entonces no retornar más a ella. Un inmenso abismo de incomunicación se establecía entre ustedes y los que habían quedado atrás, haciendo aún más dura la adaptación a las nuevas condiciones de vida. Aquel modo radical de quedar separados del suelo patrio dio a la emigración cubana, desde el mismo principio de la década del 60, un carácter de exilio.

De ahí el esfuerzo ingente que ustedes han realizado para conservar todo lo nuestro: tradiciones, lengua, costumbres, manifestaciones artísticas. Cómo se ha trabajado en estas décadas para redescubrir raíces, para perfilar los contornos de nuestra identidad nacional, para decirle al mundo que ustedes siguen siendo cubanos.

Y todo este quehacer lo fue emprendiendo cada hombre, cada familia, comenzando muy abajo, pidiendo quizá una moneda para hacer la primera llamada telefónica que les permitiera salir del aeropuerto.

En un tiempo relativamente corto, con mucho trabajo e innumerables sacrificios, han llegado a construir ustedes una comunidad económicamente «pujante» que, por otra parte, ha brindado en sus escritores, artistas, investigadores, y en los frutos de sus producciones, un aporte tal a la cultura cubana, que en el futuro será imposible escribir la historia de Cuba sin estudiar la contribución que han hecho a ella los cubanos que en estos años han vivido fuera de nuestro país.

No es menos cierto que llevamos a Cuba con nosotros dondequiera que estemos y que el ser cubanos comporta cargar también con nuestras viejas querellas, con el bagaje menos interesante de recuerdos tristes y dolorosos. Al tener que desarrollar las virtudes que nos ayudan a reafirmarnos frente a lo adverso, es común que se exacerben también los defectos que, en el reverso de la medalla, acompañan a toda virtud. Así, si nuestro esfuerzo por mantenernos firmes es constante y prolongado podemos llegar a cierta intolerancia o dureza en nuestras posiciones. Por esto es imprescindible encontrar la clave cristiana de interpretación de la realidad y el modo de expresión que le es connatural. Por eso he querido que esta visita se desarrolle en un clima de celebración cristiana, porque Cristo es el único que puede relativizar nuestros puntos de vista, nuestras miradas unilaterales, nuestras ansias justas o desproporcionadas.

Con ocasión de mi nombramiento para el Sacro Colegio muchos han hablado del Cardenal de Cuba como puente tendido entre las islas de una nación en diáspora. Pero no es el

Cardenal, es la Iglesia quien representa una singular entidad espiritual que condivide la experiencia de los cubanos de Cuba y del exterior desde dentro de ambas realidades, con un particular vínculo de fraternidad, y dándole a quien deja la Patria prácticamente la única posibilidad de continuidad, porque el amor de Dios, la fuerza transformadora del Evangelio, la paz y la verdad que Cristo nos dejó, son los mismos aquí y allá, porque la Virgen de la Caridad vela por su pueblo con amor de madre dondequiera que hay un cubano. Es cierto que el Santo Padre Juan Pablo II, al llamarme a formar parte del Colegio de Cardenales, ha puesto en evidencia, cualificándola, la misión de la Iglesia de Cuba dentro y fuera del país, pero es nuestra pertenencia eclesial la que crea lazos, la que tiende puentes, la que mantiene una comunicación, y todo esto fundado en el amor cristiano que, al decir de Pablo, supera toda filosofía y no en otros intereses.

Esta es misión propia de la Iglesia y ella puede cumplirla en la medida en que es fiel al estilo de su Señor, a su metodología del amor como camino de superación de todas las crisis, a su dialéctica del sacrificio que redime y de la muerte que da vida. Para el servicio de esa Iglesia sacrificada y reconciliadora me ha llamado el Papa Juan Pablo II al Colegio de Cardenales, para reafirmar nuestra fe y nuestra esperanza en Cristo resucitado, vencedor del mal, del pecado y de la muerte.

En efecto, en ese misterio de muerte y vida se articulan el dolor, lo adverso y lo incomprensible y esa es la manera propia que tiene Jesús de triunfar sobre el mundo. Como nos dice la carta a los Hebreos: «*Cristo, en el tiempo de su vida mortal, con gritos y con lágrimas suplicó al que podía librarlo y fue escuchado*». Pero ¿cómo fue escuchado Jesús si el Padre lo dejó alzado entre cielo y tierra en lo alto de la cruz? Si allí experimentó toda la desolación del corazón humano hasta exclamar: «*Dios mío, Dios mío, ¿por qué me has abandonado?*».

No, el Padre no oyó a Jesús según el modo propio de los sumos sacerdotes y de los notables del pueblo de Israel que decían: «*Si es el Hijo de Dios que lo libre, que lo baje de la Cruz*». Pero lo escuchó llenándolo de fuerza para llevar la ofrenda de su vida hasta su consumación total y poder decir: «*Todo está cumplido*».

Jesús cumplió lo que había suplicado en su oración del huerto: «*Padre, si es posible aparta de mí este cáliz, pero que se haga tu voluntad y no la mía*». Y el Padre concedería a Jesucristo un triunfo que no se inscribe en el orden esperado de los acontecimientos, sino que entra en ese otro proyecto que es el designio de Dios, solo conocido por Él, que solo Dios puede llevar a término: Jesús se levantó victorioso del sepulcro. Su resurrección es la palabra definitiva de Dios.

Esto fue una piedra de tropiezo para los discípulos de Jesús. Ellos tuvieron que hacer un largo recorrido en el seguimiento de Cristo para dejar a un lado, cada uno de ellos, sus propios senderos: Pedro su fogosidad, Santiago sus cálculos, Tomás su incredulidad, todos su miedo, su incomprensión de que el reino de Cristo no es de este mundo. Cuántos valores nuevos debieron incorporar a sus vidas, qué duro le había resultado a alguno de ellos el aprendizaje en la escuela del amor, cuando trató de poner límites al perdón y le preguntó al Maestro las veces que debía perdonar al hermano. Qué impaciente y poco confiado el otro que le dijo al Señor: no nos hables más del Padre, muéstranoslo y nos basta, ¡qué interesados los que discutieron entre sí sobre los puestos que ocuparían en el Reino! Aun en el mismo momento antes de ascender al cielo le preguntaban a Jesús cuándo iba a restaurar la soberanía de Israel. (Hablaban de política.)

Dos mentalidades, dos lenguajes, dos claves distintas de interpretación del mundo y de la historia: una terrena, humana, si se quiere necesaria; otra la del hombre que asciende a los cielos, sublime como Él mismo, imprescindible al hombre y a la mujer de fe, que nos hace levantar la mirada a lo alto, no para quedarnos plantados mirando al cielo, sino para que todo lo terrenal quede resituado en su verdadera dimensión; para que no hablemos solo ni siempre, ni en primer término, el lenguaje de los intereses, de los gustos o preferencias, de los criterios propios, característico de este mundo de horizonte cerrado, que es el del humano sin referencia a Dios.

En su carta a los Efesios, Pablo suplica «*que el Dios del*

Señor Nuestro Jesucristo, el Padre de la gloria, les dé espíritu de sabiduría y revelación para conocerlo. Que ilumine los ojos de su corazón para que comprendan cuál es la esperanza a la que los llama...». Esta oración yo la hago mía por el pueblo cubano de aquí y de allá.

Es saber esto lo que nos abre ante nosotros nuevas perspectivas y nos devuelve la alegría de vivir. *«Ellos regresaron a Jerusalén con gran alegría y estaban siempre en el templo bendiciendo a Dios.»* Los ángeles les habían pedido que no se quedasen plantados mirando al cielo y ellos volvieron a mirar a la tierra, pero ya con otros ojos. Nadie que ha fijado de veras su mirada en Jesucristo puede volver a contemplar la vida siguiendo el modo habitual de ver los acontecimientos.

«Porque ese Jesús que ahora ven partir vendrá de nuevo». Y cuando venga el Hijo de Dios con sus ángeles convocará a todos los hombres y llamará a su derecha a algunos que Él proclamará «benditos de mi Padre» y los invitará a disfrutar del Reino, «porque tuve hambre y ustedes me dieron de comer, tuve sed y me dieron de beber, estuve desnudo y me vistieron, enfermo y en la cárcel y me fueron a ver»... Y ¿cuándo, Señor, te vimos así y te asistimos? «Cada vez que lo hicieron a uno de esos, los más pequeños, a mí me lo hicieron».

Vale la pena traer a la memoria dos referencias de José Martí a la fe religiosa: *«Solo los seres superiores saben cuánto es necesario y racional la vida futura»* (Escr. Eur. Vol. II, pág. 1102); *«el culto es una necesidad para los pueblos. El amor no es más que la necesidad de la creencia: hay una fuerza secreta, que anhela siempre algo que respetar y en qué creer»* (Escr. Mex. Vol. II, pág. 691).

Los cubanos estamos conmemorando este año el centenario de la muerte en combate de José Martí, apóstol y artífice de nuestra Independencia. En su pensamiento, de indiscutible raigambre cristiana, él establece una relación de necesidad entre la fe religiosa y el amor.

Es otro modo de expresar lo que el mensaje bíblico de este domingo de la Ascensión nos ha presentado: que quienes fijamos los ojos de la fe en el Cristo del cielo debemos mirar con amor a los hermanos en la tierra, especialmente a los pobres y a los que sufren.

Varias razones, pues, tenemos los cubanos para sentirnos invitados al amor, que debe producir la unidad y la paz en todos los que integramos nuestra nación, dondequiera que estemos: Primero, nuestra tradición cristiana y aun nuestra fe en Jesucristo que quiere que nos amemos unos a otros y que así sepan todos que somos sus discípulos.

Otra especial razón para que los lazos del amor unan a nuestro pueblo es la de tener como apóstol de nuestra independencia a José Martí, quien en su obra patriótica levanta como estandarte el amor y lo exalta de muchos modos en su creación literaria y poética. Ese amor que le hace cultivar rosas blancas para sus amigos y para sus enemigos.

Un amor que Martí considera como instrumento privilegiado para comprender la vida, la historia y el hombre mismo, que es para él una especie de sentido exclusivo del corazón humano para percibir la realidad: *«es el amor quien ve»*…, sentenciará el Maestro.

Es consolador saber que el artífice de la libertad de Cuba, aquel que plasmó con su pensamiento el contorno y el talante de la Patria, al desplegar su misión de aunar voluntades para alcanzar la libertad de nuestra nación, lo haya hecho como un abanderado del amor. Por eso, en este año en que se cumple el centenario de su muerte, todo cubano tiene que examinarse sobre el lugar que ocupa el amor en su relación con la Patria. Amor que Martí sembró como semilla en la tierra cubana, regada con su propia sangre.

Dejemos la palabra al Maestro que habla de su siembra: *«Todos los árboles de la tierra se concentrarán al cabo en uno, que dará en lo eterno suavísimo aroma: el árbol de tan robustas y copiosas ramas, que a su sombra se cobijarán sonrientes y en paz todos los hombres».*

Queridos hermanos y hermanas: En esta etapa de nuestra historia nacional tenemos que redescubrir esa fuerza bienhechora del amor, que al decir de la 1ª Carta a los Corintios, *«no lleva cuentas del mal, se goza con el bien, todo lo aguanta, todo lo espera».*

La razón que más emocionalmente nos toca, con sentido patriótico y cristiano a la vez, para que el amor de hermanos supere todas nuestras divisiones como pueblo es la protección amorosa de la Madre de Jesús, la Virgen de la Caridad, nuestra Patrona, que Dios nos quiso entregar precisamente con ese dulce título: *Nuestra Señora del Amor.*

Ella ha congregado siempre, desde los albores de nuestra nación, a todos sus hijos en los momentos alegres y en las horas de tristeza y de dolor. Su sola imagen, que es también un símbolo de la Patria, invita al perdón, a la reconciliación y a la paz entre todos los cubanos.

Por todas estas razones, mi visita a ustedes y toda otra que haga a los cubanos en cualquier parte del mundo se hace bajo el signo del amor. No podría ser otro el mensaje que les dejara un sacerdote de Jesucristo, un Obispo, un Cardenal de la Iglesia. Si no repitiera incansablemente ese llamado al amor no sería fiel al Señor Jesús, ni al pensamiento fundante de la patria, que se expresa en el Padre Varela y en José Martí, ni podría cobijarme bajo el manto de la Virgen de la Caridad del Cobre, que abraza a todos sus hijos cubanos por igual.

Queridos hermanos cubanos: si por la fe católica somos de veras capaces de fijar nuestra mirada en Cristo, de forma que podamos relativizar las incidencias buenas o malas de nuestra historia, si dejando a un lado suficiencias chocantes tanto los de aquí como los de allá, empezamos a darnos un testimonio de humildad recíproca, entonces sí estaríamos en condiciones de responder a la vocación al amor para la cual Dios ha dotado singularmente al cubano, pues somos un pueblo afable, acogedor, cariñoso y desprendido. Como cristianos, estaríamos cumpliendo así nuestros compromisos bautismales, viviendo como verdaderos hijos de Dios que aman a sus hermanos y como cubanos seríamos fieles al legado de los fundadores de la Patria, ante todo, de nuestro José Martí, en cuya obra y acción hay un continuo reclamo de amor entre los hijos de nuestro pueblo.

Queridos hermanos y hermanas: que todos podamos merecer la Madre que Dios quiso darnos en la Virgen María de la Caridad. A Ella una vez más, en nuestro peregrinar como nación, le pedimos que reine el amor entre todos los cubanos.

MISA CELEBRADA EN LA CATEDRAL DE SANTIAGO DE CUBA*

Queridos santiagueros:
Hace solo unas horas visitaba a nuestros hermanos cubanos que viven en Puerto Rico y en el sur de la Florida, hoy me encuentro con ustedes aquí. Todos estos desplazamientos no tienen otra razón de ser que poner bien en alto la misión propia de la Iglesia, que es congregar a sus hijos para que ofrezcan a Dios la alabanza de su amor fraterno.

El Papa Juan Pablo II quiso dar en mi persona un Cardenal a la Iglesia de Cuba y, desde el momento en que se conoció la noticia, todos los católicos cubanos se unieron en la alegría y la gratitud al Señor y al Santo Padre. Creo que esto marca de manera especial mi servicio a la iglesia como miembro del Colegio Cardenalicio. Así lo experimenté en Roma, al verme rodeado en el consistorio por católicos de todas las diócesis de Cuba y de las distintas partes de América y de España donde hay grandes núcleos de cubanos.

La unidad de la Iglesia, su capacidad de congregar en el amor, quedaron evidenciadas allí y también quedó delineado el sentido de mi actuación como Cardenal. Yo era el Arzobispo de La Habana, pero los cubanos de todas parte me recibían como su Cardenal. Esto me compromete queridos santiagueros, a compartir con ustedes mis alegrías y preocupaciones, mis anhelos y tristezas en relación con esta Iglesia que sirvo y amo, que es razón de mi vida y debe ser fuente de paz y esperanza para todos los cubanos.

Termino esta vez en Santiago mi visita a la región oriental. Santiago es toda evocación de luchas antiguas y más recientes. Cuna de patriotas, cuya enumeración y los hechos de sus vidas llenan centenares de páginas de nuestra historia. Como exponente de todos ellos basta citar al eximio General Antonio Maceo. Como en Bayamo, en Santiago, la Patria se siente y cuánto necesitamos los cubanos hoy sentir la Patria y amarla con todos los sacrificios que sean necesarios.

Celebrar en esta Catedral, junto a mi querido hermano, el Arzobispo primado de Cuba, Mons. Pedro Meurice, es revivir

* 4-VI-1995.

la presencia de aquel gran pastor, conocedor del cubano, amante apasionado de Cuba y de su pueblo. Mons. Enrique Pérez Serantes, es ponernos en su escuela de Misión y Catequesis para continuar, con más bríos, todo lo que en Cuba queda por hacer.

Celebra la Iglesia la fiesta del Espíritu Santo y he venido a celebrarla, porque era una deuda pendiente esta visita, aquí en la región oriental de Cuba. Fue la primera tierra cubana que pisé, después de ser recibido, como Cardenal de la Iglesia, en La Catedral de La Habana. Vine en aquella ocasión a visitar a la Madre de todos los cubanos, la Virgen de la Caridad de El Cobre. A darle gracias, a poner mi nuevo servicio eclesial entre sus manos, a pedirle por Cuba.

Muchos de ustedes, con sacrificios de todo tipo, se dieron cita en El Cobre aquella mañana radiante del mes de enero en que su querido Arzobispo y querido hermano en el episcopado, Mons. Pedro Meurice, multiplicó sus gestos de atención y afecto para conmigo. Así quiso el Arzobispo primado de Cuba que llevara aquel día, para la celebración eucarística, los ornamentos sagrados con que fue coronada la Virgen de la Caridad hace casi sesenta años y que nadie más había usado después, la cruz pectoral del inolvidable arzobispo Enrique Pérez Serantes; que lució en su pecho lleno de amor a Cuba y a la Virgen de la Caridad aquel misionero infatigable cuando recorría incesantemente los pueblos y campos de esta inmensa diócesis, proclamando la Palabra salvadora de Jesucristo a nuestros hermanos y el báculo de pastor del obispo Morell de Santa Cruz, insigne prelado y el primer conocedor de Cuba y de su historia.

Todos aquellos signos me entroncaban con lo mejor de la vida eclesial cubana, con su historia, donde descuellan hombres de gran relieve humano y cristiano y hablaban por sí solos de esa continuidad de la Iglesia en el tiempo, que no es un simple durar.

La Iglesia es un organismo vivo, que perdura transformándose en plena fidelidad a su Señor y transformando el medio que la rodea; es una realidad histórica y un edificio eterno. Los ecos de su ayer se sienten hoy con proyección de mañana y de eternidad.

La Iglesia no es discernible, si no se considera la fe que anima su actuación, no puede ser analizada con criterios meramente sociológicos, no es posible tener sobre la comunidad de los creyentes en Cristo enfoques meramente políticos. La psicología o la antropología en general fallan si pretenden abarcar globalmente, y solo como fenómeno estudiable, la vida de la Iglesia, su acción, su influjo; porque la Iglesia es también y ante todo: proyecto de Dios, querer de Dios, propósito entrañable del corazón de Cristo, misterio de amor del Redentor, que brota de su costado abierto en la Cruz.

Sin descubrir esta cara interna, profunda, espiritual de la Iglesia, nadie la puede comprender ni en su esencia ni en su quehacer.

Gran desafío este para los primeros discípulos de Jesús y para nosotros. «*El que es de Dios, oye mi voz*» –había dicho Jesús–, pero dijo también: «*no a todos se les ha dado a entender los misterios del reino de Dios*». En su evangelio repite con frecuencia el Señor: «*quien tenga oídos para oír que oiga*». Por lo tanto, no a todos podemos exigirles que comprendan la verdad sobre la Iglesia y el amor que ella vive y enseña y, sin embargo, a todos debemos anunciarles la buena noticia de la salvación e invitarles a integrar la comunidad de los seguidores de Jesús, porque es mandato del Señor: «*Vayan al mundo entero y hagan discípulos de todos los pueblos*».

Verdad sublime que muchos no entienden, misterio de amor que nosotros cristianos, a pesar de nuestros límites y pecados, debemos anunciar a todos nuestros hermanos, ese es el mensaje que proclama la Iglesia. Para esta tarea sobrehumana, Jesucristo asegura a sus discípulos que estará con ellos siempre, hasta el fin del mundo. «*Yo no los dejaré huérfanos –dice el Señor–* ... «*El Espíritu Santo, que el Padre enviará en mi nombre, ese se lo enseñará todo y les traerá a la memoria todo lo que yo les he dicho... el Espíritu de la verdad los guiará hasta verdad completa... Él me glorificará porque tomará de lo mío y se lo dará a conocer.*»

Jesucristo no deja a su Iglesia en la orfandad, Él mismo la acompaña por medio de su Espíritu, que pone en las mentes y los corazones de sus discípulos los pensamientos y sentimientos de Cristo, que nos recuerda y aclara todo lo que Él enseñó, de modo que podamos proclamar, con sus palabras, a los hombres y mujeres de nuestro tiempo, la verdad que los hará libres, una justicia que no es la de los letrados y fariseos y un amor diferente, que trasciende toda filosofía.

Pero los discípulos de Jesús que, desde el día de la Resurrección del Señor, recibieron el Espíritu Santo prometido, permanecieron por un tiempo como sin saber el modo de proceder. Estaban seguros del triunfo de Cristo sobre la muerte, habían estado con Él, lo habían visto y oído. Sabían que debían ir al mundo entero y comunicar aquella buena noticia a toda criatura, pero ¿cómo hacer, por dónde empezar?, si además eran mal vistos de los judíos y se sentían vigilados y como cercados por los mismos que habían llevado a la Cruz a su Señor y que no querían oír hablar de que estaba vivo porque había resucitado.

Y acudían asiduamente a la oración con María la Madre de Jesús. Ella está en la gestación de la Iglesia, en la espera de dar a conocer al mundo a Jesucristo su Hijo, como estuvo en la espera callada del Mesías, que en su seno se hacía parte de nuestra humanidad. En Nazaret, cuando María le dio su sí al ángel, ya ella sabía que el Mesías prometido había sido enviado. Y fue así la Virgen de la Esperanza, que solo aguardaba que el Dios-con-nosotros se manifestara a su pueblo.

Al pie de la Cruz, cuando la lanzada del soldado atravesó el costado de su hijo bendito y a ella le traspasó el alma, María sabía que ya había nacido de aquel pecho abierto y sangrante de amor, la nueva humanidad redimida. Como Eva había sido sacada por Dios del costado de Adán mientras dormía un profundo sueño, la Iglesia, comunidad de salvados por Cristo, brotaba también, de aquella herida abierta en el costado del Señor que se durmió, rendido de sufrimiento, en el madero de la Cruz. «*De su costado salió agua y sangre*», dice el evangelista San Juan.

Por el agua del bautismo, que purificaría a muchos, y la sangre de la Eucaristía que santificaría a la multitud, nacería y se extendería la Iglesia y María tuvo que ser otra vez la Virgen de la Esperanza: todo lo había cumplido Dios en su Hijo Jesucristo, pero había que aguardar el momento de su manifestación al mundo.

Ella conoció la noticia de la resurrección antes que todos y supo que se había aparecido a los suyos y les había dado su espíritu y siguió acompañando a los discípulos en la fe y en la oración en espera de la manifestación del poder de Dios. Mientras, todos se reunían asiduamente con las puertas cerradas por temor a los judíos.

Y estando reunidos en el día de Pentecostés, se produjo un ruido como de viento impetuoso que estremeció la casa donde se encontraban y lenguas de fuego, aquel fuego del amor que Jesús quería traer a la tierra para que ardiera, se posaron sobre sus cabezas y los aterrorizados discípulos rompieron su silencio, abrieron las puertas, dejaron el miedo y comenzaron a hablar las maravillas de Dios en ese lenguaje del corazón que todo el mundo entiende, aunque se hablen lenguas diversas. Había comenzado la misión de la Iglesia en el mundo. Ya los discípulos no tenían que preguntarse más qué hacer y cómo hacer; ahora sabían que el Espíritu Santo pondría en sus bocas la palabra oportuna, arriesgada, cautivante, que los hombres de toda raza y nación podrían comprender, que él les daría la fuerza para seguir venciendo la inhibición y el miedo, que el mismo espíritu los haría salir a las plazas públicas y a los cruces de camino para repetir hasta el cansancio y aun hasta la muerte: Jesucristo es el Hijo de Dios, el Salvador, nadie sino Él trae amor y paz al corazón humano; él nos amó hasta el extremo, murió en la Cruz, resucitó y nos da su Espíritu Santo, que transforma nuestras vidas y nos libra del temor y del encierro.

Tú estás invitado a ser uno de los suyos, de los nuestros y a ir también por el mundo anunciando esta Buena Noticia.

En cada hombre, en cada mujer cristiano o cristiana se repite vivencialmente este recorrido espiritual desde hace casi dos mil años. La Iglesia también, en diversos sitios y en algunos períodos de la historia, revive esta misma trayectoria y siempre será el Espíritu Santo quien guíe a cada corazón humano hasta Cristo. Es ese mismo espíritu quien alienta, fortifica y conduce a la Iglesia en su misión.

¡Cuántos de ustedes, queridos hermanos, han experimentado esto personalmente en tiempos no muy lejanos quizá! Cómo nuestra Iglesia en Cuba ha debido hacer el recorrido azaroso de los apóstoles pasando por el desconcierto de la Cruz, y la fe callada en Cristo resucitado, cuyas palabras hemos oído calmadamente en los momentos de oscuridad: «*No teman, pequeño rebaño mío, yo he vencido al mal*». Porque vimos empequeñecerse en número y en posibilidades misioneras a nuestra Iglesia, al mismo tiempo que se agrandaba en amor, cohesión, unidad, espíritu de sacrificio y fidelidad al Señor.

Cuando nos reunimos para el Encuentro Nacional Eclesial Cubano, Cristo nos hizo oír su voz por medio de su Espíritu Santo: «*Anuncien el Evangelio a toda la creación*» y la Iglesia tomó entonces la determinación de ser una Iglesia Evangelizadora, misionera, en medio de nuestro pueblo y en las condiciones presentes. La acción del espíritu se hizo sentir y abrimos las puertas y salimos del encierro y comenzó a ahuyentarse el miedo, ese miedo que alejó a tantos de la Iglesia, miedo con respecto al futuro del niño y su educación, miedo a ser mal visto o no bien considerado en el trabajo. Fue la época en que la imagen familiar de Jesús, con su corazón expuesto como signo de amor, pasó de la sala de la casa al cuarto de la abuela.

Se decía entonces al visitante inoportuno que llegaba al fondo de la vivienda: «ella tiene todavía sus creencias».

Parecía en aquellos tiempos que el ateísmo sería el pensamiento común de nuestro pueblo y que había que preparar a las futuras generaciones para que no se sintieran «incómodas» en un mundo sin fe. Cuán grande fue la equivocación de tratar el misterio profundo de la fe en Dios como si fuera cualquier tipo de idea u opinión que puede variarse sin que esto afecte a la persona, a la institución familiar y aun a la misma sociedad.

Qué ilusión pensar que a Dios se le pueda reemplazar en la vida por cualquier otra cosa. Cómo hemos pecado los cubanos una y otra vez contra la esperanza.

En esta noche oscura del alma católica cubana, brillaba la estrella de María. Para el pequeño resto fiel, la Virgen de la Caridad siguió siendo, como en todas las etapas difíciles de nuestra historia nacional, quien nos acompañó en la oración durante la espera de la manifestación de Dios, de ese Pentecostés que estremeciera nuestra Iglesia para salir a las plazas y que moviera los corazones de los cubanos para entender ese lenguaje diferente que nos presenta el Evangelio de Jesucristo, con los matices dulces y exigentes del perdón, de la misericordia, de la reconciliación, de la esperanza, del amor.

Pero la Virgen no nos acompañaba solo a nosotros, los que firmemente anclados en la vida eclesial, vivíamos, en la entrega de la fe, aguardando la manifestación de Dios. La Virgen de la Caridad, la Madre de los cubanos, como siempre en nuestra historia, siguió acompañando a todo nuestro pueblo: a aquella gente sencilla que parecía o decía no creer y que llevaba su medallita ennegrecida o la estampa ya arrugada por el sudor de muchos años en su cartera, en su bolsillo. Ella solo supo, como Madre, de los rezos de los cubanos de cualquier nivel cultural, profesional, político o militar; ella sí recoge la verdadera historia del pueblo de Cuba, la de sus penas profundas, la de sus consuelos y esperanzas, en los pliegues de su manto, en lo recóndito de su corazón. De esto hay testimonios incontables en su Basílica de El Cobre. Ella ha sostenido y sostiene la fe de la Iglesia, como lo hizo con los discípulos de Jesús que permanecían en la oración en espera del espíritu, porque Ella es la Madre de la Iglesia.

Ahora muchos hermanos dirigen sus pasos a la fe cristiana, cansados tal vez de otros caminos, o con la curiosidad del descubridor que encuentra por vez primera una tierra cargada de promesas. Nuestra Iglesia es hoy, en gran número, una Iglesia de conversos, de reconciliados, de catecúmenos que van haciendo paso a paso el aprendizaje de la doctrina sublime de Jesús y de lo que es más difícil, de vivir acordes al Evangelio y a sus exigencias de amor, de justicia, de bien y de verdad. Muchos, por la fe, hallan por fin donde recostar su cabeza: «*Vengan a mí todos los que están cansados y agobiados y yo los aliviaré*». Otros ponen sus carismas al servicio de sus hermanos enriqueciendo la vida comunitaria. Todos revitalizan la Iglesia y la rejuvenecen, pues los niños y los jóvenes responden con entusiasmo al llamado del Señor.

Los sacerdotes se sienten desbordados ante el gran número de fieles y de visitas a realizar a las comunidades domésticas que surgen necesariamente en pueblos, bateyes, caseríos y barrios sin iglesia y aun en lugares distantes de la misma ciudad. No ceso de invitar a los jóvenes para que reflexionen seriamente y, si descubren que Jesús los llama a la vida sacerdotal, no vacilen en entregarle su corazón. La oración de la Iglesia los acompañará siempre, el Espíritu Santo los llenará de fortaleza. Lo mismo digo con respecto a las jóvenes. Como María, algunas de ustedes pueden ser llamadas por Dios para consagrarles sus vidas en la oración, en las más variadas tareas eclesiales, en el servicio caritativo de sus hermanos más necesitados. Respondan como la Virgen con un sí decidido y total.

Nuestra Iglesia vive un nuevo Pentecostés no estruendoso, sin lenguas de fuego visibles, pero con un nuevo ardor evangelizador en los corazones.

Pero hay algunas inquietudes que pueden neutralizar ese ardor. Hay polvo y ceniza que pueden tratar de apagar el fuego vivo que arde en tantos hermanos nuestros.

Las carencias materiales, la falta de trabajo, el cansancio de haber luchado mucho sin obtener aparentemente grandes resultados, puede llevarnos a vivir en un tono mediocre de supervivencia, no solo material, sino espiritual. ¿Qué quiero decir? Lo mismo que empleamos todos nuestros esfuerzos en conseguir lo que necesitamos para alimentarnos cada día; así mi oración, mi vida de fe, puede limitarse a una subsistencia cotidiana, a pedir ayuda a Dios para el día que corre, a pasar el mejor rato del día o de la semana en la iglesia, cuando participo en la Misa, pero sin comprometerme apostólicamente, sin participar de la acción misionera o caritativa de la comunidad, ni interesarme en los programas de formación cristiana que tanto se necesitan hoy para que la vida de los católicos sea coherente con su fe.

De esto debe cuidarse la Iglesia, pues sería como retornar a un estado prepentecostal, es decir, de encierro en nosotros y en nuestros propios problemas.

Esta situación se hace más preocupante cuando, angustiados por las dificultades, agotados y decepcionados con respecto al futuro, algunos cristianos deciden irse de Cuba. Como decíamos los obispos cubanos en nuestra última declaración conjunta, a partir de ese proyecto de dejar nuestro país, cuya ejecución puede demorar años, se produce una especie de «exilio interno» que hace que muchos no tengan su centro de interés aquí, languideciendo en sus posibilidades de acción eclesial y de entusiasmo apostólico.

Solo el poder del Espíritu Santo puede arrancar del alma del cubano esas ansias de escapar, que han venido a reemplazar, en cierto grado, la verdadera esperanza cristiana.

Solo la Virgen de la Caridad puede acompañarnos como pueblo y como Iglesia en esta hora, como acompañó a los discípulos de su Hijo que esperaban la manifestación de Dios. Que Ella proteja a nuestra Iglesia y a nuestra Patria.

Queridos hermanos: La visita a estas tierras orientales es también recorrer un poco los santuarios de la Patria: La Demajagua, la Casa de Céspedes, en Bayamo, ciudad monumento, que escuchó emocionada, por vez primera, las notas del Himno Nacional. Celebrar la Santa Misa en la Parroquia de El Salvador, donde los patriotas llevaron a bendecir nuestra primera bandera, estar en Santiago de Cuba, cargada de historia, en cuyo cementerio de Santa Ifigenia, se guardan los restos de tantos próceres, entre ellos los de nuestro José Martí, y llegar a Guantánamo en cuyas playas pisó el apóstol tierra cubana al volver del destierro para liberar la patria.

Este año, en que conmemoramos el centenario de la caída en combate del apóstol, su pensamiento amplio y convocador nos invita a todos los cubanos al reencuentro, al amor, porque hay raíces cristianas en el pensamiento de Martí, muchas de ellas no suficientemente exploradas; pero, proviniendo de ellas sentimos que en el jardín de la Patria la savia vital del Evangelio fecunda su obra literaria y patriótica y lo convierte en ese forjador del pueblo que cultiva solo rosas blancas para amigos y enemigos y que no permite en su campo las espinas hirientes del cardo o de la ortiga.

No ceso de repetir este mensaje de amor y de acercamiento entre todos los cubanos en todos los pueblos y ciudades que he visitado en Cuba y fuera de Cuba.

Cuando el Papa Juan Pablo II nombró un Cardenal de la Iglesia en nuestra Patria se dirigió a mí y a los cubanos que me acompañaron a Roma con estas palabras:

«La Iglesia en Cuba, en su camino no exento de sufrimien-

tos y esperanzas, vive en estos días unas jornadas de intenso jú-
bilo al ser elevado usted, como Arzobispo de San Cristóbal de
La Habana, a la dignidad cardenalicia.

Reconociendo su solicitud pastoral y las dotes que le ador-
nan, he querido dar también una prueba especial de mi afecto
por esa noble y querida nación, poniendo de relieve los afanes y
proyectos apostólicos de esa iglesia local 'que vive, sirve y siem-
bra el amor en Cuba', como usted mismo decía en su mensaje,
del pasado 30 de octubre, a los católicos y al pueblo cubano.»

La Iglesia en Cuba no depende, sin embargo, únicamente
de la presencia y la acción pastoral del Cardenal. Es toda la
Iglesia la que tiene un gran compromiso de anunciar a Jesucristo Salvador a este pueblo deseoso de valores espirituales
sólidos y aun sedientos de Dios.

Al decir toda la Iglesia, me refiero a cada uno de los católicos y no solo a los obispos, sacerdotes, diáconos y personas
consagradas. Es toda la Iglesia la que debe mostrar su solidaridad en la caridad con tantos hermanos nuestros que sufren
a causa de las carencias materiales, de la falta de medicamentos, del abandono por parte de la familia. Entre ellos están especialmente los ancianos y los enfermos crónicos o graves.

San Pablo nos exhorta a que cada uno aporte a la Iglesia
los dones especiales que Dios le dio, para ser catequista, misionero, animador de comunidades, visitador de enfermos.

La Iglesia debe ser una gran familia donde todos se sientan acogidos, perdonados, valorados, ante tanta dureza y
frialdad que encontramos en las relaciones humanas.

El mensaje que les dejo, queridos santiagueros, es que, dejando atrás la incredulidad y la indiferencia del corazón, vivamos de la fe. Ese debe ser el comienzo de nuestra felicidad.

En medio de tanta decepción, frustraciones y desalientos,
los católicos debemos ser en Cuba testigos de la esperanza,
siguiendo el mandato de Jesucristo, convocados por nuestra
Santísima Patrona, la Virgen de la Caridad, hagamos triunfar
el amor entre todos los cubanos.

Que la Virgen de la Caridad del Cobre bendiga a nuestra
Iglesia y a nuestra Patria.

CELEBRACIÓN EUCARÍSTICA
CON MOTIVO DE SU VISITA
A NUEVA YORK*

El Señor me concede hoy la oportunidad de visitarlos a ustedes, como lo he hecho en las diferentes diócesis de Cuba, en cuyas Catedrales, como en el Santuario de El Cobre, me repetían lo mismo que oí en Roma de labios de hermanos cubanos llegados de aquí mismo, de Miami, de España o de Venezuela: Tú eres nuestro Cardenal.

En esa frase simple y llena de cariño hay una profesión de fe en la Iglesia, que es una y universal, católica; y hay también una declaración de cubanía: el Cardenal cubano lo es de ustedes como de los católicos de Cuba porque somos un solo pueblo, una sola nación en diáspora. Pero como un árbol, cuya sombra se extiende y sus frutos se recolectan en distintas ramas, tenemos las mismas raíces y circula en todas esas ramas la misma savia vital que nos hace ser y sentir cubanos.

¡Y qué mejor oportunidad para saludarnos que esta de reunirnos alrededor del altar del Señor! que se hace siempre presente en la Eucaristía y, como en aquella primera Cena, nos vuelve a repetir su deseo: «*que todos sean uno*», «*que en eso conozcan todos que ustedes son mis discípulos, en que se aman unos a otros*».

De amor entre cubanos tratamos aquí, bajo la mirada de la Virgen de la Caridad, nuestra Patrona, que desde su altar de El Cobre invita a todos los hijos de Cuba, a los de nuestra tierra y a los que viven lejos de la Patria, a la reconciliación, a la paz, al amor.

Hay palabras como reconciliación, perdón, misericordia, que expresan actitudes propias del creyente en Jesucristo. Fuera de la fe cristiana es difícil encontrar equivalencias a esos conceptos, aun en otras religiones de la tierra que no ponen la fe en Cristo Jesús en el centro de sus creencias. Así debe entenderse el mensaje que, en nombre del Señor, repito sin cansarme adondequiera que voy: como un llamado a la conciencia y al corazón de cada cristiano que es capaz de oír y entender con el sentido propio de la fe.

---

* 17-VI-1995.

Porque no hay similitudes exactas entre estas palabras nacidas de la novedad del Evangelio de Jesús y los conceptos que se usan en la política, tales como negociación, concertación, acuerdo, pacto. Nada de esto se halla en el vocabulario del Nuevo Testamento como conceptos teológicos propios u originales del cristianismo. De hecho, entre partidos políticos, entre enemigos enfrentados por guerras u otras querellas, entre facciones opuestas por razones ideológicas o de otra índole puede haber negociaciones, acuerdos y aun pactos, sin que haya reconciliación, ni perdón, ni mucho menos amor entre quienes los efectúan.

Sin embargo, puede haber amor, cercanía espiritual, perdón y reconciliación entre dos o más amigos, entre los miembros de una familia o entre los hijos de un mismo pueblo, distanciados tal vez por razones ideológicas, políticas, militares u otras, pero que son capaces de superar, al más alto nivel humano de sentimientos y de pensamiento, las barreras que los separan.

La siembra evangélica de la Iglesia se hace siempre en el corazón del ser humano, en su interioridad, allí donde Dios solo ve. Jesús, en el Santo Evangelio, nos habla de la importancia de hacernos de un corazón nuevo y de un espíritu nuevo, porque (y cito sus palabras) «... *del corazón provienen los malos pensamientos, los homicidios, los adulterios, las fornicaciones, los robos, los falsos testimonios, las blasfemias. Y esto contamina al hombre*» (*Mt* 15, 19).

El propósito sublime y audaz de Jesús es cambiar el corazón del hombre, solo así podrá surgir la civilización del amor de la que habla el Papa Juan Pablo II. Del amor entre amigos, de amor y reconciliación en las familias y entre todos los cubanos, hablando al corazón de ustedes, a lo hondo de sus conciencias, he tratado y trato en cada ocasión que se me brinda, como lo hacía Jesús y como lo debe hacer un discípulo suyo, sacerdote, obispo, cardenal de la Iglesia.

No tengo la misión de proponer o iniciar negociaciones políticas. Nadie nunca ha solicitado esto a la Iglesia en Cuba. Cuando el Papa o los obispos de un país aceptan una función mediadora lo hacen a petición de las naciones o facciones envueltas en un conflicto, pues en este caso, por estar en consonancia con la misión de la Iglesia de acercar a los distantes, de conciliar y establecer la paz, las partes aceptan su autoridad moral y le piden este servicio extraordinario, si no, la iglesia nunca intervendrá.

Sin embargo, para fomentar la reconciliación entre personas, familias o pueblos, la Iglesia no tiene que esperar que nadie solicite su servicio. Esa es parte de su propia misión. A ella, su Señor le ha confiado el ministerio de la reconciliación y por eso exhortará a tiempo y a destiempo, oportuna o importunamente, porque el mandamiento nuevo del amor es el fundamento de su sana doctrina sobre el hombre y de la relación de este con sus semejantes. Porque de este quehacer tiene la Iglesia una orden expresa de Jesús: «*Esto les mando, que se amen unos a otros*». Y la Iglesia cuidará celosamente del amor entre los cristianos, sin cesar de proponerlo a todos los hombres.

No es verdad, queridos hermanos y hermanas, que nuestro pueblo esté todo reconciliado; ni siquiera es cierto que entre los cristianos católicos de Cuba o de fuera de Cuba exista una entera reconciliación. Esto no es cierto cuando hay quienes no han hecho una llamada telefónica a su hermano en Cuba desde hace 20 años; cuando alguien, en Cuba, abandona por una semana su casa por causa de la visita de un familiar que llega de fuera; cuando en muchas ocasiones se ha interrumpido toda comunicación escrita entre familiares y amigos, cuando se lleva cuenta de las opiniones, modos de pensar actuales o antiguos para tender la mano a un necesitado.

Cuando la Iglesia habla de reconciliación y amor se refiere a dejar de lado esos modos de proceder para instaurar la concordia y favorecer la paz entre las personas en el seno de las familias y de toda nuestra comunidad nacional, especialmente entre todos los que profesan la fe cristiana.

De amor entre cubanos tratamos también en este año 1995 en que se cumple el centenario de la caída en combate del apóstol de nuestra Independencia, José Martí, heredero indiscutible del pensamiento cristiano de Mendive, de Luz y Caballero y del Padre Félix Varela.

José Martí colocó el amor en la cima de su obra literaria y patriótica, un amor alimentado en la fuente pura del Evangelio de Jesucristo; con ese amor, él cultiva rosas blancas para sus amigos y para sus enemigos.

Que nuestra celebración de hoy sea un homenaje de amor a Cuba, nuestra Patria, y también un homenaje al Maestro en el centenario de su caída en Dos Ríos, con una súplica al Señor por que llegue a concretarse para Cuba el sueño del apóstol: una Patria con todos y para el bien de todos. Esa Patria que es tierra de los padres y es uno de los aspectos esenciales de la experiencia de un pueblo.

Algunos pueblos de la tierra han recibido la Patria como legado sereno, como herencia que se posee en una tranquilidad inmemorial. No es así para otras muchas naciones del mundo, que en su historia han incorporado experiencias heroicas en relación con la Patria, no solo al defenderla de ataques o invasiones, sino en su misma gestación.

Así, llena de incidencias excepcionales, se presenta la historia del pueblo de Dios en el Antiguo Testamento, que se inicia con un desarraigo: Abraham debe abandonar su tierra natal para ir a otro país del cual no sabe nada aún. En esta historia, absolutamente singular, es Dios quien anuncia descendencia y patria a un hombre que solo podía concebirlas como una promesa. Canaán, sitio de su nuevo asentamiento, estaba poblado por otros hombres; pero curiosamente, fiados en la promesa de Dios, Abraham y su descendencia sintieron aquel lugar como patria aún no plenamente poseída, aunque ya prometida. Así la siguieron soñando durante el tiempo en que, empujados por el hambre, habitan en Egipto, país que consideran siempre como tierra extranjera. Después del éxodo de Egipto, guiados por Moisés, cohesionados como pueblo por el sufrimiento y el largo peregrinar por el desierto y confirmados por la Alianza que Dios establece con ellos en el Sinaí, entran en Canaán, que se convierte en su propia tierra, en la tierra prometida, la que guarda la tumba de los padres y conserva ahora también el Arca de la Alianza.

Pero esta historia pasa de nuevo por el desarraigo. La invasión del gran imperio babilónico lleva al pueblo deportado al destierro. La dura experiencia del exilio aviva, sin embargo, el amor de los hebreos a su patria.

«Junto a los ríos de Babilonia nos sentábamos y llorába-

mos, acordándonos de Sión; que se me pegue la lengua al paladar si no me acuerdo de ti, Jerusalén.»

Allí comprende el pueblo de Dios que aquella catástrofe tiene por causa el pecado nacional y la patria lejana vuelve a ocupar un lugar central en su oración como promesa cumplida por Dios, pero arruinada por el pueblo que no fue fiel a la Alianza.

La historia de Israel se vuelve paradigmática para todos los que abrazamos la fe cristiana, porque de ese pueblo, con esa experiencia nacional única, nació Jesucristo Redentor. Quienes por cultura y fe participamos de la gran tradición judeo-cristiana vemos, como pueblo, reflejados y preanunciados en aquellos relatos bíblicos nuestros propios desarraigos, sueños, aspiraciones, exilios e infidelidades al legado de nuestros mayores. Pero para todos los cubanos que viven lejos de nuestra amada isla, cuánto significado cobra la Palabra revelada cuando habla de destierro, cuando canta la añoranza de la Tierra prometida.

¡Cuántas veces José Martí, conocedor de la Sagrada Escritura, que fue su lectura diaria en su prisión política de Isla de Pinos, habrá rezado por Cuba, llorado por Cuba, al recorrer las páginas del texto sagrado que hablaba de un exilio como el que él experimentaba, de un retorno a la Tierra prometida, como el que él anhelaba al pensar en su Patria.

Jesús amó a su Patria con todas las fibras de su corazón, tanto más que el suyo no era un país cualquiera, sino la tierra que Dios había dado en herencia a su pueblo. Su misión Él la desarrollaría sin salir prácticamente de los confines de su tierra, pero comprendía que su acción profética se convertía para sus compatriotas en un verdadero drama. Como en otro tiempo rechazaron a los profetas, ahora también la Patria de Jesús desdeña a quien viene a recordarles sus responsabilidades como pueblo llamado por Dios. En Nazaret, Jesús es desechado: «*nadie es profeta en su tierra*», dirá allí mismo el Señor.

Él sabe que va a Jerusalén, la capital nacional, para morir allí y cuando se acerca a ella llora sobre la ciudad culpable, que no ha reconocido que Dios la visitaba (*Lc* 19, 41). «*Jerusalén, Jerusalén, ¡cuántas veces quise reunir a tus hijos como la*

gallina cobija a sus polluelos bajo sus alas pero tú no quisiste».
Qué gran amor a la Patria debe albergar el discípulo de Jesucristo en su corazón y cuán obligados estamos a preocuparnos por ella, a orar incesantemente por ella, a sufrir por ella. Me imagino cómo resultaría inspiradora para Martí la figura limpia y digna de Jesús que amó así a su tierra. Cómo habrá sentido la cercanía del dulce profeta de Galilea, de aquel Maestro de maestros, cuando experimentó la incomprensión y aun el rechazo de muchos compatriotas, cuando comprendió que si iba a Cuba sería a morir y cuando, a pesar de todo, siguió adelante su tarea sin odios ni amarguras, anclado siempre en el amor, pues nunca se hizo el apóstol ilusiones fáciles con respecto a la lucha por la independencia de nuestro país en cuanto a sus condiciones reales: Así aparece claramente en su carta a Máximo Gómez, de fecha 13 de septiembre de 1892:

«Yo invito a Ud., sin temor de negativa, a este nuevo trabajo, hoy que no tengo más remuneración para ofrecerle que el placer del sacrificio y la ingratitud probable de los hombres.»

Todo esto significó Patria para Martí. Una Patria que para nosotros, seguidores de Cristo, participa de ese misterio de muerte y vida que es el centro de nuestra fe: de la entrega doliente del Crucificado que nos trajo la resurrección y la vida sin término. Hay una referencia a la fuerza redentora de la muerte en aras del ideal patrio en nuestro himno nacional: *«Pues morir por la Patria es vivir».* A veces se muere súbitamente por la patria, a veces lentamente en la ofrenda de cada día.

La Iglesia es el nuevo pueblo de Dios que «no nace de la sangre, ni de querer de hombre», sino de la fe en Cristo y del agua bautismal. La Iglesia que es universal, abierta a toda raza y nación, católica, no suprime el enraizamiento de los hombres en una patria terrestre, como trataron de hacerlo algunas ideologías de este siglo. El amor a la Patria es siempre un deber para todo cristiano y es como una prolongación del amor a la familia.

¿Cómo pueden, ustedes, queridos hermanos y hermanas cubanos, que viven lejos de la Patria conservar vivo el amor a Cuba en ustedes mismos y en sus propios hijos y nietos, de forma que puedan decir con el salmista: «si me olvido de ti que se me paralice la mano derecha»?

La patria no son solo los paisajes, los recuerdos tristes o agradables, Cuba no es solo la palma real, única por su altivez, sus ritmos, los frijoles negros y el cerdo asado. Cuba es su historia y en esa historia, como en la de ningún otro país latinoamericano, hay una riqueza de pensamiento cristiano en la fragua de nuestra nacionalidad. Podemos habernos alejado de ese pensamiento, como de hecho ha sucedido, pero nuestras raíces están ahí firmes y bien plantadas y a ellas debemos volver. Que sus hijos y nietos conozcan esa historia y también sepan del Padre Félix Varela, de su santidad, de cuánto amó a Cuba, de su ideario independentista y sus luchas por forjar una conciencia cubana limpia y fuerte; que conozcan, no solo de nombre, sino en su pensamiento y su producción literaria a nuestro José Martí, para que su palabra orientadora siga aunándonos en la hora presente y para el futuro.

Justamente, el Padre Félix Varela se quejaba de la superficialidad del cubano, de su desinterés por la Patria: para muchos lo más importante son «sus cajas de azúcar», lamentaba el sacerdote ejemplar.

Hoy conocen ustedes las penurias de nuestro pueblo, la escasez de productos esenciales y de medicamentos, sabemos que más de 20.000 cubanos están retenidos en la Base Naval de Guantánamo, esperando venir a estas tierras, sabemos que hay todavía en las cárceles quienes cumplen prisión por causas políticas. Por todo esto hay sufrimientos y ansiedad en muchos corazones. También saben ustedes, mejor que nadie, cuántos cubanos desean salir del país, pues, precisamente, acuden a ustedes buscando reclamaciones y apoyo económico para ese proyecto que cada vez se torna más difícil.

Pero es bueno que estén también al tanto de la vida de la Iglesia, de sus dificultades y de esa primavera de fe que vivimos en Cuba después de un largo tiempo de aparente ausencia de Dios.

Hoy vemos la acción de la Iglesia en medio de nuestro pueblo, de este modo: una Iglesia que llama a los corazones de los cubanos, y que encuentra oídos atentos que se vuelven hacia ella para reencontrar el camino de la fe. Muchos hermanos nuestros en Cuba miran hacia la cruz alta y orientadora de la Iglesia en busca de una señal que les indique que Dios está allí, que el Dios de nuestros padres y de nuestros abuelos no nos ha dejado nunca, aun si nosotros nos alejamos de Él. Porque en Cuba se produjo un extrañamiento aparente entre la fe católica tradicional de nuestro pueblo y su vida en la sociedad.

La fe del cubano ha sido sometida a la dura prueba del silencio sobre Dios, del rechazo de la misma fe como un elemento anticientífico, retrógrado e innecesario para la vida y esto al mismo tiempo que desaparecían nuestras escuelas y centros de formación y quedaba trágicamente disminuido el número de sacerdotes y religiosas, sin que, por otra parte, tuviera el mensaje cristiano la posibilidad de alcanzar la prensa escrita, la radio o la televisión. Las fechas religiosas que significaron algo en la vida del pueblo desaparecieron como días que se conmemoraban también civilmente y ni siquiera quedaron señalados en los almanaques. La Navidad del Señor, la Semana Santa, el día de los fieles difuntos, la Fiesta de la Virgen de la Caridad, Nuestra Patrona, se han mantenido como celebraciones privadas. Y lo peor de todo, un temor casi patológico se metió en el corazón de la gente. Temor a no ascender en la escala social, a no obtener un buen empleo, temor al trauma psicológico que podría producir en el niño el hecho de ir a la Iglesia y ser cuestionado en público sobre su fe, temor a que no pudiera estudiar en una buena escuela.

Hoy muchos de los hombres y mujeres que vivieron dolorosamente estos conflictos, que se alejaron ellos de la Iglesia y no bautizaron a sus hijos, que ni siquiera les hablaron de Dios en sus casas... (y en esto habría que hacer la salvedad de las abuelas, que lucharon por mantener encendida la llamita de la fe en el corazón de sus nietos y de sus mismos hijos)... Hoy muchos de aquellos, repito, que callaron, ocultaron, disimularon su fe, nos dicen: ¿Cómo pude yo no bautizar a los niños?, ¿cómo pudimos nosotros vivir como si Dios no existiera? Algunos regresan con verdaderos complejos de culpabilidad. Esta es una de nuestras culpas nacionales de las cuales todos debemos arrepentirnos.

Pero la comunidad católica de Cuba ha entrado en una nueva etapa de su vida de fe. Y no es nueva porque haya un cardenal cubano, sino al contrario: hay un Cardenal en Cuba porque la Iglesia, con pasos firmes, comenzó a andar por nuevas sendas de mayor empuje evangelizador, con un compromiso creciente de los laicos, dejando atrás temores e inhibiciones, con el consiguiente crecimiento del número de los católicos activos y un aumento gradual y sostenido de vocaciones al sacerdocio y a la vida consagrada, mientras la voz de sus obispos es tenida en cuenta por muchos cubanos que la aprecian y esperan. Es este caminar el que ha querido confirmar el Papa al nombrarme para integrar el Colegio Cardenalicio. ¡Qué gran responsabilidad, en esta hora de la historia de Cuba, encarnar esta etapa nueva que inicia la Iglesia en nuestro país!

Los factores históricos, políticos o sociales influyen, evidentemente, en este renacer de la fe, pero no hagamos simplificaciones que son siempre superficiales. Es frecuente que los periodistas extranjeros me pregunten si el despertar religioso en Cuba coincide con el «período especial» y su secuela de carencias materiales. Siempre respondo lo que es cierto: la búsqueda de sentido a la vida, el reencuentro del mundo del espíritu, comenzó entre nosotros antes de esta etapa. A veces, sin quererlo, muchos siguen pensando en clave materialista y buscando solo causas materiales a problemas de una gran envergadura humana, olvidándose que *«no solo de pan vive el hombre»*.

No, no es una carencia material la que determina una andadura humana y espiritual de esta índole. Es la misma insuficiencia de las propuestas materialistas, es la soledad interior del ateísmo, es el vértigo existencial que produce el vacío de los corazones si de algún modo no se vuelven a Dios. Durante este tiempo de aparente ausencia de Dios, misteriosamente, Él se ha hecho presente.

De nada nos hubiera servido tener a nuestra disposición todos los medios de comunicación del mundo si los corazones de los cubanos se hubieran endurecido o permanecieran fríos. Y este actuar en los corazones es solo de Dios. Ha sido un don del Señor que ha manifestado la acción del espíritu Santo en el alma del cubano.

Dios está presente en nuestra realidad cubana actual por ausencias, por búsquedas, por insuficiencias o sufrimientos. El reclamo de una religión que llene tantos espacios vacíos se hace sentir en muchos hermanos nuestros que piden la Biblia para conocer algo de Dios, quieren tener un catecismo para aprender a rezar y miran con simpatía a la Iglesia, pero Jesucristo debe ser anunciado, pues no es aún conocido.

Porque el conocimiento de Cristo implica una vida espiritual sólida, que es mucho más que una creencia o que la práctica religiosa.

En su mensaje al Primer Congreso Eucarístico Nacional, celebrado en La Habana los días 22, 23 y 24 de febrero de 1947, el Papa Pío XII se dirigió así en un mensaje radial a todos los cubanos:

«*Todos ustedes –decía el Santo Padre– se sienten orgullosos de haber visto la luz, como alguien felizmente dijo, en la tierra más hermosa que ojos humanos vieron y den gracias a Dios por ser hijos de la Perla de las Antillas.*

Pero, precisamente en esta placidez y suavidad en el vivir, en esta perenne y casi irresistible sugestión de una naturaleza luminosa y exuberante, en esta prosperidad alegre y contada, se esconde acaso el enemigo; por el tronco airoso de vuestra palma real, que el suave soplo de la brisa hace cabecear con donaire, nos parece ver que peligrosamente se desliza la serpiente tentadora: '¿Por qué no comen?, les dice, 'Serán como dioses'. Y si todo el esplendor de esa poderosa atracción puramente natural no se compensara con una vida sobrenatural potente y robusta, la derrota sería cierta.»

El Papa Pío XII hacía alusión a un pueblo aparentemente satisfecho y despreocupado que no se daba cuenta de los grandes desafíos de la historia y no comprendía que aquella bonanza pasaría cuando volviera a bajar el precio del azúcar, que los cimientos de la Patria no estaban terminados de forjar, que teníamos todos una gran responsabilidad nacional.

Sí, queridos hermanos, no nos dimos cuenta. Pero no es la hora de inculpar a nuestros antepasados, sino de examinar ante Dios nuestras conciencias. Después de tantos avatares, después que de manera trágica parece haberse cumplido aquella extraña predicción de Pío XII; nosotros los cubanos de hoy, los de dentro y fuera de Cuba, ¿nos damos cuenta al fin de que no podemos encerrarnos cada uno en nuestro mundo, sino que con un corazón desprendido, nunca satisfecho, debemos buscar el bien de todos?

La tarea de la Iglesia en esta hora, como en todo momento, es la de convocar voluntades, despertar conciencias, para que nadie se sienta nunca seguro y satisfecho, mientras que su hermano está necesitado, triste o aquejado por variados sufrimientos.

La pregunta actual que todos debemos hacernos es: ante el llamado al amor, a la reconciliación, a la búsqueda de caminos de paz, ¿qué hace la Iglesia en Cuba, permaneceremos unos y otros indiferentes?, ¿nos parecerá el lenguaje de la Iglesia, del Evangelio, tan extraño como pareció a los cubanos del año 47 el mensaje del Papa Pío XII? ¿Nuestra historia reciente y actual nos habrá sacado por fin a los cubanos de nuestra suficiencia, de este «creernos los mejores», o «tener cada uno la verdad», que no nos permite a veces abrirnos a la comprensión y dejar que triunfe el amor?

¿O podremos por fin acoger el llamado de Jesucristo en el Evangelio y hacernos sencillos de corazón para poder apostar a la esperanza?

Cuando terminaba la audiencia que el Papa Juan Pablo II dio a los obispos cubanos y al numeroso grupo de fieles de todas las diócesis de Cuba que nos acompañaron al consistorio, el Santo Padre hizo un breve aparte con los obispos en la puerta de la sala donde nos dirigió la palabra y nos dijo rápidamente, como en sentencia, dos cosas: la Iglesia tiene que trabajar, tiene que seguir trabajando, y agregó: Acuérdense de la Virgen.

Como un mandato profético debemos acoger todas y cada una de estas breves palabras dirigidas personalmente por el Sucesor de Pedro a los obispos de Cuba.

Pero ¿cuál es el trabajo que debemos hacer? Así le preguntaron los discípulos a Jesús. Respuesta del Señor: que conozcan al Padre y a su enviado Jesucristo.

Conocer, en el lenguaje bíblico (cuando se trata de una persona), significa entrar en profunda intimidad con ella. En ese sentido decimos también en español que nadie conoce a un hijo mejor que su madre.

Nuestro pueblo no conoce a Jesucristo: la gran mayoría de los que viven en Cuba, nuestros hermanos que están en Guantánamo y muchos de los que viven fuera de nuestro país no conocen al Señor.

El pueblo cubano es creyente en más del 85%, según encuesta reciente hecha oficialmente en Cuba. Tiene respeto a Dios y algunos poseen una noticia vaga acerca de Jesús; pero los cubanos estamos necesitados de esa vida espiritual sólida a la que se refirió Pío XII, para no fracasar como pueblo. Hoy por hoy, nuestra cohesión como nación dispersa y dividida en sus opiniones y modos de pensar, debe hacerse en Jesucristo y en la opción por los valores que nos propone el Evangelio.

Ese es el trabajo evangelizador que la Iglesia tiene que hacer ahora dentro y fuera de Cuba con el pueblo cubano dondequiera que se encuentre.

Cristo debe ser conocido y amado, para que pueda ser seguido en su doctrina de amor, de reconciliación, de paz. Para que, descubriendo en Él la verdad, la verdad nos haga libres, con esa libertad del corazón cristiano, libertad de los hijos de Dios, que solo Cristo Salvador nos puede dar y que nadie nos puede quitar.

Con el Evangelio de Jesucristo entra la paz en los corazones, en la familia, en la sociedad, aprendemos el valor de la vida y del trabajo, cómo hacer uso de los bienes materiales y lo que es servir al prójimo. En fin, se abre una puerta a la solidaridad, a la esperanza y a la alegría.

Para todo esto escuchemos la otra recomendación del Papa Juan Pablo II: No se olviden de la Virgen. No nos olvidemos de la Virgen de la Caridad y tengamos oídos atentos como cubanos, como católicos, a su palabra que nos encamina a Cristo: «Hagan lo que Él les diga». ¡Virgen de la Caridad, que la dicha de seguir a Cristo, que trae todas las demás, sea la de tu pueblo en Cuba y en cualquier parte! Así sea.

MISA EN CONMEMORACIÓN DEL CENTENARIO
DE LA CAÍDA EN COMBATE DE JOSÉ MARTÍ*

Una jornada muy cubana viene a culminar aquí, en la casa grande de todos los cubanos. Después de visitar «Dos Ríos», donde cayó Martí, y peregrinar a su tumba en el Cementerio de Santa Ifigenia, los obispos cubanos, acompañados de sacerdotes, religiosos, religiosas y laicos de todas las diócesis de Cuba, venimos a la Casa de la Madre que nos cobija siempre, como solo ella sabe hacerlo: con aquel modo de amar congregante, reconciliador y pacificador, que identifica a la madre y que María, Nuestra Señora de la Caridad, dispensa a todos sus hijos de Cuba desde su trono de El Cobre.

La Iglesia Católica profesa una profunda devoción a María, la Madre del Señor, y el pueblo cubano, de sentimientos católicos en su gran mayoría, venera y ama a Nuestra Señora con su título hermoso de Virgen de la Caridad. Hay siempre una referencia mariana en la Iglesia y esta no es accidental, sino complementaria de su apostolicidad.

La Iglesia es apostólica, porque Jesús quiso perpetuar su misión, escogiendo a hombres a quienes encargó, con el poder que le había sido dado, que anunciaran la buena noticia del Reino de Dios hasta los confines del mundo, que bautizaran a quienes creyeran, que perdonaran los pecados, que sanaran los cuerpos y corazones doloridos, que partieran el Pan de Vida y lo dieran a los hombres hambrientos de amor y de verdad. «*Quien a ustedes recibe, a mí me recibe*». «*Yo estaré con ustedes siempre hasta el fin del mundo*».

Nuestra Iglesia, fundada sobre la roca que es Cristo, tiene como columnas de sostén a los Apóstoles de Jesús, aquellos primeros doce cuyos nombres el Nuevo Testamento menciona una y otra vez, a los cuales se suman los sucesores de ellos, los obispos, que después del primer grupo apostólico hasta nosotros, hemos recibido ininterrumpidamente, por la unción del Espíritu Santo, la misma misión que Cristo confió a sus primeros discípulos. Los sucesores de los Apóstoles en Cuba, los Obispos cubanos, nos hemos reunido con María,

---

* Basílica de Nuestra Señora de la Caridad del Cobre, 10-X-1995.

como estuvo el apóstol Juan con la Madre del Redentor al pie de la Cruz. Del costado abierto de Cristo en la Cruz nació la Iglesia y allí, como testigos y partícipes de este nacimiento, estaban la Madre y el Apóstol, María y Juan. Porque las dos vertientes de la Iglesia, la apostólica y la mariana, se encuentran en la cima del Calvario. Sin esas dos vertientes no se realiza plenamente la Iglesia ni en su estructura teológica ni en su espiritualidad.

La vertiente mariana de la Iglesia es la que hace a la comunidad de los discípulos parecerse a María en su respuesta a Dios, en la disponibilidad para el servicio, en su atención a las angustias y esperanzas de los hombres: «No tienen vino», en su continua referencia a Jesucristo: «Hagan lo que Él les diga», en su fidelidad hasta el sufrimiento y el martirio: «Junto a la Cruz de Jesús estaba su Madre».

La Iglesia se fija en María para alcanzar su perfección total, pero también para, como Ella, abrir su corazón maternal a todos los que andan en busca de la verdad, a los que no encuentran sentido a sus vidas, a los pobres y sencillos, a quienes padecen a causa de males físicos o espirituales. ¿Acaso nosotros todos no nos sabemos y sentimos hijos de la Madre-Iglesia?

La Iglesia anunciadora de la Buena Nueva, la que perpetúa la ofrenda de Jesucristo, la que está hecha de piedras vivas, la Iglesia de los Apóstoles, tiene que ser a la vez la Iglesia que cree en su Señor, que se fía en su Palabra, que ama, comprende y se entrega, la Iglesia de María. Si a la Iglesia le faltara esta condición no sería verdaderamente la Iglesia de Jesucristo, pues el Señor confió a los Apóstoles la estructuración y el crecimiento de la Iglesia y esto sobre todo por la celebración de la Eucaristía, que hace presente en la trama de la historia de la humanidad a Cristo ofrecido, muerto en Cruz y resucitado y que congrega a hombres y mujeres en comunión de fe, de esperanza, de amor y de misión. Pero el Salvador de los hombres, desde lo alto de la Cruz, encargó su Iglesia también a María, para que cuidara de Ella como Madre y pidió al discípulo que la acogiera como tal. En el modo propio de la lengua aramea, Jesús dice: «Mujer, ahí tienes a tu hijo». Este estilo idiomático permite exaltar el papel de la mujer en el plan redentor. A la mujer-madre le toca velar por sus hijos, protegerlos, acercarlos y reconciliarlos entre sí. El Apóstol debe acoger con amor de hijo a Aquella que su Señor le confió solemnemente como Madre cuando ofrecía su vida por nosotros: «desde aquel día, el discípulo la recibió en su casa». En el vértice del Calvario, Iglesia apostólica e Iglesia mariana convergen junto a la Cruz del Redentor que es el altar del sacrificio de la alianza nueva.

Aquí, en lo alto de las montañas de El Cobre, junto al altar en que Jesucristo será ofrecido en sacrificio por todo el pueblo de Cuba en esta fecha patria, los sucesores de los apóstoles, los obispos cubanos, encargados de apacentar al pueblo de Dios en nuestra nación, nos congregamos junto a María, acogida desde hace casi cuatro siglos en su casa por el pueblo cubano. La Iglesia que está en Cuba muestra así, por este signo, toda su dimensión apostólica y mariana y vive un momento de oración de especial intensidad.

La motivación que nos reúne hoy a los pies de la Virgen de la Caridad, como en tantas otras ocasiones, es de carácter patriótico. Los cubanos estamos conmemorando los cien años de la caída en combate de José Martí, el Apóstol de la libertad de Cuba, decisivo forjador de nuestra independencia. Apóstol por la entrega total de su vida a aquella causa, apóstol porque convoca a los hombres a la lucha hablando de amor y con amor, porque fustigó los males de la colonia, pero no odió ni predicó el odio contra los opresores.

Esta celebración hace confluir también en lo alto de la colina de El Cobre y a los pies de la Virgen de la Caridad, como tantas veces en nuestra historia, la fe católica y el amor a la patria. De hecho, en nuestra historia nacional no solo hallamos el influjo de una cultura cristiana y católica, sino que, en sus grandes hitos, se produce una incidencia marcada de la fe católica, que es totalmente singular, si se la compara con la historia de los pueblos de América Latina.

Si bien las ideas libertarias, al decir de Martí, «entraron en América debajo de las sotanas de los sacerdotes», en Cuba se hace más hondo y consistente el influjo cristiano en el pensamiento emancipador, el cual tuvo un fundamento ético y filosófico de matriz cristiana que no tiene paralelo en el continente latinoamericano. Esta peculiaridad no se define únicamente por la ausencia de enfrentamientos entre fe cristiana y proyección social o compromiso político, en la primera gestación de la independencia nacional. Más bien encontramos una presencia positiva y actuante, casi siempre originante, de la fe cristiana, de la ética de clara inspiración católica y de las enseñanzas y postulados del Evangelio animando el pensar y el actuar de los gestores de la voluntad autonómica, reformista e independentista en Cuba.

Los patricios del Seminario San Carlos, Félix Varela, José Antonio Saco, José de la Luz y Caballero, Carlos Manuel de Céspedes, Rafael María de Mendive, Cirilo Villaverde y otros beben en la fuente de una fe ilustrada su inspiración transformadora de la sociedad cubana. Hay, además, en aquellos prohombres una vida acorde con los altos principios que sustentan sus propuestas y proyectos. De ahí que no haya en las luchas cubanas por la independencia nada que se parezca a un anticlericalismo feroz, ni mucho menos al desprecio de lo sagrado o la ofensa a Dios, actitudes que hallamos, lamentablemente, en otros luchadores independentistas de la América Hispana.

Cuba es el único país de América que puede esperar que un día sea llevado al honor de los altares el hombre que sembró la semilla de la libertad del pueblo cubano en las mentes y corazones de los fundadores de la Patria. Ese hombre santo, cubano, criollo, sacerdote, no concibió la libertad de Cuba sin su independencia total: «Cuba debe ser tan isla en lo político como en lo geográfico». El primero que nos enseñó a pensar «en cubano», el Padre Varela, se agiganta en nuestra historia a medida que pasa el tiempo. A través de Rafael María de Mendive llega privilegiadamente a Martí el espíritu patriótico del Seminario «San Carlos» y el influjo bienhechor de Varela.

Al conmemorar los cien años de la muerte de José Martí, heredero indiscutido de aquel patriarcado cubano que se formó en las aulas de San Carlos, lo reconocemos y exaltamos como el relevo admirable de los primeros forjadores de la nación, y al rememorar agradecidos su caída en Dos Ríos, sin llegar a ver nunca la independencia tan soñada, los cristianos cubanos, como parte de nuestro pueblo, tenemos el deber de preguntarnos aquí, a los pies de nuestra Madre de la Caridad, qué hemos hecho con el legado precioso de los fundadores de la nación cubana, el mismo que Martí supo recoger y poner en alto.

Independencia, libertad, justicia, amor entre todos los cubanos son las aspiraciones fundamentales que, como sueños, se articulaban en el pensamiento de los primeros constructores de la Patria. El mayor exponente de este anhelo patriótico fue José Martí.

Una independencia, primero escamoteada y siempre amenazada, ha sido, después del final de la guerra que se inició en 1895, el patrimonio precario de nuestra nación. Todo cristiano cubano debe ser un firme defensor de esa independencia. Ese es el punto de confluencia de todos los cubanos de diferentes modos de creer y de pensar. Estar de acuerdo en que Cuba debe ser siempre independiente es la premisa básica de un diálogo entre cubanos, porque de no ser así ya nadie podría hablar de Patria ni a favor de la Patria; sino solo en contra de ella.

El Papa Juan Pablo II acaba de postular en la Organización de Naciones Unidas una cultura de la libertad. La libertad es un anhelo de todos los pueblos y de cada hombre. En su dignidad de criatura de Dios que lleva en sí la semejanza del Creador, el hombre fue constituido libre. El pecado era el riesgo de la libertad y Dios corrió ese riesgo con el hombre. Pero aun si un mal uso de la libertad lleva al ser humano por caminos torcidos, Dios no suprime al hombre su condición de ser libre, porque el don preciado de la libertad se inscribe en la naturaleza humana para distinguirnos de los demás seres animados, cuyo actuar depende solo de instintos y reflejos.

No es, pues, la libertad una concesión de las leyes o constituciones de los estados. En sus preceptos constitucionales, en sus leyes fundamentales, los legisladores pueden y han de dejar constancia del respeto debido a la libertad del hombre, pero nunca son los autores de las leyes o los rectores de los pueblos quienes confieren la libertad al ser humano, sino el mismo Dios. De ahí esa sacralidad de la libertad, tan apreciada por Martí como un bien invaluable.

En Cuba, no solo las dificultades económicas deben ser consideradas al mirar al futuro en vista de la felicidad del pueblo, es necesario también encarar con decisión el problema de la libertad, porque el hombre necesita de ella tanto o más que de los bienes materiales.

Independencia y libertad fueron juntas en el pensamiento de los fundadores, en el ideario luminoso de José Martí. No puede subordinarse la libertad a ninguna circunstancia, no puede aplazarse a tiempos de mayor bonanza. Justamente, el aprendizaje de la libertad favorece el crecimiento material y espiritual de los pueblos. Ni el viejo concepto «liberal» de libertad, que es el falso derecho a hacer lo que nos plazca, ni una libertad concebida únicamente como herencia colectiva satisfacen las ansias del corazón humano. Una Cuba libre de toda injerencia y de toda sujeción debe ser también una Cuba de hombres libres.

La justicia está en relación con la libertad. El límite de mi libertad, o mejor, el condicionamiento válido de la misma, es lo que yo debo al otro en toda justicia. Hoy tratamos a duras penas de volver a aceptar en Cuba que unos tengan más y otros menos, pero lo esencial es que el que tiene más y el que tiene menos son iguales en dignidad.

De esta visión cristiana del hombre que no vale por lo que tiene, sino por lo que es, nace el concepto también cristiano y muy actual de la solidaridad. Siendo así que todos somos iguales, yo debo compartir con el otro y cada uno debe participar en el bien de todos. Esta forma de justicia social no puede darse sin garantías de justicia en las relaciones del Estado con los ciudadanos. Un papel demasiado amplio del Estado ahoga las iniciativas individuales, familiares o de grupo. Cuando este papel se hace demasiado restrictivo coarta la libertad de las personas y se torna excesivo o arbitrario, aun en los mismos procesos legales o judiciales. Esto puede ser causa de sufrimientos, a menudo innecesarios, para muchos hermanos nuestros. Visitas y cartas innumerables recibimos los obispos de Cuba de quienes reclaman un tratamiento adecuado y equitativo a sus problemas, sean de orden social o jurídico.

No es extraño que crezcan en situaciones de extrema pobreza la corrupción, los robos y la violencia. Se manifiesta

esta última por la agresividad en el trato, sea en el seno de la familia, sea en las relaciones interpersonales habituales o casuales. Hay también cubanos que han acumulado odios y sentimientos terribles de hostilidad o rencor y la Iglesia no cesa de llamar a superar, por medio del amor, esas barreras que separan a los hijos de un mismo pueblo.

Nuestro pueblo se ha visto dispersado por innumerables países y este éxodo no cesa de crecer, separando familias y amigos. Solo en la comunidad cubana del área de Miami se calcula que viven más de 700.000 cubanos. Esta parte del pueblo cubano que vive fuera de Cuba no deja de sentir, en su inmensa mayoría, el amor a la Patria y el deseo de bienestar para quienes vivimos aquí. Muchos tratan de ayudar a sus familiares, enviándoles dinero y medicamentos. Estos son ya signos de amor entre los miembros de un mismo pueblo; pero es necesario deponer aún actitudes severas allí y aquí. En mi reciente viaje a Miami y a Newark hablé el lenguaje eterno del Evangelio, el único verdadero cuando queremos promover la auténtica fraternidad y acercar corazones. Pero palabras como perdón y reconciliación, propias de nuestra fe cristiana, eran rechazadas inmediatamente por algunos hermanos cubanos, incluso cristianos, que escribieron encendidos artículos en la prensa o enviaron a los periódicos cartas llenas de amargura.

Unos meses más tarde, aquí en Cuba, en la prensa oficial me sentí personalmente aludido con palabras muy parecidas a aquellas que leí en Estados Unidos. En un artículo periodístico que tocaba el tema de las relaciones de Cuba con la nación del Norte se llamaba tonto a aquel que hablara de amor y reconciliación.

Esta increíble coincidencia me reafirma en lo que sé que ustedes también sienten: la vigencia de nuestro mensaje «El amor todo lo espera» del año 1993. Es mucho amor lo que necesitamos los cubanos de aquí y de allá, los que gobiernan y los simples ciudadanos, sean católicos o cristianos en general y los que profesan otra o ninguna religión. Ningún lugar mejor que esta Basílica, para exaltar y proponer, si fuera necesario, una y mil veces ese amor. Ningún momento más apropiado que este, en que los obispos y los católicos de Cuba estamos representativamente reunidos en esta fecha Patria a los pies de la Virgen de la Caridad, nuestra Patrona, para pedirle a nuestra Madre del Cobre que el amor gane la batalla en el corazón de cada cubano, quienquiera que sea y dondequiera que se encuentre. Esto es trabajar por el bien de Cuba. De resultar así, de triunfar el amor, podremos sentarnos los cubanos todos a conversar, como hermanos, de la independencia de Cuba, de la libertad, de la justicia y de ese mismo amor, que debe perdonar ofensas y olvidar agravios, y la reconciliación dejará de ser una palabra temida para convertirse en el bálsamo que cure las heridas de la Patria. Este era el núcleo del mensaje «El amor todo lo espera», que hasta ahora parece haber quedado sin respuesta por parte de muchos.

Este es el espíritu que hace ya diez años animó el Encuentro Nacional Eclesial Cubano, y con el mismo espíritu conmemoraremos su décimo aniversario el año próximo, mirando con esperanza al Tercer Milenio de la era cristiana que ya se avecina.

Madre de todos los cubanos: sana las heridas de tantos corazones, enséñanos a tratarnos con amor, ayúdanos a superar nuestras dificultades económicas y políticas, que Cuba no sea aislada y bloqueada, sino ayudada para superar esta crisis. Que nuestra independencia sea preservada y protegidas la justicica y la libertad de todos los cubanos.

Virgen bendita de la Caridad: la Iglesia de los apóstoles, la que peregrina en Cuba, quiere anunciar el Reinado de amor de tu hijo Jesús a nuestro pueblo. Concédenos sacerdotes, diáconos, religiosos y religiosas buenos y entregados. Suscita entre nosotros numerosas vocaciones jóvenes, muchachos y muchachas, que se consagren a ti. Que la Iglesia en Cuba pueda llevar a cabo su misión con la ayuda de sacerdotes y religiosas venidos de otros países. Que se superen de una vez y para siempre los impedimentos para que su entrada en Cuba se realice con normalidad y rapidez. Que la Iglesia alcance las facilidades indispensables para difundir el mensaje de amor, de paz y de reconciliación de tu Hijo divino, sin renunciar nunca a la verdad, y pueda tener, porque los necesita, los medios apropiados para la Evangelización: transporte, impresoras, posibilidades de reparar y construir sus templos y todo lo que favorezca su acción propia de anunciar a Jesucristo al pueblo cubano y llevarle su mensaje que genera la paz y el amor en los corazones.

Madre Santísima de la Caridad, cuida a tu Iglesia en Cuba, a la Iglesia de la confianza y de la esperanza, de la acogida y del perdón, del servicio y del diálogo, a la Iglesia-Madre, bajo cayo techo todos caben, que comprende a todos y sirve y ama a todos por igual. Para esto alcánzanos de tu Hijo una fe firme, reanima sin cesar nuestra esperanza y danos el arrojo y el aguante del amor, que todo lo espera. Amén.

MISA CELEBRADA DURANTE SU VISITA A TAMPA*

Mis queridos hermanos:

He tenido un gran consuelo al descubrir, en estos pocos días, la fe que anima a nuestra diáspora cubana, el cariño que mantienen por nuestro pueblo y nuestra Iglesia en la isla, los profundos vínculos del recuerdo y el amor, que nos unen mas allá del tiempo y la distancia. Y no he podido menos que recordar las palabras del profeta Isaías: *«las muchas aguas no han podido apagar el amor»*. El Estrecho de la Florida, las aguas todas del mar, no pueden apagar ni han podido destruir el amor que nos tenemos. Por otra parte, debo decirles que desde mi salida de Cuba, hace solo tres meses, no me sentía así: como estar en casa, como quien regresa al hogar. Y no quiere esto decir que me sintiera triste o solo... sería ingrato decir esto cuando en España tengo tantos amigos y tan buenos: en Salamanca, en Madrid, en Canarias... en Italia, en Bélgica, en Francia... Pero lo que se llama en casa me he vuelto a sentir aquí y con Uds. Por lo tanto, lo primero que deseo hacer es elevar mi acción de Gracias a Dios que nos reúne y darles las gracias a Uds. por esta cordial y cálida acogida, que me emociona y me llena de alegría.

La Palabra de Dios que hemos escuchado nos coloca ya de cara al Misterio que va a centrar nuestra atención en los próximos días: la venida en carne humana del Hijo de Dios a

---

* Tampa, Florida, diciembre 1995.

la Historia de los hombres: «*Y el Verbo se hizo carne y habitó entre nosotros*».

Ante la pretensión de un rey piadoso que le quiere construir un templo, Dios se revela como aquel que bendice y salva. La casa de David será eterna. No el palacio donde vive, sino la familia carnal, que ceñiría para siempre la corona real. Sabemos bien que la promesa de una dinastía perpetua se realizó en Jesús, el más grande de los descendientes, no ya de David, sino de Adán. El más grande de todos los humanos porque era el Hijo amado de nuestro padre Dios. En la segunda lectura el Apóstol San Pablo nos habla de la Buena Noticia que ha llegado a todos los pueblos de la tierra: Jesucristo viene por todos para salvarnos a todos, para llamarnos a través de la fe a vivir en el amor.

En el Evangelio hemos escuchado el relato de la anunciación. Dios envió su Hijo al mundo, pero para que su Hijo pueda tomar carne humana, Dios se abaja a la humildad de María y le pide que sea la madre de su Hijo amado. Dios cuenta con el hombre, con la humilde campesina de Nazaret para entrar en este mundo. Estamos tan acostumbrados a estos pasajes de la Escritura que hemos perdido la costumbre de asombrarnos: ¡Dios en carne humana! ¡Dios que se abaja a la criatura para contar con ella! ¡Dios que toma tan en serio a los hombres que no es capaz de salvarnos sin nosotros, sin contar con nosotros! ¡Cuánta es la grandeza del hombre...! ¡Y cuán grande la humildad de Dios! Al abajarse no se rebaja, al contar con nosotros nos eleva y nos revela quiénes somos y lo que estamos llamados a llegar a ser.

El Ángel le dice a María: No temas. En la Biblia se repite este «no temas» constantemente. No temas, le dice Dios a Moisés. No temas, le dice a cada uno de los profetas: a Isaías, que tiembla ante la grandeza del Dios Santísimo, a Jeremías, que tiene temor de sus compatriotas que le harán la guerra. No temas, dice Jesús a los apóstoles cuando estos lo ven caminar sobre las aguas... «*no teman, soy yo*». Machaconamente, Dios nos dice en toda la escritura una y otra vez: «*No temas. No teman*». Y cuando la tormenta parece que va a hundir la humilde barquichuela, Jesús les dirá a los apóstoles: «*No teman, hombres de poca fe*». «*No se turbe vuestro co-*

razón ni se acobarde», nos dijo en la Última Cena porque antes nos había dicho: *«mi paz os dejo, mi paz os doy. No la doy yo como la da el mundo»*. El temor nos impide ser libres. El temor nos aleja de Dios y nos aísla de los hombres. El temor nos quita la libertad, el don más grande que nos ha dado Dios.

María, reconociéndose sierva de Dios, se mostró libre frente a los convencionalismos humanos. Su acto de aceptación fue un gesto profundamente arriesgado, profundamente arriesgador. Era su honor lo que quedaba en entredicho con aquel embarazo inexplicable. Era la consideración de su prometido, hombre justo y bueno. Era su buen nombre como mujer de vida honesta. Era la vida misma, ya que a una adúltera había que matarla a pedradas. No era tan sencillo aquel «sí» dado a Dios por la joven doncella de Nazaret. En aquel acto, María se lo jugaba todo. Pero dijo el sí que hizo posible la salvación para los hombres, arrostrando todos los riesgos. Porque cuando Dios nos pide algo hay que decirle «sí», desterrando todo temor y venciendo todos los miedos.

Cuando uno mira una escena como esta que nos cuenta el Evangelio: Dios, que respeta siempre la libertad del hombre. El hombre, que tiene que arriesgarlo todo para ser fiel a Dios y debe poner su confianza en el Señor hasta llegar al riesgo total. Cuando vemos que el acontecimiento más grande de la historia humana no es cosa de los grandes de este mundo: de los reyes de este mundo, de los sabios de este mundo, de los generales y sus ejércitos, de los sumos sacerdotes y sus grandiosos templos... sino de esta humilde jovencita que se autodenomina a sí misma «la sierva del Señor», uno descubre que: *«los caminos de Dios no son nuestros caminos, sus sendas no son nuestras sendas»*. ¡Cuán cierto es que para Dios nada hay imposible!

Mis queridos hermanos, no puede uno leer este evangelio en Tampa sin evocar la historia de Cuba y mirar esa historia a la luz de este evangelio. ¡Cómo olvidar que en esta ciudad comenzó la etapa final y definitiva de la lucha por nuestra independencia! Un siglo después, desgraciadamente, siguen siendo ciertas las palabras con que Martí comenzó su más famoso discurso, dirigido a los pobres de la tierra, a los tabacaleros de Tampa: «*Para Cuba que sufre la primera palabra. De altar se ha de tomar a Cuba para ofrendarle nuestra vida, y no de pedestal para levantarnos sobre ella*». Para Cuba que sufre en la agonía de esta larga lucha por encontrar el camino del bien y la verdad, en la isla y en el exilio. Para Cuba que agoniza por la separación de las familias. Para Cuba que sufre en los pobres, los más sacrificados por la actual situación. Para Cuba deseosa de paz y de pan, de libertad y de justicia: pero sobre todo de Amor. No hablo para el cenáculo de los intelectuales, por más que necesitamos pensar y repensar nuestro pasado y nuestro presente, por más que creo en el papel de los intelectuales cuando no se sirven a sí mismos, sino a la patria humilde. Ni para los poderosos hablo, los que tienen las riquezas de este mundo y las influencias de este mundo; por más que pienso que ellos como los Aguileras y los Céspedes han de poner en el pro común lo que para todos será bien y salvación. Ni para los que hegemonizan el poder, sin darse cuenta que el poder vale cuando sirve y cuando no, es peor que el cieno, porque destruye en vez de construir. Hablo para el pueblo, que los incluye a todos porque, mis queridos amigos, quiero dejarlo claro: llevo en mi corazón a todos los cubanos, a los pobres y a los ricos, a los grandes y a los pequeños, a los negros, a los blancos. A los de acá y a los de allá, y a los de acullá. Si no quisiera a algún cubano, aun los que han errado el camino, a los que como presos comunes incluso purgan los daños que le han inflingido a los demás, sentiría que no le amo los hijos a la Madre común, a la Virgencita mulata que ha puesto su casa en medio de las montañas, en mi Oriente natal. Y a ese Dios Padre de todos que hace salir su sol sobre buenos y malos cada día y hace llover sobre las tierras de los justos y de los pecadores.

Amigos míos, no miremos más al pasado. No sigamos encerrados en el sufrimiento (que, por otra parte, jamás olvidaremos, ni debemos olvidar), no permitamos que el resentimiento dicte nuestros actos. No dejemos que el odio domine nuestro corazón. Levantemos nuestras cabezas, porque se acerca nuestra salvación. Cristo viene bajo la forma de un niño, con la pobreza de un niño, en la debilidad de la criatura recién nacida. Es la respuesta de Dios a nuestros sufrimientos, a esta historia triste que hemos hecho cuando no hemos sido capaces de luchar por la verdad y la justicia, cuando nos hemos cruzado de brazos frente a la opresión y al dolor. Todo puede cambiar porque Él viene, «*porque su paz lo precede y su recompensa lo acompaña*». No confiemos en los poderes de este mundo: en los ejércitos y en las armas, en las riquezas y en los cetros, en la astucia de los sabios según este mundo: confiemos, sí, en la fuerza del amor.

Cristo ha venido hace 20 siglos. Cristo viene cada vez que los hombres y los pueblos le abrimos el corazón y le dejamos hacer. Para los pueblos y los hombres existen esos momentos especiales, que son como el paso misterioso de Dios. Yo presiento que para nosotros los cubanos ese momento se acerca. Dios tiene sus horas, cuando visita a su pueblo, cuando anuncia a los lejanos y a los cercanos la anhelada paz. Y Dios habla a través de personas de carne y hueso, a través de su misteriosa presencia, cuando, si uno abre las puertas del corazón, aun en medio de la más terrible noche, descubre una luz más brillante que la luz del sol. Y es a veces la humilde luz de una estrella que camina en la noche. Y es a veces la suave brisa de la que nos habla el relato del encuentro del profeta Elías con Dios. No estaba Dios en el terremoto, no estaba en la tempestad, sino en la brisa suave, en aquella que no somos capaces de sentir sino cuando el calor nos ha agobiado largamente.

Un hombre anciano, cuyo nombre es Juan, el nombre de los precursores, un hombre que lleva también el nombre del Apóstol incansable, de Pablo, el formidable testigo, que antes fue perseguidor (porque para Dios nada hay imposible), vendrá a nosotros. Aquí, en la cercana lejanía, o en la Patria, ese hombre va a traernos la paz: Paz a los de cerca, paz a los de lejos. Ese hombre anciano y enfermo, quizá a las puertas de la muerte, cumplirá un deseo largamente acariciado por él y por nosotros, visitar a la Cuba que sufre. En él, Dios mismo nos visita. No es más que un humilde siervo, el siervo de los siervos de Dios: servidor de servidores, como lo quiere su Maestro, como él mismo se autodenomina, porque eso quiere Jesús que sean los pastores de su Iglesia, servidores del pueblo, servidores de los hermanos.

Amigos y hermanos míos: temo que encerrados en nosotros mismos, que imbuidos de nuestras querellas, dejemos pasar el ángel del Señor, el enviado que nos trae el anuncio de la paz. Una paz que no podremos construir con las armas ni con los ejércitos, con las muchas riquezas ni las influencias de este mundo. Una paz que el odio no puede construir. Una Paz que solo nace cuando estamos dispuestos a perdonar al enemigo, sin por eso dejar de luchar por la justicia. Cuando estamos dispuestos a hacer borrón y cuenta nueva, porque no nos hemos convertido en estatuas de sal que miran al pasado sino en hombres y mujeres de fe que luchan por el futuro.

El papa no vendrá a Cuba con una varita de hadas para resolver todos nuestros problemas «como por arte de magia». Pero su presencia nos puede llenar de valor para decidirnos a transformar nuestras propias vidas. Si la visita del Papa fuera simplemente un espectáculo brillante, si solo se convirtiera en uno de esos carnavales que tanto nos gustan a los cubanos... Pero no, no será así. Fiesta será, pero del Espíritu que empapa la tierra con la suavidad de la llovizna. Examen de conciencia será, que nos ayude a descubrir cuánto nos hemos alejado de Dios y «*qué cerca está el Señor de los que lo invocan de corazón*». Para que nos demos cuenta que, cuando un corazón está lleno de fe y de amor, es capaz de vencer todas las dificultades.

Yo sueño con ese día en que nosotros los cubanos, cada uno de nosotros, los de aquí y los de allá, los poderosos y los humildes, los ricos y los pobres, los blancos y los negros, dejando atrás la incomprensión y toda actitud de violencia, nos dispongamos a conversar como hermanos, sin hegemonías de poder, sin ambiciones ni orgullos vanos. Para esto hemos de rescatar la tradición martiana: Martí estaba siempre exaltando las virtudes de los cubanos. Él nos enseñó a enorgullecernos de la bondad, del sacrificio, del amor desinteresado que es capaz de entregarse por los demás. Cuando nos gloriamos de lo que tenemos o podemos tener (riqueza, poder, prestigio, influencias, conocimientos...) entonces somos tontos o, lo que es peor, nos convertimos en malvados. Pero las virtudes, amigos míos, edifican a los pueblos, son la garantía de la convivencia cordial y franca, y son el cimiento de ese decoro, de esa dignidad que nos hace hombres cabales, personas de bien.

«En Cuba son más los montes que los abismos: más los que aman que los que odian; más los de campo claro que los de encrucijada; más la grandeza que la ralea. Lo que odia es ralea. La ralea de un pueblo es la gente incapaz de amar. La soberbia: esa es la canalla. Vamos ensanchando: vamos componiendo: vamos fundando: vamos amando... Amemos la herida que nos viene de los nuestros. Y fundemos, sin la ira del sectario, ni la vanidad del ambicioso».

Estas palabras del Apóstol no han perdido nada de su vigencia. Es la hora de fundar sobre los cimientos que nos legaron los mayores, juntando las piedras que las incomprensiones han podido separar. Es la hora de recoger el legado de los mayores: La fe de Varela, que nos dijo aquellas sabias palabras, especialmente dirigidas a los jóvenes: *«diles que ellos son la dulce esperanza de la Patria y que no hay patria sin virtud, ni virtud con impiedad».* O de Don Pepe de la Luz y Caballero, la devoción por la justicia, *«ese sol del mundo moral».* Y de Martí, su irreprimible amor a la libertad que él mismo definió como *«el derecho que tiene todo hombre a ser honrado, y a pensar y hablar sin hipocresía».*

Termino con las palabras del Apóstol en aquel discurso que debiéramos llevar sobre el corazón todos los cubanos, el discurso que pronunció hace 100 años en este mismo lugar: *«¡Basta de meras palabras! De las entrañas desgarradas levantemos un amor inextinguible por la patria sin la que ningún hombre vive feliz, ni el bueno ni el malo... Y pongamos alrededor de la estrella, en la bandera nueva, esta fórmula del amor triunfante: "Con todos y para el bien de todos"».* Gracias.

CELEBRACIÓN DE LA JORNADA MUNDIAL DE LA PAZ*

Excmo. Sr. Nuncio de Su Santidad, Mons. Benjamino Stella, Excmos. Señores Embajadores y distinguidos miembros del Cuerpo Diplomático, queridos hermanos y hermanas todos.

---

* Catedral de La Habana, 1-I-1996.

Comienza hoy un nuevo año civil. Las informaciones de los días finales del año que acaba de concluir hacen recuento de lo acontecido en ese espacio de tiempo en distintos lugares del mundo. Son frecuentes en estos días los balances económicos más o menos alentadores, generalmente poco entusiasmantes para los pueblos del mundo subdesarrollado y pobre. En países de mayor desarrollo económico y donde se han consolidado sistemas cada vez más democráticos y estables, la corrupción ha hecho mella en las instituciones y tiende a sembrar decepción o desconfianza.

En cuanto al perenne anhelo de paz de la humanidad, se han producido, en el año que termina, hechos contrastantes, como los acuerdos sobre Bosnia y la muerte violenta de Yisaac Rabin. En esos solos acontecimientos se nos muestra cómo la paz puede alcanzarse, aun en situaciones muy difíciles, cuando los hombres se vuelven conscientes constructores de paz; pero al mismo tiempo, cuán amenazada está siempre la paz cuando el corazón humano permanece duro y cerrado a los llamados que le llegan desde todos los ámbitos de una humanidad cansada de guerras, que ha tenido la cruel experiencia de la inutilidad de los conflictos armados para hacer avanzar la civilización.

También en Cuba se hacen balances del año concluido y proyecciones para el futuro. Aunque se dan ciertos avances económicos muy modestos y se pronostica continuidad en una línea de crecimiento, y esto es alentador, lo que podemos constatar en la Iglesia, en nuestro diario servicio pastoral a los católicos y a todo el pueblo, son las carencias muy extendidas de bienes esenciales, entre ellos medicamentos y alimentos básicos, escasez de dinero para poder comprar lo necesario y, por lo tanto, una pobreza llevada con dignidad por la mayoría de los cubanos, pero no sin sufrimientos y con impaciencia creciente. Es acorde con esta celebración que mencionamos esos factores de inquietud social y de penurias materiales, pues la paz no es una consigna de carácter universal referida a una especie de utopía inalcanzable, sino que se forja o naufraga en las experiencias cotidianas de los pueblos.

En el Sermón de la Montaña, Jesucristo proclama la dicha de los pacíficos con palabras que sugieren directamente la acción comprometida del hombre para alcanzar la paz. *«Dichosos los que trabajan por la paz, porque ellos serán llamados hijos de Dios»* (Mt 5, 9).

Es evidente que la paz que Cristo propone al corazón humano debe ser recibida como un don de Dios, pero, al mismo tiempo, el hombre debe preparar concretamente caminos de paz en la sociedad, en su familia y en su propio corazón, si quiere de veras cooperar al plan de Dios.

No pueden pasarse por alto las otras Bienaventuranzas que acompañan al trabajador por la paz: *«Dichosos los que tienen hambre y sed de justicia»*, *«Dichosos los pobres en el espíritu»*. De unos y otros, dice el Evangelio, es el Reino de los Cielos.

El hambre y la sed de justicia hacen del hombre un luchador por implantar en el mundo el verdadero equilibrio en el disfrute de los bienes de la tierra y en las relaciones de los hombres entre sí y en el seno de la comunidad política. La pobreza espiritual libera el corazón humano, no lo deja aferrarse a cosas ni a personas, ni a concepciones. Un corazón sencillo y pobre es libre como el de Cristo y hace al ser humano capaz de crear una convivencia social civilizada. En este orden de la pobreza de espíritu, la palabra de Jesús señala que *«los mansos se adueñarán de la tierra»*, es decir, aquellos que proponen y no fuerzan, los que esperan siempre la respuesta libre de sus hermanos, tendrán un peso definitivo en ganarse para el bien la voluntad de todos.

Justicia y libertad son así las dos condiciones primeras de una paz segura, que se asienta sobre bases firmes y que el ser humano vive primero en su interioridad personal y en la familia, haciéndose así capaz de crear sociedades pacíficas de hombres y mujeres felices.

Ser trabajador por la paz es, pues, luchar por la justicia y esforzarnos con espíritu libre y liberador porque las virtudes y los valores propios de la mansedumbre espiritual, que hacen al hombre dueño de sí mismo y de su destino en la tierra, triunfen sobre la mediocridad, la violencia, la desidia y la pasividad.

La Iglesia nunca y en ningún lugar puede dispensarse de esta lucha y de este esfuerzo. En ello le va su fidelidad a Jesucristo, que se prueba en el amor a los hermanos, a quienes debemos proponer ese camino espiritual que nos hace personas realmente dignas. La aceptación o no de Jesucristo como Dios hombre, promotor de esa justicia en libertad, dependerá de la misma libertad de quienes reciben el mensaje; pero la obligación de proclamarlo a todos los hombres nos viene del Señor y compromete a todos los cristianos: a Obispos y sacerdotes, pero de modo especial a los laicos, que participan muy activamente en esta misión de la Iglesia por sus responsabilidades en el mundo del trabajo y en los diversos y complejos campos de la vida social y política.

La Iglesia, bebiendo de la fuente inagotable del Evangelio de Jesucristo, que es su carta magna, no presenta, a la humanidad inquieta y en búsqueda, únicamente teorías para transformar la sociedad o el mundo, sino una concreta visión del hombre y una clara propuesta de amor y de paz que ella dirige al mismo hombre, a cada hombre, porque hay una primacía de la persona en la doctrina de Jesús: «el sábado es para el hombre y no el hombre para el sábado», dirá el Señor a algunos judíos, observantes de preceptos, pero incapaces de misericordia y comprensión.

El hombre es así anterior a cualquier otra institución humana, es anterior al Estado, incluso anterior al culto debido a Dios. Si a la misma hora de la celebración de la Santa Eucaristía tienes el deber imperioso de cuidar a un enfermo, no hay duda de que tu primera obligación es atender a quien sufre.

Este es el modo de actuar que Jesús propuso a los suyos y que la Iglesia se esfuerza por mantener en su acción de apoyo y sostén a los más necesitados en el cuerpo o en el espíritu, a los que reclaman lo mínimo indispensable para vivir y mantenerse sanos y a quienes piden un poco de amor. Por eso, en el amor cristiano, en la caridad, hay una insoslayable llamada a la urgencia: «nos apremia el amor de Cristo».

Sabemos teóricamente, y se ha comprobado en la práctica, que solo la producción de riquezas puede llegar a colmar las necesidades humanas, si se da al mismo tiempo una buena repartición de esas mismas riquezas, pero mientras no se lleguen a producir esas riquezas, no podemos pasar de largo y dejar al pobre tirado al borde del camino. Los cris-

tianos, como Cristo, tienen que actuar como el buen samaritano.

La caridad cristiana no viene a reemplazar con desventaja
a la justicia, más bien la desea, la procura y la promueve. Así,
por ejemplo, CARITAS, que es el organismo de servicio que la
Iglesia ha establecido en la gran mayoría de los países del
mundo, no se ocupa solo, ni primeramente, de la distribución
de alimentos, vestidos o medicamentos a los más necesitados, sino sobre todo de la promoción del hombre, de su familia y de otros grupos humanos más numerosos. Es ya habitual que CARITAS fomente la pequeña empresa, familiar,
cooperativa o de otro género, la cual crea estabilidad económica y genera riquezas en el seno de la sociedad. De este
modo no se acude a la ayuda directa para paliar el hambre o
disminuir en algo las necesidades materiales; sino que, por
medio del trabajo, aumentan los bienes, crece la creatividad y
las personas alcanzan su real estatura humana. Facilitar a los
hombres los medios para sentirse dueños de su destino es
una forma superior de caridad cristiana, que contribuye a favorecer su bienestar material, al mismo tiempo que libera sus
mentes y sus corazones.

Esperamos que, en el nuevo año que comienza hoy, pueda
ampliarse el campo de acción caritativa y social de CARITAS
Cubana, especialmente en sus programas para la tercera
edad, sin olvidar a los enfermos crónicos y a los niños. Estas
son las personas que más apoyo necesitan de la comunidad
humana y, dentro de ella, de las organizaciones de servicio de
la Iglesia.

El mensaje del Papa Juan Pablo II para la Jornada de la
Paz que celebramos siempre el 1 de enero se refiere este año
precisamente a la niñez y trae un lema sugerente: «¡*Demos a
los niños un futuro de PAZ!*».

Dice al proponerlo el Santo Padre: «*Esta es la llamada que
dirijo a los hombres y mujeres de buena voluntad, invitando a
cada uno a ayudar a los niños a crecer en un clima de auténtica paz. Es un derecho suyo y es un deber nuestro*».

La familia cubana quiere mucho a sus niños y cuida de
ellos, de su salud, de su higiene personal, de su alimentación.
Este tradicional amor a los niños puede verse afectado, sin

embargo, por la disgregación de la familia, fenómeno muy extendido entre nosotros.

Estoy al tanto de algunas reformas del Código de Familia vigente en Cuba justamente para fortalecer la familia cubana. Esto es motivo de aliento para cuantos se preocupan, desde su propia misión en la sociedad, por el futuro de la familia, que debe asegurar a su vez el futuro de la niñez, porque, en palabras del Papa Juan Pablo II: «*Una infancia serena permitirá a los niños mirar con confianza la vida y el mañana*», pues: «*Los pequeños aprenden bien pronto a conocer la vida. Observan e imitan el modo de actuar de los adultos. Aprenden rápidamente el amor y el respeto por los demás, pero asimilan también con prontitud los venenos de la violencia y del odio. La experiencia que han tenido en la familia condicionará fuertemente las actitudes que asumirán de adultos. Por tanto, si la familia es el primer lugar donde se abren al mundo, la familia debe ser para ellos la primera escuela de paz*».

Y continuó citando el Santo Padre: «*Pero, además de la educación familiar fundamental, los niños tienen derecho a una específica formación para la paz en la escuela y en las demás estructuras educativas, las cuales tienen la misión de hacerles comprender gradualmente la naturaleza y las exigencias de la paz dentro de su mundo y de su cultura. Es necesario que los niños aprendan la historia de la paz y no solo la de las guerras ganadas o perdidas*».

EUCARISTÍA CELEBRADA DURANTE SU VISITA A TAMPA*

Queridos hermanos:

Tomando pie en la 1ª Carta del apóstol San Pablo a los Corintios, que hemos meditado en esta celebración dominical, quiero decirles que vengo a ustedes a «comunicarles el testimonio de Dios... no con sublime elocuencia o sabiduría, pues nunca me precié... de saber cosa alguna sino a Jesucristo, y este crucificado», de modo que «mi palabra sea en la manifestación y el poder del Espíritu».

---

* Tampa, Florida, 3, 4-II-1996.

El apóstol San Pablo pone en este texto la base de toda predicación cristiana: por uno u otro lado siempre aparecerá, en boca del apóstol, del predicador del Evangelio, la Cruz, que es escándalo para unos y locura para otros, pero que, para los que creemos en Cristo, es vida y salvación.

Me dirijo, pues, a ustedes, queridos hermanos cubanos, latinoamericanos y norteamericanos, con el mensaje perenne de Jesús y la sabiduría desconcertante de la Cruz del Señor. Como sacerdote, como obispo, no tengo nada más y nada menos que ofrecer.

La Iglesia nos propone hoy la lectura evangélica en la cual se nos recuerda que somos sal de la tierra y luz del mundo. Esta palabra los invita a ustedes, del mismo modo que lo hace a los católicos de mi Arquidiócesis en Cuba y a todos los cristianos del mundo, a ser portadores de luz y esperanza para sus hermanos; grande es la misión que Jesús pone ante nosotros; como la sal debemos darle sabor a esta tierra nuestra; como la luz, iluminar las tinieblas del error y del pecado con una claridad que sane y purifique.

No hay dudas que debemos dar respuesta a esta palabra exigente de Jesús; pero cada seguidor de Cristo y cada comunidad cristiana tiene que cuestionarse sobre el modo apropiado de responder a ese deseo del Señor en cada sitio y en cada momento de la historia. ¿Cómo cumplir con el programa de Jesús de ser sal y luz aquí en Tampa, en Estados Unidos? ¿Cómo cumplirlo en Cuba, en mi Arquidiócesis de La Habana?

Comprometedor y riesgoso este cometido; porque, según el profeta Isaías, «*tu luz romperá como la aurora*» si practicas de veras el amor y la justicia. «*Si partes tu pan con el hambriento, si hospedas a los pobres sin techo, si vistes al que va desnudo y no te cierras a tus semejantes.*» Si haces todo esto, «*clamarás al Señor y Él te responderá, gritarás y te dirá: Aquí estoy*».

Serás así sal y luz, no por lo que expliquen tus labios, sino por las obras concretas que realices, impulsado por el amor. Ser luz no es brillar, es aportar claridad y color a la vida y no hay luz sin desgaste de energía, no se puede alumbrar sin consumirse en cierto modo. Por eso les hablaba de sacrificio y de Cruz.

Cuando éramos jóvenes de la Acción Católica cubana, estas palabras del Evangelio se convirtieron en lema para todos nosotros: «*Ustedes son la sal de la tierra, ustedes son la luz del mundo*».

¡Cuántos frutos dio aquella Juventud de Acción Católica en nuestra Patria! Un laicado de buena formación cristiana y humana, muy unido a sus obispos y sacerdotes, fue la herencia de la Acción Católica a la Iglesia en Cuba y de esas riquezas nos hemos beneficiado hasta hoy en la Iglesia cubana.

El laicado católico cubano guarda algunas características de fidelidad, de sacrificio en su entrega al apostolado, que le han permitido a la Iglesia en nuestra nación, no solo subsistir en condiciones adversas, sino desarrollarse y crecer.

También hallamos la huella de aquel serio compromiso laical en los cubanos que salieron de nuestra isla y vinieron a asentarse en otras tierras. Sin embargo, tanto aquí como en Cuba, ¿tendrán las nuevas generaciones de jóvenes, tan presentes y activos en la Iglesia de nuestra nación, la misma posibilidad y capacidad de acceder a un compromiso serio con la Iglesia y con el mundo?, ¿los jóvenes de origen cubano o latinoamericano, al vivir en estas tierras de mayor abundancia, con gran desarrollo técnico, cómo se plantean el desafío de dar sabor a este mundo y de iluminarlo con la luz de Cristo?

Algunos creen que las dificultades ayudan a desarrollar actitudes de mayor compromiso y entrega personal. En este sentido, San Agustín decía: «*temo por la Iglesia en tiempos de tranquilidad*».

Pero las dificultades prolongadas o excesivas no favorecen tampoco la vida de la Iglesia. En los primeros siglos del cristianismo, junto a los mártires, que eran siempre un número más reducido, se daba una Iglesia replegada, oculta o a veces dispersa, que no podía ejercer plenamente su misión.

Así lo hemos podido constatar a posteriori en los países de Europa del Este; ¡qué empobrecida y aun devastada quedó la vida eclesial en varias de esas naciones! Pero ¡qué pronto llegó el materialismo práctico a sustituir en aquellos países con el consumismo, la droga, la pornografía, al otro materialismo que se había esforzado por borrar aun la idea de Dios!

Creo que esta realidad histórica reciente nos ayuda a comprender la frase de San Agustín. Sus temores por la Iglesia en tiempos de paz y tranquilidad se deben al acomodamiento, a no saber los cristianos aprovechar esa tranquilidad para cumplir su misión insoslayable de transformar las estructuras de pecado del mundo, siendo sal y luz.

Siguiendo también al apóstol San Pablo, podemos afirmar que la lucha de la Iglesia no es contra los poderes de este mundo, sino contra las tinieblas del pecado y del mal y esa lucha no termina nunca y es universal.

Es sorprendente que países de larga tradición cristiana presenten en foros internacionales proposiciones inaceptables sobre el aborto o la eutanasia. Pero más doloroso resulta aún que haya cristianos tibios en apoyar los reclamos del Papa y de los obispos en defensa de la vida. Si la sal se vuelve insípida, ¿quién podrá devolverle su sabor?

Resalta así, queridos hermanos, que el mensaje de Cristo tendrá siempre y en todo lugar resonancias contrastantes con la realidad en que viven cotidianamente los hombres y mujeres en cualquier parte del mundo.

Ahora que en Cuba el ateísmo comienza a ser cosa del pasado y ya no se recurre a explicaciones pretendidamente científicas que excluían sistemáticamente a Dios de la vida de los hombres; nuevos desafíos se presentan a la Iglesia en la difusión del mensaje de Cristo.

Es cierto que hay sed de Dios y de valores espirituales; pero sigue siendo cierto lo que el Padre Varela tan sabiamente diagnosticó del cubano en su modo de ser: tenemos tendencia a la superficialidad. En las búsquedas de nuestros hermanos puede darse la respuesta fácil de lo que también el Padre Varela juzgó pernicioso para la auténtica fe religiosa, la superstición. Esta puede tomar las características de cultos afrocatólicos o espiritistas, algunos de ellos casi folclóricos, que resultan a menudo un espectáculo para los turistas. No dejan de presentarse también pequeños grupos religiosos, casi todos de origen norteamericano, que tienen poder económico para agasajar con regalos a quienes acuden a los cultos y se da por otra parte, en no pocos cristianos, una adhesión mediatizada a la Iglesia Católica: se frecuenta a veces la Iglesia, se usan símbolos religiosos, como crucifijos o medallas, se habla públicamente de la fe, pero la vida de muchos de estos hermanos no se presenta acorde con el credo que profesan.

Estos serán algunos de los temas que la Iglesia en Cuba se planteará en nuestra próxima reunión conmemorativa del Encuentro Eclesial Cubano. Al cumplirse diez años de aquel evento, miramos hacia el año 2000, hacia el tercer milenio de la era cristiana, y nos preguntamos cómo puede ser el cristiano sal y luz en medio de nuestro pueblo.

La tarea es inmensa, porque el hombre y la mujer de hoy en nuestro país no solo tienen inquietudes de orden espiritual, hay también escaseces y frustraciones.

La Iglesia, que ilumina las mentes de los hombres, con la verdad sobre Jesucristo, Luz del mundo, sabe que su misión es múltiple. Su acción, se despliega no solo en el ámbito de la expresión de la fe religiosa para que los hombres descubran al verdadero Dios y a nadie más le den culto; sino que la misma verdad sobre Cristo le aclara al ser humano quién es el hombre mismo, cuál es su dignidad intrínseca, cómo la persona vale por sí misma, por ser criatura de Dios y llevar en sí la semejanza del Creador y no por su dinero, su condición política o social, sus conocimientos o su inteligencia.

La Iglesia, al hablar del Dios verdadero que se nos manifestó en Jesucristo, presenta al mismo tiempo su visión del hombre, creado libre por Dios, constituido señor de la creación, que debe ser respetado y amado por sí mismo.

Su discurso sobre Dios no le ha acarreado históricamente a la Iglesia tantas penas y sufrimientos como su discurso sobre el hombre. Y, sin embargo, ambos deben ir juntos, porque Dios se hizo hombre en Jesucristo.

A esta dignidad y grandeza de la criatura humana, que se descubren desde los primeros capítulos del Génesis, el Hijo de Dios hecho hombre añade el mandamiento del amor: «*ámense unos a otros como yo los he amado*».

Este amor no puede consistir solo en buenas palabras. Recordemos de nuevo la lectura del Profeta Isaías que hemos escuchado hoy: «*tu luz romperá como la aurora si partes tu pan con el hambriento, si hospedas a los pobres sin techo, si vistes al que va desnudo*».

El amor tiene que concretarse en obras, y ¿cómo hacerlo cuando las necesidades son tantas?, ¿cómo cumplir con esa misión tan propia de la Iglesia, cuando se dificulta el establecer y hacer funcionar las estructuras mínimas necesarias para ejercer con criterios actualizados una auténtica solidaridad? Como se ve la Cruz no se levanta en nuestro camino únicamente cuando Dios no es aceptado o es entorpecido el ejercicio del culto debido al Señor. La misión de la Iglesia, que es también la de rendir a Dios el homenaje de nuestra alabanza, anunciando el evangelio a toda criatura, es además profética: recuerda al hombre su dignidad, su condición de ser libre y sujeto de derechos y deberes y también promueve al ser humano más pobre y desvalido por medio de una caridad solidaria y servicial.

De esta triple misión no se puede dispensar la Iglesia en Cuba ni en ninguna parte del mundo. Evidentemente, tampoco se dispensa de ella la Iglesia en Tampa o en Estados Unidos. De otro modo dejaríamos al pueblo en sus carencias y desalientos y no se abrirían ante la humanidad caminos de esperanza.

Queridos hermanos de Tampa: desde que el Papa Juan Pablo II quiso dar a Cuba un Cardenal, recibí la invitación de esta Iglesia de Tampa para venir a visitarlos. Hubiera querido hacerlo el pasado año, cuando celebrábamos el centenario de la muerte de José Martí, el apóstol de nuestra independencia; porque Tampa está ligada de manera especial a Martí y a sus luchas por la libertad de Cuba. Sin embargo, el pasado año, el programa de visitas, dentro y fuera de Cuba, estaba muy cargado y no me resultó posible hasta ahora cumplir mi deseo y responder a vuestra invitación.

Créanme que lo hago con gusto, a pesar de que algunos cubanos, hermanos nuestros, no quieren que el Cardenal cubano pueda convertirse en un símbolo de esperanza, en un factor de cohesión para nuestro pueblo. Esto ha sucedido dentro de Cuba; pero también en lugares donde reside un buen número de exiliados cubanos.

Como sacerdote, como cristiano, perdono de corazón la incomprensión de unos y de otros y aun su agresividad y a todos los considero hermanos. Estoy convencido, en Cristo Jesús, que este es el lenguaje que debe utilizarse porque es el que corresponde a nuestra fe cristiana; un lenguaje diferente, que deben oír nuestros hermanos cubanos de aquí y de Cuba.

Afortunadamente crece el pluralismo en Cuba y en el exilio. Ni en un lado ni en otro se puede decir hoy que todos los cubanos tengan, gracias a Dios, el mismo modo de pensar y de sentir. Yo me dirijo, en nombre de Jesucristo, a aquellos que piensan de un modo diferente en un lado y en otro y estoy persuadido de encontrar cada vez más quienes comprenden mis palabras y descubren en ellas el sentir de la Iglesia y el poder transformador del Evangelio.

Con esa palabra y en ese poder tienen también ustedes que dirigirse a sus hermanos. Se hace necesaria una gran valentía para vivir, y proclamar nuestra fe, no solo cuando la Iglesia es perseguida con métodos tradicionales, sino cuando sutil o abiertamente es atacada en sus ministros, o en sus planes pastorales o en las proposiciones que hace al hombre concreto y a la comunidad humana.

Pido a la Virgen Santísima de la Caridad, nuestra madre y patrona, que disponga los corazones de los cubanos, dondequiera que se encuentren, para acoger el mensaje de su hijo Jesucristo, que no es otro que el del amor.

Gracias, queridos hermanos, por su invitación a Tampa. El recorrido por tantos lugares cargados de significación histórica para un cubano, el afecto, el cariño de ustedes, la acogida fraterna de su nuevo obispo Mons. Robert Lynch y el reencuentro con viejos amigos han sido para mí motivo de alegría y de acción de gracias al Señor.

Esta acción de gracias se hace ahora Eucaristía, ofrenda de Cristo por todos ustedes, por sus intenciones, y por todo nuestro pueblo cubano, para que el Señor lo bendiga con la Paz. Así sea.

MISA DE CLAUSURA DEL ENCUENTRO CONMEMORATIVO DEL DÉCIMO ANIVERSARIO DEL ENCUENTRO NACIONAL ECLESIAL CUBANO*

La Iglesia en Cuba, diez años después de haber celebrado su primer Encuentro Nacional, que la puso en pie en medio

---

* Catedral de La Habana, 25-II-1996.

de las plazas, le dio a su rostro brillo de juventud y de esperanza y abrió de par en par las puertas de sus viejos templos a muchos cansados transeúntes; se ha reunido de nuevo en estos días para recoger el eco de aquel clamor misionero que fue el ENEC y relanzar su programa de una Iglesia orante, encarnada y evangelizadora, que encara, con valentía y confianza en el Señor, los retos de este final de siglo en nuestra patria y traza un programa pastoral renovador para el tercer milenio de la era cristiana.

Emocionados, hemos acogido el mensaje del Papa Juan Pablo II, quien, como en la Cuarta Reunión General del Episcopado Latinoamericano en Santo Domingo, nos convoca a una Nueva Evangelización; no nueva en su contenido, porque la novedad del Evangelio de Jesucristo es insuperable, pero sí nueva en sus métodos, nueva sobre todo en su ardor.

Nuestra reunión pastoral ha tenido, en toda la Iglesia en Cuba, una breve pero intensa preparación y constituye un punto de mira hacia el futuro. Nos ha inspirado en nuestras reflexiones, y nos guiará, en la estructuración del Plan Pastoral Nacional hacia el año 2000, la carta apostólica de su Santidad el Papa Juan Pablo II «*Tertio Millennio Adveniente*», en la cual el supremo pastor delinea el quehacer y el sentir de la Iglesia, cuando se apresta a celebrar los 2.000 años del nacimiento del Redentor.

Una Iglesia que da gracias a Dios por la salvación operada en Cristo Jesús y la santidad de tantos de sus hijos, traducida en obras de bondad y de servicio. Una Iglesia que reconoce sus infidelidades, pide perdón, y en espíritu penitente, se propone olvidar agravios, superar las divisiones surgidas durante el milenio que termina, entre los mismos cristianos, y ser fermento de reconciliación y de paz en el mundo, colaborando a construir la civilización de la justicia y del amor.

Cuando comienza el ascenso cuaresmal del pueblo de Dios, que es un seguir las huellas de Cristo en su camino al Calvario, para introducirlo, más allá de la cruz, en su gloria, los católicos cubanos nos sentimos llamados hoy por Jesús a ir con Él al desierto.

En cada época, en cada lugar, los seguidores de Cristo debemos hacer ciertas opciones y tomar decisiones claras con respecto a la misión que el mismo Jesús encomendó a su Iglesia. Ninguna otra cosa, sino esta, ha realizado la Iglesia en Cuba por medio de la reflexión que ha concluido en nuestra reunión nacional conmemorativa. En esta ocasión sabemos, una vez más, que es el Espíritu de Dios quien nos ha animado y conducido, como lo hizo con Jesús, en aquellos cuarenta días de ardiente oración en el desierto.

El mismo Jesucristo es, además, nuestro modelo en las respuestas atinadas a las situaciones que se nos presentan. Porque el Señor no fue al desierto solo para rechazar tentaciones, sino para dar soluciones alternativas a las propuestas corrientes, aquellas que se enraízan en la psicología del hombre individual, ambicioso, proclive al éxito fácil y enemigo del esfuerzo sostenido, cuyo comportamiento, según la sociología moderna, se afianza en mecanismos reconocidos como «habituales».

Para la Iglesia, para todo cristiano, hoy y siempre, la lucha está planteada entre esa visión del hombre que lo considera el producto de sus instintos y de sus condicionamientos sociales, económicos o aun políticos y la concepción del ser humano digno, libre, dueño de sus actos, creado por Dios para el bien y el amor.

Por este modelo de hombre peleó Cristo en el desierto. En su vencer está nuestra victoria.

El hombre tiende a limitar el horizonte de su vida a lo inmediato material. ¡Parecen tan grandes las urgencias nutricionales, son tan extraordinarias las necesidades físicas!, que buscamos en las mismas realidades materiales la solución de los problemas y carencias de este género. Si no hay pan, hay que convertir las piedras en panes. Es una materia la que debe transformarse en otra para alimentar al hombre material. Pero, en el rechazo de Jesús a esta tentación está dada la alternativa a esa oferta: «*No solo de pan vive el hombre, sino de toda palabra que sale de la boca de Dios*». Ese hombre, que debe alimentarse, debe conocer también la palabra de Dios que es alimento de su espíritu. Allí descubrirá su grandeza como hombre y su auténtica dignidad de hijo de Dios y aprenderá entonces a compartir, a producir por razones más altas, a ser solidario con motivaciones muy profundas. La solución no está en las piedras, está en el hombre. Esa es la gran propuesta de Jesús y de su Iglesia.

Pero no despliega la Iglesia su misión en favor del ser humano a partir de ningún mesianismo espectacular: «*Tírate desde lo alto hacia abajo, Dios te mandará un ángel...*». ¡Cuántas fantasías religiosas o cuasirreligiosas han estado presentes en mesianismos seculares que, con nombres o estilos de ideologías, han querido, en forma impactante, vencer la miseria o aun transformar al hombre en su misma interioridad! Jesús tiene otra propuesta: «*No tentarás al Señor tu Dios*»; no intentarás violentar las leyes de la historia humana, no te lanzarás al abismo de lo desconocido, no va a aparecer un ángel maravilloso que te salve. El hombre, la sociedad, la historia no pueden ser transformados sino por el trabajo paciente y humilde de todos los que integran el conglomerado humano. Es imposible salvar al hombre violentándolo en su ritmo vital. La única espectacularidad está en el amor, en su cotidianidad, y esto llega a tener por nombre fidelidad o mansedumbre.

La más común de las tentaciones, a la cual se reducen muchas otras, aun la del dinero, es la tentación del poder. Desde una montaña alta, Satanás dijo a Jesús: «*Todo esto te daré si te postras y me adoras*». El poder puede ponernos de rodillas ante el mal. Hay que tener los ojos muy abiertos para no confundirse. El único caso en que Jesús llama a Satanás por su nombre es cuando este le propone poder, a cambio de dejar su unión profunda con el Padre, de abandonar su misma identidad, de olvidar su propia misión, adueñándose de las cosas de los hombres, Él, que había venido a servir y a dar la vida por muchos. «*Vete, Satanás, a tu Dios adorarás y a Él solo darás culto.*»

Queridos hermanos, cada uno de ustedes, como cristianos, tienen que hacer con Jesús esas claras opciones. También tiene que hacerlas la Iglesia, cuerpo de Cristo y las repetirá una y mil veces en cada momento histórico y en cada región de la tierra.

Los planes de los hombres, cuando se establecen a partir de sus propias ambiciones y de sus deseos de autoexaltación, desembocan en la pérdida de la felicidad personal y de aquella que le corresponde a la comunidad humana.

En el libro del génesis que hemos leído hoy, es Dios quien da al ser humano un aliento de vida. El hombre es el rey de la creación y deberá desarrollar el mundo que Dios le confía, pero hará esto siendo el guardián de la vida propia y de la de los demás. El ser humano no podrá nunca profanar el aliento de vida que lleva en sí mismo o que está en los otros. El hombre no debe tocar el árbol de la vida.

Mas la historia de la humanidad, desde el asesinato de Abel a manos de Caín, hasta las guerras antiguas y nuevas, mundiales o regionales, pasando por el terrorismo organizado, el crimen horrendo del aborto, la creciente aceptación de la eutanasia, la persistencia de la pena de muerte y otros atentados a la vida, ha configurado un mundo violento, en el cual se ha establecido una cultura de la muerte, que ha habituado trágicamente a los moradores del planeta al menosprecio de la vida humana. Esto se extiende al campo de la política y de la economía. Las manipulaciones, las injusticias sociales, las medidas económicas que no tienen en cuenta a los más débiles en la sociedad, los salarios bajos, la subalimentación y la falta de atención médica, los límites en el ejercicio de la libertad de expresión o de reunión y la ausencia de garantías o de respaldo judicial frente a grandes poderes económicos o estatales, no son sino variantes de un mismo pecado del hombre que ignora al hombre en su dignidad, en sus derechos, en su grandeza innata, con menoscabo de esa plenitud de vida que todos anhelan. Se genera de este modo infelicidad y rebeldía.

A ese mundo tenebroso del pecado y de la muerte viene Jesucristo, para vencer el mal con su propia muerte. Para eso subió al árbol de la cruz y colgó de él como un fruto muerto. Los leños secos del Calvario se convirtieron desde entonces en el nuevo árbol de la vida plantado en medio de la humanidad.

¡Oh cruz fiel, árbol único en nobleza!
Jamás el bosque dio mejor tributo
en hoja, en flor, en fruto.
¡Dulces clavos! ¡Dulce árbol donde la vida empieza...!

Sí, la vida verdadera empieza cuando el hombre Dios

muere en la cruz, y esa vida irrumpe en todos los que saben abrazar, sin temor, la Cruz de Cristo. Para esto Jesús, el Hijo de Dios, penetró la historia humana y la dividió para siempre en dos fases no solamente históricas: «Antes de Cristo» y «Después de Cristo». Porque en el acontecer personal o familiar y en la historia de los pueblos hay también un antes y un después de Cristo, que vienen dados por el momento en que Él hace su entrada en nuestras vidas. Este hombre, aquella mujer, cambiaron sus criterios después que conocieron a Cristo. Esta familia hizo una opción por la vida y el amor cuando Cristo entró en su hogar. Estas son experiencias recientes de la Iglesia en Cuba. Los pueblos en guerra, divididos internamente, minados por el odio o el desdén, pueden iniciar también caminos de reconciliación, de solidaridad y de fraternidad después de acoger el mensaje bienhechor de Jesús de Nazaret.

Por esta razón comenzaba el Papa Juan Pablo II su pontificado lanzando a las naciones de la tierra una invitación y un reto: «No tengan miedo, abran las puertas a Jesucristo». Y esta es la razón de ser de la Iglesia. Además de dar el culto debido a Dios, ella debe anunciar a Cristo para que Él transforme con su evangelio la vida de los hombres, de las familias y de los pueblos.

La Iglesia en Cuba, en su experiencia por momentos dolorosa, y a veces consoladora, de estos últimos casi cuarenta años, ha confrontado los mismos desafíos a los cuales dio respuesta el Salvador en sus cuarenta días de ayuno y oración, esgrimiendo la palabra de Dios, no como solución ya dada, sino como indicadora de un camino a seguir.

Así los cristianos cubanos y la Iglesia en Cuba, conscientes de la insuficiencia del materialismo marxista y su fallo existencial, no ponemos la mirada en otro materialismo consumista, hijo de un capitalismo feroz, que no llega a dar participación real a la inmensa mayoría desposeída, en los grandes beneficios económicos de unos pocos. La doctrina social de la Iglesia nos presenta no una tercera vía filosófica, utópica y de nuevo riesgosa, sino un proyecto de humanización de las normas frías y rígidas de la economía y del mercado, con una participación del trabajador no solo en algún benefi-

HOMILÍAS

cio recibido como dádiva, sino en la toma de decisiones y en la gestión de la empresa, sin paternalismos que matan la iniciativa personal, con una verdadera acción sindical que tenga en cuenta al trabajador como persona libre y responsable.

Para que desaparezca el hambre y la miseria, para que el hombre llegue a saciarse de pan, no solo es necesario que haya pan, se requiere primero crear las condiciones humanas y dignas de producir ese pan. La opción por una sociedad humanizada en su trabajo y en su capacidad de producir riqueza es cristiana y de esto hablaba la cuarta asamblea del episcopado de América Latina en Santo Domingo, cuando se refirió a la promoción del hombre latinoamericano, tal y como el Papa Juan Pablo II lo había sugerido para aquella reunión. Con sus demás hermanos del continente, el cubano debe también ser promovido integralmente.

Los cristianos cubanos y nuestra Iglesia, por presentar ante nuestros hermanos de modo profético la doctrina de Jesús sobre el hombre digno, libre y dueño de su destino, no nos consideramos imbuidos de un nuevo y siempre sospechoso mesianismo. La Iglesia es servidora de la humanidad, no pretende tener todas las soluciones ni monopolizar la verdad en cuanto a las cosas factibles. Si esto hiciéramos, estaríamos tentando al Señor nuestro Dios, al arrogarnos capacidades que no tenemos. Cuando aportamos nuestra visión del hombre y de la historia, la Iglesia Católica quiere trabajar, como decía nuestro apóstol Martí: «Con todos y para el bien de todos».

Los cristianos cubanos y la Iglesia que peregrina en Cuba ponemos toda nuestra confianza en el Señor. Sabemos que ningún poder humano puede usurpar el sitio que Dios debe tener en nuestra vida eclesial y que el poder de la Iglesia está paradójicamente en su pobreza de medios y recursos comunes para enfrentar la tarea ingente que la sobrepasa: sembrar amor donde hay odio, engendrar esperanza en los corazones desolados, y llamar a todos a una fraternidad que nace de la condición de ser hijos de un mismo Padre celestial. «Este tesoro –al decir de San Pablo– lo llevamos en vasos de barro, para que se vea que una fuerza tal no viene de los hombres, sino de Dios.» El poder de la Iglesia está en su falta de poder real en el orden humano. Para la empresa de construir una cultura de vida frente al mundo decadente de los que propugnan, de un modo u otro, la muerte del hombre; frente al desafío de crear una civilización del amor y de la justicia cuando parecen dominar la arbitrariedad, el desamor y aun el odio en las relaciones entre hombres y pueblos; frente a los reclamos de esperanza de tantos hermanos nuestros que no hallan sentido a su andar por la vida, la Iglesia y los cristianos solo contamos con el poder de Dios: «*Te basta mi gracia, mi fuerza se prueba en la debilidad*».

Estas son, aparte de las opciones pastorales que ha hecho nuestro Encuentro Conmemorativo, las opciones de base de la Iglesia y del cristiano, las mismas de Cristo en el desierto cuando preparaba en la oración y el ayuno su misión redentora:

— Una clara opción por la vida y por el hombre, con su dignidad y sus derechos.

— Una decidida opción por el servicio humilde, asiduo, no espectacular, pero en fidelidad a Dios y al mismo hombre.

— Una confianza total en el poder de Dios que vence el mal, aún dentro del mismo corazón humano, y es dueño absoluto de la historia; con plena conciencia de tener, en esta hora de nuestra vida nacional, una especial misión reconciliadora.

El anuncio del evangelio que la Iglesia debe hacer con nuevo ardor en Cuba en este fin de siglo, y a las puertas del tercer milenio, lleva consigo una invitación a nuestros hermanos para que, conociendo a Cristo, descubran también la grandeza de la persona humana, los valores personales y familiares que contiene el evangelio y que enriquecen la sociedad, y devuelvan a los hombres y mujeres, especialmente a las nuevas generaciones, un sentido a sus vidas, dándoles un aliento de esperanza. Para esta acción evangelizadora, la Iglesia convoca de manera especial a los laicos, a las familias y sobre todo a los jóvenes.

En manos de la Virgen de la Caridad nuestra Madre, ponemos los resultados y las proyecciones de futuro del Encuentro Conmemorativo del ENEC.

Nuestra Señora de la Caridad del Cobre, Patrona de Cuba:

te suplicamos que con Cristo Salvador, movidos por el Espíritu Santo, los católicos cubanos sepamos rechazar las tentaciones de poder, de mesianismos fáciles o de cualquier tipo de materialismo, aunque parezca atrayente; que estemos atentos a los requerimientos espirituales de nuestros hermanos, que reclaman algo más que pan; y que solo doblemos nuestras rodillas ante el único Dios verdadero, Padre de Nuestro Señor Jesucristo, que vive y reina por los siglos de los siglos. Amén.

MISA CRISMAL*

De nuevo, la Pascua del Señor viene a renovar en santidad a los hijos de la Iglesia. Cristo, muerto por nuestros pecados en la cruz y resucitado al tercer día, se convierte en la ofrenda única que el Padre aceptará en lo adelante. Ofrenda sacrificial de su Cuerpo entregado, de su Sangre derramada por la multitud, que la noche antes de padecer Jesús quiso instituir en la Cena como memorial del sacrificio de la Nueva Alianza, cuando dio a comer a sus apóstoles del pan partido que es su Cuerpo y les dio a beber del vino, que es su Sangre derramada por todos, diciéndoles que hicieran esto en memoria de Él.

La Cena de Jesús con sus apóstoles se transformó así, de memorial de la Pascua hebrea, en institución de una nueva ofrenda y un nuevo sacrificio y fue también la ocasión para instituir un sacerdocio nuevo, pues Jesucristo confió a sus apóstoles el Sacramento de su presencia y de su entrega.

El sacerdocio ministerial nace en la Eucaristía y para la Eucaristía y la Iglesia, comunidad de redimidos por Cristo, se congrega alrededor de la cena eucarística para perpetuar la ofrenda del único sacrificio que nos salva, el de Cristo en la cruz. Los apóstoles y sus sucesores, por la imposición de sus manos sobre los nuevos presbíteros, aseguran que la misión de convocar a la Iglesia y reunirla, muy especialmente alrededor de la Mesa del Señor, se perpetúe y extienda. Sacerdocio

---

* Catedral de La Habana, 26-III-1996.

y Eucaristía se reclaman tan estrechamente que el uno dice referencia a la otra y esta no puede existir sin aquel.

El sacerdote debe configurarse a la Eucaristía que celebra cada día; su imitación de Cristo debe ser Eucarística, haciéndose a sí mismo como la ofrenda que presenta cotidianamente al Padre, que no es otra que Cristo entregado por todos, exhausto y desangrado por salvar a la multitud.

Las consecuencias de esta consagración de su vida a Dios deben ser previstas y aceptadas por el sacerdote desde el seminario, pero, a medida que transcurre el tiempo de su ministerio, el presbítero comprende vivencialmente muchas cosas que lo remiten, casi siempre, a la miseria humana, en la cual Jesús se sumergió por su Encarnación. Descubre pronto también el sacerdote sus propios límites y, al mismo tiempo, toma una conciencia creciente de la grandeza de su misión. Llegado a este punto él podrá vivir su ministerio como una aventura exaltante que no tiene similar en la vida de los hombres, pero esto será posible en la medida en que Jesucristo vaya tomando posesión de su ser. El que celebra la Santa Eucaristía «in persona Christi» debe vivir y actuar también siempre «in persona Christi».

Esta sana tensión es la que genera las energías necesarias para crecer espiritualmente, para aguzar la creatividad y no estancarse, para vencer los desalientos y preparar nuevos proyectos pastorales.

Yo sé tan bien como ustedes, queridos presbíteros, que a esta tensión sacerdotal que está en la base de nuestra configuración a Cristo Sacerdote, se agregan en Cuba otras tensiones que provienen de la situación concreta del medio en que nos hallamos. No me refiero solo a las dificultades de orden material, como los problemas de transporte, sino a todo aquello que afecta anímicamente a las personas a quienes ustedes sirven.

El sacerdote escucha asiduamente las angustias que sus fieles llevan al confesonario, y esto debe entrar en su programa de trabajo semanal y en su disponibilidad de cada día; pero además atiende el pastor de almas a muchos hombres y mujeres que se acercan a él necesitados de medicamentos, de alimentos, de orientación o de consuelo. Entre ellos hay católicos y no católicos, bautizados y no creyentes. Las urgencias de tantos seres humanos nos hacen sentir desbordados en nuestra acción pastoral, pero no únicamente a causa del número de personas a quienes debemos servir, sino por la multiplicidad de situaciones personales de difícil o improbable solución que ellos nos presentan y que producen en nosotros un tipo peculiar de preocupación y aun de desgaste.

Es normal que, como cristianos, no seamos indiferentes a los problemas y sufrimientos de nuestros hermanos y, como sacerdotes, nos sintamos llamados a remediar sus males. Sin embargo, un grado mayor o menor de impotencia viene a poner condicionamientos muy serios a cualquier acción nuestra.

¿Qué decir al hombre que quedó sin trabajo y nos viene a ver desesperado? ¿Cómo conseguir con premura el medicamento que una mamá angustiada pide para su pequeño hijo de a penas dos años? ¿Qué hacer para animar al muchacho de quince años que no quiere irse a una escuela en el campo y se queda sin alternativa en sus estudios? ¿Cómo decirle que no a quien me pide a las doce de la noche que lleve en el automóvil hasta el hospital del pueblo vecino a su anciana madre que se ha puesto súbitamente enferma? Y debo además sostener en su decisión de tener su hijo a la señora que, por tener treinta y cinco años, fue declarada embarazada «añosa» y le dicen en el policlínico que tiene que hacerse el aborto, y tengo que despedir con dolor cada pocos días a hombres y mujeres, niños y jóvenes que abandonan definitivamente su país.

En estos días asistimos a la rifa de la vida y del destino de miles de hombres y mujeres que escriben sus nombres en apresuradas cartas con la esperanza de «ser elegidos» para dejar su tierra natal. Pocos resultarán seleccionados, pero todos los que tomaron la decisión de entrar en la rifa de su futuro ya no tienen la mente y el corazón aquí y se instalan en una provisionalidad que puede durar mucho tiempo.

Hacer depender del azar el futuro personal y familiar es trágico, sobre todo para los jóvenes. Quienes tienen algún tipo de compromiso eclesial en la catequesis, en la misión evangelizadora, en el quehacer caritativo y social de la Iglesia, en la animación pastoral de las comunidades abandonan, sin quererlo, su antiguo entusiasmo y su acostumbrada dedicación.

Esta es, tal vez, una de las más grandes preocupaciones de los párrocos y de todo sacerdote: ante el campo inmenso que debe ser cultivado, y a menudo parece listo para la cosecha, ¿dónde están los trabajadores, quién anunciará la Palabra Divina, de dónde conseguiremos catequistas para el seguimiento de quienes han sido iniciados en la fe? La acción pastoral de la Iglesia no se concibe hoy sin la presencia activa de los laicos. Así lo ha declarado nuestro II Encuentro Nacional Eclesial.

Por otra parte, sin un laicado comprometido que sea *sal de la tierra y luz del mundo,* la presencia y la misión de la Iglesia queda forzosamente disminuida.

Cuando se agolpan tantas preocupaciones, cuando estas vienen a añadirse a las cargas pastorales, exigiendo del sacerdote un mayor esfuerzo interior por parecerse en todo a Cristo, se hace más necesaria una vida de oración anclada en lo esencial de nuestra consagración a Dios en Cristo Jesús para el servicio de los hermanos.

Queridos presbíteros: tenemos que volver siempre, en toda ocasión, en la celebración diaria de la Eucaristía, a la razón profunda de nuestro ser sacerdotal, al llamado personal que nos hizo Jesús, a nuestra condición de servidores que sabemos, cada uno de nosotros, que, por la imposición de manos del obispo, el espíritu del Señor está sobre mí y me ha ungido *para dar una buena noticia a los pobres.* No solo soy el receptor de confidencias dolorosas, o el testigo sufrido de situaciones deplorables, tengo sobre todo una buena noticia que dar. Con nuestra vida, con nuestra palabra, debemos dar la buena noticia de Cristo muerto y resucitado a quienes sufren en su cuerpo o en su espíritu.

La celebración de la Misa Crismal es la ocasión que la Iglesia ha escogido para que los presbíteros renueven sus compromisos sacerdotales que liberan sus corazones para el servicio de los hermanos. En la misma ocasión en que se bendicen los óleos y el crisma que se emplean en la administración de los sacramentos, renuevan los sacerdotes su entrega a Cristo, Buen Pastor, repitiendo su propósito de poner sus vidas a disposición de la Iglesia que el mismo Señor Jesús les ha confiado.

Conviene, que antes de bendecir los óleos, renueven los sacerdotes su decisión de amar y de servir. La materia renovada de los sacramentos, que la Iglesia pone en sus manos, debe ser utilizada por presbíteros que se han renovado en su hombre interior y en su ser sacerdotal.

Al llevar consigo los óleos que vamos a consagrar en esta celebración, recuerden, queridos hermanos en el sacerdocio, que deben ser conservados en sus iglesias en un lugar digno y apropiado, de modo que los fieles puedan comprender que la Iglesia rodea de veneración estos aceites y que todos los fieles cristianos deben tratarlos con respeto. Como lo afirman los Padres de la Iglesia Oriental, de un modo similar a como está presente Cristo Jesús en la Santa Eucaristía, que es el Cuerpo del Señor, así está el Espíritu Santo en los óleos consagrados que se emplean para ungir el cuerpo del Señor que integran los miembros de la Iglesia.

Recuerden también, queridos sacerdotes, que ustedes fueron ungidos con el Santo Crisma y han recibido el Espíritu Santo para bendecir, para presentar la ofrenda del Cuerpo del Señor, para tender sus manos con amor al pobre, al desvalido, al enfermo, para sanar heridas, para perdonar a los pecadores. Que todos puedan reconocer en ustedes, por su dignidad y devoción en las acciones sagradas, a verdaderos dispensadores de los misterios de Dios.

Es el propio ministerio santificador el que nos santificará a nosotros mismos. No separemos nunca nuestra vida de unión con Cristo de nuestros quehaceres pastorales, como si estos fueran simples funciones que, por nuestra misma condición de presbíteros, debemos realizar. El trabajo sacerdotal de cada día, hecho en espíritu de entrega al Padre, será nuestra mayor garantía de fidelidad.

En la Misa Crismal se evidencia el Misterio de la Encarnación del Señor. La Palabra se hizo carne en Cristo Jesús. Dios desciende a lo humano como un mensajero de buenas nuevas y las anuncia a los pobres, a los oprimidos, a los cautivos, a los ciegos. Todo el empeño de Cristo, Buen Pastor, emana de su condición de enviado del Padre para salvar a los hombres.

Hoy debe cumplirse también en nosotros, en favor de nuestros hermanos, esta Escritura que acabamos de oír en la lectura profética y que el Señor reasume en el Evangelio. Sabemos que la aceptación de esta misión de servicio trajo para Jesús la consecuencia inevitable de ser el servidor sufriente de una humanidad dolida y herida por la falta de amor, que es el mayor pecado. Y tuvo que aceptar la cruz como vía de rescate de esa multitud de cautivos que Él vino a liberar.

Nuestra configuración a Cristo nunca puede ser completa si en ella no se integra la cruz personal que Jesús invita a cargar sobre sus hombros a todo el que quiera ser su discípulo. Pero la promesa que Jesús hace a los suyos, «donde yo esté estará también mi servidor», se cumple totalmente en la esperanza de la mañana de Pascua y se hará plenitud para cada uno de nosotros cuando Él nos llame a heredar el Reino Eterno y estemos siempre con el Señor.

Entonces será recompensada sin medida, queridos sacerdotes, esa fidelidad que hoy juramos de nuevo al Señor como el día de nuestra Ordenación Sacerdotal.

CELEBRACIÓN DEL 80 ANIVERSARIO DE LA PROCLAMACIÓN DE NUESTRA SEÑORA DE LA CARIDAD COMO PATRONA DE CUBA*

Queridos hermanos y hermanas:

El próximo 10 de mayo celebra la Iglesia Católica cubana el octogésimo aniversario de la proclamación de la Virgen de la Caridad de El Cobre como Patrona de Cuba, por el Papa Benedicto XV.

A los 80 años de este evento rememoramos aquella gran alegría del pueblo cubano y es bueno traer a nuestros recuerdos las circunstancias que precedieron aquella significativa designación de María de la Caridad, Madre de Jesucristo Salvador, como Patrona de nuestra Patria.

Ya nuestro pueblo desde siglos atrás había venerado a la Virgen María de manera muy especial. La devoción a la Madre del Señor, con su dulce título de Virgen de la Caridad, se

---

* La Habana, Parroquia de Ntra. Sra. de la Caridad, 8-V-1996.

había extendido por toda la isla de Cuba y los católicos de todas las regiones del país la consideraban como la Madre de todos los cubanos. Pero, una vez obtenido la anhelada independencia de Cuba del dominio colonial español, creció en los cubanos el deseo de que la Virgen de la Caridad fuera proclamada solemnemente por el Santo Padre, Pastor Supremo de la Iglesia, Patrona de nuestra nación.

Fueron los veteranos de la guerra de independencia quienes tomaron la iniciativa de hacerse voz de la inmensa mayoría de nuestro pueblo y escribieron al Papa Benedicto XV una petición firmada por el Mayor General Jesús Rabí, numerosos oficiales y combatientes del ejército libertador y otros simpatizantes del mismo.

El mismo texto de la carta explica las motivaciones de aquellos mambises y cubanos ilustres:

A S.S. Benedicto XV Santísimo Padre:

Los que suscriben, hijos de la Santa Iglesia Católica Apostólica Romana a S.S. humildemente exponen:

Que son miembros unos y simpatizadores otros, del Ejército Libertador Cubano, título que constituye el timbre de nuestra mayor gloria, por sintetizarse en él, el supremo bien de la Libertad e Independencia de nuestra Patria; que junto a ese título, ostentamos otro, que es el de pertenecer a la Iglesia Católica Apostólica Romana, en cuyo seno nacimos, al amparo de sus preceptos vivimos y de acuerdo con ellos queremos dejar de existir; y esos dos títulos hacen que hoy, reunidos en la Villa del Cobre, en donde se encuentra el Santuario de la SANTÍSIMA VIRGEN DE LA CARIDAD, y postrados reverentemente ante su altar, acordemos acudir a S.S. para que realice la más hermosa de nuestras esperanzas y la más justa de las aspiraciones del alma cubana, declarando Patrona de nuestra joven República a la Santísima Virgen de la Caridad del Cobre».

Cuando los veteranos hicieron esa petición, Cuba había nacido a la nueva vida republicana, pero estaba limitada en el pleno ejercicio de su soberanía por arbitrarias disposiciones del gobierno norteamericano. Los veteranos de la gran guerra, muchos de los cuales firman la carta al Papa, habían conocido ya una gran frustración cuando, finalizado el conflicto, no pudieron desfilar triunfantes por las calles de Santiago de Cuba, al no ser autorizados por el ejército norteamericano, que había intervenido en la guerra hispano-cubana, cuando la contienda se aproximaba a su fin. En aquella ocasión, dolidos y humillados, los gloriosos soldados del ejército libertador, a una orden del general Calixto García, se vieron representados en El Cobre por el Estado Mayor de su ejército con el General Agustín Cebreco al frente, y a los pies de la Virgen de la Caridad ofrecieron la Santa Misa en acción de gracias por el fin de la guerra. Esa fue la verdadera celebración de la liberación de Cuba del yugo colonial.

Como tantas veces en la manigua, como en tantas ocasiones de nuestra historia, la fe católica quedaba asociada a los avatares de la Patria. No olvidaban esto nuestros veteranos que llevaron en la columna invasora la imagen bendita de la Virgen de la Caridad. Tan suya la sintieron, que la llamaron Virgen mambisa y este título ha quedado presente en nuestros cantos y en nuestros rezos.

Cuba no fue nunca un país descreído o indiferente a la fe. Muchas veces, la mirada fría de algún culto visitante europeo del siglo pasado creyó descubrir, en la manera propia de ser y de sentir del criollo, cierta blandura que lo hacía inclinarse poco a las exigencias de la religión. Pero tienden a equivocarse los que hacen juicios apresurados de los pueblos en cualquier orden. También los que dijeron que los habitantes de la isla solo servían para bailar y cantar y que no eran capaces de grandes esfuerzos, se equivocaron. De esto da pruebas la guerra de independencia de Cuba, que fue la más dura y penosa de todas las de América Latina, pues el pueblo cubano casi se inmoló en aquella gesta en la cual participó el ejército más numeroso que Europa había enviado hasta entonces a ninguna parte del mundo.

La fe católica del pueblo cubano tiene como característica el resurgir una y otra vez, superando pruebas y crisis. Al gran florecimiento de la vida católica del siglo XVIII y comienzos del XIX, siguió la decadencia que produjo la dependencia de la Iglesia del poder real español en la segunda mitad del siglo pasado. Una condición indispensable para la vida de la Iglesia es su independencia del poder político.

Ese poder estaba en manos de anticlericales y liberales en España, los cuales, para mantener sometida a la isla de Cuba, decidieron disminuir la presencia cubana en la Iglesia de la Perla de las Antillas, y así se cerró prácticamente el Seminario a las vocaciones criollas; causando males profundos a la Iglesia en nuestro país. No podemos olvidar que en el Seminario San Carlos germinaron las semillas de la independencia de Cuba, sembradas por el Padre Félix Varela, el sacerdote criollo que nos enseñó a pensar primero y a pensar en cubano. El del Padre Varela es el primer pensamiento patriótico cubano articulado y bien fundamentado, apoyado en una ética cristiana integral, que incluía un rechazo absoluto de la esclavitud, considerada como lacra y pecado nacional; con una clara opción por la independencia total de nuestro país de toda otra nación.

El Padre Varela sabía bien que Cuba, una vez liberada del poder colonial, no podía caer en la dependencia política de los Estados Unidos, pues esto sería el fracaso de la nación cubana, cuya independencia él quería forjar. Los alumnos de Varela son los prohombres de la Patria y su pensamiento, con matices diversos, es el de su maestro.

La lucha por la independencia de Cuba no fue empresa de caudillos ni simple rebeldía con arrastre emocional. Hubo en ella valentía, heroísmo y sacrificio, pero ante todo hubo un pensamiento fundante claro y definido que proponía la independencia de Cuba y la libertad de todos los cubanos como condiciones imprescindibles para el futuro de la Patria.

Los que lucharon en las dos guerras, Céspedes, Agramonte, Maceo, Martí, eran activos custodios y propagadores de aquel raigal sentir patriótico del Padre Varela y de los prohombres del Seminario San Carlos, y enriquecieron y completaron el pensamiento de ellos sin traicionarlo nunca, sellando su fidelidad con la entrega de sus vidas.

También los veteranos que se dirigían al Papa Benedicto XV forjaron su patriotismo en la tradición independentista y libertaria que, naciendo de Varela y del Seminario San Carlos, atraviesa nuestra historia hasta nuestros días.

Bien sabían los patriotas que firmaban la carta al Santo Padre, que algún obispo y algunos sacerdotes españoles se expresaron con dureza, incomprensión o desprecio de quienes llamaban insurrectos y aun facinerosos. Pero siempre supieron los cubanos distinguir muy bien entre estos ministros del Señor, llevados por lo que entendían era fidelidad a su nación, y los otros sacerdotes o católicos cubanos que como el Padre Varela desearon la independencia de su Patria y lucharon por ella, muriendo algunos ejecutados, como el Padre Francisco Esquembre y otros pobres y tristes en el exilio forzoso, como el mismo Padre Varela. También fueron desterrados los sacerdotes Ricardo Arteaga, tío de nuestro primer Cardenal, Miguel Domingo Santos, Juan Genaro Mata y muchos más.

Sabían nuestros veteranos que el repudiado cuerpo de voluntarios de La Habana había proclamado como su Patrona a la Virgen de la Caridad, pero sabían también que la Virgen era mambisa, era cubana, y que nadie se la podía apropiar. Por eso no vacilan en ser los portavoces del pueblo de Cuba y piden al Papa que la declare Patrona de nuestra Patria.

A la hora de buscar las figuras señeras que simbolicen la independencia de Cuba de todo poder extranjero no se puede olvidar al Padre Félix Varela, sacerdote católico de vida santa y entregada a su pueblo. Cuando se trata de descubrir el pensamiento fundante de la Patria, el que entra en la fragua de nuestra nacionalidad desde temprano, dándole solidez ética a la empresa difícil de la independencia de Cuba, sin ninguna aprobación de la esclavitud, con un claro ideal independentista y nunca anexionista, hay que estudiar a los hombres del Seminario San Carlos y conocer su pensamiento y la calidad de su formación patriótica. Y cuando se habla de esos fundadores aparece siempre la fe cristiana presente y actuante.

También cuando se habla del pueblo cubano, tanto del hombre sencillo como del más cultivado, de la mujer del campo o de la ciudad, y nos referimos a su fe religiosa, es imposible pasar por alto a la Virgen de la Caridad de El Cobre. A ella le rezaron nuestros mayores desde tiempo inmemorial. Ella fue la Virgen peregrina que recorrió con el ejército libertador los campos y pueblos de nuestra isla. Invocada en los combates, suplicada en el silencio de los hogares, venerada, con devoción única en nuestra tierra, en su Santuario de El Cobre, presente siempre en nuestra historia. Así lo expresan en su carta al Papa Benedicto XV nuestros veteranos:

«No pudieron ni los azares de la guerra, ni los trabajos para liberar nuestra subsistencia, apagar la fe y el amor que nuestro pueblo católico profesa a esa Virgen Venerada; y antes al contrario, en el fragor de los combates y en las mayores vicisitudes de la vida, cuando más cercana estaba la muerte o más próxima la desesperación, surgió siempre como luz disipadora de todo peligro, o como rocío consolador para nuestras almas, la visión de esa Virgen cubana por excelencia, cubana por el origen de su secular devoción y cubana porque así la amaron nuestras madres inolvidables, así la bendicen nuestras amantes esposas y así la han proclamado nuestros soldados, orando todos ante Ella para la consecución de la victoria y para la paz de nuestros muertos inolvidados».

Ese es el papel de la Virgen María en la vida de los cristianos. Así aparece en los santos evangelios: presente cuando el Salvador del mundo entra en nuestra historia y los humildes pastores vienen a adorarlo, cuando en las bodas de Caná, donde se encuentra su Hijo, le pide a Jesús que haga algo por aquellos novios que no tienen vino que brindar. Y de pie, en la hora del dolor, junto a la Cruz, cuando Jesucristo entregaba su vida por la salvación de los hombres.

Nosotros también la sabemos siempre presente en la historia del pueblo cubano, desde el nacimiento de nuestra nación, en los momentos de alegría o cuando, como pueblo, hacemos la estación dolorosa al pie de la cruz. A ella le decimos lo que nos falta, o mejor, la Madre siempre está atenta a lo que necesitan sus hijos de Cuba. Ella está diciéndole a Jesús, como en Caná, que haga algo por nosotros. Nosotros tenemos nuestra fe y nuestra confianza siempre en Ella, como la que intercede especialmente por nuestra Patria ante su Hijo, Jesucristo, Nuestro Señor.

A la Virgen le confiamos siempre lo personal y lo que atañe a nuestras familias, pero también y sobre todo nuestra

Patria, su independencia, la libertad de los cubanos, nuestro futuro.

El católico cubano es heredero del pensamiento cristiano y patriótico del Padre Félix Varela, de su celo independentista, de su amor a Cuba, de su fidelidad a la Iglesia. Los veteranos pidieron un día al Papa que declarara a la Virgen de la Caridad de El Cobre Patrona de Cuba; la Iglesia Católica cubana trabaja y ora hoy porque el Padre Félix Varela tenga el honor de los altares. A la Virgen de la Caridad pedimos que el proceso de beatificación del Padre Félix Varela llegue pronto a término, para que la santidad de su vida sea cada vez más una luz que ilumine a los cubanos y a todos los latinoamericanos.

Esta conmemoración celebra nuestra fe cristiana, la devoción a la Virgen de la Caridad y el amor a nuestra Patria. De este modo sirve a Cuba la Iglesia Católica en nuestra nación. Como la Virgen María en las bodas de Caná, la Iglesia está en medio de nuestro pueblo, siente sus angustias, comparte sus alegrías y eleva su oración a Jesús por el bien y la felicidad de todos los cubanos. El amor a Dios y el amor a Cuba estuvieron unidos en nuestro camino hacia la independencia y hacia la libertad y permanecerán siempre unidos en nuestros corazones, como lo estuvieron en los veteranos que pidieron al Papa que la Virgen de la Caridad fuera proclamada Patrona de Cuba.

Que la Virgen de la Caridad mantenga siempre viva en nuestro pueblo la fe católica y el amor a la Patria. Esa es nuestra oración en este día y siempre.

SOLEMNIDAD DE LA ASUNCIÓN Y CONCLUSIÓN DEL PROCESO DE VIDA Y VIRTUDES DEL SIERVO DE DIOS PADRE FÉLIX VARELA Y MORALES*

Queridos hermanos y hermanas:

La Solemnidad de la Asunción de María a los cielos convoca este año de manera extraordinaria a la Iglesia en Cuba, porque en el curso de esta celebración quedará concluido el

---

* Parroquia de Ntra. Sra. de la Asunción de Guanabacoa, 15-VIII-1996.

proceso diocesano para la beatificación del Siervo de Dios Padre Félix Varela y Morales.

La Palabra de Dios proclamada en esta solemnidad de María Virgen nos introduce en la gran conmemoración de este día.

Entre los rayos y truenos de una tormenta formidable, que sirve de marco a una sorprendente visión, San Juan nos habla en su Apocalipsis de una mujer vestida de sol, con la luna bajo sus pies. La mujer está encinta y da a luz a su hijo, que le es arrebatado para llevarlo junto al trono de Dios; y la mujer escapa al desierto.

En el lenguaje arcano, cuajado de simbolismos del libro del Apocalipsis, aparecen así Cristo y María, Cristo y la Iglesia, María y la Iglesia. La contrafigura en esta visión viene dada por un imponente dragón, que parece barrer con todo: es la personificación del mal, de ese mal que Jesucristo vino a vencer y que queda sentenciado para siempre, cuando una voz del cielo clama con fuerza: «Ya llega la victoria, el poder y el reino de nuestro Dios, y el mando de su Mesías». Esta voz es como el eco poderoso de aquella afirmación coloquial, pero categórica, de Jesús a sus discípulos: «No teman, pequeño rebaño mío, yo he vencido al mal».

En este cuadro estremecedor resulta extraordinario el papel de la mujer, que es descrita como una figura portentosa y ocupa toda la escena. Presentada en el acto mismo que la consagra y la identifica privilegiadamente como mujer: está encinta, con dolores de parto y da a luz; ella juega el papel imprescindible para que el Mesías haga su entrada en la historia de los hombres, pues si Dios Padre, desde el seno de la Santísima Trinidad, envió a su Hijo, este será reconocido como nuestro hermano, porque –en palabras de San Pablo– es «nacido de mujer».

El plan de Dios queda así completo y lo femenino está integrado de modo eminente en el designio salvador. Si la fe cristiana ignora u olvida esto traiciona su misma esencia.

La mujer vestida de sol es la Virgen María, pero es también la Iglesia. María es figura de la Iglesia. En su respuesta de fe que la convierte en Madre del Mesías, haciéndose servidora del Señor; en su camino esforzado para ir a socorrer a quien lo necesita, mientras canta las alabanzas del Dios que derriba del trono a los poderosos y despide a los ricos vacíos, que enaltece a los pobres y los sacia de bienes, la Virgen Madre testimonia y anuncia lo que debe ser y hacer la comunidad de seguidores de Jesús, la Iglesia.

En ese texto apocalíptico se declara también que había comenzado ya el «tiempo de la Iglesia». Jesucristo había sido arrebatado a la gloria del cielo, la comunidad de los creyentes en Jesús, su Iglesia, está ahora como en un desierto; los cristianos se sabían perseguidos, acechados por sus enemigos, pero la certeza de la fe es fuerte en sus corazones: Cristo Redentor vive y ha vencido al mal.

Así sentían las primeras comunidades cristianas que escuchaban en sus reuniones dominicales la lectura consoladora del libro del Apocalipsis o de las cartas de los Apóstoles. San Pablo fortalecía a sus comunidades para el combate de la fe cuando les escribía: Cristo ha resucitado... Cristo tiene que reinar. De ahí brotaba la esperanza.

Y es precisamente eso lo que celebramos en esta Solemnidad de la Asunción de María al cielo: la realización plena en la Virgen Santísima de lo que toda la Iglesia espera para cada uno de sus hijos, Ella, la primera de los creyentes, la primera que anticipadamente se benefició de la Redención obrada por su Hijo, al ser preservada por Dios, en su inmaculada concepción, de toda mancha o huella de pecado; es también la primera que ha sido glorificada en cuerpo y alma en el cielo.

La Asunción de la Virgen María es una proclamación de nuestra esperanza: el bien siempre triunfa y trae su recompensa, la última palabra la tienen la justicia, la verdad y el amor. El pecado, que odia, desprecia, mata y destruye, no debe tener cabida en nuestras vidas, cuando aspiramos a la plenitud que contemplamos en María Virgen.

La preciosa imagen de la Virgen María, que es venerada en este municipio habanero de Guanabacoa, como su Tutelar, con su cara resplandeciente de pureza, con sus brazos en alto, con la mirada todavía más alta, puesta allá donde está su Hijo Jesucristo, sentado a la derecha del Padre, es una invitación a elevarnos por encima de lo rastrero y aun de lo mediocre.

El gran desafío del hombre ha sido siempre ese: el de crecerse hasta sobrepasar lo humano para, al menos, poder llegar a ser un poco humano.

A esto nos convocan la Solemnidad de la Asunción y la contemplación de esta bella imagen de María que, en su éxtasis celestial, irradia también alegría. Nuestro José Martí, quien la contempló seguramente más de una vez, la recordaba como «bailando un baile andaluz». «Dichosa tú que has creído», le decimos nosotros con Isabel y con toda la Iglesia a través de los siglos. Sí, esta celebración contiene una proclamación del gozo de la fe, de la cual María ha recibido ya sus frutos.

Porque es una dicha creer para, como María, ascender con paso decidido la cuesta difícil del amor y del servicio a los hermanos. Es una dicha creer, porque lo que esperamos es, esencialmente, una dicha sin fin, junto a Cristo, en su gloria. Fruto de la fe y de la dicha que la acompaña es la santidad.

Por eso es esta una magnífica ocasión, queridos hermanos y hermanas, para que el Tribunal Eclesiástico especialmente establecido en esta Arquidiócesis de La Habana con ese fin, clausure solemnemente su actuación en el proceso sobre la vida y las virtudes del Siervo de Dios Padre Félix Varela y Morales. Quizá en esta misma iglesia, ante esa misma imagen bendita de la Virgen de la Asunción, predicó el insigne sacerdote, cuando era joven profesor del Seminario San Carlos y San Ambrosio. Porque en la relación de sus sermones encontramos uno predicado en la fiesta de la Asunción de María y esta es la única iglesia de esta Arquidiócesis que tiene por patrona a la Virgen María en su Asunción.

Sea aquí, sea en otra iglesia, ¡con cuánto fervor cantaría entonces las glorias de María Virgen, llevada al cielo!, ¡con cuánta pasión invitaría a la virtud! Él, que hasta el final de sus días, lejos de la patria, por medio de escritos diversos, no dejó de exhortar a la juventud cubana a poner como fundamento de la independencia de Cuba la transformación del hombre cubano, porque, desde temprana edad, y de modo creciente cuando avanzaba en años y en experiencia, no concebía el Padre Varela los cambios en Cuba sin un cambio profundo del cubano en el sentido del desprendimiento, de la integridad de vida, del olvido de sí en favor del bien mayor de la

Patria. Con cuánto dolor constataba el santo sacerdote que «en la Isla de Cuba no hay amor a España, ni a Colombia, ni a México, ni a nadie más que a las cajas de azúcar y a los sacos de café». En suma, Varela es un abanderado de lo que es medular en la fe cristiana: el olvido de sí en favor de los demás, «quien guarda para sí su vida, la pierde, quien la entrega, la gana para siempre».

Esto fue, justamente, lo que hizo el Padre Varela de su vida: una ofrenda sacrificial, que lo configuró a Cristo, pobre y humilde.

Es apropiada esta celebración para cerrar el proceso diocesano de beatificación del Padre Varela, no principalmente porque haya predicado el Siervo de Dios sobre la Asunción de la Virgen María, sino porque toda la Iglesia en Cuba está pidiendo al Señor que sea contado pronto entre los beatos este sacerdote de vida santa, este cubano ilustre, este patriota sin tacha y la Solemnidad de la Virgen de la Asunción es una espléndida oportunidad para que cada uno de nosotros ponga en manos de María nuestra Madre este deseo de los católicos cubanos.

Los obispos de Cuba, en carta que tuve el alto honor de entregar a Su Santidad el Papa Juan Pablo II el pasado mes de junio, pedimos al Sumo Pontífice que el proceso de beatificación del Siervo de Dios se lleve a cabo con rapidez.

El Santo Padre mostró todo su interés en nuestra petición y remitió con prontitud la carta a la Congregación para las Causas de los Santos.

Ustedes saben bien que la participación en la gloria de Jesucristo, cuyo sacerdocio compartió como ministro de los sagrados misterios el Siervo de Dios Félix Varela, no depende de la proclamación de la Iglesia. No entra el Santo a la contemplación gozosa de Dios cuando es canonizado; sino que la Iglesia, en su beatificación, después de estudiar su vida, de recoger numerosos testimonios y de constatar su fama de santidad, declara lo que el pueblo de Dios presentía ser cierto: que ha sido glorificado con Cristo aquel que gozaba ya de fama de santidad. Lo propone entonces como ejemplo de seguidor de Jesús, sea a un conjunto de Iglesias o a la Iglesia Universal, y autoriza su culto público.

El Tribunal Eclesiástico de La Habana, al cerrar sus actuaciones, ha recopilado todas las obras y escritos del Padre Félix Varela y los especialistas han dado su valoración sobre ellos. Toda esta documentación será entregada ahora a la Congregación para las Causas de los Santos en Roma, junto con todos los testimonios escritos sobre su vida, que incluyen una cuidada biografía del sacerdote ejemplar. Concluye así en La Habana el proceso diocesano para la beatificación del Siervo de Dios Padre Félix Varela y Morales.

Pero esta celebración es conclusión y punto de partida. Porque de ahora en adelante el proceso continuará en Roma y nosotros debemos ser asiduos en nuestra oración, para que el Siervo de Dios Félix Varela tenga el honor de los altares. Si alguno de ustedes, queridos fieles católicos, recibe del Señor por intercesión del Siervo de Dios Félix Varela alguna gracia extraordinaria, debe comunicarlo con rapidez al Arzobispado de La Habana.

Será un gran bien para nuestro pueblo que un sacerdote abnegado y fiel, amante de su Iglesia y de su Patria, sabio y modelo de virtudes, sea propuesto a todos los cubanos, especialmente a las nuevas generaciones, como ejemplo a seguir en momentos en que el amor a la Patria debe hallar fuertes motivaciones, cuando los cubanos anhelamos tantas cosas para el mejoramiento de nuestra nación. Es de gran significado que, a la luz de las enseñanzas de Varela, se comprenda que no hay transformación de la sociedad sin un cambio serio, profundo y personal, que tiene que ver con nuestra escala ética de valores, con nuestro comportamiento individual y comunitario y con los ideales que orientan toda nuestra vida. En sus escritos y con el testimonio de su vida, el Siervo de Dios Félix Varela se levanta como un profeta que habla al corazón de cada cubano y estremece la conciencia de nuestra nación.

De él dirá Don José de la Luz y Caballero: «Solo el hombre que ha pasado la vida practicando todas las virtudes evangélicas con el fervor de los apóstoles, sería capaz de pintar la virtud con los vivos colores que él lo hace, copiándola del original que alberga en su pecho... De ti puede decirse con más verdad que de ningún otro mortal, 'que haces lo que dices y dices lo que sientes'. Continúa, pues, digno sacerdote de la verdad, en tu ministerio de bendición. Continúa en derramar sobre nosotros esos raudales de luz con que plugo al Padre de la luces iluminar tu grande entendimiento».

Como muestra de esto que decía Don José de la Luz dejemos escuchar la voz del Padre Félix Varela en sus «Cartas a Elpidio» que dirige especialmente a la juventud cubana. Dice así el Siervo de Dios:

«No ignoras qué circunstancias inevitables me separan para siempre de mi patria: sabes también que la juventud a quien consagré en otro tiempo mis desvelos, me conserva en su memoria... Te encargo, pues, que seas el órgano de mis sentimientos, y que procures de todos modos separarla del escollo de la irreligiosidad. Si mi experiencia puede dar algún peso a mis razones, diles que un pobre de cuya ingenuidad no creo que dudan, y que por desgracia, o por fortuna, conoce a fondo a los impíos, puede asegurarle que son unos desgraciados, y les advierte y suplica que eviten tan funesto precipicio. Diles que ellos son la dulce esperanza de la patria, y que no hay patria sin virtud, ni virtud con impiedad...» Y agrega el Siervo de Dios:

«La naturaleza en sus imprescriptibles leyes me anuncia decadencia, y el Dios de bondad me advierte que va llegando el término del préstamo que me hizo de la vida; yo me arrojo en los brazos de su clemencia, sin otros méritos que los de su Hijo; y guiado por la antorcha de la fe, camino al sepulcro, en cuyo borde espero, con la gracia divina, hacer, con el último suspiro, una protestación de mi firme creencia y un voto fervoroso por la prosperidad de mi patria.»

No son solo estas palabras ni tantas otras llenas de sabiduría que nos dejó el Padre Félix Varela las que motivan su beatificación. Otros cubanos ilustres con él y después de él han dejado también serias reflexiones en relación con Cuba y su destino.

Cábele a Varela haber sido el primero en enseñarnos a pensar; pero no es tampoco esto lo que determinará su exaltación por la Iglesia a la gloria de los santos. Es su vida virtuosa, su amor a los pobres, su entrega sacerdotal, lo que la Iglesia considera y valora para levantarlo como un estandarte ante los cubanos y ante toda nuestra América hispana.

Pues sus palabras calan tan hondo en nuestros corazones de cubanos porque están avaladas por su vida santa. Más que lo que dice lo extraordinario es quién lo dice. Las enseñanzas de Varela son el legado de aquel a quien José Martí llamó: «nuestro santo cubano».

Por esto confiamos a la Virgen María de la Asunción, en este día de Fiesta para el pueblo de Guanabacoa que la venera como la Tutelar, esta súplica de la Iglesia en Cuba: que aquello que nuestro apóstol José Martí dijo un día con la libertad de corazón de un cubano ardiente lo podamos repetir pública y solemnemente en el culto de nuestras iglesias del campo y de la ciudad, en nuestras catequesis de niños y jóvenes; que lo podamos decir, porque nuestra Iglesia Católica ya lo habrá proclamado, al cubano preocupado por su Patria y su futuro, al científico, al pensador, al artista, al trabajador, a todo nuestro pueblo: Félix Varela es «nuestro santo cubano».

Santísima Virgen María llevada al cielo, alcánzanos de Dios esta gracia que te imploramos todos los católicos de Cuba.

80 ANIVERSARIO DE LA PROCLAMACIÓN DE NUESTRA SEÑORA DE LA CARIDAD DEL COBRE COMO PATRONA DE CUBA*

Queridos hermanos y hermanas:

Los cubanos de todo el país nos reunimos hoy en nuestras iglesias de la ciudad y del campo, en casas de familia, donde se agrupan a rezar muchos católicos que no tienen un templo cercano a sus viviendas y también en numerosos hogares que adornan tradicionalmente con flores y velas la bendita imagen de la Virgen Santísima tan querida al corazón del cubano, venerada siempre en esta Basílica y de modo especial en esta fecha.

Sí, hoy es la fiesta de la Virgen de la Caridad de El Cobre, Patrona de Cuba, gloria y orgullo de nuestro pueblo.

No todos tienen el privilegio de venir aquí, a los pies de la Madre de todos los cubanos para decirle su amor; pero cuan-

---

* El Cobre, Santiago de Cuba, 8-IX-1996.

tos llenamos este santo lugar nos sentimos y nos sabemos hoy portadores de una oración por Cuba de parte de nuestros hermanos de todo el país, desde el extremo de Pinar del Río, hasta Baracoa y Maisí.

Porque en la oración del cubano habrá hoy, junto a la súplica personal a la Madre, que nace de lo hondo del corazón, un recuerdo especial de la Patria. Cuba está siempre donde está la Virgen de la Caridad, porque ella entra de lleno en nuestra historia nacional desde sus inicios y se fue convirtiendo ininterrumpidamente en lo que llegó a ser cuando nos independizamos del poder español, y aun antes, en un símbolo de la nación cubana.

La Virgen María, con su dulce título de Nuestra Señora de la Caridad de El Cobre, ha cumplido y cumple en favor de nuestro pueblo el querer de Dios para con ella. Cuando el ángel le anunció a María, de parte del mismo Dios, que sería la Madre del Salvador de los hombres, la Virgen aceptó y se puso a la total disposición del creador: «Aquí está la servidora del Señor, hágase en mí según tu Palabra». Y el «Hijo de Dios se hizo carne» en su seno virginal y «habitó entre nosotros».

Ser la Madre de Jesucristo Salvador llevaba consigo algo más que darle amor de Madre al Mesías de Dios; debía también acompañar al Hijo en su misión. Difícil misión la de Él, ser redentor del hombre, que no comprende muchas veces lo que conduce a su propia salvación; que en muchas ocasiones parece no desear que hagan nada por él. Tanto es así que Jesucristo, que pasó por este mundo haciendo el bien, curando a los enfermos, perdonando a los pecadores, predicando el amor y la misericordia, fue tratado como un malhechor, insultado y torturado hasta la Cruz, donde entregó la vida por nosotros.

¿Sabía la Virgen María, cuando respondió a Dios, que estaba dispuesta a ser la madre del Salvador, que acompañar a su hijo en la misión de rescatar a la humanidad del pecado y del mal le traería tantos dolores? Pero ¿acaso ser madre no es siempre una gran alegría, unida a una inmensa cadena de pequeños y grandes sufrimientos presentados y aceptados de antemano?

En el Santo Evangelio que hoy se ha proclamado, la Madre está junto al Hijo en un momento de gozo y amistad compartida: es la celebración de unas bodas en el pueblo de Caná. Todos festejan y falta el vino. La Virgen María está allí acompañando al hijo bendito que hará su primer milagro público a petición de la Madre, iniciando así su misión, al mismo tiempo que indica, por la abundancia y la calidad del agua convertida en vino, que para todos es una alegría grande que Dios haya enviado a su hijo al mundo y esté entre nosotros. Pero en las bodas de Caná no solo se nos revela la misión del Hijo, Jesucristo; se nos descubre también la misión de la Virgen Madre. Ella acompaña al Hijo y le suplica que obre el milagro, pero en esa misma acción se muestra también acompañando al pueblo, al pueblo que no tiene lo indispensable para su fiesta y a quien Jesús favorecerá a una simple indicación de ella.

Esa fue la doble misión que le encomendó Dios a María cuando la escogió por Madre de su Hijo eterno: estar cercana como nadie a Jesús por el amor y estar cercana a los hombres con corazón de Madre. Y esto último lo ratifica Nuestro Señor Jesucristo desde lo alto de la Cruz cuando le dice, refiriéndose al discípulo amado: «*Madre, ahí tienes a tu Hijo*». Desde aquel día, dice el Evangelio, el discípulo la acogió en su casa.

También nosotros cumplimos la última disposición de Jesús y acogemos a María de la Caridad en nuestros hogares cubanos. Como en aquella fiesta de bodas, la Virgen María ha cumplido en Cuba, bajo su título hermoso de Virgen de la Caridad, la misión de acompañar al pueblo cubano y de rogarle a su Hijo Jesús por sus necesidades. Para esto fue escogida por Dios.

Como en las bodas de Caná, Ella se vuelve hoy hacia nosotros cubanos y nos dice: «Hagan lo que Él les diga». «Hagan lo que mi Hijo Jesucristo ha dicho y enseñado, tengan confianza en Él, no se aparten nunca de sus caminos». Y cada uno de nosotros está aquí para cumplir el deseo de la Madre y decirle a Dios: «Aquí estoy, Señor, para hacer tu voluntad».

Porque la religión verdadera es la que sabe unir al afecto del corazón, que agradece y suplica en la oración, la acción concreta, la palabra adecuada y aun el sacrificio, que demuestran juntos que el creyente en Jesucristo no es solo aquel que le dice Señor, Señor, sino el que hace lo que Él nos dice.

Recientemente, la prensa nacional cubana publicaba, como parte de un análisis político, social y económico sobre la situación actual en nuestro país, hecho en altas instancias del Estado, una opinión sobre la fe religiosa en esta hora de nuestra historia. Ese estudio se revela interesante porque contiene elementos nuevos que debemos considerar.

Enumera dicho análisis las características de una fe religiosa para que esta sea verdadera y no constituya un motivo de preocupación para la sociedad y afirma que «los principios religiosos» deben ser «no solo formalmente sostenidos, sino consecuentemente observados en el comportamiento personal y social».

Queridos hermanos y hermanas: el esfuerzo de la Iglesia en su predicación, aquí en Cuba, como en cualquier parte del mundo, es para que cada cristiano católico sea consecuente en su vida diaria, en su hogar, en su trabajo, en su medio laboral o estudiantil, con la fe que profesa. No puede darse el testimonio válido de un seguidor de Jesucristo en quien acepta una fractura, un desnivel abismal entre su fe y su vida.

Esta fidelidad activa cuesta mucho a todo cristiano en cualquier país del mundo y constituye un desafío para su propia realización personal, familiar y social. No olvidemos que la debilidad humana nos acompaña siempre. Pero el católico cubano, miembro activo de la Iglesia, comprometido con Jesucristo, que reconoce las exigencias concretas del evangelio, se ha enfrentado en estos años a dificultades provenientes del ámbito político-social que se añaden a los límites humanos y materiales y entorpecen su acción propia en la sociedad y aun en el seno de su familia.

Ha habido en nuestros medios políticos un modo de concebir la fe religiosa como un asunto meramente individual que concedía a cada cubano el derecho al culto religioso de su preferencia y muy poco más. Parecía que todo lo que se saliera del marco de la práctica de ciertas ceremonias religiosas en los templos estaba desautorizado o no era bien visto. Así, cuando hace aproximadamente cinco años la Iglesia en

Cuba creaba el servicio de asistencia humanitaria llamado «CARITAS», surgieron sospechas y se fijaron límites a menudo excesivos para su acción social. Nosotros sabemos que ayudar al necesitado, sea quien sea, es un mandato de Jesús... «Señor, ¿cuándo te vimos hambriento y te alimentamos, desnudo y te vestimos, enfermo o en la cárcel y te visitamos?»... «Cada vez que lo hicieron con uno de esos pobres, conmigo lo hicieron».

Por eso aprendimos en el catecismo, desde niños, las obras de misericordia:

dar de comer al hambriento,
de beber al sediento,
vestir al que va desnudo,
albergar al que no tiene techo,
visitar al enfermo y al preso...

Si nosotros no hacemos al menos algo de lo que está en nuestras manos por aliviar esos males, si no buscamos modos para poder cumplir con este deber, sentimos que la vida nuestra no es consecuente con las palabras que dicen nuestros labios, ni con la fe que profesamos; pues la fe cristiana nos envía siempre al otro: «quien no ama a su prójimo, a quien ve, no ama a Dios, a quien no ve», «quien dice que ama a Dios y no ama a su hermano es un mentiroso», son palabras del apóstol San Juan. «Y quien ve a su hermano en necesidad y le cierra sus entrañas, ¿cómo está en él el amor de Cristo? (*1 Jn* 3, 17).

Este reto del amor, del sacrificio por el prójimo, del servicio desinteresado a los necesitados, es la prueba de fuego del cristiano y de su Iglesia. Para vivir con radicalidad el mandato de Cristo, miles de hombres y mujeres han entregado sus vidas, por la consagración religiosa, al cuidado de ancianos, de enfermos, de niños abandonados. Pero no es únicamente a través de este testimonio admirable como la Iglesia cumple su misión misericordiosa. El obispo, el sacerdote y cada cristiano están obligados personalmente al servicio misericordioso del pobre en todas sus amplias necesidades y para esto la Iglesia siempre y en todo lugar ha organizado esta ayuda, que comprende el apoyo caritativo, pero también acciones encaminadas a la promoción del hombre.

Cuando no se facilita este quehacer de la Iglesia, esta se resiente en su misión. Por eso considero altamente interesante que el documento oficial a que me refería identifique la verdadera fe religiosa por una serie de categorías que son netamente cristianas, como son (y estoy citando literalmente el texto publicado): «el amor al prójimo, el desinterés, la protección al más débil o desvalido, la justicia social, las virtudes morales y ciudadanas, el amor y el sacrificio por la Patria».

Lo que resulta novedoso no es que se diga que la verdadera fe religiosa consiste en poner en práctica toda una serie de actitudes y valores que son, en esencia, lo que Jesucristo nos enseñó, porque esto lo sabemos los cristianos desde hace casi dos mil años.

Por otra parte tenemos muy presente, y sobre ello insistió mucho el Siervo de Dios Padre Félix Varela, que ni el fanatismo religioso ni la superstición ni la impiedad son capaces de formar hombres y mujeres virtuosos, desinteresados y amantes de la Patria. Solo la verdadera religión que no se reduce a ritos, que compromete la vida, es forjadora de hombres nuevos y renovadores de la sociedad.

La novedad que hace interesante para nosotros, católicos cubanos, este análisis a que me he referido, es la de reconocer abiertamente que la fe religiosa implica una misión de los cristianos, y por tanto de la Iglesia, en la familia y en la comunidad humana, misión que identifica a los creyentes como auténticos hombres y mujeres de fe.

Si se sigue la letra y el espíritu de este análisis en lo que a la fe religiosa se refiere, puede crecer la comprensión de lo que es realmente la Iglesia y cómo son los cristianos que la integran y esto contribuirá a que la Iglesia en Cuba pueda cumplir plenamente la misión que el Señor le ha confiado.

Esta súplica se la presentamos a nuestra Madre de la Caridad, no solo por el bien de nuestra Iglesia, sino por el de todo nuestro pueblo, y lo hacemos en este día en que estamos celebrando los 80 años de la proclamación hecha por el Papa Benedicto XV de la Virgen de la Caridad de El Cobre como Patrona de Cuba. Hoy hace también 50 años que mi predecesor, el recordado Cardenal Manuel Arteaga Betancourt, celebró por primera vez la Santa Misa como Cardenal de la Iglesia en esta Basílica.

Los cubanos tenemos aquí en El Cobre, en nuestra Madre de la Caridad, un símbolo del amor que debe unirnos, aquí nos llenamos de un fervor que nos alienta en nuestro caminar. Cargados con nuestras miserias por las necesidades cotidianas y las penas de la vida, nos postramos ante la imagen bendita que desde niños aprendimos a venerar y que nos es tan familiar y le presentamos a María de la Caridad nuestras preocupaciones por los enfermos y ancianos, por nuestros niños y jóvenes, por nuestras familias, por el futuro de nuestra Patria.

Todo se le confía a la Madre, todo cabe en su corazón inmaculado. Así lo han sentido los cubanos, desde tiempos ya remotos hasta nuestros días. Estos han sido, históricamente, los sentimientos de nuestros mayores y de nuestros patriotas.

Para ilustrar esto, dejemos por un momento la palabra a los veteranos de nuestra guerra de Independencia, muchos de ellos oficiales de alto rango, quienes, encabezados por el Mayor General Jesús Rabí, se dirigen al Papa Benedicto XV pidiéndole al Sumo Pontífice que declare a la Virgen de la Caridad Patrona de Cuba. Las razones que ellos aducen, tanto personales como históricas, son las mismas que tenemos nosotros para estar hoy aquí y rendirle veneración a nuestra Madre del cielo:

A S.S. Benedicto XV
Santísimo Padre:
Los que suscriben, hijos de la Santa Iglesia Católica Apostólica Romana a S.S. humildemente exponen:
Que son miembros unos y simpatizadores otros, del Ejército Libertador Cubano, título que constituye el timbre de nuestra mayor gloria, por sintetizarse en él, el supremo bien de la Libertad e Independencia de nuestra Patria; que junto a ese título, ostentamos otro, que es el de pertenecer a la Iglesia Católica Apostólica Romana, en cuyo seno nacimos, al amparo de sus preceptos vivimos y de acuerdo con ellos queremos dejar de existir; y esos dos títulos hacen que hoy, reunidos en la Villa del Cobre, en donde se encuentra el Santuario de la SANTÍSIMA

VIRGEN DE LA CARIDAD, y postrados reverentemente ante su altar, acordemos acudir a S. S. para que realice la más hermosa de nuestras esperanzas y la más justa de las aspiraciones del alma cubana, declarando Patrona de nuestra joven República a la Santísima Virgen de la Caridad del Cobre».

«No pudieron ni los azares de la guerra, ni los trabajos para liberar nuestra subsistencia, apagar la fe y el amor que nuestro pueblo católico profesa a esa Virgen Veneranda; y antes al contrario, en el fragor de los combates y en las mayores vicisitudes de la vida, cuando más cercana estaba la muerte o más próxima la desesperación, surgió siempre como luz disipadora de todo peligro, o como rocío consolador para nuestras almas, la visión de esa Virgen cubana por excelencia, cubana por el origen de su secular devoción y cubana porque así la amaron nuestras madres inolvidables, así la bendicen nuestras amantes esposas y así la han proclamado nuestros soldados, orando todos ante Ella para la consecución de la victoria y para la paz de nuestros muertos inolvidados».

Así expresaron su devoción a la Virgen de la Caridad nuestros libertadores. Con ellos vibran también nuestros corazones de cubanos.

Virgen Santísima de la Caridad:

Como los veteranos de nuestra guerra de independencia, nosotros tenemos también dos títulos de gloria: ser cubanos y ser hijos de la Iglesia Católica, Apostólica y Romana.

Como ellos no podemos ser desagradecidos ni olvidadizos de lo que tú significas en nuestra historia. Te damos gracias por todo lo que, por medio de ti, hemos recibido de tu Hijo, Jesucristo.

Te pedimos perdón como pueblo, porque no hemos hecho todo lo que Jesucristo nos ha enseñado. Perdona las faltas de amor entre cubanos, perdona los odios y rencores entre quienes tienen distintos modos de pensar o de sentir. Perdónanos a los cubanos, dondequiera que nos encontremos, por creernos los mejores, por pensar que tenemos siempre la razón, por sentirnos suficientes. Perdona todo esto que nos hace menos capaces de entendernos como hermanos y de dialogar de igual a igual con otros pueblos.

Llévanos de la mano como Madre hasta tu Hijo Jesucristo, para aprender de Él a ser mansos y humildes de corazón y poder así trabajar por la reconciliación de todos los cubanos, llevar la paz a los corazones dañados por la violencia o el odio, aliviar a los que sufren en su cuerpo o en su espíritu y sembrar esperanza en todos nuestros hermanos.

Concédenos estos dones, Virgen Santísima de la Caridad. Sabemos que, cuando tú suplicas a tu Hijo Divino en favor del pueblo cubano, todo lo puedes, porque tú eres la Madre del Salvador, porque tú eres la Patrona de Cuba.

Amén.

SOLEMNIDAD DE CRISTO REY.
PRESENTACIÓN DEL PLAN GLOBAL DE PASTORAL*

Queridos hermanos y hermanas:

«*Cristo tiene que reinar*», nos dice San Pablo en su 1ª Carta a los Corintios. Ese reino de Cristo abarca el cielo y el abismo. Será una realidad nueva que no destruirá la antigua, sino que la transformará trascendiéndola.

El reino de Cristo no conoce la muerte: «*el último enemigo aniquilado será la muerte*». Los reinos de los hombres aniquilan a sus enemigos haciéndolos morir por la espada o por el hambre.

El reino de Cristo aniquila la muerte por el triunfo del amor y de la vida. En ese reino, como lo describe el libro del Apocalipsis, «*no habrá llanto, ni luto, ni dolor, porque todas esas cosas habrán quedado atrás*». No promete Cristo un reino de abundancia, sino de plenitud. No promete un tiempo de Paz y de Justicia, sino la Paz y la Justicia instauradas para siempre en lo hondo del corazón de cada hombre.

¡Qué bien pudo afirmar Jesús ante Pilato: «*mi reino no es de este mundo*»!

Sin embargo, se construye en este mundo el reino de Dios con dolor y esfuerzo. Cada vez que nos acercamos a la verdad, al bien y al amor que Cristo sembró entre los hombres,

---

* Catedral de La Habana, 24-XI-1996.

se prepara la llegada del reino en cada corazón que se abre con sensibilidad al hermano, aunque quien así actúe no tenga noticias de esa realidad espiritual, ni sepa que ayuda a establecerla.

De ahí la sorpresa de los elegidos y de los reprobados al verse llamados o apartados por el Rey, cuando venga con sus ángeles a culminar en justicia y santidad el proyecto eterno de Dios. Así nos lo presenta la imponente parábola evangélica proclamada hoy y que acogemos siempre estremecidos, como un llamado a nuestra conciencia de cristianos, como un programa insuperable e insuperado por ninguna ideología política, por ninguna filosofía o ningún otro credo religioso:

porque tuve hambre y me diste de comer,
tuve sed y me diste de beber,
fui forastero y me hospedaste,
estuve desnudo y me vestiste,
enfermo y me visitaste,
en la cárcel y viniste a verme.

El Rey que juzga ha estado entre nosotros: lo hemos visto pobre y desnudo, preso y hambriento. Tender la mano o apartar la mirada ante cada uno de estos es desconocer a Cristo, nuestro Rey.

Y sorprende, además, que se adquiera la ciudadanía de ese reino, a veces sin pretenderlo siquiera, poniendo remedio o aliviando las más elementales y dolorosas miserias humanas:

El hambre de la humanidad, que tiene dimensiones planetarias y es hoy la más devastadora de las plagas.

La sed de los pueblos castigados por la sequía, que beben aguas insalubres portadoras de gérmenes nocivos.

La falta de un techo para vivir, con gente albergada, hacinada, vagando de un sitio a otro, buscando mejores posibilidades de vida en naciones más ricas, que cierran sus fronteras y desprecian o temen las culturas de los recién llegados o rechazan simplemente, por motivos raciales, a quienes huyen despavoridos de un país a otro.

Hombres y mujeres sin abrigo, sin vestido para protegerse del sol o del frío, sin un lecho donde dormir.

Enfermos de enfermedades curables que mueren por falta de asistencia médica, sea porque no hay médicos, sea porque los medicamentos escasean o cuestan muy caro y los pobres no pueden pagar el tratamiento.

En estos días, en la huida de los refugiados de Zaire por cientos de miles, van quedando abandonados en esa marcha macabra, los débiles, los enfermos, los niños, los ancianos, los que no resisten. A mí se me antoja ese triste peregrinar un símbolo desolador de la humanidad actual que quiere dejar atrás al aparentemente inútil, al niño que prevén nacerá con un defecto, al anciano que no tiene conciencia, al enfermo, cuyo sufrimiento no queremos compartir ni aliviar, sino suprimir, suprimiéndolo a él mismo, «ayudándolo» a morir. Es una cultura de muerte la que parece emerger al final del segundo milenio de la era cristiana.

Por eso tiene que resonar contrastante y luminosa la palabra de Jesús: «*Yo he venido para que tengan vida y la tengan en abundancia*».

A nosotros, cristianos del final de este milenio, y especialmente a ustedes, jóvenes, de quienes dependerá el curso de la humanidad en el milenio que comienza, nos toca anunciar el evangelio de la vida, el evangelio de la esperanza, a nuestros hermanos y hermanas aquí en Cuba.

Es la hora de que los cristianos, en pie, griten un no rotundo a la muerte, no a la guerra, no al hambre, no a la miseria, pero también y sobre todo no al pecado que engendra todos los males: no al egoísmo, no a la autosuficiencia, no al odio, no a la revancha.

La voz de Cristo y de su Iglesia debe resonar proclamando un sí a la vida, sí a la paz, sí a la solidaridad, sí a la humildad, sí al perdón, sí a la reconciliación y al diálogo, sí al *amor, que todo lo espera*.

Evangelizar es esto: anunciar con la vida, con las palabras y con toda la fuerza de nuestro corazón la verdad sobre Jesucristo y la verdad sobre el hombre, a quien el mismo Jesucristo le ha conferido una dignidad inviolable. Es descubrirle al hombre pobre o rico, humilde o autosuficiente cuál es su valor real, dónde radica su grandeza, cuáles son sus límites, *Hombre, dime quién eres*. Solo Jesucristo puede descubrirle el hombre al hombre. Solo en Él está la respuesta a la pregunta primera de la existencia, ¿quién soy?

Soy el hombre que lleva en lo hondo de su ser la imagen de Dios, soy solidario de una humanidad que anhela la verdad y la vida y donde parece triunfar el pecado y la muerte.

Pero, habiendo sido tan favorecido por el Creador y tan ingrato con Él, he sido rescatado por el mismo Dios que tanto ha amado a los hombres que nos envió a su Hijo Único. En él tenemos la redención, el perdón de los pecados, él es el camino, la verdad y la vida, él es la luz que ilumina a todo hombre que viene a este mundo.

Solo la luz de Cristo descubre al hombre su grandeza y su miseria, pero también le revela que es posible la redención que nos transforma en una nueva criatura, nos da a conocer el sentido de nuestro paso por la tierra y el destino glorioso que Dios nos promete, y nos concede la gracia de vivir abiertos al futuro en esperanza.

Queridos sacerdotes, diáconos, religiosos, religiosas y fieles laicos de La Habana, adultos o jóvenes, ancianos o niños:

Todos están convocados a anunciar esa buena noticia de Cristo Salvador a sus hermanos cubanos. Nos convoca el mismo Jesucristo: *¡Vayan, pues, por el mundo entero, hagan discípulos de todos los pueblos!* A esto nos compromete nuestro bautismo, que hemos revivido hoy al inicio de esta celebración. A la Nueva Evangelización; nueva en su ardor, nueva en sus métodos, nueva en su expresión, nos ha invitado insistentemente el papa Juan Pablo II. Al comienzo de la Eucaristía, escuchábamos el Mensaje de los Obispos de Cuba, proponiéndonos el camino pastoral de nuestra iglesia cubana desde ahora hasta el año 2000.

Jesucristo tiene que reinar, Jesucristo debe ser amado y servido. Los nuevos cristianos que se incorporan a la Iglesia, y los de larga permanencia en la fe deben conocer la Biblia, que es la Palabra revelada por Dios, deben formar sus conciencias y sus corazones al calor de la doctrina verdadera de la santa tradición de la Iglesia.

Todos los Movimientos: el Movimiento Familiar Cristiano, el Movimiento de Estudiantes Católicos Universitarios, los Movimientos de Jóvenes Católicos, el de la Unión de Mujeres Católicas, el de los trabajadores, el de los trabajadores de la Salud, el Movimiento de la Renovación en el Espíritu, los Talleres de Oración, la Legión de María y otros grupos apostólicos deben todos, además de recibir la formación propia para su acción específica, reflexionar y estudiar los temas fundamentales de nuestra religión, para aprender a conocer así la grandeza y la sublimidad de la fe católica.

De este modo se harán cada vez más capaces de un apostolado activo, serio y comprometido, que permita a los nuevos cristianos, o a quienes retornan a la fe, entrar en comunidades vivas y dinámicas, generadoras de gozo y de esperanza, verdaderos centros de irradiación misionera que, por todos los medios posibles, pregonen el mensaje liberador de Cristo a todos los hombres.

Ustedes son los responsables, sacerdotes, diáconos, personas consagradas y sobre todo los laicos, de construir esas comunidades. El obispo los apoya, los exhorta, los impulsa a que no haya comunidad sin consejo parroquial o comunitario; que no haya comunidad sin catequesis de niños, de jóvenes o de adultos; que no haya comunidad sin laicos misioneros, que no haya comunidad sin espíritu misionero.

CÁRITAS, Justicia y Paz, la acción pastoral en las cárceles deben difundir y enseñar a poner en práctica la Doctrina Social de la Iglesia.

Pareciera que la responsabilidad mayor del compromiso que brota de la lectura evangélica de este día caería sobre estas organizaciones de la Iglesia para el servicio de los pobres; de quienes tienen hambre o carecen de techo o vestido, de quienes están enfermos o en la cárcel; pero ese es un deber de todos los cristianos. La palabra conminadora de Jesús se dirige a cada uno de nosotros: «*cada vez que lo hicieron a uno de esos pequeños, a mí me lo hicieron*» pero «*cada vez que dejaron de hacerlo, a mí me olvidaron*».

Es imposible evangelizar pasando de largo ante quien sufre en su cuerpo o en su Espíritu. La promoción del hombre, su dignificación y la atención al necesitado son parte integrante de nuestra fe cristiana y el anuncio del evangelio lleva consigo acciones concretas en el orden del servicio y del amor, que hacen creíble no solo el mensaje, sino a sus portadores.

Por eso la Iglesia no pide otro privilegio que el de poder servir y el objetivo general de nuestro plan pastoral nacional hasta el año 2000 es que Jesucristo sea anunciado desde comunidades vivas y dinámicas para contribuir así a la promoción humana de nuestros hermanos en Cuba.

El gran evangelizador del fin de este siglo, el Vicario de Cristo en la tierra, tiene una preocupación continua y universal por el hombre y su dignidad, por su crecimiento espiritual y por su promoción humana. La figura extraordinaria del Papa Juan Pablo II se alza ante la humanidad, con mansedumbre y sencillez de corazón, para recordar a todos los hombres, creyentes o no, que el destino del hombre en estas postrimerías de siglo y al comienzo del tercer milenio de la era cristiana se juega no en las bolsas de valores, ni en los desusados pactos militares, sino en la conciencia de cada hombre y de cada pueblo por la opción ética que debemos hacer en favor de la vida y no de la muerte, por la verdad y no por la falsedad abierta o solapada, por el amor y no por el odio o la violencia, por la reconciliación y la paz y no por la hostilidad o la venganza.

En la escuela de Jesucristo aprendió Juan Pablo II que el diálogo es el camino para superar todas las crisis, aun las de más difícil solución.

No podía ser de otro modo el corazón del Pastor Universal, tampoco puede ser diferente el sentir de la grey católica cubana y especialmente de sus pastores.

En estos días, para mí tan cargados de un significado personal muy hondo, he ofrecido al Señor el más grande dolor de mi vida porque la semilla que se ha sembrado en Roma, durante el encuentro del Santo Padre con el Presidente Fidel Castro, dé frutos abundantes en bien de la Iglesia y del pueblo de Cuba. Y en medio de esas penas personales inevitables, he sentido con todos los católicos cubanos y con gran parte de nuestro pueblo, una profunda alegría; en el próximo año 1997, Dios mediante, el Papa Juan Pablo II vendrá a Cuba.

Desde hoy mismo nos comenzamos a preparar para su visita. Nuestra acción de gracias a Cristo Buen Pastor por medio de María de la Caridad, Madre de la Iglesia, es tan grande como larga ha sido la espera de esta hora feliz.

¡Qué mejor preparación dentro de este trienio que nos conduce al 2000 que recibamos entre nosotros al Vicario de Cristo!

¡Qué modo mejor de evangelizar a nuestros hermanos que ellos puedan escuchar de labios del mayor evangelizador de nuestro tiempo el mensaje cargado de esperanza del evangelio de la vida, de la verdad y del amor!

Desde ahora te decimos, Santo Padre: te esperamos, bendito el que viene en nombre del Señor.

Desde ahora queremos comenzar la misión que prepare tu visita, y hoy los sacerdotes, diáconos, religiosos, religiosas y laicos de La Habana recibirán de su Obispo el envío misionero y se comprometerán a hacerlo vida y verdad.

Es la hora de la espera y de la esperanza.

Aquí está tu Iglesia Católica de Cuba, querido y venerado Santo Padre, la que ha sabido esperar, la que ha aprendido la fuerza del silencio y la oración.

Esta Iglesia quiere aprender a escuchar como tú sabes hacerlo. Esta Iglesia quiere ser humilde y acogedora como eres tú; valiente como tú, discreta y bondadosa como tú, y también como tú, queremos ser voz de Cristo que anuncie a los cubanos que solo Jesucristo nos trae la salvación.

A la Virgen de la Caridad confiamos tu visita a nuestra Patria. En sus manos ponemos también nuestro plan pastoral nacional que hoy inauguramos en toda nuestra nación. ¡Que Dios bendiga a Cuba!

MISA CRISMAL*

Queridos sacerdotes, queridos hermanos y hermanas:

Según la profecía de Isaías que hemos escuchado, todos nosotros, obispos, presbíteros y laicos que formamos el pueblo de Dios, la Iglesia, debemos ser llamados «sacerdotes del Señor», «ministros de nuestro Dios». El anuncio de un pueblo en el cual todos sus miembros serían sacerdotes por su cercanía a lo sagrado, por su intimidad con Dios en la ofrenda al Señor de

---

* Catedral de La Habana, 21-III-1997.

la alabanza que Él solo merece, es un tema que se repite varias veces en el Antiguo Testamento. Toda la asamblea de Israel llegaría un día a ser pueblo sacerdotal.

En la Antigua Alianza, el sacerdote entraba algunas veces en el santuario él solo «detrás de la cortina» y presentaba allí la ofrenda del culto a Dios en nombre del pueblo que permanecía fuera del lugar santo, al cual nunca podía entrar.

La posibilidad de acceder a lo sagrado de forma inmediata estaría dada por la venida del Mesías; Él transformaría la vida de los hombres, cambiaría «su abatimiento en corona» y su «traje de luto en perfume de fiesta». El Mesías prepararía los corazones del pueblo fiel para un culto gozoso de alabanza en un tiempo nuevo que quedaría inaugurado por su venida y al que el profeta llama «año de gracia del Señor».

El relato evangélico nos dice que Jesús entró en la sinagoga de Nazaret, donde se había criado y el mismo que era conocido como el hijo de María, de quien todos pensaban que José era su padre, desplegó el rollo profético de Isaías donde está escrito el anuncio mesiánico que acabamos de oír y lo hizo suyo: «El Espíritu del Señor está sobre mí, porque me ha ungido, me ha enviado... a dar una noticia buena a los pobres, la libertad a los oprimidos, a anunciar el año de gracia del Señor».

Enrolló el texto sagrado y proclamó serena y solemnemente lo que nosotros ya sabemos por nuestra fe: «hoy se cumple esta Escritura que acaban de oír».

El hoy de Dios había hecho irrupción en la historia de la humanidad caída y necesitada de redención, envuelta en una sucesión de hechos donde, en terrible paradoja, se mezclan siempre el bien y el mal: la guerra y la paz, el progreso y la opresión, la justicia y la intolerancia. No es de extrañar que las mentes sientan confusión y que los corazones se dejen arrastrar por la decepción y aun por el odio.

Pero a los ciegos, incapaces de ver cuál es la verdad, a los pobres, postrados en la desesperanza y el temor, a los oprimidos por cualquiera de las miserias o violencias que padece la humanidad actual, Jesucristo no cesa de repetirles: «Hoy se cumple lo que acaban de oír». Mi buena noticia es verdad, libertad y esperanza.

Solo que Jesús de Nazaret puede hablar en ese presente perenne, porque «Jesucristo es el mismo ayer, hoy y siempre», y su anuncio no es el de un maestro, ni el de un filósofo o fundador de alguna ideología. Solo Él podía leer con propiedad en primera persona el texto sagrado de Isaías: «El Espíritu del Señor está sobre mí: Me ha enviado».

Jesucristo es el enviado de Dios y actuará siempre como un enviado. Su vida entera es la de alguien que está configurado por su misión, que no tiene otro propósito que cumplirla. Cuando sus coterráneos lo interrogan acerca de su condición y su persona, para saber si él es el Mesías, responderá: «vean mis obras: los ciegos ven, los paralíticos andan y a los pobres se les anuncia una buena noticia...». Sus respuestas son los hechos que debían identificar al enviado de Dios, según lo anunciaban los profetas.

Jesús no realizaba su misión solitariamente. El Enviado de Dios, el hijo eterno del Padre que asumió nuestra pobre condición humana, llamó hacia sí a otros. Pronto lo seguirían un grupo de hombres, a quienes él consideró no solo como receptores de Su misión mesiánica, sino a quienes hizo también partícipes de la misma: «Los envió de dos en dos a todos los lugares a donde Él iría después» y los preparó para esa misión: «Cuando lleguen a una casa digan: Paz a esta casa, si hay en ella gente de paz recibirán la paz que ustedes llevan, si no, volverá a ustedes mismos».

Quedaban delineados así los contornos del nuevo pueblo de Dios que nacería en las aguas bautismales «no de la carne, ni de la sangre, ni de querer de hombre», sino de la entrega y la fidelidad a Jesucristo, Hijo de Dios. La presencia ante Dios en el culto de alabanza no sería ya más la del sumo sacerdote, separado por una cortina del resto del pueblo; sino la cercanía de amistad con Jesucristo («ustedes son mis amigos»), que nos llama a un lugar tranquilo para orar, que toca nuestros ojos y oídos y los abre a la comprensión de la verdad, que parte para nosotros el pan, que es su cuerpo, y nos da a beber el vino, transformado en su sangre; pero que nos asocia además a su misma misión.

Él nos convoca en su Iglesia para que también hoy, a través de nosotros, se cumpla la Escritura que acabamos de oír y los pobres sean evangelizados y todos puedan ver la salvación de Dios, porque la palabra de Jesús, que es eficaz y se cumple sin falta, no tuvo solo un valor histórico para su época y su entorno, sino que permanece siempre, como Él mismo permanece a la derecha del Padre: «Yo estaré con ustedes siempre, hasta el fin del mundo».

El Mesías restaurará así en dignidad al ser humano: dando una buena noticia a los pobres, a quienes sufren. Noticia que hará descubrir un valor nuevo al sufrimiento, sacándolo del círculo estrecho del castigo y de la esterilidad, que lo hacen intolerable; aliviará además los corazones desgarrados: el texto profético dice vendar, no sanar. Se vendan las llagas incurables para mitigar sus molestias, para evitar que empeoren. En la acción de vendar las heridas hay mucho del amor de quien las venda.

La amnistía de los cautivos y la libertad de los prisioneros parecen soluciones muy similares para remediar la falta de libertad. Aunque prisionero es más bien el que está tras las rejas, mientras que cautivos podemos ser todos: del vicio, de la mediocridad, del odio, del pecado. Esta restitución de la libertad viene dada como gracia; esa es siempre la característica propia de la amnistía, que significa olvido. No importa la consideración que hagamos sobre los delitos cometidos, en la amnistía está siempre el perdón del que sufre la condena, sin emitir juicio alguno sobre la culpabilidad del que está privado de libertad. Es un gesto generoso de quien puede hacer también uso de su poder para perdonar y olvidar.

El Papa Juan Pablo II pide gestos de este género a los gobiernos del mundo al acercarse el tercer milenio de la era cristiana. El jubileo del año 2000 debe ser un tiempo de gracia del Señor y ha de manifestarse en cada pueblo o nación por medio de la reconciliación, la amnistía y todas las acciones que sirvan para vendar corazones desgarrados y para consolar a tantos afligidos.

En el plano de las relaciones entre los pueblos, el Papa Juan Pablo II reclama que se cancele la deuda internacional que pesa sobre los países pobres y en vía de desarrollo; deuda que ha sido pagada ya por algunos países dos o tres veces, al caer en ese círculo asfixiante que añade intereses a intereses y no permite a gran parte de la humanidad salir de la miseria. El año 2000, para que pueda ser celebrado como una fiesta, sin abatimientos, sin traje de luto y con cánticos de alabanza, debe hallar a una humanidad dispuesta a la paz y a la reconciliación, a la amnistía y al perdón. Porque es casi imposible celebrar los dos mil años del nacimiento de Jesucristo, «el testigo fiel, el Primogénito de entre los muertos, el Príncipe de los reyes de la tierra, el que nos amó y nos ha liberado de nuestros pecados por su sangre», si no aceptamos como humanidad, el desafío del amor, ante el cual nos colocó, a su paso por la tierra, Jesús de Nazaret. Esto es también verdad para la Iglesia en Cuba y para todo nuestro pueblo.

Con este especial mensaje y como enviado de Dios nos visitará el Papa Juan Pablo II dentro de diez meses. Todos en la Iglesia, cuando somos portadores del mensaje de amor y de paz que Jesús nos ha entregado, actuamos como enviados del Señor, pero más que ningún otro cristiano, el Papa, a quien Cristo Jesús le ha confiado la misión de guiar, como pastor universal, a su Iglesia.

A fines de este siglo, a las puertas del inicio del tercer milenio, el Santo Padre vendrá a Cuba como Mensajero de la Verdad y la Esperanza. El Papa traerá a los cubanos la Buena Noticia de Jesucristo. Su anuncio no será otro que aquel que Jesús proclamó a su pueblo, la verdad sobre Dios y sobre el hombre, sobre la Iglesia y su misión, el perdón y la reconciliación entre los cubanos y la paz para Cuba en el concierto de las naciones del mundo. Los efectos de sus palabras y de su presencia serán los mismos que produce siempre el amor cristiano: la transformación de los corazones. Esto hará que todos seamos un poco mejores después de su visita.

Para preparar el tercer milenio de la era cristiana y la visita del Papa Juan Pablo II, la Iglesia Católica en Cuba ha iniciado una misión que intenta dar a conocer a Jesucristo a nuestros hermanos, bautizados en su mayoría, pero desconocedores de la persona y de las enseñanzas de Jesús. Casi todas las comunidades parroquiales u otras han comenzado a distribuir el Evangelio de San Marcos, acompañándolo con un anuncio sencillo y claro del amor que Dios nos ha manifestado al enviarnos a su Hijo Jesucristo.

Muchos de ustedes han comprobado cómo son recibidos los católicos con simpatía y gratitud en casi todas partes y cómo se enriquecen los misioneros y toda la comunidad, al sentir que están viviendo el mandato que Jesús ha dado a todos sus discípulos: «vayan por el mundo entero y proclamen el Evangelio».

Si el antiguo profeta miraba hacia una realidad futura al anunciar la salvación a su pueblo, lo hacía sin conocer sus contornos precisos; nosotros, al llevar el mensaje a nuestros hermanos, les presentamos al Cristo de la resurrección y de la vida, que entró para siempre en nuestra historia.

Queridos sacerdotes: si todo el pueblo de Dios, por participar de la misión que el Padre confió a su Hijo y de la cual Jesús hace partícipe a su Iglesia, es pueblo sacerdotal; si todos al verlos a ustedes, cristianos, entregados de diversos modos a la única misión de la Iglesia, «dirán de ustedes que son enviados de nuestro Dios», si a la misión de la Iglesia de llevar a Cristo al mundo están llamados por igual laicos y sacerdotes; a ustedes, queridos sacerdotes, Jesús los llamó a sí de manera especial y en la misión de la Iglesia los compromete y sostiene de un modo superior y admirable.

Jesús multiplicó el pan para la multitud y anunció a los que quisieron escucharlo que Él era el «pan vivo bajado del cielo». Pero cuando todos se fueron porque no comprendían «cómo puede ese darnos a comer su carne», solo quedó con el Señor un grupo reducido, de algunos que no comprendían mucho más, pero que sabían que, si dejaban a Jesús, ¿adónde irían?

Esos somos ustedes y yo. No mejores, pero sí misteriosamente llamados por Cristo y adheridos a Él y a su palabra. Siéntanse de ese grupo y vayamos ahora, queridos sacerdotes, ustedes y yo, sin comprender muchas cosas, cansados de tantos obstáculos en nuestro quehacer pastoral, olvidadizos de que el camino de Cristo fue el de la Cruz; vayamos al Cenáculo, donde Jesús ha mandado que preparen y adornen el salón para celebrar la Cena de la Pascua. Allí, puestos a la mesa, confundidos y apenados como Pedro, sabiéndonos pobres pecadores, dejémonos lavar los pies por nuestro Maestro y Señor, y atónitos veamos a Cristo Jesús sustituir el Cordero Pascual, símbolo de una liberación pasada, por su cuerpo y por su sangre, signo eficaz de una salvación para nosotros y para todos los hombres. Y en el culmen del asombro tratemos de escuchar bien las palabras del Redentor, cuando nos dice: «hagan esto en memoria mía». Y si la sucesión de acciones y palabras tan sublimes y comprometedoras no nos dan vértigo, caigamos en la cuenta, durante la larga oración sacerdotal de Jesús, que Él ha puesto en nuestras manos la Iglesia y sus sacramentos, porque la Eucaristía es la cumbre de toda la acción sacramental de la Iglesia; la eucaristía es el Cristo de la Cruz y de la Gloria, vivo y presente, y la acción eucarística pende de nuestros labios, de nuestro querer, de nuestra fidelidad, de nuestro amor. Sin Eucaristía no hay Iglesia, ni misión. ¡Qué extraordinaria responsabilidad!

Pero caigan también sobre nosotros como una lluvia fina que empapa la tierra y la hace fértil, como un bálsamo que serena y da vigor, las palabras cargadas de seguridad y unción de Jesús: «En el mundo tendrán tribulación, pero confíen: yo he vencido al mundo»... «no pido que los saques del mundo, sino que los libres del mal»... «santifícalos en la verdad».

Y en medio de esta oración por nosotros, el Señor nos hace un especial envío misionero: «como tú me enviaste al mundo, así yo los envío al mundo» y nos asegura su apoyo incondicional: «yo estaré con ustedes siempre».

Cuando nos sabemos enviados por Cristo, escogidos por Él, sostenidos por su intercesión amorosa ante el Padre, somos capaces de cargar sobre nuestros hombros, aunque pese como una cruz, la misión que Él nos ha confiado desde el día de nuestra ordenación presbiteral: «Mi yugo es llevadero y mi carga, ligera».

Por eso, con ánimo alegre y confiado, repetimos en esta Eucaristía de la Misa Crismal, que es siempre una celebración eminentemente sacerdotal, nuestro compromiso de ser fieles a Cristo hasta la muerte en la misión de presidir y servir al pueblo fiel que Él nos ha confiado.

Que la Virgen María, Madre amorosa de los sacerdotes, nos inspire y ayude en nuestra entrega al Señor.

FESTIVIDAD DE LOS SANTOS PEDRO Y PABLO*

Queridos hermanos y hermanas:

Se congrega la Iglesia de La Habana para orar con gratitud al Señor en el día en que conmemoramos el martirio de San Pedro, príncipe de los Apóstoles y primer obispo de Roma, y de San Pablo, el Apóstol de los gentiles, ambos columnas fundantes de la Iglesia. La Solemnidad de los Santos Pedro y Pablo ha sido elegida por la Iglesia como jornada de súplica y acción de gracias por el actual Obispo de Roma, nuestro Santo Padre el Papa Juan Pablo II.

El Santo Evangelio que ha sido proclamado en esta celebración, nos lleva precisamente a reflexionar sobre el primado de Pedro, al mismo tiempo que nos sumerge en esa expresión nueva de vida comunitaria que es llamada Iglesia y que el mismo Cristo menciona cuando le impone a Pedro un nombre nuevo y le entrega las llaves que indican un poder de administración y de primacía: «Tú eres Pedro –que significa piedra–, y sobre esta piedra yo edificaré mi Iglesia». Pedro y la Iglesia quedaban así indisolublemente unidos. Jesús lo quería para la Iglesia y él debía vivir para esa «ecclesía», congregación, asamblea de fieles, que entraba en escena como una nueva realidad.

Porque el templo de Jerusalén, con su altar donde se inmolaban los animales de los sacrificios rituales, congregaba a hombres y mujeres a partir de la sacralidad del lugar, pero Jesús inaugura un tiempo nuevo en las relaciones del hombre con Dios. En tierra de infieles, junto al pozo de Jacob, dijo Jesús a la samaritana: «Mujer, se acerca la hora en que ni en este monte ni en Jerusalén darán culto al Padre... ha llegado la hora, y ya está aquí, en que los que quieran dar culto verdadero adorarán al Padre en espíritu y en verdad».

Estos verdaderos adoradores del Padre no se agruparían en torno a un lugar, sino alrededor de la persona misma de Jesús. «Destruyan este templo y yo lo reedificaré en tres días», había dicho el Señor a los judíos que lo cuestionaban por haber arrojado a los mercaderes del lugar sagrado. Y el

---

* Plaza de la Catedral de La Habana, 29-VI-1997.

evangelista San Juan, que relata la historia, acota de inmediato: «Él se refería al templo de su cuerpo. Y cuando resucitó de entre los muertos, los discípulos se acordaron de lo que había dicho...».

Jesucristo es, pues, el templo vivo de Dios en medio de los hombres. Cuando Él encomienda a Pedro su misión de presidir la comunidad de los fieles, le habla de mi Iglesia. Porque la Iglesia es suya, se construye sobre la roca de nuestra salvación, que es el mismo Cristo Jesús y todos nosotros somos piedras vivas de esa edificación, cuyos cimientos son los apóstoles y su piedra fundamental, Pedro. De este modo quiere Cristo que se levante el nuevo templo de Dios en el mundo, que debe llegar a tener las dimensiones de la humanidad entera.

La Iglesia irrumpe así en la escena de la historia al mismo tiempo que Jesucristo va haciendo camino en el corazón de los hombres, pues el descubrimiento de la naturaleza íntima de la Iglesia, de su fuerza constitutiva, está en estrecha relación con la fe en Cristo, de modo que encontrar a Jesús conlleva detenerse ante el misterio de la Iglesia y topar con la Iglesia es acercarse, a veces con vértigo, al abismo de amor y de misericordia que es Jesucristo, el enviado del Padre para salvar a los hombres.

No es por coincidencia que el diálogo de Cristo con Pedro para confiarle su Iglesia sea la conclusión de un diálogo más amplio que involucraba a todos los demás discípulos y a los contemporáneos de Jesús, pero que implica también a todos los seres humanos, incluyéndonos a nosotros los que estamos ahora aquí.

Dos preguntas de Cristo van a conducir de lo general a lo particular, a lo personal, el discurrir de sus primeros seguidores y de quienes lo seguirían más tarde, hasta el final de los tiempos.

Primero, ¿quién dice la gente que soy yo?

Y viene entonces la respuesta de muestreo, de encuesta, la misma que se ha dado diversamente a través de los siglos, según las corrientes históricas, filosóficas o políticas imperantes: unos dicen que eres un profeta, que eres un sabio, un iluminado, un luchador por los derechos del hombre, un revolucionario...

Pero las respuestas que sirven para establecer estadísticas de opinión no valen para el Reino de Dios. Las mayorías matemáticas no determinan lo que es la verdad ni lo que es el bien. Hay, además, tantos intereses, tantas pasiones...

Sí, ya he escuchado eso, añadiría Jesús, pero «y ustedes, ¿quién dicen que soy yo?».

Ahora, la pregunta se hace directa, dirigida a la interioridad de cada uno. La respuesta no puede ser masificada, ni periodística, sino personal, y en ella le va a uno la vida. Esa pregunta tiene que respondérsela cada hombre, cada mujer. Por eso se oyó una sola voz, la de Pedro; era *su* respuesta, la que nadie más podía dar por él y en ella Pedro le entregó a Cristo toda su fe y toda su confianza: «Tú eres el Mesías, el Hijo de Dios vivo». Jesús presenta entonces su contrapartida: «Tú eres Pedro y sobre esta piedra edificaré mi Iglesia».

Los demás apóstoles seguro que adhirieron a aquella profesión de fe y cada uno la fue formulando al Señor a su modo y desde lo hondo de su corazón, pero el primero había sido Pedro. El primero en la fe sería también el primero entre los hermanos. Puede haber aproximaciones a la Iglesia, pero la comprensión del ser de la Iglesia solo se da en el ámbito de la fe.

La Iglesia se fundamenta en la fe de Pedro, en la fe de los apóstoles, en la fe de quienes durante casi dos milenios han respondido a Cristo personalmente, y a menudo con riesgo: «Tú eres el Cristo, el Hijo de Dios vivo».

Yo me atrevo a decir sin equivocarme que nuestro pueblo se ha asomado al misterio de Jesucristo a través de la presencia cualificada de la Iglesia en Cuba. Una Iglesia sin los recursos propios de la hora presente en cuanto a sus posibilidades de comunicación con el pueblo, pobre en el número de sus sacerdotes y de las personas consagradas, pero rica en vivencias de amor, servicio, paciencia, humildad y perseverancia. La fidelidad de esta Iglesia a su misión, a su credo, al Santo Padre, su discreción y firmeza, han sido más elocuentes que mil palabras y su voz ha resonado no en el espectro electrónico, sino en los corazones de nuestros hermanos.

Esa Iglesia, que nace de la fe en Cristo Salvador, fue fundada para siempre. La promesa de Jesús habría de mantenerse: «El poder del infierno no la derrotará».

Para integrar ese pueblo de Dios que se congrega siempre en torno a Cristo, constituyendo ya, aunque sea en grupos pequeños y sin lugares específicos de reunión, la Iglesia del Señor; Jesús seguirá saliendo siempre al encuentro de hombres y mujeres de toda edad y condición, a quienes continúa llamando, hasta hoy, a su seguimiento y enviando a llevar su mensaje al mundo entero. «Vengan, síganme, yo los haré pescadores de hombres».

Es impensable el seguimiento de Jesús sin una estrecha unión entre el discípulo y su maestro, «toda rama, cortada del tronco, no da fruto y se seca». Tampoco es posible acoger la enseñanza de Jesús sin una comunión de pensamientos y de afecto entre quienes son discípulos suyos: «En esto conocerán que ustedes son mis discípulos, en que se aman unos a otros». Ambas cosas las garantiza el Señor con su promesa: «yo estaré con ustedes siempre, hasta el fin del mundo», «donde dos o más se reúnan en mi nombre, yo estaré en medio de ellos».

Las promesas de Jesús se han cumplido durante los casi dos mil años de historia de la Iglesia, etapa coincidente con el tiempo de nuestra Era Cristiana que ha sido la de la implantación y el florecimiento de una civilización que ha marcado el paso en el desarrollo de todos los pueblos de la tierra.

Esto se ha dado a pesar de lo que ha podido sufrir la Iglesia por los ataques externos, revoluciones de signo diverso, persecuciones abiertas o larvadas, pero también por causa de nuestros errores y pecados. El Papa Juan Pablo II desea que al final de este milenio, y como parte de nuestra preparación espiritual a su celebración, los católicos de hoy nos solidaricemos con los sufrimientos de la Iglesia a través de estos siglos, y ha pedido que se actualice la lista de los mártires de ayer con los de hoy, pero además, aun sin ser partícipes en esas acciones, quiere el Santo Padre que sintamos como propios los pecados y errores cometidos por los cristianos católicos laicos, sacerdotes, religiosos, obispos o Sumos Pontífices en el decursar de este milenio que termina. Por citar uno solo de estos pecados, hagamos mención de lo que significó la odiosa institución de la esclavitud en el seno de la cristiandad de América. El Siervo de Dios Padre Félix Varela, que a partir de su fe católica la combatió con entereza y coraje, tendrá para ella las expresiones más duras en sus escritos llenos de sabiduría.

Pero a pesar de todas esas cosas, a pesar de nosotros mismos, se mantiene en pie la palabra infalible de Jesucristo: «el mal no derrotará a la Iglesia».

Y esto no es triunfalismo, porque al afirmarlo reconocemos con toda humildad que la Iglesia es un regalo de Dios a los hombres, que Dios ha seguido llamando al ministerio apostólico a través de dos mil años a obispos que sucedieron a aquellos doce primeros apóstoles y dándonos la fuerza de su Espíritu, para que seamos, simplemente, fieles administradores de la viña del Señor.

El don que ha hecho el Señor en la persona de Pedro a su Iglesia, para que presida a todas las Iglesias en el amor, asegura la unidad del pueblo de Dios y nos confirma a nosotros obispos, en nuestro ministerio de regir, enseñar y santificar a los cristianos. Es el gran regalo de Cristo a su Iglesia, que disfrutamos, sobre todo, cuando en la Sede de Pedro se han sentado, como obispos de Roma, los grandes Pontífices de este siglo (por solo citar a los de la segunda mitad de la centuria que termina): Pío XII, Juan XXIII, Pablo VI, Juan Pablo I y Juan Pablo II. Por ellos no podemos menos que alabar a Dios y darle gracias.

Hoy agradecemos especialmente al Señor el don maravilloso que ha hecho a su Iglesia y al mundo en la persona del Papa Juan Pablo II. Sus diez y ocho años de pontificado han significado, en todos los órdenes, un relanzamiento de la misión de la Iglesia. El mismo Santo Padre se ha presentado ante el mundo como misionero incansable que recorre los pueblos de la tierra llevando el mensaje valiente y comprometedor del Evangelio a todos los ambientes.

En su andar infatigable, nosotros tendremos la dicha de recibirlo en Cuba dentro de seis meses. Estamos seguros de que su visita pastoral nos afianzará a todos en la verdad del amor que Dios nos tiene y regará en los corazones de todos los cubanos semillas de esperanza.

Por eso sabemos que, además de los católicos y otros creyentes, lo espera en nuestra Patria todo el mundo.

Santo Padre, te espera de manera especial esta Iglesia que peregrina en Cuba. Te esperamos los obispos, en su gran mayoría nombrados por ti, los sacerdotes, que han conocido muchos de ellos un ministerio largo y difícil, multiplicándose hasta el agotamiento para atender a sus comunidades, los diáconos y los religiosos que realizan las más variadas tareas en el servicio de sus hermanos, las religiosas, tan queridas por nuestro pueblo, porque han sabido ser fieles en su consagración. Te esperan los seminaristas que se preparan al sacerdocio en número creciente, las jóvenes y los jóvenes novicios y profesos que comienzan su vida de consagrados con el gozo de ver que es siempre mayor el número de los muchachos y muchachas que sienten la bella y exaltante inquietud de entregar sus vidas al Señor en el sacerdocio o en la consagración religiosa.

Te espera una Iglesia unida, porque ha comprendido vivencialmente que el fraccionamiento y la contestación no caben dentro de una comunidad de fe y amor que está anclada en lo esencial y en continua tensión misionera.

Esta es una Iglesia que ha hecho y está haciendo la experiencia de las primeras comunidades cristianas; que se reúne en los poblados y barrios sin templos y «parte el pan en las casas», que ha sabido en estos años que las palabras del Evangelio de Jesús no eran mera poesía sino promesas cumplidas, cuando en la década de los setenta y de los ochenta en las secundarias y preuniversitarios en el campo se reunían dos o más jóvenes estudiantes en nombre de Cristo, después de haberse marchado la visita del domingo, y compartían, utilizando alguna Biblia furtiva, la Palabra de Dios y a veces la Santa Comunión, si algún ministro de la Eucaristía había podido llevarla hasta allí. Ellos sí han sabido que Cristo estaba con ellos siempre y lo han sabido los muchachos del Servicio Militar que en unas horas de pase salieron a buscar alguna iglesia donde se celebraba la Misa para recibir a Cristo en sus corazones. Lo han sabido los catequistas con catequesis de tres y cuatro niños y lo han sabido también esos niños que hoy son laicos adultos y comprometidos de nuestra Iglesia, los mismos que crecieron en medio de un gran silencio acerca de Dios que lo penetraba todo, aun el recinto familiar.

Esta Iglesia es la que te espera, querido Santo Padre, y por eso te ha esperado tanto. En cierto modo, con esta celebración comenzamos hoy la misión inmediata que prepara esta visita. No queremos levantar estrados costosos, porque somos una Iglesia y un pueblo pobres. Además, sabemos tu preferencia por las cosas sencillas y por los humildes. No nos preocupan tanto los detalles exteriores del ceremonial, que seguramente quedarán bien y no son lo más importante. Sí queremos dar a conocer a todo nuestro pueblo quién es el Obispo de Roma, quién es el Sucesor de Pedro. Deseamos que nuestros hermanos cubanos sepan cuánto has rezado por Cuba, cómo las incidencias tristes o alegres de nuestra historia no te han resultado lejanas o desconocidas. Que conozcan tu pasión por la verdad, que sepan que eres el servidor de Cristo que recorre el mundo en su nombre. Deseamos que el pueblo cubano te reciba como el que viene en nombre del Señor.

Si el servicio del Papa a la Iglesia está en estrecha relación con la fe de Pedro. Si el Papa sabe que todo cuanto debe decir y hacer es en nombre del Señor, la Iglesia, comunidad de los cristianos, debe también vivir de la fe.

No ponemos nuestra confianza en cálculos materiales de número de fieles ni mucho menos en los recursos económicos con que podamos contar para realizar nuestra misión. Con cierta sonrisa interna escuchaba hace pocos días que algún grupo cristiano no católico tenía reservado en bancos de un país poderoso veinte millones de dólares para la conquista de Cuba para Cristo en el momento oportuno.

Primero, a los cubanos la palabra conquista nos suena mal, como a todos los latinoamericanos, además nadie conquista para Cristo, Cristo gana dulcemente para sí los corazones de quienes libremente lo buscan. En segundo lugar, lo que hace falta es un puñado de hombres y mujeres llenos de fe, como aquellos doce apóstoles y las buenas mujeres que siguieron a Jesús, y poner toda nuestra confianza en la palabra viva del Señor: «Busquen primero el Reino de Dios y la justicia que le es propia, y lo demás vendrá por añadidura». Esos hombres y mujeres no están «depositados» en ningún banco. Son ustedes, los que están ahora aquí en medio de su pueblo, compartiendo las alegrías, penas y esperanzas de todos sus hermanos, quienes anunciarán a Cristo al pueblo cubano. Esa es la única riqueza de nuestra Iglesia. Con ustedes contamos para preparar los corazones de todos nuestros hermanos para la visita del Papa y para recibir el tercer milenio de la Era Cristiana con un pueblo más evangelizado.

Es curioso que las dos lecturas escogidas para la celebración de San Pedro y San Pablo, que anteceden el relato evangélico de la elección de Pedro, nos muestren a los dos apóstoles de más relevancia presos cada uno de ellos, aunque en lugares y momentos distintos. Pedro en Jerusalén, cuando todavía faltaba mucho a su misión, Pablo en Roma, al final de su vida de misionero itinerante. Pedro salió milagrosamente de la cárcel, Pablo saldría de la prisión al martirio. Hoy se nos presentan ambos entre cadenas para que comprendamos que la Iglesia va adelante con Pedro y Pablo recorriendo pueblos y ciudades, con Pedro y Pablo presos y encadenados, con Pedro y Pablo conducidos al suplicio y a la muerte.

Por eso, la serenidad de Pablo ante su muerte, que presiente inminente: ha combatido bien su combate, ha mantenido la fe, no solo su fe, sino la de tantos con quienes lloró y se abrasó. El Señor me ayudó... ahora me llevará a su Reino del cielo, dice el apóstol: Pablo se disponía a morir serenamente en la fe en que había vivido.

El Libro de los Hechos nos relata que, mientras Pedro estaba preso, bien custodiado, la Iglesia oraba insistentemente a Dios por él. Fue liberado por un ángel y ni él mismo parecía creer la extraña experiencia que vivió: «pues era verdad; el Señor ha enviado a su ángel para librarme...».

Porque su martirio no tendría lugar en la Jerusalén de Herodes, sino en la Roma de los Césares, y después Roma no sería tan amada y visitada por haber reinado allí el Emperador Adriano, sino por el pobre pescador de Galilea que llegó hasta la capital del Imperio hablando en un pésimo latín de un tal Jesús a quien crucificaron y está vivo.

Pablo, sereno ante la muerte porque está seguro de haber cumplido su parte en el gran proyecto de Dios. Pedro, sorprendido del milagro que lo liberaba del suplicio y de la muerte. La Iglesia, pequeña comunidad de fugitivos que oraba por Pedro, pues nada más podía hacer. Un pobre galileo desconocido que muere mártir en Roma y destrona espiritual y culturalmente a todos los césares...

Esa es la historia de nuestro origen, mis queridos hermanos y hermanas, y después, una cadena de martirio hasta nuestro días y algunos milagros patentes, otros no tan visibles, pero no menos grandes. Amor, entrega, servicio, con miserias y pecados, y una promesa que se cumple siempre: «el infierno no derrotará a la Iglesia».

La Iglesia vive de la fe. En la fe ha permanecido y crece la Iglesia que está en Cuba. Su historia puede ser tan desconcertante como la de Pedro y Pablo, y mientras más lo sea, más se descubre en ella la acción maravillosa de Dios. Dejemos entonces que los periodistas nos pregunten acerca de que si los «cultos africanos» constituyen la religión más numerosa de Cuba. Poniendo aparte la confusión entre creencias y folclore, por un lado, y verdadera fe religiosa, por otro, si nos preguntaran cuál es la religión más fuerte en Cuba yo no tendría reparos en decir que la Iglesia que fundó Nuestro Señor Jesucristo, la de Pedro y la de Pablo. Fuerte en gracia, fuerte en sufrimientos, fuerte por los milagros cotidianos que pocos ven y que la hacen siempre joven, fuerte porque es capaz de sustentar una civilización, una cultura, una ética con valores precisos, fuerte en la fe, fuerte en la esperanza, fuerte en entusiasmo, fuerte en el Amor. Siguiendo al mismo San Pablo, todos y cada uno de los que integramos la Iglesia en Cuba podemos decir: «cuando soy débil, soy fuerte». Y también constatamos agradecidos cómo ha actuado Jesucristo en medio de nosotros, como si nos repitiera siempre: «Mi fuerza se prueba en la debilidad».

El Papa Juan Pablo II sabe que es esta la Iglesia que él va a encontrar en Cuba, y desea confirmarnos en nuestra fe.

La fe cristiana está habituada a las grandes paradojas: son dichosos los pobres y los que lloran, se complace Dios en escoger «lo que no cuenta» para confundir a los poderosos, cuando somos débiles entonces somos fuertes; los pequeños, los niños, son los primeros en el Reino de Dios. Y cuadran muy bien estas paradojas a la Iglesia que vive en Cuba.

La Virgen María, que en su canto de acción de gracias

dijo que Dios, al escogerla a Ella por Madre del Salvador, había mirado la pequeñez de su sierva, personifica perfectamente a la Iglesia, sobre todo a nuestra Iglesia cubana. Tal vez por eso Dios nos regaló en la Virgen de la Caridad una imagen pequeña de la Madre del Señor. La medida de su estatura la llevaban nuestros mambises al combate, atada alrededor de su sombrero. La Virgen de la Caridad del Cobre es así un símbolo de Cuba y de la Iglesia cubana: pequeña, pero grande, asentada en lo humilde, pero amada y exaltada por todos.

A la Virgen de la Caridad de El Cobre confiamos la preparación espiritual de todos los cubanos para recibir al Papa Juan Pablo II. En nuestra Arquidiócesis de La Habana, la Iglesia ora por el Sucesor de Pedro y se propone, desde ahora hasta el mes de enero en que nos visitará el Santo Padre, orar con María de la Caridad, la Madre de Jesús, para que el Espíritu Santo siembre en Cuba, con esta visita, fe, amor, reconciliación, paz y esperanza.

Queridos hermanos y hermanas: seis meses nos separan del viaje del Papa a Cuba; todos estamos invitados a participar activamente en esta misión preparatoria que hoy se inaugura de modo especial. Contamos con ustedes.

Llegue desde esta Plaza de la Catedral de La Habana al Papa Juan Pablo II nuestro cariño, nuestras expectativas y la seguridad de nuestra oración por él y por su ministerio.

¡Bendito el que viene en nombre del Señor!

CELEBRACIÓN POR LA JORNADA MUNDIAL DE LA PAZ*

Excmo. Sr. Nuncio de su Santidad Mons. Beniamino Stella, autoridades de la nación, distinguidos miembros del cuerpo diplomático.

Queridos hermanos y hermanas:

El día primero del año, la Iglesia retorna con los pastores al pesebre de Belén y contempla la escena entrañable del niño acostado en el pesebre. Pero esta vez, siempre abisma-

---

* Catedral de La Habana, 1-I-1998.

dos en la contemplación del Dios hecho hombre, fijamos nuestra mirada en María, la Madre de Dios que «conservaba todas estas cosas, meditándolas en su corazón».

La Iglesia, comunidad de los seguidores de Jesús, el Niño de Belén, el hombre de Nazaret, el redentor crucificado y resucitado, se identifica con María y conserva todas las maravillas que Dios ha hecho por nosotros, meditándolas en su oración, y haciéndolas vida en su Liturgia, particularmente en estos días de fiesta en los que celebramos el acontecimiento que constituye la gran Bendición de Dios a los hombres. Nunca Dios ha negado su bendición a la humanidad. En la primera lectura de este día, tomada del libro de los Números en el Antiguo Testamento, ya Dios entrega a Moisés una fórmula para bendecir al pueblo. Pero al enviarnos a su Hijo, la bendición de Dios adquiere un carácter inusitado y definitivo, porque gracias a Cristo podemos llamar a Dios Padre, como nos lo dice el apóstol San Pablo en su carta a los Gálatas, que escuchamos en la segunda lectura. Saber que no somos esclavos, sino hijos y herederos es la mayor de las bendiciones del hombre. La Virgen María fue escogida por Dios para ser portadora de esta bendición al dar al mundo la luz eterna, Jesucristo Señor Nuestro.

Esta bendición trae consigo la Paz a los corazones y a los pueblos, Paz anunciada en esta tierra por el canto de los ángeles en la Noche de Navidad para todos los hombres que ama el Señor, pero que no ha sido plenamente alcanzada aún. Por esto, el día primero del año, junto con sus deseos de Paz para toda la humanidad, la Iglesia celebra una jornada mundial de la Paz, proponiendo en cada ocasión a la reflexión de hombres de gobierno, responsables de la sociedad y pueblos de la tierra, algunos aspectos fundamentales de los factores que inciden directamente en la Paz.

Como cada año, el Papa Juan Pablo II ha explicitado en su mensaje el lema de esta jornada: «DE LA JUSTICIA DE CADA UNO NACE LA PAZ PARA TODOS». Al explicar cómo la justicia se fundamenta en el respeto de los derechos humanos, recuerda el Papa que en 1998 se cumplen 50 años de la Declaración de los Derechos Humanos de las Naciones Unidas.

Hace mención el Santo Padre en su mensaje de una afirmación de sumo interés contenida en aquella Declaración, porque en palabras del Papa ha resistido el paso del tiempo: «La libertad, la justicia y la paz en el mundo tienen por base el reconocimiento de la dignidad intrínseca y de los derechos iguales e inalienables de todos los miembros de la familia humana».

El Papa pasa entonces a hablar de las sombras y realidades nuevas y amenazadoras que en este aniversario necesitan ser consideradas atentamente, especialmente por los Jefes de Estado y Responsables de las Naciones, a quienes dirige, sobre todo, su llamado en esta Jornada.

Una de las sombras que el Papa Juan Pablo II advierte son «las reservas manifestadas sobre dos características esenciales de la noción misma de los derechos del hombre: su universalidad y su indivisibilidad».

Por universalidad quiere decir el Santo Padre que los derechos humanos son para todos los hombres y todos los pueblos y que no debe haber ninguna razón cultural o de otro orden que exima de su cumplimiento.

La indivisibilidad consiste en que los derechos humanos forman un todo: no pueden escogerse para su aplicación, por ejemplo, los derechos individuales y las libertades civiles, olvidando los derechos económicos y sociales del hombre, o viceversa.

En su mensaje muestra el Papa su preocupación por la globalización de la economía y las finanzas. Constata el Santo Padre que esta es una realidad que se percibe cada vez más claramente con el progreso de las tecnologías informáticas. Y se pregunta el Papa: «¿Cuáles serán las consecuencias de los cambios que actualmente se están produciendo? ¿Se podrán beneficiar TODOS de un mercado global? ¿Tendrán TODOS, finalmente, la posibilidad de gozar de la paz? ¿Serán más equitativas las relaciones entre los Estados o, por el contrario, la competencia económica y la rivalidad entre los pueblos y naciones llevarán a la humanidad hacia una situación de inestabilidad aún mayor?».

Es aquí cuando el Papa Juan Pablo II propone un pensamiento muy querido por él. Dice el Santo Padre: «En definitiva, el desafío consiste en asegurar una globalización en la solidaridad, una globalización sin dejar a nadie al margen».

Otro de los factores que ensombrecen la celebración de este quincuagésimo aniversario de la Declaración de los derechos del hombre es lo que el Santo Padre llama «el pesado lastre de la deuda externa», por la cual «hay naciones y regiones enteras del mundo que corren el peligro de quedar excluidas de una economía que se globaliza». Y aquí expone de nuevo el Papa su deseo de que todas las naciones puedan beneficiarse de una reducción coordenada de dicha deuda antes del año 2000.

El tema de la pobreza entra en el mensaje del Sumo Pontífice con rasgos dramáticos. Escuchemos sus propias palabras: «ya no se puede tolerar un mundo en el que viven al lado el acaudalado y el miserable, menesterosos carentes incluso de lo esencial y gente que despilfarra sin recato aquello que otros necesitan desesperadamente. Semejantes contrastes son una afrenta a la dignidad de la persona humana... las situaciones de extrema pobreza, en cualquier lugar en que se manifiesten, son la primera injusticia».

Y afirma el Papa: «Un signo distintivo del cristiano debe ser, hoy más que nunca, el amor por los pobres, los débiles y los que sufren». Deseo recordar, dice el Santo Padre a los cristianos de cada continente, la exhortación del concilio Vaticano II: «Es necesario... satisfacer ante todo las exigencias de la justicia, de modo que no se ofrezca como ayuda de caridad lo que ya se debe a título de justicia». Y sobre el mismo tema sigue el Papa: «Quien vive en la miseria no puede esperar más, tiene necesidad AHORA y, por tanto, tiene derecho a recibir inmediatamente lo necesario».

Hay otras preocupaciones que el Papa expone con respecto a la justicia y la Paz, como son «la falta de medios para acceder equitativamente al crédito» y la «violencia contra las mujeres, las niñas y los niños».

Finaliza su mensaje el Santo Padre presentando el compartir como un camino hacia la Paz.

En este camino hacia el Gran Jubileo del Año 2000 recuerda el Papa que hemos comenzado el año 1998, dedicado al Espíritu Santo. «El Espíritu de la esperanza –dice el Papa– está actuando en el mundo. Está presente en el servicio desinteresado de quien trabaja al lado de los marginados y los que sufren, de quien acoge a los emigrantes y refugiados, de quien con valentía se niega a rechazar a una persona o a un grupo por motivos étnicos, culturales o religiosos; está presente, de manera particular, en la acción generosa de todos aquellos que con paciencia y constancia continúan promoviendo la paz y la reconciliación entre quienes eran antes adversarios y enemigos. Son signos de esperanza que alientan la búsqueda de la justicia que conduce a la paz».

Comenzamos, pues, el Nuevo Año no solo con buenos deseos de paz para todos, sino convocados por el Mensaje del Papa Juan Pablo II para trabajar seriamente por la justicia.

Todo inicio de año lleva consigo algún proyecto personal o comunitario de renovación.

La Iglesia es una realidad que permanece en el tiempo, siempre fiel al plan de Dios manifestado en Cristo, que quiso fundarla sobre roca y nos prometió que las fuerzas del mal no la destruirían.

Este proyecto del Señor se renueva, sin embargo, continuamente, según las etapas de la historia y las diversas culturas. La Iglesia en Cuba se renueva hoy por el mayor número de fieles que participan en su vida sacramental y litúrgica, por el número creciente de vocaciones al sacerdocio y a la vida consagrada, por el compromiso apostólico del laicado.

Este crecimiento de la Iglesia ha seguido en estos últimos años un proceso de evolución, palabra que el Papa Juan Pablo II usa con preferencia, cuando se refiere a los cambios necesarios en la Iglesia y en la sociedad. La evolución no destruye ni deja a un lado todo lo realizado antes, no niega lo antiguo, sino que lo asume transformándolo.

Signo de esta evolución renovadora es esta Catedral de San Cristóbal de La Habana, digna y majestuosa en su estructura, que recobra lo que desde el siglo XVIII fue la apariencia de su coro canonical, para colocar en lugar central el precioso altar de mármol, siguiendo las normas litúrgicas del Concilio Vaticano II. Traigo a colación aquí las palabras de Jesús: «El reino de los cielos se parece a un armario del cual el padre de familia saca lo viejo y lo nuevo».

Se ha restaurado esta Catedral para recibir en ella al Papa Juan Pablo II y se convierte así en un símbolo de lo que será el mensaje del Romano Pontífice a su paso por nuestra tierra: como el Padre de familia, él pondrá ante nuestros ojos lo perenne de la fe y del amor cristiano y las respuestas novedosas que debemos dar, desde esa misma fe y animados por el amor, a los grandes desafíos de la hora presente.

Para esto debemos poner a Jesucristo en el centro de toda nuestra acción pastoral, como hemos colocado este altar en el centro de atención de todos los que entran a este templo.

Ahora procederemos a consagrar el altar, que en la solidez del mármol simboliza a Cristo, roca de nuestra salvación, el mismo ayer, hoy y siempre. Lo ungiremos como fue ungido el cuerpo de Jesús para ser sepultado, colocaremos dentro de la piedra las reliquias del mártir San Amancio que murió en Roma en el año 304 durante la persecución de Diocleciano, que dio su vida por fidelidad a Cristo. Porque no basta fijar los ojos del corazón en Jesús, tenemos que ser capaces de entregar cada día la vida por Él. Sobre las tumbas de los mártires, en las catacumbas, celebraban los primeros cristianos la Santa Eucaristía. Lo mismo haremos nosotros hoy y siempre en este altar. Sobre él quemaremos el incienso, que simboliza la oración de los cristianos que sube hasta Dios cada vez que el sacerdote presenta al Padre la ofrenda de Cristo en la celebración de la Santa Misa.

Así, en espíritu de renovación, que se afianza en la perennidad, comenzamos el año 1998, que para nosotros es el año del Papa Juan Pablo II en Cuba.

Si Jesús en Belén es bendición irrevocable de Dios, el paso en medio de nosotros de quien hace especialmente presente a Jesucristo será abundancia de bendiciones para nuestra Iglesia y nuestro pueblo.

Pocos días antes de la Navidad, el Papa Juan Pablo II enviaba su mensaje al pueblo cubano que fue ampliamente difundido por la prensa escrita, la radio y la televisión. Fue, en síntesis, un hermoso mensaje de Navidad que nuestro pueblo recibió con gran amor y devoción. Aunque ya expresé personalmente por escrito y también en nombre de los obispos de Cuba estos sentimientos al Santo Padre, quiero que llegue a Su Santidad, por medio de su representante ante nosotros, el Señor Nuncio Apostólico, el profundo reconocimiento de todos los cristianos y de tantos hombres y mujeres de nuestro pueblo. Tenga a bien, Excelencia, al Santo Padre que la Navidad ha sido celebrada desde un extremo hasta el otro de Cuba con alegría y esperanza. Hágale saber que los cubanos aguardamos su venida con emoción y gratitud y que su Iglesia en Cuba, en esta Navidad, ha alabado a Dios por su inminente visita y se apresta, como los pastores en la Noche de Belén, a ir al encuentro del Supremo Pastor para «ver esto que ha hecho por nosotros el Señor».

A la Madre de Dios, que «guardaba todas esas cosas en su corazón» le pedimos que guarde la fe de nuestra Iglesia en Cuba, que guarde a Su Santidad el Papa Juan Pablo II y lo fortalezca en su misión y nos dé a todos el coraje de trabajar por la justicia para que reine la paz.

MISA CRISMAL*

Junto con toda la Iglesia Universal, la Iglesia que vive en Cuba se dispone a tomar con Jesucristo el camino invariable que lo lleva a Jerusalén y allí al Cenáculo, al Huerto, y a la Cruz, para desde un sepulcro abierto y vacío emprender por medio de su Iglesia, por sus apóstoles y mártires, el nuevo camino en el que sus seguidores proclamarán una buena noticia a todos los pueblos: Hay redención para el hombre, el mal ha sido vencido, no existe espacio para el desaliento, Jesucristo, en su Cruz, clavó nuestros pecados. Muerto en un madero resucitó glorioso y, vencedor de la muerte, todo el que crea en él tendrá vida en abundancia y será salvado. Esto es lo que ha obrado Dios por nosotros, al entregarnos a su Hijo y constituirlo Señor.

La Pascua de este año de gracia de 1998, llega para nuestra Iglesia más radiante y cargada de esperanza que en cualquier otra ocasión. Un acontecimiento sin paralelo histórico marca el andar de la Iglesia en Cuba: la visita pastoral del Papa Juan Pablo II, que nos repitió con fuerza la Buena Noticia de la Salvación, nos confirmó en la verdad y nos despertó

---

* Catedral de La Habana, 3-IV-1998.

a la esperanza. Su paso entre nosotros ha impregnado de luz el quehacer apostólico de nuestra Iglesia y le confiere un talante nuevo a su acción pastoral. Con el profeta Isaías, el Siervo de los Siervos de Dios ha dicho a los católicos y al pueblo cubano: «No piensen en lo antiguo, miren que realizo algo nuevo».

Comentando el texto evangélico que ha sido proclamado en esta Misa Crismal y que es el mismo que fue leído en la celebración Eucarística del 25 de enero en La Habana, en el cual Jesús se apropia la profecía de Isaías sobre el siervo de Dios, el Santo Padre sintió, en esa celebración de la Plaza de la Revolución, que las palabras proféticas se aplicaban providencialmente a su persona y a su ministerio entre nosotros: «El Espíritu del Señor está sobre mí, me ha enviado para anunciar la Buena nueva a los pobres, a los cautivos la liberación». Y, apoyado en la palabra revelada, el Sucesor de Pedro nos habló de pobreza y servicio, de libertad y compromiso con la justicia, del papel de la Iglesia en esta hora de la historia de Cuba y del respeto de los estados modernos para la misión propia e independiente de la Iglesia de Cristo, como de cualquier otra religión.

Algo nuevo realizaban las palabras del Papa en el corazón de la multitud que estaba en amplia sintonía con el Pastor en la Plaza o en sus casas frente a los televisores. No fue una reacción epidérmica o pasajera, no fue un entusiasmo contagioso y momentáneo el de nuestro pueblo. Todos teníamos conciencia de que, efectivamente, el Dios que es Providencia amorosa, estaba disponiendo las cosas para que nada volviera a ser igual después de aquella fuerte e inolvidable experiencia de fe.

Era el Espíritu Santo quien actuaba, con esa iniciativa de Dios que es desconcertante, cuando cubre a María con su sombra y la Virgen queda encinta y da a luz un hijo que es Dios-con-nosotros, o cuando estremece la casa donde los discípulos, nostálgicos por la ausencia del Maestro, oran con temor, manteniendo las puertas cerradas.

En todos los casos, por la acción del Espíritu, Jesucristo entra en la historia de los hombres y de los pueblos y la Iglesia abre sus puertas y sale a las plazas a proclamar la Salvación.

«El Espíritu sopla donde quiere y quiere soplar en Cuba.»

Esa fue la gran intuición de fe que tuvo el Papa Juan Pablo II y que proclamó con repetida convicción al final de la gran celebración eucarística de La Habana.

En este año del trienio preparatorio al año 2000 de la era cristiana, que el Santo Padre ha querido consagrar al Espíritu Santo, el mismo Pastor Supremo de la Iglesia declara que el Espíritu de Dios quiere soplar en Cuba.

Nosotros sabemos que en la tradición más antigua de la Iglesia, al Espíritu Santo se le atribuye siempre la misión de establecer y renovar todas la cosas. El Espíritu siempre actúa para fecundar aun lo estéril, y aparece al inicio de todo cuanto existe. Planeaba sobre las aguas al comienzo de la creación para que de ellas surgiera la vida. Actuó visiblemente en los albores de la Iglesia con lenguas como de fuego que se posaron sobre las cabezas de los apóstoles y estos vencieron el temor y el encierro. Ese es el Espíritu que actúa ahora en nosotros y, a través de nosotros, debe mover los corazones de nuestros hermanos.

Queridos sacerdotes: la Misa Crismal nos pide cada año que manifestemos nuestra adhesión a Cristo, Eterno y Único Sacerdote, renovando nuestros compromisos sacerdotales de obediencia al Obispo, de olvido de nosotros mismos para servir con sencillez a todos, especialmente a los más pobres, y de castidad para que, siendo nuestro corazón todo de Cristo, estemos más disponibles para cuanto toca al Reino de los cielos.

Fue el Espíritu Santo quien comenzó en ustedes la obra buena del sacerdocio. Es el Espíritu de Dios quien la lleva siempre a término, infundiéndonos su luz y su fuerza para que la continua renovación que exige nuestra vida de consagrados a Dios pueda realizarse, venciendo en nosotros los obstáculos del pecado y de nuestros propios límites.

No olviden que el compromiso con el Señor que hoy repiten ante su obispo es más que todo una promesa de docilidad a la acción del Espíritu Santo, que es quien obrará en nosotros, según el poder de Dios, todo cuanto la Iglesia y el pueblo a nosotros encomendado reclaman de cada uno de sus ministros ordenados en esta hora particular de la historia y en el sitio donde Dios ha querido que sembremos con lágrimas o que cosechemos entre cantares.

La Iglesia, pueblo de Dios, y también el pueblo cubano, esperan de nosotros, obispos y sacerdotes, que mantengamos la tónica pastoral que ganó a Juan Pablo II ante nuestro pueblo el título de gran evangelizador, de pastor cercano y lleno de afecto, de hombre de Dios.

El programa que el Papa nos ha delineado nos propone que el Evangelio no es solo anuncio, sino también catequesis para que el compromiso cristiano se haga adulto y serio y todos los creyentes en Cristo comprendan que su bautismo los implica en la vida y la misión de la Iglesia con una clara postura ética. El Evangelio es también servicio al hermano para favorecer su promoción humana y cristiana. El Evangelio debe impregnar la cultura, la acción social y el mundo de la política.

La Iglesia en Cuba debe desplegar su plan pastoral hasta el comienzo del tercer milenio con nuevos bríos y dejarse llevar por la acción del Espíritu Santo que quiere soplar en Cuba. En este año consagrado al Espíritu, ustedes, queridos sacerdotes, deben volver con la mente y el corazón a la imposición de manos del obispo que los ordenó, pues con el Sacramento del orden recibieron la efusión del Espíritu Santo para presidir al pueblo de Dios, santificarlo y enseñarle el camino verdadero.

Y con ustedes toda la Iglesia debe reflexionar y reaccionar con decisión a las mociones del Espíritu Santo, pues no es solo patrimonio de los sacerdotes recibir las inspiraciones del Espíritu. Grande debe ser la docilidad a la acción del Espíritu Santo en el pueblo de Dios, que es la Iglesia, para vencer los obstáculos que le opone la mentalidad materialista que existe en muchos cristianos necesitados de auténtica conversión, algunos recién llegados a la Iglesia, otros de más larga permanencia, pero igualmente afectados por un modo de pensar que excluye en la práctica los valores cristianos y aun humanos.

Una ética de situación e incluso la ausencia de toda referencia ética inficcionan los criterios de juicio no solo de los jóvenes, sino también de muchos adultos. De ahí que sean numerosos los que responden al primer anuncio que se les hace del mensaje salvador y participan con entusiasmo en la vida de la Iglesia, pero limitan progresivamente su compromiso y su acción en la medida en que descubren las exigencias del Evangelio y no se deciden a asumirlas. Puede surgir entonces en los pastores la tentación de disminuir o aliviar los reclamos del Evangelio y de la ética que él propone. Esto es también un modo sutil de infidelidad a Cristo, que no tiene nada que ver con la misericordia, siempre indispensable.

El Papa Juan Pablo II nos dice por eso que la Nueva Evangelización no puede ser como un barniz superficial, sino que debe hacerse en profundidad. Edificar la Iglesia de Jesucristo en Cuba es trabajo de formación muy seria que debe abarcar también a quienes integran la comunidad eclesial desde hace tiempo.

Nuestra Iglesia puede verse expuesta al riesgo de estar formada por grupos entusiastas pero transitorios, no capaces de enfrentar los grandes desafíos de la fe cristiana, como son conservar la pureza juvenil y luchar valientemente por ella, vivir una espiritualidad conyugal responsable según la ética católica y rechazar el descompromiso, la apatía o el aislamiento social como elementos negativos del testimonio cristiano.

Testigos necesita la Iglesia en Cuba, que avalen con su vida lo que enseñan y predican. Por otra parte, no pocos de los cristianos, que van alcanzando una mayor madurez en la fe y son capaces de este testimonio, abandonan el país, y la Iglesia pierde con ellos las mejores posibilidades de irradiar el mensaje de Jesucristo, pues los comunicadores se forman según técnicas precisas, pero no se da un anuncio válido del Evangelio sino por alguien que comunica una vida, una experiencia de fe que requiere de algo más que palabras y fórmulas.

La transitoriedad de la pertenencia a la Iglesia viene además, del paso por nuestras comunidades de algunos que se integran a la vida eclesial como parte del itinerario que los conduce a irse de Cuba. El futuro de la Iglesia queda así comprometido por estas tristes incidencias porque, como dice el Evangelio, «no se puede edificar sobre arena».

Como ven, estos puntos dolorosos de la vida de la Iglesia en Cuba no se refieren a los límites que podamos tener en nuestra acción pastoral por las condiciones materiales, sociales o políticas de nuestro país, sino que son insuficiencias internas que disminuyen lo que yo me atrevería a llamar la coherencia evangelizadora de la Iglesia y su consistencia como comunidad de fe y amor capaz de dar razón de su fe y de su esperanza ante el mundo.

De ahí que les haya propuesto, a pastores y fieles, una reflexión muy seria, para que guiados por el Espíritu Santo seamos conscientes de los condicionamientos y posibilidades de nuestra acción apostólica después de la visita del Papa, a fin de estructurar una Pastoral de superación de estos obstáculos, según la rica doctrina que el Santo Padre nos dejó en sus homilías y discursos durante su estancia en Cuba y siguiendo siempre las inspiraciones del Espíritu Santo que, fiel a la promesa de Jesús, no nos dejará huérfanos en nuestras búsquedas ni en nuestros buenos propósitos.

En la Misa Crismal se despliega la acción del Espíritu Divino de manera ostensible. Como en toda Eucaristía, las manos extendidas del Obispo y los sacerdotes sobre las ofrendas de Pan y Vino indican que todo en la Iglesia es obra del Espíritu que procede del Padre y del Hijo. Pero también en la bendición del Crisma sopla el obispo sobre el aceite perfumado y extienden los sacerdotes sus manos durante la oración consecratoria. Estos gestos nos muestran que las acciones más sagradas de la Iglesia son fruto del Espíritu Santo y que a través de los Sacramentos se recibe la fuerza renovadora del Espíritu de Dios.

Con esa fortaleza, todo es posible. A la luz del Espíritu se doma lo rebelde, se hace fértil lo árido, se hace claro lo turbio, se puede también aceptar lo incomprensible y hallar en el amor a Dios y a los hermanos, en el sacrificio y en el olvido de sí, una razón superior para vivir y para servir.

Que el Espíritu Santo nos transforme a todos: sacerdotes y fieles, para que estemos a la altura de esta hora de gracia de la Iglesia en Cuba.

A la Virgen, cubierta con la sombra del Espíritu y por esto disponible a dar un sí incondicionado al Señor, encomiendo esta Iglesia diocesana después de la visita de nuestro Padre y Pastor el Papa Juan Pablo II. Que Ella vele por nosotros.

Amén.

CELEBRACIÓN POR LA JORNADA MUNDIAL DE LA PAZ*

La antigua bendición de Dios que el libro de los Números nos trajo en la primera lectura bíblica de este día es también para nosotros, queridos hermanos y hermanas, reunidos en esta Iglesia Catedral de La Habana el primer día del Año 1999, último de este siglo y de este milenio: «El Señor te bendiga y te proteja, ilumine su rostro sobre ti y te conceda su favor; el Señor se fije en ti y te conceda la paz».

La bendición primitiva cobra matices insospechados al celebrar los cristianos la venida al mundo del Hijo de Dios, que es el hijo que la Virgen ha dado a luz, el que envolvió en pañales y recostó en un pesebre. A quien fueron a ver los pastores, que recibieron este anuncio por medio de ángeles: «en ese niño encontrarán una señal».

Confesamos hoy nuestra firme convicción de que el hijo de las entrañas purísimas de María es Hijo de Dios nacido en la carne. La Virgen es Madre de Dios y se convierte así en símbolo y Madre de la Iglesia, en cuyo seno encontramos a Cristo los creyentes. En la fe aceptamos la señal que Dios nos ha dado en Cristo Jesús y el primer día del año confiamos a Santa María nuestros proyectos y afanes para el tiempo que se abre ante nosotros.

Con el nacimiento de Jesús y nuestro encuentro con Él, la antigua bendición de Dios adquiere un carácter definitivo, Dios nos dice: «Yo los amo» y todos podemos acceder al amor del Padre contemplando el rostro amable de Jesús.

Como nos dice San Pablo en su carta a los Gálatas: «Ustedes son hijos, Dios envió a sus corazones el espíritu de su Hijo, que clama Abbá (Padre)». Había dicho Jesús antes de padecer: «Yo no los dejo huérfanos, yo les doy mi espíritu», y su promesa se cumple en cada uno de nosotros los bautizados, pero es también para todos los hombres: por Jesús y en Jesús, nosotros podemos ser, en verdad, hijos de Dios.

Lleguemos, pues, maravillados de todo cuanto se dice de Jesús, hasta el pesebre de Belén, como los pastores, y en María hallaremos a la primera creyente, que guardaba todas

---

* Catedral de La Habana, 1-I-1999.

esas cosas, meditándolas en su corazón. En efecto, toda la vida de María fue un comparar, en lo hondo de su ser, las manifestaciones extraordinarias de su Hijo, con su vida cotidiana, que ella conocía como nadie y que lo hacía aparecer tan humano, tan como todos. Su fe es como la nuestra: se abre camino entre la revelación y lo demasiado humano, entre la certeza y la duda.

Así es nuestra peregrinación por la vida, camino a la casa del Padre. Empleo ahora el lenguaje que el Papa Juan Pablo II ha utilizado para presentarnos su reflexión sobre nuestra condición de hijos que nos acercamos a la casa paterna, mientras pasa cada instante de nuestra existencia. Este año 1999, el tercero del trienio que la Iglesia Universal ha propuesto como tiempo de preparación al Gran Jubileo del año 2000, el Papa ha querido que sea el año dedicado a Dios nuestro Padre. La venida de Jesucristo, el Hijo de Dios, a nuestra tierra, nos descubre cuál es nuestra condición verdadera: somos hijos amados del Padre; hagamos, pues, nuestro peregrinar por el tiempo con nuestras vacilaciones y miserias, confiando en el amor de Dios Padre que nos tiende su mano.

Quien cree en Dios Padre debe encaminarse continuamente hacia Él, superando sus miedos, sus angustias y las situaciones difíciles que encuentre a su paso.

En este andar el creyente debe hacer camino con el que no cree, con quienes tienen una fe mágica que pretende centrar en ritos primitivos la búsqueda de seguridad; marchamos también con quienes, acuciados por las miserias de la vida, por las carencias de lo necesario, tienen una religiosidad superficial, que los excusa de profundizar en los valores y compromisos de una fe verdadera y con otros creyentes.

En la nueva evangelización del pueblo cubano, estos son los retos que debe asumir la Iglesia, para los cuales debe presentarse ante nuestro pueblo como una comunidad de verdaderos creyentes en Dios Padre.

En este Año del Padre, que ahora comienza, nuestra Iglesia diocesana quiere ayudar al mayor número de hermanos nuestros, a través de una misión que se desenvolverá en diversos momentos, a tener un encuentro con Jesucristo, que les haga descubrir la bondad y el amor de Dios Padre. «Quien me ha visto a mí, ha visto al Padre,» dice Jesús.

Deseamos que, conociendo al Padre, tal y como Jesús nos lo muestra, esos hermanos aprendan a rezar de verdad el Padrenuestro.

¿Cuál será la metodología nueva de esta misión? La de hacer camino con nuestros hermanos creyentes superficiales, sincréticos o no creyentes, con la actitud propia del verdadero creyente, que no es la de alguien colocado en un estrado alto, poseedor de grandes conocimientos y dispuesto a enseñar a los ignorantes todo lo que él sabe. Ya dije que quien cree va hacia Dios Padre venciendo temores, ansias y dudas. Para un creyente, ir al encuentro de un no creyente es enriquecerse, porque verá en él algo de sí mismo, esa ausencia de Dios, que, si no fuera por pura gracia, él experimentaría también en su corazón.

Me permito ahora citar al Cardenal Martini en su hermosa carta pastoral sobre el año del Padre. Dice así el Cardenal: «El creyente es, a fin de cuentas, en cierto modo, un no creyente que se esfuerza cada día por comenzar a creer, un hijo que debe continuamente conquistar y dejarse regalar una actitud de obediencia filial, de puesta incondicional de la propia vida en las manos de Dios». Hasta aquí la cita.

Esta es la única actitud para acercarnos a todos: también a los que tienen una religiosidad superficial, a los que practican ritos mágicos en busca de protección y seguridad, a los indiferentes, a todos. Cada uno está haciendo un camino y la comunidad cristiana tiene el deber de ayudarlos a descubrir hacia dónde van, cuál es la meta de sus búsquedas o despertarlos de su sopor, pero esto solo puede hacerse desde la humildad profunda del que es también un buscador, un caminante.

Situados en la cima espiritual de San Juan de la Cruz, en su primer Cántico, podemos todos comprender cómo el gran santo y doctor de la Iglesia se sentía un inquieto buscador de Dios con ardientes ansias de hallarlo:

¿Adónde te escondiste, Amado,
y me dejaste con gemido?
Como el ciervo huiste,

Habiéndome herido;
Salí tras de ti clamando. Y eras ido.
Buscando mis amores
Iré por esos montes y riberas;
No cogeré las flores,
Ni temeré las fieras,
Y pasaré los fuertes y fronteras.

Esos son los pasos ansiosos y llenos de riesgos que la fe impulsa a dar. Nuestra fe no es una ideología. Nosotros no tenemos la presunción de tenerlo todo resuelto. Las seguridades de las ideologías se derrumban fácilmente o intentan mantenerse por medio de un voluntarismo agotador.

Las propuestas de la fe se hacen en un peregrinar donde no hay caminos trillados, donde el único que permanece siempre el mismo, inconmovible, eterno, pero amándonos como Padre, es Dios. Cada hombre o mujer, cada familia y cada pueblo debe peregrinar: solo el andar, con el corazón abierto a lo imprevisible, es el requisito indispensable, el resto pertenece a Dios nuestro Padre. La fe es don libérrimo de su misericordia. La gran iniciativa del Padre para que nos volviéramos a Él, fue enviarnos a su Hijo, Jesucristo, que se hizo peregrino por nosotros y con nosotros.

Peregrinar con nuestro mundo, en nuestro tiempo, es sentir también el llamado de acontecimientos diversos, atender a los reclamos y quejas de hombres y mujeres que parecen postrados en sus posibilidades de realización humana, limitados por esas razones o por concepciones ideológicas y políticas, sea de ocuparse de los bienes del espíritu, sea de abrirse a la trascendencia.

El año de Dios Padre nos recuerda que la dignidad del ser humano no es fruto del otorgamiento de ninguna conferencia internacional o de ningún código antiguo o moderno; sino que el hombre y la mujer salieron del querer eterno e irrevocable de su Creador como criaturas que llevan en sí la semejanza de Dios, es decir, que tienen un sitio privilegiado en la Creación por encima de todo otro ser animado, dotados de espíritu y capaces de alabar a su Creador y de transformar el mundo según el plan de Dios.

Esto hace al hombre y a la mujer sujetos de derechos y deberes que no pueden ser violados ni preteridos.

Este año, en su Mensaje para la Jornada Mundial de la Paz, el Papa Juan Pablo II expresa que «EL SECRETO DE LA PAZ VERDADERA RESIDE EN EL RESPETO DE LOS DERECHOS HUMANOS».

El Santo Padre reafirma el lugar preferencial de la libertad religiosa como «centro de los derechos humanos». Y explica el Papa las causas: «la religión expresa las aspiraciones más profundas de la persona humana, determina su visión del mundo y orienta su relación con los demás. En el fondo, ofrece la respuesta a la cuestión sobre el verdadero sentido de la existencia, tanto en el ámbito personal como social».

Se refiere también el Papa al Derecho a la vida, «el primero de todos los derechos». «El derecho a la vida es inviolable. Una auténtica cultura de la vida, al mismo tiempo que garantiza el derecho a venir al mundo a quien aún no ha nacido, protege también a los recién nacidos, particularmente a las niñas, del crimen del infanticidio. Asegura igualmente a los minusválidos el desarrollo de sus posibilidades y la debida atención a los enfermos y ancianos.»

«Optar por la vida comporta el rechazo de toda forma de violencia. La violencia de la pobreza y del hambre, que aflige a tantos seres humanos; la de conflictos armados; la de la difusión criminal de las drogas y el tráfico de armas; la de los daños insensatos al ambiente natural.»

Enumera también el Papa el Derecho a la propia realización, del cual se ven privados tantos seres humanos que no tienen acceso al estudio o al trabajo, o a un trabajo adecuadamente remunerado, o a las posibilidades de un ascenso social según las propias capacidades o habilidades. Cita el Santo Padre el derecho a la participación en la vida de la propia comunidad, que incluye, evidentemente, la participación política y se ocupa del cuidado al medio ambiente que debe promoverse o se arriesga la vida en el planeta. Se detiene el Sumo Pontífice en la modalidad que debe tomar el actual progreso global, que debe hacerse en solidaridad.

Dice al respecto el Papa: «La rápida carrera hacia la globalización de los sistemas económicos y financieros, a su vez, hace más clara la urgencia de establecer quién debe garantizar el bien común y global, y la realización de los derechos económicos y sociales. El libre mercado de por sí no puede hacerlo. Ya que, en realidad, existen muchas necesidades humanas que no tienen salida en el mercado.»

«Es urgente una nueva visión de progreso global en la solidaridad, que prevea un desarrollo integral y sostenible de la sociedad, permitiendo a cada uno de sus miembros llevar a cabo sus potencialidades.»

«En este contexto, dirijo una llamada apremiante a los que tienen la responsabilidad a escala mundial de las relaciones económicas, para que se interesen por la solución del problema acuciante de la deuda internacional de las naciones más pobres.»

Por último, el Papa Juan Pablo II clama por una cultura de los derechos humanos.

El Santo Padre repite lo dicho en su mensaje del pasado año acerca de la universalidad e indivisibilidad de los derechos humanos: no se pueden tomar unos y dejar otros. Los derechos humanos deben ser promovidos integralmente. Y añade el Papa: «Solo cuando una cultura de los derechos humanos, respetuosa con las diversas tradiciones, se convierte en parte integrante del patrimonio moral de la humanidad, se puede mirar con serena confianza al futuro».

Termina su reflexión el Santo Padre dirigiéndose a los cristianos, para que, ante las diversas violaciones a los derechos humanos que afectan al hombre en su dignidad, los seguidores de Cristo conserven viva su fe en Dios Padre y mantengan su visión del hombre dignificado por Dios que lo llama a ser su hijo.

«¿Cómo podríamos excluir a alguno de nuestra atención?, se pregunta el Papa: Al contrario, debemos reconocer a Cristo en los más pobres y marginados, a los que la Eucaristía, comunión con el cuerpo y la sangre de Cristo ofrecidos por nosotros, nos compromete a servir.»

Y concluye diciendo Juan Pablo II: «El tercero y último año de preparación al Jubileo está marcado por una peregrinación espiritual hacia el Padre: cada uno está invitado a un camino de auténtica conversión, que comporta el abandono del mal y la positiva elección del bien. Ya en el umbral del año 2000, es deber nuestro tutelar con renovado empeño la dignidad de los pobres y de los marginados y reconocer concretamente los derechos de los que no tienen derechos. Elevemos juntos la voz por ellos, viviendo en plenitud la misión que Cristo ha confiado a sus discípulos. Es este el espíritu del Jubileo ya inminente.»

Queridos hermanos y hermanas: que nuestra Misión en este Año del Padre, el último de este siglo y de este milenio, se haga en forma de peregrinación hacia Dios Padre que nos muestra incesantemente su amor. Que no nos detengamos ante tantas barreras como encuentra el amor del Padre para abrirse paso en los corazones de nuestros hermanos: su falta de fe, su fe imperfecta, su indiferencia, pero también los límites que provienen de la pobreza, de las dificultades para la realización personal y la participación social y llevemos a todos, junto con la convicción de que Dios, en Cristo, nos ha hecho sus hijos, la serena y reconfortante certeza de que, también en Cristo, todos somos hermanos. Este será un modo más de la Comunidad cristiana, de la Iglesia en Cuba, de sembrar el amor y la Paz en nuestro pueblo. Que la Virgen Madre de Dios, Madre de la Iglesia, nos asista para que conservemos vivas todas estas cosas meditándolas en nuestro corazón.

INAUGURACIÓN DE LA REUNIÓN INTERAMERICANA DE OBISPOS*

Queridos hermanos y hermanas:
«*No he venido a abolir, sino a dar plenitud.*»

Con esta sentencia, Jesús explica su postura ante la Ley de Moisés, venerada y respetada por el pueblo elegido de Dios. En su detallado cumplimiento, los israelitas cifraban sus esperanzas de alcanzar las bendiciones del Señor. Y Jesús reafirma con sus palabras la opinión común de que nadie debe saltarse ni el más mínimo precepto de la antigua Ley,

---

* Catedral de La Habana, 14-II-1999.

pero introduce un principio de superación de lo antiguo en el orden del ser mejor, del sobrepasamiento de lo escrito en la Ley para hallar su espíritu e ir más allá de su contenido inmediato en nuevas actitudes y formulaciones que comprometen integralmente al hombre. No es saberse de memoria la ley de Dios, es saberla en todo su alcance y profundidad. Debemos, pues, superar la aceptación y el cumplimiento de un texto, para encontrar en él su fuerza inspiradora: «*Si ustedes no son mejores que los letrados y fariseos, no entrarán en el Reino de los cielos*».

Con este emplazamiento de Jesús, que nos concierne tanto a nosotros hoy, como a sus contemporáneos entonces y, teniendo entre las manos el valioso texto de la exhortación apostólica postsinodal del Papa Juan Pablo II *Ecclesia in América*, iniciamos en La Habana esta Reunión Interamericana de Obispos que congrega representativamente a las Iglesias del que fue llamado un día Nuevo Mundo.

Deseo dar mi más cordial bienvenida a todos ustedes, queridos hermanos llegados de todas las regiones de nuestro vasto Continente. Ante todo saludo de manera especial al Emmo. Sr. Cardenal Lucas Moreira Neves, Prefecto de la Congregación para los Obispos, que ha aceptado tan gustosamente la invitación que le hiciera el Consejo Episcopal Latinoamericano para participar en este encuentro. Sr. Cardenal: apreciamos doblemente su presencia: por su trabajo de tan alta responsabilidad y tanta proximidad al Santo Padre al frente de la Congregación para los Obispos y por presidir, además, la Pontificia Comisión para América Latina.

Quiero también, Sr. Cardenal, que sea Usted portador del recuerdo emocionado, agradecido y lleno de afecto de la Iglesia en Cuba y del pueblo cubano al Papa Juan Pablo II, al cumplirse el primer aniversario de su inolvidable visita a nuestro país. Precisamente, para conmemorar ese hecho eligieron los obispos del continente americano como sede de su reunión la ciudad de La Habana y escogieron para su realización una fecha cercana a los días memorables de la estancia del Santo Padre entre nosotros.

Quiero saludarlos también a ustedes, queridos hermanos Cardenales, Arzobispos, Obispos y Sacerdotes de América, presentes aquí para la celebración de este evento junto con todos los obispos de Cuba. En nombre de los obispos cubanos agradezco de corazón esta deferencia suya y su probada comunión con la Iglesia que peregrina en estas tierras. Saludo de manera especial al Sr. Nuncio Apostólico, a las autoridades civiles y a los distinguidos miembros del Cuerpo Diplomático acreditado en Cuba.

El peregrinar de la Iglesia se hace siempre en la escucha de la Palabra de Dios y en la fracción del pan, que crea y estrecha la comunión entre todos los seguidores de Jesús.

En este domingo, día del Señor, cuando la Iglesia se reúne para celebrar el triunfo de Cristo sobre el mal y la muerte, la Palabra revelada nos invita, en el Santo Evangelio, al sobrepasamiento de lo mínimo imprescindible, a ir más allá del precepto escueto en nuestras relaciones con Dios y con el prójimo. Los textos de San Mateo, que contienen la enseñanza exigente de Jesús de cara al trato de amor con nuestros hermanos, a las relaciones conyugales o a la verdad que le debemos a nuestro prójimo, sin subterfugios y sin juramentos, sustentan la estructura de una ética de superación de lo puramente formal, y aún más, de lo mediocre, para aspirar a lo mejor, a lo perfecto. Esa sabiduría superior que emana de la enseñanza de Jesús, al decir de San Pablo en su 1ª Carta a los Corintios, «*no es de este mundo ni de los príncipes de este mundo*». El Apóstol está persuadido, en la fe, de hablar a la Iglesia «una sabiduría divina, misteriosa, escondida», que Dios nos ha revelado por el Espíritu.

Esclarecidos por esa sabiduría, al modo de Pablo y de los primeros apóstoles, los obispos de América, convocados por el Sucesor de Pedro, nos congregamos en Roma para celebrar un Sínodo, una magna reunión que agrupaba por vez primera en una asamblea de este género a obispos de Norte, Centro, Sur América y el Caribe. Para aquella cita llevábamos en la mente el tema elegido para la Asamblea Sinodal: *Encuentro con Jesucristo vivo, camino para la conversión, la comunión y la solidaridad en América.*

La exhortación postsinodal del Papa Juan Pablo II, que recibimos en México de manos del Santo Padre a los pies de la Virgen de Guadalupe, Nuestra Señora de América, ha constituido para todos nosotros, obispos del continente americano, una especie de carta magna de cara al próximo siglo y milenio. El gran tema sinodal, ampliamente enriquecido por los obispos participantes, en sus intervenciones en el Sínodo, es retomado magistralmente por el Papa, que puso especial cuidado en no pasar por alto las valiosas aportaciones que hicieron los sucesores de los apóstoles en aquel importante foro eclesial.

La síntesis de la proyección de la Iglesia en nuestro continente hacia el tercer milenio la hace el Santo Padre al titular el capítulo sexto de la exhortación con palabras definitorias y programáticas: *«LA MISIÓN DE LA IGLESIA HOY EN AMÉRICA: LA NUEVA EVANGELIZACIÓN»*.

Al proclamar cuál es la tarea de la Iglesia en los inicios del nuevo milenio, Juan Pablo II no excluye todo cuanto ha dicho anteriormente en capítulos precedentes sobre el deber de la Iglesia de promover una cultura de la solidaridad, alentando a los organismos internacionales para que se establezca *«un orden económico en el que no domine solo el criterio del lucro»*, sino la búsqueda *«de la promoción integral de los pueblos»*. Tampoco deja a un lado el Santo Padre el papel creciente de la doctrina Social de la Iglesia y su petición de que se elabore un *«catecismo de doctrina social católica»*.

El Papa sabe que, al decir que la misión de la Iglesia en América es evangelizar, su afirmación incluye todo cuanto tiene que ver con la promoción del hombre en la sociedad; lo que él llamó en su homilía de la Plaza de la Revolución en La Habana: *«el Evangelio Social»*, y sabe también que toda evangelización verdadera lleva consigo una lucha contra los pecados sociales que él mismo enumerara en su exhortación: *«el comercio de drogas, la corrupción, el terror de la violencia, el armamentismo, la discriminación racial, etc.»*.

¿Cómo podría predicarse el Evangelio, que llama a una actitud nueva del corazón y contiene una ética de sobrepasamiento, sin enfrentar, sanear o transformar esas terribles miserias?

¿Cómo hablar del hombre digno que Jesús diseña en cada frase y en cada gesto, sin hacer un llamado a las conciencias y a las responsabilidades de gobiernos e instituciones para que no se violen los derechos humanos de personas y de grupos sociales?

¿Cómo anunciar a Jesucristo sin «intensificar y ampliar cuanto se hace por los pobres, tratando de llegar al mayor número posible de ellos», si Jesucristo con su vida y su palabra nos invita a un amor preferencial por los pobres?

¿Cómo no levantar la voz en favor de esos desfavorecidos y hacerla oír también en los foros internacionales, si la deuda externa, la corrupción y el armamentismo contribuyen causalmente al empobrecimiento de los pueblos? Y, como es el caso en nuestro país, cuando medidas económicas impuestas desde el exterior, que el Santo Padre calificó en La Habana de *«injustas y éticamente inaceptables»*, vienen a agravar las precarias condiciones de vida del pueblo.

¿Cómo podrían no ser luchadores por la vida aquellos que anuncian a Jesucristo, que vino para *«que todos tengan vida y la tengan en abundancia»*? Con el Santo Padre nos sentimos comprometidos en el rechazo de una cultura de muerte que pretende eliminar a los más débiles: a los niños no nacidos, a los ancianos y enfermos incurables; que recurre sin necesidad «a la pena de muerte, cuando otros medios incruentos bastan para defender y proteger la seguridad de las personas contra el agresor».

En su exhortación apostólica, el Papa Juan Pablo II no trató de la Evangelización y «otros temas», sino solo de la evangelización, pues esta debe siempre conducir a la redención integral del hombre.

La evangelización debe llevar al hombre y a la mujer de América a un encuentro con Jesucristo, que el Papa describe como *«el punto de partida y el camino para una auténtica conversión y para una renovada comunión y solidaridad»*. Partiendo de Cristo y acompañados por Él debemos construir en América esa comunión con los hermanos y esa solidaridad, capaces de suplantar los enfrentamientos y las indiferencias y conducirnos a la paz. Para ello es requisito imprescindible la conversión, el cambio radical de vida.

También para esto, Jesucristo nos sale al paso, removiendo con su palabra las conciencias dormidas: *«Se dijo a los antiguos no matarás, pero yo les digo más: no debes estar pe-*

leado con tu hermano». Ese «más» de Jesús, que hace dejar atrás lo viejo, el mundo antiguo, para fundar una convivencia nueva, es parte primordial de la buena noticia, del evangelio que tenemos que proclamar como única misión nuestra; única porque es fundante, única porque es abarcadora de todas las preocupaciones por un mundo mejor, única porque cuantos buscan el bien, la verdad y la justicia pueden reconocerse en ella, única porque aquel a quien anunciamos: Jesucristo el Salvador, destruyó en la cruz el mal y el pecado y al resucitar glorioso «hace todas las cosas nuevas».

Nuestro Continente, como la humanidad entera solo encontrará el camino de la justicia que dé a cada hombre el puesto digno que le corresponde en la sociedad y a cada pueblo el sitio merecido en el concierto de las naciones, si cada hombre o mujer, si cada uno de los grupos naturales o formales que componen el entramado social, es capaz de sobrepasarse en el amor, al estilo del que nos muestra en su vida y en sus hechos Jesús de Nazaret. Se requiere el amor que fluye del Evangelio para garantizar la Justicia. Cuando se intenta alcanzar la Justicia sin el amor que Jesús nos propone, nos quedamos por debajo de nuestros propósitos. Dijo José Martí: *«Por el amor se ve, con el amor se ve, el amor es quien ve. Espíritu sin amor no puede ver»*.

En efecto, solo el amor es capaz de trascender en cierto grado lo inmediato, aun si es de apariencia caótica, despiadada o cruel, como puede ser la realidad económica y social de amplios sectores de hombres y mujeres en nuestro continente, afectados por la miseria material o espiritual al norte y al sur del Ecuador. Solo el amor es capaz de barruntar soluciones, de estructurar proyectos que nos comprometan a dar algo de lo nuestro y, aún más, a darnos a nosotros mismos.

El aliento del amor cristiano falta en los fríos cálculos de algunas doctrinas neoliberales que dejan al pobre expuesto a la tiranía del mercado y del dinero. El aliento del amor cristiano ha faltado en no pocas de las teologías liberacionistas surgidas en nuestra América. Ha faltado también el aliento del amor en las ideologías, sean de signo individualista o colectivista, que desde los albores del siglo pasado y durante este siglo han influido en la historia de hombres y pueblos.

Es cierto que no ha estado ausente el amor de los corazones de muchos hombres y mujeres que han procurado el bien de la humanidad según los postulados de esas ideologías. Pero el amor al prójimo, al modo que nos lo enseña Jesús, no ha estado lamentablemente en el programa de esas ideologías. En su homilía de la Plaza de la Revolución en La Habana, el Papa Juan Pablo II afirmó con convicción: «*Para muchos de los sistemas políticos y económicos hoy vigentes, el mayor desafío sigue siendo el conjugar libertad y justicia social, libertad y solidaridad, sin que ninguna quede relegada a un plano inferior*».

Solo el amor puede lograr esa imprescindible armonía que el Papa reclama. Poner en evidencia ese amor, eso es evangelizar. Esa es la misión de la Iglesia en América. El amor es el alma de nuestro programa para el siglo y el milenio que comienza.

Desde el amor y por amor procurar la justicia, desde el amor y por amor esbozar propuestas, desde el amor y por amor hallar la actitud y las palabras proféticas que convienen a situaciones inhumanas o injustas sin el recurso a la violencia ni en las palabras ni en los gestos o acciones.

El amor debe movernos a actuar en el orden del bien de las personas y de la sociedad y aun a hacer que nuestra reacción ante el mal personal o estructural se exprese también en clave de reconocible amor cristiano.

Ante un mundo cansado de reivindicaciones justicieras, todos los que formamos la Iglesia, obispos, sacerdotes, religiosos, religiosas y laicos, debemos procurar la verdadera justicia solo desde el amor y por amor.

Tenemos que hablar y actuar de tal modo que nuestros hechos, palabras o actitudes, aun si pueden suscitar rechazo o escándalo en las personas, en las organizaciones sociales, en los centros de poder económico o en medios políticos, sean expresión de la misericordia, el perdón, la reconciliación, la compasión, la entrega o el sacrificio. Ese es el escándalo de la Cruz de Cristo que ha llevado hasta el martirio a muchos de sus seguidores. Ese es el único escándalo tolerable a los seguidores de Jesús. Así debe acreditarse la Iglesia ante cada hombre y mujer del continente, que hallarán en ella el lugar de encuentro con Cristo, presente desde hace quinientos años en nuestra historia, aquel que no ha venido a abolir nada de cuanto es bueno y nos es propio, sino a dar plenitud.

Preservando la riqueza de nuestras diversas tradiciones y culturas, la nueva evangelización debe propiciar el encuentro con Jesucristo vivo. Solo Él puede dar a los pueblos de América la plenitud que tanto ansían, especialmente los pobres, los que se sienten solos o aislados, marginados, discriminados o excluidos en un mundo donde poco a poco se instala una cultura de muerte o de vida-para-unos-pocos. Pienso ahora en los pueblos indígenas de América, en los habitantes de nuestro continente de origen africano, en los que emigran del sur del continente al norte, buscando mejores condiciones de vida. Para todos ellos debe existir la maravillosa oportunidad de un encuentro con Cristo que libere sus corazones de angustias y temores. Pero, además, el encuentro de todo hombre o mujer de América con Jesucristo no puede darse verdaderamente si se pasa por alto la situación de esos hermanos nuestros dondequiera que se hallen.

Estas son las preocupaciones pastorales que los obispos de América llevaron al Sínodo y que el Papa Juan Pablo II ha recogido y enriquecido admirablemente en su exhortación postsinodal. En nuestra reunión de estos días, el documento pontificio, que agradecemos vivamente al Santo Padre, iluminará nuestra reflexión sobre las grandes líneas pastorales de la Iglesia en América para el nuevo milenio que se inicia.

Al invocar la protección de la Virgen María sobre nuestra reunión y sobre la Iglesia en nuestro Continente, cito textualmente las palabras del Papa en la exhortación apostólica «*Ecclesia in América*»: «*¿Cómo no poner de relieve el papel que la Virgen tiene respecto a la Iglesia peregrina en América, en camino al encuentro del Señor?* En efecto, la Santísima Virgen, de manera especial, está ligada al nacimiento de la Iglesia en la historia de los pueblos de América, que por María llegaron al encuentro con el Señor».

La aparición de María de Guadalupe al indio Juan Diego en la colina del Tepeyac tuvo un influjo decisivo en la evangelización de México, que alcanzó a todo el continente.

La aparición de la Virgen María de la Caridad en la Bahía de Nipe en Cuba ha hecho de la bendita Madre de Dios la estrella de la evangelización de nuestra Patria. A la Madre de los mil títulos, que son fruto del amor de sus hijos, a María de Guadalupe y de la Caridad, confiamos nuestros trabajos, a Ella pedimos que lleve a todos los pueblos de América al encuentro con Jesucristo su hijo que vive y reina por los siglos de los siglos. Amén.

MISA CRISMAL*

Queridos hermanos y hermanas:

Siguiendo nuestro camino cuaresmal hacia la Pascua, se reúne la Iglesia Arquidiocesana con su Obispo y su presbiterio para la celebración de la Misa Crismal.

Durante este tiempo de gracia que nos prepara a vivir con intensidad y devoción la muerte y resurrección de nuestro Señor Jesucristo, nos hemos propuesto en nuestra comunidad diocesana que la Pascua de este año 1999, la última antes de la celebración del Jubileo del año 2000, tenga para nuestra vida personal y para la vida de nuestra Iglesia toda la fuerza renovadora y transformadora que lleva consigo el paso de Jesucristo de la muerte a la vida.

Las celebraciones penitenciales en las nueve zonas de las cuatro vicarías de nuestra Arquidiócesis han constituido una particular expresión de la proyección de la Iglesia hacia el año 2000 de la era cristiana. Una Iglesia que toma conciencia de su misión evangelizadora y quiere presentar, a todos nuestros hermanos en Cuba y al mundo entero, su rostro «sin arrugas ni mancha, ni nada semejante», sabiendo que solo el esfuerzo de los cristianos por dejarse transformar y modelar ellos mismos por el evangelio puede avalar su condición de anunciadores y constructores del Reino de Dios. Porque nos aprestamos a celebrar los 2.000 años del nacimiento de Jesucristo con un trabajo evangelizador marcado por el impacto de la buena noticia y por la profundización en el mensaje sal-

---

* Catedral de La Habana, 26-III-1999.

vador. Para ello, la Iglesia diocesana, como primer paso en esta misión, se ha puesto en camino de reconciliación con Dios nuestro Padre, con nuestros hermanos creyentes o no, amigos o enemigos, y con nuestra historia nacional.

La Iglesia en nuestra diócesis ha pedido perdón por los pecados de sus hijos que favorecieron una pobre convivencia fraterna entre cubanos, tornándola dura o difícil, al quedar oculta o velada la debida expresión de misericordia y de amor cristiano, siempre esperados en la actuación de la Iglesia como el modo propio de los seguidores de Jesús para hacerlo reconocible y amable.

Hemos pedido perdón al Padre por nuestra desatención a la Iglesia y a su misión, especialmente en momentos de crisis, cuando muchos cubanos le volvieron la espalda; perdón por los privilegios de clase y las discriminaciones por motivos de raza en el seno de la comunidad cristiana, perdón porque los sentimientos de revancha o de venganza han anidado en los corazones de los seguidores de Jesucristo, perdón por las apatías, por las desesperanzas. Queremos así, con sincero arrepentimiento, preparar nuestros corazones a la fiesta jubilar que se avecina.

Jesucristo nuestro Salvador nos sale al encuentro en este año, el tercero del trienio preparatorio del año 2000, como el enviado del Padre, el único que lo ha conocido y que permanece unido a Él. Desde esa fuente de amor y de misericordia nos trae Jesús la libertad, la sanación de nuestros males, el consuelo y el anuncio de un tiempo de gracia del Señor. Jesús nos muestra así al Padre y nos lo presenta como el paradigma para cuantos lo quieren conocer. Debemos ser misericordiosos como el Padre es misericordioso, debemos ser perfectos como el Padre es perfecto. Aún más, Jesús no se presenta sino como el enviado del Padre que no obra por sí mismo, sino que habla lo que ha oído del Padre y hace las obras que el Padre le ha mandado; su «comida es hacer la voluntad del Padre». Tan identificado está él con su Padre que afirma: «el Padre y yo somos uno» y, ante el reclamo de sus discípulos, que de tanto escucharle hablar del Padre desean saber quién es y verlo, Jesús responderá con una afirmación que muestra su identidad de naturaleza con Dios Padre: «quien me ha visto a mí, ha visto al Padre».

Todo el quehacer de Jesús, en sus discursos, en sus parábolas, en sus milagros, en sus enseñanzas coloquiales, está encaminado a mostrarnos la bondad infinita del Padre, su amor a nosotros y su misericordia, y a suscitar en sus seguidores, ante todo, sentimientos filiales hacia ese Dios Padre. ¿Quién que se sienta tan inmerecidamente amado «*no amaría en retorno*»?, dice San Agustín en frase feliz. ¿Quién que viera la actuación de Jesucristo, tan invariablemente centrada en el amor y lo escuchara llamarse siempre a sí mismo «el Hijo», no se sentiría invitado a tener los mismos sentimientos filiales del Maestro? Pero además, ¿quién podría tener sentimientos filiales tan altos sin amar a su hermano? Y esa es la otra propuesta constante de Jesús, al punto que San Juan, su joven discípulo, podrá resumir lapidariamente la enseñanza de su Señor en estas palabras: «de modo que quien ama a Dios ame también a su hermano».

Esta ha sido la clave de reflexión en nuestras celebraciones penitenciales en todas las zonas pastorales de la Arquidiócesis, para que toda la comunidad diocesana se enrumbe hacia el año 2000 con un doble propósito reconciliador: con Dios nuestro Padre y con todos los hermanos.

Debe ensancharse en este «Año del Padre» nuestra visión de la fraternidad hasta hacerla verdaderamente universal, porque Dios es el Padre de todos. Con propiedad lo podemos decir de todos los bautizados, también de quienes lo son en otras iglesias cristianas que practican un verdadero bautismo. Pero Dios es también Padre de los creyentes de otras religiones, de los no bautizados y de los no creyentes. Todos son amados por Dios con amor de Padre. De modo que cuando llegamos hasta un hermano nuestro a llevarle el mensaje de Cristo, aun si este no está bautizado y dice no tener ninguna religión, no nos estamos acercando a una persona totalmente desprovista del favor de Dios, sino a alguien que tiene algo fundamental en común con nosotros: que es amado por Dios Padre, pues hay un solo Dios y ese Dios es Padre. Así lo decimos en nuestra profesión de fe cada domingo: «*creo en un solo Dios Padre...*». Por lo tanto, hay también un lazo entre esa persona y yo, somos hermanos, porque somos hijos del único y mismo Padre Dios que ha creado el cielo y la tierra, lo visible y lo invisible.

¡Qué importante es que nuestro proyecto de reconciliación personal y eclesial abarque todo el tiempo de la historia y todos los hombres y mujeres que pueblan esa geografía cada vez más ancha en que nos movemos hoy los seres humanos! Para nosotros cubanos, esto significa incluir en esa historia hechos reprobables o tristes, que acumulan pesadas cargas en la memoria y en el corazón, y detrás de esos hechos vislumbrar las personas cercanas o distantes, que comparten nuestra vida en Cuba o que se hallan fuera del país, que aman a la Iglesia o que la desprecian, que nos quieren aunque nos hieran o que no nos quieren de ningún modo. Los cubanos estamos necesitados de una sanación de espíritus, hay que aligerar los corazones de pesos inútiles, es necesario sustraerse voluntariamente y por fe en Dios Padre, en el único Dios de Jesucristo, a criterios y procedimientos duros y justicieros, pero aún más a la pesadumbre y a la opresión interior generalizada que puede producirse en las estructuras sociales cuando el amor cristiano y su misericordia no inspiran el modo común de actuar. Hoy, más que en todo otro momento, debemos tener presentes las palabras de Jesús en el evangelio de este día: «*he venido para dar la liberación a los oprimidos*».

Es la hora de una misión en que los hijos de Dios, Padre de todos, con Jesucristo el hermano mayor a la cabeza, comiencen una siembra de bondad, de mansedumbre, de misericordia, de humanidad. Evangelizar al hermano no es darle una noticia seca ni simplemente alegre sobre su salvación, es hacer llegar hasta él o hasta ella el amor, la comprensión, la misericordia, la paz que solo nace en los corazones de quienes se sienten amados por un Dios que es Padre. Esto fue lo que hizo el Papa Juan Pablo II en Cuba. Es lo que Dios le pidió al profeta Isaías y a otros profetas: «*consuelen, consuelen a mi pueblo, háblenle al corazón... y díganle bien alto: que ya ha cumplido su servicio, ya ha satisfecho por su culpa*» *(Is 40, 1-2)*.

Esta tarea de consolar a nuestro pueblo y de consolidar su esperanza debe ser asumida ante todo por el obispo y los sacerdotes de su presbiterio. Somos nosotros los ministros del perdón y del amor de Dios. Cristo Salvador ha depositado en nosotros el admirable tesoro de la misericordia del Padre. Cuando los cristianos se acercan al sacerdote para pedir el sacramento del perdón, experimentamos, como en toda otra acción sacramental, pero en esta mucho más, la grandeza del ministerio que se nos ha confiado y nuestra extrema pequeñez, pues el amor misericordioso del Padre pasa a través de nuestra acogida, de nuestras palabras, de nuestra paciencia, de la capacidad de comprensión y de compasión, de la delicadeza al abordar las inquietudes y angustias de quien busca aliento, perdón y fortaleza. Nunca el sacerdote vive su paternidad espiritual de forma más eminente que cuando perdona a los pecadores, los consuela y los conforta.

Del oficio del confesor debe fluir todo un comportamiento sacerdotal que configure el ser y el quehacer del presbítero. Esto lo predispone a desempeñar también un papel reconciliador en todas las situaciones de la vida y de la historia, sea pequeña o grande, en la cual está inmerso. El hermoso apelativo de «padre» que nos dan los fieles cristianos y tantos hermanos nuestros que no frecuentan la Iglesia está en conexión con ese servicio de la misericordia que, si es ejercido con asiduidad y entrega, se convierte en un poderoso medio de formación de las mentes de las conciencias y de los corazones.

La Misa Crismal es una celebración del sacerdocio. En ella bendice el obispo los óleos y el crisma que serán utilizados en la administración de los sacramentos del bautismo, la confirmación, la unción de los enfermos y el orden sacerdotal. La Iglesia cumple su misión de animar a los cristianos a una vida en santidad, según el modelo de Cristo, proclamando la palabra revelada, que dispone interiormente al discípulo de Jesús a dejarse configurar a su Maestro y Señor por medio de los sacramentos que la misma Iglesia le brinda.

El sacerdote tiene un papel principal en la predicación de la Palabra y en la administración de los sacramentos. Es él quien preside la Santa Eucaristía, fuente y cumbre de la sacramentalidad de la Iglesia, banquete de fiesta que el Padre ha mandado a preparar para sus hijos que retornan a la casa paterna. Para entrar a ese banquete, para ponerse el traje de fiesta que es la gracia divina, debemos estar reconciliados con el Padre y con los hermanos. El sacramento de la reconciliación dispone al bautizado para todos los sacramentos, pero muy especialmente para la eucaristía, cuando requiere ser liberado del pecado y restituido a la gracia. Aquí de nuevo, como en la celebración eucarística, el Sacerdote tiene un papel insustituible.

En este «año del Padre», la Iglesia Arquidiocesana se ha propuesto preparar el Jubileo del año 2000 con un firme propósito de reconciliación con Dios Padre y entre todos los hermanos. El primer fruto de este empeño es la alegría por la amistad recobrada con nuestro Dios y entre nosotros. La penitencia, celebrada en este clima en las distintas zonas pastorales, ha dispuesto nuestros corazones y abierto el camino a la misión preparatoria del gran Jubileo que comenzará el tres de mayo, fiesta de la Santa Cruz y que se extenderá hasta la Solemnidad de Cristo Rey. Con Cristo crucificado iremos de parroquia en parroquia por todas las iglesias y capillas de la Arquidiócesis, en acción de gracias porque «tanto ha amado Dios Padre al mundo que le entregó a su Hijo», quien «no vino a condenar sino a perdonar» y a mostrarnos el amor del Padre. Fijaremos con Cristo nuestra mirada en ese Dios Padre que hace «salir el sol cada día para buenos y malos» y que nos da el pan cotidiano y perdona nuestras ofensas como nosotros perdonamos. Así, en clima de reconciliación con Él y con los hermanos, nos prepararemos para recibir el año jubilar que comenzará el 25 de diciembre, día de Navidad, cuando, viniendo en procesión desde la iglesia y Santuario de Nuestra Señora de la Caridad hasta la iglesia Catedral, inauguraremos el Año Santo Jubilar en el cual se conmemora en la fe el grande y singular evento salvador: «que hace 2.000 años la Palabra se hizo carne y habitó entre nosotros».

Queridos hermanos y hermanas: que toda la Iglesia diocesana prepare el nuevo milenio del cristianismo actuando como pueblo de Dios reconciliador, consolador y esperanzador en medio del pueblo cubano.

Y ustedes, queridos sacerdotes, sean, por gracia de Dios Padre y por el ministerio recibido, reconciliadores de los reconciliadores, aliento de quienes consuelan y sostén de los que siembran esperanza.

Teniendo este año esa especial disposición en sus corazones, renueven con Cristo ante Dios nuestro Padre sus compromisos sacerdotales de alabar al Señor en el servicio a sus hermanos.

Que la Virgen Madre, en cuyo seno tomó realidad humana el Hijo eterno del Padre, sea fuente de inspiración y apoyo para que vivan en total fidelidad su entrega sacerdotal.

50 ANIVERSARIO DE LA CORONACIÓN PONTIFICIA DE LA IMAGEN DE LA SANTÍSIMA VIRGEN MARÍA DE IZAMAL, PATRONA DE YUCATÁN*

Queridos hermanos y hermanas:

Con mucha alegría vengo a unirme a ustedes para celebrar los cincuenta años de la coronación de la Virgen de IZA-MAL. En esta cálida mañana, muchas cosas nos unen a ustedes todos, queridos yucatecos, y a mí; el calor del mismo sol que abrasa nuestras tierras: Cuba y Yucatán, el conocimiento que tenemos unos de otros, Yucatán y sus gentes son conocidos en mi tierra cubana, como ustedes conocen a Cuba y a su pueblo. Lazos históricos han unido a las familias de Yucatán y de mi patria que han ido a establecerse en uno y otro lugar en distintos momentos de la historia. Pero sobre todo nos une nuestra fe cristiana, adoramos a un mismo Dios y Señor, Padre de nuestro Salvador Jesucristo y a Él le tributamos honor y alabanza. Hay además un lazo muy especial que nos une como cristianos y como pueblo: un amor reverente y filial a la Virgen María, Madre de Jesucristo y madre nuestra. Los cubanos veneramos allá en las montañas de El Cobre, con todo el afecto de nuestro corazón, a la Virgen de la Caridad, Patrona de Cuba, y ustedes, queridos hermanos de Yucatán, rinden culto de amor y devoción a la Virgen de Izamal, Reina de Yucatán. Nuestra Madre recibe del cariño de sus hijos tantos títulos y nombres como el amor puede dar a un ser querido y sigue siendo la misma Madre, pero la sentimos cercana, nuestra, familiar, como de casa, cuando le decimos el

---

* Mérida, Yucatán, 22-VIII-1999.

nombre que la asocia a un lugar, a un momento de nuestra historia, a una intervención maravillosa de Ella a favor de su pueblo. Por esto ustedes sienten en su corazón que la Virgen María es más cercana y maternal cuando la llaman Virgen de Izamal.

En este año del Padre Dios, el Papa Juan Pablo II ha querido que nos preparemos inmediatamente para celebrar el Jubileo del año 2000, la gran fiesta de la Iglesia y de toda la humanidad, por los 2000 años del nacimiento de Jesucristo. ¡Cuánto hemos rezado y debemos seguir rezando, dándole gracias a Dios Padre por el amor que nos ha mostrado! Así es, el Evangelista San Juan nos dice: «*Tanto amó Dios al mundo, que le entregó a su Hijo*».

De ese Hijo eterno de Dios que vino a nosotros hecho hombre nos habla el profeta Isaías en la primera lectura bíblica de esta fiesta. El profeta, cientos de años antes de que naciera nuestro Redentor, anunciaba que: «un Niño nos ha nacido, un Hijo se nos ha dado... y su nombre es 'Maravilla de Consejero...' 'Padre perpetuo', 'Príncipe de la Paz'». Nuestra fe cristiana sabe que todo esto se cumplió con el nacimiento de Jesucristo, que ha transformado la historia de la humanidad, llenando con su paz los corazones inquietos, para hacer que la esperanza alumbre en las almas tristes de tantos hombres y mujeres. Por esto decía también el profeta: «El pueblo que andaba en tinieblas ha visto una gran luz, habitaban en tierra de sombra y una luz les brilló».

Es esto lo que vamos a celebrar con el gran Jubileo del año 2000: la luz vino al mundo y desde hace 2.000 años, en las tinieblas de una humanidad donde hay guerras, sufrimientos a causa de la opresión y la violencia, odios y falta de amor, brilla una luz. Cada uno de nosotros debe llevar esa luz encendida en su corazón, porque esa luz es Cristo, Nuestro Señor.

Él vino a nosotros en la pobreza y en la pequeñez de un niño, como nos lo ha dicho el profeta. ¡Cuán grande ha sido el amor de Dios Padre a nosotros!, nos entregó a su hijo hecho niño y nos lo da a conocer, como todo niño recién nacido, en los brazos de su madre. Pues ¿quién que oye decir: «*un Niño nos ha nacido*», no piensa al mismo tiempo en la madre?

De modo que nuestra primera mirada a Jesús Niño es también una mirada a María su Madre, que lo da a luz, que lo tiene en su regazo. En el Santo Evangelio hemos escuchado una vez más el relato siempre sobrecogedor del anuncio del ángel a María. El Arcángel Gabriel, el enviado de Dios, llegó hasta el poblado de Nazaret donde estaba una virgen que se llamaba María. Sí, ciertamente, el nacimiento del Hijo de Dios sería de una virgen.

En nuestro modo común de hablar decimos a menudo que Dios eligió a la Virgen María para ser la Madre del Señor; pero mejor digamos con el gran San Bernardo: «El Hacedor del hombre, al hacerse hombre, tuvo que formar para sí, entre todas, una Madre tal cual él sabía que habría de serle conveniente... Quiso, pues, nacer de una virgen inmaculada, Él, el inmaculado, el que venía a quitar de nosotros las manchas del pecado. Por eso, el ángel saluda a María llamándola llena de gracia. La Virgen no fue hallada por Dios aprisa y por casualidad. Había sido preparada por el Dios Altísimo para Él mismo desde la eternidad».

Cuando la contemplamos coronada de estrellas en el cielo, con la luna bajo sus pies, como nos la presenta el libro del Apocalipsis, se encuentra ya la Virgen Inmaculada en su trono de gloria, el que le corresponde a aquella que fue formada y preparada por Dios para que fuera su morada en la tierra. Así, como Reina y Señora de cielos y tierra, la veneramos hoy en su fiesta. Por eso, la Iglesia pone sobre las sienes de la imagen de la Virgen, cuando esta es venerada de modo especial por muchos cristianos, una corona preciosa, que nos recuerda que a la diestra del Rey, Jesucristo el Señor, triunfador de la muerte y del pecado, está la Reina, bellísima, vestida de perlas y brocado.

Ella es la Madre de aquel niño que hoy reina en el cielo con la gloria que Él tuvo desde siempre. Y ella, junto a Él, participa también de esa gloria. Pero ella supo acompañar a aquel niño, a aquel hombre, de manera discreta, como desde lejos, pero estando muy cercana. Solo aparece cuando el niño se pierde y es hallado en el Templo. Pasan los años y el Evangelio no nos habla nada de la vida de Jesús en su pueblo de Nazaret, pero allí vivía Él junto a la madre. Cuando nuestro

Salvador sale a predicar el Reino de Dios y comienza su camino de profeta y redentor, la Virgen María aparece también junto a Él en las Bodas de Caná, pidiéndole a Jesús, en forma muy humilde, que haga su primer milagro. Pero donde vemos realmente a María entrar en escena y estar junto a Jesús es en la hora del dolor, cuando todos los discípulos habían huido, cuando uno de ellos lo había entregado y Pedro, el que había sido colocado por Cristo al frente de la Iglesia, lo había negado tres veces. Allí, de pie junto a la Cruz, nos lo dice el Evangelista San Juan, que fue el único apóstol en estar hasta el final en el Calvario, allí estaba de pie María, la Madre de Jesús. Allí nos la entregó Jesús por Madre a todos los cristianos, pues, al dirigirse a Juan, se dirigía también a todos nosotros: Hijo, ahí tienes a tu Madre. Desde aquel día, el discípulo la recibió en su casa, dice el mismo evangelista. Desde aquel día, todos nosotros, los que creemos de verdad en Jesucristo, la hemos recibido en nuestra casa como Madre nuestra. Y ella también está con nosotros calladamente, nos acompaña discretamente, como acompañó a Jesús. A veces nos acordamos de ella en una fiesta, en unas bodas, como aquellas de Caná, siempre la recordamos en los momentos hermosos de la vida, cuando nace un niño, cuando una muchacha celebra sus quince años; pero también está presente en nuestros dolores, en nuestras tristezas, cuando parten nuestros seres queridos, cuando perdemos nuestra madre y sabemos que tenemos siempre con nosotros a la Madre del cielo que acoge junto a ella a nuestra madre de la tierra. Sabemos que la Virgen María está siempre junto a nosotros en el momento de la cruz, en el sufrimiento, en la tristeza, en la enfermedad. Ella es la Madre del consuelo y de la santa esperanza. A ella le pedimos que vuelva a nosotros sus ojos misericordiosos para que, después de sufrir en este valle de lágrimas, también vayamos junto a ella a participar de la gloria de su hijo Jesús, que Él mismo nos ha prometido. El camino que hizo María con Jesús en la alegría y en el dolor lo hace también con nosotros los cristianos, lo hace con la Iglesia, porque María es la Madre de la Iglesia.

Nos sorprende que, en la visión de San Juan en el Apocalipsis, cuando el evangelista ve a la Virgen Madre en su gloria, coronada de estrellas y radiante de esplendor, aparezca al mismo tiempo María luchando contra un dragón infernal, que amenaza con hacer daño a su hijo. La Virgen María representa a la Iglesia. Como María, también la Iglesia aparecerá un día resplandeciente para siempre en el reino donde habrán cesado los llantos, el luto y el dolor, pero todavía tiene la Iglesia que luchar contra el mal y el pecado en este mundo y la Iglesia, queridos hermanos, somos todos nosotros, todos los que creemos en Jesucristo y con él formamos el único cuerpo de Cristo, el pueblo de Dios que peregrina en este mundo.

Como la Virgen María, también la Iglesia debe darle al mundo a Cristo, el único Salvador. Pero existe el mal, el pecado, el poder llamativo y falso del Infierno y tenemos que luchar con las armas del amor, de la verdad y de la justicia contra todo esto que amenaza no solamente a los cristianos, sino a la misma humanidad. La Iglesia, del mismo modo que María defiende a su hijo en la lucha contra el dragón infernal, debe defender la vida. La vida que surge en el seno de la madre y que es un don de Dios. No podemos aceptar el mal terrible del aborto, la supresión de la vida del niño en el seno de su madre y debemos decir esta verdad a las mujeres y también a los hombres; a los adultos y también a los jóvenes y las jóvenes que serán, en un futuro próximo, padres y madres de familia.

Tenemos que defender a la Iglesia y a la humanidad de la crueldad y la violencia, del odio y de la venganza, de todos los sentimientos malos que anidan en el corazón humano y que hacen al hombre y a la humanidad desgraciados. Esta es la lucha del cristiano en el mundo: la lucha por la verdad frente a la mentira de una felicidad presentada como placer, como escape en la bebida o en la droga, como un olvido de Dios y sus mandamientos que empequeñecen al ser humano y lo hacen víctima de sus pasiones. Debemos también los cristianos luchar contra el pecado de la injusticia, que aplasta a algunos seres humanos para beneficiar a otros. No nos podemos olvidar, como lo recordó el Papa Juan Pablo II en su primer viaje a México, que la Santísima Virgen María en su canto de alabanza a Dios proclamó que el Señor de cielo y tierra «derriba a los potentados de su trono y levanta a los humildes». La Iglesia tiene el deber de alzar su voz siempre en favor de los humillados, de los maltratados, de los marginados de la sociedad y recordar a los poderosos el amor especial y preferencial que Dios tiene a los débiles, a los sencillos. No se olviden que en la batalla que describe San Juan en el Apocalipsis, el dragón tenía siete cabezas y diez cuernos. El pecado tiene muchos rostros, tiene muchas caras: la injusticia, la mentira, el desenfreno, el endurecimiento del corazón y sobre todo la falta de amor.

Podemos resumir que el combate que se establece entre la mujer y el dragón, entre la Iglesia y el mal, ese combate en el cual la Virgen protege a la Iglesia y sostiene a los pobres, según el plan de Dios, es un combate entre el amor y el odio. La gran fuerza liberadora que Jesucristo introdujo en la humanidad a su paso por esta tierra es la fuerza del amor. El amor libera el corazón humano del odio, el amor nos hace acercarnos solidariamente a los otros para brindarles ayuda, el amor transforma los corazones y los hace alegres y el mismo Jesús nos dice que nadie podrá quitarnos nuestra alegría, el amor nos llena de esperanza, el amor nos trae la paz.

Hoy aquí, a los cincuenta años de la coronación de la Virgen de Izamal, que ha acompañado a este pueblo de Yucatán durante tantos años desde que la fe cristiana llegó a estas tierras, en este mismo sitio donde el Papa Juan Pablo II hace 6 años celebrara la Eucaristía con todos los pueblos oriundos de este continente americano, nosotros debemos repetir a nuestra Reina y Madre de misericordia, la Virgen de Izamal, que estamos, como cristianos, como hijos de la Iglesia, empeñados en el gran combate del amor, de la verdad, del bien y de la justicia. Le pedimos a ella que vuelva a nosotros sus ojos misericordiosos, y que nunca las astucias del mal, del pecado, que el dragón infernal quiere sugerirnos, puedan llegar a confundirnos.

Defiéndenos Tú, Señora de Izamal, abogada nuestra.

Queridos hermanos y hermanas: pongamos, pues, nuestra mirada sobre María en este año dedicado a Dios Padre. El Papa Juan Pablo II describe admirablemente el papel de la Virgen Madre en este camino del pueblo de Dios hacia el año jubilar, cuando celebraremos los dos mil años del nacimiento de Jesús. Dice el Papa: «María Santísima, Hija predilecta del Padre, se presenta ante la mirada de los creyentes como ejemplo perfecto de amor, tanto a Dios como al prójimo. Dios Padre eligió a María para una misión única en la historia de la salvación: Ser Madre del mismo Salvador. La Virgen respondió a la llamada de Dios con una disponibilidad plena: "He aquí la esclava del Señor". Su maternidad iniciada en Nazaret y vivida en plenitud en Jerusalén junto a la cruz, se sentirá en este año como afectuosa e insistente invitación a todos los hijos de Dios para que vuelvan a la casa del Padre, escuchando su voz materna: "Hagan lo que Él les diga"».

Sigamos el consejo de María, ella nos invita a hacer lo que Jesucristo su Hijo nos dice, y Jesús resumió todos los mandamientos de la Biblia en dos, sublimes y de difícil cumplimiento: Amen a Dios sobre todas las cosas y al prójimo como a ustedes mismos. Para cumplir este programa que Él nos trazó, el Señor Jesucristo nos dejó su gracia, la fuerza de su Espíritu y el amor y la protección maternal de la Santísima Virgen María.

Por eso, bajo tu protección nos acogemos, bendita Virgen de Izamal, Santa Madre de Dios; no deseches las súplicas que te dirigimos en nuestras necesidades; antes bien, líbranos siempre de todo peligro, oh Virgen gloriosa y bendita. Amén.

FESTIVIDAD DE LA VIRGEN DE GUADALUPE*

Queridos hermanos y hermanas:

Esta fiesta de la Virgen de Guadalupe, emperatriz de América, es celebrada por vez primera en este año en todo el continente americano, desde el Canadá hasta la Argentina y Chile, como una gran solemnidad que nos congrega a todos los de Norte, Sur, Centroamérica y el Caribe, en la gran familia de los hijos de Dios que proclama a María, la madre de Jesús, como madre de América, madre de todos los pueblos del continente y de cada uno de sus hombres y mujeres.

---

* Baltimore, 12-XII-1999.

Es para mí motivo de alegría celebrar esta fiesta de María de Guadalupe, con mis hermanos de Latinoamérica aquí en esta ciudad de Baltimore, tan cargada de historia eclesial en Norteamérica, invitado por el Señor Cardenal Keeler, querido hermano en el episcopado, que desde hace algunos años tenía el deseo de que pudiera compartir esta alegría de las fiestas de la Madre común, con ustedes, en esta querida Arquidiócesis. Hoy, con gusto y alegría estoy al fin entre ustedes para cumplir ese deseo.

El tiempo del año en que celebramos la fiesta de María de Guadalupe es el más apropiado para que los ojos de nuestro corazón se fijen en la Virgen, madre del Señor. Caminamos durante el Adviento hacia la Navidad, y la figura que domina el horizonte de este tiempo de gracia es la Virgen que espera a Aquel que es el redentor de los hombres. Vivimos, pues, un tiempo de espera y de esperanza. Las palabras radiantes del profeta Isaías, que se siente lleno del Espíritu de Dios, las puede decir con toda propiedad la Virgen Madre, portadora de salvación y esperanza para todos los pueblos de la tierra: *«desbordo de gozo con el Señor y me alegro con mi Dios, porque me ha vestido un traje de gala y me ha envuelto en un manto de triunfo»*. En la basílica de Guadalupe, tantas veces visitada por el Santo Padre, a donde he tenido la oportunidad de peregrinar también con mis hermanos los obispos de América, en ocasión de la última visita del Papa Juan Pablo II y también en otras ocasiones inolvidables, la Virgen María está vestida con un traje de gala y envuelta con un manto de triunfo. Porque su imagen bendita, grabada milagrosamente sobre la tilma de Juan Diego, con su mirada llena de ternura, de inmensidad, de amor por el pueblo mexicano y por todos nuestros pueblos, es el más bello traje, milagrosamente tejido por Dios, para regalarnos la presencia de su Madre bendita como un tesoro precioso que se guarda en aquella basílica de Guadalupe, pero que guardan también todos los pueblos de América en su corazón.

Cuando llegaba el Evangelio a nuestra América, cuando en medio del fragor de la conquista, con sus durezas y sus violencias, llegaba también la dulzura de la fe cristiana y la cruz era plantada en nuestras tierras, el Señor hizo a América el regalo de una presencia maternal de María que habría de acompañar a todos nuestros pueblos en el largo peregrinar de cinco siglos hasta hoy y nos seguirá acompañando siempre de ese mismo modo.

Hemos recitado, después de la primera lectura, el cántico de María, el que ella quiso que brotara de su corazón de Madre en casa de su prima Isabel y nos hemos unido a su alabanza al Señor, sintiendo que, de verdad, se ha cumplido en nuestra Madre del cielo lo que ella misma dijo en aquella ocasión: «*desde ahora me felicitarán todas las generaciones porque el Poderoso ha hecho obras grandes en mí*». Sí, realmente el Poderoso ha hecho obras grandes en María y por medio de la Virgen María de Guadalupe, no solo en México, sino en todos nuestros pueblos de América, y le pedimos al Señor en este día, por medio de ella, que siga haciendo obras grandes, por que necesitamos la paz y la reconciliación en Chiapas, en Colombia, en Cuba, entre países hermanos que tienen problemas de frontera. También hay dificultades dentro de la comunidad de lengua española que vive aquí en América del Norte y necesitamos amor, comprensión y verdadera fraternidad entre los hombres y mujeres de Latinoamérica que han venido como emigrantes, como trabajadores a vivir en este país y también con todos los demás integrantes de esta nación norteamericana.

El continente americano es en su inmensa mayoría cristiano. Debe haber entre todos los creyentes en Cristo, aun si se encuentran en distintas confesiones cristianas, respeto, amor, proyectos de colaboración para el mejoramiento del hombre y de la sociedad donde viven. A veces nos da dolor que algunos hermanos cristianos no comprendan el hermoso papel de la Virgen María en la historia de nuestra salvación. Papel extraordinario, único, que le dio el mismo Dios Padre, de traer al mundo al hijo eterno de Dios. No hay otra mujer en la historia que pueda decir que es la Madre de Jesús, no hay otra mujer en la historia que pueda cantar con plenitud la grandeza del Señor que ha hecho en ella esas maravillas. Pero aun así, aunque nos resulte extraño que la Virgen Madre no sea bendecida y venerada por aquellos hermanos nuestros que creen en su hijo Jesús como nosotros, los sentimientos de nuestro corazón no serán nunca de indiferencia o de dureza, sino al contrario de comprensión, de amor y, si es necesario, de perdón. Todos debemos sentirnos en una casa común sin diferencia de lugares de origen o de credos religiosos. Tenemos que pedir a la Virgen, en este día, que haga de América del Norte y del Sur esa gran casa común y que los pueblos de todas las latitudes del continente puedan tener relaciones de colaboración y de hermandad, para que nunca haya en esta parte del mundo, donde Jesucristo es conocido y su mensaje respetado, enfrentamientos, violencia, ni nada que pueda destruir una verdadera fraternidad entre todos los hombres y mujeres que pueblan estas tierras. Esto lo pedimos con toda confianza y con todo derecho, porque sabemos que María de Guadalupe es la Madre y señora de toda la América.

El apóstol San Pablo, en la segunda lectura de hoy, nos invitaba a estar siempre alegres, pero él hace depender esta alegría de nuestra perseverancia en la oración: «*sean constantes en orar*», nos dice, y además nos pide que nos guardemos de «*toda clase de maldad*». Fíjense qué simple es el consejo que conduce a la alegría, que es lo mismo que decir a la felicidad: ser constantes en orar y al mismo tiempo guardarnos de todo tipo de maldad. Y nos dice San Pablo que, actuando así, todo nuestro ser, «alma y cuerpo, será custodiado sin reproche hasta el día que venga nuestro Señor Jesucristo».

Debe orar cada hombre, cada mujer, cada niño, pero ha de hacerse oración también en familia. Debe buscar la familia un momento para rezar juntos, para leer algún pasaje del santo evangelio, para rezar el Santo Rosario. Busquemos siempre el momento. La oración de bendición antes de la comida, en que todos deben procurar sentarse a la mesa juntos, alguna simple oración de la noche que los padres hagan con sus hijos grandes o pequeños. Recuerden, nos dice también el apóstol: en toda ocasión tengan la acción de gracias; «esta es la voluntad de Dios en Cristo Jesús respecto de ustedes». La acción de gracias por excelencia es la Misa dominical. Nunca debemos faltar a la celebración de la Misa del domingo. No es la oración una carga más que se añade al largo día de trabajo, a las complicaciones propias de la casa y de la vida toda, es más bien un oasis, un momento de paz, un encuentro con el Señor, que nos hace sentir que no somos simplemente una máquina de trabajar, sino hijos de Dios, amados por aquel que nos ha creado y que es nuestro Padre. Esto deben aprenderlo y vivirlo los niños desde pequeños. Aquí ustedes tienen una oportunidad que no existe, por ejemplo, en mi país: enviar a sus hijos a la escuela católica. ¡Qué extraordinario beneficio para su vida presente y futura! Sobre todo en esta Arquidiócesis, donde hay programas de apoyo para quienes necesitan ayuda en vista de la educación de sus hijos. Se los repito, no desaprovechen esta oportunidad.

La dicha de la fe católica que Dios nos ha regalado no es únicamente individual. No es nuestra fe un asunto que pertenece solamente a nuestra vida privada, para manifestarla en casa, para vivirla solo en la familia. Hoy aparecen dos grandes profetas en las lecturas del domingo: siglos antes de Cristo, el profeta Isaías, que, desde un tiempo tan remoto, ya anunciaba que vendría a este mundo el Salvador de los hombres. Y más tarde, cuando ya Jesús se encontraba entre nosotros, apareció Juan el Bautista enseñando a su pueblo que el Mesías estaba en medio de ellos, señalándolo como el cordero de Dios que quita el pecado del mundo. Uno vivió mucho antes de la venida de Jesús, otro fue contemporáneo con él, pero los dos aparecen hablando de Jesús, anunciándolo, proclamando que él es el único que puede salvarnos.

Hemos escuchado, en la primera lectura del día de hoy, que el profeta Isaías anuncia que el Siervo de Dios estará lleno del espíritu del Señor, que vendría sobre él. E inmediatamente afirma: *«me ha enviado para dar la buena noticia a los que sufren»*.

Nosotros estamos bautizados, hemos recibido la efusión del Espíritu Santo en el sacramento de la Confirmación, el Espíritu de Dios está también sobre nosotros. Pero la consecuencia normal de tener en nosotros el espíritu de Dios que nos llena de fe, que nos colma con sus dones, es la de ser enviados para dar la buena noticia de Jesucristo a los que sufren, a los que están tristes y solos, a los que han perdido la fe y la confianza en Dios. El profeta dice que él debe proclamar *«el año de gracia del Señor»*. ¡Qué hermoso sería que nosotros, que iniciamos ahora el año 2000 de la era cristiana, cuando celebraremos justamente los 2.000 años del nacimiento de nuestro redentor, proclamáramos este año de gracia del Señor a tantos y tantos hermanos nuestros que necesitan de la fe, que necesitan encontrar la verdadera esperanza! No desaprovechemos ninguna ocasión en conversaciones con compañeros o compañeras de trabajo, en la vida común de todos los días, en las labores que nos pida la Iglesia, en nuestras acciones propiamente caritativas como visitar a los enfermos, ayudar a los pobres, para anunciarles a esos hermanos nuestros que Jesús está en medio de ellos, que en Él podemos encontrar la única y verdadera felicidad.

Cuando nos reunimos los obispos de América del Norte, del Centro, del Sur y del Caribe en Roma, junto al Santo Padre para esa gran asamblea que fue el Sínodo de América, los obispos trazamos un gran proyecto evangelizador para el año 2000 que la Iglesia debe desplegar por medio de todos sus hijos. Este proyecto fue muy bien recogido en la Carta escrita por el Papa Juan Pablo II, después del Sínodo, sobre la Iglesia en América, y basta su solo título para comprender cuál es la tarea que nos pide la Iglesia a los católicos en este nuevo siglo y milenio que está por comenzar. Nos toca a nosotros todos propiciar que el hombre y la mujer de América, desde el Norte hasta el Sur del continente, se encuentren con Jesucristo vivo para que se conviertan, es decir, para que cambien de vida, para que haya una verdadera comunión entre todos, que no es sino una unión de corazones en el amor a un único Dios Padre, que se nos ha manifestado en Cristo Jesús. Un amor de este tipo debe producir la solidaridad entre todos los que habitamos esta tierra, los del Norte y los del Sur. Solidaridad quiere decir que el hermano ayude al hermano. Lo contrario de la solidaridad consiste en que cada ser humano se convierta en un obstáculo en el camino del otro. Mientras en nuestra América no exista entre hombres y pueblos una verdadera solidaridad, que haga que todos compartan las riquezas, que los poderosos tiendan la mano a los más débiles, que todos, según sus culturas y posibilidades, estén dispuestos a enriquecer a todos con sus dones, con los bienes materiales y espirituales que Dios les ha dado, mientras no se implante este nuevo orden continental fundado en el amor cristiano, no podrá haber una real promoción de los hombres y de los pueblos del continente, necesitados, en buena parte, de salir de su situación de pobreza, de postración o de olvido.

El Papa Juan Pablo II nos dice que ese inmenso esfuerzo, ese enorme quehacer, es evangelización, es la nueva evangelización que debe emprender la Iglesia en el milenio que comienza, y la Iglesia somos todos nosotros. Pero este gran quehacer que nos compromete a obispos, sacerdotes, personas consagradas y laicos de la Iglesia, tiene su punto de arranque en Jesucristo nuestro Señor. Si Él no es anunciado, conocido, amado, todo lo demás podría convertirse en un esfuerzo de tipo social, pero sin raíces profundas en la vida personal y comunitaria de los hombres sin una verdadera transformación de los corazones.

Como hemos escuchado en la lectura evangélica de hoy muchos iban a preguntarle a Juan el Bautista quién era él, porque hablaba del Mesías, porque lo anunciaba continuamente, y deseaban saber qué pretendía el Bautista. Mis queridos hermanos y hermanas: hace falta que los hombres y mujeres que contemplan a los católicos, que los contemplan a ustedes, se hagan también esas preguntas: ¿por qué hablas de Jesús, por qué lo anuncias, por qué trabajas por los pobres, por los que sufren, por qué en tu vida está siempre presente una preocupación especial por los demás? Y nosotros, como Juan, tendremos que responder que no hacemos eso porque seamos los salvadores del mundo, que el mundo tiene ya su Salvador, que es Jesucristo nuestro Señor; que nosotros somos solamente una voz, la voz que lo anuncia, que proclama su presencia, que invita a todos a allanar los caminos del Señor. Cuántos caminos hace falta allanar en el interior de nuestros países, en las relaciones entre el Norte y el Sur, en las relaciones de la comunidad hispana de Estados Unidos con todos los integrantes de esta gran nación americana, cuántos caminos hay que allanar en el seno de nuestras familias, amenazadas de división, de dispersión, donde cada uno vive preocupado por sus propios problemas y se olvida de los demás. Allanen el camino del Señor, para eso estamos nosotros, los que tenemos la fe católica en nuestros corazones, para allanar caminos, para abrir senderos. Comenzábamos hoy nuestra reflexión en este tercer domingo de Adviento, que debe ser un domingo de alegría, como lo dicen los textos bíblicos que hemos proclamado en esta celebración invocando a la Virgen de Guadalupe, nuestra madre. Así quiero concluir también la predicación de la palabra de Dios en esta fiesta de María de Guadalupe: insistiendo de nuevo ante la Virgen María, que como buena Madre no se cansa nunca de acogernos, de perdonarnos, de consolarnos, para que todos sus hijos, que hoy celebramos con gozo su fiesta, nos decidamos a comenzar el nuevo milenio de la era cristiana comprometidos en la oración y en la vida con el anuncio de su hijo Jesucristo a nuestros hermanos, con un trabajo evangelizador que vaya más allá de las palabras y que haga que los hombres y mujeres que nos rodean se pregunten, como se preguntaron por Juan el Bautista, quiénes son estos que saben querer a sus familias, que saben ser buenos compañeros de trabajo, que saben servir a su prójimo, que saben consolar al triste y ayudar al pobre, que siempre tienen en sus labios una palabra buena acerca de Dios nuestro Padre y de Cristo el Salvador. A esto nos invita el Papa al final de este siglo. A esto nos invitó en México, a los pies de la Virgen de Guadalupe, cuando nos entregó a los obispos de América el precioso documento que trae un hermoso proyecto evangelizador para nuestro continente americano. Que la Virgen de Guadalupe, nuestra Madre, bendiga estos esfuerzos de la Iglesia, que la Virgen de Guadalupe haga surgir de los corazones de todos nosotros un deseo grande de fidelidad a Cristo, a su Iglesia, a la misión que él nos ha confiado de anunciar la buena noticia de su amor y su salvación a nuestros hermanos, que la Virgen de Guadalupe bendiga todos los pueblos de América, bendiga Norte, Centro, Suramérica y el Caribe y bendiga especialmente la tierra mexicana donde Dios nos la quiso entregar por Madre y protectora a todos los que peregrinamos en esta parte del mundo. Que así sea.

NATIVIDAD DEL SEÑOR*

«La palabra se hizo carne y acampó entre nosotros.» Con el libro de los Santos Evangelios abierto en el Prólogo de San Juan, donde se anuncia en forma solemne el gran misterio que celebramos hoy en la fiesta de Navidad, hemos recorrido las calles de La Habana y la Palabra revelada fue llevada hasta un lugar de honor en la Santa Metropolitana Iglesia Catedral, para permanecer allí todo el año Santo Jubilar que ahora estamos inaugurando. Antes de entrar al recinto sacro de su Catedral, el obispo se detuvo en el umbral de la puerta y mostró el texto sagrado a todo el pueblo que aclamó a Cristo. Él nos da la libertad de los hijos de Dios, nos trae la salvación del pecado, de la angustia y de la soledad y alumbra en nosotros la esperanza.

El follaje verde y las flores blancas enmarcando la puerta principal del templo, que debemos franquear para entrar en él, nos indican cómo debe ser nuestro peregrinar de creyentes en Cristo en este año Santo: hay que entrar en una vida nueva, llena de frescura y de belleza. Esto no puede inspirarlo un significativo año 2000, que puede trastornar las computadoras y excitar a los supersticiosos, pues nos sugiere a un tiempo lo larga que es la historia y lo fugaz de nuestra vida.

Jesucristo, La palabra de Dios que se hizo carne para estar con nosotros, 2.000 años después de su nacimiento, es el único que puede invitarnos con fuerza a entrar en una vida nueva, que Él mismo nos prometió darnos en abundancia.

Terminamos un milenio en cuyos últimos siglos el hombre comenzó un retorno a la era precristiana, al mismo tiempo que parecía convencido de estar avanzando en la historia. Desde mediados del siglo pasado hasta los años sesenta del siglo xx, una verdadera embriaguez de ciencia y técnica fue el caldo de cultivo de un pensamiento sobre el hombre que tuvo como denominador común el decir del hombre lo que conviene únicamente a Dios. Al ser humano se le concedieron atributos que lo absolutizaron. El hombre fue endio-

---

* Plaza de la Catedral de La Habana, 25-XII-1999.

sado en utopías, en ideologías, en diversos sistemas de pensamiento. No importa que lo fuera individualmente, como especie, o socialmente. El gran drama de este tiempo ha sido poner a los hombres y a los pueblos ante el dilema de optar por Dios o por el hombre. A este período de la historia se ha convenido en llamarle modernidad. Y al período que le ha sucedido, y en el cual parece que vivimos hoy, se le da el nombre de posmodernidad. En la modernidad, Dios sobraba; en esta época presente, en este cambio de siglo, falta Dios. Este tránsito doloroso y saludable lo hemos vivido y lo estamos viviendo en Cuba.

Los que tenemos algunos años asistimos a él con admiración y sorpresa; la nueva generación con desconcierto, porque las etapas no se suceden unas a otras con fechas fijas; más bien se superponen, se gestan con simultaneidad a las corrientes dominantes de pensamiento. Y así, ni la Edad Media fue tan creyente, ni el período moderno ha sido tan ateo; porque el hombre permanece siempre el mismo y se hace casi siempre las mismas preguntas y sufre y necesita amar y que lo amen y busca seguridades y reclama consuelo en su desvalimento. Cuando pasa el frenesí de una época, todos vuelven a darse cuenta de que somos barro, hechura de la mano de un Dios que nos ha modelado y, al decir del profeta: «Puede una vasija volverse hacia su hacedor para decirle: ¿por qué me has hecho así?». Llega entonces el momento de dejarse encontrar por Dios.

El primer movimiento será la búsqueda de Dios y esto es bueno. Buscaban los magos del Oriente una estrella y encontraron a «un niño envuelto en pañales y recostado en un pesebre». En la búsqueda está la posibilidad del extravío y también de topar con la verdad que nos sale al paso. Pocos filósofos antiguos fueron tan contrarios al cristianismo como Porfirio. Pero San Agustín, a través de él, del vacío que ese pensador experimentó en su alma, descubrió que la única verdad que salva es Jesucristo.

Y a Jesucristo lo podemos encontrar en cualquier momento, en cualquier sitio. Para todas las preguntas que el hombre antiguo, moderno, o posmoderno puede hacerse, Jesucristo es la palabra definitiva que Dios ha dicho a los hombres, una Palabra hecha carne que acampó entre nosotros. Acampar es plantar una tienda en cualquier sitio. Dios se ha hecho encontradizo en Cristo.

Es esto lo que celebramos en la fe los cristianos en este año jubilar: que el hombre puede encontrase con Dios porque hace 2.000 años Dios nos envió su Palabra eterna hecha carne, que ha puesto su tienda en medio de nosotros. Lo terrible del pecado está dramáticamente presentado en el relato bíblico de la creación. Antes del pecado del hombre, Dios se paseaba por el jardín del Paraíso al atardecer y el hombre se encontraba naturalmente con él. Después del pecado, el hombre fue sacado del Paraíso, de aquel jardín donde se encontraba con Dios y ya no pudo más compartir habitualmente con Él. Una nostalgia de Dios quedaría para siempre en el corazón del hombre.

Varios pensadores de la modernidad, llevados por esa nostalgia, que extrañamente nos asalta a todos, trataron de llegar hasta Dios solo con sus propias fuerzas, con sus propios razonamientos. Esto no es más que otro tipo de pretensión del hombre: la de hacerse Dios, la de ascender por sus propias fuerzas hasta el Creador. Lo que no pudieron ellos, ni muchos otros llamados modernos, fue concebir el camino descendente de Dios: «La palabra se hizo carne y acampó entre nosotros... Al mundo vino y en el mundo estaba; el mundo no lo conoció. Vino a los suyos y los suyos no lo recibieron, pero a cuantos lo recibieron les da poder para ser hijos de Dios, si creen en su nombre».

En nuestro mensaje de Navidad de este año a nuestro pueblo, los obispos de Cuba decimos que la venida de Jesucristo al mundo no deja indiferentes a hombres y pueblos, sean cristianos o no, creyentes o no creyentes. Quien no cree puede celebrar a Jesús de Nazaret como el hombre que más ha marcado la historia de la humanidad; como el hombre puro, amante de la sencillez, sublime en sus palabras, cercano al débil y al pobre, con una doctrina sobre el amor inigualada por ningún otro. Pero nosotros, cristianos, celebramos en la fe los 2.000 años del nacimiento de Jesucristo, porque creemos en su nombre, porque sabemos que es Dios-con-nosotros y hemos recibido el poder para ser hijos de

Dios. Jesucristo es el mensajero que anuncia la paz, que nos trae una buena noticia. Dios nos había hablado muchas veces y de distintos modos por sus profetas, pero ahora nos ha hablado por medio de su Hijo.

Como nos dice San León Magno en su Sermón de Navidad, «alegrémonos, hoy ha nacido nuestro Salvador. No puede haber lugar para la tristeza cuando acaba de nacer la vida». Esta invitación a la alegría, queridos hermanos y hermanas, la hago en el inicio del año jubilar, tiempo de júbilo por los 2.000 años del Nacimiento del Redentor, a todos en esta Arquidiócesis de La Habana: al intelectual y al trabajador manual, a los artistas, educadores, hombres de ciencia, personas con responsabilidades públicas y simples ciudadanos, a los que sufren por la enfermedad, la soledad o las carencias de amor o de bienes indispensables para la vida, a los presos y a las personas que viven separadas de sus seres queridos, a quienes no viven en el suelo patrio y lo añoran, especialmente en estos días. Esta invitación a vivir intensamente el Año Santo la hago especialmente a las familias, sobre todo a las familias jóvenes. De modo particular pido a los jóvenes que, durante el Año Santo, se propongan vivir en serio como cristianos. Ustedes serán los que lleven sobre sus hombros la Iglesia del 2000.

Se lo repito a todos, alégrense, hay salvación, ha venido Jesucristo al mundo y algo cambió definitivamente desde entonces, y algo puede y debe cambiar en ti al calor de su mirada, al conjuro de su palabra comprometedora que nos deja siempre ante la alternativa de ser mejores. Ha acampado para siempre entre nosotros Jesucristo. Creyentes y no creyentes pueden redescubrir en él valores perdidos, despertar sentimientos positivos, recuperar la alegría de vivir.

El Año Santo en nuestra Arquidiócesis, siguiendo las líneas trazadas por el Papa Juan Pablo II para este tiempo y según el espíritu y la letra de su Exhortación Apostólica sobre la Iglesia en América, quiere desplegar un programa que propicie, durante el año Jubilar, el encuentro de distintos grupos de hermanos nuestros con Cristo vivo. La celebración de hoy no es, pues, sino el comienzo de una gran celebración que se extenderá durante todo el año 2000.

Si quienes tenemos fe en Cristo, Hijo de Dios Salvador, vivimos el Año Santo Jubilar del modo que el Papa lo ha pedido a la Iglesia Universal, experimentaremos en cada uno de nosotros, en nuestras familias, en nuestras comunidades cristianas, frutos abundantes de conversión, de crecimiento en la fe y en la esperanza, en nuestra capacidad de servir y promover a nuestros hermanos, para hacer de nuestras parroquias, iglesias y casas de oración, comunidades vivas y dinámicas, desarrollar el espíritu misionero y anunciar a nuestro pueblo, bautizado en su mayoría, que la Palabra se hizo carne, que el Hijo de Dios ha venido al mundo y acampó entre nosotros. Este anuncio es esperado en este nuevo milenio en una hora de la historia en que el mundo comienza a desperezarse de sueños ambiciosos y siente que Dios le ha faltado. La Madre Iglesia abre sus puertas para acoger a sus hijos que llegan o que retornan. Como la Virgen María, la Iglesia nos trae a Jesús y nos conduce hasta Él.

Cuatro iglesias en La Habana serán los centros especiales para beneficiarse de las gracias del Jubileo: La Iglesia Catedral y los Santuarios de Nuestra Señora de la Caridad en Centro Habana, de Jesús Nazareno en Arroyo Arenas y de San Lázaro en el Rincón.

Peregrinar a esas iglesias, leer con fe la palabra de Dios, servir a nuestros hermanos y trabajar por su promoción, transformando nuestras relaciones familiares, laborales y de cualquier orden en la sociedad, sembrando amor y reconciliación entre todos los que integramos un mismo pueblo y llevar este esfuerzo renovador a la Eucaristía de cada domingo. Esos son los frutos que debe producir el Año Santo Jubilar en nuestra Iglesia y en cada uno de nosotros, será como repasar el camino de nuestra vida para rehacerlo, dejando atrás el pecado y la mediocridad. Así podremos entrar en una vida nueva marcada por el encuentro con Jesucristo. Él es el mismo ayer, hoy y siempre, a Él la gloria junto con el Padre y el Espíritu Santo por los siglos de los siglos. Amén.

CELEBRACIÓN POR LA JORNADA MUNDIAL DE LA PAZ*

Queridos hermanos y hermanas:

Al iniciarse el año 2000, como cada inicio de año, la Iglesia fija su mirada en María la Madre de Jesús. Toda mujer es aurora de vida, pero la Virgen María, por haber dado a luz la fuente de la gracia y de la vida nueva, es Madre de todos cuantos han recibido, por medio de Cristo, esa novedad de vida. Ella es así Madre de la Iglesia y símbolo sublime de la comunidad que integran los seguidores de Jesús, pues, en el seno de la Iglesia, como en María, encontramos a Jesucristo los que hemos puesto nuestra fe y nuestra esperanza en Él. La Virgen Madre ha sido el instrumento de la bendición de Dios, porque creyó.

Esa bendición llega hasta nosotros hoy bajo la antigua fórmula que recoge el libro de los Números. La Iglesia quiere que llegue también a todos los hombres y mujeres de la tierra al inicio de este año tan significativo de la historia de la humanidad, proclamado como Año Santo Jubilar por el Papa Juan Pablo II. Esas palabras de bendición son para cada uno de ustedes y para mí: «*El Señor tenga piedad y te bendiga, ilumine su rostro sobre ti y te conceda su favor; el Señor se fije en ti y te conceda la paz*».

Ante la etapa que se abre hoy por delante de nosotros, cargada de memorias de un pasado rico y miserable a la vez y preñada de esperanzas e incertidumbres, debemos mirar el tiempo transcurrido desde la venida de Cristo hasta esta hora de la historia, como hijos de la Iglesia-Madre, que guarda en su memoria bimilenaria las incidencias del camino titubeante y grandioso de la humanidad, al modo de la Virgen María, que conservaba todas aquellas cosas que Dios había obrado en Cristo meditándolas en su corazón. En oración serena debemos descubrir, sobre todo, lo que Dios quiere decirnos a través de estos dos mil años de amor y de violencia que nos separan de la hora bendita en que los ángeles cantaron: «*Paz en la tierra a los hombres que ama el Señor*».

Pero ante todo la memoria viva que la Iglesia tiene que

---

* Catedral de La Habana, 1-I-2000.

brindar a la humanidad del nuevo milenio es la de su Señor, nacido en la pobreza del pesebre, contemplado por los pastores, cantado por los ángeles, que compartió todo lo nuestro, menos el pecado, y que murió por nosotros en la Cruz. Resucitado y glorioso está vivo y presente en medio de nosotros y lo estará siempre, hasta el fin del mundo. Su nombre es Jesús, como lo había llamado el ángel antes de su concepción y significa «*el que salva*». En efecto, Él viene a rescatar aquel designio perpetuo de felicidad que el amor de Dios había concebido para el hombre, y salva al mismo hombre del no sentido y de la vaciedad. Por él nos es posible volvernos a Dios y, bajo la acción del Espíritu Santo que Él mismo nos ha dado, llamarlo «*Padre*». *Así que ya no somos esclavos, sino hijos*. Este es el recuerdo vivo y luminoso que la Iglesia conserva y que debe anunciar a la humanidad que se adentra en el nuevo milenio.

La fe cristiana lleva consigo un mensaje de salvación para el hombre concreto, es decir, una persona que ha nacido en una familia, que integra otros grupos de trabajo, de estudio, deportivos, de entretenimiento, de desarrollo cultural; que es ciudadano de un país determinado, con responsabilidades históricas, que tiene además, y esto es fundamental, un destino eterno. La Iglesia no puede ser, pues, una sociedad alternativa a la comunidad humana.

En sociedades de un fuerte estatismo o donde el individualismo o el nacionalismo exacerbado se han enseñoreado, puede existir en algunos o en muchos la tentación de considerar a la Iglesia, precisamente, como una sociedad alternativa. Pero la Iglesia, históricamente, nace de la predicación de Jesús sobre el Reino de Dios y de la Resurrección de Jesucristo, por la cual Dios lo constituye siempre presente en medio de los que acogen su palabra y a estos les envía el Espíritu Santo para que sean capaces de vivir y de anunciar esa palabra. En todo su ser y su quehacer, la Iglesia nos remite a Jesucristo, como Jesucristo nos remite al Padre. No puede homologarse la Iglesia a ningún estado, ni a ninguna asociación intermedia. Todo lo que la Iglesia pueda aportar a la historia y a la sociedad concreta donde ella se encarna viene de la revelación de Dios; ella ha recibido un encargo, una misión de parte de Dios Padre por medio de Cristo, que es su origen histórico como fundador y como roca de cimentación sobre la cual se asienta: «*La piedra desechada por los arquitectos es ahora la piedra angular*» (*Hch* 4, 11).

La posibilidad de la Iglesia de dar verdaderos frutos y de aportar algo nuevo a la sociedad depende de su constancia para hacer inolvidable a Jesucristo, para que los hombres de cada época y de cada lugar lo experimenten cercano. Esto debe provocar, en quienes lo descubran, sorpresa y fascinación. Así podrán situarse frente al rostro dolido y sereno de Cristo crucificado y contemplar cómo se inunda de luz en la mañana de la resurrección.

De este modo se comprende la Iglesia a sí misma, desde la memoria de Jesús con su mensaje, con la irradiación de su persona. Se comprende a sí misma movida siempre por el Espíritu Santo que, en cumplimiento de su promesa, Jesús le ha dado. Ella guarda, además, en su seno los sacramentos, que permiten que la gracia de Cristo se haga hoy presente y actuante. Por tanto, la Iglesia se comprende como enviada por Dios y en total acatamiento del plan de Dios.

Pero he aquí que está solicitada, requerida al mismo tiempo, como lo estuvo su Maestro, por las angustias y las esperanzas de los hombres. (G.S.I.1). La Iglesia vivirá siempre en la tensión de estos dos reclamos: una absoluta fidelidad a lo que ella es y debe seguir siendo según el querer de Dios y una fidelidad al clamor de la humanidad en busca de certezas, de consuelo, de esperanzas y aun de satisfacción de sus necesidades vitales. La Iglesia vive siempre entre la grandeza y la debilidad de estas dos realidades.

Esta tensión entre la fiel acogida a Dios y la no menos fiel atención al hombre ha visto en la historia de estos últimos siglos a la comunidad cristiana tentada por dos concepciones absolutizantes: Una, dedicarnos solo a Dios, solo al Evangelio, solo al culto. Históricamente, la Iglesia se ha visto en períodos de su historia forzada a esta opción. Esto nos ocurrió en Cuba en un pasado no muy lejano. Es el pietismo. Esta es una especie de tentación teológica. Y está la tentación opuesta, de naturaleza antropológica: dedicarnos sobre todo al hombre, a sus problemas, poniendo en lugar central su autonomía, teniendo la libertad como un absoluto. Curiosamente, a esta última opción corresponde a menudo una acción formativa, cultural y profética acentuada al máximo, dejando a un lado la acción curativa del hombre dañado por las situaciones pobremente humanas que ha vivido; es decir, esa acción misericordiosa que siempre halla espacio y momento para reconstruir al hombre y a la sociedad, pues en ella encontramos, a menudo, grandes ideales, pero lamentablemente asociados a decadencias y desesperanzas.

La Iglesia, sin embargo, estará siempre a distancia con respecto a lo que los hombres, movidos por el deseo de eficacia, la voluntad de dominación o las prisas, reclaman de ella. Esto no se debe a falta de entrega o a incapacidad para adaptarse a los tiempos que corren o a que ignore las angustias de los hombres. Simplemente, los ritmos del mundo no son los de la Iglesia. Toda andadura realmente evangélica incluye una mirada y un proyecto a largo plazo. El paradigma es el sembrador de la parábola de Jesús, que sale a sembrar pacientemente la semilla. El modelo para nosotros, cubanos, es el Siervo de Dios Félix Varela, con su siembra paciente de valores evangélicos.

Es evidente que hay otra distancia siempre insalvable respecto del tiempo que le toca vivir a la Iglesia o de los hombres que viven en ese tiempo: es su acercamiento a Dios, al único necesario, que es nuestro futuro absoluto.

El gran desafío para la Iglesia no es solo ser aceptada por las estructuras sociales y políticas siendo así, sino también aceptarse a sí misma como sacramento de Cristo en el mundo, renunciando, como lo hizo su Señor, a la eficacia que se espera de ella desde criterios o proyectos totalmente terrenales.

Cuando la comunidad cristiana, la Iglesia, es rechazada por la sociedad, ha intentado legitimarse a sí misma colaborando en las cosas que la sociedad valora. Es verdad que la Iglesia tiene que dar con su vida, con sus obras buenas, testimonio de la fe que la anima; pero no debe buscar carta de ciudadanía ni aprobaciones que le otorguen créditos en el presente o en el futuro y, en los sitios donde hay alternancia de poder, ni en un partido ni en otro; porque es un error olvidar la aportación específica de la Iglesia y querer ganar crédito, por la eficacia de sus contribuciones, en dominios donde parezca que pretende suplantar a la sociedad en su propio campo. Así la Iglesia puede ser solicitada de variados modos para constituirse en alternativa temporal, en orden a resolver los problemas de este mundo. Consentir a esto constituiría un vaciamiento interno de la misión que Cristo le ha confiado.

Ahora bien, desde el querer de Dios, la Iglesia sabe que tiene el deber de sembrar el amor, del que Cristo la ha hecho depositaria, en el seno de la sociedad. Tiene que decir palabras y alzar signos que favorezcan el establecimiento de una comunidad humana donde reine la concordia, se superen los agravios por la reconciliación entre todos, se auspicie la colaboración entre cristianos de distintas denominaciones, con hombres de otra religión y con no creyentes, en orden al bien común. Aun obrando así, sus propuestas crearán, al mismo tiempo, un contraste entre la novedad del Evangelio y la acción santificadora del Espíritu de Dios, por un lado, y el pecado del hombre, por otro.

En concreto, para este nuevo siglo y nuevo milenio, ¿qué puede aportar la Iglesia al mundo?, ¿qué puede aportar la Iglesia en Cuba?

Toda religión seria quiere ofrecer al hombre un tipo de mensaje que le dé sentido a su vida personal; que le haga mirar la historia de la humanidad no como una historia perdida o fracasada, sino salvada, y en el seno de esa historia propiciar un comportamiento moral responsable y una convivencia humana digna y armónica con sentido comunitario.

Lo propio del cristianismo es fundar todo este programa en Cristo, Hijo encarnado de Dios y Salvador del mundo. A su imagen, todo ha sido creado y en Cristo se consuma la historia.

La aportación de la Iglesia en Cuba en este siglo que comienza debe hacerse, pues, en estos tres campos principales: en la estructuración y fortalecimiento de la vida personal, del orden moral y de la convivencia social. El cristianismo puede hacer un aporte valiosísimo a la sociedad civil en cualquier parte del mundo, también en Cuba.

1° Fortalecimiento de la vida personal. Cuando el ser humano se hace consciente de su dignidad de hombre y encuentra la alegría de vivir, pues sabe que hay un Dios que lo ama y cree en el Dios hecho hombre y por lo mismo en la dignidad divina del hombre, está naciendo un hombre positivo, reconciliado con la historia y consigo mismo, que no puede sino enriquecer la sociedad donde vive al mismo tiempo que fortalece su vida personal.

2° Es necesario también fortalecer el orden moral. La amoralidad y la desmoralización son peores que la inmoralidad. Esas ausencias de referencia moral indican que cada hombre o mujer es una brújula sin norte. De este modo no se sabe ya cuáles son los valores, ni los deberes, ni los ideales básicos y la vida se rebaja al plano sensorial, solo se buscan placeres. La sociedad, entonces, puede caer en la depresión y el hastío.

Sin embargo, la Iglesia no se presenta en medio de la sociedad como una instancia moral, más bien ella le da al ser humano un fundamento privilegiado de la moralidad, que es la persona de Jesucristo y su mensaje. Encontrándolo a Él se transforma la vida. Los valores que propone el Evangelio fundan un elevado comportamiento ético.

3° Es necesario, además, fortalecer una convivencia comunitaria que tenga en cuenta a todos. Hay que lograr que la convivencia entre los hombres y mujeres que integran un mismo pueblo se impregne de amor, de sentimientos de benevolencia y solidaridad entre todos. Esta solidaridad, para nosotros, cristianos, se llama fraternidad, pues todos somos hermanos, hijos de un mismo Padre. Para que muchos en nuestro pueblo puedan alcanzar la meta de una convivencia verdaderamente comunitaria, fundada en el amor del prójimo, será necesario asumir también criterios que valoren y promuevan la reconciliación entre los que se hallan distanciados, enfrentados, cargados de rencores.

Por fin, la Iglesia ofrece, más que todo, como riqueza que le es propia, y que desea compartir con los hombres de todo tiempo y lugar, una gran familia, con una historia larga de muchos siglos. Esa historia va más allá de las épocas de luchas y persecuciones y de las situaciones críticas y permite una verdadera fraternidad espiritual, que se logra en la oración y que abarca también aspectos de la cultura; se ensancha el alma hasta los confines de la catolicidad y el hombre que participa de la vida de la Iglesia se torna más libre, más entero ante las pruebas y capaz de superar tanto las preocupaciones por sus necesidades, como sus angustias presentes. Muchos fieles católicos necesitan poner por obra o replantearse en serio, durante este año Santo, su conversión a Cristo, para vivir en verdad esa presencia renovadora de Jesús en medio de nosotros.

Las propuestas que hace la Iglesia no son para mañana ni para este año 2000: son proyectos a largo plazo para los cuales hay que preparar a las generaciones jóvenes. Ustedes, queridos jóvenes, llevarán sobre sus hombros el siglo que comienza. Se trata, en verdad, de un proyecto de más difícil realización que los programas a corto plazo que establecen los estados, partidos políticos, grupos intermedios o empresas y aun la misma Iglesia, por ejemplo, en lo que toca a la celebración del año Jubilar, pues no puede medirse la acción de la Iglesia en la historia por la eficacia u otros parámetros similares, incapaces de calibrar la misión que Jesucristo le ha confiado y sus frutos.

Dar sentido a la vida y a la historia, hacer que los hombres sepan que los males y las miserias de este mundo no tendrán la última palabra, porque «*tanto amó Dios al mundo que le envió a su Hijo... para que todo el que cree en él se salve*» y sembrar amor y reconciliación en las estructuras de la sociedad para que exista una convivencia comunitaria de todos en una solidaridad que llegue a ser fraternidad, son propuestas que deben incidir positivamente y realmente en la sociedad paso a paso, pero sin la eficacia cuantitativa de las consignas y de las metas a plazo fijo. Y esto es debido a las motivaciones espirituales en que se fundan esas propuestas, que conforman, a la vez, una metodología distinta en cuanto al modo de hacer, pues tiene en cuenta tanto el contenido del mensaje como la libertad del hombre. Para la Iglesia, el respeto al hombre y el respeto al honor de Dios están inseparablemente unidos.

Estamos celebrando la Navidad. La religión cristiana contiene, en el misterio de Dios hecho hombre en Cristo, esa conciliación de lo humano y lo divino que es integradora y supera toda otra tensión. Un autor moderno ha afirmado: la encarnación de Dios en Cristo implica un «fortalecimiento infinito de la autoestima humana». La religión cristiana da al mundo ese aporte humano fundamental porque (cito ahora a Karl Barth) «*Todo aquel que se ha percatado una vez de que Dios se ha hecho hombre ya no puede hablar y actuar de manera inhumana*».

Para hacer vida este mensaje, la Iglesia necesita no solo espacio y libertad, sino que la naturaleza de su misión sea respetada y valorada justamente. Es verdad que, en muchas ocasiones, un proyecto humanista de tan altos contenidos lleva consigo una crítica de las situaciones que, por contraste, resultan deshumanizantes. Este es otro aporte de la Iglesia al mundo, que puede ser aceptado como un camino de perfeccionamiento del hombre y de la sociedad; pero teniendo siempre en cuenta que la gran innovación de la conciencia cristiana en la era moderna consiste en reconocer que los métodos son tan sagrados como los contenidos y que la verdad, aun la verdad de Dios, no se impone al hombre.

La crítica solo es creíble y legítima si se tiene esta atención a la metodología cristiana, si se basa en estudios rigurosos y si es históricamente posible. Por tanto, nada tiene que ver esa crítica con el distanciamiento de quien enjuicia desde arriba. La Iglesia no exhorta ni esgrime con insolencia argumentos contra el mundo, la sociedad o las estructuras políticas. Propone valores y los fundamenta en su propia fe, pero no como quien habla desde fuera del peligro o sin responsabilidad alguna, sino siguiendo la ley de la encarnación, desde dentro de la sociedad y como participante activa en la misma.

Aun así, aun cuidando todos los reclamos evangélicos en el contenido del mensaje y en la metodología para transmitirlo, el mensaje de Jesús es desestabilizante, y lo es para nosotros mismos: obispos, sacerdotes, personas consagradas o laicos cristianos comprometidos. Nos saca de nuestras seguridades y comodidades, y nos pone una y otra vez frente a la Verdad exaltante y comprometedora de un Dios que se anonadó y se hizo hombre por nosotros, aceptando el riesgo cierto de la Cruz. Los señalamientos válidos y dolorosos que nos hace el mismo Jesús en su Evangelio nos invitan a la reflexión y al mejoramiento y no deben producir por sí mismos un rechazo airado, sino una consideración atenta. Sin las penalidades del parto no hay vida nueva, sin la Cruz de Cristo no hay Resurrección.

En el año que hoy empieza celebramos los dos mil años del nacimiento de Cristo, acontecimiento único en su realidad histórica y en su proyección, y debemos conmemorarlo tomando muy en serio sus implicaciones, de modo que el Año Jubilar propicie de veras el comienzo de una etapa nueva para la humanidad y también para Cuba. Queda de nuestra parte responder a la iniciativa de Dios que *«por nosotros los hombres y por nuestra salvación bajó del cielo y se encarnó por obra del Espíritu Santo de María Virgen y se hizo hombre»*. Pedimos a la misma Virgen Madre de Dios y Madre de la Iglesia, al inicio de este año 2000, que inspire nuestra respuesta decidida al Señor.

En este año Santo Jubilar, de cara al tercer milenio de la era cristiana, la Iglesia en Cuba debe repetirle a nuestro pueblo, ansioso también de bienes del espíritu, a partir de lo que ella es y de la misión que Cristo le ha confiado, lo mismo que Pedro dijo al paralítico junto a la puerta Hermosa del templo: *«No tengo oro ni plata, pero lo que tengo eso te doy: en nombre de Jesucristo, el Nazareno, echa a anda»* (*Hch* 3, 6).

CELEBRACIÓN POR LA UNIDAD DE LOS CRISTIANOS*

Queridos hermanos y hermanas:

En este año 2000, que está en sus inicios, los cristianos celebramos el bimilenario del nacimiento de Jesús de Nazaret. Celebramos y no conmemoramos únicamente. Se conmemora a los muertos, se celebra a quienes viven. Cristo vive, no metafóricamente, en el corazón de quien lo ama, sino realmente, Él que ha sido el vencedor de su muerte y de la nuestra. Vive cumpliendo su promesa de estar con nosotros siempre, hasta el fin del mundo; cuando dos o más nos reunimos

---

* Catedral de La Habana, 18-I-2000.

en su nombre, cuando damos de comer al hambriento y asistimos al desvalido. En estos, los débiles, lo encontramos misteriosamente pobre, preso o enfermo y cuanto a estos hagamos, se lo hacemos a Él. Viene Cristo a nosotros cuando recibimos a aquellos que son sus enviados o cuando acogemos a un niño. Cristo vive en su palabra. Él es la Palabra hecha carne, que María acunó en el pesebre, que es la Iglesia, para que todos pudieran contemplarla y saciarse del semblante de la verdad y la ternura.

Esta Palabra que hemos entronizado solemnemente al comenzar nuestra oración la encontramos siempre dentro de la Iglesia y sobre ella. Nunca deben confundirse Iglesia y Palabra. La Iglesia debe someter al juicio de esta Palabra las ideas, actitudes o proyectos pujantes o paralizantes de cada época, pero en esa misma medida está obligada a dejarse interpelar por la Palabra, a ponerse a disposición de ella. Una mera conservación de la Palabra sería como renunciar a traer la Palabra revelada hasta el presente, por miedo al compromiso o al dolor. Y la Iglesia debe encontrar ese difícil camino intermedio entre la petrificación y la huida, para poder servir a la Palabra. Solo así, cimentada en ella, fundada sobre la eterna Palabra de Dios, puede la Iglesia alcanzar la unidad entre todos los que alimentan su espíritu en la misma Palabra de vida y proclaman que Jesucristo es el Señor. Hoy está aquí la Iglesia de rodillas ante la Palabra para dejarnos cuestionar por ella, para ponernos a su servicio.

Estamos habituados los ministros de la Iglesia a predicar la Palabra de Dios, es además nuestro deber y parte esencial de la misión que el Señor nos ha confiado. Pero de tanto manejar la Palabra, de tanto estudiarla y explicarla, nos hacemos complicados y perdemos el hábito saludable de cobijarnos a su sombra o de ponernos a su luz. Descomplicarnos es «volver a ser como niños», en cuanto a la transparencia y a la sencillez de corazón. Así debemos abordar el himno precioso de la Carta de San Pablo a los Efesios que acaba de ser proclamado.

No vamos a detenernos en consideraciones sobre el hermoso texto, que es también la más difícil de las cartas de Pablo escritas en la cautividad; ni estudiaremos sus similitudes con la carta a los Colosenses. No vamos a extrañarnos tampoco de que Pablo, en la transcripción de este himno que contiene el resumen medular de su doctrina, no sea tan personal como en otras cartas suyas. Dejemos, más bien, que la Palabra nos lleve suave y arrebatadoramente hasta esa altura del misterio de la Voluntad de Dios, que es voluntad salvífica e incluye a todos los hombres, y que ha sido un derroche de parte de Dios, en favor nuestro, del tesoro de su gracia, su sabiduría y su prudencia.

Este derroche lo ha hecho Dios para con nosotros, los discípulos de Jesús. Pablo tenía en mente a los paganos y a su pueblo, el pueblo de Jesús, que en una buena parte no había accedido a ese tesoro de gracia y esto lo hace maravillarse más aún de la elección que Dios Padre había hecho de los seguidores de su hijo.

Sin embargo, el plan de Dios es que llegue la redención completa a todos los hombres. Es más, cuando llegue el momento culminante deben recapitularse en Cristo todas las cosas del cielo y de la tierra. En su origen etimológico «recapitularlo todo» es hacer que todas las cosas de la creación tengan a Cristo por cabeza. Entonces Cristo entregará el Reino al Padre. Pero mientras llega todo esto, Pablo, que siente que «la creación entera gime como con dolores de parto aguardando su redención», se extasía pensando que el Plan de Dios, que tendrá una culminación gloriosa, nos incluye a nosotros de manera privilegiada, porque, aun antes de crear el mundo, Dios nos eligió a nosotros en la persona de Cristo para que fuéramos «consagrados e irreprochables ante él por el amor y nos ha destinado, en la persona de Cristo, a ser sus hijos». De este modo, viviendo la consagración en el amor, somos capaces de darle a Dios la gloria merecida y, aún más, hacer de nuestra vida una alabanza de su gloria.

Lo que es contemplación arrobadora en el himno de la Carta a los Efesios, es hoy para nosotros, a quienes Dios ha dado a conocer el Misterio de su Voluntad, una ocasión de acción de gracias y de seria reflexión de cara a la unidad de los que somos seguidores de Cristo vivo y presente en esta hora de la historia.

En efecto, si el plan de Dios incluye recapitular en Cristo

todas las cosas del cielo y de la tierra, ¿qué debemos hacer nosotros, cristianos, a quienes se nos ha revelado el Misterio de la Voluntad de Dios, para que los hombres y mujeres del nuevo milenio puedan entrar a formar parte de modo consciente, dando gloria a Dios de esa humanidad redimida y renovada, congregada en el amor? Seguramente, todos deben escuchar la Buena Noticia de la Verdad, la extraordinaria noticia de que pueden ser salvados si creen. Nos duele entonces la Palabra inevitable de Jesús, la que Él nos dirigió a sus discípulos: «que todos sean uno para que el mundo crea» y comprendemos así que la reunión en Cristo de todos los hombres y mujeres de la tierra no depende solo de la dureza o de la apertura de los corazones al mensaje salvador, sino también de nuestra capacidad para testimoniar el amor cristiano en toda su grandeza y sublimidad. Nos estremece de este modo aún más el himno de la Carta a los Efesios, en el cual Dios nos elige desde toda la eternidad y nos quiere consagrados e irreprochables ante él por el amor. Confrontados, pues, al plan de Dios de cara a nuestras divisiones, sentimos que no estamos viviendo plenamente nuestra consagración bautismal y que ninguno de nosotros, en lo que toca a la unidad de los cristianos, es irreprochable, porque, según el querer de Dios, solo lo seremos por el amor. Y justamente, en el amor hemos fallado; a veces personalmente, otras solidariamente, ya que nuestra vocación de hijos de Dios exige de nosotros una vivencia plena de nuestra condición de hermanos.

Dejemos, pues, que la Palabra, «como espada de doble filo», penetre en lo hondo de nuestro ser, sintámonos todos Iglesia-bajo-la-Palabra, iluminados por ella. Nosotros, que debemos proclamar esa Palabra a aquellos que no conocen el plan de Dios, ante la descripción que hace San Pablo en Su Carta a los Efesios, del designio salvífico del Señor tenemos también una magnífica oportunidad para caer en cuenta de nuestra condición de humildes servidores de la Palabra en la Iglesia.

Porque la Evangelización del mundo, razón de ser de la Iglesia para que Dios reciba la alabanza de gloria de todos los hombres y pueblos, no es un proyecto que cada Iglesia se ha forjado a su modo.

Hay una frase del himno de la Carta a los Efesios que es fundante y nos pone en nuestro sitio como discípulos de Jesús, y aun como ministros suyos: todo cuanto Dios ha obrado en vista de nuestra salvación lo ha hecho «Por pura iniciativa suya». Esto quiere decir que nuestra elección como discípulos de Cristo fue iniciativa de Dios, que nuestra llamada a integrar la Iglesia ha venido de Él. Iniciativa de Él es también confiarnos su Iglesia a quienes tenemos responsabilidades en la conducción del pueblo de Dios. También de Cristo-Jesús, enviado del Padre, procede el envío de la Iglesia al mundo a predicar el Evangelio.

Sabiendo que somos hijos de Dios y comunidad de hermanos consagrados en el amor a la alabanza de la gloria de Dios, reconozcamos que Dios quiso hacernos partícipes de ese plan maravilloso *por pura iniciativa suya*.

A todos nosotros, cristianos de distintas iglesias, pastores o fieles, corresponde entrar de corazón y con profunda humildad en ese designio amoroso de Dios. Así, quienes están distantes o en busca del Señor, viendo nuestras obras buenas, podrán glorificar al Padre que está en el cielo. Nuestra mejor obra es el amor. Que nuestra oración de esta noche sea algo más que un buen propósito. Que signifique, al comienzo del año 2000 de la era de Cristo, que quienes somos discípulos de Jesús estamos dispuestos a tener actitudes y sentimientos de hermanos. «Y así, nosotros, los que ya esperábamos en Cristo, seremos alabanza de su gloria.»

Nos llena de esperanza en nuestro difícil camino hacia la unidad de todos los cristianos esta oración que hacemos en común y la certeza de saber que, como en el Cenáculo, Jesús ora por nosotros al Padre y le pide que nos santifique en la Verdad.

De Dios no solo viene la iniciativa de nuestro llamamiento, sino además el acompañamiento de su Iglesia. Si nosotros debemos consagrarnos en el amor, nos conforta escuchar la promesa cumplida de Jesús: «por ellos me consagro yo». La consagración de Cristo fue su cruz. Por ella le rindió la perfecta alabanza de gloria al Padre, que nosotros, pecadores, no podíamos ofrecerle. Gracias a su ofrenda de la cruz también nosotros ahora y siempre podemos dar gloria al Padre con Cristo, por Él y en Él, en la unidad del Espíritu Santo, por los siglos de los siglos. Amén.

JUBILEO DE LA VIDA CONSAGRADA*

Queridos religiosos y religiosas, queridos hermanos y hermanas:

Ha brillado al comienzo de nuestra celebración la llama encendida de los cirios, símbolo delicado y universal de la ofrenda: los cirios se consumen para brillar.

Rememora así nuestra acción litúrgica la ofrenda ritual de María y José al presentar a Jesús niño en el templo. En verdad, ellos ofrecían a Dios su hijo primogénito, y los dones sustitutivos de dos tórtolas o dos pichones (ofrenda de pobres fue la de ellos) servían para rescatar figurativamente al pequeño que, como primer nacido, según la Ley sagrada, debía ser propiedad del Señor.

Más tarde, solo Dios Padre, obrando en su Hijo la maravilla de la resurrección, podría rescatar a Jesús para siempre de las sombras de la muerte, después de haber aceptado la ofrenda anonadante que Él había hecho en la Cruz por nosotros y por nuestra salvación.

Desde el amanecer de aquella primera Pascua, la luz de Cristo brilla indeficiente y penetra sin cesar las tinieblas del mundo.

En las manos de los seguidores de Cristo, los cirios encendidos, que se gastan en luz, adquieren un simbolismo superior. La luz irradiada por ellos es anuncio de Cristo, «*luz verdadera que ilumina a todo hombre*».

Si somos dóciles al Espíritu Santo que viene a morar en nuestros corazones, como lo había sido toda su vida el anciano Simeón, descubriremos en Jesús, aun en su fragilidad de niño, o en el sometimiento abismal de la Cruz, la «luz para alumbrar a las naciones». Sin olvidar que esa «*luz brilla en la tiniebla y la tiniebla no la recibió; algunos prefirieron la tiniebla a la luz*». Jesús será una «bandera discutida», con Él nos

---

* Parroquia de la Caridad, 2-II-2000.

encontramos o tropezamos. «*Este está puesto para que muchos caigan y se levanten*», dirá el sabio anciano que servía en el templo. Optar por o contra el Hijo de Dios marcará el paso por la tierra de aquel niño, que el profeta levanta entre sus manos y que un día, en plena madurez de vida, será alzado en la Cruz.

Esa es la espada amenazadora que María vislumbra y que le traspasará el alma. Ella lo debe saber y el anciano piadoso y fiel se lo anuncia. También la Iglesia sabe, en su experiencia bimilenaria, que el sufrir con Cristo y por Él la acompañará en su peregrinar a través de la historia. Lo sabe, ante todo, porque su Señor le enseñó que: «*el discípulo no es más que el maestro*». La Iglesia, sin embargo, camina en la certeza de que Jesús «*pasó por la prueba del dolor y puede auxiliar ahora a los que pasan por ella*».

Los que somos de Cristo podemos, gracias a Él, presentar a Dios la ofrenda como es debido, haciéndole al Padre entrega de nuestras vidas en unión con su Hijo, única y perfecta ofrenda, consumada en la Cruz, y admirablemente aceptada por Dios Padre. Cada Eucaristía hace actual la definitiva entrega de Jesús al Padre. En cada Eucaristía, Cristo está presente en perenne estado de ofrecimiento. La oblación eucarística nos invita sin cesar al don de nosotros mismos, y la comunión del cuerpo y la sangre de Cristo nos capacita en gracia para hacer a Dios entrega de nuestras vidas.

Este dinamismo oblacional es el culto perfecto que ofrece al Señor el pueblo sacerdotal de la Alianza Nueva. Los religiosos y religiosas ejercen de modo eminente el sacerdocio común del pueblo de Dios por la consagración de sus vidas a Cristo. Ningún día mejor que este, en que la Iglesia contempla a Jesús ofrecido en el Templo, para celebrar el jubileo de la vida religiosa, dando al cirio encendido que ustedes, queridos religiosos y religiosas, han portado en sus manos un tercer y particular simbolismo: el de la opción radical por Cristo, luz del mundo, haciéndole a Él ofrenda de sus vidas según los consejos evangélicos.

La consagración religiosa no pone al hombre o a la mujer consagrados en un estado de perfección que crearía como dos categorías de cristianos: los laicos, estado imperfecto, y los religiosos y religiosas, estado perfecto. El Evangelio exige de *todos* una respuesta radical y a *todos* se les ofrece la gracia para vivir en constante superación. El «*Sed perfectos como el Padre celestial es perfecto*» es una llamada de Jesús a todos sus discípulos. La perfección, tal y como la expone Mateo en el Sermón de la Montaña, es un «algo más» que Cristo le pide a su servidor. «*Se le dijo a los antiguos... pero yo les digo más...*» En estas palabras no debe interpretarse que haya unos «preceptos» impuestos para todos y unos «consejos» para los que deseen ser mejores. Ese no es el espíritu del Evangelio. En el episodio del joven rico y la respuesta de Cristo, según San Mateo, ser perfecto quiere decir observar la Ley, pero una ley renovada, transformada desde dentro por el amor de caridad. Esta perfección es para todo cristiano. De ahí la pregunta de los discípulos sobre la posibilidad de la salvación: «*entonces, ¿quién puede salvarse?*».

Jesús, en su celo por instaurar el reino de Dios, exige un «exceso», un «algo más» frente a la Ley de Moisés y al comportamiento meramente natural del ser humano. Ese «exceso» reclamado por Jesús es el amor ilimitado y desinteresado, como el del Padre misericordioso, que se extiende aun al enemigo. Dios, infinito en su bondad, nos pide un amor que supera toda medida. No parece aceptable reducir a un pequeño grupo de discípulos lo que se exige en el sermón de la montaña. Tampoco podría considerarse simplemente un «consejo» el conjunto de exigencias que Jesús propone con la intención de que sean aceptadas como verdaderos preceptos que deben ponerse en práctica.

Más bien debemos considerar que Jesús pasa de la formulación ética de preceptos y consejos a una proposición bien articulada de vida nueva en Cristo. Si el cristiano debe vivir según la ley interior de la gracia, que es ley del Espíritu que da vida, ley de amor filial y de libertad frente a leyes exteriores, como lo afirma San Pablo en su carta a los Romanos capítulo 8, de ahí se sigue que todo mandamiento es vivido no como impuesto, sino interiorizado y asumido por el cristiano en el amor. Los que eligen la vida según los consejos evangélicos y han podido seguirla con alegría es porque han dicho sí de modo absoluto a la Ley de gracia en que debe vivir todo cristiano. Cito ahora al P. Haring: «*Los consejos evangélicos no se limitan propiamente a la pobreza, castidad y obediencia consagradas por voto. Todo carisma de Dios es buena nueva y 'consejo'. ¿Podría ante esos dones decir jamás un amigo de Cristo: 'Tus dones no me obligan, Señor, te has olvidado hacérmelos un mandamiento'? Esto sería espíritu de esclavos*».

Todo cristiano debe vivir como hijo. El religioso y la religiosa viven su vocación filial entregándose rendidamente con Jesús en las manos del Padre. No es que cumplan algunos consejos por encima de los preceptos que son obligatorios para los cristianos laicos, es que viven todos los consejos evangélicos que Jesús nos propone de un modo radical por la entrega de su vida a Cristo en el amor. Es una opción existencial total, que constituye una invitación a otros cristianos con distintos proyectos de vida a incorporarse decididamente a Cristo, según la Ley de gracia. Por esta razón, el Papa Juan Pablo II en repetidas ocasiones ha dado gracias a Dios por el don de la vida religiosa en la Iglesia. En esta celebración, yo invito a toda la Iglesia de La Habana a unirse a mí en esta acción de gracias por las manifestaciones concretas de la vida religiosa en nuestra Arquidiócesis, que nos enriquecen en nuestro continuo peregrinar.

Refiriéndose a los religiosos, el Concilio Vaticano II afirma en su constitución *Lumen Gentium*: «*la práctica de los consejos que, por el impulso del Espíritu Santo, muchos cristianos han abrazado... proporciona al mundo y debe proporcionarle un espléndido testimonio y ejemplo de santidad*» (L.G. 39).

Hacia la segunda mitad del siglo XX, la vida religiosa se propuso en gran número de órdenes, congregaciones e institutos vivir los consejos evangélicos haciendo una lectura predominantemente profética del Nuevo Testamento, especialmente de los Evangelios. Esta marcada acentuación del profetismo es tributaria del pensamiento teológico de los siglos posteriores a la Ilustración, que buscaron en la vida religiosa y sus distintas manifestaciones más bien la especificidad de sus diversos quehaceres y carismas propios en orden a la eficacia social y no el denominador común de su esencia misma.

Pero el estudio de los textos sagrados y la reflexión bíblica reciente nos hacen comprender cada vez mejor a Cristo y su mensaje en clave sapiencial.

En el Antiguo Testamento se reconocen tres fuerzas de influjo determinante en Israel. De ellas nace la Biblia. Son los sacerdotes, los profetas y los sabios. Los sacerdotes mantienen vivo el sentido de la alianza por el culto y la palabra y promueven la santidad en el pueblo. Los profetas recuerdan el monoteísmo, descubren el plan de Dios en la historia, intervienen autoritariamente en nombre de Dios para estimular a la conversión, anunciando el juicio y el castigo, y los sabios se sitúan en un plano existencial y humanístico como maestros del pueblo.

Estos últimos surgen en el reinado de David y de Salomón como expertos en todas las cuestiones. No pretenden resolver los problemas últimos de la existencia, sino enseñar a triunfar en la vida y a obtener la felicidad. Descubren en los vaivenes y vicisitudes de la historia del hombre la voluntad de Dios y humanizan la palabra divina para que pueda ser aplicada a la vida concreta de los hombres. A diferencia de los sacerdotes y los profetas, los sabios de Israel se dirigen al individuo, interpelándolo personalmente. Se expresan con el consejo fundado en la razón, por medio de proverbios, en sentencias populares y en parábolas.

En la Iniciación Bíblica de Robert leemos: «*El tono de los sabios, lejos de ser perentorio y vehemente, como en la ley y los profetas, es insinuante y moderado... hacen recomendaciones que se imponen al buen sentido*».

Los sabios apelan a la inteligencia, para ellos el castigo no es un golpe que viene dado desde fuera, enviado por Dios, sino el fruto de una mala decisión. Leemos en Proverbios 1, 30-31: «*Como no aceptaron mis avisos y despreciaron mis advertencias comerán el fruto de sus acciones y de sus propios planes quedarán hartos*».

Cómo no recordar las lamentaciones de Jesús que siguen a las bienaventuranzas en el Evangelio de San Lucas: *¡Ay de ustedes, los ricos, porque ya han recibido su propia paga!* O sea, en el apego a las riquezas, que no pueden saciar, está la falsa opción que los dejará insatisfechos para siempre. Esta es una enseñanza típicamente sapiencial. Cristo tomó el estilo sapiencial para enseñar el arte de vivir mediante el consejo. El consejo adquiere así fuerza evangélica para interpelar a todo cristiano y a cualquier hombre o mujer. En Cristo se halla, pues, el cumplimiento de la Ley y de lo anunciado por los profetas y enseñado por los sacerdotes. Pero Él es, sobre todo, el coronamiento de la gran corriente de los sabios de Israel. Así se distingue de Juan el Bautista, que clama proféticamente en el desierto. Jesús proclama dichosos a los que no se escandalizan de Él, que obra personalmente, sanando a cada uno, acogiendo singularmente a cada pecador. Era manso y humilde y quería que los suyos aprendieran de él ese estilo. No vino a condenar al mundo, sino a salvarlo.

En el Nuevo Testamento, Cristo es identificado con la Sabiduría. Haciendo uso del Antiguo Testamento lo llaman: imagen de Dios invisible, primogénito de toda criatura, reflejo de la gloria de Dios, palabra encarnada. Cristo desarrollaba al mismo tiempo el oficio de legislador, profeta y taumaturgo, pero se presenta a sí mismo como el sabio más grande que el sabio más reconocido, por su pueblo: «*Vean, aquí hay uno que es más que Salomón*» (*Mt* 12, 42).

Su discurso es persuasivo, habla en parábolas, promete la felicidad y el éxito en orden al Reino: esas son las bienaventuranzas. Usa sentencias y comparaciones, resuelve enigmas. Como los sabios de Israel, Jesús trata a sus discípulos como amigos, hijos o comensales e invita a quienes se sienten bajo el peso de la Ley y de una observancia religiosa asfixiante, a aceptar su yugo suave y liberador. Dice Hans Kung: «*tenía, además, un declarado interés práctico y quería aconsejar y ayudar a los hombres*». Lo llamaban Maestro y, de hecho, es la primera palabra que un ser humano le dirige después de la resurrección, cuando María Magdalena lo descubre tras la apariencia de un jardinero. De otra parte, los seguidores de Jesús son llamados discípulos y tenían conciencia de serlo. En esta perspectiva se abre un horizonte nuevo para seguir los consejos evangélicos en la escuela de Jesús, «consejero admirable» (*Is* 9, 6) y maestro de sabiduría.

Siguiendo a este maestro, la radicalidad de la opción por Él se enriquece con la sublimidad de vivir no solo según sus consejos, sino también según su estilo. Esto trae implicacio-

nes que comprometen la vida de quienes se consagran totalmente a este Maestro. En los consejos evangélicos *hay un
tono de amistad*. Los consejos suponen una relación de intimidad entre la persona que los da y la que los recibe, entre
Cristo maestro y su discípulo. Solo en un clima de comunión
y donación, de relación profunda y definitiva se producirá
una perfecta sintonía con Jesús. La vida de la persona consagrada se convertirá, así, en respuesta libre y alegre a Cristo.

En los consejos evangélicos *hay una personalización*. El
discurso sapiencial de Cristo se dirige a cada uno y solicita su
participación en la búsqueda de la sabiduría y del verdadero
quehacer. A diferencia del carácter exigente del mandato, el
religioso o la religiosa se pone así en actitud de comprender
desde dentro, con una conciencia iluminada y responsable, la
palabra que Jesús le dirige. Por último, en los consejos evangélicos *se procura el éxito del hombre o de la mujer*. Los consejos prometen alegría, dicha, vida eterna. Tienen un fin altamente humanístico. El triunfo y la felicidad en la vida se
alcanzan mediante la entrada en el Reino de Dios. Pero el
hombre para triunfar debe «perder su vida», para recuperarla
después en el nuevo camino de salvación que el Maestro nos
propone, con orientación radical hacia Dios y amor oblativo
a los hermanos.

En el seguimiento de los grandes maestros de Israel o de
Grecia, el contenido de la enseñanza y el estilo del Maestro
están siempre entremezclados. Pero en el caso de Jesús, ambas realidades se funden en una y, si nosotros no llegamos a
la intimidad con el Maestro, a aprender de Él, a su imitación,
no podemos seguir sus consejos.

Una lectura exclusivamente profética del Evangelio vio-
lentaría su letra y su espíritu. Puede correrse el riesgo de tomar los consejos evangélicos como un nuevo conjunto de exigencias, parecidas a las cargas que los fariseos imponían al
pueblo y de las cuales Cristo Jesús vino a liberarnos. El estilo
de relación con Cristo Maestro: el tono de amistad, la personalización, y el reconocimiento de que el logro o el éxito de la
vida está en su orientación hacia los valores del Reino que
tienen a Cristo como centro y hacen que todo lo demás sea
considerado «como basura», debe contribuir también un

modo de crecer en la vida comunitaria y será la manera de estar presente como comunidad, y cada uno como persona, en medio del mundo como amigos, con relaciones muy personales, con una propuesta clara de un camino de felicidad para todos, que incluye el sacrificio y lo asume.

El profeta habla dentro de un mundo sacral, exige y amenaza, su estilo es extraño al mundo secularizado. Por otra parte, no es suficiente acompañar al hombre en sus angustias y solidarizarse con él, corriendo el riesgo de asemejarnos a él en sus quejas y aun en su rebeldía. Es necesario también anunciar a nuestros hermanos, con la palabra y, sobre todo, con nuestra vida, que hay otro camino, el que el Maestro nos dejó y ese camino es de paz, de amor, de alegría, de esperanza.

El que sigue el camino de la sabiduría con el estilo de Jesús está capacitado para hablar a un mundo plural; será un hombre o una mujer de diálogo con el mundo de la cultura, con otras confesiones cristianas y con otras religiones, con los agnósticos, con los ateos y con los indiferentes.

Serán así las personas consagradas testigos de la libertad, de la amistad y la alegría que Cristo vino a plantar en este mundo. Esta es una forma excelente e irremplazable de apostolado. Este es el modo auténtico de que se produzca un crecimiento vocacional. El hombre y la mujer de hoy necesitan una sabiduría que viene de lo alto y que los levante de su postración.

Queridos religiosos y religiosas: a ustedes, por el seguimiento de los consejos evangélicos con sublime radicalidad, Cristo les encarga ser el alma del mundo en la Iglesia, con sus demás hermanos y hermanas laicos, sacerdotes y obispos. Dice la *Gaudium et Spes*: «*Nuestra época, más que ninguna otra, tiene necesidad de esta sabiduría para humanizar los nuevos descubrimientos de la humanidad. El destino del mundo corre peligro si no se forman hombres más instruidos en esta sabiduría*» (*GS* 15).

Pero existe desproporción, y a veces contraste, entre la miope sabiduría humana y el misterioso y extraordinario plan de Dios para salvar al hombre. La verdadera sabiduría es un don que viene de lo alto: del Padre, del Hijo y del Espíritu Santo; por eso hay que implorar este don en la oración y hacerse pequeño y disponible como María para recibir esa gracia superior. Sabiduría y consejo están íntimamente unidos en la Biblia.

Pidamos todos en esta celebración del Jubileo de la vida religiosa en La Habana que el Espíritu Santo, que procede del Padre y del Hijo, vivifique las mentes y corazones de todos los religiosos y religiosas de Cuba con sus dones de consejo y sabiduría, porque lo necesitan en esta hora presente. La vida insípida de muchos hermanos nuestros espera que aquellos que debemos ser «sal de la tierra» (*Mt* 5, 13) le demos un nuevo sabor. Esta debe ser una acción personal y comunitaria de los consagrados a Dios.

Que la vida de ustedes, queridos hermanos y hermanas, sea «*una continuación del relato evangélico, una narración de la victoria de la esperanza, de la comunión, de la alegría y de la vida sobre la desesperación, sobre el aislamiento, sobre la tristeza y sobre la muerte*» (Stefano de Fiores). La luz de Cristo, que brilla en el cirio que hemos sostenido en nuestras manos, debe irradiarse a todas las naciones por el testimonio feliz de sus vidas, queridos religiosos y religiosas.

A la Virgen Madre confiamos la ofrenda de sus vidas (que hoy renuevan gozosos ante el Señor) para que María la presente al Padre junto con la ofrenda que hizo de su Hijo en el Templo y al pie de la Cruz. Puestos así como discípulas y discípulos de Cristo a su escuela de sabiduría, podrán acoger en lo íntimo de sus corazones las enseñanzas del Maestro sobre la mansedumbre, la pobreza, la obediencia a la voluntad del Padre, el valor de la virginidad y el celibato por el Reino de los cielos, el amor sin medida, el perdón de las ofensas, la reconciliación y tantos otros consejos evangélicos que deben conformar en ustedes esa vida nueva en Cristo que se han propuesto vivir con decisión y radicalidad por medio de su consagración al Señor. Con la docilidad al Espíritu Santo, podrán perseverar hasta el final en esa obra buena.

Así lo pido para todos ustedes, amados de Dios, en la oración eucarística.

JUBILEO DE LOS ENFERMOS*

Queridos hermanos y hermanas:
La festividad de la Virgen de Lourdes nos congrega hoy de manera especial. Este día ha quedado señalado ya por el Papa Juan Pablo II como *«Día del enfermo»*, que se celebra cada año el 11 de febrero. Pero en este año Santo Jubilar, la fecha cobra un significado más amplio, pues tiene lugar en Roma y en todas la diócesis del mundo el Jubileo del Enfermo.

Hemos escogido este Santuario dedicado a San Lázaro como centro de la celebración del Jubileo del enfermo porque es uno de los cuatro templos designados en nuestra diócesis como lugares especiales de reconciliación, y de encuentro con Jesucristo durante este tiempo de gracia en que estamos celebrando los 2.000 años del nacimiento de nuestro Redentor.

A este Santuario peregrinan cientos de miles de cubanos que cargan con sus sufrimientos y sus enfermedades y vienen a rezar aquí. Le piden a San Lázaro salud o la superación de alguna situación dolorosa familiar o personal. Las más de las veces vienen a cumplir algún ofrecimiento que hicieron en la hora de una gran dificultad o para dar gracias y traer sus dones por los beneficios recibidos. Dice el Santo Evangelio que Lázaro era amigo de Jesús y cuantos lo invocan saben que él pedirá que Jesucristo los cure, los sane, los salve. Los santos y la Santísima Virgen María que hoy veneramos especialmente con su título de Nuestra Señora de Lourdes, acogen nuestras oraciones y las presentan junto con nosotros a Jesucristo, que es el único que puede aliviar los males del alma y del cuerpo. Él solamente puede salvarnos del mal, del pecado y de la muerte. Él es el único que obra los milagros. Cuando decimos «fue un milagro de la Virgen», eso quiere decir que fue la Virgen quien intercedió por nosotros presentándole nuestras súplicas a Cristo Nuestro Salvador.

En esta fiesta de la Virgen, en este Santuario de San Lázaro, pedimos a María Santísima y a San Lázaro, amigo de

---

* Santuario de San Lázaro, El Rincón, 11-II-2000.

Jesús, que esta celebración eucarística nos transforme, que sea un momento privilegiado de nuestra vida en que se haga más clara nuestra mirada para contemplar con ojos cristianos el gran misterio del sufrimiento y de la enfermedad. Enfermedad y sufrimiento se acompañan casi siempre. El sufrimiento no consiste solo en los dolores o limitaciones físicas que crea la enfermedad, en dependencia de su duración y características propias. Hay el sufrimiento que viene del trabajo y la preocupación que damos a quienes nos rodean; o de la soledad y el desvalimiento que experimentamos cuando hay falta de amor alrededor de nosotros. El apóstol San Juan nos dice hoy en su primera carta que «*nosotros debemos dar la vida por los hermanos*». Pero esto no ocurre siempre y sentimos doblemente la ausencia o la desatención de personas que nos son más queridas cuando pasamos por la prueba de la enfermedad, porque necesitamos su ayuda y porque nos vemos defraudados por quienes queremos.

Otro sufrimiento que acompaña a la enfermedad es no tener los medios indispensables para su tratamiento o alivio; ni la alimentación necesaria, ni los medicamentos más adecuados, ni otros medios como sillas de ruedas adecuadas o camas apropiadas o algún otro tipo de ayuda para la locomoción o para un mínimum de comodidad. No hemos llegado a una plena justicia social que pueda satisfacer los requerimientos indispensables de todos, especialmente de los más desfavorecidos: ancianos, enfermos habituales, discapacitados y otros. Hablo de justicia y no de caridad, porque la comunidad humana debe atender a sus enfermos e incapacitados por obligación de justicia social.

Pero también por amor de solidaridad, cada uno de nosotros está obligado a hacer por el otro lo que esté a su alcance. Nos dice el mismo San Juan en su primera carta: *Si alguien que tiene bienes de este mundo ve a su hermano en necesidad y no se apiada de él, ¿cómo puede permanecer en él el amor de Dios?*

Nos atañe, pues, a todos la celebración del Jubileo del Enfermo, no solo porque los que están sanos hoy pueden estar enfermos mañana, sino porque todos los que están sanos deben, por justicia y por caridad, tender la mano a sus hermanos enfermos.

Queridos enfermos y enfermas: en el mundo de hoy, por los avances de la técnica que pone ante nuestra imaginación un mundo bello y feliz, por el afán de disfrutar los placeres, y a causa de un individualismo y un infantilismo que rehúyen el sacrificio, se ha creado una mentalidad falsa acerca de la vida, que tiene poco que ver con nuestra vida real. Las novelas mantienen a hombres y mujeres delante del televisor siguiendo entusiasmados vidas irreales; pero, si una novela presenta la vida tal y como ella es, nadie la mira, pues dice: para ver miseria ya las tenemos todos los días.

Es decir, rechazamos nuestra vida real. De ahí que consideremos la enfermedad y el sufrimiento, como cosas accidentales que se nos atraviesan en el camino de la vida. Y sin embargo, la enfermedad y el sufrir acompañan al ser humano siempre. Son realidades que tenemos que integrar en nuestra vida. Esto deben aprender a hacerlo los sanos y los jóvenes, porque, si no, no lograrán ser felices nunca.

Una vida donde un joven ha rehuido prestar su ayuda en la enfermedad de sus mayores, y ha esquivado los sufrimientos de familiares, amigos o conocidos, será una pésima preparación para el matrimonio; pues el amor tendrá que probarse día a día, compartiendo las cargas, preocupaciones o sufrimientos del otro. Tener un hijo es, junto con el gozo de la paternidad o de la maternidad, comenzar a sufrir. Si el hombre y la mujer se han entrenado en la despreocupación, en la sola búsqueda del placer, si no han integrado el dolor y el sacrificio, no puede durar el amor, pues amar es siempre sufrir algo por causa del ser amado y, como pocos están dispuestos a sufrir, son muchos los que se separan y el matrimonio no dura.

No solo ustedes, personas enfermas, deben integrar como algo común en su vida la enfermedad y el sufrimiento, sino también las personas que los rodean y los ayudan y todo hombre o mujer desde su edad juvenil.

La despreocupación de la juventud, prepara la infelicidad de la edad adulta.

La enfermedad y los sufrimientos nos acompañan tanto como los buenos momentos.

Jesucristo, con su palabra y con su gracia, hace posible que nosotros integremos la enfermedad y el sufrimiento como parte de nuestras vidas, sin que nos sintamos desgraciados.

En el Santo Evangelio leemos que Jesús «*salió a predicar y pasaba sanando toda enfermedad o dolencia*». El evangelista distingue entre enfermedad y dolencia. La dolencia puede ser ese estado de ánimo triste o desesperado que se hace también presente en nuestras vidas, aunque estemos o no estemos enfermos: es como una enfermedad del alma.

Jesús vino a sanar a los hombres también de esa enfermedad, de la rebeldía, del apocamiento, del miedo a sufrir y morir. De todas esas dolencias Él nos sana, y nos deja el testimonio extraordinario de haber cargado sobre sus hombros nuestras miserias. Dice la carta a los Hebreos que Cristo «aprendió sufriendo a obedecer». ¡Qué impresionante que el Hijo Eterno de Dios se haya hecho hombre y haya utilizado el más difícil de todos los caminos del hombre, para mostrar su total obediencia al Padre: el camino del sufrimiento!

Cuando se acercaba el momento supremo de la Cruz y Jesús, después de celebrar la primera Eucaristía con sus discípulos se puso en oración en el Huerto de los Olivos, se sintió «triste hasta la muerte». Él no buscó el sufrimiento por sí mismo y por eso oraba con lágrimas diciendo: «*Padre, para ti todo es posible, aparta de mí este cáliz. Pero hágase tu voluntad y no la mía*» (*Mc* 14, 36).

Este es el modelo perfecto de oración de todo enfermo y de toda persona sometida a la prueba del dolor moral o espiritual.

Si cada uno de ustedes en sus horas difíciles, que son muchas, hacen esa misma oración de Jesús en el huerto, van a alcanzar la paz en sus corazones, porque si seguimos leyendo el Santo Evangelio dice que, inmediatamente después de esa súplica, vino un ángel del cielo que consoló a Jesús. Y el Señor pudo caminar sereno y digno de Herodes a Pilato y enfrentar su Cruz perdonando y amando hasta el final.

El consuelo de Dios nos llega a cada uno de nosotros si aprendemos a obedecer al mismo Dios por medio del sufrimiento y del dolor.

Lo contrario de esta actitud de Cristo, que debe ser la

nuestra, es la desesperación, la rebeldía, entonces no llega nunca el ángel de Dios a nosotros para consolarnos. Por eso hemos proclamado hoy en la Lectura del Santo Evangelio las bienaventuranzas, donde Jesús proclama dichosos a los pobres, que saben vivir con poco; a los afligidos porque conocen el consuelo que solo Dios puede dar; a los mansos, aquellos que no son soberbios, pues a ellos siempre alguien en nombre de Dios les tenderá la mano, dichosos los que tienen como un hambre y una sed de hacer lo que Dios quiere, porque Dios los complacerá. Dichosos los misericordiosos, porque, con la medida que uno mida, lo van a medir y Dios será misericordioso con ellos. Dichosos los limpios de corazón, los que todo lo ven positivamente, los que no tienen doble cara ni sentimientos perversos, porque es como si estuvieran viendo al mismo Dios.

Dichosos los que siembran paz en los corazones de todos, porque así son los hijos de Dios; dichosos si a ustedes los critican porque rezan, porque creen, porque para todo mencionan a Dios. No se preocupen, de ustedes es el Reino de los cielos.

Esta es la verdadera felicidad, queridos hermanos y hermanas; la que Cristo proclamó y prometió. Nuestras enfermedades y dolencias no impiden esta felicidad. Misteriosamente, muchas veces la favorecen, porque como Cristo Jesús también nosotros sufriendo aprendemos a obedecer a Dios y si lo obedecemos seremos humildes, mansos, misericordiosos, limpios de corazón y sembradores de paz. Y, si somos así, seremos felices, felices con dolores y sufrimientos, con limitaciones y carencias, pero transformados en nuestro espíritu con la gracia de Jesucristo, vamos gustando desde ahora con Cristo la alegría de la resurrección.

Esa gracia viene a nosotros abundantemente cada vez que en la Santa Comunión recibimos a Jesucristo. Ese es un momento privilegiado para decir con él al Padre: Hágase tu voluntad y no la mía y para llenarnos de alegría oyéndole decir a Jesús en lo hondo de nuestra alma: Dichoso tú por tener el Reino de los cielos en tu corazón.

También hoy, quienes han confesado sus pecados y recibirán a Jesucristo en la Santa Eucaristía tendrán la gracia de la indulgencia plenaria. Muchas veces no hemos aprendido a obedecer por el sufrimiento, a veces nos hemos rebelado, otras veces hemos sido duros y descuidados haciendo sufrir a otros. ¡Cuánta pena mereceríamos por nuestros pecados! Pero Dios, rico en misericordia, que ha perdonado nuestros pecados, en este año Jubilar, por su infinito amor, nos perdona también la pena que merecen nuestros pecados cuando peregrinamos como hoy a un templo jubilar como este Santuario, y hacemos oración llenos de buenos propósitos y confesamos nuestros pecados y recibimos el cuerpo de Cristo en la Santa Comunión.

Demos gracias a Dios, que nos colma con sus dones. A la Virgen de Lourdes, que mira con especial amor a los enfermos, y a San Lázaro, amigo de Jesús, pido que ustedes, queridos hermanos y hermanas, que padecen en su cuerpo o en su espíritu, permanezcan siempre alegres y en paz, ofreciendo sus penas y enfermedades en obediencia amorosa al Señor. Modelo de entrega en el sufrimiento y en el dolor es para nosotros el Papa Juan Pablo II. Él visitó hace dos años este Santuario y habló desde aquí a los enfermos. Él ha mostrado coraje y paz en su enfermedad. Hoy rezaremos especialmente por él en este Jubileo, pidiendo a Dios que lo proteja para que guíe nuestra Iglesia y siga sembrando amor y paz en el mundo.

Que su ejemplo extraordinario los anime a ustedes a ofrecer con Cristo al Padre, con serenidad y alegría de corazón, todas sus penas y sufrimientos. Que así sea.

JUBILEO DE LOS DIÁCONOS*

Queridos hermanos y hermanas, queridos diáconos y sus familias:

En la profecía de Isaías proclamada hoy en la primera lectura, el profeta invita al pueblo a no mirar únicamente hacia atrás: «*No recuerden lo de antaño*» –les dice Isaías–, «*no piensen en lo antiguo*». Al comienzo de un nuevo milenio, en

---

* Catedral de La Habana, 20-II-2000.

plena celebración del Año Santo Jubilar, tiene un valor personal y social innegable el llamamiento del profeta.

Es verdad que, como dijera el sabio antiguo, la historia es maestra de la vida, pero la función del maestro es enseñar a vivir el presente y a preparar el futuro. Por esto, la advertencia profética tiene un valor hondo y práctico: no podemos quedar atrapados en los recuerdos, porque esto haría de nosotros hombres y mujeres vueltos hacia el pasado. Los recuerdos pueden ser buenos o malos. Los primeros, idealizados por el tiempo transcurrido, embellecen la realidad vivida y nos pueden llenar de falsas nostalgias; los otros recuerdos, los malos, pueden llegar a torturarnos. De ahí el consejo profético: «No piensen en lo antiguo». Conozcamos, sí, la historia y sus enseñanzas, asimilemos pedagógicamente la parte de historia que nos ha tocado vivir personalmente, pero sin permanecer envueltos en las redes de acontecimientos pasados.

Esta disposición nos confiere la libertad de espíritu necesaria para contemplar a nuestro alrededor lo nuevo, lo diverso, e interpretarlo con sentido de esperanza. Solo así seremos capaces de captar lo que nos dice el profeta: «*Miren que realizo algo nuevo, ya está brotando, ¿no lo notan?*».

Nuestra ceguera para descubrir lo nuevo que Dios hace cada día, paso a paso, en nuestro entorno está ligada al modo propio de considerar la historia, cuando mantenemos una actitud fijista, que nos ancla en el tiempo pasado, sembrando nostalgia, pesimismo o escepticismo en nuestra mirada.

La promesa del Señor, anunciada por el profeta, constituye un canto de esperanza: «*Abriré un camino por el desierto, ríos en lo árido, para apagar la sed del pueblo*».

El requisito para que se cumpla esa promesa y se destierre de nosotros la apatía, es que hagamos oración y nos arrepintamos de nuestros pecados. La queja del Señor acerca de nosotros es muy clara: «*Tú no me invocabas, ni te esforzabas por mí...*» «*Yo, yo era quien, por mi cuenta... no me acordaba de tus pecados.*» Ese es el reproche de Dios que nos transmite Isaías.

La ceguera del corazón, que no nos permite ver lo que Dios hace, y la fijación estéril en el pasado solo pueden borrarse si oramos con confianza al Señor y rechazamos decididamente el pecado. Por eso le hemos pedido al Señor en el Salmo responsorial que nos sane, porque hemos pecado. Así le suplicó el ciego, al borde del camino a Jesús: Señor, que yo vea, y el Señor le dijo: ve, y pudo mirar lo nuevo que Dios realiza.

San Pablo nos dice en su 2ª Carta a los Corintios que en Jesucristo todas las promesas que Dios nos hizo por los profetas «han recibido un sí». Dios Padre ha puesto en nuestros corazones el Espíritu Santo para que también nosotros, con Cristo, podamos darle un sí a Dios con toda nuestra vida.

Vayamos, pues, a Jesús, como el paralítico del relato evangélico de este domingo. Quizá hará falta que otros nos ayuden a llegar hasta Él, a introducirnos a su presencia. Siempre habrá quien esté dispuesto a prestar ese servicio. A Cristo llevamos también nuestras preocupaciones y nuestros males corporales. Pero lo primero que Jesús dijo al paralítico fue: *«tus pecados quedan perdonados»*.

El pecado es el mayor mal del hombre y causa de muchos otros males. Es verdad que Jesús curó al enfermo de su parálisis; pero al perdonar sus pecados lo libró de su postración espiritual. Echar a andar, cargar con su propia camilla, es adueñarse de su vida, es emprender con libertad el camino alegre de la esperanza viendo lo nuevo que Dios obra cada día.

El Año Santo Jubilar debe ser un tiempo propicio para reconciliarnos con Dios y con los hermanos, para confesar nuestros pecados y recibir el perdón de Jesucristo, Hijo de Dios, aquel que *«tiene potestad en la tierra para perdonar pecados»*. La celebración del Jubileo debe ser una oportunidad no desaprovechada para renovar nuestra vida cristiana y mirar confiados hacia delante.

Hoy, con acción de gracias y en clima de renovación, celebramos el Jubileo de los Diáconos. Queridos diáconos, no me fue difícil identificarlos a ustedes en el relato del evangelio de San Marcos de este domingo. En él aparece la gente agolpada dentro y fuera de la casa donde está Jesús en Cafarnaúm. En la escena aparecen también unos letrados, sentados, analizando doctoralmente el comportamiento de la gente y el de Jesús.

Hay un enfermo, un pobre, el paralítico y, además, cuatro que lo ayudan, lo asisten lo cargan; quitan unas losas del techo y lo introducen por el boquete que quedó abierto. Jesús preside aquella asamblea, Él, como buen Pastor que cuida a sus ovejas, les explica la palabra de Dios. Lo escuchan gente de pueblo y hombres cultivados y aparecen los servidores atentos que cargan al enfermo, no solo como un acto de misericordia corporal, sino acompañando al pobre desvalido en su fe hacia aquel Jesús que puede salvarlo. Estos cuatro que conducen hasta Jesús al hombre postrado, animando su fe, se me asemejan a los diáconos, servidores de los pobres en la Iglesia.

El Concilio Vaticano II señala que los apóstoles transmitieron su ministerio a los obispos, a quienes se les da la plenitud del sacramento del Orden (L.G. 20 y 21). Como cooperadores de los obispos aparecen los presbíteros y los diáconos. A ellos se les confiere el mismo sacramento del Orden, pero confiando a unos y a otros distintos quehaceres y, sobre todo, poniendo de manifiesto facetas particulares del mismo orden sagrado: en los presbíteros, la faceta de la presidencia y de la guía del pueblo de Dios, y en los diáconos, la del servicio.

Es hermosa la definición del ministerio del diácono que propone el motu propio «*Ad pascendum*» por el cual se restablece el diaconado permanente. Dice así: el diácono es «animador del servicio, o sea, de la diaconía de la Iglesia, ante las comunidades cristianas locales, signo o sacramento del mismo Cristo Señor, el cual no vino a ser servido, sino a servir».

El carisma propio del diácono, es decir, su gracia sacramental específica, es la de ser animador del servicio. No olvidemos que todo ministro sagrado representa, al mismo tiempo, a Cristo ante la Iglesia y a la Iglesia ante Cristo. El diácono no solo representa a Cristo servidor ante la comunidad y ante el mundo, sino además representa a la Iglesia servidora ante Cristo.

La espiritualidad del diácono es la del servicio, que ejercitará no solo sirviendo a sus hermanos, sino animando y promoviendo la acción y la actitud servicial en la Iglesia y en el mundo. El servicio cristiano no es únicamente una actividad humana asistencial. La diaconía de Cristo se difunde a toda la comunidad eclesial, que, por gracia del Espíritu Santo, debe impregnarse de la misma actitud de Cristo, el Siervo sufrido, que carga sobre sí el pecado y los males del hombre (*Is* 53, 3-5), que se inclina afectuoso sobre cada enfermo, que se preocupa por la multitud hambrienta, que se entrega hasta la ofrenda de la vida (*Mt* 20, 18). Cristo, por nosotros, se hizo «esclavo», dice la Carta de Pablo a los Filipenses (*Flp* 2, 7).

La esclavitud-por-amor del Hombre-Dios libera a la humanidad de la esclavitud-por-coacción, fruto del poder, que es característica del mundo que no conoce a Dios.

Luego, el ejercicio del carisma del diácono, que consiste en animar a la comunidad cristiana a servir a su prójimo por amor, será una manera excelente de promover hombres y mujeres que aprenden a ser libres, al no obrar por condicionamientos ni por coacción, sino a servir a sus hermanos impulsados por el amor.

El servicio cristiano encuentra su fuente en la Eucaristía, donde Cristo está presente como el amor encarnado y ofrendado. El presbítero, al celebrar la Eucaristía, incrementa el amor en sí mismo y en la comunidad. Como complemento necesario, la gracia sacramental del diácono es la de promover el servicio, que no es más que ejercitar el amor. El diácono en su ministerio está llamado a demostrar que la fuente de gracia de la diaconía cristiana, del servicio amoroso al prójimo, se encuentra en la eucaristía.

Este servicio puede brindarse a la comunidad eclesial, o a la humanidad en general, sean los beneficiarios cristianos o no. El diácono tiene un papel especial para que la Iglesia sea vista como servidora de todos los hombres. Puede tratarse ese servicio de obras de misericordia personales u organizadas. Pero resalta sobre todas esas obras la diaconía de la evangelización, es decir, el servicio supremo de anunciar el Evangelio «a toda criatura» (*Mc* 16, 5).

¿Qué significa que el diácono debe ser «animador» del servicio? No se trata de que sea un propagandista y menos aún un agitador. En virtud del Sacramento del Orden, el diácono es constituido representante de Cristo siervo, no es más una persona privada, sino sacramentalmente pública. Las obras que realiza y las palabras que dice en el ejercicio de su ministerio son realizadas y pronunciadas en nombre de Cristo. Son así una fuente de gracia para invitar eficazmente a la Iglesia a seguir las huellas de Cristo-siervo. El diácono está «consagrado al servicio» y comprometido, por esa consagración, en el triple campo de la palabra de Dios, de la Eucaristía y de las obras de amor, a invitar a todos los cristianos a servir al modo de Cristo. Es así como él desempeña su papel de animador del servicio en la comunidad.

El Concilio Vaticano II, según la iluminada intuición del Papa Juan XXIII, debía presentar al mundo una Iglesia renovada, y puso en evidencia por ello el perfil servicial de la Iglesia, como un factor imprescindible para su renovación. No es de extrañarse que el mismo Concilio restableciera el diaconado «como grado propio y permanente de la jerarquía» (L.G. 29).

El diaconado permanente renace en la Iglesia en su forma primera y actual, después de casi quince siglos de haber quedado solo expresado en el diaconado de los candidatos al sacerdocio, y renace como un factor de renovación. El mensaje de este domingo, precisamente, propone la renovación de la vida cristiana como exigencia perenne. El Profeta Isaías invitaba a no recordar lo viejo, a ver lo nuevo que Dios obra y, por lo tanto, a hacernos nosotros nuevos, deplorando el pecado; dándole un «sí» definitivo a Cristo, nos dice San Pablo; y hemos escuchado en el Evangelio la voz de Jesús que nos ordena: *sal de tu postración, toma tu camilla y echa a andar.*

La renovación eclesial está hecha de la renovación de las personas que integran la comunidad de seguidores de Jesús y no puede confundirse esa renovación con probar solamente métodos y formas nuevas. Como nos pide la palabra de Dios en la Eucaristía de este domingo, la verdadera renovación tiene que ser «conversión», claro está de cada uno, pero también de toda la comunidad. Para esta renovación tiene una importancia decisiva la gracia del diaconado, que consiste en orientar el camino renovador en la verdadera dirección de una Iglesia servidora y pobre.

¿Cómo puede dentro de una Iglesia en renovación auténtica desplegarse el diaconado permanente, que nació del proyecto renovador del Concilio Vaticano II? Debe hacerlo en la Comunidad eclesial y en la comunidad humana.

Tanto las grandes comunidades parroquiales urbanas

como otras comunidades parroquiales menores, en el campo o en la ciudad, pero rodeadas de grandes territorios sin templos, deben crear comunidades «a medida del hombre». Son las que van surgiendo y consolidándose en Cuba en las casas de familia o en capillas pequeñas; las llamadas «casas de oración» o «de misión». El ministerio diaconal debe encontrar un campo muy específico en la animación de esas pequeñas comunidades en pequeños lugares de culto y, sobre todo, en casas de familia. Allí se realiza el primer «núcleo de la Iglesia»: «Donde hay dos o más reunidos en mi nombre, allí estoy yo en medio de ellos» (*Mt* 18, 20).

Incluso en el interior de una parroquia grande, los grupos más pequeños que encuentran una animación más personalizada renuevan desde dentro la vida parroquial. La parroquia llega a ser así «una comunión orgánica de comunidades».

En la comunidad humana, el diácono está llamado a ser signo de Cristo servidor en el seno de su Familia y por medio de su familia: (esposa e hijos), en el ambiente donde vive, con las familias amigas o vecinas; en el sitio donde trabaja, en la acogida a los que sufren, disfrutan o luchan. De este modo lleva a cabo el diácono una evangelización capilar, anunciando a cada persona concreta que Cristo la ama y está cerca de ella para servirla.

Queridos diáconos: como en el relato evangélico de hoy, a ustedes corresponde en la Iglesia el trabajo servicial de atender y conducir hasta Cristo al hombre postrado para que eche a andar al escuchar la palabra del Señor. Nuestra Iglesia Arquidiocesana se enriquece con el carisma de ustedes y se ha renovado gracias a Él. En el Santo Evangelio, Jesús no dejó de alabar la fe de aquellos que introducían al paralítico por un boquete. Sé sus trabajos, sus esfuerzos para, con medios muy pobres, cumplir la misión que la Iglesia y su obispo les han confiado.

Como el Señor se fijó en el paralítico y en quienes lo conducían y alabó la fe de todos, yo me fijo también en sus esposas que los acompañan en la oración y en el trabajo, que los ayudan y comparten sus preocupaciones y proyectos. Esta mirada de gratitud se extiende a los hijos, y aun a los nietos, que integran esta comunidad diaconal «sui géneris» de nuestra Arquidiócesis. Esta agradable realidad me hace volver a las palabras bellas y sugerentes del profeta Isaías: «*miren que realizo algo nuevo; ya está brotando, ¿no lo notan?*».

Sí, ya comienza a notarse lo que el Concilio Vaticano II propuso para una Iglesia renovada. De esta renovación, queridos hermanos y hermanas, debe participar toda la Iglesia, a ella nos invitan los diáconos con su entrega y Jesucristo el Señor que nos dice a todos y cada uno de nosotros: *Levántate, echa a andar.*

Y a ustedes, queridos diáconos, corresponde conducir servicialmente hasta Cristo a hombres y mujeres que necesitan ser acompañados en su camino de fe.

La Virgen María es la servidora fiel que inspira a toda la Iglesia la respuesta decidida para que el querer de Dios se cumpla y todo se haga en la Iglesia según su palabra. Que Ella inspire ahora la renovación de sus compromisos diaconales y mantenga siempre en ustedes la decisión de servir en el amor. Que sea la virgen Madre inspiración y sostén de sus esposos y de toda su familia. Así sea.

JUBILEO DE LOS ARTISTAS Y ESCRITORES*

Queridos hermanos y hermanas:

Nos reunimos hoy en esta Santa Metropolitana Iglesia Catedral de La Habana, en el domingo más cercano a la fecha en que se conmemora el día gris en que fue sepultado lejos de la Patria el Padre Félix Varela, Siervo de Dios. Fue un 25 de febrero. La mejor posibilidad de participación que brindaba a todos una tranquila mañana de domingo, nos animó a transferir a este día del Señor la celebración del Jubileo de Artistas y Escritores, con el que la Iglesia Católica, en este año 2000, desea invitar a la conmemoración de los dos mil años del nacimiento de Jesucristo a quienes de manera especial expresan y tocan tan hondamente el espíritu humano.

La entrada del Padre Varela en la historia de los hombres y en la gloriosa eternidad de Dios es inspiradora para la cele-

---

* Catedral de La Habana, 27-II-2000.

bración de este jubileo. Filósofo, escritor, artista, músico, (tocaba el violín), es también el primero de nosotros que supo expresar con una integralidad ya suficiente y clara lo que es ser cubano.

Sacerdote que amó entrañablemente a la Iglesia, fue fiel en presentar a los hombres de su generación, y a los que vinieron después hasta hoy, la grandeza y la preeminencia de Dios, no limitándose para ello a sus escritos, sino cumpliendo, como únicamente saben hacerlo los santos, lo que San Pablo esperaba de los cristianos de Corinto. A ellos, y a nosotros, dice el Apóstol en su carta que leíamos hoy: «*Ustedes son una carta de Cristo... escrita no con tinta, sino con el Espíritu de Dios vivo; no en tablas de piedra, sino en las tablas de carne del corazón*». Y más adelante añade Pablo: «*porque la pura letra mata y, en cambio, el Espíritu da vida*».

Esa fue la religión del Padre Varela, esa es la religión verdadera que predicó Jesús, la del Espíritu que da vida, la que sus verdaderos seguidores pueden hacer leer en sus propias vidas a los sabios y a los sencillos. No es una religión de letra y de cumplimiento frío de preceptos, sino algo más.

En el relato evangélico que acaba de proclamarse, los fariseos y algunos discípulos de Juan el Bautista, preocupados precisamente por el cumplimiento de la letra escrita, le plantean a Jesús la cuestión del ayuno: ¿por qué tus discípulos no ayunan?, le preguntan al Maestro. Jesús contesta que, mientras estén con Él, están de fiesta y no deben ayunar. Hay un elemento totalmente novedoso y celebrativo en la cercanía de Cristo a los discípulos que les impide las prácticas penitenciales.

Jesús no es un remiendo a un paño viejo, porque los remiendos en tela vieja abren un hueco peor; Él es vino nuevo y hace falta echarlo en pellejos apropiados. La recepción de Cristo, su estilo y su mensaje reclaman capacidades totalmente nuevas del ser humano: «*a vino nuevo, odres nuevos*». No se trata simplemente para sus seguidores de cumplir lo establecido, es llenarse de un espíritu nuevo.

No nos sorprende que Jesús proclame así la novedad radical del Reino de amor y de justicia que Él vino a instaurar. Puede sorprendernos, quizá, que Jesús se haya llamado a sí mismo «*el novio»*. Porque la razón que él da para que sus discípulos no ayunen es que, siendo el ayuno propio de los días de penitencia, ellos están en fiesta de bodas acompañando al novio. *«Llegará un día en que se lleven al novio y entonces ayunarán.»*

Esto es una alusión manifiesta a su muerte de Cruz. El ayuno que le seguiría al drama de su partida será su misma ausencia: les faltará su mirada, su palabra, el calor de su presencia; ayunarán de él mismo.

El tema de los desposorios de Yahvé-Dios con su pueblo Israel recorre toda la Biblia en su literatura profética y sapiencial. Se alcanzan en muchos de esos textos cimas poéticas muy altas. Si Dios quiere a su pueblo como un padre o como una madre, también lo quiere como un esposo ama a su esposa. De esto nos da una muestra magnífica el profeta Oseas en la primera lectura proclamada hoy. Vale la pena que repitamos su contenido apasionado y tierno, que apela a un erotismo puro para mostrar a dónde debe llegar la intimidad con Dios y la fidelidad del pueblo elegido.

Estas son las palabras hermosas que el profeta pone en boca del mismo Dios: *«Yo la cortejaré, me la llevaré al desierto, le hablaré al corazón. Y me responderá allí como en los días de su juventud, como el día en que la saqué de Egipto. Me casaré contigo en matrimonio perpetuo; me casaré contigo en derecho y justicia, en misericordia y compasión; me casaré contigo en fidelidad y te penetrarás del Señor».*

Jesús reclama para sí el tema del novio divino y se lo apropia con todo derecho, no ya en relación exclusiva con el pueblo de Dios, sino con toda la humanidad. Jesucristo, el Hijo eterno del Padre, al asumir nuestra naturaleza humana, se desposó con la humanidad. Por eso su primer milagro lo realizó en unas bodas en Caná de Galilea y cambió el agua insípida en vino «que alegra el corazón del hombre». Eran sus propias bodas con la humanidad las que estaba celebrando. Su Madre estaba en la fiesta y obró el milagro a petición de ella, en cuyo seno había tomado carne y sangre de hombre, uniendo en fidelidad perpetua lo divino y lo humano. Aquella agua que cambió en vino hizo exclamar a todos los convidados: *«esta gente ha guardado para el final el vino mejor».* En el evangelio de Marcos es también hoy cuestión de vino nuevo.

La fiesta de bodas de Cristo con la humanidad se celebra con vino nuevo, con el mejor vino, un vino que es su «sangre para la vida del mundo» y que consagramos en cada Eucaristía que celebramos. Vino que reclama odres nuevos, corazones nuevos, mentalidad nueva, capaces de dar a nuestra vida una nueva expresión de alegría y esperanza.

Viene aquí ahora la gran pregunta que muchos de ustedes, escritores y artistas y muchos otros se hacen y que, en algún momento, todos nos hacemos. ¿Hay proporción posible entre ese vino nuevo que es Jesucristo y su mensaje y mi capacidad receptora de él?, ¿por qué hay algunos que niegan uno de esos dos términos como ilusión o simplemente eluden la consideración de la posibilidad de que esto se realice?

Jesús se nos presenta como una plenitud y nos hemos acostumbrado a lo sectorial, a lo parcial. Nos parece que solo podemos captar segmentos, pedazos de las cosas y he aquí que nos sale al paso el hombre de Nazaret para decirnos: «*Yo soy el camino, la Verdad y la Vida*». Es una afirmación abarcadora la suya, es como un vino fuerte y nuevo que revienta nuestros odres ya curados y desgastados, acostumbrados a contener lo viejo, lo habitual. Pero Dios, en Cristo, quiere cincelar, modelar nuestras almas, que deben acoger la nueva forma de un amor sin límites.

A ustedes artistas, poetas, escritores, corresponde sobrepasar, con las artes plásticas, con la música, la palabra escrita, la actuación teatral, la danza y otras manifestaciones del arte, las proporciones habituales establecidas. Para esto no pueden olvidarse de que hay una puerta de entrada en el espíritu humano que es connatural a ustedes, aunque no propia o exclusiva de ustedes. Hay una palabra que la expresa y en el camino total de nuestra vida es una palabra inicial, se llama belleza.

Una palabra que no sirve de punto de partida a los filósofos, que nunca ha tenido cabida en las ciencias exactas; una palabra de la que, en la época moderna, han tomado distancia las ideologías, pero también la religión y aun la teología, que ha seguido un método cada vez más parecido al de las ciencias exactas.

Tomo la definición de belleza de uno de los más grandes

teólogos del siglo que concluye: Hans Urs Von Balthasar. Dice este autor: «*la belleza es la aureola de resplandor imborrable que rodea a la estrella de la verdad y del bien y su indisociable unión*» (Gloria, la percepción de la forma, Introducción).

Me recuerda esta definición nuestros estudios de Metafísica: aprendíamos entonces que los trascendentales están siempre conjugados en la unidad del ser; o sea, verdadero, bueno y bello son inseparables.

Un mundo miope o sordo para la belleza lo es también para la verdad y para el bien. En la práctica, ante la invasión de lo no bello, el hombre se pregunta más fácilmente por qué ha de obrar el bien y no el mal. El mal se puede tornar excitante, es una posibilidad de entrar en el inframundo, ¿por qué no sondear las profundidades satánicas? En un mundo donde no nos sentimos capaces de afirmar la belleza, pierden también fuerza los argumentos demostrativos de la verdad.

El raciocinio puro, las ciencias exactas, la abstracción y la consideración del hombre en sus definiciones como primordialmente espíritu, han hecho que aun los pensadores y artistas se olviden de la forma. Y la forma es la que arrebata y extasía. Vuelvo al teólogo antes citado: «*solo a través de la forma puede verse el relámpago de la belleza eterna*». Jesucristo hizo visible a Dios Padre: «*quien me ha visto a mí, ha visto al Padre*». San Pablo vio la luz de Cristo, que lo cegó en el camino de Damasco. Contempló allí la suprema belleza y esto transformó su vida. No solo puede darse este arrebato por la belleza entre los cristianos o dentro del ámbito de la fe. Platón conoció ese loco entusiasmo y lo conoce también todo aquel que está dispuesto a enloquecer por amor a la belleza.

Si bien en el arte, como actividad específicamente humana, se da una preocupación explícita por generar belleza, hay algo que ya señaló Aristóteles: no es conveniente establecer una identidad entre belleza y arte; en primer lugar, porque con frecuencia el arte y, en especial, el arte contemporáneo, pretende hacer algo que no guarda relación con la belleza y, en segundo lugar, porque existe un deleite estético en la contemplación de la belleza de la naturaleza que no es fruto de manos humanas.

El creador artístico ha sido dotado por Dios de libertad

para considerar, aun subjetivamente, la belleza. Sabe que el ser humano es capaz de vibrar siempre ante ella, y que la belleza lleva a hombres y pueblos por el camino de la verdad y del bien.

No se trata de buscar la inspiración en objetos siempre bellos y armónicos. No hay nada más espantoso y desgarrador que un condenado a morir en Cruz, desnudo, clavado, sangrante. Y la escena del crucificado del Gólgota ha sido la mayor fuente de inspiración de los artistas plásticos de todos los tiempos.

Ante un crucifijo oraba asiduamente Santo Tomás de Aquino, el más grande de los teólogos de la Iglesia y dijo haber aprendido más de Cristo crucificado que de todos sus libros de teología. Ante un crucifijo rezaba San Francisco de Asís y fue allí que Cristo le habló y le dijo: restaura la Iglesia. Lo horrible puede mover al amor, a la compasión y estas son expresiones del bien. Un fotógrafo que capta la escena espeluznante de una madre con su hijo casi exánime por el hambre y la sed, caminando en una zona desértica en busca de ayuda, es una llamada a la solidaridad y, por tanto, al bien, al amor.

Todo lo que objetiva o subjetivamente puede generar lo bueno en nosotros, se viste misteriosamente de belleza.

La creación artística y literaria tiene, pues, un campo inmenso. Pero me permitiría traer a nuestra memoria la recomendación de Dios Creador, a la pareja primordial en el Jardín de Edén: «*del árbol de la ciencia del Bien y del mal no coman*». Es decir, no nos aventuremos nunca a franquear el anchísimo límite del bien para probar el angosto despeñadero del mal. Experimentaremos en nuestro corazón el mismo destierro del Paraíso de aquella primera humanidad tipificada en Adán y Eva. Ese es el compromiso ético del creador. Hay una receptividad innata en el ser humano para vibrar con lo bello y optar así, secretamente por el bien y la verdad. Nosotros tenemos una deuda perenne con la humanidad para llenarla de color, de luz, de melodía, de poesía, persiguiendo, aun por contraste, únicamente el fin bueno.

Hay una pregunta de Dostoievski, que él pone, en su novela «*El Idiota*», en los labios del joven ateo Hipólito dirigiéndose al príncipe Myskin: «¿Es verdad, príncipe, que usted dijo un día que al mundo lo salvará la belleza? Señores –gritó fuerte a todos–, el príncipe afirma que el mundo será salvado por la belleza... ¿Qué belleza salvará al mundo?».

Esta frase última la tomó el Cardenal Martini, de Milán, como título de su carta pastoral para el año 2000. Y comenta el Cardenal: «El príncipe no respondió a la pregunta (como un día el Nazareno ante Pilato no respondió más que con su presencia a la pregunta: ¿Qué es la verdad?»). Parecería que el dilema del príncipe Myskin, que está inclinado con infinita compasión sobre el joven que se muere de tuberculosis a los dieciocho años, quiere decir que la belleza que salva al mundo es el amor capaz de compartir el dolor (Hasta aquí la cita) (Quale Bellezza salverá il mondo? Introduzione). Tal vez por eso, el Crucificado del Calvario ha inspirado a tantos.

Esto significa que la belleza última, la que está por encima de toda otra belleza, no es una más que se alcanza por contemplación estética. Todas las bellezas de este mundo deben llevarnos como olas sucesivas hasta las playas radiantes de luz de la Belleza total; aquella que canta San Agustín en sus Confesiones:

> *¡Tarde te amé, Belleza, tan antigua y tan nueva, tarde te amé! Tú estabas dentro de mí y yo había salido fuera de mí, y te buscaba por fuera.*
> *Como una bestia me lanzaba sobre las cosas bellas que Tú creaste. Tú estabas conmigo, pero yo no estaba contigo. Me tenían atado, lejos de Ti, esas cosas que, si no estuviesen sostenidas por Ti, dejarían de ser. Me llamaste, me gritabas, rompiste mi sordera. Brillaste y resplandeciste ante mí, y echaste de mis ojos la ceguera. Exhalaste tu espíritu y aspiré su perfume y te deseé. Te gusté y te comí y te bebí. Me tocaste, y me abrasé en tu paz.*

Lo que dijo San Agustín, hace casi exactamente 1.600 años, lo pueden sentir y decir el hombre y la mujer de hoy, tan nuevos y tan antiguos. Lo que nos puede faltar hoy es la mediación de las cosas bellas que nos hagan llegar hasta la Belleza Suprema. Esa Belleza Suprema es el Dios de cielo y tierra, que se inclina sobre nosotros y nos muestra su amor eterno en el rostro hermoso de Cristo. Podemos haberlo reconocido o no, pero de cualquier modo, toda creación artística participa del poder de Dios Creador, que da a cada uno la inspiración y el don maravilloso de poder crear, para ser capaz de sembrar en los corazones humanos el deseo de lo bueno y lo verdadero y de llevar a muchos, de un modo misterioso, hasta la Belleza increada.

A crear, y a crear belleza los animo, queridos hermanos y hermanas, y con el Papa Juan Pablo II, en su carta a los artistas, formulo un deseo para todos en este año 2000 y para siempre: que todos tengan inspiración. Así lo pido también al Señor en la Santa Eucaristía que ahora celebramos.

JUBILEO DE LOS TRABAJADORES*

Queridos hermanos y hermanas:

Hoy, 19 de marzo, es la fiesta de San José, que fue escogida por nuestra Arquidiócesis para celebrar el Jubileo de los Trabajadores. La fiesta de San José es muy apropiada para celebrar la dignidad y la belleza del trabajo humano, pues en el taller de Nazaret José trabajó humildemente para el sostén de la Sagrada Familia y, además, con él aprendió Jesús, desde edad temprana, a trabajar con sus propias manos. Es decir, el Hijo de Dios hecho hombre compartió el trabajo humano con San José en el taller vecino al hogar de Nazaret.

Al coincidir hoy, 19 de marzo, con el segundo domingo de Cuaresma, esta Eucaristía debe celebrarse según la Liturgia propia del domingo, en este tiempo de gracia que nos prepara a la gran solemnidad de la Pascua, cuando la Iglesia revive en la fe la Muerte y la Resurrección de nuestro Señor Jesucristo.

Le pedimos, pues, a San José que él, que estuvo tan cerca del hijo de Dios y que lo conoció como pocos, nos alcance del Señor la fe necesaria para que podamos penetrar en el significado de la venida de Jesús a compartir todo lo nuestro, tam-

---

* Santuario de Jesús Nazareno del Rescate, 19-III-2000.

bién el trabajo humano. Solo contemplándolo a Él y haciendo nuestro su amor al Padre y su entrega a todos, puede transformarse nuestra vida, haciendo de ella y del trabajo de nuestras manos una ofrenda amorosa con Cristo al Padre.

El hombre y la mujer de fe se manifiestan al mundo de modo muy especial en su capacidad para ofrecer a Dios sus esfuerzos, las cosas más costosas, las que resultan difíciles o incomprensibles. Todo el mundo reconoce a una persona religiosa en el aguante de su fe ante los desafíos de la vida; cuando mantiene inquebrantable su fidelidad a Dios en quien cree y confía.

Hoy se nos presenta la figura de Abraham; llamado con justeza nuestro padre en la fe. Si seguimos sus pasos desde que partió de Ur de Caldea, se nos revela como un titán de la fe. Ya mayor y rico, con mucho ganado y posesiones, siente la voz de Dios que le dice: «*Deja tu tierra y vete a la tierra que yo te daré*». Y Abraham partió: supo desprenderse de todo para seguir al Señor.

Él y su esposa llevaban mucho tiempo de casados y no habían tenido hijos. Dios le promete que será padre de una gran descendencia y creyó Abraham a la promesa de Dios. Tuvo al fin un hijo: Isaac y, según la costumbre de los pueblos primitivos de donde venía, siente en su interior como si Dios le pidiera que sacrificara a su hijo, ya adolescente, que lo inmolara al Señor. El resto lo conocen bien por el relato estremecedor que hemos escuchado hoy. Dios detiene la mano de Abraham y le dice que no haga eso, que basta su disponibilidad de darle todo a Dios, que en la religión verdadera nunca se sacrifica a un ser humano, que el sacrificio y la ofrenda se hacen de corazón y desde lo hondo de nosotros mismos.

En su Carta a los Romanos, San Pablo nos habla también de un sacrificio, nos recuerda una vez más el gran misterio que centra nuestra fe: el Padre Dios entregó a la muerte a su propio Hijo por nosotros. Hasta ese punto, Él nos ha amado. Fíjense que Pablo propone el camino descendente de Dios hacia nosotros que se parece, pero es diverso, al camino ascendente de Abraham y de los hombres de fe hasta Dios. Abraham, por amor a Dios, quiere sacrificar a su propio hijo y a Dios le basta la disposición del corazón de Abraham. Pero Dios nuestro Padre, por amor a nosotros, nos entrega a su Hijo y su Hijo es llevado hasta la muerte. Es claro que Jesús no es una víctima ignorante de su suerte, como lo era Isaac. El Padre lo dejó en manos de los hombres, y de los hombres malvados, pero Jesús describe cuál es la dinámica personal de su entrega: *«mi vida nadie me la quita, soy yo quien la doy»*. Es tan grande el amor que Dios Padre nos ha mostrado en Cristo, que San Pablo confía plenamente en la salvación de los que hemos sido elegidos para ser justificados, perdonados por Dios. ¿Quién nos podrá condenar?, dice Pablo, ¿será acaso Cristo que murió, más aún, que resucitó y está a la derecha de Dios?

Aquí está el contenido central de nuestra fe cristiana: Dios envió a su Hijo, que murió y resucitó e intercede junto al Padre por nosotros. Esta fe pascual, que proclamaremos en la solemne Vigilia del Sábado Santo, es la que sustenta y dinamiza nuestra vida cristiana. Es una fe que afirma nuestra entrega y nuestro sacrificio en unión con Cristo y que proclama, al mismo tiempo, la victoria del amor y de la vida alcanzada por Jesús. Muerte y Resurrección son las dos caras de la moneda única que nos adquirió la salvación.

Es esto lo que Jesús quería anticiparles a Pedro, a Santiago y a Juan cuando los llevó a lo alto de la montaña y se transfiguró delante de ellos. Hubieran querido quedarse allí, no sabían lo que decían, tanta paz y tanto gozo llenaban su alma. Pero, al bajar de la montaña, Jesús les dice que no cuenten a nadie lo que han visto hasta que Él haya resucitado de entre los muertos. Y esto se les quedó grabado y discutían sobre qué habría querido decir. La luz, el resplandor radiante, la voz del Padre: esto era una especie de resurrección anticipada de Jesús. Ahí sí nos sentimos bien. ¿Por qué no se quedó Jesús ya así glorioso y resplandeciente?, ¿por qué tenía que pasar por la muerte?, ¿qué quería decir?

Si Jesús no hubiera asumido el sufrimiento humano y la muerte, no había compartido todo lo nuestro. Si los apóstoles de Jesús y todos nosotros no aceptamos la Cruz del sufrimiento en nuestras vidas para hacer ofrenda de ella con Cristo al Padre, nos pareceríamos a Pedro, Santiago y Juan, bajando de la montaña sin comprender nada.

Pero la experiencia dolorosa del Calvario, la mañana radiante de la Pascua y la acción del Espíritu Santo harían a los apóstoles no solo comprender, sino convertirse en testigos. Ahora sí se lo debían contar a todo el mundo, aunque les costara la vida. Ahora, ellos también se habían transfigurado.

La misión del cristiano en el mundo es transfigurar la vida de los hombres y mujeres que encuentra a su paso, por medio de la transfiguración de su propia vida. Esa debe ser la espiritualidad de todo seguidor de Jesús de Nazaret, esa es también la espiritualidad del trabajador cristiano, pero con la especificación que le da su relación real al mundo del trabajo.

Son el mundo del trabajo y las personas de los trabajadores los que deben recibir el resplandor de la luz de Cristo y experimentar esa transformación que logre superar los límites y agobios en el hombre y la mujer que trabajan, abriéndolos a la confianza en Cristo que vence el mal. Esto puede parecer una utopía, pero su realización dependerá de la fe activa y comprometida de los trabajadores cristianos.

De todos los ambientes donde vive y se relaciona el hombre, el más difícil es el mundo laboral. El trabajo se ha hecho cada vez más dependiente, más despersonalizado. Pocos hombres y mujeres encuentran gusto en lo que hacen o llegan a captar el sentido del trabajo, sino lo ven únicamente como un medio para subsistir. La parte penosa del trabajo humano: el cansancio, el aburrimiento, la monotonía, van envolviendo al trabajador en una actitud de resignación ante el esfuerzo de cada día. De esto no escapa tampoco el cristiano, si no es por medio de una espiritualidad seria y comprometida.

Hay dos maneras de encarar esa espiritualidad. Una fue muy propia de un pasado no tan lejano y puede perdurar aún en no pocos cristianos. El trabajo es penoso y lleva consigo el peso de la Cruz. La espiritualidad del trabajador consiste, pues, en hacer ofrenda con Cristo al Padre del dolor y el cansancio que causa el trabajo. Si esto es cierto para muchos aspectos no solo del trabajo, sino de la vida humana en general, a ello no puede limitarse la espiritualidad del trabajador cristiano, que está invitado, como laico, al compromiso con sus hermanos en orden a la promoción del trabajador, del mejoramiento de las condiciones de trabajo y del salario; redescubriendo el papel creador del trabajo humano que hace ver en el hombre trabajador la semejanza con Dios creador.

La grandeza del trabajo humano nos la describe el Papa Juan Pablo II: *El trabajo responde al designio y a la voluntad de Dios. Dios llama al hombre a trabajar, para que se asemeje a Él. El trabajo no constituye, pues, un hecho accesorio ni menos una maldición del cielo. Es, por el contrario, una bendición primordial del Creador, una actividad que permite al individuo realizarse y ofrecer un servicio a la sociedad* (Discurso en Barcelona, 7-11-1982).

La espiritualidad del trabajador cristiano, para que sea válida, debe ser comprometida con su medio laboral, con las preocupaciones y esfuerzos de sus compañeros de trabajo, con sus dificultades laborales y aun extralaborales, como son problemas de familia, de vivienda, de transportación, etc.

En la espiritualidad del trabajo es, pues, inseparable de nuestra condición de colaboradores de Dios en su plan creador y de nuestra ofrenda personal de los esfuerzos y penalidades del trabajo, una perenne dimensión cristiana de solidaridad con todos los que comparten como trabajadores su vida con nosotros. Esta solidaridad debe estar presente, sobre todo, en los trabajadores cristianos hacia sus compañeros de trabajo, pero debe ser también solidaridad de la comunidad cristiana con el mundo de los trabajadores, por medio de la comprensión, la acogida y la búsqueda de soluciones a sus dificultades. En su encíclica *Sollicitudo rei socialis*, el Papa Juan Pablo II nos insiste en que «*la solidaridad nos ayuda a ver al otro –persona, pueblo o nación– no como un instrumento cualquiera para explotar con poco costo su capacidad de trabajo y su resistencia física, abandonándolo cuando ya no sirve, sino como un semejante nuestro, una ayuda, para hacerlo partícipe, como nosotros, del banquete de la vida al que todos los hombres son igualmente invitados por Dios*» (N° 39).

La espiritualidad del mundo del trabajo no es uniforme, porque cada uno de los sectores en que el ser humano realiza su acción laboral condiciona su actitud ante la vida y ante Dios. El hombre o la mujer que trabajan en cadenas de montaje, de producción o de elaboración, aceptan con gran dificultad que su trabajo sea creativo o que los asemeje a Dios

creador. Su trabajo es tan repetitivo, tan poco variado o interesante, que les parece que lo más que podría hacerse con ese
trabajo es ofrecer su pesadez a Dios. Esto los lleva a buscar
otras actividades en la misma Iglesia, que los llenen, para
desconectar del trabajo.

Esta actitud puede darse en otros trabajadores cristianos,
que tienen incluso empleos o aun profesiones cargadas de
responsabilidad o de sentido, pero que buscan en las mismas
actividades de la comunidad cristiana despreocuparse de su
medio laboral.

Afortunadamente, en muchos países, el movimiento
obrero de inspiración cristiana y los sectores especializados de la Acción Católica han dado origen a trabajadores
con nueva mentalidad y renovada espiritualidad, fieles a la
ley de la encarnación y a los principios de espiritualidad
laical enunciados en el Vaticano II. Ellos participan dentro
del ámbito laboral, con interés, en todos los objetivos buenos o reducibles al bien y en los esfuerzos por mejorar el
mundo obrero, buscando, dentro de su mismo trabajo y actividad humana y no fuera de ellos, su encuentro con Dios,
su propio crecimiento cristiano integral y el servicio a sus
hermanos.

Según este modelo, actúa entre nosotros el Movimiento
de Trabajadores Cristianos. En este espíritu renovador se esfuerzan en crecer como cristianos, sirviendo a sus hermanos.
Pido al Señor que bendiga esos esfuerzos que ustedes hacen
en medio de las dificultades propias del mundo del trabajo.

Una de las mayores dificultades que ustedes, como cualquier trabajador cristiano, pueden experimentar en la vivencia de su fe es cómo armonizar su espiritualidad con sus
compromisos sociales históricos, pues estos son imprescindibles en una auténtica espiritualidad católica: ¿debemos callar
en las reuniones del sindicato o decir nuestra opinión acorde
con la doctrina social de la Iglesia en algún punto controver-
tido?, ¿debo apoyar lo insuficiente aunque no sea totalmente
bueno y aceptarlo como un mal menor?

¿En qué aspectos puede ponerse en evidencia en un medio como el nuestro la doctrina social de la Iglesia?, ¿qué modos prácticos emprender para vivir la solidaridad que es ex-

presión del amor cristiano, sobre todo hacia los más necesitados de nuestros compañeros?

Estos y otros interrogantes constituyen, a veces, fuentes de grandes preocupaciones para cada trabajador católico y para los grupos en los que ellos se reúnen, amén de las dificultades que el trabajador cristiano experimenta hoy en su propia familia, que además de las necesidades vitales siente la presión del modelo de mercado consumista que lleva, sobre todo a los más jóvenes, a pensar solamente en clave de avance material. Este mundo del consumo y del mercado relega al trabajo a una simple mercancía, mejor o peor pagada. Por esto, el anuncio del «Evangelio del trabajo» con su dignidad, sus deberes y sus derechos se hace cada día más difícil.

Al respecto nos dice el Papa Juan Pablo II: *Se trata de un anuncio que resulta aún más urgente después de que la caída del marxismo ha dejado campo abierto a la ideología liberal, que tiende a subestimar las exigencias éticas a las que también la economía de mercado debe someterse, para estar al servicio del hombre. Lo que está en juego es el hombre, al que el cristianismo reconoce la altísima dignidad de «imagen de Dios» y al que la Iglesia considera, en Cristo, su «camino primero y fundamental»* (Redemptor hominis, 14) (Discurso al Movimiento Cristiano de Trabajadores, 12-12-1992).

Inmensa es la tarea que presenta a la Iglesia el mundo de hoy, donde los valores no son evidenciados y los derechos de hombres y pueblos son violados.

No bastan grandes declaraciones en foros nacionales e internacionales, porque los textos escritos existen y no se cumplen. Es necesario, más bien, sembrar pacientemente cada día las actitudes positivas que lleven a la dignificación del hombre, apoyando solidariamente todo proyecto que tienda a mejorar al ser humano, dejando saber con toda claridad y lealtad lo que consideramos menos bueno o lesivo de la dignidad del hombre, creado por Dios en santidad, justicia y libertad.

Es así como puede transfigurarse el ser humano y presentarse en toda su grandeza y verdad. Pero recordemos la ley de la encarnación: Jesucristo nos redime desde dentro de la humanidad, asumiendo nuestras miserias, pasando «por uno de tantos». Su total y definitiva transfiguración sucedió al resucitar glorioso en la mañana de Pascua, pero para esto había bebido primero el cáliz del dolor, sufriendo una muerte horrible en la Cruz.

La transfiguración de nuestras vidas, y la de los ambientes donde vivimos y trabajamos, participa también de ese elemento desgarrador de la Cruz; pero no en momentos históricamente separados por el tiempo: todos los días hay Cruz y morimos un poco a nosotros mismos, a nuestro egoísmo, a nuestros pecados; pero cada día experimentamos el aliento y la alegría de la transfiguración en nosotros mismos y en el mundo que nos rodea, si de verdad aceptamos la ley de la encarnación y nos hacemos, como Jesús, todo a todos.

Cada Eucaristía es una subida al monte de la transfiguración. El Cristo de la gloria, que es el mismo de la Cruz, se hace presente realmente por medio del pan y del vino, frutos de la tierra y del trabajo del hombre. Lo único que nosotros podemos ofrecer a Jesús es el pan, fruto de nuestro trabajo, y el vino, fruto también del trabajo y símbolo antiguo de la alegría que hay en la vida cuando se ama y se trabaja con gusto. Esta ofrenda, hecha de sudor y esperanza, va a transfigurarse en Cristo, pero el mismo Cristo, hecho pan partido, vendrá a nuestros corazones para transfigurarnos con el poder de su Espíritu Santo.

Es grande la tarea que tienen por delante, queridos trabajadores cristianos, porque es duro el trabajo de cada día y es inmenso y difícil también el trabajo apostólico en el mundo laboral, pero son grandes los dones del Señor. Enriquecidos con ellos por Dios mismo, podemos repetir confiadamente con San Pablo: «*Si Dios está con nosotros, ¿quién estará contra nosotros?*» y abandonarnos a su amor.

San José, el hombre del silencio respetuoso ante el misterio del Hijo de Dios hecho hombre, les conceda de parte del Señor una fe firme, una esperanza serena y un amor ferviente en el servicio de Dios y de sus hermanos. Así lo pido al Señor en esta Eucaristía.

JUBILEO DE LA MUJER*

Queridas hermanas, queridos hermanos:

Celebrar el Jubileo de la mujer en la solemnidad de la Anunciación del Señor nos predispone a una reflexión profunda sobre la mujer en el plan de Dios, en el designio amoroso del Creador, desplegado a través de la historia de nuestra salvación. Fijar nuestros ojos en María, toda disponible y acogedora del querer de Dios, dócil a la acción del Espíritu Santo para albergar en su seno virginal a aquel que, siendo el Hijo Eterno de Dios, quiso tomar un cuerpo, una realidad humana como la nuestra, es quedar arrobados ante la mujer que dio su humanidad al hijo eterno del Padre para hacer posible que desde esta tierra pudiera haber ofrenda verdadera, totalmente aceptable en el cielo. Porque Dios estaba hastiado de sacrificios vacíos, hechos con víctimas impersonales, *«pues es imposible que la sangre de toros y de los machos cabríos quite los pecados...* Por eso, cuando Cristo entró en el mundo dijo... *Aquí estoy para hacer tu voluntad.* Y, conforme a esa voluntad, todos quedamos santificados por la oblación del cuerpo de Cristo, hecha una vez para siempre». Nuestra salvación vino, pues, por Cristo, pero Cristo vino por María.

Ella es la señal que Dios nos ha dado «por su cuenta», la que el despreocupado y falso rey Acaz no quería pedirle al Señor con fingida humildad, encubridora de su miedo al compromiso. Cuando Dios nos da una señal, sea a un hombre o a una mujer, nuestros planes se trastornan, quedamos comprometidos, Dios será desde ese momento quien guíe el curso de nuestra historia personal. Esto lo sabía el rey Acaz y sintió miedo de pedirlo al Señor.

María es la humanidad receptiva, positiva, incontaminada, que va hacia Dios con los brazos abiertos y el corazón disponible. En el Jardín del Edén, Eva había traicionado su feminidad: cayó en la tentación de cerrarse sobre sí misma y dio la espalda al Creador. María de Nazaret, la mujer escogida por Dios para ser la madre del «Dios-con-nosotros», en su sí incondicional, reafirmó la identidad de lo femenino

---

* Parroquia de La Caridad, 25-III-2000.

puro e intocado, esto es la prontitud en el don del corazón, en la entrega del propio ser.

La Inmaculada, cubierta por la sombra fecunda del Espíritu Santo, dio con su sí la respuesta de la humanidad en búsqueda, sedienta de verdad y de amor, pobre y urgida de misericordia: «*Hágase en mí según tu palabra*». Es la humanidad antigua y la de hoy, es toda la Iglesia respondiendo en María, rezando en María, colmada de gracia en María. En María, lo femenino se hace presente en el designio de Dios, la mujer entra en el plan de salvación por la acción abismal de la encarnación del Hijo de Dios, que, por obra del Espíritu Santo, se hace hombre en sus entrañas purísimas. María se alza así como el monumento vivo que Dios erige a la mujer sobre la tierra.

En el relato de la creación, Dios hace al hombre a su imagen y semejanza: hombre y mujer los creó y desde ese momento queda establecida la paridad de los sexos, su complementariedad. El hombre y la mujer no agotan juntos, en su ser y en su proyección, la imagen de Dios. Tampoco aparece el hombre en el texto bíblico, como más significativo de la imagen de Dios que la mujer. Hay una dignidad similar, pero hay también dos criaturas distintas que, siendo ambas imagen del mismo Dios, la proyectan de dos modos diversos. Esto lo saben bien el hombre y la mujer que se aman y los hijos de una familia estable y trasmisora de amor. Ellos conocen el papel de papá y de mamá. De estos roles fundamentales en la vida: esposo, esposa, padre, madre, deriva la identidad del hombre y la mujer y los demás papeles que ellos deben desempeñar en la sociedad, en la profesión, en el mundo del trabajo y en la vida política.

Penoso ha sido para la mujer encontrar, de hecho, en la sociedad el puesto igual al hombre que el libro del Génesis le confiere en el acto creador de Dios desde el principio del mundo. Si bien el mundo judeo-cristiano ha sido más consecuente con la sagrada revelación y muy especialmente el mundo cristiano, considerando el papel de María como madre del Salvador y el trato de Jesús a las mujeres en los evangelios, aun así han sido grandes los esfuerzos y abigarrados los caminos para hallar la verdadera promoción de la mujer según su propia feminidad.

Un poco antes de la Revolución Francesa, algunas mujeres comenzaron a luchar por la igualdad de derechos de la mujer. La que comandaba aquel grupo se llamaba Olimpia de Gouges. Primero recibió el apoyo de la Revolución Francesa, pero cuando, en 1793, Luis XVI fue guillotinado y ella expresó, con sensibilidad femenina, juicios negativos sobre aquella ejecución, Robespierre desató una violenta represión contra el movimiento feminista, y Olimpia de Gouges fue guillotinada ese mismo año.

Los hombres siempre han aceptado a la mujer luchadora por las causas de los hombres y según el estilo masculino. Lo difícil es aceptar el aporte social y político de la mujer como mujer.

Por eso, los movimientos feministas han tomado a menudo el falso camino de promover a la mujer según los patrones de comportamiento masculino. Se parte así de presupuestos erróneos. Por caminos aberrantes se llega entonces a considerar negativamente la maternidad como un limitante de las posibilidades de realización de la mujer, y aun por razones prácticas o estéticas, se rechaza la lactancia materna. Se intenta hacer una copia en negativo del machismo: aventuras amorosas, dureza en el trato, ingestión en exceso de bebidas alcohólicas, falta de delicadeza en el lenguaje, etc., se convierten en signos de una mujer «liberada».

Por estos caminos, la mujer deja de brindar su aporte específico al mundo en que vive, se enrarece curiosamente el mundo de los hombres y pareciera en muchas ocasiones que solo saben parecer bellas y atrayentes las prostitutas, que son en realidad la horrible máscara de lo femenino.

En su carta apostólica «*Mulieris dignitatem*» dice al respecto el Papa Juan Pablo II: *La justa oposición de la mujer frente a lo que expresan las palabras bíblicas «él te dominará» (Gn 3, 16) no puede de ninguna manera conducir a la «masculinización» de las mujeres. La mujer –en nombre de la liberación del 'dominio' del hombre– no puede tender a apropiarse de las características masculinas, en contra de su propia «originalidad» femenina. Existe el fundado temor de que, por este camino, la mujer no llegará a «realizarse» y podría deformar, perder, lo que constituye su riqueza esencial. Se trata de una riqueza enorme.*

Pero va haciendo camino desde hace algún tiempo un verdadero feminismo cristiano que tiene como punto de partida la identidad misma de la mujer, a partir de la cual, ella debe brindar su aporte específico a la familia, a la Iglesia y a la sociedad. Dijo el Papa al respecto a un grupo de Obispos norteamericanos: «*La Iglesia está decidida a situar toda su enseñanza, con todo el poder de que está investida la verdad divina, al servicio de la causa de la mujer en el mundo actual, para ayudar a clarificar sus derechos y deberes correlativos, a la vez que defender su* dignidad y vocación femenina. *La importancia de un verdadero feminismo cristiano es tal, que se debe hacer un gran esfuerzo por presentar los principios en los que se basa esta causa, y de acuerdo con estos, lo que pueda ser efectivamente defendido y promocionado en bien de toda la humanidad. La importancia de este compromiso requiere no solo la colaboración de todo el Colegio de Obispos, sino también de toda la Iglesia*» (Discurso a los Obispos de la XII y XIII Región de EE.UU. VAL, 2/9/1989).

Los movimientos femeninos católicos deben presentar a la mujer de hoy, especialmente a las adolescentes y jóvenes, un modelo sano de mujer integral en el cual descubran las jóvenes, desde temprana edad, que la maternidad es la vocación de la mujer. Dice el Papa Juan Pablo II: «*Es necesario hacer lo imposible para que la dignidad de esta vocación espléndida no se destroce en la vida interior de las nuevas generaciones*» (Audiencia General 10-1-1979). Y pasa a preguntarse el Santo Padre: *¿Quiere decir que la mujer no debería trabajar profesionalmente? La enseñanza social de la Iglesia pide, en primer lugar, que sea plenamente apreciado como trabajo todo lo que la mujer hace en casa, toda su actividad de madre y de educadora. Este es un trabajo importante. Tan importante trabajo no puede ser socialmente despreciado, debe ser constantemente revalorizado, si la sociedad no quiere actuar en daño propio.*

Y, a su vez, el trabajo profesional de las mujeres debe ser tratado, siempre y en todas partes, con referencia explícita a cuanto brota de la vocación de la mujer como esposa y madre de familia (Discurso en Lodz, Polonia, 13-6-1987).

Con sus propias características, el trabajo de la mujer en

la enseñanza, en el campo sanitario, en las profesiones que tienen que ver con la ecología y con la calidad de vida, en los servicios sociales, son quehaceres que la sociedad aprecia cuando son realizados por mujeres. Pero es necesario que la mujer influya también en la economía, en los procesos legales y en profesiones o cargos que tienen que ver con la toma de decisiones y todo esto, en orden a humanizar la sociedad.

¡Cuánto se ha perdido de la creatividad de la mujer al no haber tenido el espacio merecido en el ámbito de la cultura! Las obras de arte de la historia universal son casi todas masculinas, los escritos, poemas u obras literarias en general, producidas por mujeres, son escasas y relativamente recientes y provienen principalmente del mundo occidental cristiano.

El aporte de la mujer al panorama cultural debe ser de mucho valor y un factor de equilibrio, si ella logra acercarse al mundo de la creación artística y literaria con el sello propio de su feminidad. Escuchemos al respecto al Papa: «*El ingreso cada vez más cualificado de las mujeres, no solo como beneficiarias, sino también como protagonistas, en el mundo de la cultura en todas sus ramas, desde la filosofía hasta la teología, pasando por las ciencias humanas y naturales, las artes figurativas y la música, es un dato de gran esperanza para la Humanidad*» (A. Angelus, 6-VIII-1995).

No se puede pasar por alto, al hablar del trabajo de la mujer en la sociedad, el trabajo de la mujer en el hogar, sobre todo en lo relacionado con la maternidad. Es cierto que el esposo puede y debe participar en las cargas comunes de la casa, pero la función materna marca de manera especial el trabajo de la mujer. Sobre esto se expresa claramente el Papa Juan Pablo II: *Hablando del trabajo con relación a la familia, es oportuno subrayar la importancia y el peso de la* actividad laboral de las mujeres dentro del núcleo familiar. *Esta actividad debe ser reconocida y valorada al máximo. La 'fatiga' de la mujer –que, después de haber dado a luz un hijo, lo alimenta, lo cuida y se ocupa de su educación, especialmente en los primeros años– es tan grande que no hay que temer la confrontación con ningún trabajo profesional. Esto hay que afirmarlo clara-*

mente, como se reivindica cualquier otro derecho relativo al trabajo. La maternidad, con todos los esfuerzos que comporta, debe obtener también un reconocimiento económico igual al menos que el de los demás trabajos afrontados para mantener la familia en una fase tan delicada de su existencia (Carta a las familias, n. 17).

Qué lejos estamos de poder llevar estos propósitos, que brotan de la misma naturaleza humana, hasta los parlamentos, hasta plasmarlos en ordenamientos jurídicos. ¡Qué ausencia realmente femenina en el origen de las legislaciones de los estados y en las recomendaciones de distintos organismos de las Naciones Unidas! Y esto a pesar del creciente número de mujeres, aunque muy insuficiente aún, que participan en foros y asambleas nacionales e internacionales. Pero no es tanto el aumento cuantitativo de mujeres lo que puede inclinar la balanza, aún machista de la historia, hacia un equilibrio deseado y necesario. Es la presencia cualitativa de lo femenino en las mujeres con responsabilidades sociales y políticas lo que reclama esta hora del mundo. A esto están llamadas las mujeres católicas.

A esto, con perseverancia y entusiasmo animo a las mujeres integrantes del Movimiento de Mujeres Católicas. La Iglesia en Cuba tiene una gran deuda de gratitud con la mujer, por cuanto ella ha contribuido a la presencia de la Iglesia en la sociedad en momentos difíciles de nuestra historia reciente. Ellas han conservado la memoria de Cristo y de la Iglesia en los hogares, ellas mantuvieron en ocasiones la oración o el culto cristiano, cuando el temor o las conveniencias hicieron desertar a muchos. La fidelidad de la Iglesia, esposa de Cristo, fue puesta en evidencia en Cuba por grupos perseverantes y valientes de mujeres fieles.

Que el Movimiento de Mujeres Católicas continúe la tradición de entrega gozosa de las mujeres de la Acción Católica Cubana, de las antiguas alumnas de Colegios Católicos, de las abuelas que no desertaron en estos años de revolución, y que extiendan su lucha en pro de un auténtico feminismo en medio de la sociedad, que haga de la mujer católica cubana una defensora de la vida, una exponente alegre de la belleza de la maternidad, una promotora de la mujer en los campos del arte, de la ciencia, del trabajo, de la investigación, según su propia identidad femenina, para que la sociedad no pierda las riquezas que la mujer puede y debe aportar.

La mujer se hace presente en el plan salvífico de Dios por medio de María que ocupa su lugar propio e imposible de ser transferido a nadie más. María-mujer, personifica el sí de los creyentes en Cristo, su aceptación de Jesús como «el que salva». Hombres y mujeres que dan el sí de su vida a Cristo, se hallan tipificados en María. La Iglesia toda, en la acogida de su Salvador, encuentra su modelo de realización perfecta en María y así la Madre de Jesús es también Madre de la Iglesia. Aún más, toda la humanidad, hombres y mujeres de cualquier cultura, pueden descubrir en María-mujer el paradigma de la entrega del propio ser para que la bondad y el amor lleguen a todos los hombres y mujeres de la tierra.

La elección de María de parte de Dios Creador fue hecha no violentando su condición femenina, sino elevando hasta la más alta cima, por medio del milagro, la virginidad y la maternidad al mismo tiempo. Su papel trascendente e irreemplazable en la Iglesia y en la humanidad es desempeñado por María como mujer y por ser mujer. A tal grado es esto cierto, que el Papa Juan Pablo II, en su carta apostólica «*Mulieris dignitatem*», afirma que la Iglesia tiene que ser al mismo tiempo «*Mariana y Petrina*», la Iglesia de María y la de Pedro.

Todos los hombres y mujeres de la Iglesia tienen que acudir al llamado de Pedro y los apóstoles que convocan a la misión, que envían al mundo entero a hombres y mujeres a anunciar el Evangelio, unidos en un solo propósito: que Cristo sea conocido y amado y que hombres y mujeres de cualquier cultura vengan, descubran y vivan el amor cristiano en el seno de la única Iglesia.

Pero antes de ser «*petrina*», la Iglesia de Pedro tiene que ser Mariana. Primero hay que acoger la salvación que Cristo nos trae, decir un sí total y sin reservas a Dios, entregándole todo nuestro ser. Solo después, la Iglesia de María puede ser la Iglesia de Pedro, la Iglesia Apostólica que proclama a Cristo al mundo. Pero estos no son dos momentos sucesivos, sino simultáneos: la Iglesia es siempre mariana, y siempre es la Iglesia petrina, apostólica.

El papel de la mujer en la Iglesia hoy y siempre, es hacer presente la marianidad de la Iglesia en su vivencia de la fe, de modo que todos, hombres y mujeres, vivan su fe cristiana en la acogida de Dios y del Salvador que Él nos envía, al modo de María.

Tengan presente, queridas hermanas, que el papel de María en la Iglesia no es solo el de ser un modelo para las mujeres, sino el de abrir a todos, hombres y mujeres, como Madre de la Iglesia, al don de la salvación.

El papel de las mujeres en la Iglesia hoy no es tampoco un servicio de comprensión y de ayuda solo a mujeres, sino un predisponer a toda la Iglesia con su testimonio, con su perseverancia, con su peculiar entrega femenina, al don de la salvación, que nos hace Jesucristo, capacitando así a la Iglesia para su misión apostólica.

Complementariedad en el servicio al Reino de Dios y no oposición, como complementariedad debe haber en el matrimonio, que se refiere a lo más hondo del ser masculino y femenino y que va más allá de la procreación y de la ayuda mutua. Pues, después de crear al ser humano varón y mujer, Dios dice a ambos: «*Llenen la tierra y sométanla*». Hombre y mujer tiene desde el principio igual responsabilidad en la transformación de la tierra. No hay, pues, entre el hombre y la mujer «*una igualdad estática y uniforme, y ni siquiera una diferencia abismal e inexorablemente conflictiva*», dice el Papa Juan Pablo II. Y afirma el Santo Padre: «*su relación más natural, de acuerdo con el designio de Dios, es la unidad de los dos*». Uno y otro se complementan.

En su carta del Jueves Santo a los sacerdotes, en el año 1995, el Papa invitaba a los presbíteros a reflexionar sobre el significativo papel que la mujer tiene en sus vidas como madre, como hermana y como colaboradora en las obras apostólicas. Y afirma el Santo Padre: «*Es esta otra dimensión, diversa de la conyugal, pero asimismo importante, de aquella ayuda que la mujer, según el Génesis, está llamada a ofrecer al hombre*».

Queridas hermanas: En este mismo Santuario se reinició el Movimiento de Mujeres Católicas, a los pies de la Virgen de la Caridad, amada y venerada como Reina y Madre de nuestro pueblo. El cubano quiere a la Santísima Virgen María de la Caridad por ser mujer, por ser madre, por ser cubana. La Virgen del niño en brazos y la Cruz alzada en lo alto es María cumpliendo su misión femenina en el designio de Dios para el pueblo cubano: Ella abre los corazones de nuestro pueblo a la acogida de su Hijo y no cesa de ejercer su papel maternal para todos los cubanos, que se sienten y se saben protegidos por su amor purísimo.

Sea para ustedes la Virgen de la Caridad, mujeres católicas cubanas, modelo e inspiración para vivir su condición de mujeres. Que su vida espiritual se enriquezca al invitar a sus hermanos con su palabra y su testimonio, a abrir sus corazones a Cristo. Que todos en nuestro pueblo puedan sentir la «protección» de ustedes; la misión de la mujer es siempre proteger, proteger la familia y la sociedad, proteger al pobre y al desvalido, al triste y al insatisfecho.

Que la Virgen de la Caridad las anime a vivir con gozo su feminidad y a luchar por que sea valorada y respetada. A ella, en cuyo seno Jesucristo el Hijo de Dios se hizo hombre, confío a las mujeres todas de nuestra Iglesia en La Habana y en Cuba.

Que, por su apostolado, Cristo sea acogido en el corazón de muchas mujeres en Cuba. Él, que como fuente de agua viva puede colmar de frescura a cuantos beben de ella. Esa fuente nos sacia especialmente en la Eucaristía, que en el día de hoy, día de la mujer en el Año Santo Jubilar, ofrecemos por todas las mujeres.

JUBILEO DE LOS SACERDOTES Y MISA CRISMAL*

«*El Espíritu del Señor está sobre mí, porque él me ha ungido.*»

Queridos sacerdotes, queridos hermanos y hermanas:

Las palabras de la profecía de Isaías que Jesús se aplicó con toda propiedad en la sinagoga de Nazaret, pueden ser dichas por todos y cada uno de nosotros, pues, gracias a la ofrenda de Cristo en la Cruz, hemos recibido en nuestro bau-

---

* Catedral de La Habana, 9-IV-2000.

tismo el Espíritu Santo prometido por Jesús y enviado por Él para hacernos participar de su misma unción sacerdotal. Porque «*Jesucristo nos ha convertido en un reino, y hecho sacerdotes de Dios, su Padre*». Se cumple así para el nuevo pueblo de Dios, la Iglesia, lo anunciado por el profeta: «*Ustedes se llamarán Sacerdotes del Señor*», dirán de ustedes: «*Ministros de nuestro Dios*».

De este modo, la Iglesia, como lo cantamos al iniciar nuestra celebración, es Pueblo de Reyes, Asamblea Santa, Pueblo Sacerdotal. Todos los fieles participan del único sacerdocio de Cristo, que realiza su homenaje de amor y acatamiento a la voluntad del Padre, por la entrega de su vida, ofreciendo así el único culto agradable a Dios. De esta ofrenda participan todos los fieles, uniendo a la de Cristo, Sacerdote eterno, la entrega de sus propias vidas. El Señor Jesús hace suya esa ofrenda, confiriéndole el valor de un don, aceptable a Dios. Este sacerdocio lo viven todos los fieles cristianos. Sus vidas, con sus penas y esperanzas, alegrías y tristezas, son la ofrenda de todas las horas y de todo lugar: «*Ya coman, ya beban, háganlo todo en nombre del Señor*», dice el apóstol. Hay, sin embargo, un momento excepcional, donde la participación en la ofrenda de Cristo al Padre alcanza su más alta expresión, cuando Jesucristo, en el Sacramento de la Eucaristía, recibe nuestras vidas ofrecidas y las presenta Él mismo a Dios Padre, uniéndolas a su propia entrega.

En la celebración eucarística llega a su cumbre de realismo la presencia de Jesús. Esa presencia se ha manifestado ya en el signo de la comunidad reunida y en la Palabra de Dios acogida por la asamblea de los fieles. Pero al cumplir el mandato del Señor, la Iglesia sabe con certeza que, por la invocación del Espíritu Santo y por la proclamación eficaz de las mismas palabras de la institución eucarística, su Señor glorioso, con «el poder que tiene para sometérselo todo», se hace presente realmente, personalmente, sustancialmente, en el pan y el vino; cambiando el ser profundo de estos elementos en su persona de Verbo encarnado que ha padecido y ha sido glorificado. Cristo se hace presente en la Eucaristía, con toda la riqueza de su humanidad transida de pasión y de gloria, tal y como Él está actualmente en el cielo.

Por voluntad suya, este es un memorial de su sacrificio redentor, sacrificio de expiación de la nueva alianza, según las figuras bíblicas evocadas en el Cenáculo. Los signos sacramentales, por su misma estructura simbólica, como el pan partido; y las palabras de Cristo que los acompañan: la sangre derramada por vosotros y por todos, descubren en la Cena la realidad anticipada de la Cruz. Se trata de un gesto profético cumplido por Cristo en la verdad dramática de su espíritu, sumergido ya en el sufrimiento de la pasión, con una visión muy clara de cuanto le espera.

San Pablo dirá a su comunidad de Corinto que cada celebración eucarística es «el anuncio de la muerte del Señor» y la liturgia de la Iglesia siempre ha evocado la cena y la cruz en la celebración eucarística, no como una simple narración, sino con plena conciencia de realizar un sacrificio litúrgico.

Así lo atestiguan las plegarias eucarísticas que hablan de «la Víctima, por cuya inmolación quisiste devolvernos tu amistad...», o piden a Dios Padre «que esta víctima de reconciliación traiga la paz y la salvación al mundo entero».

Pero esa evocación del sacrificio está incluida en el memorial de todo el misterio pascual. En cada Eucaristía celebramos la Muerte y la Resurrección del Señor. Esta referencia la encontramos en todas las plegarias eucarísticas. De este modo lo expresa el Canon Romano: «Así pues, Padre, al celebrar ahora el memorial de la pasión salvadora de tu Hijo, de su admirable resurrección y ascensión al cielo...».

El Concilio Vaticano II habla casi siempre de la Eucaristía con esa consideración integral del misterio pascual. A esto nos invita la visión sacerdotal de la Carta a los Hebreos. En ella, Cristo aparece en todo momento como el sacerdote y la víctima gloriosa, «siempre vivo para interceder por nosotros ante el Padre». Es Jesucristo, con su alma abierta al Padre en su amor de entrega por nosotros y con su cuerpo en el que lleva los estigmas gloriosos de su pasión, quien queda constituido así sacramento eterno de su sacrificio redentor. El sacrificio de la Cruz, que ocurrió una vez en la historia, persiste en su esencia, porque permanece en Cristo glorioso, y ese sacrificio se vuelve actual cuando el Señor glorificado se hace presente específicamente en la celebración eucarística, en la cual la Iglesia, siguiendo su mandato, conmemora con la palabra, los gestos y los elementos materiales, su «muerte gloriosa». Jesucristo es la misma víctima gloriosa y el mismo sacerdote.

De este modo, la comunidad eclesial, por el ministerio específico del sacerdote, que actúa en nombre de Cristo y de la Iglesia, ofrece al Padre el único sacrificio que le rinde honor y alabanza.

Si todo el pueblo de la Nueva Alianza ha sido contituido pueblo sacerdotal, capaz de hacer a Dios la ofrenda de sus vidas con Cristo en el sacrificio eucarístico; solo a ustedes, de manera especial, queridos sacerdotes, se dirige Jesús para confiarles su don a los hombres: «hagan esto en memoria mía». Esas palabras nos fueron dichas a nosotros. Todos nosotros, sacerdotes, estábamos misteriosamente presentes aquella noche en el Cenáculo. Así quiso darnos Jesús nuestra parte, la mía y la de ustedes, en el homenaje de adoración y alabanza que el pueblo de Dios rinde a su Señor en esa acción cumbre y fuente de la vida cristiana que es la Eucaristía. En ella recibe el sacerdote la ofrenda que hacen sus hermanos del pan y del vino que simbolizan la entrega de sus vidas a Dios. Unida a su propia entrega, las coloca sobre el altar, invoca sobre ellas el Espíritu Santo y, obedeciendo el mandato de Cristo, proclama las palabras de Jesús que lo hacen realmente presente para que la Iglesia «con Cristo, por Él y en Él dé al Padre omnipotente, en la unidad del Espíritu Santo, todo honor y toda gloria».

Cristo, elevado en lo alto para atraer a todos hacia sí, está de este modo sacrificialmente presente en medio de su pueblo. Son nuestras manos y nuestra voz las encargadas de cumplir esa acción sagrada. El lenguaje teológico tradicional describe así al sacerdote como instrumento de Cristo. Es cierta esta afirmación, no somos nosotros, sino Cristo, el único sacerdote a quien representamos, el que se ofrece y posibilita la ofrenda de todos. Pero, según la comprensión del lenguaje común, instrumento parece describir un objeto inanimado, que sirve predeterminadamente y de forma infalible para el uso que se le da. Este aspecto hace hoy menos comprensible ese término, pues el sacerdote no solo presta su voz y sus manos, sino compromete toda su persona en la acción sacrificial de la Eucaristía.

El sacrificio personal no es necesario para la validez del sacramento, pero concurre a la perfección del sacerdote en su imprescindible identificación con Cristo. No olvidemos las palabras conclusivas de nuestra ordenación sacerdotal: «*Considera lo que realizas e imita lo que conmemoras, y conforma tu vida con el misterio de la Cruz del Señor*».

El ideal sacerdotal no es completo sin una referencia al sacrificio de Jesús, sacerdote y víctima de la redención humana. Al respecto nos decía el Papa Pío XII en su encíclica «*Menti nostrae*»: «*Como toda la vida del Salvador estuvo ordenada al sacrificio de sí mismo, así también la vida del sacerdote, que debe reproducir en sí la imagen de Jesucristo, debe ser con ÉL y por Él un sacrificio aceptable a Dios...*», y continúa más adelante Pío XII: «*El sacerdote, en contacto tan íntimo con los divinos misterios, no puede dejar de tener hambre y sed de justicia, ni dejar de sentir el estímulo para adecuar su vida a una dignidad tan excelsa y para orientarla hacia el sacrificio, debiendo ofrecerse e inmolarse él mismo con Cristo*».

El candidato al sacerdocio debe saber, desde el seminario, que la respuesta a la llamada divina lleva consigo una conciencia plena del lugar que ocupará el sacrificio en su vida sacerdotal: el apostolado reclama un trabajo incansable e impone privaciones y renuncias. Pueden ser variadas las circunstancias adversas de tiempo y de lugar para el ejercicio del ministerio. ¡Cuántas de ellas han experimentado ustedes en estos años, queridos sacerdotes que trabajan aquí!

La soledad, la incomprensión y diversos tipos de persecución, pueden hacer más amargo el cáliz del sacerdote que quiere ser de veras apóstol. Las previsiones de Jesús no dejan lugar a ilusiones: «*Ustedes serán odiados por todos a causa de mi nombre*».

El Sacramento del Orden, hace del elegido sacramento de la presencia del Señor. El sacerdote es, por tanto, signo que hace presente a Cristo a su Iglesia, especialmente en la acción litúrgica, sobre todo cuando actúa «*in persona Christi*» en la celebración eucarística (P.O. 2, 12, 13). La condición de signo personal de Cristo en la asamblea de los fieles pide al sacerdote una especial relación con Aquel a quien representa y con la misma comunidad eclesial que él preside. De ahí emana y se nutre su espiritualidad sacerdotal.

Así lo describe el Concilio Vaticano II: «*Desempeñando el oficio de Buen Pastor, en el mismo ejercicio de la caridad pastoral hallarán (los presbíteros) el vínculo de la perfección sacerdotal que reduzca a unidad su vida y su acción. Esta caridad pastoral fluye ciertamente, sobre todo, del sacrificio eucarístico que es, por ello, centro y raíz de toda la vida del presbítero; de suerte que el alma sacerdotal se esfuerce en reproducir en sí misma lo que hace en el ara sacrificial*» (P.O. 14).

El sacerdote halla, en Cristo Eucaristía, inspiración y guía para entregar su vida a Dios y a los hermanos y va siempre pareciéndose más a su Maestro y Señor. Esto lo refleja muy bien el prefacio de la Misa Crismal:

Tus sacerdotes, Señor, al entregar su vida por ti
y por la salvación de los hermanos,
van configurándose a Cristo,
y han de darte así testimonio constante
de fidelidad y amor.

La celebración de la Eucaristía no es solamente, por tanto, el centro y la raíz de toda la vida del presbítero, sino el momento privilegiado para vivir la doble relación con Cristo y con la Iglesia, que exige, desde lo más hondo, el ser cristiano y el ser sacerdotal.

La eucaristía es sacrificio de comunión y el sacerdote participa, junto con todos sus hermanos, del sagrado banquete que su acción ministerial ha hecho posible. Como para todo bautizado, la sagrada comunión será para el sacerdote fuente de renovación y de crecimiento en su vida cristiana. Pero, además, dice el texto conciliar: «*al alimentarse del cuerpo de Cristo, comparten de corazón el amor de aquel que se da en comida a sus hermanos. Es al comulgar este amor cuando pueden levantarse de la mesa, movidos por el amor del buen pastor, para dar su vida por sus ovejas, dispuestos incluso al supremo sacrificio*» (P.O. 13).

Nosotros no prestamos únicamente nuestras manos a Cristo para servir en la mesa eucarística, sino para que Cristo siga sirviendo por medio de nosotros a todos los hombres. La obediencia y la inmolación suceden en cualquier momento en la Iglesia que peregrina en este mundo, en la realidad histórica de un lugar y de una época. Es necesario hacer la travesía misionera de los tiempos que vivimos. Este camino nos configura con la cruz del Señor, pero es, al mismo tiempo, el andar de Cristo resucitado que acompaña a los hombres y mujeres de esta hora de la historia.

El crucificado, ya glorificado, es quien nos hace andar el camino de Emaús como otros cristos, para acompañar a la humanidad desorientada y triste, anunciándoles todo lo que la Escritura dice del sufrimiento y de la Cruz, haciendo arder sus corazones con la Palabra de Dios para abrirlos a la esperanza; descubriéndoles a Cristo en la fracción del pan donde hallarán, sorprendidos, la paz y el gozo.

Queridos sacerdotes: somos testigos y mensajeros de Cristo resucitado. No somos anunciadores del dolor de la Cruz, sino del triunfo de la Cruz. De la cruz de Cristo no nace la tristeza de los hombres y mujeres de hoy, sino de sus pecados. De la cruz gloriosa de Cristo nos llega la seguridad de poder triunfar de la injusticia, de la mentira y de todo pecado, porque el Hijo de Dios en la Cruz «ha vencido al mal». Esta es la alegría del presbítero que se afirma con realismo sobre las miserias de este mundo. Este gozo debe marcar su estilo sacerdotal abierto y cautivador, que invite a sus contemporáneos al seguimiento de Jesús.

En este día en que celebramos la Misa Crismal en nuestra Arquidiócesis y se renuevan los óleos y el Crisma que sirven a diversos Sacramentos, renuevan también ustedes sus compromisos sacerdotales. Ustedes saben por experiencia propia, queridos hermanos en el sacerdocio, algunos con más tiempo de ministerio que otros, que en la medida que aceptamos con corazón generoso configurarnos al Cristo entregado por nosotros en la Cruz, recibimos el don de la paz y la alegría del resucitado en nuestros corazones.

Los invito, en estos días santos, a leer y meditar en actitud de silencio y oración, la hermosa carta que el Papa Juan Pablo II les ha dirigido a ustedes; a acompañar a Cristo por los vericuetos de Jerusalén, poblados de aclamaciones, rumores y asechanzas, a entrar al cenáculo como Juan y recostar sus cabezas colmadas de agobio sobre el pecho del Señor, a oír de nuevo lo que Él les dijo aquella vez a ustedes: «*hagan esto en memoria mía*», y dejen que ese mandato, que es una elección, retumbe en lo hondo de su ser, los despierte, los afiance o los desestabilice saludablemente. Escuchen largamente, lentamente, las palabras de envío y despedida de Jesús en la Cena. Acompáñenlo al huerto, no se olviden que ustedes son sus amigos y, por favor, no se duerman. No huyan del monte Calvario; allí los espera Jesús para entregarles a María por madre. No se entristezcan a la caída de la tarde, cuando el cuerpo del Señor es colocado en el Sepulcro, cuando se quedan solos, cuando todos se van, cuando es de noche. Recuerden la promesa cumplida de Jesús y esperen serenos el alba radiante de la resurrección, y vuelvan una y otra vez a Galilea, y no se queden plantados mirando al cielo, sino vayan al mundo entero, a nuestros campos, a nuestros barrios, a la estrecha casa de oración; diríjanse a los tibios y poco entusiastas, a los que se quedan y a los que se van, a los que reciben algo que los ayuda a vivir y a los que no tienen nada, y anúncienle el Evangelio a toda criatura, y dichoso el que no se escandalice esperando de ustedes otra cosa que no sea hablar de Cristo, sufrir por Cristo, vivir alegres su amistad con él e invítenlos a todos a la mesa, al banquete de la vida en plenitud. Allí aprenderán a reconocer a Cristo en la fracción del pan y los corazones de ellos y los de ustedes arderán de esperanza al comprobar que Él está con nosotros siempre.

Queridos sacerdotes diocesanos y religiosos, cubanos o de otros países, con corazones agradecidos y felices renueven en este año Santo Jubilar, con toda el alma, su entrega sacerdotal a Cristo y a su Iglesia.

Queridos fieles católicos: acojan con amor a sus sacerdotes. Recíbanlos en cada eucaristía, en la procesión de entrada, como «el que viene en nombre del Señor», porque él es representante de Cristo en medio de ustedes y, al subir al altar para ofrecer el sacrificio eucarístico, será el que los represente a ustedes, a toda la Iglesia, ante Dios.

Un día, como los apóstoles, ellos, sus sacerdotes, le preguntaron a Jesús: «*Maestro, he aquí que lo hemos dejado todo y te hemos seguido a ti, ¿qué será de nosotros?*» y la respuesta del Señor tiene que ver también con ustedes; Jesús les contestó: «*En verdad les digo que ustedes, los que han dejado padre, madre, hermanos, casas o hijos por seguirme a mí, tendrán aquí madres y padres y hermanos y casas e hijos, con persecuciones, y después, la vida eterna*».

A algunos malvados o ignorantes les toca el triste papel de poner las persecuciones, a ustedes, los que Dios, por Cristo, ha llamado a su Iglesia, les toca poner sus sentimientos generosos de padres, de madres, de hermanos, y abrir las puertas de su casa y de su corazón a quienes por ustedes y por toda la Iglesia se ofrecen, con Cristo, al Padre.

Que toda la Familia diocesana acompañe ahora con su oración la renovación de las promesas sacerdotales de sus pastores y que los sostenga cada día en esta gran familia de la Iglesia como a amigos, como a hermanos, como a padres. Así sea.

SERMÓN DE LAS SIETE PALABRAS: «PADRE, PERDÓNALOS PORQUE NO SABEN LO QUE HACEN»*

Hoy, Jesús, 2.000 años después de haber tomado un cuerpo como el nuestro, cuando te despojaste de tu rango de Hijo eterno de Dios para pasar por uno de tantos, sometiéndote a la muerte, y a una muerte de Cruz, fijamos nuestros ojos en tu cuerpo lacerado pendiente de esa cruz y queremos escuchar tu palabra dicha sobre el mundo al que tanto amó Dios Padre que le entregó a su Hijo.

¿Qué hemos hecho nosotros del anonadamiento del Hijo de Dios, 2.000 años después de que, por obra del Espíritu Santo, bajó del cielo, se encarnó de María la Virgen y se hizo hombre?

Se me ocurre pensar que en la mirada de Dios, sin tiempo ni espacio, esa que el Padre, misteriosamente, había velado a

---

* Catedral de La Habana, 20-IV-2000.

su Hijo en los momentos de su pasión y de su Cruz hubo una dolorosa excepción para que tu pudieras contemplar, Cristo Jesús, abrumado hasta el límite, toda la miseria y el pecado de los hombres y mujeres que poblarían la tierra después de tu paso por ella. Somos los moradores de nuestro planeta, los que hemos vivido y vivimos en Él desde aquel año 33 después de tu nacimiento hasta el año 2000, quienes comparecemos ahora ante ti con nuestra obra. Muchos la encuentran maravillosa, pero tu vista nublada de sudor y lágrimas no puede distinguir, en la bruma de estos 2.000 años, las grandes catedrales que a tu gloria levantaron los hombres, ni las torres alzadas por los poderosos, donde se compra y se vende y se hace el dinero, ni los aviones veloces, ni las altas antenas de televisión, ni los cruceros de lujo, ni los hoteles de cinco estrellas, ni la Estatua de la Libertad, ni la torre Eiffel, ni los fuegos artificiales de New York, Londres o París para celebrar la llegada del 2000 de tu nacimiento.

¡Cuántas cosas lindas hemos hecho en estos 2.000 años, Señor! Pero si los destellos de los fuegos de artificio pudieran perforar la niebla espesa de los tiempos y llegar hasta aquella colina llamada Calvario, ¿qué consuelo podría aportarte todo eso a ti, un condenado a muerte, sumido en la tristeza y la ignominia, que se aprestaba ya a dejar «este mundo»?

Te parecía, sin embargo, que hacia el horizonte, en el reverberar de aquella tarde abrasadora, se disipaban las nubes y, con terrible claridad, dejaban ver batallas sangrientas, cuerpo a cuerpo, hombres trucidados, avanza por allá una enorme caballería en marcha, llevando por doquier el signo de una cruz, una cruz como la tuya. Son los cruzados, entrando en Constantinopla y saqueando la ciudad en nombre tuyo.

Venían hacia acá, hacia tu Tierra Santa, a buscar tu sepulcro y olvidaban que a ti no hay que ir a buscarte lejos, sino en lo hondo del corazón, o levantar simplemente la vista y ver frente a nosotros al pobre y al que sufre para hacerle algún bien, porque en él también estás tú. «*Lo que hicieren a uno de estos, los pequeños, a mí me lo hacen*», así nos habías dicho. Pero mil, dos mil años es mucho tiempo y nos hemos olvidado de eso y de amarnos unos a otros, que fue el único mandamiento que Tú nos diste. Por eso ves, desde lo alto de la cruz, la tierra como un campo de amapolas. Es la sangre derramada en las guerras, guerras de religión, guerras entre reyes, guerras civiles, guerras revolucionarias; dos terribles guerras mundiales y un inmenso hongo radioactivo, sobre hombres, mujeres y niños, y todos están muertos o tienen cáncer. Allá te parece divisar, Jesús, un mar inabarcable, surcado por barcos cargados de esclavos, que traen de lejos quienes se proclaman cristianos, seguidores de tu doctrina. Y después, en un arenal interminable se agolpan los hambrientos, los miserables, las víctimas de la injusticia, los condenados a muerte en una silla eléctrica, en una cámara de gas, por ahorcamiento, por fusilamiento, los marginados, los asesinados, los torturados, los discriminados, los drogadictos, las prostitutas, transexuales, los bisexuales, los homosexuales... Y se levantó ante tus ojos una montaña enorme de piel y carne y órganos humanos: son los niños abortados por libre decisión de sus madres y de sus padres. Sentiste en ese momento en tus oídos un ruido ensordecedor: eran las sirenas de todas las fábricas, el claxon de todos los automóviles, las voces enronquecidas de todos los habitantes de la tierra que ululaban juntos celebrando la llegada del año 2000 de la Era Cristiana. Y entonces, con un sollozo ahogado en la garganta, dijiste: «*Padre, perdónalos, porque no saben lo que hacen*».

Hoy estarás conmigo en el paraíso

Del paraíso hicieron los pintores renacentistas cuadros idílicos: musas paganas tocando arpas, con ángeles babilónicos entre árboles exuberantes y todo el mundo yaciendo con placidez, en un «no-hacer-nada» sin fin.

Del paraíso han hecho un nombre apropiado para lugares donde pasar un buen rato o encontrar algo bueno, los dueños de cafés, de restaurantes, sombrererías, salas de cine o aun burdeles.

Y en la era moderna, con la especialización, hay un paraíso para cada ocio o para cada vicio: París, el paraíso de la moda, las islas Caymán, un paraíso fiscal, es decir, donde se compra, se vende o se lava dinero; Las Vegas, el paraíso del juego (juego de dinero, se entiende), y los paraísos tropicales para los turistas ricos que vienen de lejos a disfrutar lo que los pobres quieren dejar atrás, soñando con ese otro paraíso de los ricos que tienen de todo, que viajan y que pueden tomar vacaciones en los paraísos tropicales.

Un paraíso en la tierra se propuso más de un régimen político, pretendiendo instaurar, con mano fuerte, la justicia y la igualdad. Pero esto es difícil, aún más sin Dios y sin amor.

Si la gente ha soñado un paraíso, lo ha pintado, le ha puesto ese nombre a lo que le gusta y de cada situación ventajosa, o aun pecaminosa, pretendemos hacer un paraíso, incluso si algunos han intentado fabricarlo en países o en imperios enteros, es porque la búsqueda o el invento de un paraíso por parte del hombre le es connatural: el paraíso es la objetivación de la felicidad. Y la felicidad la perseguirá siempre el ser humano. Dios nos creó para la felicidad y no podemos olvidar que en las primeras páginas de la Biblia, a causa de la desobediencia del hombre, que lo encerró en su pecado, perdimos el paraíso, o sea, la felicidad, pero nos quedó en el alma un ansia infinita de ella.

El mismo pecado del principio nos acompaña siempre y no nos deja descubrir con facilidad dónde se halla la felicidad verdadera: Unos quisieran darse todos los gustos, otros tener muchas cosas o mucho dinero, hay también quienes pretenden la felicidad por medio de las distracciones y el entretenimiento: televisión, juegos de vídeo, música, tragos, conversaciones insustanciales; algunos, buscando un poco de felicidad, se escapan por la puerta falsa del alcohol, de la droga, del sexo.

Así es como hemos pintado, nombrado e inventado tantos «paraísos». «*Donde está tu tesoro, allí estará tu corazón*», había dicho Jesús. Pero cada uno yerra, al querer forjarse su propio tesoro. Hay que poner el corazón en un único tesoro válido y ese nos viene dado por Dios. Más que forjarlo o inventarlo, hay que descubrirlo. Escuchemos de nuevo a Jesús: «*el Reino de los Cielos se parece a un hombre que, trabajando en su campo, encontró una piedra preciosa de gran valor, se la guardó en el pecho y vendió el campo*». Había hallado el tesoro: el Reino de Dios, el horizonte sin límites de felicidad y de paz que únicamente puede colmar al ser humano! Este deseo de plenitud y de bien nos acompaña hasta la muerte. Y anidaba también en el corazón de uno de los salteadores de caminos condenados con Jesús. Con Él habían crucificado a dos malhechores: uno a su derecha y otro a su izquierda. Uno maldecía a Jesús, le molestaba tal vez su paciencia, su entereza o que perdonara a aquellos que los hacían sufrir, el otro escuchó el perdón que Jesús daba a sus verdugos y se estremeció, vio el rostro noble y hermoso de Jesús, cubierto de tierra y sangre, y descubrió más allá de aquel sudor espeso el brillo de la verdad y del amor.

Había encontrado la piedra preciosa, allí estaba su tesoro y rápidamente, sin tiempo apenas, puso en él su corazón: *«Señor, acuérdate de mí cuando estés en tu reino.»* Jesús no nos hace esperar por la felicidad anhelada, ni al malhechor que está ya por morir, ni a ninguno que se vuelva con todo el corazón hacia Él. Su respuesta fue inmediata: *«Hoy estarás conmigo en el Paraíso»*.

Tú que buscas, tú que no encuentras sentido a tantas cosas, fija tu mirada en Jesús y dile humildemente que se acuerde de ti. Este año Santo Jubilar es una invitación a todos los hombres y mujeres de la tierra a descubrir entre el lodo, la sangre, la rabia por la injusticia, la insatisfacción y el vacío, el verdadero tesoro, la piedra preciosa que se guarda sobre el corazón, el Reino de Dios, el único Paraíso verdadero, que tendrá entonces para ti un rostro y un nombre: Jesús.

En este siglo XXI que comienza es tarea de todos los cristianos anunciar con sus vidas y su palabra a Jesús. Cuando muchos descubran que Él es la Luz del mundo, que resplandece más que mil piedras preciosas de gran valor, dejarán sus campos minados por las espinas del odio y el desamor y apretarán junto a su pecho aquella joya. Sabrán entonces, en palabras del mismo Señor, que el Reino de los Cielos está dentro de ellos, y que el Paraíso comienza en esta tierra para cada hombre que encuentra a Jesucristo y pone en Él su corazón. En el tiempo de Dios, «hoy» es «siempre» y, desde hace 2.000 años, Jesús está esperando el arrepentimiento de cada ser humano para repetirle incansablemente, misericordiosamente a uno y a otro: *Hoy estarás conmigo en el Paraíso.*

Mujer, ahí tienes a tu hijo; hijo, ahí tienes a tu Madre

Junto a la Cruz de Jesús estaba María, la Madre, y otras mujeres.

Con el nacimiento de Jesús, entra en la escena del mundo de cuerpo entero la Mujer. San Lucas, en los inicios de su evangelio, revoluciona toda la historia bíblica que narra las comunicaciones de Dios con la humanidad, porque desde los tiempos antiguos Dios había hablado, por sí mismo o por sus intermediarios, a hombres: le habló a Abraham, a Moisés, a Isaías, a Jeremías o a otros profetas, siempre para confiarles grandes tareas que debían realizar esos hombres en la conducción del pueblo elegido por Dios para hacer depositarios de las promesas de salvación y proclamar ante todos los pueblos que hay un solo Dios y su nombre es El Señor.

Pero, llegado el tiempo establecido, Dios envió su ángel a una mujer virgen, su nombre era María. Su misión desbordaría las fronteras religiosas y culturales del pueblo elegido. Si ella aceptaba la propuesta del ángel, el que nacería de su seno sería llamado hijo de Dios y será quien salve a toda la humanidad. María, entonces, dijo sí, aquí está la esclava del Señor, hágase en mí según tu palabra, y la palabra se hizo carne y habitó entre nosotros.

Aquel «sí» llevó a María hasta el Calvario. Allí, al pie de la cruz, una espada le traspasó el alma. La que nos dio a Jesucristo, luz del mundo, daba ahora a luz en el dolor a la nueva humanidad redimida, nacida de la fe en su hijo que por todos se entregaba en la cruz. Era su propio hijo quien le confirmaba esta misión en la trágica solemnidad de su acto salvador, cuando refiriéndose a Juan, el discípulo amado y fiel, que personificaban a cuantos habrían de amarlo y seguirlo a él, le dijo a María: mujer, ahí tienes a tu hijo.

Mujer, dijo Jesús, como era la costumbre de llamar en público a la madre entre los hebreos. Pero adquiría esta palabra, dicha en aquel momento, una resonancia humana insospechada. Destacaba la presencia de la mujer en la hora de la cruz, cuando el mundo es condenado como el reo y el reo es exhaltado como juez poderoso. María participa con amor y con pasión de madre en el acto redentor del hijo y Jesús quiere extender ese amor y esa compasión a toda la Iglesia. Él entrega su vida por los pecadores y ella será la Madre de los pecadores, acompañará como Madre a todos los que su hijo ha salvado en la cruz y a la humanidad sufriente ansiosa de salvación.

A la entrada de Cristo en la historia correspondió el sí de una mujer. En el momento culminante de su historia de amor por los hombres, la hora de su ofrenda al Padre, Jesús nos entrega a esa mujer convertida ahora en Madre nuestra. El cristianismo ha sido enaltecedor de la mujer. Cristo, nacido de mujer, con su acogida a la mujer en el grupo de sus seguidores (había más mujeres que hombres junto a su cruz), por su actitud y sus gestos hacia la mujer, la ha colocado en un lugar cimero. Los dos mil años de civilización cristiana han significado para la mujer, no sin penalidades e incomprensiones, llegar a su plena estatura moral y espiritual y proponerse de veras su promoción personal y social de acuerdo a su dignidad igual al hombre, puesta en evidencia por el mismo Jesucristo. Basta mirar el papel y la condición de la mujer en las culturas no cristianas, para comprender lo que ha significado para la mujer cristiana el paso de Jesucristo por la historia.

Pero del mismo mundo cristiano, sobre todo en este siglo XX que concluye, ha pretendido una falsa liberación de la mujer, privándola justamente de lo que la enaltece. Poner en manos de la mujer, que es fuente de la vida, un arma de matar es arrebatarle en cierto modo su propia identidad. Dejar en ridículo o menospreciar la virginidad de la mujer es una suerte de violación moral. Decir que la maternidad es un estorbo para el desarrollo de la mujer y que el hogar es una prisión de la que hay que rescatarla es como vaciar el mundo de ternura y de calor humano. Se me antoja que esta palabra de Jesús fue dicha a todas las mujeres, a las jóvenes y a las adultas, a las solteras y a las casadas: «mujer, ahí tienes a tu hijo», es decir: tu identidad propia y tu tarea en el mundo se definen a partir de la maravilla de la maternidad. Tu misión es cuidar la vida, de llenar el mundo de amor materno, buscar tu promoción y tu puesto en la sociedad a partir de lo que te enaltece, te distingue y te identifica, sino al mundo le seguirá faltando el aporte propio de la mujer. Como faltaría a la Iglesia el amor maternal de María, si en el plan de Dios ella no hubiera tenido un papel propio y hermoso, que Jesucristo ratificó desde lo alto de la cruz.

Al volver Jesús su mirada a Juan, nos dio a todos nosotros y nos dijo a cada uno de los hombres y mujeres de la tierra y de todos los tiempos: «hijo, ahí tienes a tu Madre». Gracias, Señor, a ti, que nos regalas tu amor más grande.

Salve, María, madre de misericordia, vida, dulzura y esperanza nuestra. Vuelve a nosotros esos tus ojos misericordiosos y después de este destierro muéstranos a Jesús, fruto bendito de tu vientre. Oh clementísima, oh piadosa, oh dulce Virgen María.

Dios mío, Dios mío, ¿por qué me has abandonado?

El camino escogido por Dios para salvarnos fue el que describe admirablemente San Pablo en su himno de la Carta a los Filipenses:

Cristo, a pesar de su condición divina,
no hizo alarde de su categoría de Dios;
al contrario, se despojó de su rango
y tomó la condición de esclavo,
pasando por uno de tantos.

Y así, actuando como un hombre cualquiera,
se rebajó hasta someterse incluso a la muerte
y una muerte de cruz.

La historia del hombre sobre la tierra, aun si repasamos solo estos dos mil años transcurridos desde la encarnación del hijo de Dios, se desarrolla como un drama que envuelve la vida de todos los hombres. Jesús no viene a nuestra historia a desempeñar un papel en ese drama, al modo del actor que entra en escena y hace como si sufriera y llora como si la pena y el dolor que indica el libreto fuera suya propia sin que nada de esto le afecte verdaderamente.

El hombre Cristo Jesús no vino a hacer como si naciera, como si sufriera y muriera en una cruz, sino que, a pesar de su condición divina, de ser Dios, se despojó de su rango, tomó la condición de esclavo y se rebajó hasta someterse a una muerte de cruz. Esa fue la decisión incomprensible de Dios. La vida del hombre sobre la tierra se teje como un drama real: amor y desamor, ambición y odio, poder y sometimiento, ansias de felicidad y frustración, enfrentan o alejan a los seres humanos entre sí. A escala mundial se entrecruzan intereses desiguales: miseria y opulencia, culturas diversas, ideologías opuestas. Los hombres se agrupan en sectores diferentes separados por un abismo: los pocos que tienen en sus manos los hilos que mueven a otros hombres y generan acontecimientos, o sea, los que «fabrican» la historia, y los muchos que sufren los abatares de la historia, o sea, quienes la padecen, que son los pobres, los fríos, los mansos, los que lloran. A estos, Jesús los llamó dichosos y se hizo uno de ellos.

Dios hizo la opción de hablar a los hombres desde abajo, compartiendo la suerte de los que menos cuentan. Pero la adhesión de la cruz horroriza aun a aquellos que nada tienen. Los humildes, los sencillos, son pobres, pero honrados y Jesús fue contado entre los malhechores, considerado el deshecho de la plebe, ¿podrán ahora los pobres reconocerlo así como a unos de ellos? Jesús se queda solo en la cruz. Allí, en lo alto del calvario, él está expuesto, torturado y desnudo como un condenado que sirve de escarmiento a otros malhechores. Él, que es el santo de Dios.

Parecía que las nubes negras que comenzaban a cubrir el cielo le ocultaran el rostro del Padre. Pensó por un momento, quizá, que aquello era demasiado, tuvo la impresión de haber llegado al límite. Se fue identificando así misteriosamente con quienes dicen que no pueden soportar ya más, con los que sienten flaquear su fe y lo ven todo negro. Señor, si no hubieras experimentado esa desolación, no habrías llegado a ser miembro pleno de nuestra humanidad.

Muy especialmente de esta humanidad de fin del milenio, hundida en su miseria y su riqueza, hecha de hombres y mujeres apiñados en grandes ciudades de millones de habitantes intercomunicados por teléfonos, fax, Internet, pero más solos y aislados que nunca, bajo un cielo cubierto de satélites y de objetos voladores no identificados, que nos hemos inventados por la necesidad imperiosa de que haya otra vida en otra parte, deseando no estar solos en la tierra (ahora que somos más de cuatro mil millones), tantos y tan solos, tantos pero sin Dios.

Y allí, en la soledad de tu cruz, teniéndolos presentes a todos y cada uno de nosotros, recordaste, Jesús, el Salmo antiguo que tu pueblo había rezado tantas veces en los momentos de desesperación. Y de los labios resecos de Cristo crucificado, subió desde la tierra hasta el cielo la más desconcertante oración de la historia humana. Pediste prestada la desesperanza de millones de seres humanos de todos los tiempos y dijiste: «Dios mío, Dios mío, ¿por qué me has abandonado?

Tengo sed

La sed de un hombre clavado en una cruz es perfectamente comprensible, el sol es abrasador, la transpiración abundante, aumentada, además, por el esfuerzo inútil de aliviar el dolor de las heridas de las manos tratando de apoyarse en las heridas de los pies, y de cambiar de nuevo el sostén del cuerpo hacia las manos cuando los pies parecen quebrarse. La pérdida de sangre es continua y produce una sed angustiosa. Nadie puede dejar de suponer que Jesús debe sentir una sed terrible.

Pero, en la cruz, él no se ha quejado de nada, ni del dolor atroz de sus manos y sus pies ni de la sensación de ahogo, al no poder sostener el ritmo de la respiración, obligado como estaba a aquella posición torturante por tanto tiempo. El sol golpea sobre su cabeza y parece que sus sienes van a estallar, pero nada de cuanto ha dicho durante aquel espantoso suplicio tiene que ver con los sufrimientos que experimenta en su cuerpo. Sus palabras reflejan que sus pensamientos van de los hombres a Dios Padre. Él permanece constante en su misión de mediador entre Dios y los hombres: perdona a los pecadores, premia al buen ladrón, nos entrega a María como madre y vuelve después hacia el Padre su corazón desolado.

¿Por qué se quejaría específicamente de la sed que le quemaba la garganta? En la hora de su testamento espiritual a los hombres, ¿habrá hecho una parte para ocuparse de Él mismo?, ¿o estará hablando de una sed a la que ya Él se había referido otras veces? En el sermón de la montaña, Jesús proclamó dichosos a los que tienen hambre y sed de justicia. Sed de equidad y buen trato, sed de verdad y de bien. Esta sed no saciada de los hombres, la compartes ahora tú, Señor, y abraza tu garganta.

A la samaritana que había ido a buscar agua al pozo de Jacob quisiste despertarle aquella sed. Ella estaba en otra cosa, tú le hiciste saber que conocías su historia: «cinco maridos has tenido y el que tienes ahora no es tuyo», escuchó ella sorprendida de tus labios. Se equivocaba la samaritana, al saciar sus deseos en aguas tan turbias. Por eso le dijiste: «el que beba del agua que yo le daré nunca más tendrá sed, se convertirá dentro de el en un manantial que salta hacia la vida eterna». Y esto mismo lo proclamaste con voz fuerte en el templo de Jerusalén en un día de fiesta: «quien tenga sed que venga a mí y beba».

Mucho tuvo que ver tu misión con la sed espiritual de los hombres. Proclamaste dichosos a quienes la sienten, procuras despertarla en quienes parecen no haberla experimentado, ocupados solo en asuntos cotidianos e intrascendentes, y nos anuncias a todos que solo tú eres la fuente de agua viva que puede calmar esa sed.

Tu voz apagada y ronca de la cruz no resuena como aquella voz potente que en el templo convocó a los sedientos de amor y de justicia a saciarse en ti, pero, como solo puede lograrlo un quejido, tocas las fibras de los corazones dormidos, satisfechos, sin anhelos, abrevados en aguas estancadas y malsanas y haces que deseen la fuente que mana y corre.

Tu sed de la cruz es sed de nuestra sed. A los dos mil años del nacimiento del redentor, esa sed tuya no ha sido saciada aún y hay muchos hermanos nuestros que no sienten otra sed más que la del placer, alcohol, de comodidad o de experiencias novedosas.

La misión de la Iglesia, en el tercer milenio de la era cristiana, es despertar en nuestro mundo esa otra sed y decirles a todos que solo pueden saciarla en Cristo, que está de pie en el templo de su gloria y clama con voz fuerte: «quien tenga sed que venga a mí y beba. El que cree en mí, según dice la escritura, fuentes de agua viva manarán de su seno».

Todo está cumplido

Son casi las tres de la tarde. Llevas ya varias horas en la cruz y sientes que el final se acerca. Sin embargo, otros crucificados resisten más tiempo, llegan a vivir en estado de semiconciencia hasta un día después de iniciado el suplicio. Aunque la existencia haya sido dura e ingrata, llegado el momento de la muerte, la mayoría de los seres humanos se aferra a la vida aun los que están clavados a una cruz. Por eso, algunos condenados a esa horrible muerte duran más, pero ninguno ha vivido con la intensidad que tú aquellas horas de agonía. No podemos olvidar las palabras que dirige el malhechor arrepentido al otro que te increpaba: «al menos lo nuestro es justo, porque recibimos el pago de lo que hicimos, en cambio, este no ha faltado en nada».

La inocencia de Jesús añadía un profundo dolor moral a sus sufrimientos, que se tornan más crueles porque su vida limpia ha sido el espejo de la santidad de Dios. Ningún otro hombre en la historia de la humanidad ha podido ni podrá decir, a no ser un mentiroso arrogante o algún alienado, lo que Jesús, manso y humilde de corazón, nos dejó dicho en su santo evangelio: «¿quién puede acusarme a mí de pecado?». Los grandes santos de la Iglesia: San Agustín, Santa Teresa de Jesús, San Ignacio de Loyola, se sabían pecadores a quien Dios había amado mucho. Ese es el único modo posible de santidad para un ser humano: el reconocimiento del propio pecado y el saberse perdonados por la infinita misericordia de Dios. Cualquier otra cosa dicha por un ser humano es mentira o locura.

El hombre Jesús de Nazaret es el hijo eterno de Dios que compartió todo lo nuestro, menos el pecado. Él vino a perdonar y a sanar y ahora en la cruz siente como si el pecado del mundo viniera sobre Él, pudiera entrar en su alma. San Pablo dirá que Jesucristo por nosotros se hizo pecado. Nadie más que Él, el hombre Dios, pudo tener en sí esa extraña y dolorosa experiencia.

Señor, no te faltó nada de lo sucio y lo vil que el pecado puede producir en el corazón humano que no sintiera como tuyo, sin haberlo cometido jamás. Le habías pedido en el huerto al Padre que alejara de ti el cáliz amargo de tu pasión sin tener que beber de él, y ahora lo has consumido hasta la última gota. Una extraña serenidad gratificante invadió tu alma, y dijiste como él artista que levanta el pincel después de su último trazo a su obra maestra: todo está cumplido.

Padre, en tus manos encomiendo mi espíritu

La travesía de todo hombre por el mundo tiene tres grandes momentos: aceptar la vida, vivirla intensamente y entregarla al final. Muchos viven sin ni siquiera haber aceptado el reto de vivir, simplemente, pasan por la vida. Algunos aceptan en la juventud el riesgo exhaltante de vivir y después se adocenan, se hacen masas que trabajan, se distraen, disfrutan o sufren, pero sin relevancia, con baja intensidad. Otros viven intensamente, son corredores de auto, alpinistas arriesgados o servidores arriesgados de la humanidad, son artistas famosos por sus actuaciones o sus escándalos o constructores conscientes de un mundo nuevo o artífices de la paz.

Los santos parecen anticipar al tiempo de su vida la eternidad feliz: «vivo sin vivir en mí y tan alta vida espero, que muero porque no muero», dirá Santa Teresa de Jesús. La Carta a los Hebreos nos presenta a Jesucristo que, al entrar en este mundo, dice a Dios Padre: «tú no quieres ofrendas ni holocausto, y por eso me diste un cuerpo... entonces yo dije: aquí estoy, Señor, para hacer tu voluntad». La actitud radicalmente religiosa del hombre consiste en aceptar la vida como viniendo de Dios y buscar en todo momento el querer de Dios sobre su vida. «Mi comida es hacer la voluntad del Padre», dirá Jesús en plena madurez.

Cristo vivió con intensidad su vida. No la intensidad de la prisa, de las acciones impactantes, del éxito perseguido a toda costa, sino la intensidad del amor. «Habiendo amado a los suyos, los amó hasta el extremo». El dinamismo del amor es lo único capaz de ofrecer a la existencia una energía que no la desgasta en sí mismo, sino que la abre a posibilidades siempre mayores. Jesús nos llama a todos a vivir la intensidad del amor: «si ustedes aman a los que los aman, ¿qué mérito tienen? ... Amen a sus enemigos, recen por quienes los persiguen...».

El mundo, al final del segundo milenio de la era cristiana, arrastra aún los males de no haber vivido intensamente el amor que Cristo vino a poner en el corazón humano. De ahí las guerras, las desigualdades, la opresión, el hambre con que entramos al tercer milenio.

La cruz es para Cristo el momento final de la entrega. Solo es posible hacer de la entrega final una ofrenda serena a Dios, cuando hemos aceptado plenamente el reto de vivir y hemos vivido con intensidad el amor que él nos pide. Este es, para Jesús, su último acto en la tierra.

Miraste entonces, Señor, hacia el horizonte y viste por última vez las torres de Jerusalén y sus murallas. Te hiciste entonces esta pregunta que se hacen todos los que sufren, cuando ven que los que han querido se alejan en el momento de dolor: ¿dónde estará Pedro y Santiago?, ¿por qué Judas habrá obrado así conmigo? Y los quisiste a todos igual que siempre. Ya parecía quedar más lejos la mole del templo; la tierra, como a todos los moribundos, comenzó a resultarte extraña, más a ti, que regresabas a casa. Y con la misma entrega que hiciste tu entrada en el mundo, con la intensidad invariable de tu amor a los hombres, viste de nuevo la luz en que siempre habitas y dijiste: «Padre, en tus manos encomiendo mi espíritu».

DOMINGO DE PASCUA*

Queridos hermanos y hermanas:

En la mañana radiante de la Pascua aparece Pedro, aquel a quien Jesús había confiado de modo especial su Iglesia, presentándonos a ese Jesús, que él negó conocer en la noche

---

* Catedral de La Habana, 23-IV-2000.

aciaga en que arrestaron al Maestro. Y nos dice que de ese Jesús debemos saber nosotros tres cosas que lo sitúan en la historia y más allá de la historia:

1. Comenzó en Galilea su acción de sanar, liberar del mal a los oprimidos y hacer el bien, porque Dios estaba con Él.
2. En Jerusalén lo mataron colgándolo de un madero...
3. Pero Dios lo resucitó al tercer día y nos lo hizo ver.

Y así sale a nuestro encuentro, en el domingo de su resurrección, Jesús, el Cristo, el que pasó haciendo el bien, fue crucificado y resucitó como proclamamos cada domingo al rezar el CREDO.

El Evangelio de San Marco nos muestra la continuidad que hay en el hecho histórico de la Resurrección de Cristo. Las mujeres, al atardecer del viernes, habían estado cubriendo de ungüento un cadáver. El cadáver de alguien muy querido que les había hecho mucho bien en sus vidas y que había sido condenado a morir en una cruz. Pasadas las fiestas de la Pascua, el sábado, ellas regresaban el primer día de la semana a ungir el cuerpo venerado de su Maestro con los perfumes y aceites con que se acostumbraba a embalsamar los cuerpos de los difuntos, pues la prisa del viernes no les había dejado terminar la piadosa tarea. Ellas vieron correr aquella piedra grande y pesada y ahora se preguntaban quién podría moverla, pues ellas no tenían fuerzas para hacerlo. El viernes, varios hombres la habían situado bien a la entrada del sepulcro nuevo cavado en la roca.

Iban al penoso oficio de lidiar con un cadáver, y una piedra inmensa se les interponía. Pero la historia, en su sucesión lógica, iba a romperse en pocos instantes: al llegar al sitio conocido, la piedra estaba corrida, y eso que era muy grande. Entran en el sepulcro y ven a un joven, un desconocido, vestido de blanco, sentado. Y ese personaje, con quien no contaban, les habla y sabe sus preocupaciones: «¿Buscan a Jesús, el Nazareno, el Crucificado? No está aquí, Ha resucitado».

Vieron vacío el sitio donde lo habían dejado el viernes y salieron corriendo del sepulcro, temblando de espanto. Ellas pensaron, quizá, que aquel muchacho había sido enviado por alguien. Alguien que se había robado con la ayuda de otros el cuerpo del Señor, porque tuvieron que venir varios para correr aquella piedra. ¿Quién sería? En el primer momento, el miedo les cerró la boca y no dijeron nada, ¿sería una trampa para atrapar a los discípulos, a los seguidores de Jesús? Pero había más; dice Marcos que ellas temblaban de espanto. Espanto habían sentido al pie de la Cruz, y al ver después el cuerpo inerte de Jesús en los brazos de la Madre transida de dolor. La muerte siempre nos espanta. Los muertos producen siempre espanto al ser humano. Y la muerte de Jesús fue muy espantosa, más que cualquier otra. ¿Podría haber algo peor? Pero ahora Jesús, muerto, no es ya para ellas un cadáver que está allí, detrás de una inmensa piedra, en el mismo sitio y en la misma postura que lo dejaron. Además el joven sereno y radiante, que no parecía de este mundo, dijo: «No está aquí, porque HA RESUCITADO». Y no dijeron nada a nadie, del miedo que tenían. El horror del espectáculo cruel de la Cruz no las hizo volver atrás. Con manos dulces de mujer habían cubierto aquel cuerpo santo de ungüentos y aromas. El corazón femenino no se paraliza de miedo ante el dolor y el sufrimiento acude normalmente a aliviarlo. Ellas no tuvieron miedo tampoco a los soldados, ni a la turba enfurecida que rodeó a Jesús. Miedo tuvieron algunos de los discípulos. Ordinariamente, a las mujeres se les involucra menos en las situaciones de tensión política o social. Ellas podían estar junto a la cruz por compasión hacia Jesús, por acompañar a la Madre del condenado. Además, en todo caso, ya ellas habían dado la cara y la estaban dando ahora al ir al sepulcro. ¿Qué miedo sintieron entonces? El miedo a lo inesperado, a lo nuevo, a lo que no es de la historia corriente de este mundo. Si Jesús ha resucitado y está vivo, esto es algo único, que viene de Dios, pues ellas son las primeras testigos de que Jesús está bien muerto. Ellas tocaron con sus manos a Jesús muerto. Si ahora está vivo no es solo un acontecimiento excepcional, sino cargado de consecuencias. De ahí el miedo. Estaban ante una extraordinaria intervención de Dios en la historia, y ellas tan cerca del acontecimiento, tan cerca del misterio, no podían sentir de otro modo. Dramático y rápido sería el tránsito del temor a la alegría y de la alegría al compromiso con la historia y con la humanidad, el de haber sido las testigos privilegiadas de aquella muerte y de aquella resurrección. De hecho, todo el cristianismo se sostiene o se derrumba con este anuncio: Cristo ha resucitado. Nuestra fe no nació de palabras abstractas, por muy hermosas que fueran, como podrían ser: una proclamación de la fraternidad o una declaración solemne del primado universal del amor. Nuestra fe nace de un hecho testimoniado y proclamado por quienes han participado en él: resucitó en verdad Jesucristo, el Señor. Su anuncio nos llega de la voz del ángel de la resurrección, a través de las mujeres que vencieron pronto su miedo y lo comunicaron a Pedro y a los otros apóstoles, que vieron primero el sepulcro vacío y, después, a su Señor vivo. Esa noticia nos llega de lejos a nosotros, a través del tiempo, por una cadena ininterrumpida de testigos. Pedro nos dice en el libro de los Hechos: «Testigos de esto somos nosotros y el Espíritu Santo que Dios da a los que le obedecen» (*Hch* 5, 32).

Al testimonio de los apóstoles, transmitido hasta hoy por la Iglesia, se suma el testimonio del Espíritu Santo en lo hondo de nuestro ser. El Espíritu del Resucitado actúa en nuestros corazones, como actuó en el Concilio Vaticano II y guía hoy a la Iglesia para que entre en el Tercer Milenio de la era cristiana, dando testimonio a nuestro mundo de que Cristo ha resucitado y vive en medio de los hombres y mujeres de nuestro tiempo.

Esta es nuestra alegría pascual, la que vivimos y deseamos a los otros en este día de la Resurrección del Señor. Esta alegría de la Pascua no puede ser en nosotros algo superficial como sería decir: primero, los cristianos celebramos la pasión y después aceptamos y proclamamos en la fe la Resurrección del Señor y quedan detrás como una pesadilla la pasión de Cristo con sus azotes, sus clavos y su muerte de Cruz.

La lectura del libro de los Hechos nos dice hoy que al Jesús, a quien colgaron de un madero, Dios lo resucitó. De hecho, la alegría de la Pascua no borra el sufrimiento del mundo. Después de esta celebración gozosa, el médico retorna a la realidad, cotidiana para él, de la enfermedad y de la muerte; la religiosa que atiende ancianos derrochará su alegría con los que paso a paso dejan esta vida. Y en la sociedad encontraremos algunos valores esperanzadores, pero estructuras y concepciones portadoras de muerte. Ahí está la miseria dolorosa y desafiante de gran parte de la humanidad. La Cruz de Cristo no se borra con su Resurrección, porque continúa alzada en medio del mundo.

La Vida nueva de Jesús Resucitado que Él nos comunica a nosotros, y que San Pablo nos impele a vivirla en plenitud, buscando los bienes altos, de arriba, donde está Cristo junto al Padre, no es una simple cancelación de la muerte en cruz, como si festejar la Resurrección consistiera en olvidar la Cruz.

La Resurrección del Señor nos descubre, más bien, la vitalidad maravillosa que estaba presente en la existencia de Jesús, que se manifestó en todo momento, más que en ninguno, en la hora de su muerte, vivida en total abandono al Padre, amando hasta el extremo, como el servidor doliente que muere por sus hermanos. Este era el secreto de su estilo de vivir, el que con tanto deseo dejó a los suyos en el Sacramento de la Eucaristía: la entrega; su entrega al Padre por nosotros y su entrega a nosotros que se hace perenne en el Sacramento del Amor. La Resurrección es la aceptación por el Padre de la vida entregada de su hijo Jesucristo. Es decirnos Dios a nosotros hoy, como dijo en la mañana de Pascua a los apóstoles: La vida entregada, la vida perdida por amor, es la que triunfó en la cruz.

Por eso, el Padre, que tanto había amado al mundo, que le entregó a su Hijo; el Dios Padre, que aceptó la entrega del Hijo en manos de quienes lo crucificaron, nos lo entrega ahora Resucitado y cubierto de Gloria.

La alegría pascual, por lo tanto, no es superficial ni desmemoriada; es una alegría capaz de acordarse y de integrar seriamente la Cruz de Cristo. Y nos lleva así a encontrar caminos de esperanza para nosotros y para nuestros hermanos. Porque el Espíritu Santo, don de Jesús resucitado a los creyentes, arranca de nosotros el miedo a lo desconocido y a la muerte y pone en nuestros corazones la capacidad de vivir al modo de Jesús, aquel estilo de vida entregada que recibió el premio de la Resurrección.

La alegría pascual debe hacer frente a las condiciones del mundo real en que vivimos, donde nada parece cambiar, donde hallamos la enfermedad, la muerte, los odios, la irreconciliación, las penurias de todos los días.

Cuando la Iglesia vive su fe de verdad, en la oración, con entusiasmo y alegría, abandonándose al amor de Dios Padre, en solidaridad de amor hacia quienes la necesitan con más urgencia y con todos, esa es la Iglesia de la Pascua, la que no ignora los problemas y los males que existen, pero intenta superarlos en la entrega y el amor. Es así como podemos anunciar que la Resurrección de Jesucristo es el tiempo del amor y la esperanza.

A los 2.000 años del nacimiento del Redentor, la Iglesia tiene que hacer el mismo anuncio que Pedro y los otros apóstoles hicieron después de la primera pascua cristiana, Resucitó el Señor y está con nosotros. Esta buena noticia no se proclama solo por nuestra palabra, sino viviendo en el amor la solidaridad y el servicio a los demás, dando con coraje y confianza testimonio de nuestra fe en Cristo, el mismo ayer, hoy y siempre.

CONGRESO EUCARÍSTICO EN MÉXICO.
MISA DE PRIMERA COMUNIÓN*

Queridos niños y niñas, reunidos hoy en tan gran número, para decirle a Jesús cuánto ustedes lo aman.

En esta mañana, ustedes le dan una gran alegría a Jesús. Él quiere a los niños. Cuando las personas mayores se acercaban a Jesús para oír sus palabras, él siempre distinguía en medio de los adultos a los niños, y los saludaba, poniéndoles la mano sobre la cabeza en gesto de cariño.

Los niños son siempre alegres y juguetones. Es normal que sean así. A veces, los mayores quisieran que los pequeños fueran como ellos: más tranquilos, más silenciosos. Por eso, en una ocasión en que Jesús estaba hablando con personas mayores y empezaron a acercarse los niños, comenzaron los del grupo de los adultos a regañarlos.

Fue en ese momento cuando Jesús dijo una frase que to-

---

* Basílica de Nuestra Señora de Guadalupe, 5-V-2000.

dos ustedes conocen: «Dejen que los niños se acerquen a mí». Y tomó a uno de esos niños, lo puso en medio de la gente y dijo: «si ustedes no vuelven a ser como niños, no entrarán en el Reino de los Cielos».

Varias lecciones podemos sacar del modo de tratar Jesús a los niños:

Primero: como Jesús es bondadoso y simpático, mira a los niños y los saluda con gestos de afecto, *los niños no le tienen miedo a Jesús,* les agrada estar con Él.

Segundo: los niños *buscan* a Jesús, lo quieren ver. Aunque él esté hablando a personas mayores, ellos llegan hasta donde se encuentra, porque saben que Jesús siempre los va a recibir.

Tercero: Jesús *pone a los niños como ejemplo* a las personas mayores, porque los niños, si tienen algún problema con otro, se reconcilian pronto, no guardan rencor en su corazón, y se hacen enseguida amigos de otros niños. En cierto modo nosotros, las personas mayores, tenemos que ser un poco niños. Si fuéramos así no habría guerras, ni robos, ni odio en el mundo y llegaría a todos el Reino de Dios.

Es importante, queridos niños y niñas, que ustedes comprendan cuánto la Iglesia los quiere. El Papa, los obispos, los sacerdotes, los hermanos, las hermanas, los maestros, los catequistas, todos los llevan en sus corazones, porque ellos quieren ser como Jesús, que atiende con amor a los niños. Esa es la razón de que haya una misa especial para ustedes en este gran Congreso Eucarístico Nacional de México. No podían faltar los niños aquí, a los pies de nuestra Madre, la Virgen de Guadalupe, para decirle con ella a Jesús cuánto lo queremos.

Lo que está celebrando en estos días con tanto fervor el pueblo católico de México es la dicha de saber que, en la Santa Eucaristía, Jesús cumple su promesa de estar con nosotros siempre. Así lo había prometido Él a los apóstoles, aquel grupo de doce amigos que fue formando Jesús con hombres del pueblo.

Ellos acompañaron al Señor durante todo el tiempo que Jesús recorría su país, enseñando que debemos amarnos unos a otros, curando a los enfermos, dando vista a los ciegos y anunciando a todos que el Reino de Dios había venido a nosotros. Para eso había enviado Dios Padre a su hijo, para compartir nuestra vida y enseñarnos la verdad.

Jesús nació pobre en una gruta cerca del pueblecito de Belén. Y se crió en otro pueblo pequeño llamado Nazaret. Fue niño como ustedes, como lo hemos sido todos nosotros. Jugó y tuvo muchos amigos en su pueblo de Nazaret. Por eso, cuando fue hombre y comenzó la misión que Dios Padre le había confiado, buscó un grupo de amigos que lo acompañaba a todas partes. Si uno aprende a tener amigos desde pequeño, los tendrá siempre y no andará solo, sino con buenas compañías. Como los amigos siempre están presentes en la vida de Jesús, él les confía a ellos sus más grandes secretos. Les dijo:

— Es Dios Padre el que me ha enviado, quien me ha visto a mí ha visto al Padre. El Padre y yo somos uno.

— Y también les dijo: al que crea en mí se le hará en su corazón una fuente de agua viva que salta hasta la eternidad.

— Y en otro momento: yo he venido para que tengan vida y la tengan en abundancia.

Gracias a esos amigos de Jesús, que escribieron los Santos Evangelios, nosotros tenemos la alegría de conocer a Jesús y de saber que, viéndolo a Él, vemos a Dios Padre; que Jesús es Dios con nosotros y nos da vida abundante que se convierte en nuestro corazón como en una fuente de agua fresca.

Nosotros somos hoy los amigos de Jesús. Él quiere ser amigo de ustedes y que ustedes lo sean de Él para toda la vida. Una sola condición les pone para compartir con ustedes su amistad, y nos la dice de este modo: «ustedes son mis amigos si hacen lo que yo les digo». Y ¿qué nos dice Jesús? Lo podemos resumir todo en este hermoso consejo: «Amen a Dios sobre todas las cosas y amen a su prójimo como a sí mismos». Jesús dice en su Santo Evangelio que en ese mandato está incluido todo lo que la Biblia nos enseña. Esto quiere decir que, para ser amigo de Jesús, hay que amar a Dios y querer también a los demás. Sin embargo, agregó nuestro maestro y Señor: «pero, si ustedes quieren solamente a los que los quieren, eso no tiene ningún mérito, pues cualquiera lo hace.

Ustedes amen a sus enemigos, recen por quienes los persiguen o se portan mal con ustedes».

Para ser amigo de Jesús debemos amar a todo el mundo como Jesús, que ama a toda la humanidad: a los buenos y a los malos. Quiere a los buenos con mucha alegría porque son buenos, pero quiere también a los malos para que se hagan buenos. El programa de vida que nos propone Jesús es sencillo: ser amigos de todos, pero es al mismo tiempo difícil, pues vemos cuánta gente odia a sus semejantes, hacen el mal, roban, matan, dañan a los otros o a la sociedad.

Para poder ser amigos de todos y cumplir el programa que Jesús nos propone de amar a Dios y al prójimo, es decir, para ser buenos, tenemos que mantenernos muy unidos a nuestro amigo y salvador Jesucristo. Si no recibimos la ayuda de Cristo Jesús, no somos capaces de hacer siempre el bien, porque hay muchas tentaciones, y la maldad está siempre presente a nuestro alrededor en este mundo. Por eso tenemos que ir a donde está Jesús y escuchar sus palabras.

Como en toda celebración de la misa, hoy hemos escuchado a Jesús que nos habla en el Santo Evangelio. Mucha gente había seguido al Señor hasta un campo muy bonito junto a un lago. Él se puso a enseñarles y a ellos se les fue pasando el tiempo, se hizo tarde y por allí no había donde comer nada. Jesús se da cuenta de que todo ese pueblo está débil, necesita alimentarse, porque han caminado mucho, haciendo un esfuerzo grande y deben continuar su camino. Entonces Jesús tomó los cinco panes y los dos peces que tenía un muchacho e hizo el milagro de repartirlos a aquella multitud. Todos se llenaron y sobraron doce cestos.

Ustedes son hoy esa multitud que ha venido siguiendo a Jesús para escucharlo y estar con él. Ustedes saben bien que Jesús es su amigo y les pide que sean siempre buenos, aun con aquellos que se portan mal. Él no quiere que ninguno de ustedes se aparte nunca del camino que nos ha señalado. Pero Jesús sabe también lo difícil que es ser un buen discípulo suyo. A ustedes les pasa como a aquel pueblo que lo siguió hasta el campo. Se sienten débiles en algunos momentos para seguir el camino del bien y del amor que Cristo Jesús nos indica. No es debilidad en el cuerpo, como el cansancio de aquella gente a quien el Señor alimentó, sino en lo hondo de nuestro ser, en nuestros corazones. Por eso, como en la misa de cada domingo, Jesús va a multiplicar el pan para ustedes, para fortalecerlos y llenarlos de ánimo.

No será un pan como aquel que él repartió a la multitud o como cualquier otro pan que comemos para alimentar nuestro cuerpo; será el pan de la Eucaristía, el pan vivo bajado del cielo, en el cual está presente el mismo Jesucristo nuestro Señor. De modo que Jesús es un amigo que nos acompaña siempre en nuestros esfuerzos por ser mejores. Y nunca nos deja solos. Él mismo viene a nuestros corazones y nos colma de vida.

San Pablo nos dice en la primera lectura de hoy que el Señor Jesús, en la noche en que iban a entregarlo, tomó pan y, pronunciando la acción de gracias, lo partió y dijo: «esto es mi cuerpo que se entrega por vosotros. Haced esto en memoria mía». Jesús es nuestro amigo que se queda con nosotros para siempre. Él nos invita a su mesa y nos da su cuerpo y su sangre, alimento que nos fortalece para continuar el camino.

En esta celebración, él vendrá a los corazones de muchos niños y niñas por primera vez, pero vendrá también a los corazones de tantos que han venido a decirle que lo aman. A todos, especialmente a los que lo reciben por vez primera en la Santa Comunión, les pido que, a pesar del gran número de niños y niñas, de los deseos que ustedes tienen de guardar una foto de este día tan grande, no se distraigan con nada. En este gran Congreso Eucarístico de México, el homenaje que Jesús recibe con más agrado es la comunión de los niños. Hoy Él repite a los fotógrafos, a las familias, a los amigos: después habrá tiempo para todo, ahora «dejen que los niños vengan a mí».

Queridos niños y niñas: cuando reciban el cuerpo de Cristo compartan con Jesús en silencio, dándole gracias de corazón por tenerlo tan dentro de ustedes. Hablen en esos momentos con Él, pídanle mucho por sus mamás, por sus papás, por sus maestros, por sus catequistas. Díganle a Jesús de todo corazón que quieren ser buenos y pídanle que les ayude a vivir siempre como amigos de Él.

Estamos ahora empezando el siglo XXI. Es necesario cambiar nuestro mundo para que se acaben el hambre, las guerras y tantas cosas malas que podrían evitarse. Ustedes, los niños que están aquí, serán los que puedan transformar a México para que la justicia, la verdad y el amor lleguen a todos sus hermanos, de modo que puedan vivir con la dignidad propia de los hijos de Dios.

Solo se cambia el mundo si las personas que viven en él son buenas y hay que aprender a vivir amando y haciendo el bien desde pequeños. Es esta la riqueza que la Iglesia brinda a todos, pero especialmente a los más jóvenes en la sociedad. Al mundo solo puede salvarlo Jesucristo, Él es también el alimento para la vida nueva que el mundo necesita. Ustedes van a recibir ese alimento de vida hoy. Recíbanlo cada domingo, recíbanlo siempre, Él no los dejará solos, Jesús estará con ustedes siempre, hasta el fin del mundo.

MISA CELEBRADA DURANTE LA VISITA A BOSTON*

La Iglesia en Cuba, de cara al Tercer Milenio

Terminamos un milenio en cuyos últimos siglos el hombre comenzó un retorno a la era precristiana, al mismo tiempo que parecía convencido de estar avanzando en la historia. Desde mediados del siglo pasado hasta los años sesenta del siglo xx, una verdadera embriaguez de ciencia y técnica fue el caldo de cultivo de un pensamiento sobre el hombre que tuvo como denominador común el decir del hombre lo que conviene únicamente a Dios. Al ser humano se le concedieron atributos que lo absolutizaron. El hombre fue endiosado en utopías, en ideologías, en diversos sistemas de pensamiento. No importa que lo fuera individualmente, como especie, o socialmente. El gran drama de este tiempo ha sido poner a los hombres y a los pueblos ante el dilema de optar por Dios o por el hombre. A este período de la historia se ha convenido en llamarle modernidad. Y al período que le ha sucedido, y en el cual parece que vivimos hoy, se le da el nombre de posmodernidad. En la modernidad, Dios sobraba, en

---

* Boston, mayo 2000.

esta época presente, en este cambio de siglo, falta Dios. Este tránsito doloroso y saludable lo hemos vivido y lo estamos viviendo en Cuba.

Los que tenemos algunos años asistimos a él con admiración y sorpresa; la nueva generación, con desconcierto, porque las etapas no se suceden unas a otras con fechas fijas; más bien se superponen, se gestan con simultaneidad a las corrientes dominantes de pensamiento. Y así, ni la Edad Media fue tan creyente ni el período moderno ha sido tan ateo; porque el hombre permanece siempre el mismo y se hace casi siempre las mismas preguntas y sufre y necesita amar y que lo amen y busca seguridades y reclama consuelo en su desvalimiento. Cuando pasa el frenesí de una época, todos vuelven a darse cuenta de que somos barro, hechura de la mano de un Dios que nos ha modelado y, al decir del profeta: *«¿Puede una vasija volverse hacia su hacedor para decirle: por qué me has hecho así?»*. Llega entonces el momento de dejarse encontrar por Dios.

El primer movimiento será la búsqueda de Dios y esto es bueno. En la búsqueda está la posibilidad del extravío y también la de topar con la verdad que nos sale al paso. Pocos filósofos antiguos fueron tan contrarios al cristianismo como Porfirio. Pero San Agustín, a través de él, del vacío que ese pensador experimentó en su alma, descubrió que la única verdad que salva es Jesucristo. Y a Jesucristo lo podemos encontrar en cualquier momento, en cualquier sitio. Para todas las preguntas que el hombre antiguo, moderno, o posmoderno puede hacerse, Jesucristo es la palabra definitiva que Dios ha dicho a los hombres, una Palabra hecha carne que acampó entre nosotros. Esa es la Palabra que tiene que decir la Iglesia en Cuba en todo momento. Acampar es plantar una tienda en cualquier sitio. Dios se ha hecho encotradizo en Cristo.

El hombre puede encontrarse con Dios porque hace 2.000 años Dios nos envió su Palabra eterna hecha carne, que ha puesto su tienda en medio de nosotros. El pecado oscurece la visión de la fe en Dios. Lo terrible del pecado está dramáticamente presentado en el relato bíblico de la creación. Antes del pecado del hombre, Dios se paseaba por el jardín del Paraíso al atardecer y el hombre se encontraba naturalmente con Él. Después del pecado, el hombre fue sacado del Paraíso, de aquel jardín donde se encontraba con Dios y ya no pudo más compartir habitualmente con Él. Una nostalgia de Dios quedaría para siempre en el corazón del hombre.

Varios pensadores de la modernidad, llevados por esa nostalgia, que extrañamente nos asalta a todos, trataron de llegar hasta Dios solo con sus propias fuerzas, con sus propios razonamientos. Esto no es más que otro tipo de pretensión del hombre: la de ascender por sus propias fuerzas hasta el Creador. Lo que no pudieron ellos, ni muchos otros llamados modernos, fue concebir el camino descendente de Dios: *«La Palabra se hizo carne y acampó entre nosotros... Al mundo vino y en el mundo estaba; el mundo no lo conoció. Vino a los suyos y los suyos no lo recibieron, pero a cuantos lo recibieron les da poder para ser hijos de Dios, si creen en su nombre».*

Ante la etapa que se abre hoy por delante de nosotros, cargada de memorias de un pasado rico y miserable y a la vez preñada de esperanzas e incertidumbres, debemos mirar el tiempo transcurrido desde la venida de Cristo hasta esta hora de la historia, como hijos de la Iglesia-Madre, que guarda en su memoria bimilenaria las incidencias del camino titubeante y grandioso de la humanidad, al modo de la Virgen María, que conservaba todas aquellas cosas que Dios había obrado en Cristo meditándolas en su corazón. En oración serena debemos descubrir, sobre todo, lo que Dios quiere decirnos a través de estos dos mil años de amor y de violencia que nos separan de la hora bendita en que los ángeles cantaron *«Paz en la tierra a los hombres que ama el Señor».*

Pero, ante todo, la memoria viva que la Iglesia tiene que brindar a la humanidad del nuevo milenio es la de su Señor, nacido en la pobreza del pesebre, contemplado por los pastores, cantado por los ángeles, que compartió todo lo nuestro, menos el pecado, y que murió por nosotros en la Cruz. Resucitado y glorioso está vivo y presente en medio de nosotros y lo estará siempre, hasta el fin del mundo. Su nombre es Jesús, como lo había llamado el ángel antes de su concepción y significa *«el que salva».* En efecto, Él viene a rescatar aquel designio perpetuo de felicidad que el amor de Dios había concebido para el hombre, y salva al mismo hombre del no sentido y de la vaciedad. Por Él nos es posible volvernos a Dios y, bajo la acción del Espíritu Santo que Él mismo nos ha dado, llamarlo «*Padre*». *Así que ya no somos esclavos, sino hijos*. Este es el recuerdo vivo y luminoso que la Iglesia conserva y que debe anunciar a la humanidad que se adentra en el nuevo milenio.

La fe cristiana lleva consigo este mensaje de salvación para el hombre concreto, es decir, una persona que ha nacido en una familia, que integra otros grupos de trabajo, de estudio, deportivos, de entretenimiento, de desarrollo cultural; que es ciudadano de un país determinado, con responsabilidades históricas, que tiene además, y esto es fundamental, un destino eterno. La Iglesia no puede ser, pues, una sociedad alternativa a la comunidad humana.

En sociedades de un fuerte estatismo o donde el individualismo o el nacionalismo exacerbado se han enseñoreado, puede existir en algunos o en muchos la tentación de considerar a la Iglesia, precisamente, como una sociedad alternativa. Pero la Iglesia, históricamente, nace de la predicación de Jesús sobre el Reino de Dios y de la Resurrección de Jesucristo, por la cual Dios lo constituye siempre presente en medio de los que acogen su palabra y a estos les envía el Espíritu Santo para que sean capaces de vivir y de anunciar esa palabra. En todo su ser y su quehacer, la Iglesia nos remite a Jesucristo, como Jesucristo nos remite al Padre. No puede homologarse la Iglesia a ningún estado, ni a ninguna asociación intermedia. Todo lo que la Iglesia pueda aportar a la historia y a la sociedad concreta donde ella se encarna viene de la revelación de Dios; ella ha recibido un encargo, una misión de parte de Dios Padre por medio de Cristo, que es su origen histórico como fundador y como roca de cimentación sobre la cual se asienta: «*La piedra desechada por los arquitectos es ahora la piedra angular*» (*Hch* 4, 11).

La posibilidad de la Iglesia de dar verdaderos frutos y de aportar algo nuevo a la sociedad depende de su constancia para hacer inolvidable a Jesucristo, para que los hombres de cada época y de cada lugar lo experimenten cercano. Esto debe provocar, en quienes lo descubran, sorpresa y fascinación. Así podrán situarse frente al rostro dolido y sereno de Cristo crucificado y contemplar cómo se inunda de luz en la mañana de la resurrección.

De este modo se comprende la Iglesia a sí misma, desde la memoria de Jesús con su mensaje, con la irradiación de su persona. Se comprende a sí misma movida siempre por el Espíritu Santo, que, en cumplimiento de su promesa, Jesús le ha dado. Ella guarda, además, en su seno los sacramentos, que permiten que la gracia de Cristo se haga hoy presente y actuante. Por tanto, la Iglesia se comprende como enviada por Dios y en total acatamiento del plan de Dios.

Pero he aquí que está solicitada, requerida al mismo tiempo, como lo estuvo su Maestro, por las angustias y las esperanzas de los hombres. (G.S.I.,1). La Iglesia vivirá siempre en la tensión de estos dos reclamos: una absoluta fidelidad a lo que ella es y debe seguir siendo según el querer de Dios y una fidelidad al clamor de la humanidad en busca de certezas, de consuelo, de esperanzas y aun de satisfacción de sus necesidades vitales. La Iglesia vive siempre entre la grandeza y la debilidad de estas dos realidades.

Esta tensión entre la fiel acogida a Dios y la no menos fiel atención al hombre ha visto, en la historia de estos últimos siglos, a la comunidad cristiana tentada por dos concepciones absolutizantes: Una, dedicarnos solo a Dios, solo al Evangelio, solo al culto. Históricamente, la Iglesia se ha visto en períodos de su historia forzada a esta opción. Esto nos ocurrió en Cuba en un pasado no muy lejano. Esta es una especie de tentación teológica. Y está la tentación opuesta, de naturaleza antropológica: dedicarnos sobre todo al hombre, a sus problemas, poniendo en lugar central su autonomía, teniendo la libertad como un absoluto. Curiosamente, a esta última opción corresponde a menudo una acción formativa, cultural y profética acentuada al máximo, dejando a un lado la acción curativa del hombre dañado por las situaciones pobremente humanas que ha vivido; es decir, esa acción misericordiosa que siempre halla espacio y momento para reconstruir al hombre y a la sociedad, pues en ella encontramos, a menudo, grandes ideales, pero lamentablemente asociados a decadencias y desesperanzas.

La Iglesia, sin embargo, estará siempre a distancia con respecto a lo que los hombres, movidos por el deseo de eficacia, la voluntad de dominación o las prisas, reclaman de ella. Esto no se debe a falta de entrega o a incapacidad para adaptarse a los tiempos que corren o a que ignore las angustias de los hombres. Simplemente, los ritmos del mundo no son los de la Iglesia. Toda andadura realmente evangélica incluye una mirada y un proyecto a largo plazo. El paradigma es el sembrador de la parábola de Jesús, que sale a sembrar pacientemente la semilla. El modelo para nosotros, cubanos, es el Siervo de Dios Félix Varela, sacerdote ilustre y santo, que vivió parte de su ministerio en Estados Unidos, con su siembra paciente de valores evangélicos.

Es evidente que hay otra distancia siempre insalvable respecto del tiempo que le toca vivir a la Iglesia o de los hombres que viven en ese tiempo: es su acercamiento a Dios, al único necesario, que es nuestro futuro absoluto.

El gran desafío para la Iglesia no es solo ser aceptada por las estructuras sociales y políticas siendo como ella es, sino también aceptarse a sí misma como sacramento de Cristo en el mundo, renunciando, como lo hizo su Señor, a la eficacia que se espera de ella desde criterios o proyectos totalmente terrenales.

Cuando la comunidad cristiana, la Iglesia, ha sido rechazada por la sociedad, ha intentado legitimarse a sí misma colaborando en las cosas que la sociedad valora. Es verdad que la Iglesia tiene que dar con su vida, con sus obras buenas, testimonio de la fe que la anima; pero no debe buscar carta de ciudadanía ni aprobaciones que le otorguen créditos en el presente o en el futuro y, en los sitios donde hay alternancia de poder, ni en un partido ni en otro; porque es un error olvidar la aportación específica de la Iglesia y querer ganar crédito, por la eficacia de sus contribuciones, en dominios donde pueda parecer que pretende suplantar a la sociedad en su propio campo. Así la Iglesia puede ser solicitada de variados modos para constituirse en alternativa temporal, en orden a resolver los problemas de este mundo. Consentir a esto constituiría un vaciamiento interno de la misión que Cristo le ha confiado.

Ahora bien, desde el querer de Dios, la Iglesia sabe que tiene el deber de sembrar el amor, del que Cristo la ha hecho depositaria, en el seno de la sociedad. Tiene que decir palabras y alzar signos que favorezcan el establecimiento de una comunidad humana donde reine la concordia, se superen los agravios por la reconciliación entre todos, se auspicie la colaboración entre cristianos de distintas denominaciones, con hombres de otra religión y con no creyentes, en orden al bien común. Aun obrando así, sus propuestas crearán, al mismo tiempo, un contraste entre la novedad del Evangelio y la acción santificadora del Espíritu de Dios, por un lado, y el pecado del hombre, por otro.

En concreto, para este nuevo siglo y nuevo milenio, ¿qué puede aportar la Iglesia al mundo?, ¿qué puede aportar la Iglesia en Cuba?

Toda religión seria quiere ofrecer al hombre un tipo de mensaje que le dé sentido a su vida personal; que le haga mirar la historia de la humanidad no como una historia perdida o fracasada, sino salvada, y en el seno de esa historia propiciar un comportamiento moral responsable y una convivencia humana digna y armónica con sentido comunitario.

Lo propio del cristianismo es fundar todo este programa en Cristo, Hijo encarnado de Dios y Salvador del mundo. A su imagen, todo ha sido creado y en Cristo se consuma la historia.

La aportación de la Iglesia en Cuba en este siglo que comienza debe hacerse, pues, en estos tres campos principales: en la estructuración y fortalecimiento de la vida personal, del orden moral y de la convivencia social. El cristianismo puede hacer un aporte valiosísimo a la sociedad civil en cualquier parte del mundo, también en Cuba.

1° Por el fortalecimiento de la vida personal. Cuando el ser humano se hace consciente de su dignidad de hombre y encuentra la alegría de vivir, pues sabe que hay un Dios que lo ama y cree en el Dios hecho hombre y por lo mismo en la dignidad divina del hombre, está naciendo un hombre positivo, reconciliado con la historia y consigo mismo, que no puede sino enriquecer la sociedad donde vive al mismo tiempo que fortalece su vida personal.

2° Es necesario también fortalecer el orden moral. La amoralidad y la desmoralización son peores que la inmoralidad. Esas ausencias de referencia moral indican que cada hombre o mujer es una brújula sin norte. De este modo no se sabe ya cuáles son los valores, ni los deberes, ni los ideales básicos y la vida se rebaja al plano sensorial, solo se buscan placeres. La sociedad, entonces, puede caer en la depresión y el hastío.

Sin embargo, la Iglesia no se presenta en medio de la sociedad únicamente como una instancia moral, más bien ella le da al ser humano un fundamento privilegiado de la moralidad, que es la persona de Jesucristo y su mensaje. Encontrándolo a Él se transforma la vida. Los valores que propone el Evangelio fundan un elevado comportamiento ético.

3° Es necesario, además, fortalecer una convivencia comunitaria que tenga en cuenta a todos. Hay que lograr que la convivencia entre los hombres y mujeres que integran un mismo pueblo se impregne de amor, de sentimientos de benevolencia y solidaridad entre todos. Esta solidaridad, para nosotros, cristianos, se llama fraternidad, pues todos somos hermanos, hijos de un mismo Padre. Para que muchos en nuestro pueblo puedan alcanzar la meta de una convivencia verdaderamente comunitaria, fundada en el amor del prójimo, será necesario asumir también criterios que valoren y promuevan la reconciliación entre los que se hallan distanciados, enfrentados, cargados de rencores.

Por fin, la Iglesia ofrece, más que todo, como riqueza que le es propia, y que desea compartir con los hombres de todo tiempo y lugar, una gran familia, con una historia larga de muchos siglos. Esa historia va más allá de las épocas de luchas y persecuciones y de las situaciones críticas y permite una verdadera fraternidad espiritual, que se logra en la oración y que abarca también aspectos de la cultura; se ensancha el alma hasta los confines de la catolicidad y el hombre que participa de la vida de la Iglesia se torna más libre, más entero ante las pruebas y capaz de superar tanto las preocupaciones por sus necesidades, como sus angustias presentes. Muchos fieles católicos, cubanos y no cubanos, necesitan poner por obra o replantearse en serio, durante este Año Santo, su conversión a Cristo, para vivir en verdad esa presencia renovadora de Jesús en medio de nosotros.

Las propuestas que hace la Iglesia a Cuba no son para mañana ni para este año 2000: son proyectos a largo plazo para los cuales hay que preparar a las generaciones jóvenes. Se trata, en verdad, de un proyecto de más difícil realización que los programas a corto plazo que establecen los estados, partidos políticos, grupos intermedios o empresas y aun la misma Iglesia, por ejemplo, en lo que toca a la celebración del Año Jubilar, pues no puede medirse la acción de la Iglesia en la historia por la eficacia u otros parámetros similares, incapaces de calibrar la misión que Jesucristo le ha confiado y sus frutos.

Dar sentido a la vida y a la historia, hacer que los hombres sepan que los males y las miserias de este mundo no tendrán la última palabra, porque *«tanto amó Dios al mundo que le envió a su Hijo... para que todo el que cree en Él se salve»* y sembrar amor y reconciliación en las estructuras de la sociedad para que exista una convivencia comunitaria de todos en una solidaridad que llegue a ser fraternidad, son propuestas que deben incidir positivamente y realmente en la sociedad paso a paso, pero sin la eficacia cuantitativa de las consignas y de las metas a plazo fijo. Y esto es debido a las motivaciones espirituales en que se fundan esas propuestas, que conforman, a la vez, una metodología distinta en cuanto al modo de hacer, pues tiene en cuenta tanto el contenido del mensaje como la libertad del hombre. Para la Iglesia, el respeto al hombre y el respeto al honor de Dios están inseparablemente unidos.

La religión cristiana contiene, en el misterio de Dios hecho hombre en Cristo, esa conciliación de lo humano y lo divino que es integradora y supera toda otra tensión. Un autor moderno ha afirmado: la encarnación de Dios en Cristo implica un «fortalecimiento infinito de la autoestima humana». La religión cristiana da al mundo ese aporte humano fundamental porque (cito ahora a Karl Barth) *«Todo aquel que se ha percatado una vez de que Dios se ha hecho hombre ya no puede hablar y actuar de manera inhumana»*.

Para hacer vida este mensaje, la Iglesia necesita no solo espacio y libertad, sino que la naturaleza de su misión sea respetada y valorada justamente. Es verdad que, en muchas ocasiones, un proyecto humanista de tan altos contenidos lleva consigo una crítica de las situaciones que, por contraste, resultan deshumanizantes. Este es otro aporte de la Iglesia al mundo, que puede ser aceptado como un camino de perfeccionamiento del hombre y de la sociedad; pero teniendo siempre en cuenta que la gran innovación de la conciencia cristiana en la era moderna consiste en reconocer que los métodos son tan sagrados como los contenidos y que la verdad, aun la verdad de Dios, no se impone al hombre.

La crítica solo es creíble y legítima si se tiene esta atención a la metodología cristiana, si se basa en estudios rigurosos y si es históricamente posible. Por tanto, nada tiene que ver esa crítica con el distanciamiento de quien enjuicia desde arriba. La Iglesia no exhorta ni esgrime con insolencia argumentos contra el mundo, la sociedad o las estructuras políticas. Propone valores y los fundamenta en su propia fe, pero no como quien habla desde fuera del peligro o sin responsabilidad alguna, sino siguiendo la ley de la encarnación, desde dentro de la sociedad y como participante activa en la misma.

Aun así, aun cuidando todos los reclamos evangélicos en el contenido del mensaje y en la metodología para transmitirlo, el mensaje de Jesús es desestabilizante, y lo es para nosotros mismos: obispos, sacerdotes, personas consagradas o laicos cristianos comprometidos. Nos saca de nuestras seguridades y comodidades, y nos pone una y otra vez frente a la Verdad exaltante y comprometedora de un Dios que se anonadó y se hizo hombre por nosotros, aceptando el riesgo cierto de la Cruz. Los señalamientos válidos y dolorosos que nos hace el mismo Jesús en su Evangelio, nos invitan a la reflexión y al mejoramiento y no deben producir por sí mismos un rechazo airado, sino una consideración atenta. Sin las penalidades del parto no hay vida nueva, sin la Cruz de Cristo no hay Resurrección.

Celebramos los dos mil años del nacimiento de Cristo, acontecimiento único en su realidad histórica y en su proyección, y debemos conmemorarlo tomando muy en serio sus implicaciones, de modo que el Año Jubilar propicie de veras el comienzo de una etapa nueva para la humanidad y también para Cuba. Queda de nuestra parte responder a la iniciativa de Dios que «*por nosotros los hombres y por nuestra salvación bajó del cielo y se encarnó por obra del Espíritu Santo de María Virgen y se hizo hombre*».

En este Año Santo Jubilar, de cara al tercer milenio de la era cristiana, la Iglesia en Cuba debe repetirle a nuestro pueblo, ansioso también de bienes del espíritu, a partir de lo que ella es y de la misión que Cristo le ha confiado, lo mismo que Pedro dijo al paralítico junto a la puerta Hermosa del templo: «*No tengo oro ni plata, pero lo que tengo eso te doy: en nombre de Jesucristo, el Nazareno, echa a andar*» (*Hch* 3, 6).

JUBILEO DE LOS COMUNICADORES*

Queridos hermanos y hermanas, queridos comunicadores:

La fiesta de la Ascensión del Señor está marcada por la aparente partida de Jesús, quien después de su resurrección se aparece en distintas ocasiones a sus discípulos, hasta una última ocasión donde parece ascender hacia el horizonte y es cubierto por una nube que lo oculta a los ojos de sus seguidores.

La narración está cargada de simbolismo, tal y como San Lucas nos la propone en el libro de los Hechos de los Apóstoles. Él nos quiere decir: Esta será la última aparición de Jesús resucitado, de ahora en adelante, una nube lo ocultará a sus discípulos que van a vivir de la fe en Él. Se inicia la era de Cristo vivo en el corazón de sus seguidores y en la Iglesia. Por esto, aquellos dos hombres vestidos de blanco que se presentan al final de la escena traen con su voz y su palabra, a la realidad de esta tierra, a aquellos extasiados hombres de Galilea que se quedaron con la mirada perdida en lo alto, tratando de captar la figura de Jesús que una nube les ocultaba: ¿qué hacen ustedes ahí plantados, mirando al cielo? Esa es la palabra clave del texto de San Lucas. Los que siguieron a Jesús, los que son de Él, no integran una comunidad humana desentendida de esta tierra, con sus bellezas y sus angustias; deben saber que el Jesús que parece alejarse ha de-

---

* Catedral de La Habana, 4-VI-2000.

jado una huella viva en la historia de los hombres y nos hallaremos un día cara a cara con él y nos preguntará por esta tierra y por nuestra capacidad para descubrir sus trazos sagrados de redentor sufriente en el pobre, el hambriento, el preso, el marginado.

Todos quisiéramos ser sorprendidos, en esa ocasión, por las definitivas palabras de consuelo, las que concilian en una realidad feliz y eterna la justicia y el amor: «Ven conmigo, bendito de mi Padre, porque tuve hambre y me diste de comer, tuve sed y me diste de beber, estuve desnudo y me vestiste... 'Señor, ¿cuándo te vimos hambriento y te dimos de comer, o sediento y te dimos de beber, cuándo estuviste desnudo, preso o enfermo y te asistimos?' Cada vez que ustedes lo hicieron a uno de esos pobres, a mí me lo hicieron».

Ningún cristiano puede quedarse plantado mirando al cielo, porque Cristo, misteriosamente, sigue identificándose, en medio de nosotros, con cada hombre o mujer que sufre en su cuerpo o en su espíritu. Los cristianos son hombres y mujeres con una tarea que les es encomendada por su Señor. Y esa tarea no es solo confiada a aquellos que fueron testigos en Galilea y en Jerusalén de las palabras y acciones de Jesús. La ascensión del Señor va precedida de un envío misionero claro, preciso, que Jesús proclama antes de desaparecer de la mirada de sus apóstoles: «Vayan al mundo entero y proclamen el Evangelio a toda la creación; el que crea y se bautice, se salvará.

San Marcos, en su estilo periodístico, concluye su Evangelio diciendo escuetamente: «El Señor Jesús, después de hablarles, ascendió al cielo...». Y cierra su relato con una frase que confirma el cumplimiento de lo que Jesús había ordenado: «Ellos fueron y proclamaron el Evangelio por todas partes». Ha habido, pues, y habrá millones de multiplicadores, transformados así en verdaderos comunicadores del evento salvador: Jesús a quien clavaron en el madero ha resucitado, es el Señor.

Ese es el mensaje que ha llegado a muchas generaciones de seres humanos y que ha lanzado a las tareas del amor, del servicio, de la misericordia a millones de cristianos a través de los siglos.

Son aquellos que oyeron el anuncio de la religión de un Dios hecho hombre, Jesucristo, no de un Dios que se busca en el cielo frío y distante, sino que se hace pobre con los pobres y sufre como un malhechor, como un marginado o un subversivo, la muerte de Cruz. Este Dios-hombre anonadado, que triunfa del mal y de la muerte, por su resurrección, pone también la certeza del triunfo del amor en el corazón del hombre y engendra la esperanza.

Esto lo anunciaron los apóstoles y lo debe anunciar cada cristiano y toda la Iglesia, en todo lugar y en todos los tiempos. Por eso, el día de la Ascensión del Señor ha sido escogido como el día de las comunicaciones sociales en la Iglesia y hoy, en este Año Santo Jubilar, ha sido el día señalado para el Jubileo de los comunicadores.

El anuncio de Jesucristo Salvador lo ha hecho y lo debe seguir haciendo la Iglesia de persona a persona. Es irreemplazable ese modo de comunicar el mensaje sobre el Hijo de Dios hecho hombre. Pero, desde los mismos evangelistas hasta los misioneros de hoy, la palabra escrita es un medio de comunicación que asegura la permanencia del mensaje. El surgimiento de la imprenta y su progresiva transformación por las técnicas nuevas hacen de la palabra escrita un medio privilegiado para dar a conocer el mensaje cristiano con sus implicaciones sociales, sicológicas, humanas y sus exigencias éticas. La aparición de la radio, que puede penetrar en los hogares, acompañar al conductor de un vehículo o a un simple caminante, crea posibilidades nuevas a la comunicación del mensaje cristiano. La imagen, con el cine y, sobre todo, con la televisión, entra en forma cautivante en la vida de las personas y de las familias.

Los medios de comunicación, sobre todo, los audiovisuales, por su fuerza de impacto, pueden ayudar a afianzar valores o a resquebrajarlos. En el Mensaje del Papa Juan Pablo II para la Jornada Mundial de las Comunicaciones Sociales, el Santo Padre insiste en que los medios de comunicación modernos deben ser empleados también para el anuncio de Jesucristo y la promoción de los valores cristianos en el mundo de hoy.

Escuchemos las palabras del Papa en su mensaje para

este día: «El tema de la trigésima cuarta Jornada Mundial de las Comunicaciones Sociales, 'Anunciar a Cristo en los Medios de Comunicación Social al alba del Tercer Milenio', nos invita a mirar hacia delante, considerando los desafíos que nos esperan, y también a mirar hacia el pasado, recordando el nacimiento del cristianismo, para tomar de esos orígenes la luz y el valor que necesitamos. El centro del mensaje que proclamamos es siempre Jesús mismo. 'Ante Él se sitúa la historia humana entera: nuestro hoy y el futuro del mundo son iluminados por su presencia' (*Incarnationis mysterium*, 1).

Lo primero y más importante es que los discípulos anunciaron a Cristo como respuesta al mandato que Él les había dado. Antes de ascender al Cielo dijo a los Apóstoles: 'Seréis mis testigos en Jerusalén, en toda Judea y Samaria, y hasta los confines de la tierra' (*Hch* 4, 13). Ellos respondieron rápida y generosamente.

Continúa más adelante diciendo el Papa:

Es obvio que las circunstancias han cambiado profundamente en dos milenios. Y sin embargo permanece inalterable la necesidad de anunciar a Cristo. El deber de dar testimonio de la muerte y la resurrección de Jesús y de su presencia salvífica en nuestras vidas es tan real y apremiante como el de los primeros discípulos. Aunque el Papa reconoce las formas tradicionales de sembrar la Palabra de Dios, sostiene que, al mismo tiempo, debe realizarse hoy una proclamación en y a través de los medios de comunicación social. Cita entonces al Papa Pablo VI: 'La Iglesia se sentiría culpable ante el Señor si no utilizara estos poderosos medios' (Papa Pablo VI, «*Evangelii nuntiandi*» 45.

Por esto, la Iglesia no cesa de reclamar el espacio que le es debido, en razón de su misión, en los medios de comunicación social. Este es un tema que he tratado varias veces al referirme a las posibilidades evangelizadoras de la Iglesia en Cuba. Este espacio es tan necesario como el respeto por la religiosidad y las convicciones morales de la gente.

Jesús enseñaba que la comunicación es un acto moral. Dice el Maestro: «De la abundancia del corazón habla la boca. El hombre bueno, del buen tesoro saca cosas buenas; y el hombre malo, del tesoro malo saca cosas malas. Os digo que de toda palabra ociosa que hablen los hombres darán cuenta en el día del juicio. Porque por tus palabras serás declarado justo y por tus palabras serás condenado» (*Mt* 12, 34-37). Jesús criticaba severamente a quienes escandalizaran a los «pequeños», y aseguraba que a quien lo hiciera «era mejor que le pusieran al cuello una piedra y lo echaran al mar» (*Mc* 9, 42; cf. *Mt* 18, 6; *Lc* 17, 2). Era completamente sincero; un hombre de quien se podía decir que «en su boca no se halló engaño», y también: «al ser insultado, no respondía con insultos, al padecer, no amenazaba, sino que se ponía en manos de Aquel que juzga con justicia» (*1 P* 2, 22-23). Insistía en la sinceridad y en la veracidad de los demás, al mismo tiempo que condenaba la hipocresía, la inmoralidad y cualquier forma de comunicación que fuera torcida y perversa: «Sea vuestro lenguaje: "Sí, sí"; "no, no", pues lo que pasa de ahí viene del maligno» (*Mt* 5, 37).

Jesús es el modelo y el criterio de nuestra comunicación. Para quienes están implicados en la comunicación social, responsables de la política, comunicadores profesionales, usuarios, sea cual sea el papel que desempeñen, la conclusión es clara: y lo dice San Pablo: «Por tanto, desechando la mentira, hablad con verdad cada cual con su prójimo, pues somos miembros los unos de los otros. (...) No salga de vuestra boca palabra dañosa, sino la que sea conveniente para edificar según la necesidad y hacer el bien a los que os escuchen» (*Ef* 4, 25. 29). Servir a la persona humana, construir una comunidad humana fundada en la solidaridad, en la justicia y en el amor, y decir la verdad sobre la vida humana y su plenitud final en Dios han sido, son y seguirán ocupando el centro de la ética en los medios de comunicación.

Tomo del documento «Ética en las comunicaciones sociales», emitido por el Pontificio Consejo para las comunicaciones sociales, con ocasión de esta jornada, algunas precisiones que me parecen importantes. Dice ese documento:

El uso que la gente hace de los medios de comunicación social puede producir efectos positivos o negativos. Aunque se dice comúnmente que en los medios de comunicación social «cabe de todo», no son fuerzas ciegas de la naturaleza fuera del control del hombre.

La Iglesia asume los medios de comunicación social con

una actitud fundamentalmente positiva y estimulante. No se limita simplemente a pronunciar juicios y condenas; por el contrario, considera que estos instrumentos no solo son productos del ingenio humano, sino también grandes dones de Dios y verdaderos signos de los tiempos (cf. *Inter mirifica*, 1; *Evangelii nuntiandi*, 45; *Redemptoris missio*, 37). La Iglesia desea apoyar a los profesionales de la comunicación, proponiéndoles principios positivos para asistirles en su trabajo, a la vez que fomenta un diálogo en el que todas las partes interesadas puedan participar.

La vida religiosa de mucha gente se enriquece mucho gracias a los medios de comunicación, que transmiten noticias e información de acontecimientos, ideas y personalidades del ámbito religioso, y sirven como vehículos para la evangelización y la catequesis.

A veces, los medios de comunicación también contribuyen de un modo extraordinario al enriquecimiento espiritual de las personas. Por ejemplo, es incontable en todo el mundo el número de personas que ven y, en cierto sentido, participan en importantes acontecimientos de la vida de la Iglesia televisados regularmente por satélite desde Roma. Y a lo largo de los años, los medios de comunicación han llevado las palabras y las imágenes de las visitas pastorales del Santo Padre a miles de millones de personas.

Después, el documento contiene algunas preocupaciones:

Los medios de comunicación también pueden usarse para bloquear a la comunidad y menoscabar el bien integral de las personas alienándolas, marginándolas o aislándolas; favoreciendo la hostilidad y el conflicto; criticando excesivamente a los demás y creando la mentalidad de «nosotros» contra «ellos»; presentando lo que es soez y degradante con un aspecto atractivo e ignorando o ridiculizando lo que eleva y ennoblece. Pueden difundir noticias falsas y desinformación, favoreciendo la trivialidad y la banalidad.

Entre las tentaciones de los medios de comunicación están el ignorar o marginar las ideas y las experiencias religiosas; tratar a la religión con incomprensión, quizá hasta con desprecio, como un objeto de curiosidad que no merece una atención seria.

Por su parte, la religión puede tener tentaciones como formarse un juicio exclusivamente crítico y negativo de los medios de comunicación; no comprender que los criterios razonables de un buen uso de los medios de comunicación, como son la objetividad y la imparcialidad, pueden excluir un trato especial para los intereses institucionales de la religión; podemos también presentar los mensajes religiosos con un estilo emotivo y manipulado, como si fueran productos que compiten en el mercado.

El documento cita algunos principios éticos importantes:

1. La comunicación debe ser siempre veraz, puesto que la verdad es esencial a la libertad individual y a la comunión auténtica entre las personas.

2. El segundo principio es complementario del primero: el bien de las personas no puede realizarse independientemente del bien común de las comunidades a las que pertenecen. Este bien común debería entenderse de modo íntegro, como la suma total de nobles propósitos compartidos, en cuya búsqueda se comprometen todos los miembros de la comunidad, y para cuyo servicio existe la misma comunidad.

3. Hay que estar siempre a favor de la libertad de expresión, porque «cuantas veces los hombres, según su natural inclinación, intercambian sus conocimientos o manifiestan sus opiniones, están usando de un derecho que les es propio, y a la vez ejerciendo una función social» (*Communio et progressio*, 45: *L'Osservatore Romano*, edición en lengua española, 6 de junio de 1971, p. 5). Sin embargo, considerada desde una perspectiva ética, esta presunción no es una norma absoluta e irrevocable. Se dan casos obvios en los que no existe ningún derecho a comunicar, por ejemplo, el de la difamación y la calumnia, el de los mensajes que pretenden fomentar el odio y el conflicto entre las personas y los grupos, la obscenidad y la pornografía, y las descripciones morbosas de la violencia. Es evidente también que la libre expresión debería atenerse siempre a principios como la verdad, la honradez y el respeto a la vida privada.

Aun en el mejor de los casos, la comunicación humana tiene serias limitaciones; pero en el mundo de los medios de comunicación, las dificultades inherentes a ella a menudo son acrecentadas por la ideología, por el afán de lucro y control político, por rivalidades y conflictos entre grupos, y por otros males sociales. Hasta aquí algunos extractos del Documento del Consejo Pontificio para las Comunicaciones Sociales.

En el discurso que pronuncié en la sede de la UNESCO en París, con ocasión de la entrega del premio UCIP a la revista Arquidiocesana «Palabra Nueva», citaba estas palabras del Santo Padre en su homilía de Santiago de Cuba: *«el bien de una nación debe ser fomentado y procurado por los propios ciudadanos a través de medios pacíficos y graduales».*

«De este modo, cada persona, gozando de libertad de expresión, capacidad de iniciativa y de propuesta en el seno de la sociedad civil... podrá colaborar eficazmente en la búsqueda del bien común.»

Añadía después en mi discurso estas palabras: «Como siempre, Juan Pablo II establece una correlación entre derechos y deberes. Enuncia el derecho de cada hombre o mujer a la expresión libre del pensamiento, pero establece como horizonte definido para la opinión derivada del ejercicio de ese derecho, el bien común de la sociedad, que da la orientación ética general a la actuación de quien se expresa». Un comunicador católico tendrá, además, en cuenta el bien total de la Iglesia.

Permítanme dirigirme de modo particular a los comunicadores católicos de esta Arquidiócesis, con las mismas palabras que empleé en París en la ocasión ya mencionada: queridos hermanos y hermanas, prosigan su quehacer como depositarios de un mandato de su Arzobispo y de su Dios y Señor, hagan labor de evangelizadores, sean consecuentes con sus ideales y, sobre todo, con su fe, no busquen siempre agradar, no consientan nunca a la tentación de ofender, permanezcan en la verdad, la verdad los hará libres y sientan, como perenne desafío en sus corazones, el llamado a armonizar, según el modelo del Siervo de Dios Félix Varela, la fidelidad a Dios y a la Patria.

En esta fiesta de la Ascensión del Señor, Jubileo de los Comunicadores, deseo hacer llegar especialmente a los comunicadores católicos los deseos del Santo Padre: «que Dios bendiga abundantemente a todos aquellos que honran y proclaman a su Hijo, nuestro Señor Jesucristo, en el vasto mundo de los medios de comunicación»; pero deseo también a todos los comunicadores católicos, de cualquier religión o no creyentes que el Evangelio de Jesús les sirva de inspiración para estructurar y fortalecer el sentido ético de su misión, que exige tanta responsabilidad. Pido a Dios bendiga sus trabajos para que puedan hacer mucho bien a la humanidad por medio de él.

En esta fiesta de la Ascensión del Señor creo que la palabra de aquellos misteriosos testigos debe resonar también hoy en nuestros oídos: ¿qué hacen ahí plantados?, sea mirando al cielo o como simples observadores de los acontecimientos. Nuestro deber está muy anclado en esta tierra de los hombres y nuestra tarea es muy grande. Que Dios nos ayude a todos.

ENCUENTRO NACIONAL DE HISTORIA*

La liturgia de esta semana, que va de la Ascensión a Pentecostés, constituye un octavario del Espíritu Santo. La Iglesia toda, como en los días que precedieron en Jerusalén aquella efusión clamorosa del Espíritu que la lanzó a las plazas, se pone ahora en oración y vuelve a repetir: «ven, Espíritu Santo». Es el Espíritu el que capacitará a la Iglesia para anunciar al mundo entero el mensaje sublime y profundo que le ha confiado su Señor.

La lectura del libro de los Hechos de los Apóstoles nos revela hoy, con la agudeza y el sabor a que nos tiene acostumbrados San Lucas, la difícil naturaleza del mensaje que los discípulos de Jesús, enviados por su Maestro y Señor y movidos por el Espíritu Santo, debían llevar hasta los confines de la tierra. Enormes barreras se levantaban en Judea, en Galilea, en Grecia, en Asia Menor y en Roma, para el anuncio del

---

* Camagüey, 9-VI-2000.

Nazareno clavado en un madero que ha resucitado. Esas barreras eran sobre todo culturales. Concepciones populares, tradiciones, pensamientos filosóficos de altos vuelos hacían, cada uno a su modo, una muralla alrededor de aquello que el mismo San Pablo calificaría de «escándalo para los judíos y locura para los griegos».

Pablo estaba en Cesarea porque, al comparecer ante el Sanedrín en Jerusalén a causa de ciertos disturbios y acusaciones, supo utilizar muy bien la dialéctica. Vio que sus jueces eran unos fariseos y otros saduceos. Los primeros creen en la resurrección de los muertos, los otros, no, y Pablo, que siempre había pertenecido al grupo de los fariseos, declaró allí que él solo había enseñado la resurrección de los muertos. Se produjo un gran altercado entre los jueces unos a favor y otros en contra de la resurrección y la autoridad romana decidió enviar a Pablo al gobernador romano Félix en el puerto de Cesarea. Allí Pablo, de prisionero, se convirtió en huésped, vivía en una casa contigua a la de Félix y llegó a ser amigo de él. Cambiaron a Félix y vino Festo, que le dio igual trato, y la lectura de hoy nos presenta el desenlace de la historia.

Festo aprovechó la visita del rey Agripa para presentarle el caso de Pablo. Agripa no era amigo del sumo sacerdote Ananías, que era saduceo y que deseaba que Pablo fuera condenado. Agripa no era fariseo pero era de la tribu de Dan, que estaba integrada por gentes más sencillas, a quienes no les gustaba Ananías. Esta es la coyuntura histórico-cultural que aprovechan Festo y Pablo. Pero vale la pena repetir la narración del libro de los Hechos que manifiesta, por sí misma, la complejidad del mensaje cristiano. Así describe el romano Festo al judío Agripa este litigio: «se trataba solo de ciertas discusiones acerca de su religión, y de un difunto llamado Jesús, que Pablo sostiene que está vivo. Yo, perdido en semejante discusión, le he preguntado a Pablo si quería ser juzgado en Jerusalén, pero Pablo como ciudadano romano ha apelado a Roma, y allí lo enviaré».

El mensaje cristiano extravía a los romanos y enfrenta unos a otros a los judíos; verdad esencial en la fe ante la cual se sienten los hombres perdidos, desconcertados. Pero se destaca en el relato la capacidad intelectual y la sagacidad del apóstol Pablo, que sabe cuándo conviene reclamar su condición de fariseo y cuándo es necesario hacer uso de su ciudadanía romana. En todos los casos sabe emplear la dialéctica y es capaz de hacerse sinceramente amigo de Félix y de Festo. Digna de mención es la crónica de San Lucas, llena de sutilezas y alusiones que descubren también a un buen conocedor de ese mundo al cual debía llevarse el anuncio de Jesucristo Salvador.

Hay una mediación cultural en la instauración de la Iglesia en cualquier parte y el conocimiento de la realidad histórica es fundamental para la siembra de la semilla evangélica. Es tan esencial conocer el pasado como captar el momento presente, porque la Iglesia no puede considerarse solamente de modo fenomenológico como una institución fundada hace dos mil años por Jesús de Nazaret, con una trayectoria precisa en el devenir histórico. De hecho, Jesucristo no es un fundador en el sentido universalmente aceptado del término, ni puede decirse con absoluta validez que la Iglesia ha sido fundada por Jesús. Los fundadores establecen normas y reglamentos. Hay un momento de fundación, cuando los compromisos de pertenencia y dirección quedan establecidos. No es así en la Iglesia.

Los Santos Padres hablan a menudo de que la Iglesia nace del costado abierto de Cristo en la Cruz. La Iglesia fluye de Jesucristo, pero no en un punto determinado de la historia hace dos mil años. La Iglesia está fluyendo siempre de Jesucristo, analógicamente al acto creador. Dios no se sitúa en el límite retrospectivo del tiempo para crearlo todo de golpe. Y así hay un acto creador de Dios en cada vida humana que se gesta en el seno materno.

Cada hombre y cada mujer que encuentra a Jesucristo y lo reconoce en la fe como el hijo de Dios vivo queda incorporado a Cristo por la acción del Espíritu Santo y el bautismo en su cuerpo que es la Iglesia. La Iglesia está integrándose en Cristo cada día, fluye de su amor a los hombres a cada instante.

Jesucristo no fue un simple maestro de doctrina, cuyo conocimiento nos incorporaría a una escuela de pensamiento y a un consecuente estilo de vida. Él es la Palabra hecha carne que ha venido a nosotros. Él descendió del cielo, del seno de la Trinidad Santísima, para recogernos misericordiosamente a los que yacíamos en las tinieblas y en sombra de muerte y levantarnos con Él, que asciende a los cielos llevando cautiva nuestra cautividad. Jesús no es un maestro que muestra un camino, Él es el camino. Cuando accedemos a Él, Él nos colma con la vida que vino a traer en abundancia a la tierra y nos introduce por su Espíritu Santo en esa corriente inextinguible de amor trinitario que retorna siempre al Padre.

A Jesús, cada uno debe amarlo con un amor de entrega y de dejación. «Quien ama a su Padre o a su Madre más que a mí, no es digno de mí»... «quien quiera ser mi discípulo, que se niegue a sí mismo, que cargue con su cruz y me siga». Cada hombre, cada mujer que quiera tomar en serio el seguimiento de Cristo, debe establecer una relación personal de amor con Jesús. Esa es la razón de la triple pregunta de Jesús a Pedro: «Pedro, ¿me amas?... ¿me amas más que estos?». Aun las responsabilidades en la Iglesia dependen de la capacidad de entrega del corazón a Jesús. Por esto, el mensaje cristiano es desorientador o aun inaceptable también para el hombre de hoy. Porque se trata de una historia de amor que solo puede ser recibida por quien está dispuesto a dejarse amar.

Lo que Dios ha hecho por nosotros, los hombres y por nuestra salvación: descender a nuestra miseria, anonadarse, morir en una cruz, es algo incomprensible para el hombre de «pensamiento débil», el hombre «lite» que cree que vale tan poco, que nada tiene tanta importancia, ni nosotros mismos, ni menos aún nuestros actos. Ese es el hombre posmoderno. En el modernismo, el hombre se consideró tan importante que Dios estorbaba, le robaba su libertad, lo sentía como un oponente a sus deseos de grandeza. En esta época de la historia, el hombre es un ser tan irrelevante que no se atreve a justificar los grandes esfuerzos que Dios hace para salvarlo. Un poco así era el mundo romano decadente. En esas aguas debería bregar el pescador de Galilea y para eso necesitaba amar mucho a Jesús. Del amor dependerá también nuestra presencia y acción de Iglesia en el acontecer histórico de Cuba, que vive también esta etapa posmoderna de la historia del mundo.

La Iglesia en Cuba hoy debe amorosamente suscitar ese amor a Jesús. La memoria viva que la Iglesia tiene que brindar a la humanidad del nuevo milenio es la de su Señor, nacido en la pobreza del pesebre, contemplado por los pastores, cantado por los ángeles, que compartió todo lo nuestro, menos el pecado, y que murió por nosotros en la Cruz. Resucitado y glorioso está vivo y presente en medio de nosotros y lo estará siempre, hasta el fin del mundo.

La posibilidad de la Iglesia de dar verdaderos frutos y de aportar algo nuevo a la sociedad depende de su constancia para hacer inolvidable a Jesucristo, para que los hombres de cada época y de cada lugar lo experimenten cercano.

La fe cristiana lleva consigo este mensaje de salvación para el hombre concreto, es decir, una persona que ha nacido en una familia, que integra otros grupos de trabajo, de estudio, deportivos, de entretenimiento, de desarrollo cultural; que es ciudadano de un país determinado, con responsabilidades históricas, que tiene además, y esto es fundamental, un destino eterno. La Iglesia no puede ser, pues, una sociedad alternativa a la comunidad humana.

En sociedades de un fuerte estatismo o donde el individualismo o el nacionalismo exacerbado se han enseñoreado, puede existir en algunos o en muchos la tentación de considerar a la Iglesia, precisamente, como una sociedad alternativa.

Pero la Iglesia, como hemos dicho, se comprende a sí misma, desde la memoria de Jesús con su mensaje, con la irradiación de su persona. Se comprende a sí misma movida siempre por el Espíritu Santo, que, en cumplimiento de su promesa, Jesús le ha dado. Ella guarda, además, en su seno los sacramentos, que permiten que la gracia de Cristo se haga hoy presente y actuante. Por tanto, la Iglesia se comprende como enviada por Dios y en total acatamiento del plan de Dios sobre ella.

Sin embargo, he aquí que está solicitada, requerida al mismo tiempo, como lo estuvo su Maestro, por las angustias y las esperanzas de los hombres (G.S.I.,1). La Iglesia vivirá siempre en la tensión de estos dos reclamos: una absoluta fidelidad a lo que ella es y debe seguir siendo según el querer de Dios y una fidelidad al clamor de la humanidad en busca de certezas, de consuelo, de esperanzas y aun de satisfacción de sus necesidades vitales. La Iglesia vive siempre entre la grandeza y la debilidad de estas dos realidades.

El gran desafío para la Iglesia no es solo ser aceptada por las estructuras sociales y políticas siendo como ella es; sino también aceptarse a sí misma como sacramento de Cristo en el mundo, renunciando, como lo hizo su Señor, a la eficacia que se espera de ella desde criterios o proyectos totalmente terrenales.

Cuando la comunidad cristiana, la Iglesia, ha sido rechazada por la sociedad, ha intentado legitimarse a sí misma colaborando en las cosas que la sociedad valora. Es verdad que la Iglesia tiene que dar con su vida, con sus obras buenas, testimonio de la fe que la anima; pero no debe buscar carta de ciudadanía ni aprobaciones que le otorguen créditos en el presente o para el futuro y, en los sitios donde hay alternancia de poder, ni en un partido ni en otro; porque es un error olvidar la aportación específica de la Iglesia y querer ganar crédito, por la eficacia de sus contribuciones, en dominios donde pueda parecer que pretende suplantar a la sociedad en su propio campo. Así la Iglesia puede ser solicitada de variados modos para constituirse en alternativa temporal, en orden a resolver los problemas de este mundo. Consentir a esto constituiría un vaciamiento interno de la misión que Cristo le ha confiado.

En concreto, para este nuevo siglo y nuevo milenio, ¿qué puede aportar la Iglesia a Cuba?

La aportación de la Iglesia en Cuba en este siglo que comienza debe hacerse en tres campos principales: en la estructuración y fortalecimiento de la vida personal, del orden moral y de la convivencia social.

1° El fortalecimiento de la vida personal por medio de la fe cristiana se produce cuando el ser humano se hace consciente de su dignidad de hombre y encuentra la alegría de vivir, pues sabe que hay un Dios que lo ama y cree en él. Nace así un hombre positivo, reconciliado con la historia y consigo mismo, que no puede sino enriquecer la sociedad donde vive, al mismo tiempo que fortalece su vida personal.

2° Es necesario también fortalecer el orden moral. La

amoralidad y la desmoralización son peores que la inmoralidad.

la Iglesia no se presenta en medio de la sociedad únicamente como una instancia moral, más bien ella le da al ser humano un fundamento privilegiado de la moralidad, que es la persona de Jesucristo y su mensaje. Encontrándolo a Él se transforma la vida. Los valores que propone el Evangelio fundan un elevado comportamiento ético.

3° Hay que lograr que la convivencia entre los hombres y mujeres que integran un mismo pueblo se impregne de amor, de sentimientos de benevolencia y solidaridad entre todos. Para esto es necesaria la reconciliación entre los que se hallan distanciados, enfrentados, cargados de rencores.

Por fin, la Iglesia ofrece, más que todo, como riqueza que le es propia, y que desea compartir con los hombres de todo tiempo y lugar, una gran familia, con una historia larga de muchos siglos que permite una verdadera fraternidad espiritual, por medio de la oración y que abarca también aspectos importantes de la cultura.

Para alcanzar estos propósitos, la Iglesia usa una metodología distinta en cuanto al modo de hacer, pues tiene en cuenta tanto el contenido del mensaje como la libertad del hombre. Para la Iglesia, el respeto al hombre y el respeto al honor de Dios están inseparablemente unidos. La Iglesia no exhorta ni esgrime con insolencia argumentos contra el mundo, la sociedad o las estructuras políticas; propone valores y los fundamenta en su propia fe. Pero aun así, aun cuidando todos los reclamos evangélicos en el contenido del mensaje y en la metodología para transmitirlo, el mensaje de Jesús es desestabilizante, y lo es para nosotros mismos. No es de extrañar, pues, que pueda causar en algunos irritación o enojo.

Sin embargo, al modo de Pablo en el relato de los Hechos de los Apóstoles, debemos actuar con sagacidad, inteligencia y movidos siempre por el amor. Ese apóstol fogoso que fue Pablo tuvo una gran lucidez, un aguante y una paciencia impropios de su temperamento, porque había sido domeñado por el amor de Cristo. Pablo era capaz de diálogo y de trabar auténticas relaciones de amistad con Lucas, con Aquila y

Priscila, pero también con Félix y con Festo, supo relacionarse con cristianos y no cristianos.

Solamente una respuesta de amor personal a Jesús como la que dio Pedro, como la de Pablo, nos puede hacer a nosotros, cristianos de hoy en Cuba, capaces de participar activamente en el acontecer histórico de nuestro país desde nuestra propia identidad, como portadores de un mensaje bienhechor para nuestro pueblo, sorteando todas las dificultades, empleando sabiamente la «dialéctica» del amor cristiano que, en palabras del mismo San Pablo, trasciende toda filosofía.

Que el profundizar en nuestra propia historia eclesial en Cuba, como se ha hecho en este evento, sirva de valiosa ayuda para este propósito. Que nuestra Madre, la Virgen de la Caridad del Cobre, bendiga estos esfuerzos y los haga fructificar.

JUBILEO DE LA FAMILIA*

Queridas familias:

Dijo Dios: Hagamos al hombre a nuestra imagen y semejanza. Hombre y mujer los creó... Y dijo Dios: crezcan y multiplíquense y llenen la tierra... Y vio Dios que era bueno.

En estas palabras del libro del Génesis aparece, en síntesis apretada y precisa, el plan de Dios sobre el ser humano: hombre y mujer. Imagen de Dios serán ambos, siendo efectivamente distintos. Dios nos da una imagen suya por medio de la pareja humana. El hombre y la mujer completan, los dos juntos, acercándola a nuestra limitada comprensión de lo inmenso, la imagen del único Dios, a la vez fuerte, protector y padre, y tierno, dador de vida y madre.

El hombre y la mujer, siendo cada uno lo que debe ser, son en la tierra un reflejo humanizado de Dios y, al completar entre ambos esa imagen divina, se complementan además uno al otro. En esto hallan su propia felicidad y la de los hijos que nacen de su amor. En verdad es buena la vida del hombre y la mujer sobre la tierra cuando entran de lleno en el querer

* Catedral de La Habana, 17-VI-2000.

de Dios. La comunidad familiar debe, pues, reproducir a escala humana la unidad de amor de la vida trinitaria de Dios que, siendo uno, no es un Dios solitario, sino un solo Dios en tres personas: el Padre, que desde siempre engendra al Hijo, el Hijo, que expresa en su persona todo lo que el Padre es, y el Espíritu Santo, que es el amor increado que los une. ¡Qué alto debe mirar la familia para comprender su grandeza! Y cuán necesario es siempre mirar muy alto para conocer de veras lo inmediato, lo cotidiano.

Es así como actúa la fe, que nos hace penetrar lo común de todas las horas con sus contornos grises, y nos descubre la auténtica belleza, no de lo que hacemos o tenemos, sino de lo que somos.

Es bueno que vivamos, es bueno hacer producir la tierra con nuestro trabajo, es bueno el amor de los esposos y de los hijos. Es bueno porque vio Dios que era bueno lo que había hecho y lo que Dios ha hecho bueno debe serlo para siempre.

La oración es el tiempo mejor para mirar alto y disfrutar lo bueno que está presente en nosotros sin a veces percatarnos de ello. Quienes integran la familia deben también descubrir y disfrutar las bondades de la vida familiar en la oración hecha en familia. Las voces de los otros dirigiéndose al Padre que está en el cielo, su sola presencia ante Dios, nos revelan que los lazos que nos unen nacen del Creador, al mismo tiempo que sentimos cómo se estrechan en Dios esos lazos: Él es quien nos ha puesto juntos, quien nos ha hecho sentirnos amados y capaces de amar.

Queridas familias: acostúmbrense a rezar juntos, con toda sencillez en familia, no dejen la oración hogareña, en la cual la familia tiene la plena vivencia de ser iglesia doméstica. La prisa, el perenne televisor, los vecinos importunos, el descuido, la convivencia con otros familiares, no dejan espacio a la familia para experimentar su misma realidad comunitaria esencial donde se comparten preocupaciones, se forjan proyectos o se pasa simplemente un buen rato juntos. Cuánto más difícil es hallar unos momentos para la oración en común. Y, sin embargo, la oración es normalmente garante de esos otros momentos de intercambio, de esos imprescindibles espacios para compartir. Una vez que hemos orado juntos fluye más fácilmente la conversación y la auténtica comunicación entre padres, hijos y hermanos. Si no es solo descuido o imprevisión, remediables con un esfuerzo serio, es necesario entonces, y creo que es la mayoría la que lo requiere, aprender a orar en familia, dejando a un lado las vergüenzas, complejos e inhibiciones. Por ahí debemos comenzar los católicos cubanos a cumplir aquel mandato del Papa Juan Pablo II en la celebración eucarística de Santa Clara: «Cuba, cuida a tus familias».

La familia es el tesoro más preciado del ser humano, la familia católica debe cuidarse realizando en cada momento el designio de Dios sobre ella a corto, a largo o a mediano plazo. Esto significa tener normativamente presente, interiorizada y asumida sin reservas, la centralidad de la familia en el proyecto creador de Dios, que contrasta hoy con versiones incompletas y aun degradadas del papel de la familia en la sociedad y de la misma estructura familiar.

Esto exige del católico una postura ética definida e iluminada por el evangelio y, en no pocos casos, tomas de posición claras en orden a preservar y defender los mismos elementos naturales que sostienen la institución familiar y la dignidad de la vida humana, menospreciados y amenazados por la ola globalizadora de lo intrascendente posmoderno, donde no hay fijación de valores, con el hombre y la mujer pisando terrenos movedizos en los que suenan extrañas las palabras definitivas y totales que vienen de Dios y que la Iglesia nos propone en nombre del Señor: «dejará el hombre a su padre y a su madre y serán los dos una sola carne..., lo que Dios ha unido no lo separe el hombre..., prometo amarte a ti, esposo o esposa, y honrarte hasta que la muerte nos separe..., recibirás con amor a tus hijos...». La riqueza de esa doctrina se traduce en un sí a la vida, un sí a la fidelidad, un sí a la perdurabilidad del amor.

A la familia se le cuida poniéndola bajo la luz bienhechora de la fe que nos revela el amor de Dios hacia nosotros, manifestado por medio de su hijo Jesucristo y que debe ser cultivado sin cesar entre los que integran la comunidad familiar.

Es cierto que el amor resulta algo espontáneo y connatural a la familia, pero los esposos deben saber bien que el amor entre ellos no es una planta silvestre, sino sembrada, regada, podada y atendida con esmero, de otro modo puede ser raquítica o irse en follaje, sin que aparezcan las flores y los frutos que se esperan de ella.

Los esposos deben cultivar su amor mutuo no solo como un bien para ellos dos, sino como un don imprescindible para sus hijos. Ellos necesitan no solo tener papá y mamá, sino unos padres que se amen de veras. El hogar es la escuela del amor, un amor que se aprende al vivir en un clima donde se respira amor. El amor de los hermanos entre sí y el de los hijos hacia los padres se apoya en el amor que los esposos se profesan uno al otro. Los hijos, que nacen de un acto de amor, deben también crecer con una conciencia agradecida y feliz de que el amor que los trajo a la existencia está vivo y perdura. De ahí el mal del divorcio, que desgarra el corazón de los padres y de los hijos.

Es también desolador el ambiente familiar sin amor, donde solo se escuchan palabras duras, o se habla únicamente de problemas, y casi nunca se sientan a la mesa juntos y no hay fines de semana ni vacaciones en familia, sino que cada uno se las arregla por su cuenta.

Escuchemos de nuevo las palabras de la carta del apóstol San Juan: «Queridos hermanos, amémonos unos a otros, ya que el amor es de Dios, y todo el que ama ha nacido de Dios y conoce a Dios. Quien no ama no ha conocido a Dios, porque Dios es amor».

La llamada del apóstol a auparnos debe ser acogida poniendo por obra acciones concretas.

En Cuba y en el mundo de hoy, menos que nunca, puede dejarse el amor a la simple espontaneidad de las personas. Hay que crear espacios para el amor, hay que defender los tiempos propios para que la familia se muestre el amor y los más jóvenes aprendan «qué bueno y qué alegre es estar los hermanos reunidos».

Nuestra fe cristiana le da al amor toda su trascendencia: «el amor es de Dios... porque Dios es amor». Sabemos que al amarnos cumplimos el dulce mandato de Jesús: «ámense unos a otros como yo los he amado». El amor de Jesús a nosotros se hace presente en el amor de quienes integran la familia.

Existen, sin embargo, hoy muchos factores que ponen

trabas al amor, al producir condiciones desfavorables que entorpecen sus expresiones más comunes. El trabajo de la mujer fuera del hogar hace de la casa un lugar cerrado y oscuro durante todo el día, a menos que haya una abuela que le dé vida a ese hogar. A esto se suma la ausencia de los adolescentes y jóvenes, en muchas ocasiones internos o semiinternos en sus escuelas. Se convierten así los domicilios en casas-dormitorio, adonde se llega cansado y agobiado por el trabajo del día. Normalmente, la mujer se arregla para ir a su trabajo. Es casi la única salida que hace. En la tarde, en casa, está cómoda, con ropajes impresentables y desaliñada. Y algo parecido puede decirse del hombre. Ya nadie espera visita y, si llegara alguna, se la recibe así.

Hay que reprogramar la vida de la familia teniendo en cuenta los ritmos inhumanos del tiempo presente. La mesa del hogar, donde toda la familia se congrega, tiene que ser un lugar de encuentro y de encuentro feliz y no solo cuando hay una comida especial, sino cada día. La mesa eucarística debe reunir a la familia el domingo para alimentar y afianzar su espiritualidad recibiendo a Cristo, Pan de Vida para la familia. Se trata de combatir el individualismo que lleva a cada uno a entrar y salir según su propio programa, en la casa-dormitorio, a comer con el plato en la mano frente al televisor, o aun de pie por la prisa de salir de nuevo, e, incluso, a ir cada uno por su cuenta a la misa dominical.

A veces me preocupan las misas de niños celebradas el sábado que hacen que el domingo la familia deje a los pequeños en casa viendo los muñequitos en la televisión, con algún otro miembro de la familia, o con un vecino, mientras que padres o abuelos van a la Misa dominical. ¿Cómo puede formarse así la conciencia del niño sobre el domingo, día del Señor, que debe celebrarse en familia, tanto en la iglesia como en la casa? Ni la casa ni la iglesia son centros de servicio, que ofrecen comida y sitio para que cada uno coma y duerma o misas a distintas horas para que cada uno vaya y cumpla. La mesa del hogar y la mesa eucarística son los momentos privilegiados en que la familia se congrega en el amor, y da gracias a Dios y se alimenta como familia, sea en su cuerpo, sea en su espíritu.

Cuando digo que hay que reprogramar la vida familiar no me refiero, pues, a preparar una especie de ficha personal con las horas de trabajo o de actividad escolar de cada uno de sus miembros, sino propongo se haga un sencillo proyecto para la vida comunitaria de la familia, a fin de protegerla y fomentarla. En él deben incluirse los tiempos para las relaciones de la familia en el hogar y su participación en la Iglesia, los paseos juntos, las celebraciones familiares importantes: aniversarios, conmemoraciones, reuniones amistosas con otras familias, etc.

La acción pastoral de la Iglesia no puede dirigirse exclusivamente a individuos aislados, si bien la respuesta de entrega a Cristo es siempre personal. Así, ante un catecúmeno adulto que ha dado su primera adhesión de fe a Cristo y comienza su preparación para el bautismo, nuestras primeras preguntas serán: ¿estás casado? Si es así, ¿cuántos hijos tienes?, ¿hay estabilidad en tu matrimonio?, ¿tu esposa tiene fe?, ¿qué piensas de la iniciación cristiana de tus niños? Y todo esto es de tal importancia, que la posibilidad de su bautismo dependerá de la orientación correcta de su vida familiar y de las decisiones que el catecúmeno tome al respecto, si fueran necesarias.

Son tan fuertes los lazos que unen al hombre y a la mujer concretos a su familia, que no hay un solo acto personal, ni aun el bautismo que hace al hombre hijo de Dios y miembro de la Iglesia, que pueda sustraerse de esa comunidad natural y esencial que es la familia. La familia es la primera comunidad humana. No está establecida por las constituciones de los Estados ni por otras leyes. Puede y debe ser favorecida, protegida, potenciada como célula básica de la sociedad, por las legislaciones de cada nación, pero la familia existe naturalmente y sus derechos son anteriores a los del Estado. Dios ha creado al hombre y a la mujer para vivir en familia.

La familia cristiana sabe, además, que se origina y se estructura en Dios y sabe también que su incorporación a Cristo y a su Iglesia, como familia, hace de ella un grupo humano que, como tal, debe dar testimonio de la presencia de Cristo en la comunidad familiar que ellos forman y anunciar a Cristo, como familia, a otros hombres y mujeres, a otras familias y hacerlo presente en la sociedad.

Ustedes son así, queridas familias cristianas, sal de la tierra y luz del mundo. Su misión no es solo vivir como familia en el amor de Dios, sino además irradiar ese amor de Dios a cuantos los rodean.

Para la familia cristiana, la vivencia familiar del amor comunitario es más que un gran bien del que disfrutan sus integrantes, es un modo eminente de realizar un apostolado familiar, de cumplir una misión de Iglesia. De faltar esa unión de amor entre los que forman la familia, dejaría de aportar sabor cristiano a la vida del vecindario y en la sociedad. «Si la sal se vuelve insípida no sirve más que para tirarla fuera y que la pisotee la gente», nos decía hoy la lectura evangélica.

Tampoco debe guardar para sí la familia el gozo del amor compartido. «No se enciende una lámpara para ponerla debajo de un mueble, sino para que alumbre a todos los de la casa.» Ahora bien, si tu casa está iluminada por el amor de Dios, será como esas casas que tienen luz propia y brillan en medio del apagón, sirviendo de puntos de referencia a quienes pasan. Este brillo pudiera causar molestias al que está a oscuras, pero el brillo del amor es de otro orden y constituye una invitación a ponerse bajo la luz de Cristo a quienes entran en contacto con aquellos que tienen un modo especial de quererse entre sí.

Queridas familias: estos valores hay que transmitirlos a las nuevas generaciones, a los niños desde muy temprana edad y poner cuidado particular en los adolescentes y jóvenes. Es muy grande la fuerza avasalladora de la corriente que los arrastra a modelos de comportamiento disgregadores de la familia, que no ayudan a congregarla y que no los preparan a ellos y ellas para la responsabilidad de fundar y cuidar una familia en un mañana inmediato. En ciertas etapas de la vida hay que extremar la delicadeza del amor, que incluye la capacidad de escucha y la comprensión, pero hay que tener, además, el coraje de hablar con claridad y seriedad de los valores irrenunciables para un cristiano.

Grande es hoy la responsabilidad de la familia, pero no estarán solos los padres ni los hijos en sus esfuerzos. Permanece en pie la promesa invariable de Jesús y las seguridades que Él nos da: «no teman, pequeño rebaño mío, yo estaré con ustedes siempre...». Ese es el lema para nuestro Congreso Eucarístico Diocesano, porque en la Eucaristía cumple de modo admirable Jesús su promesa de estar con nosotros, de librarnos del miedo y de colmarnos de amor. Jesucristo es también Pan de vida para las familias. A Él, en esta Eucaristía Jubilar, confiamos las familias habaneras que están, como todas las familias cubanas, bajo la mirada amorosa de la Virgen de la Caridad.

Llenos así de confianza en el poder de Dios y en el amor de María, el Movimiento Familiar Cristiano y toda la pastoral familiar deben cumplir la parte que les corresponde en su respuesta al llamado del Papa: «Cuba, cuida a tus familias». Tratemos todos de no desoír ese llamado, de él depende en gran medida la felicidad de muchos en nuestro pueblo. Que Dios bendiga a nuestras familias.

JUBILEO CARCELARIO*

Queridos hermanos y hermanas:

Vengan aquí, benditos de mi Padre... porque estuve preso y me fueron a visitar. Estas palabras de Jesús, dichas a quienes se presentan ante Él en el momento tremendo en que el Hijo de Dios juzgará a toda criatura, expresan por sí solas por qué nos hemos reunido hoy a los pies de la Virgen de la Caridad, Madre de Jesús y Madre nuestra, para orar por aquellos que sufren prisión. Esas palabras que Jesús explica diciendo: «cada vez que ustedes asistieron a uno de esos pobres, a mí me lo hicieron» son las que resuenan en nuestro corazón cuando visitamos las familias de los presos, cuando el sacerdote, el diácono o la religiosa pueden ver en la cárcel a los prisioneros para llevarles aliento y confianza. «Estuve preso y me fueron a visitar.» En el rostro de cada hombre y mujer que sufre prisión debemos ver al mismo Jesucristo que, en su amor por nosotros, pasó por la prisión y fue condenado a muerte.

Por eso, en este Año Santo Jubilar, en el que celebramos

---

* Parroquia de la Caridad, 9-VII-2000.

los 2.000 años del nacimiento de Nuestro Salvador, el Papa Juan Pablo II ha querido que este domingo se celebre en el mundo entero el día en que la Iglesia ora por los presos y reflexiona en el significado de la prisión para ellos y para sus familiares.

En un hermoso mensaje que el Santo Padre envía a todos los prisioneros en ocasión de esta fecha, se dirige así a ellos: «Pensando en estos hermanos y hermanas, mi primera palabra es desearles que Cristo resucitado, que entró en el Cenáculo estando las puertas cerradas, pueda entrar en todas las prisiones del mundo y encontrar acogida en los corazones, llevando a todos paz y serenidad».

Esto es lo que desea la Iglesia que obtengan los prisioneros al ser visitados, al recibir cartas de cristianos que los alientan para que el tiempo en la prisión no sea un tiempo perdido, sino un espacio de perdón y de gracia donde el recluso pueda encontrar a Dios y, conociendo el amor de Cristo y su poder salvador, tener el coraje y la perseverancia de no dejarse vencer por la adversidad y de hallar motivaciones espirituales profundas para transformar su vida. Así lo propone el Papa a todos los presos para este Año Santo: «Aunque la condición carcelaria tiene a veces el riego de despersonalizar al individuo, privándolo de tantas posibilidades de expresarse a sí mismo públicamente, todos han de recordar que delante de Dios no es así: el Jubileo es el tiempo de la persona, el tiempo en el cual cada uno es él mismo delante de Dios, a su imagen y semejanza. Y cada uno está llamado a acelerar el paso hacia la salvación y progresar en el descubrimiento gradual de la verdad sobre sí mismo».

Realmente, la cárcel es siempre muy dura. El delito lleva al ser humano a verse privado del don más precioso que tiene cada hombre o mujer: la libertad. Pero la prisión no priva al recluso de su dignidad humana. Tenemos todos la obligación de promover esa dignidad en quienes se hallan presos y para ello deben emprenderse acciones que la favorezcan. La visita religiosa al recluso, la lectura de la Biblia, de libros o folletos con un mensaje cristiano y de buena literatura, en general, ayudan a abrir horizontes a quien sufre prisión. El estudio, el trabajo, el arte son medios que enaltecen la dignidad humana del recluso y facilitan su rehabilitación. Si faltaran esas acciones promocionales, dice el Santo Padre en su mensaje, eso significaría reducir la prisión a mera retorsión social, haciéndola solamente odiosa. «La cárcel no debe ser un lugar de deseducación, de ocio y tal vez de vicio, sino de redención.»

«Para alcanzar este objetivo será seguramente útil ofrecer a los reclusos la posibilidad de profundizar su relación con Dios, como también de involucrarlos en proyectos de solidaridad y caridad. Esto contribuirá a acelerar su recuperación social, llevando al mismo tiempo el ambiente carcelario a condiciones más vivibles.»

Toda la sociedad tiene responsabilidades compartidas en la situación existencial que lleva al hombre o a la mujer a delinquir. En primer lugar, la familia. La falta de armonía familiar, los hogares rotos y, sobre todo, la falta de amor repercuten negativamente en la psicología de los adolescentes y jóvenes, que se vuelven fríos, calculadores o violentos.

Las desigualdades sociales y la falta de oportunidades engendran deseos desmedidos de bienes materiales y no se repara entonces en los medios para obtenerlos: Robos, prostitución, extorsión y violencia que pueden llegar a sus peores manifestaciones, como la muerte de un semejante. Podemos decir que, en cada delito, hay alguno de estos factores o varios de ellos añadidos: falta de amor y comprensión familiar, situación social de desventaja o descontento, peculiares condiciones psicológicas.

Todo esto es el caldo de cultivo donde se exacerban los sentimientos malos presentes en todo ser humano: la ambición, el ansia de dominio, el odio, la avaricia, la soberbia. Y es así como el hombre o la mujer, en su debilidad, llegan a cometer un delito.

Entra entonces en acción la justicia, que tiene el deber de enfrentar la delincuencia. Pero el ámbito de la justicia es muy complejo y, si esto se suma el sufrimiento que hay en las cárceles, nos damos cuenta de que en el mundo hay aún mucho por hacer, ante todo para prevenir la delincuencia y después para que se le ofrezca al que delinque un camino de rehabilitación y de reinserción positiva en la sociedad.

Nos recuerda en su mensaje el Santo Padre que «La prisión como castigo es tan antigua como la historia del hombre. En muchos países, las cárceles están superpobladas... y en algunos casos los problemas que crean parecen ser mayores que los que intentan resolver».

De este modo, ¿la Iglesia qué puede hacer ante la situación concreta de los presos y de sus familias? Ante todo acompañar a los presos con la oración y llevarles a través de las visitas, de los mensajes escritos sobre la fe cristiana, alivio y esperanza. Las numerosas cartas que recibimos, en las que los reclusos comprenden lo grave de sus faltas y se arrepienten, citan textos de la Biblia llenos de fe y miran con esperanza al futuro, nos reafirman en lo que ya sabemos: que, en la situación difícil del preso, la fe religiosa es medicina y bálsamo que sana y alivia y muchos muestran, con gratitud al Señor, cómo ese tiempo de sufrimiento que es la cárcel ha sido para ellos tiempo de gracia y de encuentro con Jesucristo. En esto, la familia del prisionero es, para la Iglesia en Cuba, un medio fundamental en su pastoral carcelaria, pues por medio de ella hace llegar su ayuda a los presos.

La familia del preso, que comparte a su modo los sufrimientos del familiar encarcelado, debe hacer muchas veces grandes sacrificios para transportarse a la prisión y conseguir algo que llevar al recluso. Pero bien vale la pena, queridas mamás, hermanas, padres, esposos o esposas, no escatimar ningún esfuerzo por visitar a ese familiar que sufre prisión. Ese es su gran consuelo y su mayor aliento y, si ustedes se mantienen en contacto con la Iglesia, será el medio de que llegue hasta ellos la Palabra de Dios que los fortalece en su espíritu y los hace potenciar o adquirir actitudes nuevas.

En toda carta que recibimos de la prisión se nos pide que recemos por los presos. Cada domingo, en la Misa lo hacemos de manera pública, pero digan los familiares a los suyos que están en la cárcel que el Cardenal reza por ellos cada día y que la Iglesia no los olvida.

La oración, además de ser una súplica a Dios que siempre nos escucha y todo lo puede, es una manera de permanecer unidos, aun estando separados por muros y rejas. Cuando decimos Padre nuestro, espiritualmente nos reunimos todos los hijos de Dios que somos hermanos. Cuando decimos aquí, en este Santuario de la Virgen de la Caridad, a nuestra madre: Santa María, Madre de Dios, ruega por nosotros, en ese «nosotros» están incluidos muy especialmente, en este día, nuestros hermanos que están en las cárceles.

El Papa lo primero que deseó en el mensaje del día de hoy a los presos fue que Jesucristo entrara en las prisiones del mundo como entró donde estaban reunidos los apóstoles estando las puertas cerradas.

Hoy hubiera querido yo celebrar esta misa en alguna cárcel. Todavía tengo esperanza de que, antes de que acabe el Año Jubilar, pueda hacerlo. Pero, mientras tanto, estoy seguro de que Jesucristo está entrando, aun con las puertas cerradas, vivo, resucitado y glorioso no solo al interior de las cárceles, sino a los corazones de muchos presos.

Que la bendición de Jesucristo, Nuestro Señor, alcance a todos los que sufren prisión en Cuba. Que la Virgen Santísima de la Caridad de El Cobre proteja a todos los presos y a sus familiares.

MISA CELEBRADA CON LOS SACERDOTES REUNIDOS EN EL COBRE*

Queridos hermanos en el único sacerdocio de Cristo:

El Año Jubilar nos ha puesto a todos, como adoradores maravillados y agradecidos, ante el misterio trinitario. Quizá no es apropiado decir que estamos ante el misterio del Único Dios Padre, Hijo y Espíritu Santo, sino sumergidos en la corriente incesante de amor que fluye del Padre al Hijo y retorna del Hijo al Padre en el Espíritu. Porque la revelación de Dios no consistió en descorrer un velo para que pudiéramos al menos atisbar la riqueza insondable de la vida trinitaria, sino en enviarnos al Hijo para hacernos partícipes de esa misma vida. Es eso lo que celebramos en este Año Jubilar: que el Hijo vino a nosotros y asumió la condición humana en Jesús de Nazaret. No conmemoramos, pues, simplemente,

---

* Basílica de Nuestra Señora de la Caridad de El Cobre, julio 2000.

los dos mil años del nacimiento de Jesús, sino celebramos los dos milenios de la encarnación del Hijo eterno de Dios Padre.

Los filósofos de la Antigua Grecia habían hecho un camino luminoso de ascenso hasta la plenitud del ser, el camino siempre válido de la razón (también lo es en nuestros días), y habían dado con la causa de las causas y el principio sin antecedentes que llamaron Dios. En la Alianza Antigua, con el pueblo elegido Dios se acercó al hombre y le habló por medio de sabios y profetas que anunciaban una comunicación más clara de Dios con los hombres y una acción más directa del Creador en la historia. Esto lo haría a través de un enviado que podía ser esperado como rey, como profeta, como aglutinador de voluntades en orden a instaurar la justicia y la felicidad para el pueblo.

Pero lo que los filósofos no pudieron entrever ni el pueblo judío aceptar era el camino descendente del mismo Dios hasta nosotros. En el hombre Jesús de Nazaret, Dios llega a nosotros no como caudillo, ni como sabio, árbitro u hombre revestido de poder, sino como Hijo.

Jesús se muestra siempre referido al Padre. Desde los 12 años, en el Templo de Jerusalén, se presenta ante los doctores de la ley ocupándose de las «cosas de su Padre». Más tarde, hecho ya un predicador itinerante, acosado por la gente que no le deja tiempo para descansar ni para comer, dirá que «su comida es hacer la voluntad del Padre». El mismo Jesús insiste en su unión íntima y total con el Padre: «el Padre y yo somos uno».

El evangelista San Juan expresa de modo admirable la causa esencial de la Encarnación del Verbo: «Tanto amó Dios al mundo que le entregó a su Hijo». La encarnación del Hijo no es una condición exigida por nuestra ignorancia o nuestros pecados. Dios no actúa por condicionamientos humanos. Es un don del amor de Dios a los hombres. Luego, Jesús es el Hijo entregado al mundo, a nosotros, por el Padre que nos ama, y será la entrega la que configurará su vida, una entrega que, en absoluta fidelidad a la voluntad del Padre, Jesús realizará también por amor.

Es esta opción de entrega la que lo hace ser como Él es. Jesús va a llevar una vida para los demás. Es ese su sacerdocio, su ofrenda, y no hay que esperar a la hora de la Cruz para que Él haga el don de sí. La Carta a los Hebreos nos lo presenta desde su entrada en el mundo diciendo: «Aquí estoy, para hacer tu voluntad». Esa disponibilidad se va desplegando a lo largo de su vida. Su género de vida será el de una pro-existencia, Jesús vive por y para los otros. Se entrega a las multitudes que lo siguen o al pobre leproso, al ciego o a la mujer enferma que le salen al paso. Jesús pide esa misma actitud a sus seguidores: «si alguien te pide que camines con él una milla, camina dos, a quien te pide la túnica dale también el manto».

La entrega debe ser el elemento formal de nuestra vida sacerdotal. La entrega es lo más opuesto a la exaltación del propio yo. En la misma naturaleza humana la entrega forma parte de la historia normal de toda persona: el hombre y la mujer se entregan uno al otro por amor, el padre y la madre deben entregarse a sus hijos. Pero hay un movimiento malo en nosotros, del orden del pecado, que nos lleva a vivir para nosotros mismos. Jesús advierte a los suyos que ese camino conduce a la ruina: «quien guarda su vida para sí la pierde, quien la entrega la gana para siempre».

Por esto, Jesús tiene conciencia de que su vida entregada va a encontrar resistencia en medio del pueblo, porque Él la propone como único modelo válido de vida, para todos. Los fariseos y sacerdotes, que han circunscrito su vida a cumplir las normas establecidas, le salen al paso: «¿por qué curas en sábado?, ¿con qué poder le dio este la vista al ciego?, ¿por qué comen tus discípulos sin lavarse las manos?». Jesús siente que sus mismos discípulos no comprenden que seguirlo a Él es también asumir su estilo de vida para los demás. En camino hacia Jerusalén, camino en el cual Jesús iba constatando la resistencia abierta o callada de muchos, Pedro lo increpa y le dice a Jesús que cuanto Él ha dicho acerca de que: «será rechazado, escarnecido y humillado», no puede sucederle. Jesús se ve obligado a reprocharle: «tú piensas como los hombres y no según el querer de Dios». El don de sí mismo hay que llevarlo hasta el final, no hay cálculo en la entrega. Otros dos discípulos discuten sobre el puesto que tendrían ellos a la derecha e izquierda de Jesús cuando Él establezca su reino. Estaban pensando en sí mismos, no comprendían, buscaban el éxito o lo que les reportara alguna ventaja; pero no había en ellos disponibilidad para la entrega.

¿Y el pueblo? El pueblo como tal no responde casi nunca, ni entonces ni ahora cuando se le piden grandes esfuerzos y algo más que la satisfacción de sus propias necesidades. Ante lo que exige un poco más de sí, la gente se echa atrás o actúa gregoriamente.

Recordemos el discurso del Pan de vida. Después de haber repartido pan a la multitud, el Maestro dijo que Él debía ser comido, aceptado, que había que tragar su enseñanza sobre el amor, que su vida entregada que invitaba a compartir los bienes entre todos era un pan vivo bajado del cielo, mejor que el que Él había repartido a la multitud. Entonces, todos empiezan a irse. En esa ocasión, Jesús hizo al pueblo un reproche válido y de alcance universal: «ustedes me han seguido porque se han llenado de pan», es decir, por interés.

Pero ni las trabas o amenazas ni la apatía de sus mismos discípulos ni la incomprensión del pueblo hicieron a Jesús variar su actitud y su estilo. Él siguió su camino hacia la Ciudad Santa, donde debía consumar el don de sí mismo al Padre. Y así queda planteado su drama en Jerusalén; que Él vivirá como una triple entrega:

1. Uno de sus discípulos, por medio de la traición, lo entrega a los notables del pueblo.
2. Los notables del pueblo, aun siendo opositores unos de otros, se ponen de acuerdo y lo entregan a la muerte.
3. Pero, sobre todo, el Padre lo entrega en manos de los malvados, los interesados y los traidores.

¿Cómo responderá Jesús a esta misteriosa y triple entrega? Lo hará por medio de su propia entrega personal y libre. De las circunstancias aplastantes, de esa soledad tremenda donde el Padre parece abandonarlo en manos de sus enemigos, Jesús toma la ocasión para ser libre protagonista de su drama: «mi vida nadie me la quita, soy yo quien la doy». Su proyecto de vida fue completado hasta el final. Había entrado a nuestra historia entregado por el Padre que tanto había amado al mundo. Saldría del mundo entregándose al Padre por amor a nosotros: «Padre, en tus manos encomiendo mi espíritu». Así culminaba la entrega ininterrumpida de su vida.

Y es esto lo que tenía deseos de celebrar Jesús cuando mandó a preparar una sala espaciosa para una Cena, que coincidía con la comida de Pascua de su pueblo judío. «Con ansias he deseado comer esta cena con ustedes». Sus ansias eran las de celebrar su entrega a nosotros, desde que tomó carne en el seno de María Virgen. Quería celebrar su vida entregada a los pobres, a los olvidados, a los enfermos del cuerpo o del espíritu; celebrar la entrega de su amor a sus discípulos: «ustedes son mis amigos», les dice esa misma noche; celebraba por anticipado su entrega en la Cruz que habría de ocurrir unas horas más tarde. Es toda su vida entregada la que Jesús celebra en esa cena. En ella, fiel a su proyecto de darse, nos entregó Jesús su cuerpo y su sangre. Además, ordenó, a sus apóstoles que perpetuaran para siempre el memorial de su entrega. Ya Él podrá decir ante el Padre y ante el mundo: «todo está cumplido».

Sus discípulos debían seguir celebrando su vida entregada a los hombres. Nosotros, sacerdotes, lo cumplimos cada día en la celebración eucarística y decimos las mismas palabras que Él pronunció sobre el pan y sobre el vino: «Esto es mi cuerpo entregado por vosotros». «Esta es mi sangre derramada por vosotros y por todos». En la Eucaristía, en nuestra eucaristía, es toda la vida de Jesús entregada a nosotros la que celebramos, desde que, como niño, Dios Padre nos lo entregó en los brazos de María hasta que se entregó Él mismo al Padre en la Cruz.

En la entrega de Jesús se concreta el «por nosotros» del Credo, ese «por nosotros» que en el Nuevo Testamento explica la encarnación y muerte del Hijo como un acto de amor infinito, «hasta el extremo».

Casi todo el segundo milenio cristiano, el pensamiento sobre la encarnación y muerte del Hijo de Dios ha estado marcado por el razonamiento teológico de San Anselmo, lleno de intuiciones bíblicas y humanas armonizadas en una síntesis radical, pero imperfecta.

Según el Santo Obispo de Canterbury, la obra de Cristo se produce por motivos necesarios, tuvo que llevarse a cabo tal y como se realizó. Este es su argumento: El pecado del hombre se dirige contra Dios. La magnitud de la ofensa se mide por la grandeza del ofendido, es distinto si se ofende a un mendigo que si se ofende al rey. Ahora bien, como Dios es infinito, la ofensa que el hombre le ha causado por el pecado es también infinita y debe repararla, pues Dios es la justicia misma. Pero como la ofensa es infinita, la reparación debe ser infinita. Pero el hombre, que sí puede ofender infinitamente, no puede reparar infinitamente. Hay ahí un abismo insuperable. Dios entonces decide reparar la culpa, tomando la naturaleza humana en la persona del Hijo, haciendo así que el infinito sea capaz de ofrecer lo finito del hombre.

Gabriel Marcel objetará a esto que Dios en Cristo no «tiene» una humanidad que ofrecer, Dios es hombre en Jesús de Nazaret. Dice el Cardenal Ratzinger que esta teoría no puede sustraerse a la parcialidad ni en su forma clásica, aún menos cuando pasó a ser patrimonio de la conciencia popular. Entonces parece un mecanismo grosero (Confer. Ratzinger, *Introducción al cristianismo*, Sígueme, Salamanca 1976).

Esa teoría está en la raíz de una consideración del sacrificio de Cristo en la Cruz como el del redentor golpeado por el Padre, que carga sobre el Hijo todas nuestras miserias y pecados y ¡cuánto se popularizó esta espiritualidad!

La piedad eucarística sufrió los rigores de este pensamiento. Se decía: Como la Misa es el Sacrificio de Cristo, por tanto, algo debe ser destruido, algo debe ser místicamente y dolorosamente transformado durante la celebración. Para unos será el pan partido; para otros, la separación del cuerpo y de la sangre de Cristo en dos momentos diferentes de la consagración, para otros; el empequeñecimiento de Cristo en las especies sacramentales. Si así fuera, el nombre que habría prevalecido entre los primeros cristianos para nombrar la fracción del pan no sería el de Eucaristía, sino el de holocausto. Pensando de este modo sentiríamos que la muerte de Jesús nos acusa y que el Sacrificio eucarístico repite cada día esta acusación. Los sentimientos que podrían primar en la celebración eucarística serían los de compunción.

Pero la vida de Jesús no fue una vida acusadora. Jesús no vivió contra nadie: «yo no vine a condenar, sino a salvar»; su muerte, que culmina la trayectoria de su vida, tampoco fue contra nadie. Los mártires de las grandes causas políticas acusan con su sangre a quienes lo llevan a la muerte. Pero, ante la Cruz de Jesús, todos nos sentimos responsables y todos nos sentimos salvados. Pilato, Herodes, Pedro, Nicodemo, el Centurión romano, somos por turno cada uno de nosotros. La Cruz nos descubre nuestra realidad personal y nos capacita para oír el «perdónalos, Padre» que es también para cada uno de nosotros y que nace del amor indefectible que el Padre nos manifestó hasta el extremo en su Hijo.

«El culto cristiano –nuestra Eucaristía– consiste en lo absoluto del amor que solo podía ofrecer aquel en quien el amor de Dios se ha hecho amor humano. Consiste en una nueva forma, innata al amor, que se hace presente, sufriendo por nosotros para que nosotros nos dejemos tomar por él.» Ese es el verdadero Sacrificio Eucarístico. Así sí puede introducirnos nuestra Eucaristía en la corriente del amor trinitario que Cristo retorna al Padre abrazándonos a todos. Es así como la Eucaristía nos hace con Cristo partícipes de la Resurrección.

Al finalizar nuestra ordenación presbiteral, el Obispo nos dice unas palabras que calan hondo en nuestros corazones sacerdotales recién estrenados: «imita lo que tratas». Nuestro trato diario con el misterio eucarístico va más allá de la realización correcta de los gestos litúrgicos y la dicción clara de las palabras rituales. Esto debe hacerse bien, pero lo imitable de la eucaristía es la ofrenda que hace Jesús de su vida al Padre por amor a los hombres. En nuestras manos está cada día toda la vida-ofrenda de Jesús consumada en la Cruz y triunfante de la muerte en la resurrección. Es una ofrenda hecha por el Hijo en el amor y aceptada en el amor por el Padre.

Imitar a quien tratamos es hacernos como Él, es aprender a ser invariables en la ofrenda de nosotros mismos, en convertir nuestra vida en una pro-existencia como la suya, es apartar lisonjas y críticas en nuestro camino de servicio y amor a los hombres, meta de gloria fijada por el mismo Cristo y hacia la cual debemos movernos pasando por la cruz, es celebrar todos los días con Cristo ese esfuerzo de entrega habitual, con corazón humilde por nuestras miserias y pecados, en acción de gracias por su amor y su perdón.

Así celebramos su ofrenda y mi ofrenda, su Eucaristía de siempre y mi Eucaristía de cada día. Como Él, debemos tener ansias de celebrarla siempre. En la mesa de esa cena se comprende lo imposible, se perdonan las ofensas, se restablece el amor, se hace la Iglesia.

Le pido con mucha frecuencia a la Virgen Santísima, y hoy más aún en este lugar de gracia, que no nos abrume la grandeza del misterio y que el hábito de su celebración no lo banalice en quienes somos servidores del misterio, sino que lo engrandezca siempre ante la mirada de nuestra fe.

No debemos olvidar en esta Eucaristía a los sacerdotes cubanos y de otros países que sirven a la Iglesia en Cuba, sobrecargados de trabajo y de preocupaciones, limitados en su acción por dificultades materiales y de otro orden, rodeados de pobreza que no pueden remediar, solicitados por un apostolado que los desborda y reclama de ellos tiempo y energía. No olvidemos tampoco a los sacerdotes enfermos, los ancianos, los seminaristas que aprenden el camino difícil y gozoso de la ofrenda de la vida al Señor. Oremos también por las vocaciones al sacerdocio.

Todo esto debe estar cada día, como lo está ahora, en la ofrenda que con Cristo presentamos al Padre. Que no falte en ella nunca la entrega total de nuestras vidas. Que María de la Caridad haga más agradable ante el Señor nuestros dones.

JUBILEO DEL EDUCADOR*

«Enseñar puede cualquiera, educar solo quien sea un Evangelio vivo».

Queridos hermanos y hermanas:

He escogido para comenzar la exposición de la Palabra de Dios este aforismo del gran pedagogo cubano José de la Luz y Caballero, maestro de maestros, pues nos introduce de lleno en el núcleo central de nuestra reflexión en esta Eucaristía con la que celebramos el Jubileo de los Educadores.

En la sentencia de Luz, avalada por su sabiduría, su expe-

---

* Catedral de La Habana, 15-VII-2000.

riencia y su testimonio de vida, el peso fundamental de la tarea educadora está en el maestro. Lo indican en su aforismo las palabras seleccionadas, con las cuales se preocupó de mostrar la diferencia entre enseñar y educar y la preeminencia que da a la educación sobre la simple enseñanza, al contraponerlas como lo más y lo menos. El trasfondo fácilmente reconocible de su aforismo es que el maestro es aquel que educa, no solo quien enseña. De enseñanza podemos hablar refiriéndonos a medios técnicos, a textos de mayor o menor calidad, a sistemas de aprendizaje y de transmisión de conocimientos, etc., y así mencionamos autores, métodos y buenos especialistas que sepan trabajar con ellos para el mayor aprovechamiento por parte de los alumnos.

Pero si decimos educación no podemos prescindir de la persona del educador. No se trata de su capacitación y sus habilidades para la transmisión de conocimientos, que obviamente debe poseer, sino de su condición de guía y sostén del educando. Este, además de adquirir conocimientos necesarios y útiles, debe saber cómo situarse ante la vida, integrando, en el momento que le toca vivir, su historia personal o familiar, según su condición de niño, adolescente o joven. Debe también aprender a relacionarse con la naturaleza, con el mundo y con las otras personas en forma amable y descubrir su papel en la familia y en la sociedad, al mismo tiempo que se entrena en desempeñarlo adecuadamente, según su edad.

Para educar de este modo, José de la Luz y Caballero no reclama títulos especiales ni un cúmulo excesivo de conocimientos, sino que el maestro sea un «Evangelio vivo».

Cuando él dice que «enseñar puede cualquiera» no se está refiriendo a los conocimientos del que imparte la enseñanza en la materia que explica, sea matemáticas, historia o geografía. La palabra cualquiera no indica indiferencia con respecto a la capacitación de quien instruye, pues nadie podría enseñar Literatura Universal si apenas sabe leer. Esa palabra se refiere a la condición moral de la persona, a sus características individuales. Por ejemplo, puede tener un profesor un carácter ácido o un trato suficiente y distante y enseñar muy bien la química o la biología, pero sus actitudes como persona no entusiasman a sus alumnos, que no se sienten acogidos ni valorados por su maestro y pocos se animarían a tomarlo como modelo para sus vidas o aun para su propio desempeño profesional en el futuro. Educar es preparar para la vida y solo puede hacerlo quien sea un evangelio vivo. Es a esto a lo que se refiere Luz.

Aquí entramos de lleno en el ámbito de la persona del educador, que debe formar el carácter de sus alumnos, infundiéndoles nobles ideales y animándolos con su propia vida a tomar posturas y decisiones éticas en su existencia. El niño y la niña deben aprender en la escuela que los conflictos no se dirimen a puñetazos, que el chisme y los enredos dañan a muchos y crean mal ambiente, que hay que ser leal en la amistad, que las personas mayores deben ser respetadas y, entre ellos, los padres, abuelos y maestros de modo especial.

Pero ¿cómo puede crear o favorecer esas actitudes e infundir valores positivos un maestro o una maestra que no respeta al alumno, que lo trata ásperamente y aun en forma grosera, que se deja llevar de los dimes y diretes de sus alumnos, que da la impresión de querer acabar pronto o de estar en el aula de clases como cumpliendo un castigo?

Así no se puede educar. No se obtendría tampoco ningún resultado positivo en cuanto a actitudes y conductas de los educandos si se creara una nueva asignatura que podría llamarse «Actitudes positivas y valores». Quizá tendría que impartirla el mismo maestro que vocifera en clase, muestra desgano en su trabajo escolar o es frío y seco con sus alumnos y, aunque así no fuera, podría convertirse en una nueva materia a retener, si no hay un maestro que la transmita con convicción, comprometiéndose con lo que dice apoyado en el testimonio de su vida.

A vivir se aprende viviendo y solo uno o varios modelos concretos de vida pueden entusiasmar a niños y adolescentes a ser como sus mayores o a dar fe a lo que ellos les dicen en orden al bien, a la justicia, a la verdad, al buen comportamiento.

Todo cuanto hemos dicho nos puede llevar a exclamar: ¡Qué difícil es ser maestro! Pero hay otra exclamación, más honda y reflexiva que debe acompañar siempre a esta: ¡Qué grande es ser maestro! Y lo es. Según el dicho de Luz y Caballero, solo lo será plenamente quien sea un Evangelio vivo.

¡Qué alto fue Don José a buscar la fuente de inspiración para el maestro en el Evangelio de Nuestro Señor Jesucristo!

Para aprender bien la sublimidad de esta comparación de Luz es necesario saber qué es el Evangelio. El Evangelio no es un libro, aunque hay cuatro libros que contienen el Evangelio de Jesús. San Pablo, hablando a sus cristianos, les insiste en que permanezcan fieles al Evangelio que él les ha transmitido. Literalmente, Evangelio significa buena noticia. Los apóstoles de Jesús recibieron de su Señor una misión: «vayan por el mundo entero y anuncien la buena noticia (el Evangelio)». Esa buena noticia es que Dios envió al mundo a su Hijo Jesucristo, que nos mostró el amor de Dios hasta morir en una cruz, pero resucitó glorioso y está vivo para siempre. Esa buena noticia incluye la certeza de que Cristo es para nosotros el Camino, la Verdad y la Vida. El amor que Él vino a sembrar como un sembrador que riega su semilla debe ser cultivado entre los hombres. Él hizo de ese amor un mandamiento nuevo: «ámense unos a otros como yo los he amado» y fundó un modo de vida basado precisamente en el amor, el perdón y la misericordia. Él no vino a ser servido, sino a servir y declaró dichosos a los sencillos, a los niños, a los mansos, a los que lloran y a quienes trabajan para que haya paz. Él pasó haciendo el bien. De sus labios hemos oído que la verdad nos hará libres, que tomar nuestra cruz y seguirlo es encontrar alivio en nuestros agobios, porque con Él la cruz se vuelve llevadera y la carga, ligera. Por Jesús hemos sabido que los últimos serán los primeros y que de nada nos valdría ganar el mundo entero si malogramos nuestra vida. En Cristo, nuestros corazones se llenan de gozo y proclaman la grandeza del Señor, pues en su Evangelio hemos encontrado un tesoro de gran valor que aprisionamos junto al corazón y nos hace decir con San Pablo: «Todo lo estimo basura con tal de ganar a Cristo». Mientras no hallamos ese tesoro de la buena noticia de Jesucristo, nuestra vida es mustia. Una vez descubierta esta riqueza podemos decir llenos de alegría con el Apóstol San Juan: «la vida se manifestó y nosotros la hemos visto y damos testimonio».

Cuando la buena noticia de Jesucristo se hace vida en nosotros, no podemos menos que anunciarla a los demás, es así como nos convertimos en un Evangelio vivo, nuestras personas se vuelven para nuestro prójimo como una noticia buena. Un maestro cristiano, católico, tiene que ser cada día como una buena noticia para sus alumnos, una buena noticia sobre la vida, sobre el amor, sobre el bien que hay que hacer a los demás y que los otros están esperando de nosotros.

Esta buena noticia la da el maestro enseñando lengua española, inglés o geometría, porque lo que se produce es una comunicación de vida, y de vida nueva y abundante, transmitida a través de cuanto hacemos. Los alumnos se sienten entonces alentados, depositan confianza en su maestro o maestra, nace espontáneamente la pregunta de los niños y adolescentes, llega a producirse el diálogo y se establece una relación realmente educadora. El maestro se convierte de este modo él mismo en un tesoro para los niños y adolescentes, dejará una huella muy personal en el alma de los educandos y ellos no lo olvidarán nunca. La educación encierra un tesoro, el maestro cristiano es un especial portador de ese tesoro, porque lo encontró en el Evangelio de Nuestro Señor Jesucristo.

Yo invito a los maestros y maestras a valorar muy seriamente su trabajo escolar. Más allá de la metodología y las planificaciones, que son requisitos de todo enseñante, está el gozo de la vida nueva en Cristo, que hace de ustedes un Evangelio vivo, según el deseo de Luz y Caballero, para todos los educadores.

Recuerden, queridos maestros y maestras, un profesional no vale por lo que hace, ni por lo que gana, sino por lo que es. En cualquier trabajo bien realizado por el hombre o la mujer hay una recompensa que va más allá de las ganancias materiales: la satisfacción de haber hecho una buena obra. Esto es particularmente cierto en el educador. El gran Miguel Ángel, ante su fabuloso Moisés de mármol, al último golpe de cincel, dicen que gritó: ¡Habla!, tan bien le había quedado su obra que el entusiasmo lo hizo prorrumpir en esta exclamación, pero la piedra muda no podía responderle.

El educador, sin embargo, moldea el alma de sus alumnos, como quien trabaja una piedra bruta y le va dando formas. Ahora bien, el cincel del maestro es el amor y sabe que el niño, el adolescente o el joven que tiene ante sí es obra de Dios, que la imagen de Dios está presente o escondida en esa criatura, bautizada o no, de familia creyente o indiferente, y en esa imagen de Dios que llevamos dentro está lo mejor de nosotros mismos.

Qué gran trabajo el de desbastar la piedra y dejar que se haga visible lo que Dios ha creado. Y esa obra de Dios que tú, maestro o maestra, habrás ayudado a evidenciar sí podrá hablarte, sí te recordará por tu paciencia, si irá a verte y no olvidará los buenos consejos, la palabra amable o el regaño oportuno que impidió una mala actuación.

Nuestra nacionalidad cubana se forjó en la fragua de una pléyade de maestros. La Revolución independentista de Cuba, a diferencia de la de otros países de América, no nació de militares, sino de maestros; las ideas libertarias anidaron en las aulas, no en los cuarteles. Ante todo, en las aulas del Seminario San Carlos, donde ejercieron su misión magisterial aquellos insignes educadores: el Padre José Agustín Caballero y el padre Félix Varela. El espíritu de San Carlos lo continuaron Don José de la Luz y Caballero y Rafael María de Mendive, maestro de José Martí.

Hay que decir, porque así fue, que aquellos grandes maestros y fundadores de la Patria bebieron, en la fuente pura del Evangelio de Jesucristo, no solo las ideas nobles, los valores eternos y la verdad que enseñaron, sino el método de Jesús, fundado en el amor y la comprensión, e hicieron que el Evangelio estuviera vivo en sus clases. Su legado debe ser conocido, estudiado por todos nuestros maestros, pero especialmente por los maestros cristianos.

Los siglos se suceden, los métodos de enseñanza pueden variar y han de variar aún mucho más en los años próximos, pero ningún elemento electrónico, ningún método ultramoderno podrá reemplazar al maestro. En la medida que avance la técnica, el papel del maestro como educador se verá resaltado. Puede haber aulas virtuales con superprofesores y medios auxiliares increíbles, pero el maestro es quien sabe que el aprovechamiento de tal alumno no fue bueno en el semestre porque estuvo preocupado a causa de la enfermedad de la madre y que este año las relaciones en el grupo no son buenas porque hay dos o tres que siembran cizaña y es necesario hablar con ellos. O que, a pesar de todos los métodos extraordinarios, aquel niño no se interesa, no aprende, aunque es inteligente, porque está falto de amor.

Queridos educadores: si ustedes deben ser un Evangelio vivo, la Palabra de Dios en los cuatro Evangelios debe ser su libro de cabecera. Allí está el tesoro de gran valor que ustedes deben encontrar y reencontrar en cada ocasión, cada mañana. Jesucristo fue llamado por sus discípulos: Maestro. Pareciera, pues, que no hay otro apelativo más hermoso que ese en nuestra lengua para indicar una misión tan noble y digna como la de ustedes.

Que los inspire siempre en su misión educadora la figura y la enseñanza del Siervo de Dios Félix Varela, para que, como él, sirvan ustedes a su pueblo con entrega total, teniendo, como él, una preocupación constante por favorecer la virtud y por fundamentarla sobre una inquebrantable fe en Dios.

El maestro toca el alma del niño y del joven y para esto debe ser muy cercano al alumno y estar también muy cerca de Dios. Que Jesucristo, Maestro de vida y de verdad, bendiga a cuantos ejercen la hermosa profesión del magisterio.

JUBILEO DE LOS JÓVENES: EL EMMANUEL, EL DIOS-CON-NOSOTROS*

Queridos jóvenes:

Vivimos días de gran exaltación espiritual en esta Jornada Mundial de la Juventud. La idea feliz de reunir a los jóvenes de todo el mundo, de diversas culturas y latitudes en estas Jornadas promovidas con tanto empeño por el Papa Juan Pablo II desde los inicios de su pontificado, nos ha traído en este Año Santo Jubilar hasta Roma, la sede de Pedro. Aquí, junto al sucesor del príncipe de los Apóstoles, celebramos con gozo el camino bimilenario de la Iglesia que Jesús de Nazaret le confió de modo especial al pescador de Galilea,

---

* Roma, 17-VIII-2000.

cuando le dijo a él que le daba «*las llaves del Reino de los Cielos*» (*Mt* 16, 19). La misión recibida de parte de Jesús trajo a Pedro hasta aquí, donde dio su vida, martirizado como su Señor, en la ciudad capital de aquel imperio grande y poderoso, dentro del cual se atrevió a anunciar un reino que no es de este mundo.

Un reino que, sin embargo, Jesús vino a plantar en medio de este mundo hace 2.000 años, cuando «*apareció la bondad de nuestro Dios y su amor a los hombres*» (*Tt* 3, 4) y se cumplió lo anunciado por el profeta: «*un niño nos ha nacido, un hijo se nos ha dado*» (*Is* 9, 4). Isaías nos lo presenta como Dios guerrero y príncipe de la paz. Su guerra sería contra el odio y el pecado, su paz la sembraría en el mundo poniendo amor en los corazones.

Nosotros no conmemoramos simplemente, en este Año Santo, el paso por la historia de la humanidad de un hombre inigualable que marcó el pensar y el sentir de los pueblos. Los cristianos celebramos en la fe la venida a nosotros, para estar con nosotros, del Dios de cielo y tierra que se hizo presente para siempre en Jesús de Nazaret.

Los hombres y mujeres de todos los pueblos han sentido la necesidad de Dios. La frase proverbial de San Agustín: «*Señor, hiciste nuestro corazón para ti y estará inquieto hasta que descanse en ti*» (*Confesiones*), es, más que la expresión de una experiencia personal, una constatación universal que abraza la historia de la humanidad con una amplia mirada retrospectiva, actual y de futuro. Hay una inquietud en el corazón humano, una sed de Dios, sofocada a veces por la miseria, otras por las riquezas, a menudo por el pecado, pero curiosamente y secretamente potenciada por esos y otros factores.

Esa inquietud llevó a los antiguos pobladores de la tierra, como lleva a hombres y mujeres de hoy, a forjarse dioses a su medida. Pueden ser los árboles de un bosque, las piedras cargadas de energía, los ídolos fabricados por manos humanas o ídolos políticos o deportivos o del mundo artístico. El comportamiento religioso está presente en el temor al rayo del hombre de las cavernas, en el frenesí de un concierto de rock, como en el entusiasmo delirante por un líder político.

Es inexacto hablar, pues, de «primitivismo religioso» como si los comportamientos individuales o grupales donde el hombre busca protección o entrega su corazón a cualquier cosa o a cualquier conductor de multitudes fueran exclusivos del hombre de épocas remotas. Porque el ser humano es siempre el mismo y puede sentirse desprotegido y solo en medio de una selva o en un rascacielos de cristal poblado de ordenadores, teléfonos, máquinas de fotocopiar y discos compactos. La decoración ha variado, pero el temor, la soledad y el vacío se enseñorean, aún más hoy, del corazón humano. Si no descansamos en Dios buscaremos caminos falsos, ídolos aberrantes, fuerzas extrañas, drogas, alcohol, placeres, magia, simplemente, aturdimiento para no pensar.

Cuando abrimos la Biblia en el Antiguo Testamento hallamos la revelación de un Dios que nos muestra la creación entera, y especialmente al hombre, bajo la luz de su inmensidad y se nos revela él mismo en el texto sagrado como único Dios, descartando a todos los dioses y pidiendo a su pueblo elegido que sea un pueblo-testigo de la grandeza, el poder y la unicidad de su ser divino.

Alrededor de esta comunicación de Dios a su pueblo se concentra el mensaje singular que el pueblo de la Antigua Alianza debe guardar y, además, testimoniar a otros pueblos para que «*sepan, como nosotros lo sabemos, que no hay Dios fuera de ti*» (*Eclo* 36, 4). La fidelidad a este compromiso será el tema perenne de los profetas y de los sabios de Israel. Los reyes serán buenos si mantienen esa fidelidad a Dios y serán malos si se prostituyen con falsos ídolos.

También los filósofos de la antigua Grecia descartan, en cierto modo, a los dioses del Olimpo y, en una hazaña inigualada de reflexión, buscan el Ser en plenitud que da origen a todo cuanto es parte del mundo visible o invisible. A este camino de pensamiento ascendente no se puede nunca renunciar y, si el ser humano, sobre todo los hombres y mujeres jóvenes, no se aturden en el mundo de las cosas vanas, superfluas o aun dañinas, deben hacer esta andadura. Dice San Pablo en su Carta a los Romanos: «*porque lo que puede conocerse de Dios lo tienen a la vista, Dios mismo se lo ha puesto delante. Desde que el mundo es mundo, lo invisible de*

Dios, es decir, su eterno poder y su divinidad, resulta visible para el que reflexiona sobre sus obras, de modo que no tienen disculpas» (*Rm* 1, 19-21). No se concibe un corazón joven incapaz de contemplar el cielo, el mar, las montañas, sin elevarse hasta Dios o sin preguntarse por Él. La maravilla de la Creación es una palabra perenne que Dios nos dirige a cada uno de nosotros. Deben también hacer los jóvenes, de la Palabra de Dios en el Antiguo Testamento, una continua interpelación a sus corazones en relación con su fidelidad a Dios, con el rechazo de los ídolos de hoy, en obediencia al mandamiento del Señor: *«no tendrás otro Dios más que a mí»* (*Ex* 20, 3).

Pero el Dios de cielo y tierra, que hizo alianza con su pueblo y hablaba con Moisés dejando en su rostro un resplandor de gloria, era considerado, por ese mismo pueblo, tan distinto de nosotros en su inmenso poder y en su grandeza infinita, que todos pensaban que era imposible ver a Dios y permanecer vivo: *nadie puede ver a Dios sin morir* (Cfr. *Ex* 33, 20). El cielo era de Dios, la tierra de los hombres y había una gran distancia de la tierra al cielo.

Los grandes pensadores precristianos del mundo grecorromano, por su parte, subieron tan alto hasta la simplicidad y la perfección espiritual de Dios, que lo hicieron inalcanzable para el hombre singular. No había manera de relacionar a Dios, tan espiritualmente perfecto, con el hombre, tan materialmente miserable.

Pero el pueblo elegido de Dios sí había guardado, en medio de olvidos e infidelidades, una relación con el único Dios verdadero que se les había revelado. Sabía que él no los olvidaba y que, aunque el pueblo no le fuera fiel, Dios es siempre fiel. Por eso esperaban que Dios enviara un mensajero suyo, sería un rey, un profeta, un gran jefe, que instauraría la paz y la justicia: el Mesías.

Mas lo que los filósofos no pudieron entrever ni el pueblo elegido estuvo dispuesto a aceptar fue el camino descendente del mismo Dios hasta nosotros. En el hombre Jesús de Nazaret, Dios sale a nuestro encuentro y se nos presenta no como caudillo, ni como sabio, árbitro u hombre revestido de poder, sino como Hijo.

Un hijo que habla siempre de Dios diciéndole familiarmente Padre, Papá. Él es de nuestra condición humana: es un niño el que se nos ha dado, es *«nacido de mujer»*, dirá San Pablo. (*Ga* 4, 4), forma parte de la familia humilde que integran además su Madre María y José, que cuida de ellos como padre, sus parientes viven en la aldea de Nazaret, donde creció él mismo compartiendo la vida sencilla y pobre de su pueblo.

Jesús se muestra siempre referido al Padre. Desde los 12 años, en el Templo de Jerusalén, se presenta ante los doctores de la ley ocupándose de las «cosas de su Padre». Más tarde, hecho ya un predicador itinerante, acosado por la gente que no le deja tiempo para descansar ni para comer, dirá que su comida es hacer la voluntad del Padre (Cfr. *Jn* 4, 34). El mismo Jesús insiste en su unión íntima y total con el Padre: *«quien me ha visto a mí ha visto al Padre, porque el Padre y yo somos uno»* (*Jn* 10, 30).

Juan el Bautista, que sale al desierto a anunciar la pronta llegada del Mesías, se encuentra con Jesús, lo admira, pero no deja de sentirse desorientado ante él. Desde la cárcel, donde morirá decapitado, manda un grupo de los suyos a preguntar a Jesús: *«¿Eres tú el que ha de venir o tenemos que esperar a otro?»* (*Lc* 7, 19). La respuesta del Señor fue precisa: *«Vayan y díganle a Juan que los ciegos ven, los cojos andan... y a los pobres se les anuncia el Reino de Dios»* (*Lc* 7, 22). No hay acciones espectaculares, Jesús se dirige al hombre singular y lo sana. Parece tan poco importante que un cojo pueda andar cuando todos están esperando volver a tener un rey propio para que terminara la dominación extranjera... Por eso, Jesús añade a los mensajeros de Juan: *«... y dichoso el que no se sienta defraudado por mí»* (*Lc* 7, 23).

Los antiguos filósofos y los entendidos en las Escrituras en el pueblo de Dios no habrían podido imaginar algo así. Que Dios venga a nosotros, que venga él mismo y se presente en la pobreza, en la sencillez, haciendo de lo pequeño su carta de presentación, eso es desconcertante.

Los antiguos temían el poder y la grandeza de un Dios terrible y soberano; pero quedan decepcionados y escandalizados cuando Dios toma nuestro cuerpo humano, se expresa por una mirada transparente y una dulce sonrisa, habla contando historias que todos pueden captar, sana a los enfermos, expulsa demonios y proclama dichosos a los pobres, a los mansos, a los que lloran, a los que luchan por la paz. Y el estupor de sus contemporáneos no tendrá límites cuando vean al Mesías colgado de una cruz como un malhechor.

Queridos jóvenes: este es Dios-con-nosotros, el Emmanuel, aquel que le fue anunciado por el profeta Isaías a un rey poco piadoso cuando le dijo: *«Dios por su cuenta os dará una señal: he aquí que una virgen está encinta y da a luz un hijo y le pone por nombre Emmanuel (que significa Dios-con-nosotros)»* (*Is* 7, 14).

La ley de la encarnación incluye no solo que Dios haya tomado un cuerpo como el nuestro, sino que se haya identificado con la pobreza, el sufrimiento y la pequeñez del ser humano más olvidado y desatendido, de modo a hacerse cercano a nosotros que estamos rodeados de miseria. La grandeza de Dios se manifiesta en que no se inclinó hacia nosotros misericordiosamente desde su inmenso poder, sino que vino a ser como uno de los más desfavorecidos de este mundo para mostrarnos así su misericordia, esa misericordia vivida en solidaridad que no molesta y suscita el amor. Aceptar la ley de la encarnación es saber que Dios manifiesta su poder y su inmensidad tanto en lo grande y aparentemente inalcanzable como en lo pequeño y despreciable.

En tiempos terribles de catástrofe para su pueblo, el Profeta Jeremías describe con palabras transidas de dolor la situación deplorable de la gente: *«mis ojos se deshacen en lágrimas, día y noche no cesan por la terrible desgracia de la Doncella de mi pueblo, una herida de fuertes dolores. Salgo al campo: muertos a espada; entro en la ciudad: desfallecidos de hambre; tanto el profeta como el sacerdote vagan sin sentido por el país»* (*Jr* 14, 17-18).

¿No es hoy esta la condición para muchos de los pobladores del planeta?, ¿no podríamos decir esto de nuestros países de América Latina y del mundo subdesarrollado, y también del submundo que generan las sociedades opulentas? En cualquier sitio brota la violencia; la falta de alimento y de solidaridad dibujan un mapa desolador de vastas regiones de la tierra desfallecidas de hambre. El SIDA es hoy para la juventud una herida de fuertes dolores y también lo es la droga, el alcohol y la desnaturalización del sexo.

Es fácil quedar estupefactos ante tanto sufrimiento o caer atrapados en esas redes. Esta es la angustia de Jeremías y puede ser hoy también la nuestra. Solo alumbra un rayo de esperanza fijando la mirada en el Emmanuel, en Dios-con-nosotros. Ni el sacerdote ni el profeta que es cada joven cristiano pueden vagar sin sentido en medio de los desafíos de nuestro mundo; porque en el hambriento, en el marginado, en las víctimas de la violencia, Jesucristo sale a nuestro encuentro. Dios no nos descubre únicamente su grandeza en las cumbres nevadas, en las torres alzadas de nuestras catedrales o en la inmensidad del océano. Desde que Dios vino a nuestro encuentro en Cristo, Él nos sigue saliendo al paso en el hambriento, en el sediento, en el desnudo, en el preso o el enfermo a quien tenemos que atender, pues resuena en nuestros corazones para siempre la palabra comprometedora de Jesús: «*Cada vez que lo hicisteis a uno de esos pequeños, a mí me lo hicisteis*» (*Mt* 25, 40). Dios en Cristo está presente y llamándonos desde lo débil, lo pobre, lo pequeño. En medio de lo catastrófico encontramos un sentido que nos impulsa a actuar: en el humano golpeado e infeliz allí está Cristo que me espera. No es tiempo de vagar, es hora de responder.

Porque Jesucristo no fue un extraordinario maestro de doctrina a quien recordaríamos siempre y cuyo conocimiento nos incorporaría a una escuela de pensamiento, con un consecuente estilo de vida. Él es la Palabra hecha carne que ha venido a nosotros. Él descendió del cielo, del seno de la Trinidad Santísima, para recogernos misericordiosamente a los que yacíamos en tinieblas y en sombras de muerte y, por medio de su cruz, nos levanta con Él, que asciende victorioso a los cielos llevando cautiva nuestra cautividad. Jesús no es un predicador que muestra un camino, Él es el camino. Cuando accedemos a Él, Él nos colma con la vida que vino a traer en abundancia a la tierra y nos introduce, por su Espíritu Santo, en esa corriente inextinguible de amor trinitario que retorna siempre al Padre. Ese amor pasa necesariamente por nuestro prójimo y esto nos servirá de comprobación con respecto al verdadero amor a Jesús:

«Quien no ama a su prójimo a quien ve, no ama a Dios a quien no ve» (Jn 4, 20).

Dios Padre se expresa desde siempre por una palabra total y abarcadora, es su palabra eterna, y esa palabra es Amor. «Dios es amor», dice San Juan, y en su evangelio nos anuncia que *«la Palabra se hizo carne y habitó entre nosotros»* (*Jn* 1, 14). Jesucristo es el amor encarnado. Todos sus gestos, dichos y acciones quieren traducir para nosotros esta única y eterna Palabra: Amor. El mensaje cristiano es, por eso, desorientador o aun inaceptable para el hombre de ayer o de hoy que sea incapaz de amar, porque la relación que Dios establece con nosotros en Cristo inicia una historia de amor que solo puede ser vivida por quien está dispuesto a dejarse amar. *«Vosotros sois mis amigos si hacéis lo que yo os digo»* (*Jn* 15, 14).

Los jóvenes cristianos hoy tienen que brindar a la humanidad del nuevo milenio la memoria viva de su Señor nacido en la pobreza del pesebre, contemplado por los pastores, cantado por los ángeles, que compartió todo lo nuestro menos el pecado y que murió por nosotros en la cruz. Él es el Vencedor de la muerte, del pecado y del mal, y resucitado y glorioso está vivo y presente en medio de nosotros y lo estará siempre hasta el fin del mundo.

Si Cristo nos sale al paso en cada hermano, sobre todo en el pobre y en el que sufre, nosotros debemos ir al encuentro de nuestros hermanos haciendo a Cristo vivo y presente para ellos por nuestro amor y por el testimonio de una vida de calidad diferente.

Dios está con nosotros en Cristo y Cristo es el mismo ayer, hoy y siempre.

JUBILEO DE LOS JÓVENES:
«CRISTO SE ENTREGÓ POR NOSOTROS»*

Queridos jóvenes:

El Año Jubilar nos ha puesto a todos, como adoradores maravillados y agradecidos, ante el misterio trinitario. Quizá

---

* Roma, agosto 2000.

no es apropiado decir que estamos ante el misterio del Único Dios Padre, Hijo y Espíritu Santo, sino sumergidos en la corriente incesante de amor que fluye del Padre al Hijo y retorna del Hijo al Padre en el Espíritu. Porque la revelación de Dios no consistió en descorrer un velo para que pudiéramos al menos atisbar la riqueza insondable de la vida trinitaria, sino en enviarnos al Hijo para hacernos partícipes de esa misma vida. Es eso lo que celebramos en este Año Jubilar: que el Hijo vino a nosotros y asumió la condición humana en Jesús de Nazaret. Celebramos, pues, en la fe, los dos milenios transcurridos desde la encarnación del Hijo eterno de Dios Padre.

El evangelista San Juan expresa de modo admirable la causa esencial de la Encarnación del Verbo: «*Tanto amó Dios al mundo que le entregó a su Hijo*» (*Jn* 3, 16). La encarnación del Hijo no es una condición exigida por nuestra ignorancia o nuestros pecados en orden a la salvación. Algunos han dicho en el pasado: la dureza de corazón del hombre pecador y despreocupado, que lo hace incapaz de acceder a la salvación, obligó a Dios a hacerse hombre para que, tomando el lugar del hombre, pudiera salvar a la humanidad. Pero Dios no actúa por condicionamientos humanos, no hay ninguna necesidad humana que fuerce la actuación de Dios. La encarnación es un don sublime y gratuito del amor de Dios a los hombres. Luego, Jesús es el Hijo entregado al mundo, a nosotros, por el Padre que nos ama y que, al decir de San Pablo, «*no se reservó a su Hijo*» (*Rm* 8, 32).

La entrega configurará la vida de Jesús, una entrega que, en absoluta fidelidad a la voluntad del Padre, Jesús realizará también por amor. Es su opción de entrega la que lo hace ser como Él es. Jesús va a llevar una vida para los demás. Ese es su sacerdocio, esa es su ofrenda, y no hay que esperar a la hora de la Cruz para que Él haga el don de sí al Padre por todos los hombres. La Carta a los Hebreos nos presenta a Cristo, diciéndole al Padre desde su entrada en el mundo: «*Aquí estoy, para hacer tu voluntad*» (*Hb* 10, 9). Esa disponibilidad se va desplegando a lo largo de su vida. Su género de vida será el de una pro-existencia, es decir, Jesús vive por y para los otros. Se entrega a las multitudes que lo siguen o al pobre leproso, al ciego a quien pregunta: ¿qué quieres que te haga?, o a la mujer enferma que le sale al paso y le tira del manto. Jesús reclama esa misma actitud de sus seguidores: «*si alguien te pide que camines con él una milla, camina dos, a quien te pide la túnica dale también el manto*» (*Mt* 5, 40-4).

La entrega es un elemento indispensable y fundamental en nuestra vida cristiana. La entrega es lo más opuesto a la exaltación del propio yo y a cualquier clase de egoísmo. En la misma naturaleza humana, la entrega forma parte, como un factor psicológico importante, del desarrollo normal de toda persona. El hombre y la mujer se entregan uno al otro por amor, el padre y la madre deben entregarse a sus hijos. Y en el darse se encuentran razones superiores para vivir y para ser felices.

Hagan la prueba los jóvenes: entreguen desde temprano sus vidas a tareas buenas, positivas, de servicio a los demás y comprobarán cuánta verdad encierra la hermosa oración de San Francisco de Asís: «*porque es dando como se recibe y olvidándonos como nos encontramos a nosotros mismos*».

Con cuánto gozo y gratitud vemos hoy cómo no pocos jóvenes de países desarrollados, al terminar sus carreras técnicas o universitarias, dan uno, dos y más años de trabajo en los países necesitados del mundo. Hay mucha generosidad en los corazones juveniles. Crece esta disponibilidad para servir durante un tiempo determinado, pero al mismo tiempo vemos con preocupación que hay temor en los jóvenes a la entrega que compromete toda la vida. Muchos y muchas temen casarse y establecer un hogar y solo viven relaciones transitorias, como si se hubiera perdido la confianza en la fuerza del amor. Y esta vacilación ante una entrega total es causa también de la pobre respuesta de bastantes muchachos y muchachas al llamado de Jesús para seguirlo en la vida sacerdotal o religiosa.

Hay también, entre los jóvenes de países pobres que han alcanzado un nivel profesional, un buen número de ellos que abandonan sus países de origen buscando mejores condiciones de vida. Entregarse no es siempre partir, a veces exige permanecer.

Estamos todos necesitando sentir la llamada de Jesús al

joven rico, quien no era simplemente un adinerado; se puede ser rico en conocimientos, en posibilidades personales, en inquietudes apostólicas. A vosotros, queridos jóvenes, os repito el llamado insistente de Jesús: «*Si quieres ser perfecto, vende lo que tienes, dáselo a los pobres, ven y sígueme*» (*Mt* 19, 21).

Pero hay un movimiento malo en nosotros, del orden del pecado, que nos lleva a vivir para nosotros mismos y a rechazar cualquier clase de entrega. Jesús advierte a los suyos que ese camino conduce a la ruina: «*Quien guarda su vida para sí la pierde, quien la entrega la gana para siempre*» (*Jn* 12, 25). Y así, aun inscrita en nuestra misma naturaleza humana como el camino verdadero de realización personal y urgida por Jesús como el modo propio de ser discípulo suyo, nuestro egoísmo y el pecado pueden llevarnos a cuestionar o rechazar la entrega.

Debido a esto, Jesús estaba persuadido de que su vida entregada iba a encontrar resistencia en medio de sus contemporáneos, máxime cuando Él la propone como único modelo válido de vida para todos. No pocos de los fariseos y sacerdotes, que habían circunscrito su religión a cumplir las normas establecidas, le salen al paso: «¿por qué curas en sábado?, ¿con qué poder le dio este la vista al ciego?, ¿por qué comen tus discípulos sin lavarse las manos?». Amor, entrega, misericordia son actitudes afines que no son vivenciadas por quienes cierran su corazón al otro y permanecen aferrados a sus puntos de vista y a sus preceptos.

Jesús siente que sus mismos discípulos no comprenden que seguirlo a Él es también asumir su estilo de vida para los demás. En su camino hacia Jerusalén, en el cual Jesús iba constatando la resistencia abierta o callada de muchos, Él le dice al grupo de los apóstoles que «*el hijo del hombre tiene que sufrir mucho, tiene que ser rechazado por los ancianos, los sumos sacerdotes y los letrados, ser ejecutado y resucitar al tercer día*» (*Mt* 16, 19-22). Entonces Pedro lo tomó aparte y empezó a increparlo: «*... Señor, no te pasará a ti eso*». Y Jesús se ve obligado a dirigirle un claro reproche a Pedro: «*tú piensas como los hombres y no como Dios*» (*Mt* 16, 23). Pedro no había comprendido aún que el don de sí mismo hay que llevarlo hasta el final, no puede haber cálculo en la entrega.

También en esa subida a Jerusalén, otros dos discípulos discuten sobre el puesto que tendrían ellos a la derecha e izquierda de Jesús cuando Él estableciera su reino. Jesús desplegaba ante sus discípulos su propia entrega, pero ellos seguían pensando en sí mismos, no llegaban a comprender el propósito del Maestro, buscaban el éxito o lo que les reportara alguna ventaja. No había en ellos aún una disponibilidad total para la entrega de sus vidas.

¿Y el pueblo? El pueblo que se agrupaba en torno a Jesús lo buscaba y lo seguía, pero tampoco respondió cuando Jesús fue un poco más allá de la satisfacción de sus necesidades individuales o colectivas. Ante lo que exige algo más de sí, la gente se echa atrás o actúa gregariamente, según sus intereses. Solo de la entrega personal de cada uno puede esperarse un cambio en la familia, en la sociedad y aun en las relaciones entre pueblos.

Recordemos el discurso del Pan de Vida. Después de haber repartido pan a la multitud, el Maestro dijo que Él debía ser comido, aceptado, que su persona, su vida entregada era un pan vivo bajado del cielo, mejor que el que Él había repartido a la gente. Entonces todos empiezan a irse. En esa ocasión, Jesús hizo al pueblo un reproche válido y de alcance universal: «*vosotros me habéis seguido porque os habéis llenado de pan*» (*Jn* 6, 26), es decir, por interés.

Pero ni las trabas o amenazas ni la apatía de sus mismos discípulos ni la incomprensión del pueblo hicieron a Jesús variar su actitud y su estilo, ni lo detendrán en su camino hacia la Ciudad Santa, donde debía consumar el don de sí mismo al Padre. Y así quedó planteado el drama de Jesús en Jerusalén; que Él vivirá como una triple entrega:

1. Uno de sus discípulos, por medio de la traición, lo entrega a los notables del pueblo.
2. Los notables del pueblo, aun siendo opositores unos de otros, se ponen de acuerdo y lo entregan a la autoridad romana, que lo condena a muerte.
3. Pero, sobre todo, el Padre lo entrega en manos del traidor, de los interesados y malvados.

¿Cómo responderá Jesús a esta misteriosa y triple entrega? Lo hará por medio de su propia entrega personal y libre. De las circunstancias aplastantes que lo cercan, de esa soledad tremenda donde el Padre parece abandonarlo en manos de sus enemigos, Jesús toma la ocasión para ser libre protagonista de su drama. Ya Él lo había expresado de este modo: «*mi vida nadie me la quita, soy yo quien la doy*» (*Jn* 10, 18). Su proyecto de vida fue completado hasta el final. Había entrado a nuestra historia entregado por el Padre que tanto había amado al mundo, que no se reservó a su Hijo para sí; Él saldría ahora del mundo entregándose al Padre por amor a nosotros: «*Padre, en tus manos encomiendo mi espíritu*» (*Lc* 23, 46). Así culminaba la entrega ininterrumpida de la vida de Jesús.

Cada domingo en el Credo, al proclamar nuestra fe en Jesucristo, Nuestro Señor, decimos que por nosotros, los hombres, y por nuestra salvación bajó del cielo, se encarnó de María Virgen, padeció, fue crucificado, muerto y sepultado y resucitó al tercer día. En la entrega de Jesús en la cruz se concreta el «por nosotros» del Credo, que explica la encarnación y muerte del Hijo como un acto de amor infinito, «hasta el extremo».

Durante casi todo el segundo milenio cristiano, el pensamiento sobre la encarnación y muerte del Hijo de Dios ha estado marcado por un razonamiento teológico según el cual la entrega de Cristo en la Cruz se produce por motivos necesarios: tuvo que llevarse a cabo de ese modo porque el hombre, al pecar, infiere a Dios una ofensa infinita que crea una separación abismal entre Dios y nosotros, que somos incapaces de reparar esa ofensa. Entonces, Dios decide reparar la culpa, tomando la naturaleza humana en la persona del Hijo, y de ese modo quien ofrece la reparación a Dios con sus sufrimientos crueles y su muerte es un hombre, pero al mismo tiempo es Dios, y el Padre perdona así la ofensa, pues la ofrenda del Hijo en la cruz tiene el valor infinito que el hombre nunca hubiera podido darle.

Esta manera de pensar lleva a una consideración del sacrificio de Cristo en la Cruz como el del redentor golpeado por el Padre, que carga sobre el Hijo todas nuestras miserias y pecados para que Él pague por nosotros. ¡Cuánto se popularizó esta espiritualidad aun hasta nuestros días!

Pero pensando de este modo sentiríamos que la muerte de Jesús nos acusa. Sin embargo, la vida de Jesús no fue una vida acusadora. Jesús no vivió contra nadie: «*yo no vine a condenar, sino a salvar*» (*Jn* 12, 47), y su muerte, que culmina la trayectoria de su vida, tampoco fue contra nadie. Los mártires de las grandes causas políticas acusan muchas veces, con su sangre, a quienes los llevan a la muerte. Sin embargo, ante la Cruz de Jesús, todos nos sentimos responsables, pero todos nos sentimos salvados. Pilato, Herodes, Pedro, Nicodemo, el Centurión romano, somos por turno cada uno de nosotros. La Cruz nos descubre nuestra realidad personal con todas sus facetas oscuras y nos capacita, al mismo tiempo, para oír de labios de Jesús el «*perdónalos, Padre, que no saben lo que hacen*» (*Lc* 23, 34), que es también para cada uno de nosotros y que nace del amor infinito que el Padre nos manifestó «hasta el extremo» en su Hijo.

Lo que Dios ha hecho por nosotros, los hombres y por nuestra salvación: descender a nuestra miseria, anonadarse, morir en una cruz, es algo incomprensible para el hombre de «pensamiento débil», el hombre «lite» que cree que vale tan poco, que nada tiene tanta importancia, ni nosotros mismos ni menos aún nuestros actos. Esas son las características del hombre posmoderno, generadoras de un estado de opinión y de un modo de sentir ante los cuales deben estar atentos los jóvenes que quieren de veras seguir a Cristo.

En la modernidad, el hombre se consideró tan importante que sentía que Dios le estorbaba, le robaba su libertad, era el gran oponente a sus deseos de grandeza. En esta época de la historia el hombre se considera tan irrelevante que no se atreve a justificar los grandes «esfuerzos» que Dios hace por él para salvarlo. Algo parecido era el mundo romano decadente, al cual llegó, por boca de los apóstoles, el mensaje del Dios hecho hombre, muerto en una cruz y resucitado.

Pero no importan las resistencias que el hombre oponga a la salvación que Dios le ofrece, el amor de Cristo, que lo llevó a su entrega por nosotros, puede vencer en cualquier ser humano la frialdad, la dureza de corazón y el pecado. Si Jesús nos llama a anunciar su amor y su misericordia a nuestros hermanos es para que ellos puedan participar de la misma dicha que tenemos los que «*hemos visto el amor y hemos creído en él*» (*Jn*).

Una vez en contacto con Cristo, que sana y perdona, todos pueden salir de las tinieblas, acceder a la luz, abandonar el pecado y comenzar una vida nueva, porque Cristo «en su persona subió nuestros pecados a la Cruz, para que nosotros muramos a los pecados y vivamos para la honradez: sus llagas os curaron. Andabais descarriados como ovejas sin pastor pero ahora habéis vuelto a vuestro pastor y guardián» (*1 P* 2, 24-25). Esto, que vale para nosotros, vale también para todos los hombres y mujeres del mundo que acepten el don de la salvación en Cristo, porque la entrega de Jesús por nosotros tiene el valor de su amor sin límites.

JUBILEO DE LOS CATEQUISTAS Y MISIONEROS*

Queridos hermanos y hermanas:

El Papa Juan Pablo II nos ha venido pidiendo desde los inicios de su Pontificado a los obispos latinoamericanos y después a toda la Iglesia Universal que pongamos en marcha una nueva evangelización: nueva en sus métodos, nueva en sus expresiones, nueva en su ardor. Los nuevos métodos que debemos hallar, las expresiones nuevas que han de producirse, dependen del ardor renovado con que anunciemos a Jesucristo por medio de nuestra palabra y nuestra vida.

El ardor evangelizador está en línea directa con nuestro amor a Dios. Él es quien llena nuestro ser con la fuerza de su Espíritu Santo. Es Dios quien pone sus palabras en nuestros labios para proclamar a todos los pueblos su misericordia y anunciarles al Salvador. Este anuncio debe hacerlo alguien que ama al Dios de quien habla. Pero es necesario también que el ardor evangelizador esté alimentado por el amor al prójimo. El destinatario del anuncio misionero es cada hombre y cada mujer a quienes Dios Padre ama y quiere salvar. En su inescrutable designio de salvación, Dios decide llegar a ellos a través de nosotros, los discípulos de Cristo, que pro-

---

* Catedral de La Habana, 5-XI-2000.

longamos en medio del mundo la presencia de su Hijo eterno. Jesucristo vino a anunciar el Reino de Dios, un Reino de justicia, de verdad y de amor. Para ser capaces de proclamar válidamente ese reino debemos amar a Dios «con todo el corazón, con todo el entendimiento y con todo el ser y amar al prójimo como a uno mismo». Solo así, dice Jesús en el relato evangélico proclamado hoy, estaremos cerca del Reino de Dios, condición indispensable para proclamarlo a nuestros contemporáneos. El amor vale más que todos los sacrificios y todos los holocaustos.

Sabemos que solo un sacrificio, el del cordero sin mancha que quita el pecado del mundo, tiene eficacia para salvar a toda la humanidad y a cada ser humano. Ese sacrificio ofrecido en la Cruz de una vez y para siempre lo ofrecemos a Dios nuestro Padre cada vez que celebramos la Santa Eucaristía.

Este año 2000 es «*un año intensamente eucarístico: en el sacramento de la Eucaristía, el Salvador, que se encarnó en el seno virginal de María hace veinte siglos, continúa ofreciéndose a la humanidad como fuente de vida divina*» (TMA 55). Igualmente, el año 2000 es un año profundamente misionero, porque en este comienzo del nuevo milenio «*deberá resonar con fuerza renovada la proclamación de la verdad: nos ha nacido el Salvador del mundo*» (TMA 38). Estas dos características, Eucaristía y misión, propias del año 2000, no coexisten simplemente, sino que se compenetran profundamente una y otra. La Eucaristía es el origen, la fuente, la cumbre y la finalidad de la misión de la Iglesia, mientras que la misión de la Iglesia es el fruto natural de la Eucaristía. Celebrando y viviendo conscientemente todas las dimensiones y fuerzas de la Eucaristía, la Iglesia se hace misionera. En la Eucaristía, el amor de Dios encarnado en Cristo llena el corazón del discípulo y con ese amor nos acercamos a nuestros hermanos para anunciarles a Jesús.

— La Eucaristía misma es un acto profundamente misionero y, en muchas ocasiones, ha sido una de las pocas actividades misioneras posibles para la Iglesia. Así ha sido durante muchos años para la Iglesia en Cuba. Solo el culto eucarístico ha reunido a la gente cada domingo, cada semana o algún día de la semana o del mes. Solo allí se predicó la palabra de Dios y se encontraron en la misa dominical o semanal los hermanos reunidos. La fuerza misionera de la Eucaristía fue anunciada de antemano por las palabras de Cristo en el evangelio de San Juan, que permanecieron misteriosas en aquel momento para sus discípulos: «*cuando yo sea elevado en lo alto atraeré a todos hacia mí*» (*Jn* 12, 32). En su entrega total hasta el sacrificio de la Cruz, escándalo para los judíos y locura para los paganos (*1 Co* 1, 23-24), Cristo se dirige al corazón de cada persona. Frente al Crucificado, levantado entre cielo y tierra, no se puede permanecer indiferente, aun el rechazo es ya una respuesta. Por eso, celebrando la Eucaristía, la Iglesia anuncia a Cristo al mundo, o más bien es Cristo mismo quien se anuncia al mundo atrayendo a todos hacia sí, pues en la celebración sacramental la Eucaristía no es simplemente el recuerdo de un hecho del pasado, sino vivir con toda intensidad el misterio en el momento presente. De hecho, cada vez que «se celebra este misterio se realiza la obra de nuestra redención y nosotros partimos el único pan que es medicina de inmortalidad, antídoto contra la muerte, alimento de vida eterna en Jesucristo» (CIC 1405).

En muchas situaciones misioneras en que la Iglesia se encuentra obstaculizada en su expresión de fe y en su actividad apostólica, la Eucaristía es un acto misionero privilegiado, porque es una de las pocas expresiones que se le permite a la Iglesia. Aun en situaciones muy difíciles cuando todo está prohibido, como, por ejemplo, en campos de trabajo forzado o de reeducación, aun allí es posible la presencia eucarística. En muchos casos, la adoración eucarística hecha a escondidas, la comunión recibida de forma oculta, o la misa celebrada de ese modo, ha sido la fuerza que ha sostenido la vida de los cristianos y que ha irradiado vida a otros y generado confianza y fortaleza. Esto ha ocurrido en Cuba en nuestra historia más reciente, quizá desconocida por algunos, pero nunca olvidada por quienes hemos sabido que Cristo Eucaristía estaba presente en medio de nosotros en momentos muy difíciles. La Eucaristía es siempre una forma excelsa de evangelización. Y se anuncia el Evangelio para llevar a hombres y mujeres hasta la mesa eucarística.

— En la Eucaristía, Cristo se ofrece para la remisión de los pecados y la reconciliación universal del mundo: «*esto es mi cuerpo, entregado por vosotros... este es el cáliz de mi sangre... derramada por vosotros y por todos para la remisión de los pecados*».

Dice al respecto la Constitución *Lumen gentium* del Concilio Vaticano II en su número 13: «*todos los hombres están, pues, llamados a esa unidad católica del pueblo de Dios que prefigura y promueve la paz universal; a esta unidad pertenecen de modos diversos o están ordenados a ella sean los fieles católicos, sean los otros creyentes en Cristo, sea por fin toda la humanidad sin excepción, que la gracia de Dios llama a la Salvación*».

Como se ve en este texto del Concilio, la fuerza misionera de la Eucaristía se encuentra en su misma celebración. Cristo levantado en lo alto y ofrecido en sacrificio al Padre, levanta a la humanidad, la atrae hacia sí, abarca en su amor de ofrenda a todos los humanos. Este es el misterio que celebramos en cada Eucaristía, esta es la fe de la Iglesia y de cada cristiano católico. Con esta fe celebra el sacerdote diariamente la Santa Misa. Así nos lo dice el Catecismo de la Iglesia Católica: «*la Iglesia, que es el cuerpo de Cristo, participa en la ofrenda de aquel que es su cabeza. Con Él, la Iglesia se ofrece toda entera y se une a su intercesión al Padre en favor de todos los hombres... la vida de los fieles, su alabanza, sus sufrimientos, su oración, su trabajo, se unen a la ofrenda de Cristo y adquieren un nuevo valor*» (CIC 1368). La lectura de la Carta a los Hebreos que escuchamos hoy nos recuerda que: «*Jesucristo, de una vez para siempre, se ofreció a sí mismo*». En cada Eucaristía, Cristo vuelve a presentar al Padre su único acto de entrega por nosotros y, en cada celebración eucarística, nosotros estamos invitados a entregarnos con él al Padre.

— La Eucaristía es un banquete fraterno. En el banquete eucarístico hay dos elementos fundamentales: el Pan y el Vino. El pan es el símbolo del esfuerzo y la solidaridad entre los hombres: de muchos granos se hace un único pan, «fruto de la tierra y del trabajo del hombre». El vino, además de ser signo de la solidaridad humana, es también el signo de la alegría y de la fiesta. Por lo tanto, como banquete, la Eucaristía es encuentro, solidaridad, es compartir, es comunión.

La Eucaristía, pues, compromete a los cristianos de cara

al pobre: «*para recibir de verdad el cuerpo y la sangre de Cristo ofrecido por nosotros, debemos reconocer a Cristo en los más pobres, que son sus hermanos*» (CIC 1397). En el ámbito de la actividad misionera, la solidaridad y el compartir con los hermanos más pobres se realizan a través de diversas formas y organizaciones, como Cáritas. Sin embargo, la gente no tiene solo hambre de pan, sino también de dignidad, de respeto, de consideración. En este sentido, la comunión y la solidaridad con nuestros hermanos más pobres deben traducirse también en actitudes de respeto y de aprecio para sus personas, culturas, costumbres, etc. Esto es indispensable para el misionero y el catequista en Cuba, que deben tener en cuenta la religiosidad popular con todos sus matices, tan extendida entre nuestros hermanos.

— La Eucaristía es el Sacramento de la unidad. La celebración de la Eucaristía, sacramento de la unidad, es una invitación continua a los discípulos de Cristo para trabajar por la plena unidad entre ellos a fin de responder al deseo expresado por Jesús en la Última Cena: «*que todos sean uno*» (*Jn* 17, 20). En el contexto misionero, la unidad entre todos los cristianos se vuelve todavía más necesaria y urgente porque es el signo de la credibilidad de la misión de Cristo y de su Iglesia: «*como tú, Padre, estás en mí y yo en ti, que así también ellos sean una sola cosa para que el mundo crea que tú me has enviado*» (*Jn* 17, 20-21).

Siempre pensamos en esa necesaria unidad de los cristianos de distintas denominaciones, pero olvidamos muy a menudo la unidad interna de la Iglesia Católica, unidad de los sacerdotes y los laicos entre sí, de los sacerdotes religiosos y del clero diocesano, sellados por el mismo sacramento del orden y con una misma misión, la unidad entre los religiosos y religiosas y el obispo, la unidad, en fin, de todos como una gran familia que tiene un solo deber, un solo propósito, un solo mandato del Señor: amarse y, amándose unos a otros, dar a conocer a los otros el amor.

En Cuba, la unidad de la Iglesia, la comunión profunda entre todos los católicos consagrados, fieles laicos y sacerdotes alrededor del obispo, es la garantía y la condición de la capacidad misionera de la Iglesia. No permitan, queridos hermanos y hermanas, que se siembre la semilla de la división entre grupos, comunidades diversas, movimientos distintos, espiritualidades diferentes, que puedan dañar la unidad de toda la Iglesia en el amor a un mismo Dios y a todos nuestros hermanos a los cuales estamos enviados a evangelizar. El tiempo precioso que perdemos en particularismos y el contratestimonio de la desunión y la falta de afecto eclesial dañan irremediablemente la misión evangelizadora de la Iglesia.

En algunos grupos cristianos no católicos hay un celo misionero a veces torcido que los lleva a atacar duramente a la Iglesia Católica. ¡Cómo debemos cuidarnos los católicos, ante los ataques de esos grupos cristianos hostiles a nuestra Iglesia, de responder con violencia o de utilizar métodos similares para contrarrestarlos a ellos! Nuestra única respuesta debe ser el amor congregante, la paciencia y la capacidad de perdonar y de entusiasmar a nuestros hermanos con el mensaje liberador de Jesucristo.

— La Eucaristía nos abre a la esperanza de los bienes futuros cuando todos los pueblos del mundo ya redimidos por Cristo se sienten a la misma mesa del gran banquete del Reino. «*En la última Cena, el Señor mismo hizo que se volviera la mirada de sus discípulos hacia el cumplimiento de la Pascua en el Reino de Dios*» (CIC 1403). Por esto, al celebrar la Eucaristía, los cristianos invocamos con insistencia la venida de Cristo: «ven, Señor Jesús». Por tanto, la Eucaristía infunde a la misión un alma que la impulsa a abrir los horizontes del esfuerzo y de la esperanza hasta el encuentro definitivo de todos en Cristo, cuando Él lo será todo en todos.

— En la Última Cena, al instituir el sacramento de la Eucaristía, Cristo instituyó también el orden sacerdotal para servir ese sacramento, para hacerlo posible y perpetuarlo en todo lugar y en todo tiempo. Por eso, los cristianos que celebran la Eucaristía deben promover las vocaciones sacerdotales para cada Iglesia local y colaborar para que los jóvenes llamados por Dios tengan el apoyo necesario en su camino vocacional, a fin de que en todo rincón de la tierra sea celebrada la Eucaristía, fuente de vida y prenda de salvación. El empeño por promover las vocaciones sacerdotales en las iglesias locales debe animar todas las iniciativas de la comunidad eclesial y también de cada uno de los fieles. El primer misionero es el sacerdote, el primer catequista es el sacerdote. Sin la acción sacerdotal, la misión y la catequesis quedan truncas.

— En la Eucaristía-Sacrificio, Cristo se ofrece como don de amor al Padre por la Salvación de la humanidad y por la renovación de toda la Creación. Por tanto, al celebrar la Eucaristía, el cristiano está invitado a unirse a Cristo en la ofrenda total y sacrificial de su vida hasta el don de sí mismo, incluso hasta el martirio, que es el acto misionero más sublime y más fecundo: la sangre de los mártires es semilla de cristianos. En el siglo que concluye se cuentan por decenas los sacerdotes y religiosos, religiosas y catequistas mártires de África, Europa, América Latina y Asia en el cumplimiento de su misión.

Sin embargo, no será posible el martirio si no existe el don de sí en las situaciones ordinarias de la vida de cada día. Para muchos en Cuba, la vida con sus desafíos cotidianos, con sus carencias, con el cansancio físico y espiritual que produce especialmente en el cristiano el esfuerzo por vivir la misma fe, se convierte en un martirio. Muchos rechazan ese martirio o le temen, o no se sienten con fuerzas para enfrentarlo, o no llegan a valorar la importancia de la entrega de la vida cuando hay otras posibilidades de realización humana menos costosas. Sin embargo, aquellos que aceptan y ofrecen voluntariamente esa especie de martirio han sido y serán el mayor testimonio evangelizador de la Iglesia en Cuba. Por mi experiencia pastoral de todo el ministerio sacerdotal vivido en Cuba desde los años 60 hasta hoy, estoy convencido de que existe una vocación a permanecer en Cuba, que tiene los perfiles dolorosos que he descrito y que participa de ese martirio de la paciencia del que habló el Cardenal Casaroli. Doy gracias a Dios por aquellos laicos que respondieron sí a este llamado del Señor en décadas pasadas. Pido al Señor que en las nuevas generaciones de católicos haya también quienes busquen en Cristo el valor y la fortaleza de responderle también hoy: presente. Esto constituye el gran desafío para la misión de la Iglesia en Cuba de cara al nuevo milenio. Por eso, en la celebración eucarística, el cristiano está invitado a acoger a Jesucristo, fuente de vida y de amor, para hacerse capaz de transformar la propia vida en un don sin fronteras, que pueda llegar a integrar ese servicio martirial que Cristo pide a algunos en algún momento de la historia y que lo pide a tantos especialmente en Cuba.

— Por fin, la Eucaristía es un sacrificio de alabanza y de acción de gracias con el cual la Iglesia canta la gloria de Dios en nombre de toda la humanidad y de toda la creación. Todas las religiones del mundo tienen oraciones y sacrificios de alabanza y de acción de gracias. El cristiano que celebra la Eucaristía encontrará en ella la luz para apreciar, iluminar y purificar todas esas oraciones y sacrificios de alabanza y de agradecimiento de los pueblos y de las religiones del mundo y para abrirles a esos hermanos nuestros nuevos horizontes, a fin de que todos se encuentren un día en el único coro que canta al unísono por medio de Cristo, único Salvador y Mediador, la gloria de Dios Padre.

Cada Eucaristía repite siempre la dinámica de la misión: somos convocados, reunidos por la Palabra de Dios alrededor de la mesa del banquete eucarístico, donde Cristo se ofrece en sacrificio y alimenta a sus fieles con su cuerpo y con su sangre. Llenos con su amor, beneficiados de su misericordia, somos enviados al mundo entero a llevar el anuncio del Reino de Paz y de Justicia que Jesús trajo a los hombres. Por eso, el celebrante, al terminar la oración que culmina nuestro encuentro personal con Cristo en la Santa Comunión, nos dice: «pueden ir en paz». Ese es el envío misionero de cada domingo, de cada Eucaristía.

Queridos hermanos y hermanas: la Eucaristía es la gran acción misionera de la Iglesia en la cual Cristo, el enviado del Padre, viene a nosotros y nos envía al mundo entero a proclamar su Evangelio. Por esto, la misión, como la misa dominical, no es facultativa: todos debemos participar de ella. Cada uno según su edad y sus posibilidades reales, pero con plena conciencia de que no solo el catequista o el misionero están llamados a anunciar el Evangelio, sino todos los cristianos.

Que Cristo-Eucaristía, al ser levantado en lo alto, atraiga hacia sí nuestros corazones, que resuene en cada uno de nosotros el mandato que Él nos repite en cada Eucaristía: vayan al mundo entero y anuncien el Evangelio.

JUBILEO DE LOS CAMPESINOS*

Queridos hermanos y hermanas:
No sucede a menudo entre nosotros que los hombres y mujeres que trabajan la tierra, que viven en el campo, que están en continuo contacto con la naturaleza, tengan la oportunidad de reunirse en la Iglesia para alabar al Señor y darle gracias por todos sus dones.

Doy gracias a Dios por esta oportunidad, en este Año Santo, de celebrar el Jubileo de los campesinos. El campesinado cubano, como toda persona que está en contacto con el mundo natural, tiene un profundo respeto a Dios, Creador de cuanto existe. El cubano en general, sea del campo o de la ciudad, muy raramente maldice a su Creador o muestra hacia Dios una actitud ofensiva en sus palabras.

Las misioneras de Madre Teresa de Calcula, que atienden a enfermos en estado ya de agonía en el hospital oncológico, se sorprenden de ver cómo hombres y mujeres jóvenes, que han tenido muy poca formación religiosa y no han frecuentado la iglesia, se confían a sus oraciones; rezan con ellas lo que saben rezar y nunca protestan con rebeldía hacia Dios en medio de sus dolores y sufrimientos.

Esta actitud de acatamiento ante el inmenso Poder de Dios, que nos deja maravillados con su grandeza, es aún más marcada entre quienes cuidan la tierra y la trabajan. Esa actitud la expresaba un poeta antiguo en un precioso salmo que leemos en la Biblia escrito mucho antes del nacimiento de Cristo:
Señor, dueño nuestro,
qué admirable es tu nombre en toda la tierra.
Cuando contemplo el cielo, obra de tus dedos,
la luna y las estrellas que has creado,
¿qué es el hombre para que te acuerdes de él,

---

* Santuario de El Rincón, 11-XI-2000.

el ser humano para darle poder?
Lo hiciste poco inferior a los ángeles,
lo coronaste de gloria y dignidad,
le diste el mando sobre las obras de tus manos,
todo lo sometiste bajo sus pies. (*Salmo* 8)

En realidad, todo ser humano que se detenga a pensar un pco queda impresionado por la sabiduría de Dios y por el hecho de que ese Dios tan grande se fije en nosotros. El relato de la creación, que fue anunciado hoy en la primera lectura, tomada del primer libro de la Biblia: el libro del Génesis, contiene plan de Dios al crear al hombre. Ante todo debemos decir que ese relato recoge lo que de siglo en siglo, de generación en generación, contaban los padres a sus hijos para ensenarles lo que Dios quería y esperaba de ellos.

Nadie pudo ser testigo del momento en que en la Tierra hubo un primer hombre y una primera mujer, pues estaban ellos dos solos ante Dios, pero Dios envió su Espíritu Santo a un autor y lo llenó de inspiración divina para que pusiera por escrito toda aquella sabiduría del pueblo que se transmitía de padres a hijos. Y así, no tenemos una narración donde aparezca la hora, ni cómo, ni cuándo, ni dónde apareció el primer hombre sobre la Tierra, sino aquello que nos interesa de veras a nosotros hoy, lo que ha interesado siempre al ser humano y le interesará en el futuro: ¿para qué nos ha creado Dios?, ¿quiénes somos nosotros?, ¿por qué amamos; sufrimos y tenemos tantas ansias de felicidad en nuestros corazones? Son las mismas preguntas que le hacía a Dios el poeta del salmo que mencionaba: ¿qué es el hombre para que te acuerdes de él?

Esas grandes respuestas para esas grandes preguntas las trae la Biblia. Escuchemos las palabras del libro de Génesis que fueron leídas hoy: «Dijo Dios: hagamos al hombre a nuestra imagen y semejanza».

¡Qué profundo significado encierran estas palabras!

Nosotros no somos, pues, un animalito más, como los que criamos para comer, para trabajar en el campo, o para acompañarnos y cuidarnos la casa. Dios creó todas las plantas y los animales, pero al llegar a la creación del hombre hace un alto, y dice especialmente y solemnemente que va a dar vida a una criatura que tendrá en sí la imagen del mismo Dios: «Hagamos al hombre a nuestra imagen y semejanza». ¿Qué significa esto? Hay algo superior en el hombre, él tiene una dignidad especial: el ser humano puede pensar, puede amar, desear, mirar hacia el pasado y hacia el futuro. El animal sabe algunas o muchas cosas, puede también querer; pero no sabe que sabe, no sabe que quiere, no sabe que vive, no sabe que va a morir. Nosotros tenemos, sin embargo, en nosotros mismos, la imagen de Dios, ese sello de grandeza y dignidad con que nos marcó el Creador que nos hace conscientes y, además, responsables ante la creación. Nosotros sí sabemos que sabemos, que queremos, que vivimos y que morimos. Es interesante cómo la Biblia insiste en que Dios creó al hombre a su imagen, «a imagen de Dios los creo, hombre y mujer los creó». No puede quedar ninguna duda: Dios le da al ser humano una dignidad especial y queda muy claro que esa condición especial es tanto del hombre como de la mujer. La mujer no es un ser inferior, esclava del hombre, sino igual a él ante Dios y ante todos. Por eso leemos también en el relato bíblico de la creación la orden precisa que Dios les da a los dos: «que dominen los peces del mar, las aves del cielo, los animales domésticos... Miren –dice la Biblia–, les entrego todas las hierbas que engendran semilla sobre la faz de la tierra; y todos los árboles frutales que producen semilla les servirán de alimento...». Y añade el texto que «vio Dios todo lo que había hecho y era muy bueno».

El hombre y la mujer son puestos, pues, en el mundo para conocer a Dios, amarlo, colaborar con Dios y hacer producir la tierra. Al sembrar y cosechar, al dominar los animales para el trabajo y para que sirvan de alimento a la humanidad, el hombre está dominando el mundo natural, tal y como Dios se lo mandó. Está haciendo uso de un poder que Dios le dio para su propio bien y el de los demás. En eso, el hombre debe parecerse a Dios, debe ser semejante a Dios.

Cuando hace ya casi cuarenta años comenzó a popularizarse el ateísmo en Cuba y se hablaba de que la creencia en Dios era algo del pasado, se hizo muy frecuente una frase que molestaba mucho a los campesinos, y a otros cubanos también: «venceremos a la naturaleza». Porque uno vence en un combate a un enemigo y la naturaleza no es enemiga nuestra. Dice la Biblia que Dios vio cuanto había creado y era bueno, el enemigo es malo, Dios le confió la naturaleza al hombre para que dominara sobre las aves del cielo, los peces del mar y los animales que caminan sobre la tierra y esto para el bien del ser humano, para su alimentación, para su desarrollo. El hombre es un aliado de la naturaleza. Pero, si agrede a la naturaleza, ya no cumple el mandato de Dios y suceden entonces males mayores, como cuando corta más árboles de los que siembra, mata más animales que los que nacen o combate las plagas con productos químicos que dañan la salud. Hoy nos inquietamos porque hemos agredido tanto la naturaleza que hasta el clima está cambiando: sequías largas, lluvias torrenciales que lo arrasan todo y otros fenómenos preocupantes.

Justamente, lo que afirma nuestra fe católica es que nosotros debemos hacer producir la tierra, pero respetando el orden establecido por Dios en la naturaleza. Nosotros debemos dominar la creación, pero siguiendo el mandato de Dios y bajo la mirada del Creador. Eso es lo que hace el campesino cuando cosecha, cuando cría sus animales. Lo que daña al hombre y constituye un pecado es querer dominar, con un poder *absoluto*, la naturaleza, porque así quiere ocupar el lugar de Dios. Solo Dios tiene el gran Poder sobre el mundo, y qué bueno que sea así, porque los seres humanos podemos usar del poder con dureza, con violencia y también equivocarnos, pues no lo sabemos todo. Solo Dios puede hacer uso de su inmenso Poder sin aplastarnos, porque nos ama con un amor sin límites, solo Dios sabe lo que nos conviene. En Dios no puede haber equivocación, porque Él es perfecto y es todo Bondad.

Dios no es solo Poder infinito, sino Amor infinito. En el Evangelio de San Juan leemos: «Tanto amó Dios al mundo que le envió a su Hijo». El Hijo de Dios «estaba en Dios y era Dios», nos dice también San Juan, pero ese Hijo eterno de Dios «se hizo carne y habitó entre nosotros». De las entrañas purísimas de la Virgen María, escogida por Dios para ser la Madre de su Hijo eterno, nació Jesús. Vino a nosotros pobre, nació en medio del campo, vivió en el pueblecito pequeño de

Nazaret y trabajó con sus propias manos, San Pablo dirá que el Hijo de Dios «se despojó de su rango, pasando por uno de tantos». Este año Jubilar celebra los 2.000 años de que el Hijo de Dios se hizo hombre. Esa es la razón de nuestro júbilo, de esta fiesta.

En Jesucristo, Dios nos muestra también su Poder, pero en el perdón, en el amor y la misericordia. Porque Dios es grande no solo cuando crea al mundo y al hombre, sino es grande también perdonando, amando y teniendo compasión. Así debemos ser también los seres humanos, a semejanza de Dios no solo somos grandes cuando construimos un gran edificio o echamos a andar las máquinas de una central, sino cuando sabemos tender una mano, olvidar un agravio, tener misericordia con un pobre infeliz.

Al proclamar nuestra fe cristiana en el Credo, nosotros entregamos confiados nuestro corazón a Dios Padre Todopoderoso y también a Jesucristo, su Hijo que nació de la Virgen María y murió por nosotros en la Cruz. Es el mismo y único Dios el que nos creó y el que se entregó por nosotros en la Cruz. No es mayor el Poder de Dios cuando crea el mundo que cuando desde la Cruz el Hombre-Dios, Jesucristo, salva al mundo y perdona las faltas de fe y de amor de todos los seres humanos «que no saben lo que hacen».

Nuestro Dios no se quedó mirando desde lo alto del cielo hacia el hombre pecador que Él había creado y que se rebeló contra Él, sino que vino a nosotros y cargó con nuestras miserias y pecados, y los clavó en la Cruz. Como hombre que era, murió; como Dios, que tiene poder, resucitó y retornó al Padre, donde estaba desde siempre, pero llevándonos a todos nosotros con él: «me voy a prepararles una morada», dijo Jesús a sus discípulos la noche antes de morir. No hemos sido creados solo para esta tierra, para cultivarla, hacerla producir y ser enterrados después en ella. Hemos sido creados para Dios, y Cristo vino a buscarnos, venció a la muerte en la Cruz y al resucitar glorioso nos lleva con Él a su gloria. Esta es nuestra esperanza. Esto es lo que nos hace caminar por la vida trabajando como Dios quiere, sirviendo y amando a todos, aun hasta los enemigos, porque somos «ciudadanos del cielo».

Esta fe cristiana tenemos que sembrarla en los corazones de los niños, de los jóvenes y no solo en la familia, sino también en todos los que nos rodean.

¡Qué hermosa comparación tomada de la vida del campo puso Jesucristo a sus discípulos!: «salió el sembrador a sembrar su semilla... una parte cayó al borde del camino y vinieron las aves del cielo y se la comieron, otra parte cayó en terreno pedregoso y no creció nada, otra cayó en terreno con yerba espinosa y nació la plantica pero las espinas la ahogaron enseguida; otra cayó en tierra más o menos buena y dio frutos: una dio treinta, otra dio sesenta y otra, cien. Nadie mejor que el mismo Jesucristo para explicar lo que significa esta parábola, o sea, qué quería decir Él al contarnos esta historia. Dice así Jesús: «El sembrador siembra el mensaje. Los del camino son aquellos en quienes se siembra el mensaje, pero en cuanto lo escuchan viene Satanás y se lleva el mensaje sembrado en ellos. Lo mismo, los que reciben el mensaje en terreno rocoso son los que, al escuchar el mensaje, lo acogen en seguida con alegría, pero no tienen raíces, son inconstantes, y luego, en cuanto surge un aprieto o persecución por el mensaje, fallan. Otros, los que reciben la simiente entre espinos, son los que escuchan el mensaje, pero las preocupaciones de esta vida, la seducción por las riquezas y el deseo de todo lo demás los invaden, ahogan el mensaje y se queda estéril. Por fin, los que recibieron la semilla en tierra buena son aquellos que escuchan el mensaje, lo aceptan y dan su cosecha: uno treinta, uno sesenta y uno ciento».

Al escuchar esta explicación de Jesús, la primera pregunta que debemos hacernos cada uno de nosotros es: ¿como qué clase de tierra me porto yo al recibir la semilla de la Palabra de Dios? Porque Dios nos ha dado a todos una mente y un corazón para ser capaces de recibir la buena semilla de su mensaje que puede transformar nuestras vidas, pero nosotros podemos permanecer indiferentes, duros o despreocupados.

Cuando ustedes siembran, saben que una tierra es pedregosa, saben que otra está llena de Marabú y ahí no se da nada, saben que otra tierra es buena. Pero sucede de un modo distinto en los seres humanos. Recuerden que, al crearnos, Dios nos hizo buenos. Somos nosotros los que endurecemos el corazón como la piedra y la buena semilla del mensaje de amor de Jesucristo no puede germinar y dar frutos. Somos nosotros los despreocupados, nos hacemos como un camino por donde todos pasan, pisoteando y llevándose con ellos la buena semilla de la fe que Dios ha puesto en nosotros por el bautismo, que hemos conocido por el catecismo que hemos aprendido, que ha crecido en nuestros corazones por la santa comunión que hemos recibido. Somos también nosotros los que ahogamos con espinas la plantica buena de la fe cristiana, que no puede crecer si hay odios o rencores en mí, si cedo ante el pecado, si soy violento en la casa, si no hay fidelidad y delicadeza en la vida matrimonial, si los muchachos y muchachas jóvenes viven vacíos y dejan de ser sanos, usando de la bebida y de las relaciones sexuales en forma dañina y no como Dios quiere. Todas esas espinas terminan por ahogar la pequeña planta que nace de la semilla buena que Dios sembró en nosotros.

Es decir, eres tú, somos cada uno de nosotros los que cuidamos la buena tierra con que Dios nos hizo para que no se vuelva pedregosa, espinosa o árida. Pero también cuando nos damos cuenta de que esa tierra ya se ha echado a perder aun así podemos sanearla. Cristo tiene todo Poder y nos dijo antes de volver al Padre: «Yo no los dejo huérfanos, yo les enviaré mi Espíritu Santo», y con la fuerza del Espíritu no hay piedra dura, ni espinas que minen el campo, porque como dice San Pablo: «Todo lo puedo con Aquel que me fortalece».

Este Año Santo, el Jubileo que estamos celebrando, nuestro Congreso Eucarístico de La Habana que tendrá lugar los días 8, 9 y 10 de diciembre, y la Navidad de este año 2000, son ocasiones muy favorables para que dejemos que la semilla de la fe y la esperanza en Dios caigan en tierra buena. Dejen que Jesucristo trabaje el campo de su corazón con el vigor del Espíritu Santo y hagan un propósito firme, con esa ayuda de Dios, de abonar, limpiar, quitar hierbas malas; para dar frutos buenos y en abundancia. Dios lo espera de ustedes.

Pero, además, todo cristiano tiene que hacer trabajo de sembrador. Nuestra semilla es la palabra buena de fe, de amor, de aliento, de esperanza que decimos a quienes nos rodean, sea la familia o los que comparten con nosotros nuestro trabajo. La semilla que sembramos son también las buenas acciones para con el prójimo: cuando lo servimos con desinterés, cuando le prestamos ayuda, cuando sabemos perdonar y pasar por alto ingratitudes y aun ofensas. A veces, nos parece que esto no vale la pena, que esa buena semilla cae en tierra muy mala, pero sigamos adelante, recuerden que Jesús dice que nuestro deber es salir a sembrar el bien y nos dice también el Señor que algo cae siempre en buen terreno.

Ya sabemos que tenemos que lidiar con nosotros mismos, con nuestro carácter, con nuestras propias piedras y espinas, sabemos también que es difícil ayudar al prójimo con sus miserias y dificultades. Pero sigamos en todo el consejo que el apóstol Santiago nos da en la segunda lectura que escuchamos hoy: «tengan paciencia, hermanos, hasta que venga el Señor; miren cómo el labrador aguarda la valiosa cosecha de la tierra, esperando con paciencia a que reciba la lluvia temprana y la tardía. No pierdan la paciencia tampoco ustedes, refuercen el ánimo, que la venida del Señor está cerca».

Sí, queridos hermanos y hermanas. Dios llega a nuestras vidas en cualquier momento y trae siempre amor, paz y esperanza. Pídanlo así al Señor con mucha confianza en esta celebración jubilar.

Al Dios de Gran Poder, que nos envió a su Hijo Jesucristo a sembrar en nuestros corazones la buena semilla de la verdad y del amor y que nos dio su Espíritu Santo, todo honor y toda gloria por los siglos de los siglos. Amén.

CONGRESO EUCARÍSTICO NACIONAL DE EL SALVADOR*

Con cuánta alegría he venido a estar con ustedes, queridos salvadoreños, para adorar y alabar a Jesucristo, Pan de vida, camino para la comunión y la solidaridad, a quien la Iglesia en El Salvador tributa en este Congreso Eucarístico un sentido homenaje de amor y devoción, al cumplirse dos mil años de la encarnación del Hijo de Dios, de Su venida a nosotros.

---

* El Salvador, *Solemnidad de Cristo Rey*, 26-XI-2000.

Doy gracias al Santo Padre Juan Pablo II por la designación que ha hecho en mi persona, como Enviado Especial, a este Congreso Eucarístico. Es para mí un privilegio compartir con ustedes estos días de celebración y esperanza. Sé que estoy en medio de un pueblo activo y emprendedor en el ámbito del trabajo y de la acción social y, además, profundamente religioso, que se muestra creativo, fiel y audaz en su adhesión a Cristo y a su Iglesia.

Los saludo a todos con afecto fraterno, queridos hermanos y hermanas. En primer lugar, al Sr. Arzobispo de San Salvador, Mons. Fernando Sáenz Lacalle, Presidente de la Conferencia Episcopal de El Salvador, a los demás obispos salvadoreños, así como al Sr. Nuncio Apostólico, a las autoridades de la nación, a los sacerdotes, religiosos, religiosas y a todos los fieles cristianos de El Salvador que se han hecho presentes aquí en tan gran número para rendir honor a Jesús Sacramentado.

He seguido con atención desde hace años la historia azarosa, y en ocasiones dramática, del pueblo salvadoreño, que perdió tantos hijos e hijas en años de dolorosos enfrentamientos entre hermanos. He visto desfilar por mi país los heridos y mutilados de esa guerra y sé que hay también muchas heridas del alma que toman tiempo en sanar y que aún duelen. He visitado emocionado en la Catedral Metropolitana la tumba del Arzobispo Santo, que en el ofertorio de su Misa del hospitalito puso como ofrenda para aquella, su última Eucaristía, su propia sangre, su vida cercenada, y siento que Monseñor Romero, sacerdote para siempre, participa de modo muy especial de este homenaje de su pueblo salvadoreño a Jesucristo nuestro Salvador, vivo y presente en el sacramento de la Eucaristía, como si concluyera con nosotros desde el cielo aquella última misa suya que no pudo terminar de celebrar.

La solemnidad de Jesucristo, Rey del Universo, es el marco radiante de esta gran celebración de la Eucaristía, ciertamente la acción más hermosa y vibrante de este Congreso Eucarístico. En ella los obispos, sacerdotes, diáconos, religiosos y religiosas de El Salvador se unen al pueblo fiel a quien sirven para rendir a Cristo, Rey del Universo, presente en el sacramento del altar, el devoto homenaje de su amor y depositar en Él toda su esperanza.

Esta evocación de Cristo como Rey de todo lo creado nos hace levantar la mirada del corazón hacia el cielo, hacia ese trono de gloria donde el profeta Daniel descubre, en el claroscuro de una visión maravillosa, aquella especie de hombre que avanza entre nubes y a quien un anciano venerable le confía poder, honor y reino. En la visión, el profeta contempla que todos los pueblos, naciones y culturas sirven a aquel soberano y declara que ese poder no será transitorio, sino que durará para siempre. Su reino no acabará.

Realmente, a la luz de la venida de Jesucristo, mucho nos dice la profecía de Daniel, pero el profeta no podía descubrir, tantos años antes del nacimiento de Jesús, que aquel a quien él contemplaba en su visión no era una «especie» de hombre, sino un hombre verdadero, y no pudo tampoco saber que a ese hombre se le dio todo poder y reino porque es, además, verdadero Dios, el Hijo Eterno del Padre, el Salvador.

Algunos años después de la muerte y resurrección del Señor, un discípulo suyo, también en una visión extraordinaria, ve venir a un hombre de entre las nubes, pero sabe bien quién es, es Jesucristo, el Príncipe de los reyes de la tierra. En la visión del Apocalipsis de San Juan que nos presenta también hoy la lectura del Nuevo Testamento, se da a Jesucristo toda gloria y poder para siempre. Y se explica por qué: Jesucristo es el Testigo fiel. Testigo es el que sabe cómo son las cosas por haber estado en un lugar, por haber visto y oído, y Jesús ha estado con nosotros, conoce nuestros sufrimientos, nuestros anhelos, es más, para acercarse plenamente a nuestra realidad, dice San Pablo que Jesús «*se despojó de su rango, pasando por uno de tantos*», se hizo en todo como nosotros, menos en el pecado.

Él conoce qué es nacer y vivir en la pobreza, sabe lo que es sentir el peso de los poderes de este mundo, sabe también lo que es morir y morir condenado injustamente a una muerte cruel. Y en medio de este mundo nuestro que Él conoció tan bién, Jesús se nos muestra, con el testimonio de su vida, como «*aquel que no vino a ser servido sino a servir*». Los reinos de este mundo se proyectan con una voluntad de dominio. El reino de Cristo solo puede tener una voluntad de servicio, ante todo, de servicio a la verdad de quién es Dios y de lo que es el hombre, de su dignidad intrínseca recibida del Creador, que lo llama a ser su hijo. Este servidor de la verdad, este Testigo fiel, declara a favor nuestro ante el Padre en su gloria. Porque, en su servicio a la verdad de Dios y del hombre, Jesús nos amó, nos ha liberado de nuestros pecados por su sangre y nos ha convertido a todos en un reino que tiene como ley suprema el amor a Dios y a nuestro prójimo, un reino en el que cada uno de nosotros, seguidores suyos, debemos ser también testigos de Jesús por la entrega de nuestras vidas al servicio de nuestros hermanos. Esa es la solidaridad cristiana, que nace de una profunda comunión con el Señor y con los hermanos.

A esa solidaridad nos invita este Congreso Eucarístico, porque la entrega y el servicio a nuestro prójimo se alimentan en la mesa donde el Señor nos da su cuerpo y su sangre y lava nuestros pies polvorientos del camino de la vida. Nosotros somos los seguidores de ese Rey que se anonadó y vino a servir, lleno de misericordia, a los hombres. Ese es el único reinado verdadero donde no imperan las ansias de poder, el despotismo, la ambición o el desprecio del pobre. A ese Rey de amor, de reconciliación, de perdón, seguimos nosotros y ese es el reino que Él quería plantar en este mundo.

La respuesta de Jesús a Pilato, donde afirma que su reino no es de este mundo, no quiere decir que su Reino es del cielo y no tiene nada que ver con la tierra, con los problemas de la humanidad, con las angustias y esperanzas de los hombres y mujeres de todos los tiempos. Su Reino no es de este mundo porque en él no se actúa como en los reinos de este mundo, porque no se impone, porque no arranca a los hombres su libertad, porque no pretende la dominación por la fuerza, sino la comunión y la solidaridad entre todos por el amor; es un Reino de los cielos pero que hay que plantar aquí en la tierra.

De este Reino no entendía nada Poncio Pilato, ni entienden hoy de él muchos que observan a los discípulos de Cristo y a la Iglesia desde centros de interés político y económico. Suena hueca la pregunta cínica que Pilato hace a Jesús: «*¿eres tú el Rey de los judíos?*». Todo en Pilato parece inconsistente, porque él representa el poder corroído por temores e intereses mezquinos. Todo en Jesús, en cambio, tiene la fuerza de la Verdad que Él proclama en sus palabras y encarna en su persona: «*Si mi Reino fuera de este mundo, mis guardias habrían luchado por mí... pero mi Reino no es de aquí*». No es Reino de guardias y guerras el de Jesús, es Reino de concertación de voluntades, de olvido de sí para buscar incondicionalmente el bien de todos. A la insistencia superficial y escéptica de Pilato que le vuelve a preguntar: ¿*Conque tú eres Rey?*, Jesús responde que sí que lo es, pero como testigo de la verdad.

Jesús es el Testigo Fiel de la suprema verdad. Con toda su persona y la bondad que Él irradia está diciendo a los hombres de su tiempo y de todos los tiempos que el Dios de cielo y tierra nos ama infinitamente. «*Tanto amó Dios al mundo que le entregó a su Hijo*». Jesús fue enviado por el Padre para decir con su vida entregada que Dios es amor, que Dios nos ama. Y el momento culminante en que se expresa ese amor es la ofrenda por nosotros de su vida en la Cruz. La Cruz no es el acontecimiento dramático que se interpuso en el camino de Jesús, llevándolo al fracaso, sino la hora de gloria de un Rey, que, coronado de espinas, es testigo de ese amor hasta el extremo que Dios tiene a los hombres. En la Encíclica donde el Papa Juan Pablo II nos habla sobre el esplendor de la Verdad, nos dice que «para un creyente en Cristo la verdad suprema es Cristo crucificado». Es a ese Cristo exaltado en la Cruz y glorificado en la resurrección a quien nosotros adoramos en la Santa Eucaristía como Rey, pero Rey del amor, de la justicia, de la paz, testigo de la única verdad que llena el corazón del hombre.

Jesús quiso quedarse con nosotros en la Eucaristía como reina en su gloria junto al Padre: con las huellas palpables de la Cruz en sus manos y pies, con su costado abierto por la lanza del soldado. De este modo se presentó a sus discípulos después de la resurrección. Así permanece ante el Padre, diciéndole siempre: mira lo que me costó llevarles a ellos la Verdad de tu amor. Dice osadamente un gran teólogo contemporáneo: Jesús resucitado y glorioso, con las huellas de sus llagas, de pie frente a las puertas del infierno, dice: «*aquí no entra nadie*».

En la Santa Eucaristía, el mismo Cristo de la gloria, eternizado en su entrega de amor, está con nosotros, nos congrega, se ofrece por nosotros y nos alimenta con su cuerpo y con su sangre. Para esto Jesús, justamente la noche antes de padecer, habiendo deseado con ansias compartir aquella cena con sus discípulos, puesto a la mesa con ellos, tomó pan, lo partió y se lo dio diciendo: «esto es mi cuerpo entregado por vosotros». Tomó después el cáliz lleno de vino y se lo dio a beber diciendo: «este es el cáliz de mi sangre... derramada por vosotros y por todos para el perdón de los pecados...».

Jesús entregaba a sus apóstoles su cuerpo y su sangre, todo su ser de Hijo de Dios en el supremo acto de ofrendar su vida por nosotros al Padre. Y manda a sus apóstoles que hagan esto en conmemoración suya, de modo que en todo tiempo y en cualquier lugar de la tierra los hombres y mujeres que acepten el anuncio del Reino de Dios y pongan su fe en Cristo, puedan ofrecer con él a Dios Padre el único culto perfecto de alabanza, el que reconcilia y salva, el que hace nuevas todas las cosas.

El Santo Padre Juan Pablo II, al proclamar este Año Santo Jubilar, expresó su deseo de que el año 2000 del nacimiento de Jesucristo fuera un año eucarístico. Nada puede celebrar mejor que la Eucaristía la encarnación del Hijo de Dios. En toda celebración de la Cena del Señor el sacerdote, en nombre de la Iglesia, invoca sobre las ofrendas de Pan y de Vino el Espíritu Santo y, como en el momento de la concepción virginal de Jesús, el Espíritu Santo cubrió a María con su sombra y en ella el Hijo eterno de Dios se hizo carne y habitó entre nosotros, así en cada Eucaristía, por la acción del mismo Espíritu y las palabras de Jesús también el Hijo de Dios se hace presente entre nosotros.

El Espíritu Santo hace fecundo el seno de la Virgen.

El Espíritu Santo hace del Pan y del Vino una realidad nueva: son ahora el cuerpo y la sangre de Cristo.

Queridos hermanos y hermanas de El Salvador: al celebrar ustedes este Congreso Eucarístico por deseo expreso de sus obispos, según el querer del Santo Padre para este Año Jubilar, están pidiendo en la oración y proponiéndose en sus propias personas, para sus familias y para su nación, que el

Espíritu de Dios transforme la realidad de sus vidas en el comienzo de este nuevo siglo y milenio. Están apostando con Cristo Eucaristía a que se hagan nuevas todas las cosas: que la pobreza, y los sufrimientos que ella trae a grandes mayorías, sea vencida por la justicia y la responsabilidad amorosa de todos.

Que la tolerancia y la fría convivencia se transformen en verdadera comunión.

Que los intereses de individuos y de grupos cedan su sitio a la solidaridad.

Que el amor sane las heridas.

Que todos tengamos el valor y la fuerza de perdonar para que sea menos difícil la reconciliación.

De la Eucaristía celebrada en este día de gracia, de la Santa Misa de cada domingo, de la comunión dominical y, si es posible, más frecuente y aun diaria de muchos católicos, debe salir esa tropa de choque armada de fe, amor y esperanza que haga nuevas todas las cosas en cada uno de ustedes, en sus familias y en esta querida nación centroamericana que honra a Jesucristo, el Salvador, cada vez que se menciona su nombre, y que tiene, ciertamente, una vocación particular de hacer viva y actual la Salvación que Jesús nos alcanzó.

Esta gran celebración debe abrirse al futuro como un canto de esperanza. Tomemos para ello las palabras de San Pablo en su Carta a los Romanos y hagámoslas nuestras:

«Si Dios está con nosotros, ¿quién estará contra nosotros, acaso Aquel que no se reservó a su propio Hijo, sino que lo entregó por todos nosotros?... ¿quién nos condenará, Cristo Jesús, el que murió, o, mejor dicho, el que resucitó y está a la derecha de Dios, el mismo que intercede a favor nuestro?, ¿quién podrá separarnos de ese amor de Cristo?, ¿dificultades, angustias, persecuciones, hambre, desnudez, peligros, espada?... Estoy convencido de que ni muerte ni vida, ni ángeles ni soberanías, ni lo presente ni lo futuro, ni poderes, ni alturas, ni abismos, ni ninguna otra criatura podrá privarnos de ese amor de Dios manifestado en Cristo Jesús Señor nuestro.»

Con esta fe y esta confianza celebramos ahora y en cualquier otra ocasión la Santa Eucaristía. De la Eucaristía, que es presencia de Cristo, brota con fuerza esa seguridad nuestra.

Que las palabras del apóstol se conviertan para todos nosotros, para todos ustedes, queridos salvadoreños, en esta celebración conclusiva del Congreso Eucarístico Nacional, en una proclamación de fe y esperanza en Cristo Salvador.

La Virgen de la Paz, en cuyo seno el Hijo eterno de Dios se hizo carne para estar con nosotros, les conceda a todos los Salvadoreños un profundo amor a Jesucristo, Pan de Vida, camino para la comunión y la solidaridad. Ese será el modo más cierto de afianzar la Paz en su nación y crecer en esperanza. Que así sea.

JUBILEO DE LA CIENCIA Y LA MEDICINA*

Queridos hermanos y hermanas:

Hoy da inicio el ciclo anual de celebraciones de la Iglesia Católica que llamamos Año Litúrgico. Este tiempo que abarca desde este domingo primero de Adviento hasta la fiesta de Cristo Rey del año 2001, al final del mes de noviembre, no coincide con el año civil. Durante el Adviento, la Iglesia repasa la historia de la humanidad que espera la salvación de Dios, que aguarda la llegada, viniendo de lo alto, de un signo, de un enviado, de alguien que pueda liberar al hombre de sus angustias y temores. Durante cuatro domingos medita la Iglesia y reza, pidiendo que venga el Salvador, que venga a los corazones de los hombres y mujeres de hoy, porque el tiempo de la espera, de la angustia por la ausencia de amor y de bien, el tiempo del clamor de la humanidad porque el mundo se transforme con estructuras renovadas de justicia, fundadas en la verdad, que promuevan el amor y la paz, continúa durando aún. La humanidad toda, a través de los siglos, peregrina por la historia en un largo adviento. Durante estos cuatro domingos que nos separan de la fiesta de Navidad, la Iglesia revive ese andar, que es a menudo un peregrinar por el desierto, con sed de bondad y de ternura, con esperanza de encontrar una fuente de agua viva.

La Navidad llegará enseguida a recordarnos que ya Dios

---

* Catedral de La Habana, 3-XII-2000.

dio un signo inequívoco a los hombres de la tierra; que realmente vino un enviado, Jesucristo, el Hijo eterno del Padre, que entró en nuestra historia y dejó en ella la huella indeleble de un amor sin límites. Pasó el sembrador y sembró una semilla y en estos dos mil años, aunque esta haya caído en tierra árida o pedregosa, también germinó en tierra buena y ha dado frutos de santidad, de humanidad. Sin embargo, está muy lejos aún de haberse establecido en esta tierra el Reino de los Cielos, que pudiéramos describir como el Reino nuevo que Jesucristo trajo desde el cielo, reino de amor, de verdad, de justicia y de paz.

Por esto la humanidad sigue esperando hoy, que aquel que vino y dividió la historia, haciendo contar a los hombres de nuevo el tiempo a partir del momento de su nacimiento, sea escuchado, atendido en su reclamo de amarnos unos a otros, de ser servidores del hermano y no dominadores del prójimo, de tener hacia todos sentimientos de compasión y de misericordia, como Dios nuestro Padre los tiene con nosotros.

Y he aquí que, en la lectura del santo Evangelio de este domingo, da la impresión que Jesús responde a ese anhelo de la humanidad, a esas ansias de felicidad, anunciando una catástrofe: «*Habrá signos en el sol y la luna y las estrellas, y en la tierra consternación de las gentes... los hombres quedarán sin aliento por el miedo, ante lo que se le viene encima al mundo, pues las potencias del cielo temblarán*». Son las palabras del enviado de Dios, del que vino para que tuviéramos vida y la tuviéramos en abundancia, que parecen ahora anunciar muerte y destrucción. Y si miramos, queridos hermanos y hermanas, la historia del mundo en los dos mil años que han seguido al paso de Jesús de Nazaret en medio de nosotros, ¿no es verdad que siempre ha habido en cada siglo, en cada período de la historia la angustia por una posible guerra, por el hambre que ha devastado inmensas regiones, por la crueldad de los tiranos, por la ambición de los poderosos, por la dureza de los corazones?

A los temores ancestrales de la humanidad le suceden sin tregua los temores modernos, los de este siglo que termina. ¿No vivimos durante el período de la guerra fría en un continuo temor a una hecatombe nuclear? ¿no llegamos a reproducir en imágenes de cine lo que podría ser el mundo el día después de esa terrible desgracia?. Sentíamos entonces que las palabras apocalípticas de Jesús parecían leves ante la realidad monstruosa que habíamos creado los hombres.

No anuncia Jesús en el Evangelio proclamado hoy lo que le espera al hombre como castigo de Dios, sino lo que el hombre puede hacer con la creación, con la obra de Dios, si no se sitúa atento y despierto en medio del mundo como el que ama, como el que sirve, como el que busca sin cesar ajustar su vida al plan de Dios, que incluye no solo cuidar la naturaleza para que las cosas sean bellas y el aire sea respirable, sino cuidar la interioridad del hombre, su dignidad de criatura de Dios, su condición de ser inteligente y digno, que lleva en sí la imagen del mismo Dios creador, que no debe profanar el plan sagrado del Creador introduciendo en él sus propios caprichos, sus ansias desenfrenadas de dominio, de placer o de autoexaltación.

Hoy se celebra en Cuba el Día de la Medicina y lo hacemos cada año al conmemorar a un médico y científico cubano de gran talla profesional y espiritual: el Dr. Carlos Finlay. Era uno de esos hombres que no perseguía el éxito, o mejor que no concebía ningún otro éxito que aquél de librar al ser humano de los males que lo aquejan. Fue investigador, no solo por inquietudes estrictamente científicas, sino, al modo propio de un humano completo, como hombre de conciencia. Finlay fue cristiano, católico ferviente. Su ascendencia irlandesa lo hizo ser ante todo un católico de tradición y, una vez hecha la opción que todo hombre debe hacer en su vida para orientarla hacia un fin con un proyecto definido, Finlay fue también un católico de convicción.

Es, pues, hoy un día muy apropiado para que celebremos en Cuba el jubileo de los científicos y de los trabajadores de la salud, porque ambas realidades, la ciencia y la medicina, se suman en la personalidad limpia de aquel cubano sobrio y perseverante entregado al servicio de sus hermanos.

Servir al hombre, este debe ser siempre el único proyecto humano válido para cualquier época, para cualquier hombre creyente o no. Cuando el médico lucha por liberar al hombre de la enfermedad, por mejorar la calidad de su vida, cuando el científico trabaja para que sea más digna y plena la vida humana, para enaltecerla, para acercar a hombres y pueblos, en fin, para lograr una humanidad realmente feliz, se convierten uno y otro por su mismo quehacer en colaboradores activos de Dios en su designio de amor al ser humano. Podemos decir que hombres así entran de lleno en el plan de Dios para con la Creación.

Pero todos nosotros estamos expuestos a errar, y a errar gravemente, cuando no aceptamos nuestra responsabilidad ante la naturaleza, la historia, el prójimo o nuestra propia persona. Entonces pueden venir sobre cada uno de nosotros para sectores más o menos grandes de la humanidad o aun para el conjunto de los hombres de una época o de todos los tiempos, dependiendo de la responsabilidad que nos toque ejercer en la vida, grandes calamidades, algunas ya presentes en la historia de la humanidad actual, otras anunciadas, como terribles profecías que, en su cumplimiento, dependen en gran parte de nuestros actos personales o colectivos del pasado y del presente.

¿Qué será del mundo, de la humanidad futura, si la manipulación genética impone la clonación como método para obtener tipos de seres humanos estandarizados? Hoy ya hay algún científico que declara que, en el próximo siglo, traer al mundo a un ser humano por métodos naturales será una inmensa irresponsabilidad. ¿Qué puede pasar con las «fábricas de órganos» para trasplantes, vendidos en un mercado neoliberal o distribuidos por estados todopoderosos? ¿Cómo es posible pensar el futuro con esfuerzos y costos millonarios para que el hombre llegue a habitar algún satélite o planeta cercano, cuando un continente como África está amenazado en su población de desaparecer por el hambre, por las epidemias, por la falta de acceso a los conocimientos que tienen otros seres humanos más privilegiados? ¿Qué psicoterapeutas o qué fármacos podrían curar a una humanidad dañada por la falta de amor, fruto de familias rotas, carentes de afecto o de sexo sin amor? ¿Qué resultado ha dado el control poblacional por métodos tan horribles como el aborto, cuando hoy las poblaciones de los países desarrollados envejecen y tienen que importarse los trabajadores pobres de países miserables, y pierden las naciones su identidad y pierden los emigrantes en busca de mejores condiciones de vida también su propia identidad y no está surgiendo un hombre universal y abierto a todas las culturas, sino un hombre sin identidad que desprecia la cultura del otro o se avergüenza de su propia cultura? Cuando, desde el mundo de hoy, miramos hacia el futuro podemos sentir temores de los mismos descubrimientos del hombre. Donde parecen estar las más maravillosas posibilidades de la humanidad se encuentran al mismo tiempo las aberraciones más profundas, que lindan a veces con la crueldad y que tienden a imponerse como normas, esbozando un futuro a la par luminoso y terriblemente sombrío.

Hoy como nunca le ha llegado la hora al hombre. El destino de la humanidad se decide en tu corazón, en tu mente, en tu conciencia, en tu capacidad de conocer la verdad y de proteger el amor y de realizar ambas cosas como aspiraciones supremas y urgentes.

Jesucristo, el Salvador, no sigue una lógica fatalmente catastrófica ante lo que se nos viene encima. Escuchemos sus palabras en el santo Evangelio: «*cuando empiece a suceder todo esto levántense, alcen la cabeza; se acerca vuestra liberación*». Realmente hay un rechazo del fatalismo en Jesús, como lo tiene que haber en todo verdadero seguidor suyo, como lo hay en el Papa Juan Pablo II, batallador incansable por plantar en el mundo la imprescindible inquietud de forjar un orden moral asentado en valores, que ponga al hombre de pie y lo haga responsable de la historia, del futuro, del bien de la humanidad. No se depriman, pues, cuando empiece a suceder todo esto, nos dice Jesús, y se refiere a la hora presente, al momento actual, al mundo de hoy; levántense, alcen la cabeza; es la hora de la responsabilidad, es la hora de decisiones de conciencia. Es la hora de la búsqueda, de la verdad. Y no podemos aquí olvidar la palabra luminosa de Jesucristo: «*si ustedes conocen la verdad, la verdad los hará libres*». Y me atrevo a añadir: libres para seguir el camino del bien que le dicta su conciencia. Por eso, también el Señor nos dice hoy en el Evangelio de San Lucas: «*tengan cuidado: no se les embote la mente con el vicio, la bebida y la preocupación del dinero, y se les eche encima de repente aquel día; porque caerá como un lazo sobre todos los habitantes de la tierra».*

El anuncio que nos lee hoy el Señor Jesús no es, pues, equiparable a una simple profecía sobre el fin del mundo; sino un emplazamiento al hombre y la mujer de esta hora para que ocupen su lugar, para que cada uno halle la única verdad liberadora que lo haga capaz de hacer frente a la corriente deshumanizante que parece asfixiarnos. El Señor no nos llena de miedo, nos dice que esos miedos se vencen por nuestra actitud despierta, por nuestra postura de pie con la frente alta. Hay que poner de nuevo el destino de la humanidad donde debe estar: en las manos del hombre, en su mente, en su corazón y en su voluntad y no en el fondo de un tubo de ensayo. De ahí la llamada del Maestro: *«estén siempre despiertos, pidiendo fuerza para escapar de todo lo que está por venir»* y una insistencia reiterada de Jesús: *«manténganse en pie ante el Hijo del hombre».*

Dios les pide especialmente a ustedes, queridos trabajadores de la ciencia y de la salud, en trato continuo con el ser hombre, que tocan lo hondo del ser humano cada vez que él siente que disminuyen sus fuerzas por la enfermedad o cuando se enfrenta al gran desafío de dejar esta vida que él conoce, que estén despiertos y atentos. Ustedes son los testigos no solo de los estudios biológicos sobre un ser humano para descubrir su enfermedad y tener un diagnóstico adecuado, sino comparten también la angustia del hombre y la mujer ante la vida, ante la muerte. ¿Dónde empieza y dónde termina el hombre corporal y el hombre espiritual? Cuando ustedes palpan un brazo, un vientre, tocan a una persona, a un ser humano. No es solo capacidad científica la que requiere el médico, el enfermero, la enfermera, es también capacidad afectiva, humana, para hacerlo todo con amor y por amor. Por esto les releo los consejos del apóstol San Pablo a los Tesalonicenses en la lectura apostólica de hoy: *«que el Señor los colme y los haga rebosar de amor mutuo y de amor a todos... y que así los fortalezca internamente».* A veces, los que tratamos con las personas sentimos miedo a amar, porque nos parece que sufre el corazón de quien ama con cada uno que sufre y podemos hacernos calculadamente indiferentes.

Somos así capaces de dar lo que tenemos: conocimientos, tiempo de trabajo, seriedad profesional, pero no llegamos a darnos a nosotros mismos. Y, sin embargo, es una falsa presunción considerar que el amor hiere o desgasta cuando, al contrario, aun el amor sufrido o sufriente compensa abundantemente. Lo diría con una frase inmejorable San Francisco de Asís: *«porque es dando como se recibe y olvidándonos como nos encontramos a nosotros mismos».*

El Adviento que comienza hoy nos lleva hacia el cumplimiento de la promesa de Dios que nos hace Jeremías en la lectura profética: *«miren que llegan días en que cumpliré la promesa que hice a la casa de Israel y a la casa de Judá. En aquellos días y en aquella hora suscitaré a David un vástago legítimo que hará justicia y derecho en la tierra».* Y nació Jesús de la casa y de la familia de David en Belén de Judá y vino a traer esta justicia y este derecho. Desde que Dios se hizo hombre, la dignidad del hombre tiene rasgos divinos, las relaciones entre los hombres se transforman por el mandamiento nuevo de Jesús: *«ámense unos a otros como yo los he amado».* Con Jesús nace también un mundo nuevo. Pero ese mundo renovado debemos construirlo nosotros responsablemente, como humanos conscientes, como hijos de Dios y hermanos de todos. Este domingo nos trae, a todos, de cara al nuevo siglo y milenio, un llamado a la conciencia para estar alertas, para vigilar, para no dejar que se emboten nuestros sentidos.

En la Santa Eucaristía, Cristo, el que vino a mostrarnos el camino verdadero de la vida, a quien veremos venir con gran poder y gloria al final de los tiempos, se hará presente en el pan y el vino de nuestra ofrenda y será él mismo el alimento, la fortaleza y el aliento que nos sostenga en el camino difícil, pero exaltante, de hacer que se cumpla, por la puesta en práctica del amor cristiano, lo que pedimos cada día en el Padrenuestro: *«que venga a nosotros tu reino».*

Queridos trabajadores de la ciencia y de la salud: a ustedes corresponde forjar ese reino de amor, de justicia y de paz en esas fronteras de la humanidad que son el mundo del dolor y los campos del saber donde anidan las más secretas expectativas de los hombres y mujeres de hoy. El futuro viable del mundo depende de la postura ética que tome el ser humano ante la Creación y ante el mismo hombre. A mantenernos erguidos y atentos nos invita hoy el Evangelio de Jesús.

Los animo a empeñarse seriamente en esta enaltecedora tarea. No les faltará para esto la ayuda de Dios y tendrán la recompensa prometida a los misericordiosos y a los que trabajan por la paz.

APERTURA DEL II CONGRESO EUCARÍSTICO DE LA HABANA*

Queridos hermanos y hermanas:

Estamos cantando las alabanzas de Dios que obró maravillas en María, su servidora, en estas Vísperas de la solemnidad de la Inmaculada Concepción de la mujer elegida por Dios para ser la Madre de su Hijo Eterno, que, despojándose de su rango, por amor a nosotros y por nuestra salvación, esposaría nuestra pobre humanidad, dignificándola al hacerla participar de su Divinidad.

María es la Inmaculada, la que no conoció el pecado, porque Dios creador la preservó de Él mirando desde la eternidad la entrega de su Hijo en la cruz, que, con su cuerpo nacido del seno de María, se ofreció como víctima agradable al Padre por amor a nosotros.

Esa ofrenda de Cristo en la Cruz es la que la Iglesia presenta cada día en la celebración de la Eucaristía. Sobre las ofrendas del pan y del vino invoca cada día el sacerdote el Espíritu Santo y el pan y el vino, sin perder sus características propias, pasan a ser una realidad nueva: el Cuerpo y la Sangre de Cristo. Como el Espíritu Santo cubrió a María con su sombra y su vientre virginal se hizo fecundo y tomó cuerpo en sus entrañas purísimas el Hijo Eterno de Dios, así, por la acción del espíritu, el pan y el vino se transforman en la realidad nueva del Cuerpo y la Sangre de Cristo, aquel cuerpo y aquella sangre que Cristo recibió de la Virgen de Nazaret.

La Iglesia y María recorren un camino paralelo en la historia de la humanidad y la Iglesia siempre mira a María

---

* Catedral de La Habana, *Vísperas Solemnes de la Inmaculada Concepción*, 7-XII-2000.

como el modelo perfecto de lo que debe llegar a ser la unidad de los redimidos por Jesús, la Iglesia debe decirle a Dios, en cada época de la historia y en todas partes del mundo, el sí decidido como el de María, que haga posible que Jesús, el Salvador, entre en la historia de los hombres y se haga presente en medio de ellos. La Iglesia debe ser pura en su intención, en su acción, en su fidelidad a Dios, como lo es María. La Iglesia debe ser como María Madre amorosa que acoge a todos sus hijos: a los distantes, a los descarriados, a los débiles, a los activos y fieles y a los santos. Pero la Iglesia, como María, debe hacer calladamente, humildemente, el camino de acompañamiento del Cristo que sube al Calvario y que se entrega en la Cruz. Como ella, debe permanecer también al pie de la Cruz.

En algunas etapas de su historia, esta estancia dolorosa se hace larga, abrumadora, humanamente insoportable. Pero allí, junto a la Cruz, de pie como María, debe estar la Iglesia. Y en cada momento del tiempo que le toca vivir, la Iglesia emprenderá con gozo el camino misionero como María, grávida de Dios, fue a la montaña para visitar a Isabel, a su prima, y servirla cuando ella la necesitaba. En servir está el gozo de la Iglesia, en saber que es portadora de Cristo para los hombres está su alegría, como la alegría de María que prorrumpía en su canto en la alabanza de Dios que obraba en ella maravillas, que levanta del polvo al pobre, que enaltece a los humildes.

El libro del Apocalipsis nos presenta hoy en una visión hermosa y cargada de sentido a una mujer vestida de sol, coronada de estrella, con la luna bajo sus pies, que es a la vez María y la Iglesia.

La Virgen da a luz un hijo y su hijo es arrebatado y llevado al cielo, la Iglesia sabe que Jesucristo está con nosotros siempre hasta el fin del mundo, pero no hace ya la experiencia de los apóstoles y los discípulos de estar con Jesús, de oír sus palabras, de contemplar sus milagros, de sentir la fuerza de su amor que llega al pobre, que perdona al pecador, que cura al enfermo. Tendrá que hacer lo que su maestro: sanar, perdonar, acoger, bendecir, pero Jesús la acompaña desde lo alto, lo profundo, desde el seno de la Trinidad a donde retornó con nuestra humanidad glorificada por su resurrección; mientras que vemos amenazador el extraño dragón de aspecto bestial que parece barrer con todo. Es la personificación del mal, del mal físico: hambre, epidemias, calamidades naturales, pero aún más del mal moral, del odio, de la venganza, de las ansias de dominio. Pareciera que puede barrerlo todo, sofocar los mejores deseos y los anhelos más bellos. Y parece entonces que la mujer, la Iglesia, queda en medio de un desierto. Pero el desierto es un lugar de silencio, de transparencia de la luz, donde puede oírse el menor sonido. Y se oyó una gran voz desde el cielo: *«ya llega la victoria, el poder y el Reino de nuestro Dios, y el mando de nuestro Mesías»*.

Apoyada en esta esperanza hace su camino por el desierto la Iglesia una santa, católica y apostólica, escuchando siempre esta voz que le asegura que el penoso y gozoso esfuerzo de su misión, que su estadía al pie de la Cruz, que el gran silencio y la quietud abrazadora del desierto, conducen siempre a la victoria de nuestro Dios.

Esto lo celebra cada día la Iglesia en la Eucaristía cuando el Espíritu Santo cubre las ofrendas de Pan y Vino y el Hijo Eterno de Dios se hace carne y habita entre nosotros, cuando nos postramos para adorar a Cristo que en las manos del sacerdote se ofrece por amor a nosotros al Padre como en la Cruz, cuando recibimos su cuerpo y su sangre y desde dentro de nosotros mismos desde lo hondo de nuestro ser escuchamos la voz atronadora de la esperanza que nos dice ya llega la victoria de nuestro Dios y sentimos que triunfa Cristo en cada uno de nosotros, en nuestros corazones, y se hace posible seguir caminando por el desierto, porque sabemos que el hijo de la mujer vestida de sol, arrebataba los cielos, está vivo y presente en el sacramento eucarístico.

Dios había alimentado a su pueblo liberado de Egipto, en su largo caminar por el desierto, con aquel Pan del cielo que ellos llamaron maná. Pero Jesucristo nos dijo que nos daba el verdadero Pan del Cielo: *«su carne para la vida del mundo»* y agregó el Señor: *«porque sus padres comieron aquel pan maravilloso de desierto y murieron, pero quien coma de este pan no morirá para siempre»*.

Es en el seno de María Inmaculada donde Cristo Jesús se

hizo hombre, fue desde el momento de su entrada en el mundo que Jesús le dijo al Padre: «*aquí estoy, para hacer tu voluntad*»... «*tú no quieres sacrificios ni holocaustos, pero me has dado un cuerpo*». Y fue todo su ser de Hijo de Dios el que Cristo entregó en la Cruz. Cuando entregó su cuerpo por nosotros y derramó su sangre por nosotros. Y fue en la Última Cena, la noche antes de padecer, cuando dio a sus discípulos el mandato de hacer esto en conmemoración suya y les dio a comer el pan partido que es su Cuerpo y les dio a beber el cáliz lleno del vino que es su Sangre.

Nosotros hoy inauguramos los días solemnes de este Congreso Eucarístico en los cuales será alabado, bendecido, exaltado Jesucristo, presente en el santísimo sacramento del altar. Reviviremos con mayor solemnidad y fervor lo que constituye el único culto agradable a Dios; la ofrenda de su Hijo por nosotros, hecha de una vez y para siempre y actualizada en cada celebración de la Eucaristía. Nos pondremos de rodillas delante del Hijo de Dios hecho hombre, adoraremos a Cristo, vencedor de la muerte, resucitado vivo y presente entre nosotros, con su cuerpo llagado y glorificado, como está junto al Padre, con aquel mismo cuerpo que vivió en las entrañas purísimas de la Virgen María.

Por eso confiamos a la Madre Inmaculada estos días de oración, de acción de gracia y de esperanza. Ella nos trajo al Salvador que adoramos postrados llenos de gratitud, ella recibió junto a la Cruz el mandato de su Hijo de cuidar de nosotros como Madre y a ella confiamos nuestra fe en Jesucristo, nuestra adhesión a Él, la alabanza que desde esta Arquidiócesis rendiremos con Cristo al Padre en unión del Espíritu Santo en el comienzo de este siglo y de este milenio, a los dos mil años de la encarnación, sabiendo que su Hijo, el hombre de Nazaret, el Cristo de la Cruz y de la gloria está con nosotros y es el mismo AYER, HOY Y SIEMPRE.

En tus manos, María Inmaculada, ponemos nuestro Congreso Eucarístico, que inauguramos bajo tu mirada amorosa de Madre.

MISA DE CLAUSURA DEL II CONGRESO EUCARÍSTICO
DE LA HABANA*

Queridos hermanos y hermanas:

Esta celebración Eucarística, que clausura nuestro Congreso Eucarístico Arquidiocesano, tiene un especial significado. Ya muy avanzado el Año Santo Jubilar, durante el cual hemos proclamado nuestra fe en Jesucristo, el Hijo de Dios Salvador, que hace dos mil años se hizo carne en el seno virginal de María, habitó entre nosotros y está siempre con nosotros; hemos querido en este Congreso alabar, bendecir y exaltar la gloria del Señor, presente en el Santísimo Sacramento del Altar. Acompañando a Jesús Sacramentado, hemos llegado hasta aquí para recibir su bendición y rodear la mesa donde Cristo se nos da como el Pan vivo bajado del cielo.

Es ya para maravillarse saber que *«tanto amó Dios al mundo que le entregó a su Hijo»*. Pero la admiración llega a cimas impensables cuando el Santo Evangelio nos narra como el Hijo Eterno de Dios, hecho hombre por nosotros, que a su paso por la tierra sembró un amor inigualable, congrega a sus apóstoles en la Última Cena y les da a comer el pan partido que es su cuerpo y les da a beber el cáliz de su sangre derramada por la multitud y manda a los apóstoles que hagan eso en conmemoración suya; de modo que no solo aquellos discípulos que estuvieron junto al Maestro, sino todos nosotros y todos los hombres y mujeres de cualquier época y en cualquier lugar puedan recibir a Cristo, entrar en íntima comunión con Él y adorarlo en esta tierra como si en cada Eucaristía se anticipara la gloria del cielo, conmemorando al mismo tiempo la entrega que hizo Cristo de su vida al Padre en la Cruz por amor a nosotros. La contemplación del misterio eucarístico nos lleva siempre a la adoración y a la acción de gracias. Es la Eucaristía la que construye la Iglesia y es la Iglesia la que nos entrega la Eucaristía.

Para acoger a Cristo Eucaristía en nosotros debemos preparar nuestro corazón y su presencia sacramental en nosotros debe transformar todo nuestro ser. Nadie puede acer-

---

* La Habana. Campo Eucarístico, 10-XII-2000.

carse sin pensar a la mesa eucarística y nadie puede alejarse de ella sin percatarse de que algo grande ha ocurrido en lo hondo de sí mismo: Dios lo ha visitado, un Dios con rostro humano y mirada penetrante de bondad y de misericordia que todo lo hace nuevo con su Poder.

En nuestra marcha procesional venía incesantemente a mi memoria una conocida Palabra bíblica: «*Dios ha visitado a su pueblo*» y, en efecto, en la Eucaristía, Dios nos asegura que está junto a nuestro pueblo.

Cuando hacíamos hacia acá el camino con Jesús Sacramentado, recorriendo nuestras calles entre edificios en plena reconstrucción, experimentando las irregularidades del pavimento maltratado por el uso, sentía resonar en mi interior, en medio de los cantos y los rezos del pueblo, la palabra inspirada del profeta que hemos escuchado en este segundo domingo de Adviento: «*Preparen el camino del Señor, allanen sus senderos... que lo torcido se enderece, que lo escabroso se iguale*». Hay algo y mucho que tenemos que reconstruir en nuestras vidas, hay senderos escabrosos que deben ser allanados.

A esta misión se entregó tenazmente Juan el Bautista, y lo encontramos, en el relato evangélico de hoy, empeñado en ella, convocando al pueblo a un cambio de vida, de modo que acogieran al Mesías, al enviado de Dios, con un corazón bien dispuesto.

A esta misión se supo llamado el Papa Juan Pablo II desde el primer día de su Pontificado, cuando pidió a los pueblos y a sus gobernantes que abrieran las puertas a Cristo, que no sintieran miedo de Él.

Esta misión de abrir puertas, de desbrozar caminos, la ha cumplido el Santo Padre por más de veinte años sin descanso, yendo al mundo entero, y esa misma misión lo trajo a Cuba.

Aquí, como en otros sitios, habló a nuestra Iglesia y a nuestro pueblo de estructuras ruinosas que hay que rehacer, de caminos torcidos que hay que enderezar y así se refirió a la familia resquebrajada por el divorcio, por la separación que provoca sea la continua emigración de tantos cubanos, sean las obligaciones de trabajo en lugares distantes del hogar, o de estudios en internados, casi siempre en edades en que se hace necesario el acompañamiento familiar paterno y materno.

Dijo el Papa a los jóvenes de Cuba de algún modo lo que repitió a los más de dos millones de jóvenes reunidos en Roma para la Jornada Mundial de la Juventud: «*Ustedes deben vivir contracorriente*». Es tal la fuerza avasalladora de una subcultura de bajo perfil que lo penetra todo a través de los medios de comunicación, que no alcanzan ya a tener hoy, el joven o la joven, instrumentos de pensamiento capaces de hacerlos edificar su propia casa interior.

Hay tanta palabra vacía, que llegan a vaciarse los corazones. Hay tanto sexo y tan poco amor, hay tanto ruido y tan poca melodía en la música que se escucha cómo en las ideas que transmite el mundo globalizado y aburrido de hoy, que pareciera a veces que el aturdimiento ha sustituido al pensamiento. Queridos jóvenes, les repito el llamado del Santo Padre a ser dueños de su destino, teniendo a Dios como único Señor.

El Papa nos habló en Cuba de la Patria y del futuro, de aquella única verdad a la que se refirió Jesucristo cuando nos dijo que solo ella nos haría libres. El Papa dejó en el corazón de los cubanos la neta impresión de que todos debíamos ser actores en la escena de nuestra vida nacional y recordó a los miembros del pueblo de Dios que, junto a sus obispos y sacerdotes, debían ocupar puestos de primera fila en el servicio a los hermanos, en la construcción de un mundo nuevo. Este programa del Papa está recogido dentro del Plan Pastoral de la Iglesia en Cuba para los primeros años del milenio que comienza.

Todo esto lo propaso el Papa según lo indicara el profeta Isaías: preparando caminos, allanando senderos, esforzándose en elevar lo deprimido y exhortando a enderezar lo torcido, para que Jesucristo pueda pasar y entrar en la trama de nuestras vidas.

Durante este Año Santo, en cada uno de los Jubileos, de los artistas, de los comunicadores, de los médicos y hombres de ciencia, de los deportistas, de los educadores, de los campesinos, de los enfermos, de los antiguos alumnos de colegios católicos, de la familia, hemos experimentado que en muchos corazones las puertas abiertas por el Papa no se han cerrado. Porque el Santo Padre, como la Iglesia que él guía, no desea abrirse puertas y caminos para sí, sino a Jesucristo. Por esto pidió el Papa con interés e insistencia que la Navidad fuera en Cuba una fiesta también civil, porque la civilización cristiana no es un conjunto de viejas costumbres que pueden variar con el tiempo, sino un modo de organizar la vida del hombre, de la familia y de la sociedad inspirándose en el Evangelio de Jesucristo y sus valores, que dan forma y consistencia a la cultura de un pueblo.

Dentro de la civilización cristiana fraguó nuestro pueblo como nación. *«Cuba tiene un alma cristiana»*, nos recordó el Papa. Si Jesucristo es olvidado, si su persona no es conocida y amada, si su mensaje es ignorado, solo quedará de la tradición familiar, del modo amable de convivencia que nos ha caracterizado a los cubanos, de nuestra servicialidad hacia el prójimo, una especie de esqueleto sin alma que nos hace pensar en aquellos huesos secos a los cuales mandó el Señor a Ezequiel a dirigirles su palabra profética.

Nos alegramos, ciertamente, de celebrar en esta Navidad los 2.000 años del nacimiento de Cristo con un día no laborable para que se haga más fácil el encuentro familiar, pero esto no basta para que Cristo y su mensaje calen hondo en el corazón de nuestros hermanos. Nos toca a nosotros, cristianos, reunidos como Iglesia, y a cada uno en su medio, desbrozar caminos para que el Señor pase y llame a muchos y los sane y perdone y los invite a su mesa para darles su cuerpo y su sangre y colmarlos de vida. Nos llenó de regocijo la celebración jubilar de catequistas y misioneros, donde más de 1.500 evangelizadores se reunieron en un clima de entusiasmo y de esperanza para renovar su compromiso bautismal de anunciar a Cristo al mundo.

Pero duele ver a la Iglesia limitada en su misión por dificultades diversas, entre ellas la carencia de sacerdotes y religiosas para impulsar y aun para sostener su misión. Gracias a Dios han crecido en Cuba las vocaciones sacerdotales y religiosas, pero ha crecido también la Iglesia. Necesitamos la colaboración de sacerdotes y religiosas de otros países, y hay muchos dispuestos a venir, pero hoy esta parece ser una puerta cerrada a Cristo entre nosotros.

Durante estas celebraciones del Congreso Eucarístico hemos pedido a Jesucristo presente en la Eucaristía que esa y otras puertas se abran al Señor en nuestra tierra. En este tiempo de Adviento, que nos prepara a la Navidad, debemos suplicar a Dios que también en la vida nacional se allanen para el pueblo cubano los caminos escabrosos, que disminuyan las tensiones para que aumente la alegría, que se igualen los desniveles económicos y sociales que producen tanto malestar. San Pablo, en su Carta a los Filipenses leída hoy, rezaba por sus fieles de este modo: *«que la comunidad de amor que ustedes integran siga creciendo más y más en penetración y en sensibilidad para apreciar los valores»*. Esta oración, que contiene un deseo bueno, debemos hacerla por nuestra Iglesia y por nuestra Patria. Todos debemos sensibilizarnos para apreciar los valores como la veracidad, la honradez, la sinceridad, la servicialidad, que tienden a desaparecer en el comportamiento diario del cubano.

Pero hay un valor que debemos promover especialmente entre nosotros: la capacidad de reconciliación. Son tantas las rupturas en las familias, los rencores entre grupos y entre vecinos, los tristes recuerdos que separan a antiguos amigos, conocidos o familiares por razones afectivas, políticas, ideológicas, religiosas o de otra índole, que esas situaciones llegan a tener un peso negativo en la conciencia social y afectan la convivencia entre los hijos de un mismo pueblo. Estas heridas deben ser sanadas. En una celebración de la Eucaristía, Sacramento del Amor, se impone entre los cristianos un propósito firme de perdón y de reconciliación. Aunque este llamado vale para todos, hablo especialmente a los cristianos, porque la enseñanza y el testimonio de Jesucristo deben disponernos a esto, más fácilmente a nosotros que a otros que no conocen al Señor.

No olvidemos que Jesús, en la Última Cena, antes de dar su cuerpo y su sangre a sus discípulos, les lavó humildemente los pies.

Hay un clima singular, impregnado de amor, que envuelve aquella Última Cena que Jesús tenía ansias de comer con sus discípulos y que nosotros celebraremos ahora en conmemoración suya, siguiendo su mandato. Este amor lo expresa Jesús desde los preámbulos de la Cena, en su iniciativa de elegir por sí mismo y de mandar a preparar el lugar para la comida Pascual que celebraría con los apóstoles.

Fue la Cena el momento en que Cristo abrió a los suyos los tesoros de amor de su corazón sagrado. En la Última Cena puso en alto la primacía del amor, explicó su origen: «*Como el Padre me ha amado, así los he amado yo*», y mostró la calidad servicial del amor, al lavar los pies a sus discípulos, y la condición sacrificial, que acompaña siempre el amor, al entregarles su cuerpo y su sangre. Dio, además, Jesús a los apóstoles mandatos precisos sobre el amor: el primero expresa, ante todo, el amor de Jesucristo a los hombres y tiene que ver con el cuerpo eucarístico del Señor: «*Hagan esto en conmemoración mía*» y los otros se refieren especialmente al cuerpo místico de Cristo, a su Iglesia: «*Ustedes deben lavarse los pies unos a otros*», «*ámense unos a otros como yo los he amado*».

Solo poniéndonos con Jesús a la mesa de su Cena donde el Señor nos espera con ansias; solo escuchando la Palabra del Maestro y acogiendo sus mandatos sobre el amor y la humildad y, sobre todo, comiendo del pan partido que es su Cuerpo y bebiendo del cáliz de su sangre derramada por la multitud, entraremos en íntima comunión con Cristo, que se entrega al Padre por todos en cada Eucaristía, y así unimos a la suya nuestra propia entrega. Solo así también nos haremos fuertes para el perdón, la reconciliación y la misericordia.

Por esto, la Eucaristía dominical, y si es posible más frecuente, es el centro de la vida del cristiano. Por la Eucaristía, la Iglesia se fortalece en la fe y se hace capaz de aceptar los retos y aun las humillaciones que lleva consigo el anuncio de Cristo en un mundo donde la acción de la Iglesia puede ser rechazada, despreciada o entorpecida. Siempre será la Eucaristía la que pondrá a la Iglesia en pie, porque en cada celebración Cristo nos reafirma con su entrega que el amor es el único camino para superar todos los agravios y dificultades y, en su Cena, Cristo pone su amor en nuestros corazones.

En la Última Cena, Jesús fundamentó también en el amor toda la fuerza evangelizadora de la Iglesia: «*que todos sean*

uno para que el mundo crea», «en eso conocerán todos que us-
tedes son mis discípulos, en que se aman unos a otros».

De modo que el anuncio de Cristo al mundo no se hace primeramente por la proclamación hablada o escrita de su gesta salvadora: su muerte y resurrección, sino aún más por el testimonio que den sus discípulos de una adhesión personal de amor a Jesucristo y por la comunión de amor que une a los suyos y se irradia a los demás. Y este amor se come y se bebe en la Eucaristía.

Toda Eucaristía hace un recuento y propone un programa: En cada celebración damos gracias a Dios por cuanto nos ha amado en Cristo su Hijo y proponemos hacer verdad en nuestra vida el mandato de Jesús, sirviendo y amando como Él nos enseñó. Este Congreso Eucarístico, celebrado al final de un siglo y comienzo de otro, constituye también un gran recuento de cuanto Cristo ha obrado en su Iglesia en Cuba y en cada uno de nosotros en este siglo que acaba, incluyendo todo lo que, misteriosamente, la Iglesia ha tenido que soportar como peso y como Cruz.

Propone también este Congreso Eucarístico con renovado entusiasmo, y con la esperanza puesta en Cristo que está con nosotros siempre, el inmejorable programa de Jesús en su Evangelio, que Él condensó en la Última Cena a través de gestos y palabras en dos propuestas fundamentales: servir y amar sin límites.

En esto debe resumirse de igual modo el programa de la Iglesia para nuestra Arquidiócesis de La Habana al aplicar el Plan Pastoral de la Iglesia en Cuba en los próximos años de este milenio: servir y amar.

Si el Santo Padre, al inicio de su Pontificado, pidió que los pueblos y los responsables de las naciones abriesen sin temor las puertas a Cristo, al comienzo del tercer milenio me atrevo a añadir en relación con nuestro pueblo y con todos los que tienen responsabilidades en él: No sientan temor, abran a la Iglesia en Cuba la posibilidad de cumplir en este nuevo milenio, sin trabas ni dificultades, el programa perenne que el Señor Jesús nos ha confiado: amar y servir a nuestro pueblo para anunciarle así a Jesucristo, el mismo AYER, HOY y SIEMPRE.

Cristo, que está con nosotros en el Sacramento de la Eucaristía, disponga a la aceptación del Bien todos los corazones y selle en nosotros el firme propósito de anunciar su Evangelio a nuestros hermanos sirviéndolos con abnegación.

Bendito y alabado sea Jesús en el Santísimo Sacramento del altar.

Sea por siempre bendito y alabado.

CONSAGRACIÓN DE LA ARQUIDIÓCESIS DE LA HABANA DURANTE EL JUBILEO DE LOS OBISPOS*

Virgen de la Caridad, Madre de todos los cubanos. A tu corazón Inmaculado confío y consagro la Arquidiócesis de La Habana. Mira a tus pies a su Arzobispo y a los obispos auxiliares que comparten conmigo la carga pastoral puesta sobre nuestros hombros, en nombre de Jesucristo, por el Papa Juan Pablo II. En nuestros corazones traemos ante ti a los sacerdotes diocesanos y religiosos que, en el único presbiterio, son los colaboradores abnegados del orden episcopal. Varios de ellos, ya ancianos, han gastado gozosamente su vida al servicio de tu Iglesia. Es el presbiterio más numeroso de Cuba, pero también aquel en el que hay mayor número de enfermos e impedidos para el ministerio. Especialmente a esos sacerdotes, Madre de la Caridad, Madre amorosa de los sacerdotes, los entrego a tu corazón maternal. Con ellos, a los diáconos y sus familias, a los religiosos y religiosas, tanto aquellos que dan sus primeros pasos en la vida consagrada como los que han dado prueba de entrega y de fidelidad en largos años de trabajo asistencial, educacional y pastoral, enriqueciendo la Iglesia Arquidiocesana con su don total, Cristo. De modo especial quiero ofrecerte el don que han hecho de sus vidas en la Arquidiócesis de La Habana tantos sacerdotes, religiosos y religiosas venidos de distintos países del mundo, a servir a este pueblo cubano que tanto tú amas. La gratitud del obispo se hace ahora oración a tus pies, María de la Caridad.

Quiero consagrar a tu corazón inmaculado a los semina-

---

* Basílica de Nuestra Señora de la Caridad de El Cobre, diciembre 2000.

ristas de la Arquidiócesis de La Habana. Prepáralos tú, como preparaste el pesebre de Belén de modo que Cristo Eucaristía pueda hacerse vivo y presente en sus manos consagradas y que sea acogido y anunciado por verdaderos corazones sacerdotales. Protege, Madre, a los jóvenes sacerdotes. Despierta en los corazones de muchos jóvenes y de muchas jóvenes el deseo de consagrar sus vidas a Cristo en el sacerdocio o en la vida religiosa.

A tu corazón virginal y maternal quiero consagrar a nuestros muchachos y muchachas. Concédeles a ellos y ellas la belleza de la castidad y el amor a la vida. Traigo ante ti a las familias, a los jóvenes esposos. Que sean promotores de la vida y defensores de ella desde el seno materno hasta el último suspiro de los enfermos y ancianos. Mantén unida la familia, fortalece a los esposos y las esposas para que se guarden mutua fidelidad y crezcan en el amor y transmitan amorosamente el gozo de la fe a sus hijos e hijas.

Cuida a los enfermos y a los ancianos. Que tu caridad y la de tu Iglesia ayude a los pobres. Son muchos en la Arquidiócesis, vienen de toda Cuba, buscando mejores oportunidades, viven en condiciones precarias y, a veces, experimentan la incomprensión de sus hermanos cubanos. Madre de todos los cubanos, que tus hijos que viven en La Habana, o llegan a La Habana, se traten como hermanos.

En nuestra Arquidiócesis está la capital de la nación, la sede del gobierno del país y sus instituciones más altas. Queremos, Madre de todos los cubanos, que tú inspires los pensamientos y decisiones de quienes gobiernan, para que todo cuanto se establezca o realice por las más altas instancias de la nación cubana sirva al bienestar, a la justicia, a la libertad, a la responsabilidad y a la solidaridad en el seno del pueblo cubano que tú llevas en tu corazón de Reina y Madre.

Te ofrezco la religiosidad conmovedora del pueblo habanero que te venera, Virgen de la Caridad. Nuestra Iglesia tiene que anunciarles a ellos que Jesucristo, tu Hijo, es el único Salvador. No dejes que permanezcan en una religiosidad elemental, mezclada a veces de creencias precristianas. Sabemos que tú aceptas el homenaje de los pobres que no tienen otro medio de expresar su fe y robustecer sus esperanzas;

pero ayúdanos en los esfuerzos misioneros para que el evangelio purifique esa fe y no sea utilizada con motivaciones económicas, o de cualquier otro orden, violentando la simplicidad y la buena voluntad de muchos.

Te ofrezco, Madre, para que las tengas en tu corazón, nuestras parroquias, iglesias, capillas y casas de oración de La Habana, cuyo número no cesa de crecer. Bendice a todos los creyentes, se tú la madre callada de los cristianos que creen en tu Hijo, pero no mencionan tu dulce nombre. Recibe en tu regazo maternal a los no creyentes y a cuantos ignoran o desprecian a la Iglesia. Que todos nos llevemos como hermanos para que se cumpla el mandato del amor que tu Hijo nos confió, sin olvidar a los que viven fuera de la Patria, hijos tuyos y hermanos nuestros. A todos los que tienen su raíz o su lugar de llegada en nuestra amada Arquidiócesis de La Habana y a la Iglesia que peregrina allí hacia el Padre, confío a tu inmaculado corazón para que todos consagremos nuestro ser a la alabanza y gloria de tu Hijo y Señor nuestro Jesucristo, que con el Padre y el Espíritu Santo vive y reina por los siglos de los siglos.

CELEBRACIÓN POR LA JORNADA MUNDIAL DE LA PAZ*

Queridos hermanos y hermanas:
El día primero del año, la Iglesia Católica celebra, por iniciativa del venerado Papa Pablo VI, la Jornada Mundial de Oración por la Paz. Lo hace fijando de nuevo su mirada, a los ocho días de la fiesta de la Navidad, en el Pesebre de Belén. Allí, en la cuna pobre de una familia en tránsito que encontró un lugar menos frío donde colocar a un recién nacido, está con toda la ternura de un niño, con toda la esperanza que evoca cada niño, aquel que vino a traer la paz a los hombres que ama el Señor.

Hoy, la Iglesia pone su mirada especialmente en María, la Madre de Jesús, la Madre del Hijo de Dios hecho Hombre. Lo hace porque en ella, en la mujer escogida por Dios para ser la

---

* Catedral de La Habana, 1-I-2001.

portadora de la luz a un mundo en tinieblas, se simboliza la acogida al Don de Dios, la perfecta aceptación de cuanto Dios Padre ha querido para los hombres al enviarnos a su Hijo.

Aquella madre en tránsito personifica también a la humanidad que pasa y se renueva en cada generación, pero además a la multitud de hombres y mujeres sin techo, refugiados, emigrantes, desplazados por las guerras, por los odios raciales. Al mismo tiempo, María encarna a esa misma humanidad que perdura siempre, porque es capaz de conservar muchas cosas en su corazón, en su memoria histórica y las medita, es decir, las vuelve a ver bajo una luz totalmente nueva en cada hora posterior, en cada nueva situación, siendo así siempre la misma y siempre nueva.

Este año, el Mensaje del Papa Juan Pablo II para la Jornada Mundial de la Paz trata sobre las culturas de los pueblos. Justamente la cultura es esa capacidad que tiene la humanidad en cualquier región del mundo, en cada momento de la historia, de integrar experiencias, recuerdos, tradiciones, en un todo armónico que conserva en lo hondo de su ser grupal, sea regional, nacional o étnico, con la posibilidad de repensar siempre ese acervo y hacerlo vida en el presente e inspiración para el futuro.

Son tantas y tan diversas las culturas de los pueblos, pero al mismo tiempo, en un mundo globalizado como el nuestro, hay tanto acercamiento de las distintas culturas entre sí, que es necesario establecer entre ellas una relación verdaderamente humana, si no queremos que se pierdan muchos de los tesoros espirituales de la humanidad, sobre todo cuando corren el riesgo de ser sumergidos en una cultura dominante, impuesta frecuentemente por los medios de comunicación con intereses ideológicos, comerciales o políticos.

Un falso acercamiento a las culturas, haciendo de ellas folclore, un espectáculo fascinante o curiosidad pasajera (lo cual suele acompañar al turismo), no es lo que se requiere para que todos entren en contacto con la cultura de todos. Por eso, el Papa Juan Pablo II propone para esta Jornada Mundial de la Paz un «diálogo entre las culturas para una civilización del amor y de la Paz». Y esto lo hace el Papa al inicio de un nuevo milenio, con la esperanza de que «las relaciones entre los hombres se inspiren cada vez más en el ideal de una fraternidad verdaderamente universal».

Cuando el Santo Padre dice «verdaderamente universal» está dejando a un lado esa falsa cultura global que elimina diferencias externas, expresiones artísticas, enfoques diversos, con el ánimo de hacer que los hombres acepten un modelo cultural único, pero irrespetuoso de lo propio, y todo en aras del dominio de los grandes centros de poder político y económico sobre todo el planeta.

Pero ¿cómo lograr esa unidad en la diversidad? Responde de este modo el Papa: «no pienso que, sobre un problema como este, se puedan ofrecer soluciones fáciles de inmediata aplicación. Por eso –sigue diciendo el Santo Padre–, me ha parecido urgente invitar a los creyentes en Cristo, y con ellos a todos los hombres de buena voluntad, a reflexionar sobre el diálogo entre las diferentes culturas y tradiciones de los pueblos, indicando así el camino necesario para la construcción de un mundo reconciliado, capaz de mirar con serenidad al propio futuro. Se trata de un tema decisivo para las perspectivas de la paz».

Paradójicamente, no se hace frente a la avalancha de una cultura impuesta por los medios masivos de comunicación que parece invadirlo todo, a partir del encierro, el control, la autoexaltación de una cultura con desconocimiento de las otras, o la sustentación ideológica a toda costa de una cultura delineada, diseñada según criterios y concepciones de un grupo determinado, pues toda predeterminación o planificación de una cultura la priva de su mismo ser al despojarla de la espontaneidad propia de la libertad.

Al respecto, el Papa Juan Pablo II afirma en su mensaje: «Ser hombre significa necesariamente existir en una determinada cultura. Cada persona está marcada por la cultura que respira a través de la familia y los grupos humanos con los que entra en contacto, por medio de los procesos educativos y las influencias ambientales más diversas y de la misma relación fundamental que tiene con el territorio en el que vive». Y después añade el Papa algo que debe ser considerado fundamental en el tratamiento de la cultura de un pueblo: «en todo esto no hay ningún determinismo, sino una constante dialéc-

827

tica entre la fuerza de los condicionamientos y el dinamismo de la libertad».

En Cuba fue la cristiandad como estilo de civilización, pero aún más el cristianismo como motor impulsor, cimiento y armazón estructural el que conformó nuestra cultura nacional. Si bien hay aportes de otro orden, y no irrelevantes, en la caracterización de la cultura cubana, la matriz de nuestra cultura es cristiana. El cristianismo es el tronco donde se injertaron las diversas etnias africanas con sus respectivas culturas, las ideas libertarias e independentistas nacidas de la Ilustración, que a su vez tiene su origen en el mundo occidental cristiano y todos los demás aportes que se sucedieron a través de los siglos XIX y XX.

No es pues desdeñable el papel que como raíz y como tallo desempeñó y desempeña el cristianismo en la estructuración de la civilización en Cuba. Los valores familiares, sociales, nacionales, las tradiciones, las costumbres, están radicados y crecen todos en nuestra tierra en ese suelo abonado por el cristianismo desde hace 500 años. Prestemos atención a lo que nos dice el Papa Juan Pablo II en relación con esta necesaria fijación en lo sólido y perdurable: «La acogida de la propia cultura como elemento configurador de la personalidad, especialmente en la primera fase del crecimiento, es un dato de experiencia universal, cuya importancia no se debe infravalorar. Sin este enraizamiento en un humus definido, la persona misma correría el riesgo de verse expuesta en edad aún temprana a un exceso de estímulos contrastantes que no ayudarían el desarrollo sereno y equilibrado. Sobre la base de esta relación fundamental con los propios «orígenes» –a nivel familiar, pero también territorial, social y cultural– es donde se desarrolla, en las personas, el sentido de la «Patria», y la cultura tiende a asumir, unas veces más y otras veces menos, una configuración «nacional». El mismo Hijo de Dios, haciéndose hombre, recibió, con una familia humana, también una «Patria». Él es para siempre Jesús de Nazaret, el Nazareno.

Si los orígenes se desdibujan, si la propia cultura es rediseñada en etapas sucesivas sin atender a sus raíces, se pierde el sentido de pertenencia a un mundo cultural determinado.

Nos preocupa frecuentemente a todos que en la juventud

cubana no se dé un claro amor a la Patria, a lo propiamente nacional cubano. No se trata de un total desprecio, sino de un desapego, de un gusto por lo foráneo, acompañado en muchos casos por un deseo de realización personal fuera de Cuba, sin que parezcan los jóvenes valorar sus orígenes, como si no sintieran arrancarse de su suelo vital, dejando aquí sus raíces. Esto lleva a muchos cubanos a tener que re-encontrar, en Cuba o fuera de Cuba, y en ocasiones de modo dramático, su propia cultura, pero también a otros, en Cuba o fuera de Cuba, a ser incapaces de transmitirla a las nuevas generaciones, o aun a dejar personalmente de nutrirse con aquella savia vital.

El Santo Padre nos habla en su mensaje de la necesidad para cada cultura de entrar en diálogo con las demás. Recuerda el Papa que nadie debe cerrarse en su propia cultura, sino que debe vivirla conscientemente y conocerla de tal modo que pueda dialogar con las demás culturas, enriqueciéndolas y dejándose enriquecer por ellas. Para esto es necesario tener una vivencia lo más plena posible de la propia cultura.

Los jóvenes cubanos que participaron en Roma en la Jornada Mundial de la Juventud no podían responder a otros jóvenes de distintos países cuál era la comida propia de la Navidad en Cuba.

Permítanme que me refiera ahora aquí a otros hechos anecdóticos y reales, muy cercanos a nosotros en el tiempo y en el espacio, que ilustran ese desfase cultural que se da entre nosotros, cubanos, en las nuevas generaciones y que no prepara a la juventud de Cuba para enfrentar dialogalmente el desafío cultural de la hora presente.

Un hombre joven, de unos 28 años de edad, contemplando la escena del nacimiento de Jesucristo colocada junto a las puertas de nuestra Catedral, preguntaba a una religiosa, con mucho respeto, qué significaba aquella escena: esa mujer, ese hombre, ese bebé, esos animales. La hermana le dijo que se trataba de la representación o reproducción artística del nacimiento de Jesucristo. Que aquella mujer era María, que aquel hombre era José, que aquel niño era Jesús, el Hijo de Dios que había nacido pobre en un lugar donde se cuidan animales.

El desconocimiento de aquel hombre de la representación popular del nacimiento de Jesucristo, de la misma persona de Jesús, es algo más que «incultura» en la acepción vulgar del término, es una carencia de iconos representativos de la vida misma del hombre sobre la tierra, según una tradición de dos mil años que ha dado sentido en el mundo cristiano, y por ende en Cuba, al amor familiar, al cuidado de los hijos, que nos recuerda el escándalo de la pobreza, responsable de que algunos hombres, muchos de ellos, vengan al mundo en condiciones muy precarias; es el desconocimiento del llamado a la conciencia que significa nacer rodeado de amor, como lo más importante, aunque no tengamos nada más. Así quiso nacer el Hijo de Dios hecho hombre para traer a los hombres un mensaje transformador del mundo que pondría en su lugar lo pequeño, que derribaría a los poderosos y engrandecería a los humildes. ¡Cuántas cosas nos puede decir la escena de Belén en orden a la vida, al amor, a la sencillez, al reclamo de justicia para los pequeños, a la ternura, de la cual nuestro mundo parece absurdamente desprovisto!

Cuando de niños hemos visto hacer de barro, de yeso, con elementos simples, con hierba del campo, un pesebre, y recostar en él al niño Jesús, cuando por unos centavos lo hemos podido comprar y repetir en el hogar aquella escena, nos forjamos, sin percatarnos, un proyecto de vida que abarcaba desde los sentimientos del corazón hasta el quehacer de nuestras manos, desde el espíritu hasta el trabajo, desde los sueños hasta el amor familiar. ¿Qué otro icono de la vida tuvo aquel joven de 28 años? Ojalá haya tenido alguno tan sugestivo, tan fuerte, tan tierno y noble como este, que haya podido servirle para fundar su existencia y la de los que lo rodean o depender de él.

Y esta es la otra anécdota:

Un grupo de seis u ocho jóvenes de la Academia de Pintura de San Alejandro se presentó ante un párroco no hace mucho tiempo, porque el profesor había explicado en clase la técnica de Fra Angelico en su hermosa pintura de la Anunciación. Había descrito el estilo del pintor, había descubierto su método, la selección que él hacía de los colores, etc. Preguntado el profesor por la escena misma que el pintor plasmaba en su cuadro, este dijo a sus alumnos: Para esto vayan a ver a un cura, porque aquí lo que hay es un ángel y una mujer, pero yo no sé nada más de esto. Y allí estaban los alumnos ante el sacerdote que daba respuesta a lo que aquel profesor, también joven, fue incapaz de responder: Que Dios envió un ángel a la Virgen María para proponerle que fuera la Madre del Salvador, del Hijo de Dios, del Mesías, que María, arrobada y temerosa, mira al ángel preguntándole ¿cómo puede ser esto?, que el ángel le responde que el Espíritu Santo vendrá sobre ella y la cubrirá con su sombra y que María dijo: Aquí está la servidora del Señor, hágase en mí según tu palabra.

Es imposible explicar la técnica de Fra Angelico sin decir que quien pintaba el cuadro era un hombre de vida santa, de una fe profunda en Dios, un religioso consagrado al Señor y que en la escena plasmaba a la Virgen trémula y confiada ante el designio insondable de Dios.

Son dos anécdotas, una de extracción popular, otra tomada curiosamente del mundo de la llamada «cultura». También de la Anunciación del ángel a María se sacan tantas consecuencias para la vida: la humanidad, simbolizada en la mujer, está delante del ángel, de lo desconocido, de Dios, y le hace un voto de confianza al Señor; el ser humano, ignorante del misterio, se abre a él, se entrega a él. Es el diálogo de Dios con el hombre *libre* que puede responder sí o no. La Anunciación del ángel a María es el icono de la opción trascendental que todo ser humano debe hacer en la vida.

El daño cultural no está en el desconocimiento de la historia que da origen a la escena del Belén de la puerta de la Catedral o a la pintura maravillosa de Fra Angelico de la Anunciación del Ángel a María. El daño cultural y antropológico está en que nuestra cultura occidental, cristiana, en la cual hemos fraguado como nación, ha acunado la existencia de hombres y pueblos desde hace dos mil años, dando consistencia y contornos a la vida del ser humano con matices muy propios en cada lugar, que a su vez enriquecieron e hicieron florecer el tronco común, y es como si, secando el tronco, se secaran también las ramas floridas, nuestras propias ramas, y llegamos a quedarnos sin cultura, que es como decir que el hombre llega a no saber qué es su propia vida. Estas incidencias reveladoras ilustran lo sucedido en un aspecto determinado en la cultura cubana, pero son indicadoras de lo ocurrido en amplios sectores de ella.

El Papa Juan Pablo II nos ofrece como criterio de autenticidad para cada cultura humana «la solidez de su orientación moral... su razón de ser en favor del hombre y en la promoción de su dignidad en cualquier nivel y en cualquier contexto». Y nos pone en guardia el Santo Padre frente a la arriesgada y servil «aceptación de las culturas, o de algunos de sus importantes aspectos, como modelos culturales del mundo occidental, que, ya desconectado de su ambiente cristiano, se inspiran en una concepción secularizada y prácticamente atea de la vida y en formas de individualismo radical. Se trata de un fenómeno de vastas proporciones –agrega el Sumo Pontífice–, sostenido por poderosas campañas de los medios de comunicación social, y añade el Papa: «una cultura que rechaza la referencia a Dios pierde su propia alma y se desorienta transformándose en una cultura de muerte, como atestiguan los trágicos acontecimientos del siglo xx y como demuestran los efectos nihilistas actualmente presentes en importantes ámbitos del mundo occidental».

Para enfrentar el reto cultural de esta hora y ser capaz de abrirse sin temor a otras culturas es necesario que el hombre y la mujer jóvenes de hoy estén afianzados en los valores de su propia cultura. Una cultura, en la medida en que es realmente vital, no tiene motivos para temer ser contaminada, de igual manera que ninguna ley podrá mantenerla viva si ha muerto en el alma de un pueblo.

Por otra parte, hay valores comunes en todas las culturas. El Papa insiste en que el diálogo entre ellas es un instrumento privilegiado para descubrirlos y nos da la razón para esto: es que estos valores están arraigados en la naturaleza de la persona. Nos propone así Juan Pablo II cuatro valores que deben ser vivenciados universalmente si queremos crear en el mundo una civilización del amor y de la justicia: el valor de la solidaridad, el valor de la paz, el valor de la vida y el valor de la educación.

«Ante las crecientes desigualdades existentes en el mundo,

dice el Santo Padre, el primer valor que se debe promover y difundir cada vez más en las conciencias es ciertamente el de la solidaridad», y añade el Papa: *la cultura de la solidaridad está estrechamente unida al valor de la paz, objetivo primordial de toda sociedad y de la convivencia nacional e internacional».* Debe tenerse en cuenta, además, que *«No se puede invocar la paz y despreciar la vida»*, acota el Santo Padre. *«Nuestro tiempo es testigo de excelentes ejemplos de generosidad y entrega al servicio de la vida, pero también del triste escenario de miles de hombres entregados a la crueldad o a la indiferencia de un destino doloroso y brutal»* y así enumera el Papa homicidios, suicidios, abortos, eutanasia, mutilaciones, torturas físicas y psicológicas, formas de coacción injusta, encarcelamiento arbitrario, recurso absolutamente innecesario a la pena de muerte, deportaciones, esclavitud, prostitución, compraventa de mujeres y niños, prácticas irresponsables de ingeniería genética como las clonaciones y el uso de embriones humanos para la investigación, con una ilegítima referencia a la libertad, al progreso de la cultura y a la promoción del desarrollo humano. Con relación a estos últimos afirma con energía Juan Pablo II: *«Una civilización basada en el amor y la paz debe oponerse a estos experimentos indignos del hombre».*

La educación es el otro valor para construir la civilización del amor. Esta debe «transmitir a los sujetos la conciencia de las propias raíces y ofrecerles puntos de referencia que les permitan encontrar su situación personal en el mundo».

Y por último, en su mensaje, nos hace el Sucesor de Pedro un llamado a los hombres y mujeres de hoy, especialmente a los jóvenes, a la reconciliación, como una exigencia de nuestro tiempo. Es una invitación significativa que hace el Santo Padre en el marco de la compleja temática del diálogo entre las culturas, pero que vale también con respecto a todo diálogo que quiera ser verdadero entre los que integran un mismo pueblo, sobre todo cuando, en el seno de él, se producen desfases culturales que pueden conllevar el extrañamiento de unos con respecto a otros. Sigamos el pensamiento del Papa: *«En efecto, el diálogo es a menudo difícil porque sobre él pesa la hipoteca de trágicas herencias de guerras, conflic-*

tos, violencias y odios que la memoria sigue fomentando. Para superar las barreras de la incomunicabilidad, el camino es el del perdón y el de la reconciliación». Continúo citando al Santo Padre: *«Muchos, en nombre de un realismo desengañado, consideran que este camino es utópico e ingenuo. En cambio, en la perspectiva cristiana, esta es la única vía para alcanzar la meta de la paz».* Y sigue diciendo el Pontífice: *la mirada al Crucificado nos inspira la confianza de que el perdón y la reconciliación pueden ser una praxis normal de la vida cotidiana y de toda cultura, por tanto una oportunidad concreta para construir la paz y el futuro de la humanidad».*

En el primer día del año suplicamos a Dios para nuestro mundo, para Cuba, esta paz que los ángeles cantaron en la noche de Navidad y que la Iglesia, en los textos bíblicos leídos hoy, nos la desea como bendición, confirmándonos en la esperanza de que, por el nacimiento de Cristo, ya no somos esclavos, sino hijos de Dios.

Detengámonos conscientemente ante la escena de la Navidad, contemplemos a la de la Virgen Madre de Dios. Ella prefigura también la humanidad que debíamos todos nosotros llegar a ser: una humanidad acogedora, que da calor de amor a los más pequeños, a los niños, a los pobres, una humanidad que sabe guardar lo mejor de su acervo histórico y cultural y lo medita en su corazón para hallar, en el futuro, caminos de solidaridad, de justicia, de perdón y de reconciliación, que nos conduzcan a la verdadera paz.

Que interceda por nosotros la Madre de Dios, para que, en el nuevo milenio que hoy comienza, el mundo abra sus puertas a Cristo y se deje enriquecer con los bienes que el Salvador amorosamente nos dispensa. Que así sea.

MISA CRISMAL*

Queridos hermanos y hermanas, queridos sacerdotes:
Toda la Iglesia se apresta a celebrar la Pascua del Señor. Preparamos nuestros corazones para participar en el sacrifi-

---

* Catedral de La Habana, 6-IV-2001.

cio del Cordero de Dios inmolado por nosotros, esa es la victoria de nuestro Dios que pasa, al frente de su pueblo, liberado de la esclavitud y del pecado, desde este mundo, a la Tierra Prometida de la luz y de la gracia.

Cortamos ramas de palma para recibir a nuestro Redentor, preparamos un lugar hermoso para celebrar su cena, el memorial eterno de su sacrificio, nos aprestamos a cantar la victoria de la Cruz y el triunfo de la vida y se congrega hoy la Iglesia diocesana con sus sacerdotes alrededor de su obispo para bendecir los aceites nuevos de esta nueva Pascua, los que marcarán la frente y el corazón de los nuevos cristianos renacidos en la noche santa y feliz a la vida verdadera, los mismos que ungirán las manos de los sacerdotes que este año consagrarán su vida a Dios y al servicio de los hermanos, los que llenarán de fuerza y vigor espiritual a los creyentes en Cristo enfermos, cansados y agotados por el camino de la vida para enderezar con él sus pasos hacia la casa paterna o para ser sanados de su enfermedad y retomar con más decisión el servicio de su Señor. La Pascua lo hace todo nuevo y la Misa Crismal es una celebración de la novedad de la Pascua.

Toda nuestra celebración de hoy es un signo de la constante renovación de la Iglesia, que al renovarse renueva también su compromiso misionero. En la Carta Apostólica sobre el Nuevo Milenio, el Papa Juan Pablo II nos dice que: «*la Iglesia... no puede sustraerse a la actividad misionera hacia los pueblos, y una tarea prioritaria... sigue siendo anunciar a Cristo, Camino, Verdad y Vida (Jn 14, 6) en el cual los hombres encuentran la salvación*».

En el relato evangélico que escuchamos hoy, Jesús hace suya la palabra de Isaías que fue proclamada en la lectura profética: «*El Espíritu del Señor está sobre mí, porque él me ha ungido. Me ha enviado para dar la buena noticia a los pobres, para anunciar a los cautivos la libertad y a los ciegos la vista. Para dar libertad a los oprimidos; para anunciar el año de gracia del Señor*».

Esta misión de Jesús la tiene que continuar la Iglesia por mandato del mismo Señor, Él nos envió al mundo entero a predicar la buena noticia, y la Iglesia continúa anunciando al Señor, ungiendo a los catecúmenos y a los nuevos cristianos, partiendo el pan y dando el cuerpo y la sangre de Cristo a los que van por el camino para que no desfallezcan. Jesucristo, como hemos escuchado en la lectura del Libro del Apocalipsis, se ha adquirido un pueblo nuevo con su sangre y ha convertido a los que integran ese nuevo pueblo de Dios, que es su Iglesia, en un pueblo sacerdotal, que hace de su propia vida una ofrenda agradable a Dios. Al frente de ese pueblo, el Señor puso a sus apóstoles y a sus sucesores, que, ayudados por los presbíteros, deben guiarlo hasta los prados de hierba fresca, a través de cañadas oscuras, siendo ellos los que preparen la mesa del banquete eucarístico para todo el pueblo sacerdotal como ministros del Señor, ungidos por el Espíritu como Jesús, para presidir en su nombre al pueblo fiel y presentar la ofrenda sacerdotal de todo ese pueblo en sus manos consagradas.

Y hoy nos reunimos todos: pueblo sacerdotal y ministros de nuestro Dios, como la única Iglesia que tiene una especial misión: anunciar a Cristo al mundo. A nosotros todos nos toca evangelizar esta realidad cubana en la que vivimos. En un discurso que el Papa Juan Pablo II decía a un grupo de obispos de una región italiana al concluir su visita «ad limina» hay unas palabras que pueden aplicarse muy bien a las circunstancias de nuestra Iglesia en Cuba; les decía el Papa: «*Ha llegado, sobre todo, el momento de pasar de una fe de costumbre, aunque esta no sea despreciable, a una fe que sea opción personal, iluminada, convencida, testimoniante. Es el tiempo de la nueva evangelización... se impone con urgencia el deber de una nueva, valiente y coherente evangelización*» (Discurso a los obispos lombardos, 2 de febrero, 1995).

Muchas veces ha repetido el Papa, sobre todo en esta última década del siglo, que se impone una nueva evangelización. Hoy, Jesús nos dice en el Evangelio que ha venido para hacer un anuncio a todos: los pobres, los presos, los oprimidos, etc., y el Papa nos recuerda que debemos salir de la simple costumbre, de la quietud de creer como algo espontáneo, a evangelizar con nuevo ardor, con nuevos métodos, con expresiones nuevas. Evangelizar significa, de por sí, hacer el primer anuncio del Evangelio a quien no cree. Este anuncio aparece siempre en cada homilía, en cada catequesis, en cada celebración litúrgica. Este primer anuncio debe ser propuesto de nuevo en cada ocasión.

Puede darse una evangelización de las personas y una evangelización de las culturas. Esta última es aquella que llega a impregnar el modo de vida de un pueblo con los valores propios del evangelio. Pero hay un sinnúmero de maneras de presentar el mensaje de Jesús.

El primer modo es el que encontramos en el relato evangélico de hoy. Jesús se proclama a sí mismo como el enviado de Dios para sanar, para liberar. Es una evangelización por proclamación, como cuando en Galilea el mismo Jesús se presentó diciendo: «*El tiempo se ha cumplido y el Reino de Dios está cerca*» (*Mc* 1, 15). La proclamación puede hacerse en ocasiones públicamente y, en otras ocasiones, en un diálogo cordial o íntimo. Pensemos en el diálogo de Jesús con la samaritana o con los discípulos de Emaús.

Puede haber otro modo de evangelización *por convocación,* yendo a buscar a todos para invitarlos, como sucede en el Evangelio de San Mateo (*Mt* 22, 1) con los criados de la parábola contada por Jesús, que salen a los caminos a anunciar a la gente que vengan al banquete que ha preparado el Señor. Esta es la misión que puede hacerse puerta a puerta, de casa en casa. Esta misión no cesa nunca, se repite siempre.

Puede haber una evangelización *por atracción.* Muchas veces, la comunidad cristiana reunida en una bella celebración litúrgica, con espíritu de acogida para los que llegan, que sabe orar y mostrar su amor y su alegría, atrae a muchos jóvenes o adultos, creyentes o aun no creyentes. Recordemos que la primera comunidad de Jerusalén todavía no enviaba misioneros, y sin embargo venía mucha gente desde los pueblos vecinos que resultaban atraídos por ella.

Otro modo de evangelización se da por la *difusión* del mensaje *por medio de las buenas obras.* Todo cuanto se hace en bien del prójimo, al servicio de los necesitados, para sanar, para atender, para acompañar, hace que muchos descubran el amor cristiano, que supera todo otro modo de actuar.

Puede darse la evangelización por la *transmisión contagiosa* que genera el bien, la vida serena, la discreción, la confiabilidad de los cristianos.

Jesús mismo propone un modo de evangelización que pudiéramos llamar, siguiendo una de sus comparaciones, *por fermentación*. Como la levadura puesta por la mujer en la masa de harina para que toda la pasta crezca. Muchos se animan a un voluntariado como el de Cáritas, cuando un puñado de gente comienza a prestar ese servicio. Muchos en un barrio se entusiasman y vienen a integrar el grupo que se congrega en una casa de oración cuando tres o cuatro personas fieles, constantes, se reúnen en tiempo fijo y dan testimonio de la presencia de Cristo en medio de ellos.

Pero evangelizar no significa de por sí hacer que de pronto todo el mundo se convierta en cristianos, ni hacer que todos los bautizados se incorporen a la práctica religiosa en la Iglesia. Todo el que evangeliza tiene en mente esta posibilidad como un proyecto, pero todo evangelizador sabe, al mismo tiempo, que este proyecto será realizable solo muy parcialmente. Por tanto no se mide la acción evangelizadora por el éxito. Jesús evangelizó excelentemente cuando, junto al lago de Galilea, una multitud de millares de hombres y mujeres lo seguían, como cuando la gente, como pasa en el relato evangélico de hoy, lo escucha y se muestra escéptica, o lo increpa, o le tiende trampas.

Para entender lo que es nueva evangelización no debemos pensar que el contenido del anuncio sea diverso o novedoso. A este respecto dice el Papa en su carta sobre el nuevo milenio que «*el programa de la evangelización está ya hecho*». Y es cierto, pues debemos siempre comunicar a los hombres que el Hijo Eterno del Padre ha venido a revelarnos el rostro de Dios, que nos ha dado su Espíritu para que, movidos por él, podamos decir con Jesús «Abba, Padre», quedando así introducidos en el amor trinitario de Dios. No se trata, pues, de anunciar cosas llamativas o contrastantes, sino el mensaje perenne de Jesús.

Lo que significa nueva evangelización es evangelizar en un contexto nuevo, donde unos pocos viven su fe con fervor, conociéndola, y otros llevan en sus corazones una fe infantil, supersticiosa, lastrada por creencias ancestrales propias o contagiadas por el medio ambiente, donde hallamos también a los indiferentes y un pequeño número que se proclama desconocedor de la existencia o no existencia de Dios y, en el límite, algunos que se dicen ateos.

En Cuba es impostergable la actividad misionera, pero sería imposible cargar todo el esfuerzo misionero sobre las espaldas de un pequeño grupo de sacerdotes. Ante este desafío debemos promover la acción pastoral y misionera de todos: diáconos, religiosos y religiosas y de los laicos. Esta acción pastoral debe pensarse en común y hacerse en común. Por eso, nuestro plan pastoral es participativo, todos deben tomar parte en él, tanto en su gestación como en su ejecución.

Los laicos no podrán evangelizar en muchas ocasiones por medio de la proclamación o por la convocación, misionando puerta por puerta; pero aquellos que por su trabajo, por su profesión, sus variados compromisos en la sociedad, su vida familiar, no tienen la posibilidad de hacer este tipo de evangelización, o no se sienten dotados para ello, deben hacerlo siempre por fermentación, por su presencia en su medio laboral, en el vecindario, en el seno de sus grupos de referencia, o a través de su participación en movimientos eclesiales, o en trabajos específicos que le confía la propia Iglesia.

En el Sínodo de los Obispos para América se puso en evidencia la importancia de la parroquia, no solamente como lugar de encuentro de los creyentes en Cristo que viven en una zona determinada, sino como centro de irradiación. Una parroquia que forma una verdadera comunidad viva y dinámica proyecta sobre el barrio, sobre el pueblo, el rostro de Cristo que nos ama a todos y a quien entusiasma seguir. Es consolador que en nuestra Arquidiócesis hay tantas personas que individualmente vienen de la oscuridad a la luz, de la increencia a la fe, animados por la vida parroquial o comunitaria. La comunidad católica tiene el deber de estar presente, atenta, ayudando a estos hermanos nuestros.

Esta nueva evangelización, a la cual estamos llamados todos, exige de nosotros, de nuestras comunidades, un cambio de mentalidad, pues las comunidades cristianas en Cuba, por la fuerza de los acontecimientos, han estado demasiado replegadas sobre sí mismas, no solo en cuanto a difusión explícita del mensaje en los barrios, sino en cuanto al modo de presencia de los laicos: estudiantes, trabajadores o profesionales en medio de la sociedad. Esta última ha sido una presencia callada, testimoniante, pero debe convertirse cada vez más en una presencia también convocante en el medio en el que el laico despliega la acción laboral o profesional y en el medio estudiantil. A cierta audacia evangelizadora para llevar el mensaje a los hogares, a los barrios, a los campos y poblados, debe añadirse la audacia evangelizadora en los ambientes. Esta audacia no es ni temeridad ni espíritu propagandístico, sino un modo connatural de realizar la misión a la cual Dios llama a todos en el medio en el que cada uno se encuentra. Así se realiza específicamente la vocación laical.

¿Cuál es el papel del presbítero en esta nueva evangelización?

El primer lugar en el cual el presbítero evangeliza es la Eucaristía, fuente y cumbre de toda evangelización. No es que el sacerdote tenga que inventar gestos, que añadir efectos llamativos a la Eucaristía, para hacerla cada día distinta. La Eucaristía participa, como ningún otro elemento de nuestra fe, de la perennidad del mensaje cristiano que no es nuevo en la nueva evangelización, sino que es el mismo en un nuevo contexto. La Eucaristía se apoya en una palabra perenne: «*Esto es mi cuerpo... este es el cáliz de mi sangre*». El sacerdote debe saber que el pan que se hace Cristo en sus manos es de hoy, pero que Cristo es el mismo ayer, hoy y siempre. La gente verá si creemos esto, si celebramos la Misa con igual fervor, como siempre, con tres ancianos o con una iglesia repleta de gente. Entonces, la gente creerá que nosotros creemos de verdad.

Queridos sacerdotes: para nosotros, la Eucaristía es el primer modo de evangelizar, es como la síntesis de los demás sacramentos, la gran oración de intercesión por el mundo y ese mundo comienza en los vecinos del frente que no vienen nunca a la Misa y se extiende hasta la periferia de mi parroquia de 35.000 almas donde en una casa humilde una enferma reza el Rosario todos los días y se acuerda de pedir por mí. Celebrando cada día la Eucaristía, el presbítero no solo encuentra en ella el centro y la cumbre de su acción evangelizadora, sino de su misma vida.

La segunda manera de evangelizar el sacerdote es mediante la predicación autorizada de la Palabra de Dios, pero el sacerdote será capaz de predicarla en la medida en que hará de la Palabra un alimento para sí, leyéndola en oración, quizá delante del Sagrario, apoyándose tal vez en lo que ha estudiado en el Seminario, pero también en buenas lecturas, para que pueda darle a la gente no solo el gusto de escuchar la palabra, sino de aprender a vivir de ella, a disfrutarla personalmente.

El tercer modo de evangelizar para el presbítero es como guía de la comunidad a partir de la misma Eucaristía, con una dulce autoridad unida a una gran capacidad de misericordia. La autoridad del sacerdote debe nacer de la autoridad misma de Cristo, de su comunión profunda con Jesús en la Eucaristía. El que preside la Eucaristía, el que hace a Jesús sacramentalmente presente, es el que preside en el amor y guía a sus hermanos en comunión con el obispo y con el presbiterio, según las exigencias del Evangelio. La capacidad de misericordia es imprescindible porque nuestro pueblo en Cuba hoy se siente a veces desconfiado, otras temeroso, está angustiado y lleno de miserias y necesita apoyo, ánimo, afecto. Debe ser la autoridad fraterna y paternal del sacerdote una expresión de la misericordia de Dios paciente y exigente al mismo tiempo, pero cercana y benévola siempre. Recordemos la Carta Apostólica del Papa Juan Pablo II para el nuevo milenio: «Los hombres de hoy quieren ver a Jesús», dice el Santo Padre. No desean solamente saber algo sobre Cristo, conocer su historia, sus dichos y sus hechos, quieren ver el rostro de Cristo y ese rostro de Cristo lo esperan ver en la comunidad cristiana, en todos los cristianos, pero muy especialmente en los sacerdotes y en las personas consagradas a Dios.

Al renovar este año ante el obispo sus compromisos sacerdotales, invito a todos los presbíteros a reafirmar su entrega al Señor en el servicio a sus hermanos con una decidida confianza en que el tercer milenio que comienza es un espacio que se abre al anuncio de Cristo al mundo y con una súplica de generosidad y audacia, que hago yo también por mí, al Señor, a fin de que respondamos sin vacilaciones a la propuesta comprometedora que el Papa Juan Pablo II nos presenta a todos los cristianos en su Carta Apostólica sobre el nuevo milenio, en la que, haciendo suyas las palabras de Jesús a Pedro en el evangelio todos y cada uno: «*Rema mar adentro*». Nosotros, sacerdotes, nos sentimos particularmente convocados por esta palabra. Y suplico insistentemente para todos, sacerdotes y fieles, por medio de María Santísima, la fuerza del Espíritu para cumplirla.

ENCUENTRO DE PRESIDENTES DE COMISIONES DE CULTURA DE LAS CONFERENCIAS EPISCOPALES DE AMÉRICA*

El Libro de Tobías, del cual está tomado el pasaje bíblico que ha sido proclamado hoy en primer término, es una novela popular de la trilogía Tobías-Judit-Ester.

En estas obras se contiene un testimonio ejemplar del judaísmo. El pueblo judío, en su largo peregrinar por el mundo, se ha visto retratado en sus mejores hombres y mujeres, aun hasta nuestros días, en esos personajes.

Son hombres y mujeres buenos, cumplidores de la ley que manda amar a los hijos del pueblo hebreo, pero también de los preceptos rituales como lavarse las manos antes de comer. Así era Tobías y así era Sara y, sin embargo, sufrían el destierro y las burlas de los otros pueblos.

En el relato que hemos escuchado, Tobías siente en su oración que sus sufrimientos deben hallar explicación en una culpa oculta personal, o en los pecados colectivos de su pueblo. Mientras que Sara, desesperada ante los insultos de una esclava que le acusaba de haber matado sucesivamente a sus siete maridos, piensa en el suicidio, pero se detiene ante el amor familiar y decide invocar a Dios. Sara y Tobías no se conocen, rezan cada uno por su cuenta, pero sus destinos se unirán. Dios, Dueño y Señor de la Historia, hará que se encuentren sus vidas y podrán los buenos hallar la felicidad en su familia, protegidos por Dios en medio de un mundo hostil.

Estamos en el siglo III o II antes de Cristo. Los judíos viven en la diáspora y tienen que enfrentarse al mundo helénico, que

* Puebla de los Ángeles, México, 5-7-VI-2001.

se impone con fuerza, no solo militar, sino de ideas y de estilo de vida, y los judíos tienen que reafirmar su identidad: la familia, el buen comportamiento, la fe en el Único Dios; pero viven, aún, en un mundo cerrado a la eternidad. Dios los protege en este mundo, los castiga en este mundo, los prueba y los corona de felicidad en este mundo y todo dependerá de las buenas obras que realicen, pero no hay posibilidad clara de entrar en la eternidad de Dios. En otros medios judíos posexílicos ya apuntaba con claridad la esperanza de una vida en plenitud por la resurrección, pero aún no se hace evidente en Tobías y Sara, que siguen, por ser observantes y ortodoxos, la vieja tradición.

Estas dos corrientes encuentra Jesús cuando llega, como enviado del Padre, al pueblo de las promesas.

Los saduceos, que en el relato evangélico de hoy se acercan a Jesús, se apoyan en preceptos del Deuteronomio para proponer con picardía al Maestro un caso que ponga en ridículo la creencia en la resurrección, que Jesús afirmaba y que era sostenida también por los enemigos tradicionales de los saduceos, los fariseos que, siguiendo la nueva tradición, creían en otra vida y en la resurrección.

Jesús reafirma expresamente la resurrección basándose en el poder y la fidelidad a Dios, pero esa vida será totalmente nueva y no una simple prolongación o repetición de la vida terrena.

El argumento de la Escritura empleado por Jesús tiene una fuerza mucho mayor que la que nosotros, con nuestra mentalidad actual, podemos imaginar.

Los oyentes daban una fuerza definitoria a la Palabra revelada. Jesús cita el Libro del Éxodo y el episodio de la zarza ardiendo que es fundante en la fe del pueblo elegido. Nada menos que en la presentación de Yahvé a Moisés, cuando este es elegido para comunicar a su pueblo quién es Dios, Aquel-que-Es se define a sí mismo como Dios de Abraham, de Isaac y de Jacob. El Dios viviente no podía ser un Dios de muertos. En el reino de la muerte, en las culturas circundantes, había dioses para ese mundo. No podía decirse entonces que Yahvé era un Dios de muertos, sino de vivos, por tanto, Abraham, Isaac y Jacob vivían ante Dios. Había un Dios de vivos que vencía la muerte.

El Dios, Padre de Jesús, es solo Dios de muertos para que los muertos dejen de ser muertos. Jesús libró del espíritu inmundo al endemoniado que andaba entre las tumbas; lo devolvió a la vida normal. Jesús se detuvo ante la tumba de Lázaro para sacarlo vivo de ella. Jesús compartió el morir de los hombres para salir glorioso y triunfante del sepulcro.

¡Cuántas implicaciones culturales en los dos relatos bíblicos de la Lectio Continua! Cuánta desemejanza de algunos elementos y cuánta similitud en otros con la situación actual de los creyentes, viviendo en diáspora, acosados por la suficiencia del dinero y de la técnica, en búsqueda de identidad, tentados de encerrase en este mundo material, donde no hay espacio para la esperanza; cuánta falsa aproximación a Cristo para pedirle soluciones a falsos o verdaderos problemas que solo encuentran respuesta en una afirmación clara de fe en el Dios Padre de Nuestro Señor Jesucristo, que resucitó al hombre-Dios y lo puso a su derecha y que nos hace participar de su misma vida por el Espíritu Santo de su Hijo que pone en nuestros corazones y nos descubre la verdad de nuestra vida y de nuestra muerte, abriéndonos a la esperanza cierta de la Resurrección.

No, no son reglas de tradición familiar y de comportamiento moral las que debemos guardar, encerrándonos en nuestro mundo para protegernos del mundo hostil. Es la fe en el Dios de la vida la que debe crecer en nuestros corazones y ser proclamada a cara descubierta al mundo enfermo de tedio, de desesperación, que se suicida lentamente con las drogas, con el alcohol, con los fármacos, que se entretiene para no pensar y que está necesitado de salvación.

No podemos aspirar a una vida tranquila al modo de Tobías y Sara, sino a una plenitud de vida, cuando seremos como los ángeles del cielo.

Esta vida plena la alcanza Cristo Jesús con su muerte y resurrección que celebramos ahora en el Sacrificio Eucarístico.

HOMILÍA PRONUNCIADA
EN EL SANTUARIO DIOCESANO*

Engrandece mi alma al Señor
se alegra mi espíritu en Dios mi Salvador
porque ha mirado la humillación de su esclava
desde ahora me felicitarán todas las generaciones
porque el poderoso ha hecho obras grandes por mí
su nombre es santo
y su misericordia llega a sus fieles
de generación en generación.

Él hace proezas con su brazo
dispersa a los soberbios de corazón
derriba del trono a los poderosos
y enaltece a los humildes
a los hambrientos los colma de bienes
a los ricos despide vacíos.

Auxilia a Israel, su siervo,
acordándose de la misericordia
como lo había prometido a nuestros padres
en favor de Abraham
y su descendencia por siempre.

María ha sido proclamada la dicha, la paz del pueblo sencillo. Ese es el papel de la Virgen: acercar a Jesús a nosotros; llevarnos a todos al encuentro de Jesús para llenarnos de paz. Por eso al pasar por las calles y ver tanta gente diversa se veía también una misma mirada de amor a la Madre...

En el salmo responsorial rezábamos: Dichosos los pobres en el Espíritu. El Señor derriba a los poderosos y levanta a los pobres... Muchas veces se colman los hambrientos de bienes de espíritu y casi siempre los que mucho tienen están vacíos de corazón, vacíos de espíritu. Dichosos los pobres en el espíritu. De ellos es el Reino de los Cielos. ¡Cuánta necesidad se veía al pasar! ¡Cuántas penas!... ¡Son tantos los ancianos

---

* Santuario de Nuestra Señora de la Caridad de El Cobre, 8-IX-2001.

que hoy viven con una pensión mínima, sin familia, y que carecen de lo necesario! ¡Cuántos hoy nos piden una casa, un asilo y no damos abasto para que puedan ellos ser cobijados y tener una comida adecuada! ¡Cuántos nos piden una ayuda...! En nuestro Plan Pastoral hablamos de la Promoción Humana que se propone la Iglesia en Cuba por medio de sus comunidades vivas y dinámicas

Me impresionaba, sobre todo, ver por primera vez en estos años en que sale la Procesión, lanzar dinero a la Virgen. ¡Eran los pobres quienes lo lanzaban! ¡Eran los sencillos quienes lanzaban el dinero! ¡Eran los pobres quienes lo hacían! Entonces pensé: (...) Tenemos que aprender a dar desde la pobreza. No podemos esperar siempre donaciones que la Iglesia no puede repartir, porque no puede ser ella receptora de donaciones. Tenemos que hacer con los medios que tenemos a mano todo lo que hemos hecho: como los comedores para ancianos, como nuestra asistencia personal a tantos ancianos en La Habana; dándoles un poquito de leche en polvo, un poquito de aceite..., de esas cosas que no se pueden comprar si no es en dólares. Y no todo el mundo tiene los dólares. ¡Qué doloroso resulta muchas veces cuando uno piensa en el pueblo así: ¿cómo resolverá sus necesidades?, ¿cómo enfrentarán las necesidades de la casa aquellos que, sobre todo, no tienen acceso a las remesas de afuera porque no tienen familiares en el extranjero?

Hoy se da otro tipo de emigración: el que se va para trabajar y mandar dinero para los que se quedan. Esto siempre duele en el corazón de los cubanos.

Yo veía en la mirada de todos aquellos que contemplaban a la Virgen una especie de súplica...

Los seres humanos somos incapaces de compartir o de vivir en justicia y en amor verdadero entre los hermanos, y hay unos que poseen más y otros menos, pero, a pesar de todas las dificultades, debemos tener el ánimo y la valentía de luchar por la vida, para ser capaces de enfrentar todo aquello que es adverso, para no perder la paz del corazón ni la paz de los hogares, porque se altera, a veces, la paz doméstica cuando falta lo necesario. Son muchas las cosas que suceden, puede venir, incluso, por esta situación, la tentación del delito que está presente en tantos... Muchos dicen que hay mucha población negra en nuestras cárceles. Y es verdad. Pero es la parte de la población más pobre, la que menos acceso tiene al poquito de riqueza que puede haber. Menos han emigrado, ellos, nuestros hermanos negros, en los primeros años de la Revolución, o en décadas anteriores, y menos familiares tienen que les envíen dinero desde fuera. Se ven muchas veces forzados por la vida a tratar de luchar y tienen muchas veces la tentación de irse por caminos fáciles. Porque también los caminos difíciles hay veces que no satisfacen las necesidades plenas del ser humano.

Tenemos que tener en estos momentos una gran capacidad de realismo para ver todo aquello que es la carga de dolores, de sufrimiento, de penas que llevan nuestros hermanos, nuestras hermanas, las madres de familias, los padres de familias, los jóvenes que siempre tienen esperanzas, que tienen deseos de algo mejor, que ansían por todos los caminos un poco de felicidad. Escuchemos la invitación de la Virgen, sigamos su testimonio amoroso: «Mi alma proclama la grandeza del Señor y se alegra mi espíritu en Dios, mi Salvador».

Puede haber la alegría en Dios Salvador en medio de todo eso. Puede haber paz en mi corazón. Podemos no quedar quebrantados y como aplastados y volvernos duros y fríos en el hogar y caer en las tentaciones del delito, etc., si hay algo en mi corazón que me levante, si hay algo que me hace decir: Bueno, seré hambriento, seré pobre, pero a los pobres Dios los colma de bienes. Habrá otros que quizá tengan mucho, pero esos están vacíos en sus corazones, en muchos casos, porque les falta aquello que la Virgen María dice que es la causa de su alegría: llenar de Jesucristo sus corazones.

Ella lo lleva en su seno, tiene a Dios con ella. Eso es lo fundamental, mis queridos hermanos.

No hay religión verdadera sin esta presencia de Cristo en nosotros. Y en esto los pongo siempre al tanto y prevenidos con respecto a una cierta religiosidad superficial, hecha un poco de magia, donde la gente hace cosas para obtener bienes, busca vías un poco fantásticas y falsas para aliviar sus necesidades. Hay que buscar la verdadera fe y les digo que la verdadera religión no es tal si no produce en el corazón humano un cambio de vida. No hay religión verdadera que consista en unos ritos, en unas ceremonias, en un tipo de acciones de estilo mágico, en el uso externo de algunos objetos. Nada de esto nos va a transformar. Nos transforma el Señor, que puede cambiar nuestro corazón. Me transforma la oración a Él. Me transforma la confianza absoluta en que el Señor hace en nosotros obras grandes como hizo en la Virgen María y puede cambiar nuestros corazones. Yo he visto hombres y mujeres que han sido capaces de transformar sus vidas. Porque en medio de toda esta miseria y dificultades que enfrentamos hay alguien que puede beber y encontrar el dinero para un poco de alcohol y gastar lo poco que tiene en eso. He encontrado gentes que han sido capaces de decir no, yo puedo dejar esto, yo puedo transformar mi vida, yo puedo nacer de nuevo, como dijo Jesucristo a Nicodemo.

El que quiera ser discípulo de Cristo, hijo de la Virgen Santísima, Madre de la Caridad, que de verdad nazca de nuevo a una vida totalmente transformada.

Ante esta procesión maravillosa que revela una fe sencilla pero profunda, pensaba yo: «Esos ojos que se fijan en María están buscando la solución al conflicto fundamental de la vida humana; no a los problemas que, mágicamente, no se pueden resolver, sino a que yo encuentre un sentido a mi vida, una alegría, un gozo, una paz, una fuerza que me haga movilizarme». No hay manera mejor de promover al ser humano que ponerlo en un camino de verdad, de justicia, de amor, de paz... Y eso se logra cuando el hombre y la mujer se encuentran con Jesucristo, nuestro Señor. Y es la Virgen Santísima, nuestra Madre, con su título de Virgen de la Caridad, como Dios nos la entregó, la que debe llevar a nuestro pueblo por estos caminos que lo alejen de la corrupción, que lo alejen de la tentación del delito, que procuren la felicidad, que lo ayuden a servir, a compartir de verdad, a vernos, aunque hambrientos y pobres, colmados de bienes y no vacíos como aquellos que tienen mucho, pero sus corazones están como el hielo: frío, incapaces de amar. Eso le pedía a la Virgen hoy.

MISA EN SUFRAGIO DE LAS VÍCTIMAS DE LOS ATENTADOS DEL 11 DE SEPTIEMBRE DEL 2001*

Queridos hermanos y hermanas:

Hay en este domingo, día del Señor, algo distinto al clima de reposo y de encuentro familiar de todos los domingos, cuando nos reunimos en la iglesia para alabar a Dios y darle gracias por sus dones admirables. Los trágicos y criminales acontecimientos de New York, Washington y Pittsburgh nos hacen sentir hoy consternados y nos postran en adoración delante del Señor, que todo lo puede, que todo lo sabe y que nos ama. Nuestras súplicas brotan desde lo hondo del corazón por las víctimas fatales de aquella insania, por los familiares que sufren su pérdida, por tantos heridos y lastimados en su cuerpo o en su alma, como resultado de acciones tan crueles.

Es espontánea la indignación que acompaña a estos sentimientos de súplica y compasión. Con dolor nos rebelamos ante un mal que se infiere calculadamente y que implica a tantos hombres y mujeres inocentes. La injusticia siempre indigna, pero la justicia no se restablece con el odio o la venganza, so pena de entrar en una incontrolada espiral de violencia, a la cual se ha referido en su mensaje del pasado miércoles el Papa Juan Pablo II considerando ese riesgo que podemos correr como consecuencia de estos terribles hechos.

Sucede que el impacto sobre las torres gemelas de New York ha estremecido no solo a los neoyorquinos o a los norteamericanos, sino a todo el mundo occidental y aun a la gran mayoría de la humanidad. La planeación horrenda de los hechos, que incluye el suicidio de numerosos fanáticos y la inmolación despiadada de los pasajeros de cuatro aviones y sus tripulantes, dejan una sensación de inseguridad que es experimentada a escala mundial y no solo dentro de las fronteras de los Estados Unidos.

La humanidad está amenazada no precisamente por extraterrestres, sino por el hombre mismo. Intuyen los pueblos

---

* Catedral de La Habana, 16-IX-2001.

lo que debe ser ahora objeto de nuestra reflexión: que los acontecimientos imprevisibles, que pueden afectar negativamente a la humanidad en el nuevo siglo que comienza, no dependerán tanto de la mayor o menor capacidad tecnológica o de la supremacía política o militar de una nación o de un grupo de naciones, sino de las decisiones que pueda tomar el hombre, de que estas se produzcan a partir de una conciencia objetivamente recta o no.

De la postura ética del hombre depende el futuro de la humanidad. La inseguridad que el mundo experimenta hoy no proviene de la falta de medios para defenderse o actuar, sino de la responsabilidad del hombre para cuidar y engrandecer la Creación que Dios le ha confiado. Esta batalla se gana o se pierde en el corazón del hombre y el triunfo depende de su capacidad para amar y ser solidario.

Más que una determinada cultura o concepción del mundo, son las normas de convivencia en un mundo global las que fueron golpeadas en New York y en Washington. No es solo un ataque contra un tipo de civilización, sino contra *la* civilización, de ahí el clamor mundial de deploración y de angustia.

Y surge la incertidumbre: ¿Se podrá instalar globalmente en el mundo un comportamiento destructor, sea dictado por fanáticos o aun por leyes y resoluciones emanadas de diversos foros que no tengan en cuenta al ser humano, la vida humana, el bien total de los hombres y mujeres de la tierra? La real globalización del mundo nos obliga a pensar en humanidad, a salir de nuestros encierros, a dejar nuestras falsas seguridades y a descubrir nuevos horizontes de comprensión, de solidaridad, de amor. Tal vez es una lección que deberíamos aprender en estos días como fruto amargo de acontecimientos tan atroces.

Mis queridos hermanos y hermanas: Dios nuestro Padre nos envió a su Hijo Jesucristo, nuestro Salvador, que asumió nuestra naturaleza humana. Todo lo nuestro está en Él, menos el pecado, que en verdad deshumaniza. Y Jesucristo, el Señor, vino a traer a toda la humanidad el amor sin límites de Dios Padre, la misericordia entrañable de Dios. Jesús es el rostro humano del Dios de misericordia.

En el libro del Éxodo, que fue leído en primer término,

aparece el pueblo elegido de Dios adorando un ídolo de oro con forma de animal. Habían caído en la idolatría, y se fabricaron un Dios a su gusto. Este es un viejo pecado de los pueblos: no acoger la voluntad del Creador y forjarse sus propios dioses que pueden ser hoy el dinero, el poder, el placer.

Pero Dios no destruye por esto al ser humano, escucha la súplica de Moisés y perdona a su pueblo. Dios es misericordioso, Dios tiene misericordia de nosotros.

San Pablo había experimentado de forma sorprendente en su vida la misericordia de Dios. Recordemos que él fue un acérrimo perseguidor de los cristianos. Cuando el primer mártir, Esteban, fue apedreado hasta morir, Pablo participaba en aquel repugnante acto, sosteniendo los mantos de quienes lanzaban las piedras.

En su primera carta a Timoteo que leímos hoy, Pablo reconoce arrepentido que él «era un blasfemo, un perseguidor y un violento» y agrega enseguida: «Pero Dios tuvo compasión de mí, porque yo no era creyente y no sabía lo que hacía. Dios derrochó su gracia en mí dándome la fe y el amor cristiano».

La fe y el amor cristiano deben ser el distintivo de todos los que somos de Cristo, por encima de cualquier otro pensar o sentir. Y somos de Cristo por pura iniciativa suya. El Evangelio de San Lucas, proclamado hoy, nos reafirma una vez más que Jesús viene en busca de cada uno, como el pastor de la parábola, que deja las noventa y nueve ovejas del rebaño para ir a buscar la extraviada y la carga regocijado sobre sus hombros cuando la encuentra. Nos admira igualmente la diligencia de aquella mujer que barre la casa entera para buscar una moneda y se regocija con las vecinas cuando la halla. ¡Qué poco valor tiene una moneda para tanto esfuerzo! Nos sorprende el valor que da Jesús al ser humano. Somos aquella moneda de la parábola, para Él valemos mucho.

Mucho vale el hombre ante Dios, que, por medio de Jesucristo, vino en nuestra búsqueda. Por la misericordia de Dios hemos sido salvados.

Y Jesús nos invita a usar la misericordia con nuestro prójimo: «Sean misericordiosos como el Padre es misericordioso». Este Dios Padre misericordioso es el único Dios de cielo y tierra en quien creemos. No nos hagamos ninguna otra imagen de Dios, que ningún ídolo humano o material lo suplante: «No tendrás otro Dios más que a mí», «Solo a tu Dios adorarás, solo a Él le darás culto».

Al crearnos, Dios puso su imagen en lo hondo de nuestro ser. Pero a menudo hemos desdibujado esa imagen divina, la hemos profanado casi inconscientemente. Los males que hoy sufrimos y lamentamos provienen de una humanidad fugitiva de Dios, extraviada como la oveja de la parábola, que ha emborronado o ignorado la imagen de un Dios que es amor y que cada hombre o mujer lleva en sí, y se ha forjado sus propios ídolos, sea en el mundo del arte, del deporte, de la política, de las ideologías. El hombre de este siglo debe dejarse encontrar por Dios, para que Él recree su imagen en lo profundo de su ser y no olvidemos que esa imagen del Creador que llevamos en nosotros es la de un Dios misericordioso.

No hay ninguna alusión al Islam en lo que afirmo. Cuando digo «humanidad» incluyo en ella a muchos cristianos que se forjan ídolos falsos, que son inmisericordes. La línea divisoria del bien y del mal no pasa entre una y otra religión, pues no es violenta la actitud de todos los musulmanes ni mucho menos; ni es consecuente con el Evangelio la vida y la actuación de muchos cristianos. El momento es de reflexión y oración con una súplica insistente a Dios misericordioso para que los nobles sentimientos y valores, que han aflorado consoladoramente en estos días, no se vean opacados por actitudes o acciones que pongan en peligro la pacífica convivencia de todos los seres humanos sobre el planeta en este siglo que está comenzando.

Que la misericordia de Dios, Padre, Hijo y Espíritu Santo, nos alcance a todos, que Él conceda la Paz del Reino eterno a los que han muerto y el consuelo y la esperanza a los que sufren su pérdida.

Así sea.

MISA DE CLAUSURA DE LA VIII SEMANA SOCIAL*

Queridos hermanos y hermanas:

En esta Catedral de Cienfuegos, en la clausura de la primera Semana Social realizada en Cuba en este milenio, la figura excelsa de María Inmaculada, bajo cuya mirada amorosa nació y crece esta diócesis, se hace aún más sugerente al calor de la Palabra de Dios que ha sido proclamada.

Contemplar a María Virgen es penetrar de lleno en el misterio de la Iglesia convocada por Dios, que acoge su llamado y responde con prontitud. Así nos presenta el relato evangélico a la madre de Jesús, que, una vez aceptada explícitamente la voluntad de Dios, haciéndose servidora del Señor y cubierta por la sombra del Espíritu Santo, se pone en camino; un camino realmente penoso por el ascenso. Va de prisa a la montaña para comunicar y compartir su alegría, que es la de llevar en su seno al Salvador. Su andar tiene también como fin tender su mano servicial a su prima Isabel, necesitada de ayuda.

No hay otra metáfora más sublime y precisa de la Iglesia y su misión. María es la parábola viva, histórica, de la Iglesia. La Iglesia es portadora de Jesús y quiere compartir con todos los hombres y mujeres de la tierra la alegría de la salvación alcanzada por Cristo. Así ha ascendido durante dos mil años la cuesta de la historia, con la prisa del amor, aunque retardada pesadamente por el pecado de sus hijos, por nuestros pecados, que no podían entorpecer el avance de María, porque ella es la Inmaculada.

Ascenso penoso el de la Iglesia en medio de los «consuelos de Dios y las persecuciones del mundo», animada siempre por el propósito de servir a todos los que necesitan su ayuda. Incomprendida a menudo, como lo fue María cuando José pensó repudiarla porque no la creyó fiel. Solo a los santos, como a José, los ángeles le descubren la profundidad del misterio... pero no son muchos los santos y sí los que miran a la Iglesia, misterio del amor de Dios hacia nosotros, con desdén, con sospecha, con dureza o con inculpable ignorancia.

---

* Catedral de Cienfuegos, 13-X-2001.

De esta Virgen de Nazaret, Iglesia en ciernes, hasta la mujer vestida de sol del Apocalipsis, con la luna a sus pies y coronada de doce estrellas (la Iglesia gloriosa y eterna), va la línea sinuosa del tiempo en que la mujer sufre los dolores del parto, mientras que un horrible dragón, símbolo mítico del mal, espera para devorar a su hijo, que le es arrebatado hacia Dios y hacia su trono... y la mujer huyó al desierto donde tenía un lugar preparado por Dios.

La mujer del Apocalipsis puede simbolizar a la humanidad en su totalidad. ¿No nos dice San Pablo que la creación entera gime como con dolores de parto? ¡Han sido y son tantos y tan grandes los sufrimientos de la familia humana! Personifica, ciertamente, también la mujer encinta del Apocalipsis a la Virgen María. En el momento supremo de dolor para la madre de Jesús, Él la llamó «mujer» desde lo alto de la Cruz. Ese fue el instante del parto doloroso de María, por el cual accederíamos a la luz de una vida nueva los discípulos de su hijo, convertidos ahora en sus hijos. Pero, además, asociada a la entrega sufriente de su hijo en la Cruz, ella da a luz a Jesús para la vida plena y gloriosa que Cristo resucitado manifestará en el esplendor de la mañana de Pascua. Jesús, arrebatado al cielo hasta el trono de Dios, reina victorioso como primicia de todos los creyentes y la mujer, por su parte, irá al desierto, al lugar que Dios le ha preparado en este valle de lágrimas, para ser vida, dulzura y esperanza nuestra, reina y madre de misericordia.

La mujer resplandeciente, coronada de doce estrellas, que son las doce tribus de Israel y los doce apóstoles del Cordero, simboliza sobre todo al Pueblo de Dios de la Nueva Alianza, a la Iglesia, nacida del parto doloroso de la Cruz. Una vez llevado al cielo su Señor, vencido ya por Dios el dragón, que es la serpiente del relato de la Creación; Satanás, que engaña y confunde, y el diablo, acusador de los elegidos de Dios, la Iglesia será asediada por ese mismo dragón vencido y tendrá que ir al desierto, es decir, hacer el mismo largo camino que el Pueblo de Dios de la Antigua Alianza, cuando fue liberado por Yahvé de la esclavitud de Egipto, guiado por el Señor y poniendo toda su confianza en Él.

Cada creyente, en cada época, como miembro de la Iglesia, cuerpo de Cristo, deberá hacer suya, por la obediencia al Señor, la salvación que Jesús nos alcanzó en la Cruz. La batalla cósmica del Libro del Apocalipsis se realiza históricamente en cada siglo, en cada milenio, en todos los rincones del mundo. Los cristianos tenemos que tomar siempre el partido del ángel Miguel, que tiene como nombre una pregunta sin alternativa para todo creyente: «¿Quién como Dios?», sabiendo que el dragón, rojo de la sangre de los mártires, ya fue derrotado por aquel que derramó su sangre en la Cruz. La promesa de Jesús nos confirma cada día en nuestras luchas: «no temas, pequeño rebaño mío, yo he vencido al mal».

Se ha cumplido ya la profecía de Isaías. Como en los orígenes del mundo, el caos y las tinieblas son sometidos por la luz, en este caso de un niño que nos ha nacido, de un hijo que se nos ha dado. Es Dios quien lo envía, sus títulos lo presentan como un ser sobrenatural: «milagro de consejero, guerrero divino, jefe perpetuo, príncipe de paz». Su acción será definitiva para establecer una paz que no tendrá fin, porque se mantendrá y consolidará con la justicia y el derecho.

Una vez más, y ahora no en una visión apocalíptica, sino en un mensaje profético, aparece el «ya, pero todavía no» de la historia de la salvación. En Jesucristo se cumple la profecía de Isaías. Ha venido el Príncipe de Paz, ha establecido su reino que no tendrá fin, pero no se ha extendido la paz a todos los hombres que ama el Señor. Basta lanzar una mirada al último siglo del pasado milenio y a los primeros meses de este nuevo siglo. Formas terribles de enfrentar los conflictos se abren paso con el despliegue de armas siempre más destructivas y el recurso a un terrorismo de variados rostros y de crueldad inusitada, alimentado en fanatismos ideológicos y religiosos. Si todos aceptamos que la paz es fruto de la justicia, es imprescindible buscar la causa de los conflictos, que generan diversos tipos de guerra y enfrentamientos, en una falta de justicia.

Cuando Isaías anunciaba la implantación de la justicia y el derecho, que son correlativos, no lo hacía, sin embargo, pensando en una justicia concebida al estilo del antiguo derecho romano como «la constante y perpetua voluntad de darle a cada uno lo suyo». Aquí «lo suyo de cada uno» significa un conjunto de derechos humanos. Santo Tomás de Aquino, guardando el concepto del viejo derecho, ponía el acento en el aspecto virtuoso de la justicia: «es el hábito según el cual alguien, con voluntad constante y perpetua, concede su derecho a cada uno». Así la justicia es considerada virtud, que en el cristiano estará animada desde dentro por la gracia de Dios y será la primera exigencia de la caridad, del amor cristiano. Pero esta definición es más jurídica que cristológica, porque en los evangelios no hay reglas sobre los derechos de justicia. Sigue el Nuevo Testamento la tradición del Antiguo; no hay ruptura entre ambos. Dice Jesús: «Yo no he venido a abolir la ley, sino a darle plenitud».

Las leyes del Antiguo Testamento estaban todas dictadas por Dios. Entre todos los pueblos del Oriente Medio, solo los hebreos tenían leyes que no eran dictadas por el rey, y el mismo rey quedaba sometido a esa ley divina. De ahí la acción de los profetas de cara a las infidelidades del rey. Los jueces, primero, y los reyes, después, tenían el poder para juzgar de acuerdo a una ley divina, pero esta ley no enunciaba derechos, sino deberes que engendraban derechos en el otro. Por esto, la justicia en el Antiguo Testamento puede traducirse como «fidelidad y lealtad hacia la comunidad», como «solidaridad con la comunidad», y así, ser justo no se mide por una norma abstracta y absoluta con acento en lo subjetivo como es la «voluntad de dar a cada uno lo suyo», sino por las exigencias concretas de comunión con Dios, cumpliendo su ley, para vivir en comunión con los demás. Por esto, la justicia se manifiesta ante todo en la actuación social del individuo. Es así como la justicia produce paz y son inseparables una de otra: «la justicia y la paz se besan» (*Sal* 85, 11), y ambas son don de Dios.

La Revelación de Dios se hace sublime en el código deuteronómico. No hay en ningún pueblo del Oriente Medio, ni en Egipto, ni en Mesopotamia, ni antes ni después, una literatura preceptual como la deuteronomista. El amor de Dios a su pueblo y la respuesta de amor del hombre a su Dios envuelven todos los mandatos de la Ley y le conceden una elevación inigualada por ningún otro código. Baste citar Deuteronomio 30 del 11 al 14: «Pues esta ley que yo te prescribo hoy no es superior a tus fuerzas ni está fuera de tu alcance. No está en los cielos para que digas: ¿Quién subirá por nosotros a buscarla para que nos la dé a conocer y la pongamos en práctica? Ni tampoco se encuentra más allá de los mares, para que tengas que decir: ¿Quién pasará por nosotros al otro lado de los mares a buscarla para que nos la dé a conocer y la pongamos en práctica? Pues la palabra está muy cerca de ti, está en tu boca, en tu corazón para que la pongas en práctica».

Solo interiorizando la ley de Dios por la fe y el amor accederemos a la verdadera justicia que es bien social y que promueve el derecho. Con palabras del Deuteronomio respondió Jesús al demonio que le presentaba tentaciones religiosas, sociales y políticas: «No solo de pan vive el hombre, sino de todo lo que sale de la boca de Dios». Jesús y todo el Nuevo Testamento se complacen en el Deuteronomio, la Revelación de Dios es una y las bienaventuranzas en San Mateo le dan plenitud y sobrepasamiento a una ley antigua que no queda derogada por una ley nueva.

En materia de justicia y derecho es esto lo que pensaba Isaías al anunciarnos el nacimiento del Mesías. No hay tampoco en la Revelación de Dios en el Nuevo Testamento ningún tipo de codificación jurídica, sí hay un espíritu nuevo para que nazca y crezca la justicia y el derecho y esto es lo que la Iglesia y el cristianismo tienen como aportación específica al mundo. Ninguna otra religión ni ideología u organización política puede ofrecer al mundo la justicia y el derecho que vino a implantar Jesucristo, el Hijo de Dios. Responsables de esta tarea somos todos en la Iglesia, especialmente los laicos, y que podamos realizarla depende de nuestra fidelidad a la letra, al contenido y al estilo de la Revelación de Dios; pues la renovación del mundo en justicia y en derecho pasa necesariamente por el corazón del hombre, por nuestra conversión, y no la habrá en verdad mientras no se dé el encuentro del hombre y la mujer de hoy con Jesucristo.

Se comprende la inhibición, y aun el mismo rechazo de la Iglesia ante la proclamación de los derechos del hombre en la Revolución Francesa de 1789, incluso antes, en la revolución norteamericana. Se apoyaban ambas en una concepción del hombre nacida del pensamiento iluminista, que reclama para el ser humano varios derechos válidos, pero situando al hombre individual frente a la colectividad o frente a Dios; exactamente lo contrario del aliento religioso y social de la revelación bíblica. Aun la Declaración de Derechos Humanos de las Naciones Unidas (1948) no encontró en el Papa Pío XII ninguna mención en sus mensajes y escritos. ¡Resulta tan subjetiva la formulación de los derechos humanos! y hasta hoy ha estado en dependencia de las ideologías o de los sistemas políticos que la sustentan. Esto puede conducirnos por caminos aberrantes, al punto de reclamarse como derecho del hombre lo antinatural y aun lo monstruoso. Pensemos solo en el aborto del último momento, cuando se vacía el cráneo del niño que asoma ya su cabeza, para extraer después su cadáver. Esto se hace en nombre de la libertad individual para decidir, la misma que se invoca para que cada uno pueda expresar libremente su pensamiento.

La Iglesia ha introducido en su vocabulario el tema de los derechos del hombre desde el Papa Juan XXIII y los cita a menudo el Papa Juan Pablo II, pero el contenido total, la motivación y el origen de esos derechos no son los mismos que en los enunciados iluministas o actuales. El relativismo lastra el pensamiento posmoderno y solo una búsqueda de la verdad hará posible que las relaciones entre hombres y pueblos se funden en una justicia y en un derecho verdaderos para que surja la paz.

El cristiano debe ser hoy un luchador por la verdad y por el derecho que tiene el hombre de buscarla y de acceder a ella. Las encíclicas de Juan Pablo II «*Fides et Ratio*» y «*Veritatis Splendor*» deben ser tan estudiadas por quienes trabajan por la justicia como las encíclicas sociales.

La justicia de Dios coincide con su acción salvífica: en la Cruz, Jesús nos hace justos, capaces de comunión y nos libera del pecado, esto es, del egoísmo y la violencia que impiden precisamente la comunión con Dios y con los hermanos. Así pues, la justicia entre los hombres no es solo cuestión del «homo oeconomicus o politicus», sino un milagro de la gracia misericordiosa y liberadora de Dios.

Los cristianos se comprometen con la justicia y son signos de justicia para el mundo en la medida en que edifican de verdad la Iglesia, como signo y sede de la presencia de Dios en la historia: un Dios justo que quiere la salvación integral del hombre. La liberación del mundo de las injusticias, la esperanza de un mundo más justo, la solidaridad de los cristianos con las víctimas de la injusticia y con los oprimidos nacen de la fe en Cristo, que es justicia de Dios para el mundo y para cada hombre. Solamente partiendo de Cristo tiene el hombre la capacidad y la esperanza de hacer al mundo más justo.

Así libra su combate de justicia, de amor y de misericordia la mujer vestida de sol y coronada con doce estrellas, la Iglesia. Así vence al dragón de siete cabezas y diez cuernos. Así sube la Iglesia, como María, la cuesta empinada de la historia y entra en el tercer milenio de la era cristiana cantando con la Virgen su acción de gracias por las maravillas que ha hecho el Señor y entonando con ella un himno de esperanza al Dios justo que derriba a los poderosos y enaltece a los humildes, que a los hambrientos los colma de bienes y a los ricos los despide vacíos, que se acordará siempre de que tenemos necesidad de su misericordia.

MISA CELEBRADA CON LA COMUNIDAD CUBANA EN SAN JOSÉ DE COSTA RICA*

Queridos hermanos y hermanas:

Invitado por el Instituto Interamericano de Derechos Humanos he tenido la oportunidad de viajar por primera vez a Costa Rica, a donde el querido hermano y amigo Arzobispo de San José, Mons. Román Arrieta Villalobos, me había invitado a venir desde mucho tiempo atrás. Agradezco al hermano obispo su invitación de entonces y de ahora y la oportunidad de celebrar la Eucaristía en la Catedral de su Arquidiócesis.

Es una ocasión privilegiada para expresar mi gratitud a Costa Rica y a la Iglesia costarricense por la acogida que han brindado y brindan a tantos hermanos cubanos que han sido

---

* Catedral de San José. Costa Rica, 28-X-2001.

recibidos aquí con la tradicional hospitalidad que caracteriza a este hermoso país.

Mons. Arrieta y yo hemos trabajado juntos en el CELAM y me consta su preocupación y sus esfuerzos por ayudar a cuantos, no solo de Cuba, sino de otros países centroamericanos han llegado a estas tierras. Gracias, Excelencia, pues el emigrado, católico o no, debe sentir que la Iglesia es una patria grande que puede cobijarlos y apoyarlos, pues el amor cristiano no tiene fronteras.

El mensaje de este domingo se refiere precisamente a esas categorías de seres humanos que llamamos hoy marginados, refugiados, desposeídos y que el Antiguo y el Nuevo Testamento engloban en una sola palabra que tiene hoy tanta vigencia: el pobre.

En el Salmo responsorial repetíamos que «*Si el afligido invoca al Señor, él lo escucha*». Era el eco confiado del libro del Eclesiástico, que insiste en asegurar al oprimido que sus súplicas llegan a Dios.

Cuando sentimos el peso de la vida o de los acontecimientos, sea de orden social, político o económico que nos oprimen, puede endurecerse el corazón. Si la humanidad, o una parte de ella, es despiadada con nosotros podemos sentir la tentación de considerar que en Dios pueden darse hacia nosotros sentimientos similares. El autor del Eclesiástico nos sale al paso diciéndonos: Dios no es parcial contra el pobre, no desoye sus gritos.

Pero ¿cuál es nuestra postura ante Dios cuando oramos, cuando confrontamos nuestra vida con Él? En la lectura evangélica, Jesús ilustra con una parábola las dos actitudes fundamentales del hombre con respecto a Dios (y también con respecto al prójimo).

El fariseo está de pie, se considera bueno y mira con desdén al publicano, a quien juzga inferior. El fariseo pone su seguridad en sí mismo, piensa que hace las cosas como se debe y es suficiente y arrogante. No pide nada en su oración, cree dar gracias a Dios, pero, en realidad, se da gracias a sí mismo por lo bueno que es.

Este hombre está cerrado a Dios y a su prójimo. El publicano, en cambio, está inclinado, pide perdón, se siente indigno y pobre. Esos dos modos de ser los presenta Jesús de distintas maneras en su Evangelio. En la parábola del Buen Samaritano están los que pasan de largo dejando medio muerto a un hombre al borde del camino, y el que se baja de su cabalgadura y lo atiende; en forma sapiencial, Jesús consagró su enseñanza en una sentencia de extraordinario valor humano: «*quien ama su vida, la pierde, quien la entrega, la gana para siempre*».

Si recorremos el Evangelio de Jesús, se reduce la tipología del ser humano a dos clases de personas: quien vive para sí, encerrado en sí mismo, que considera el mundo y a los otros a partir de su persona, de su provecho; y quien vive para los demás, abierto a los otros, buscando el bien común.

Jesucristo es, por excelencia, el hombre-para-los-demás y ser su seguidor consiste en aceptar un solo género de vida, que lleva en sí el olvido de nosotros mismos: «*quien quiera ser mi discípulo que tome su Cruz y me siga*». Para esto debemos tener un alma de pobre, estar desasidos, abiertos a lo imprevisto, no considerarnos importantes, ni como personas, ni como familia, ni como grupo humano, ni como nación. Este es el publicano de la parábola de Jesús; el que no levantaba los ojos y con la cabeza inclinada se sentía pecador. Este hombre vivía en la verdad porque eso somos nosotros, pobres pecadores. No tenía tiempo el publicano más que para arrepentirse, no estaba mirando a los otros. El fariseo de la parábola vive en la mentira que él puede creerse a sí mismo. De un modo u otro está en él la hipocresía.

Cree rezar, pero no reza, cree que todo va bien y todo en él es torcido. El publicano, que casi no se atreve a rezar, es escuchado.

La Palabra de Dios nos invita hoy a situarnos en la verdad sobre nosotros mismos: somos pobres pecadores, necesitados de misericordia. Todo lo que tenemos de bueno es don de Dios, lo que hay de malo en nosotros lo hemos puesto nosotros mismos. Es con eso que tenemos que presentarnos ante Dios para pedir perdón y volveremos a nuestra casa transformados.

Vivir en la verdad sobre nuestra condición, sobre nuestros límites y dificultades puede resultar costoso, pero es liberador. El mismo Jesús nos dice que la verdad nos hará libres.

Santa Teresa de Jesús definía muy simplemente la senci-llez, la pobreza de corazón, diciendo que la humildad es la verdad.

Y mientras que la exaltación propia, que es la mentira, nos prepara siempre una humillación para algún momento posterior, nuestra actitud humilde ante Dios y los hermanos se ve recompensada, tarde o temprano, por una satisfacción interior que acrece el gozo en nuestros corazones. Y es lo que Jesús resume, a modo de sentencia, en el pasaje evangélico proclamado hoy: «*todo el que se enaltece, será humillado y todo el que se humilla, será enaltecido*».

Así lo siente San Pablo, de cara al encuentro definitivo con el Señor, que él prevé inminente en su prisión. Él ha su-frido vejaciones y persecución, humillándose por Cristo, y ahora le aguarda la corona merecida: «*el Señor me salvará y me llevará a su reino del cielo*», dice el Apóstol.

Nos sugiere el mensaje de este domingo que acojamos el único estilo de vida que cuadra a un discípulo de Jesús: el de estar abierto a los otros y no plenamente satisfechos con noso-tros mismos, como quien no vive para sí, sino para los demás, no reservándose la vida, sino entregándola. Hay un doble ca-mino que se abre ante mí: uno que parte de mí, hace un lazo y retorna a mí mismo, y otro que, saliendo de mí, va hacia los otros y termina en Dios. Debemos optar por este último.

La experiencia cotidiana nos muestra las dificultades, tristezas y crisis de todo orden que nos trae el falso camino de una vida centrada en sí mismo. Esto se ha sufrido en tan-tos hogares rotos o donde se vive en tensión. Cuando alguien en el seno de la familia quiere que todo gire a su alrededor, en torno a sus deseos o a sus caprichos, la vida de los otros se hace intolerable; justamente lo contrario sucede si alguien piensa ante todo en los demás: la vida de los que le rodean será siempre agradable.

La filosofía del logro personal, que en las escuelas de psi-cología occidentales, sobre todo norteamericanas, se expresa en la palabra «*realización*», contiene generalmente la versión moderna de una vida centrada en sí mismo, en la llamada realización personal, que tiene como meta el éxito.

Casi siempre, una persona realizada es la que hace lo que

le gusta, tiene lo que quiere y se siente satisfecha. Este es un ganador (a winner). El que no alcanza a vivir según esos parámetros de realización es un perdedor (a looser).

Así puede considerarse un hombre bien o mal logrado en un medio individualista neoliberal. El fariseo de la parábola sería el ganador, el publicano el perdedor.

En un medio colectivista, la filosofía de la vida es diversa: el proyecto individual está muy disminuido a favor del proyecto social. El bien del hombre está en encajar plenamente en el proyecto común, sacrificando a él su proyecto personal. Este es el hombre bueno en la sociedad, el fariseo; el otro, el que no entra en esa dirección, el que no encaja, no es bueno, es el publicano. Ninguno de estos modelos es válido según el evangelio. Jesús quiere un humano bien logrado en su vida personal; pero el bien propio no está en tener o hacer lo que se desea. *«¿De qué vale al hombre ganar el mundo entero si malogra su vida?»* El hombre y la mujer han nacido ciertamente para una realización –y aquí podemos tomar prestada la palabra–, pero esta se alcanza en la entrega. Entrega es el amor de los esposos en su vida matrimonial; se entregan después ambos como padre y madre a los hijos. Entrega su vida el sacerdote o la persona consagrada a Dios y alcanza la felicidad en el don de sí mismo.

Hay un logro, una realización auténtica en llegar a ser plenamente sí mismo entregándose libre y personalmente a los demás. Lo personal no queda así anulado en un proyecto social que no deja espacio a mi propio proyecto, ni mis planes y deseos convertidos en metas se alcanzarán viviendo desentendidamente, solo preocupado por el éxito.

El proyecto cristiano, queridos hermanos y hermanas, es contrastante y no se aviene plenamente a los que nos presentan las filosofías e ideologías del mundo.

El hombre cristiano no se identifica totalmente ni con el fariseo ni con el publicano. Lo cristiano lo define, en último término, mi actitud hacia el prójimo: lo dice enfáticamente el evangelista San Juan: *«Quien no ama a su prójimo a quien ve, no ama a Dios a quien no ve».*

El fariseo mira hacia el prójimo, pero con suficiencia y desprecio. El publicano ni se atrevió a levantar la vista, quizá sentía miedo del fariseo, o prefirió sumergirse en Dios e ignorarlo.

Ninguno de los dos fue capaz de mirarse con amor, todavía seguían siendo fariseo y publicano, no eran cristianos. Faltaba entre ellos la solidaridad, cuando cada uno se reconoce como es y tiende una mano a su hermano.

A esto los exhorto, queridos hermanos y hermanas, especialmente a mis compatriotas que están aquí, sean solidarios unos con otros, entre los cubanos todos y con los costarricenses que les han abierto las puertas de su casa. No esté cada uno en su puesto, uno con la cabeza erguida y el otro con la cabeza inclinada, concretados cada uno en sus propios logros o problemas, formen todos una comunidad de amor donde se viva y se sienta la solidaridad.

Ese es mi deseo y mi súplica al visitarlos y tener la ocasión de partir para ustedes el pan eucarístico que nos hace a todos uno en Cristo. Que Él los colme de su gracia y que la Virgen de la Caridad Nuestra Madre nos haga a todos hermanos, a quienes vivimos en Cuba, a los que están aquí o dispersos por el mundo.

Así sea.

CONFERENCIAS
Y OTROS DISCURSOS

**PALABRAS PRONUNCIADAS CON MOTIVO DEL OTORGAMIENTO
DEL TÍTULO DE DOCTOR HONORIS CAUSA
POR LA UNIVERSIDAD BARRY***

Excmo. Sr. John Favarola, Excmo. Sr. Agustín Román, distinguidas Hermana Jeanne O'Laughlin, op Presidenta, y D. Inez Andreas, Directora de la Junta de Regentes, Sr. Rector y claustro de profesores de este alto Centro Docente, señoras y Señores.

Desde antes de conocer la fecha probable de mi viaje a Miami, esta Universidad de Barry me hizo llegar una invitación para que la visitara. Me comunicaba al mismo tiempo el acuerdo de otorgarme el título de Doctor *Honoris Causa* que confiere esta prestigiosa institución.

Agradezco vivamente este alto honor que en mi persona la Universidad de Barry confiere a la Iglesia Católica de Cuba y al pueblo cubano.

A la Iglesia Católica cubana, porque el que resulta inmerecidamente distinguido es Cardenal de la Iglesia y ejerce su ministerio episcopal en Cuba como Arzobispo de La Habana. Al pueblo de Cuba, porque ese Cardenal Arzobispo de La Habana es cubano y todo lo que a mí me honra, honra también a mi amada Patria. Expreso de antemano mi gratitud por este gesto que cobra también una especial significación y contribuye a los empeños de la Iglesia Católica por acercar cada vez más las comunidades eclesiales de Cuba y del Sur de la Florida, unidas por su común fe católica. El estrechamiento de esos lazos

---

* Miami, Florida, 28-V-1995.

puede llegar a ser un medio privilegiado para impulsar la concordia y la unidad entre todos los cubanos.

Un centro de estudios como este es una hermosa realización que participa en el desarrollo intelectual, técnico y profesional de la gran nación americana, desde su identidad católica.

Para nosotros en Cuba, un proyecto así es actualmente impensable, pues toda la educación primaria, secundaria y superior es dirigida por el Estado. Sin embargo, la Iglesia Católica en Cuba siempre aspira a tener sus propios centros de enseñanza como los tiene en tantos países del mundo y como los tuvo en el pasado en nuestro país, de acuerdo a la tradición de educación cristiana que hubo en Cuba desde los inicios de la colonización española.

La historia de la educación en Cuba encuentra sus raíces a principios del siglo XVI, cuando también comienza la colonización. La educación en Cuba nació cristiana debido a varios motivos.

Se iniciaba en un marco de cultura cristiana, más en concreto, de la cultura católica propia de la Reconquista y del apogeo político de la Casa de los Austria.

El primer maestro cubano es el sacerdote nativo Miguel Velázquez, a quien se le confió esta tarea. A sacerdotes y religiosos les corresponde mayormente la continuación de esta labor hasta inicios del siglo XIX.

Indudablemente existe una específica inspiración cristiana en los agentes, métodos, estilos y contenidos de la educación en Cuba, aun en las disciplinas estrictamente seculares.

Hasta el año 1670 no se encuentra el vivo deseo de fundar un centro universitario en Cuba. Corresponde a la iniciativa del fraile dominico Diego Romero, prior de la provincia eclesiástica de Santa Cruz de las Indias, la petición al cabildo habanero para crear una universidad en el convento de San Juan de Letrán de La Habana. Las gestiones no prosperaron de inmediato hasta que, en 1721, el Papa Inocencio XIII por el Breve Apostólico *Aeternae Sapientiae* creó la Universidad de La Habana, la cual no se fundó hasta el 5 de enero de 1728, prácticamente dos siglos más tarde de que se fundara la primera universidad en el Nuevo Mundo, en este caso, la de Santo Domingo en 1538.

La primera universidad surgía como Real y Pontificia, debido a la naturaleza de su doble origen (la sujeción al Real Patronato y el Breve Pontificio). Llevaba el nombre de San Jerónimo, aludiendo al nombre de quien era obispo de Cuba en aquel entonces: Jerónimo Valdés. El número de cátedras ascendía a 21, repartidas en las siguientes materias: Teología (a cargo de los frailes dominicos), Leyes, Cánones, Medicina, Artes (Filosofía), Matemáticas, Sagradas Escrituras, Retórica y Gramática, a cargo de seculares.

No se puede hablar de la enseñanza universitaria en Cuba, sin mencionar la extraordinaria labor realizada por el Seminario «San Carlos y San Ambrosio», fundado por el rey Carlos III en el año 1772. Por sus planes de estudio, el seminario estuvo afiliado a la Real y Pontificia Universidad de La Habana; de modo que podía preparar a sus alumnos para grados académicos, no solo de carácter teológico; sino además para los de carácter secular. Al seminario de La Habana venían a estudiar alumnos que se preparaban para recibir las Sagradas Órdenes junto con los que se formaban en Filosofía, Letras, Derecho y Ciencias.

El seminario tuvo su época de oro, que podemos fijar entre el año 1790 y 1842. En 1790, llega a Cuba el más excelente de los gobernantes españoles que rigió la isla durante los cuatro siglos de dominación española, Don Luis de las Casas, hombre iluminado, hijo de su época, la del Despotismo Ilustrado, trajo a Cuba aires de renovación encaminados a elevar el nivel económico, político y social de esta porción de España que, ya después del fin de la dominación inglesa, comenzaba a ver el nacimiento de las primeras semillas de su nacionalidad.

El influjo renovador de De Las Casas en la vida de Cuba se sintió por sus efectos en las aulas del seminario. El Padre José Agustín Caballero, profesor y vicerrector del seminario durante muchos años, fue uno de los principales colaboradores de De Las Casas. Él es el Padre de nuestra Filosofía –así lo llamó Martí–, porque a él se debió el inicio de la renovación de los estudios filosóficos en el seminario de La Habana, que es lo mismo que decir en Cuba. A dos cuadras del seminario, permanecía la vieja universidad; vieja en su edificio, vieja en sus estudios –se dice que tenían dos siglos de atraso–, vieja en sus profesores, quienes no hallaban modo de quitarse de encima el vetusto Peripato. Aquella universidad no respondía en su enseñanza a la nación que nacía; por eso, los hombres más lúcidos de esa nación encontraron en el seminario «San Carlos y San Ambrosio», el centro capaz de proporcionarles maestros, estudios, métodos, pero sobre todo nuevas ideas, a fin de construir la nueva patria. Solo así es explicable que, en los inicios de la tercera década del siglo XIX, el seminario llegase a tener una matrícula de 700 alumnos.

Félix Varela, José Antonio Saco, José de la Luz y Caballero, Nicolás Escobedo, Carlos Manuel de Céspedes, Rafael María de Mendive, Domingo del Monte y Cirilo Villaverde constituyen lo mejor del alumnado del seminario en su época de oro; al mismo tiempo que son las células fundacionales del pensamiento netamente cubano. Ellos aprendieron a pensar como cubanos y produjeron un pensamiento cubano en lo filosófico, lo político, lo social, lo económico y lo cultural.

También Martí llamó a José Agustín Caballero, el Padre de los Pobres. No se equivocó, porque nadie puede contradecir que la educación del Seminario San Carlos, en su época de oro, tuvo un marcado carácter de transformación de la realidad sociopolítica. Igual calificativo podríamos aplicarlo al resto de los prohombres antes mencionados.

El Padre Félix Varela continuó la obra renovadora del Padre Caballero, ahora sostenido por quien desde el año 1802 ocupó la silla episcopal habanera, el obispo Juan José Díaz de Espada y Landa, hijo también del pensamiento iluminista. Nuestro Martí le dio un hermoso calificativo: «*El más cubano de los españoles*». Otros lo llaman «*el más grande de los obispos habaneros en el pasado*». Espada no se limitó a un quehacer estrictamente cultural, sino que su presencia beneficiosa se hizo sentir en los más variados aspectos de la vida nacional llevándoles progreso humanizado. Si Varela pudo hacer toda la renovación de la enseñanza en el seminario San Carlos, fue porque Espada la quería realizar y por eso lo apoyó.

En el seminario, Varela cambió el Latín por el Español en las clases, transformó la enseñanza de la filosofía, correspondiente a la decadencia de la segunda escolástica, por métodos más positivos y racionales; introdujo la enseñanza de la Física y la Química Experimentales; finalmente se crearon las cátedras de Economía Política y Derecho Constitucional. ¿Qué más pedir para una reforma de la enseñanza, realizada en un período menor de diez años? La reforma vareliana no dejaba aspectos de la vida integral de los hombres sin tocar. Constituye un modelo de enseñanza integral –en el marco de su época–, para conformar un modo peculiar del pensamiento de una nación. Los efectos de esa enseñanza marcaron la vida de la nación cubana durante el siglo XIX hasta llegar a Martí en el 95 glorioso.

Un análisis riguroso de los contenidos de la enseñanza del seminario «San Carlos» nos conduce a descubrir una realidad: todos iban dirigidos a la promoción del hombre cubano de fines del siglo XVIII y la primera mitad del siglo XIX. El carácter humanista de los estudios del seminario habanero en este período es evidente y singular. El objetivo de la enseñanza humanista del seminario habanero sobrepasó las metas de aquellos hombres que concibieron tal objetivo. La historia de la educación en Cuba, y, aún más, la historia de Cuba, quedará marcada de modo indeleble por todo aquello que en esta institución se fraguó. Minorías selectas, al decir de Medardo Vitier, influyeron de modo insospechado sobre la vida de una nación, porque los objetivos de una verdadera educación han de medirse por el grado de formación humana, social, política y económica que alcanza; en una palabra, el influjo ético de la formación académica de este alto centro eclesiástico queda patentizado en los frutos del mismo no solo en la vida eclesial cubana, ni siquiera en una etapa de la historia de la nación, sino en toda la historia a partir de la última década del siglo XVIII.

Pero pudiéramos preguntarnos: ¿qué subyacía en el fondo de este interés antropológico de la enseñanza impartida en nuestro seminario durante sus años áureos? La renovación de esta enseñanza se efectúa en un ambiente moral cristiano. Sus principales promotores fueron hombres de Iglesia, algunos de ellos murieron con fama de santidad; otros constituyen un ejemplo de vidas intachables. El desinterés y la abnegación se evidencian en todos. Sus vidas son una muestra de coherencia y rectitud. No es difícil encontrar a flor de tierra los valores del Evangelio de Jesús presentes, no de modo superfluo, sino sustancial. Las raíces de la enseñanza impartida en el seminario «San Carlos y San Ambrosio» durante su época de oro encuentra sus raíces en el cristianismo.

La lucha por la promoción de la dignidad humana y los valores de la libertad, la justicia, la fraternidad, la verdad, el amor a la Patria y a su progreso enseñados en «San Carlos» se nutren en la siempre fresca savia del cristianismo. La nacionalidad cubana nació cristiana, independientemente del rumbo que se le haya podido dar después; y esto se debió a la patriótica y cristiana labor de aquellos hombres que, según palabras de Chacón y Calvo, representan al Patriarcado de la nación.

Las corrientes sociales y políticas vigentes en Cuba a lo largo de la pasada centuria, encuentran su punto de partida en la atmósfera educativa del seminario durante la etapa de su historia a la cual nos referimos. El antiesclavismo, el reformismo, el independentismo y el antianexionismo hallan el origen de sus hilos conductores en el ambiente nacionalista de los hombres que se formaron en las aulas del seminario.

Por el antiesclavismo lucharon el Padre Caballero, el Padre Varela, José Antonio Saco y José de la Luz y Caballero. El primero de ellos, ya a finales del siglo XVIII, calificó a la esclavitud como «la mayor maldad civil que han cometido los hombres» y llamó a los esclavos «nuestros hermanos y prójimos a quienes debemos tributar la más sincera compasión y benevolencia». Él hizo ver a los ricos de su tiempo, miembros de su clase y alumnos de sus aulas, que eran aquellos, los esclavos, los «brazos que sostienen nuestros trenes, mueblan nuestras casas, cubren nuestras mesas, equipan nuestros roperos, mueven nuestros carruajes y nos hacen gozar de los placeres de la abundancia». Por su parte, José de la Luz y Caballero llamó a la esclavitud «nuestro veneno, nuestra lepra social, nuestro pecado original».

La corriente reformista que proponía un conjunto de mejoras encaminadas a elevar el nivel autonómico, económico y social de la nación, aunque sin que esta tuviese que romper sus lazos con España, también fue formulada por algunos alumnos y profesores del colegio seminario. Ellos contribuyeron, a su modo, a concebir un proyecto de vida nacional que dignificase a Cuba, y lo hicieron valer a lo largo de todo el siglo XIX cubano nutriéndose del pensamiento humanista aprendido dentro de los muros del viejo caserón.

El independentismo encuentra en el Padre Félix Varela su primer exponente de clara trascendencia. Sus escritos políticos revelan la talla del pensamiento independentista de Varela, exento de todo utilitarismo y lleno de un inmaculado patriotismo. El origen de las ideas independentistas en Cuba hay que irlas a buscar al pensamiento del Padre Varela. Este concibió a Cuba tan isla en lo político como en lo geográfico. Enseñó a pensar, porque así se empieza a ser libres. Cantó a la libertad con su pensamiento y su propia vida, alimentada esta desde el sacerdocio de Jesucristo.

Profeta, sacerdote y cristiano son las distintas dimensiones del Padre Varela que se imbrican íntimamente para dar a luz al patriota.

El anexionismo no estuvo presente en ninguno de los hombres de «San Carlos». Sus gestores más notables, así como la estructura de su pensamiento, los hallamos fuera del recinto situado en la vieja calle de San Ignacio. Uno de los alumnos –y luego profesor– del seminario en su dorada etapa, el publicista José Antonio Saco, representa la voz más alta del antianexionismo en aquellos tiempos en los que algunos cubanos volvían su mirada a la gran nación del norte como solución de los problemas de la isla. Saco diría: «*la anexión, en último resultado, no sería anexión, sino absorción de Cuba por los Estados Unidos*». También afirmaría: «*yo desearía que Cuba no solo fuese rica, ilustrada, moral y poderosa, sino que fuese Cuba cubana y no angloamericana*». De manera clarividente, Saco se oponía a la anexión político-económica, sino a lo que sería un mal peor: la anexión cultural. Este pensador, que jamás fue independentista, supo expresar desde su pensamiento reformista, antiesclavista y antianexionista lo más sagrado de la cubanía patria, que es la lucha por la identidad nacional.

En 1842, la Universidad de La Habana se seculariza como consecuencia de la extinción de las órdenes religiosas en todo el territorio español. Los frailes dominicos fueron exclaustrados y la dirección de la universidad pasó al gobierno de la metrópoli que nombró una administración laica. Un nuevo plan de estudios fue puesto en vigor y con ello al Real Colegio Seminario de San Carlos y San Ambrosio se le suprimió la facultad de la enseñanza académica de carácter secular, dejándosele exclusivamente los estudios propios de la formación sacerdotal. Con esta medida se cierra lo que hemos venido llamando Época de Oro del seminario.

Existe un cierto vínculo entre el seminario y Martí. El eslabón viene dado a través de su maestro, Rafael María de Mendive, quien fuese alumno laico del seminario. No es exagerado pensar que en la formación del Apóstol de Cuba estuviese presente todo el caudal espiritual, moral y patriótico que corrió por las aulas del glorioso centro de estudios. El seminario es la cuna de la nacionalidad cubana, y Martí constituye el exponente más elevado de esta nacionalidad. El pensamiento antiesclavista, independentista y antianexionista, nacidos de la enseñanza fundacional del seminario, alcanza en Martí sus expresiones más elevadas. Tales ideas cobrarán estructura orgánica en el pensamiento martiano, se plasmarán en el Partido Revolucionario Cubano y se concretarán en la praxis martiana para edificar la república cordial.

Los valores cristianos de libertad, igualdad, fraternidad no excluyente, abnegación, desinterés, amor promocional al hombre, que están en los cimientos de la enseñanza ética del seminario de La Habana, son percibidos de modo claro en el pensamiento y en el quehacer martiano. Martí no habla de odios, de revanchas, de divisiones de inspiración maniquea, y de opción por el poder hegemónico. El Apóstol de la Independencia hablará siempre de unidad, su quehacer político tiene la impronta de la unidad que se fabrica desde el pluralismo. Su biografía demuestra que no era un hombre de capillas ni de círculos cerrados, porque estaba convencido que la identidad nacional no podía construirse sin las bases del «con todos y para el bien de todos».

Asistimos hoy a una vuelta al pensamiento martiano en

su integridad. Este año del centenario de la caída en combate de Martí, ha servido para reforzar la acción de su pensamiento en la vida de los cubanos.

Retornar a Martí, que es el cubano excepcional, cuyo pensamiento tiene contenido y resonancia universal, es reencontrar a nuestros próceres y a aquellos que formaron con su pensamiento y el testimonio de sus vidas el sentir nacional cubano. Porque Martí no es un hombre aislado, sino que en comunicación con sus coetáneos es el heredero de esa tradición independentista, antiesclavista, antianexionista de nuestro Seminario San Carlos. Como hemos visto, no solo el pensamiento que se forja en esta noble institución, sino la integridad de vida de quienes lo sustentaban, habían hallado su inspiración y su modo propio de configuración y expresión en la fe cristiana.

Por eso en este año de análisis y reflexión sobre la obra martiana es frecuente encontrar en centros de estudio, en forums nacionales e internacionales tenidos en La Habana o en otras ciudades de Cuba, temas como «el amor en la obra de Martí», «el pensamiento cristiano en Martí», etc.

La vuelta a nuestras raíces como nación nos hace redescubrir invariablemente la impronta cristiana en nuestro ser nacional. Esto puede ayudarnos a muchos cubanos a forjar actitudes nuevas, enraizadas en convicciones originariamente cristianas, pues todos reconocemos que el pensamiento de los fundadores de la Patria tiene plena vigencia.

De ahí la importancia de una educación cristiana actualizada y fiel al mensaje de Cristo y a su Iglesia. Trabajar por ella es hacerlo no solo para la generación presente, sino para los tiempos futuros.

De ahí nuestro aprecio y alta valoración del trabajo universitario y el sentido particular que confiero a esta dignidad que me otorga la Universidad de Barry. Muchas gracias.

PALABRAS PRONUNCIADAS DURANTE LA ENTERGA
DEL TÍTULO DE DOCTOR HONORIS CAUSA
EN LA UNIVERSIDAD DE SANTO TOMÁS*

Excmo. Mons. John C. Favarola, Arzobispo de Miami, Excmo. Mons. Agustín Román, Obispo Auxiliar de Miami, Sres. presbíteros, muy reverendo Padre Rector y distinguido Claustro de Profesores de la Universidad de Santo Tomás.

Aunque en el último programa, que me hizo llegar el querido hermano Mons. Agustín Román, no aparecía ya una alocución con ocasión de la entrega que me hace este Prestigioso Centro de Estudios del título de Doctor Honoris Causa, queriendo caritativamente no recargar mi programa, me parece que se imponen en esta ocasión tan especial algunas palabras que exalten más que la significación personal de este acto, que valoro altamente, su particular sentido en el ámbito de las históricas relaciones culturales de los Estados Unidos de Norteamérica con mi país.

La proximidad geográfica entre Cuba y Estados Unidos, y la fluida e ininterrumpida concurrencia de ambos pueblos ante los avatares de una historia que no ha cesado de implicarlos, ha creado lazos que, aunque susceptibles de diversa valoración, son innegables y reclaman el responsable empeño de una sana interpretación.

En el curso de la época moderna se ha pasado del predominio de las relaciones comerciales a la mutua afluencia cultural, llegando a niveles, en grados y extensión, nunca vistos con anterioridad a los años que corren. En los intereses compartidos en la actualidad, y como para refrendar y perpetuar la mutua influencia, no se puede desconocer la activa presencia de más de un millón de cubanos, e hijos de cubanos, que residen en los Estados Unidos y que han emparentado con nacionales de este país y, en no pocos casos, la categoría de los cubanos americanos es poderosamente influyente, tanto en la vida económica como política de los Estados Unidos, sin olvidar la traslación a este país, y la resistente conservación de costumbres y tradiciones que pertenecen al alma cubana.

---

* Miami, Florida, 29-V-1995.

Ya en tiempos en que se gestaba el ideal de independencia de Cuba, el pueblo norteamericano y su recién estrenada Constitución ejercieron un gran influjo tanto en la consolidación del pensamiento como en la anuencia de las voluntades que procurarían los medios adecuados para liberar a Cuba del dominio español. Baste citar a modo de ilustración el magisterio moral y la labor periodística del P. Félix Varela, ejercidos en Estados Unidos, y la incansable gestión unificadora de José Martí, realizada en estas tierras.

Es de justicia reconocer que fueron los cubanos exiliados en el sur de Estados Unidos, durante el siglo XIX, los que con cariño y responsabilidad dieron abrigo y calor a las ideas martianas, remediando la frialdad sufrida por el apóstol en sus años de Nueva York.

Fue precisamente a partir de la visita que hiciera Martí a Tampa y a Cayo Hueso que comienza la última etapa de la preparación a la guerra de Independencia. Fueron insustituibles en la consolidación del proyecto martiano las ayudas que, material y moralmente, ofrecieron tanto los obreros del tabaco, como hombres de otros oficios y representantes de las clases más acaudaladas.

Es aleccionador señalar que el sacrificio de aquellos cubanos movilizó las voluntades de los cubanos de la isla, quienes, por su representatividad y por su número, fueron ganados para la causa de la independencia. Su participación resultó decisiva para la consecución de la victoria sobre España.

En su discurso en la Sociedad Económica de Amigos del País en la Habana el 9 de enero de 1934, Don Fernando Ortiz expresa su punto de vista sobre las peculiares relaciones que ha existido entre los Estados Unidos y Cuba.

«La influencia de Estados Unidos en la vida de Cuba es innegable, es permanente, es intensísima, es hoy inevitable; y se manifiesta para el bien o para el mal según los impulsos que la mueven y los hombres que la dirigen.» Reconociendo este hecho con simple objetividad, Don Fernando analiza la gama de posturas que pueden tomarse frente a él.

«Frente al factor americano, unos se le han sometido, abiertamente o encubiertos, y hasta lo han ayudado para el abuso;

*otros lo han combatido a ultranza y hasta se han negado a re-
conocer su existencia, como si fuera un espectro de la fantasía;
otros lo hemos aproximado a pleno sol, sin servilismos ni alti-
veces, sin desplantes ni pavores, y apartando de la enmarañada
madeja de los influjos americanos aquellas fibras retorcidas en
la soga que amenaza estrangularnos, hemos tratado de ir te-
jiendo, con las hebras de más paro hilado de aquel pueblo, la
trama de nuestros tan independientes como coordinados destinos»* (Ídem).

Claramente, el ilustre polígrafo cubano toma partido por
una posición moderada y realista en las complejas relaciones
Cuba-Estados Unidos y, adelantándose algo al criterio de in-
terdependencia que sirve para orientar hoy las relaciones internacionales, trata de sacar provecho de los aspectos positivos de esta proximidad geográfica y de destinos.

*«No hay un solo verdadero y puro interés del pueblo ameri-
cano, que contradiga los fundamentales intereses del de Cuba, y
viceversa. La geografía nos ha hecho vecinos, la historia nos ha
hecho parientes, el trato nos ha hecho amigos, la economía nos
ha hecho socios, los tratados nos han ligado... Impidamos que
un puñado de extraviados, de uno y otro país, perturben el desarrollo de esta armónica colaboración en la obra de la civilización universal»* (Ídem).

Es sabido de todos cuánto se ha difundido el pensamiento
de Martí con respecto a Estados Unidos, donde nuestro apóstol pone en guardia, no solo a Cuba, sino a la América Latina
frente al poder económico, político y militar de la gran nación del Norte. Se ha hecho proverbial su frase *«He vivido en
el monstruo y conozco sus entrañas»*. Pero Martí no consideraba únicamente los aspectos preocupantes, amenazantes o
aun monstruosos de la inmensa nación americana. Al vivir
aquí, él conoció también lo grande del sueño americano y lo
magnífico de sus realizaciones.

*«En los fastos humanos, nada iguala a la prosperidad ma-
ravillosa de los Estados Unidos del Norte. Si hay en ellos falta
de raíces profundas; si son más duraderos en los pueblos los lazos que ata el sacrificio y dolor común que los que ata el común interés; si esa nación colosal lleva o no en sus entrañas
elementos feroces y tremendos, si la ausencia del espíritu feme-*

nil, origen del sentido artístico y complemento del ser nacional, endurece y corrompe el corazón de ese pueblo pasmoso, eso lo dirán los pueblos. Hoy por hoy, es lo cierto que nunca muchedumbre más feliz, más jocunda, más bien equipada, más compacta, más jovial y frenética ha vivido en tan útil labor en pueblo alguno de la tierra, ni ha originado y gozado más fortuna ni ha cubierto los ríos y los mares de mayor número de empavesados y alegres vapores, ni se ha extendido con más bullicio orden e ingenua alegría por blandas costas, gigantescos muelles y paseos brillantes y fantásticos» (Coney Island, 13 de diciembre de 1881).

Martí considera no solo factor del crecimiento económico y avance social, sino como la clave de la prosperidad de los Estados Unidos la acogida a los inmigrantes. Esta consideración suya es de plena actualidad y merece citarse.

«He aquí el secreto de la prosperidad de los Estados Unidos: han abierto los brazos. Luchan los hombres por pan y por derecho, que es otro género de pan; y aquí hallan uno y otro, y ya luchan. No bien abunda el trigo en los graneros, o el goce de sí propio halaga al hombre, la inmigración afloja, o cesa; mas cuando los brazos robustos se fatigan de no hallar empleo, –que nada fatiga tanto como el reposo–, cuando la avaricia o el miedo de los grandes trastorna los pueblos, la inmigración como marea creciente hincha sus olas en Europa y las envía a América» (Nueva York, 7 de enero de 1882).

Es de notar que Martí destaca que el inmigrante busca dos cosas fundamentales: el pan y el derecho. En el pensamiento martiano, el derecho es tan importante como el pan. Y constata José Martí que en esta tierra americana se encuentran lo uno y lo otro.

Si bien en la raíz de nuestro pensamiento nacional, cuyo primer exponente original y cronológico es el Padre Félix Varela, hay siempre una clara opción por la independencia política de Cuba: *«Cuba ha de ser tan isla en lo político como en lo geográfico»* (P. Félix Varela, *Escritos Políticos*), en lo cultural nuestra isla miró siempre hacia los Estados Unidos y aún más hacia Europa.

La cultura cubana no se ha detenido ni siquiera en los tiempos en que la intransigencia ideológica y la imposición de mentalidades y modelos foráneos, por demás extraños a nuestra idiosincrasia, constituyeron la referencia obligada del pensamiento y de la expresión.

Durante dos largas décadas, 1965-1989, la cultura cubana ha ejercitado la difícil virtud de integrar de matrices diversas aquellos componentes válidos que no solo satisfacen curiosidades intelectuales, sino que, además, enriquecen el propio patrimonio cultural mediante la posesión de claves interpretativas de la existencia humana, estas de firme raigambre milenaria y de acumulada y probada sabiduría. Es el caso de numerosos cubanos que aprendieron los más diversos idiomas eslavos, que convivieron con tradiciones populares desconocidas, que emparentaron con hijos e hijas de pueblos portadores de un acervo no siempre contaminado por la ideología dominante. Todo esto convive hoy, y no es difícil prever su conservación generacional sucesiva, en esposos y esposas, en padres, ya adultos, de hijos que mezclan en su sangre y en sus almas las improntas más disímiles. Esto, lejos de ser un síntoma de pobreza cultural y un justificado lamento de tiempo perdido, constituye, por el contrario, una muestra de crecimiento cultural enriquecedor.

La emigración reciente de cubanos ha traído también a estas costas esa nueva complejidad cultural que ha venido a sumarse a lo español, lo africano y en menor grado a lo asiático, en la expresión de lo cubano. Llegan a estas tierras en busca de nuevas síntesis y habrá que prever futuras afirmaciones de una identidad sui géneris.

Aquí está la Universidad, lugar de encuentro. posibilidad maravillosa para pensar la vida, la historia y la cultura de los pueblos. La universalidad de la fe católica le confiere un papel preponderante a la Universidad para que la síntesis que cada generación debe hacer integrando «lo nuevo y lo viejo» se haga también entre lo diverso de las culturas que se entrelazan en esta encrucijada de pueblos que es la región sur de la Florida. Esto debe hacerse con particular cuidado a la identidad cultural propia de cada país o región.

La Universidad de Santo Tomás ha aceptado ese desafío y en su quehacer mira seguramente al futuro. El Sur de la Florida es una gran frontera cultural entre dos mundos, la América del Norte y la del Sur, que tienen un destino común, pero no idéntico. Miami es centro mercantil, financiero y punto de irradiación de la nueva cultura, que difunden los mass-media, muchos de los cuales tienen aquí sus centros de emisión.

Creo que lo que engrandece a una Universidad es saber establecer clara y firmemente su propia línea orientadora, y esto es fundamental en una Universidad Católica, y estar abierta a los retos y exigencias del medio social y cultural donde se halla.

Pero no olvidemos lo esencial de la Universidad: sembrar inquietudes, aquellas buenas inquietudes que despiertan el interés, aguzan el ingenio, mueven a la investigación, pero también generan respuestas éticas adecuadas, alternativas válidas para un mundo mediocremente uniforme. ¡Qué alto honor para mí que un Centro con estas altas responsabilidades, que tiene una tradición de participación cubana en sus aulas, no solo aquí, sino en mi Patria; que ha cosechado tan buenos frutos y ganado tan merecido prestigio; haya querido subrayar esos lazos que deben unir a las dos Américas y que deben acercar cada vez más a los cubanos de Cuba y del sur de la Florida, otorgando la distinción de un Doctorado Honoris Causa al Cardenal cubano.

Con honda gratitud recibo tan alta distinción, personalmente inmerecida, pero cargada de significación para la Iglesia en Cuba y para mi amada Patria. Muchas gracias.

CONFERENCIA PRONUNCIADA EN LA PRESENTACIÓN DEL LIBRO-ENTREVISTA SOBRE S. S. JUAN PABLO II, *CRUZANDO EL UMBRAL DE LA ESPERANZA**

Queridos hermanos:
Presentar el libro-entrevista que el Sr. Vittorio Messori ha escrito sobre Juan Pablo II representa un desafío singular. Porque, hablando con propiedad, no es Messori quien escribe, es el mismo Papa Juan Pablo quien lo hace. Messori entregó sus preguntas al Papa y este contestó por escrito.

---

* La Habana, Parroquia de San Juan de Letrán, 26-X-1995.

Hubo diálogos entre el periodista y el Santo Padre, pero solo para matizar o completar alguna idea.

Sería entonces más fácil para un sacerdote, para un obispo, que debe estar familiarizado con el pensamiento del Sumo Pontífice, plasmado en tantas cartas, encíclicas, homilías y alocuciones de todo género, hablar de un escrito del Papa Juan Pablo II. Pero este libro no trata sobre un tema determinado, como lo haría una encíclica, por ejemplo, que contiene los criterios y consejos del Papa sobre la familia o sobre la juventud. Ciertamente, estos temas y muchos otros son tratados en el libro que hoy les presento, pero el volumen *Cruzando el umbral de la esperanza* desvela la intencionalidad de Juan Pablo II, la profundidad de sus enfoques, el hilo conductor de su pensamiento.

En *Cruzando el umbral de la esperanza* se revela el hombre Karol Wojtyla, el sacerdote, el Obispo de Roma, con su historia personal y familiar, con su fe y sus devociones esenciales, con sus preocupaciones por la Iglesia y por el hombre y la mujer de hoy. Aquí se sitúa el reto de este libro interesante, difícil en su comprensión, tal vez, para el hombre común, pero cautivador y sugerente para quienes lo lean solos, comprendiéndolo bien, o se agrupen en círculos de lectores para entenderlo mejor.

Con cualquier modalidad que se siga, según las posibilidades que se tengan, la mejor opción es leer el libro. Ojalá esta conferencia pudiera servir para animarlos a adquirir el volumen, pero lamentablemente no existe un número de libros suficientes y disponibles para que muchos puedan leerlo.

Este libro ha tenido un gran éxito de venta. Solo el primer día de publicado se vendieron cinco millones de ejemplares. El Papa dedicará sus derechos de autor a obras de beneficencia. Juan Pablo II nunca ha hablado del libro para que no se entienda como promoción comercial.

Es de destacar también:

a) La densidad teológica y filosófica de las respuestas, el Papa decididamente dialoga con el pensamiento moderno y contemporáneo.

b) Esta densidad no lo convierte en un manual frío e impersonal, el libro está sazonado con la experiencia personal, humana y pastoral de Karol Wojtyla. Dice el mismo autor: «El lector encontrará una singular combinación a veces de confidencia personal (emocionantes los trozos sobre su infancia y juventud), a veces de reflexión y exhortación espirituales, a veces de meditación mística, a veces de retazos del pasado o sobre el futuro, a veces de especulaciones teológicas y filosóficas» (Messori).

c) La pasión del papa por María, la defensa de la vida y los jóvenes. A estos últimos dedica algunas de las más bellas páginas del libro (es admirable su confianza en la juventud).

d) Los «*atrevimientos*» Wojtylianos en materia de ecumenismo. Con respecto a las relaciones con hermanos cristianos de otras Iglesias o grupos eclesiales, el Papa es audaz en el orden del amor, buscando el acercamiento entre todos cuantos creen en Cristo.

Acerca de este libro singular se expresa así la revista *Ecclesia:*

«*Estamos ante un verdadero manifiesto, un resumen exhaustivo de las convicciones del Pontífice, una invitación muy persuasiva a la esperanza y a sus más profundas raíces. Se trata de una experiencia inédita en la Historia de la Iglesia, es una experiencia pastoral que lleva el anuncio del Evangelio por unos derroteros diferentes pero eficaces. La esencialidad de lo que dice el Papa, ciertamente, no facilita la crítica, no se puede sino estar de acuerdo con él*» *(Ecclesia).*

He aquí también la opinión del mismo autor Vittorio Messori: «*Hay una revelación directa, sin esquemas ni filtros del universo intelectual y religioso de Juan Pablo II, una clave para la interpretación de su magisterio completo*» *(Vittorio Messori).*

También es de interés la apreciación del Cardenal Ratzinger:

«*Es un mensaje de esperanza, resumido en la frase "no tengan miedo" que es como un segundo título del libro. En esta frase se expresa el significado que Dios tiene para el hombre, qué significado tiene el creer en Dios... Los críticos de la religión de los tiempos pasados habían formulado la tesis de que el miedo había creado a Dios y a los dioses. Hoy experimentamos lo contrario: la eliminación de Dios ha generado el miedo que amenaza el fondo de la existencia moderna. El hombre moderno tiene miedo de que Dios pueda existir de verdad y que sea peligroso. Tiene miedo de sí mismo y de las terribles posibilidades que porta en sí mismo»* (Card. *Ratzinger*).

Porque nos descubre su pensar y su sentir, porque habla desde su experiencia personal y pastoral, por todo esto, es inevitable el encuentro personal con el Papa Juan Pablo II desde el comienzo de la lectura de este libro. Quienes hemos tenido la dicha de estar cerca del Papa Juan Pablo II, de compartir con él algunos preciosos minutos de conversación o un rato de amistad y fraternidad, como cuando nos invita a su mesa (solo hace unos días tenía el privilegio de compartir con otros Cardenales la mesa Papal), los que le hemos visto presidir grandes ceremonias en la Basílica de San Pedro o guardar la misma paz y unción bajo el sol ardiente del trópico en celebraciones multitudinarias en Haití, en Santo Domingo, o cuando en más de una ocasión hemos concelebrado con él, sobrecogidos de emoción, en su pequeña capilla privada, sentimos, al leer el libro, que el autor solo ha querido ser como el portero uniformado que nos abre la puerta y nos introduce en los aposentos papales para darnos acceso al Papa Juan Pablo II de modo apropiado, audaz, respetuoso y lleno de admiración al mismo tiempo; para dejarnos, con increíble y difícil objetividad, a solas con este Papa venido de la Polonia arrasada por los nazis, primero, satélite comunista, después, reincorporada hoy al mundo occidental democrático, secularizado y consumista. Este Papa que aprecia el don maravilloso de la vida, porque en su Patria los muertos se contaron por millones en la Segunda Guerra Mundial y allí el holocausto del pueblo judío alcanzó en Auswitch sus cotas más altas. Un Papa que trabajó en las minas en un país ocupado, que no pudo prepararse para el sacerdocio en un seminario, porque estos estaban cerrados, y conoció la clandestinidad en el seguimiento de Cristo, estimado entonces como un delito por quienes saqueaban física y moralmente su nación.

Y descubrimos en nuestro andar por los corredores tranquilos y los salones despejados de su casa al mismo Papa que, después de recibirnos con una sonrisa y gestos que traslucen afecto y bondad, nos conduce a su capilla donde se recoge en oración por algunos minutos. Y es esta justamente la primera impresión que tenemos al entrar en contacto con Juan Pablo II: nos hallamos ante un hombre de oración. Y la oración es la expresión de la fe. No es de extrañarse, pues, que el autor comience preguntándole al Papa por su modo de rezar, por su concepto de la oración. Sorprende lo breve y lo simple de la respuesta del Pontífice que tanto reza.

Dice el Santo Padre que «*en la oración, que es diálogo yo-Tú, el protagonista es Dios. El hombre alcanza la plenitud en la oración no cuando se expresa principalmente a sí mismo, sino cuando permite que en ella se haga presente el propio Dios*» Y añade el Pontífice: «*El Papa reza tal y como el Espíritu Santo le permite rezar*» (el Espíritu Santo viene en ayuda de nuestra debilidad). En cuanto al contenido de su oración, este estará constituido por los gozos, alegrías, esperanzas, penas y sufrimientos de este mundo.

El Papa, sin embargo, mira al mundo y al hombre con ese optimismo no superficial propio de quien vive de la fe. ¿Acaso creer en Dios no es confiar en alguien que es todo bondad y que todo lo conduce al bien? Por eso afirma con convicción Juan Pablo II: «*El Evangelio es una Buena Noticia*» que lleva consigo siempre «*una invitación a la alegría*». Sigo ahora el pensamiento del Papa que me parece medular en la comprensión de su libro y de su Pontificado. Dice el Pontífice: «*El Evangelio es una gran afirmación del mundo y del hombre, porque es la revelación de la verdad de su Dios. Dios es la primera fuente de alegría y de esperanza para el hombre. El Evangelio es la alegría de la Creación. Dios, al crear, ve que lo que crea es bueno*» (Esta es una alusión del Papa al Primer Capítulo del Primer Libro de la Biblia, el Génesis). En palabras del Santo Padre: «*El Creador parece decir a toda la Creación: "es bueno que tú existas", "el bien es más grande que todo lo que en el mundo hay de mal"*».

Este es el pensamiento positivo del Papa ante la vida, el hombre, la historia, el futuro. ¿Cómo un hombre de esta fe no sería el defensor de la vida desde el seno materno, ese luchador por la paz, la justicia y la libertad que hemos conocido, el heraldo lleno de esperanza de un mundo mejor para el próximo milenio que ya se avecina?

Y así afirma el Papa con honda convicción que «*el cristianismo se distingue de modo tajante de cualquier forma de pesimismo existencial*». Y añade: «*la creación ha sido dada y contada como tarea al hombre, con el fin de que constituya para él no una fuente de sufrimientos, sino para que sea el fundamento de una existencia creativa en el mundo*».

De esta visión de fe en un Dios bueno que quiere el bien de todos y nos da en Cristo una Buena Noticia que nos colma de alegría para cumplir nuestra tarea creativa en el mundo, saca el Papa las inevitables consecuencias para todo cristiano, que expresa de este modo: «*Para quien acoge la revelación, y en particular el Evangelio, tiene que resultar obvio que es mejor existir que no existir... no hay sitio para ningún nirvana, para ninguna apatía o resignación... hay un reto para perfeccionar... tanto a uno mismo como al mundo*».

Y abunda el Papa sobre esta visión gozosa y esperanzadora de la realidad: «*Esta alegría esencial de la Creación se completa, a su vez, con la alegría de la salvación. El Creador del hombre es también su Redentor. "Yo he vencido al mundo"*», dice Cristo; el motivo de nuestra alegría es, pues, tener la fuerza con la que derrotar al mal y es recibir la filiación divina (ahora somos hijos de Dios).

El Papa, que es testigo de Cristo y ministro de la Buena Nueva, es por eso mismo *hombre de alegría y hombre de esperanza, hombre de esta fundamental afirmación del valor de la existencia, del valor de la Creación y de la esperanza en la vida futura.* Naturalmente, no se trata ni de una alegría ingenua ni de una esperanza vana. La alegría de la victoria sobre el mal no ofusca la conciencia realista de la existencia del mal en el mundo y en todo hombre. Es más, incluso la agudiza. El Evangelio enseña a llamar por su nombre el bien y el mal, pero enseña también que «*se puede y se debe vencer el mal con el bien*» (*Rm* 12, 21). La moral cristiana tiene su plena expresión en esto.

Son todas estas, palabras de Juan Pablo II, que sigue diciendo: «*el Papa... debe tener conciencia, particularmente, de los peligros a los que está sujeta la vida del hombre en el mundo y su futuro. La conciencia de tales peligros lleva a la lucha por la victoria del bien*». Y sentencia con convicción el Santo Padre: «*esta lucha por la victoria del bien... provoca la necesidad de rezar*».

La oración es una búsqueda de Dios, pero también es revelación de Dios, quien... *se revela en primer lugar como misericordia, es decir, como amor que va al encuentro del hombre que sufre.*

Llegados aquí, el autor se vuelve portavoz del hombre de hoy quien, con más agudeza y angustia que el de otros tiempos, se pregunta acerca de Dios, de la vida futura, del porqué de la existencia de varias religiones, del problema del mal en el mundo, etc.

El Papa, en páginas quizá difíciles, pero de extraordinaria solidez filosófica y doctrinal, aborda todas esas preguntas: ¿Puede el hombre con su inteligencia darse cuenta de la existencia de Dios? ¿Existe un Dios en el cielo? ¿Por qué el silencio de Dios? El pensamiento filosófico de Oriente y Occidente acerca de Dios, el mundo, el hombre es manejado con maestría por este Papa que muchos consideran más filósofo que teólogo, pero que, siguiendo la huella dejada por Santo Tomás de Aquino, pone la filosofía al servicio de la teología.

Una conferencia especial merecería el pensamiento filosófico del Papa Juan Pablo II contenido en su libro «*CRUZANDO EL UMBRAL DE LA ESPERANZA*». No hay lugar para un análisis de ese género en una conferencia como esta. Pero sería interesante que fuera tratado por especialistas en otro encuentro.

Dejo ahora la palabra al mismo Santo Padre sobre diversos temas que interesan al mundo y a ustedes. Incluyo a veces la pregunta del periodista y trato, por este medio, de hacer un resumen que les dejará seguramente el deseo de leer el libro íntegramente, pero que los pondrá, al mismo tiempo, al tanto de los temas tratados, ya que son muchos los que no llegarán a leerlo de inmediato.

Pluralismo religioso

13. ¿Por qué tantas religiones?

En vez de sorprenderse de que la Providencia permita tal variedad de religiones, deberíamos más bien maravillarnos de los numerosos elementos comunes que se encuentran en ellas. Todas tienen una raíz común: Los hombres esperan en las diversas religiones la respuesta a los recónditos enigmas de la condición humana (sentido y fin de nuestra vida; el camino de la verdadera felicidad, la muerte, el dolor...) y pretenden alcanzar la salvación en Dios (origen y fin de todo el género humano).

Los *semina Verbi* (es decir, las semillas de la Palabra de Dios) están presentes en las distintas tradiciones religiosas. (El Espíritu Santo obra eficazmente también fuera del organismo visible de la Iglesia). *La Iglesia Católica no rechaza nada de cuanto hay de verdadero y santo en estas religiones.* Aunque en muchos puntos difieran de lo que ella cree y propone, reflejan un destello de la verdad que ilumina a todos los hombres.

Cristo vino al mundo por todos los pueblos, los ha redimido a todos y tiene ciertamente sus caminos para llegar a cada uno de ellos. (Muchos en estos pueblos tienen una fe implícita en Jesús.) Aflora la visión positiva del Papa que no plantea la pluralidad de religiones, por ejemplo, como fruto del pecado, sino que describe la riqueza humana que hay en la búsqueda de Dios.

El periodista pregunta especialmente sobre el budismo porque este tiene características especiales.

14. ¿Qué decir del budismo, «doctrina salvífica» que fascina cada vez más a Occidente sea como «alternativa al cristianismo», sea como complemento, para ciertas técnicas ascéticas y místicas?

Es, en cierto punto, una religión de salvación pero su soteriología difiere esencialmente de la del cristianismo. La soterología budista es negativa: Salvarse es, ante todo, liberarse del mal haciéndose *indiferente* al mundo que es fuente de mal y sufrimiento para el hombre.

Es un *sistema ateo:* no nos liberamos del mal a través del bien que viene de Dios, sino mediante el desapego del mundo. La plenitud no es Dios sino el *nirvana* (estado de perfecta indiferencia respecto al mundo).

La mística cristiana (San Juan de la Cruz) propone el desprendimiento del mundo, no como un fin en sí mismo, sino para unirse a lo que está fuera del mundo: no el nirvana, sino un Dios personal. Esta mística edifica la Iglesia como comunidad de fe, esperanza y amor. La civilización occidental está marcada por una positiva referencia al mundo (compromiso en la creación) (cfr. GS 2). El mundo es criatura de Dios, el cristiano debe transformarlo desde dentro.

15. ¿Qué decir del Islam, adorador del Dios Uno y Único?

Gracias a su monoteísmo, los creyentes en Alá nos son particularmente cercanos. Al Dios del Corán se le dan unos nombres entre los más bellos que conoce el lenguaje del mundo, pero es un Dios que está fuera del mundo, es solo Majestad y nunca Enmanuel (Dios con nosotros). *El Islam no es una religión de redención.* No hay sitio para la cruz y la resurrección. Jesús es solo un profeta precursor del último profeta: Mahoma.

La religiosidad musulmana merece respeto: es admirable, por ejemplo, su fidelidad a la oración.

El *fundamentalismo* da una interpretación unilateral de los derechos del hombre y el principio de la libertad religiosa (libertad de imponer a todos la «verdadera religión»).

16. ¿E Israel?

Llegamos a la religión que nos es más cercana (enorme patrimonio espiritual común). La Iglesia reconoce que los comienzos de su fe y de su elección se encuentran ya en la elección del pueblo de la Antigua Alianza (Cf. NA 4). Son *nuestros hermanos mayores en la fe.*

Hay al respecto hermosas palabras del Papa sobre el pueblo judío.

Este pueblo continúa llevando dentro de sí las señales de la elección divina y ha pagado un precio muy alto por su elección. Quizá debido a esto se ha hecho más semejante al Hijo del Hombre... (hijo de Israel); el 2.000 aniversario de su venida será fiesta también para los judíos.

Auschwitz (símbolo más elocuente del holocausto del pueblo judío) muestra hasta dónde puede llegar una nación, un sistema, construido sobre premisas de odio racial o de afán de dominio.

17. Las estadísticas muestran que, hacia el 2000, por primera vez en la historia, los musulmanes superarán en nú-

mero a los católicos. Los hindúes son ya hoy más numerosos que los protestantes y hebreos. ¿Qué siente ante una realidad semejante después de 20 siglos de evangelización?, ¿qué enigmático plan vislumbra?

Ninguna estadística que pretenda presentar cuantitativamente la fe (ej. participación en los ritos) alcanza el núcleo de la cuestión (valores de este tipo no son cuantificables en cifras). Los números no son razón suficiente para juzgar si una religión tiene futuro o está en decadencia. Desde el punto de vista del Evangelio, la cuestión es diversa: «no temas, pequeño rebaño, porque vuestro Padre se ha complacido en daros su reino» (*Lc* 12, 32; 18, 8).

El Evangelio no es la promesa de éxitos fáciles, está marcado por una palabra fundamental: para encontrar la vida hay que perderla, para nacer hay que morir, para salvarse hay que cargar con la cruz (Verdad esencial del cristianismo que chocará siempre con la protesta del hombre). Pero es también una gran promesa de vida eterna para el hombre sometido a la ley de la muerte.

Después de preguntar sobre las grandes religiones, el periodista cuestiona al Papa sobre temas que le son particularmente queridos.

Nueva evangelización

18. ¿Qué significa Nueva Evangelización? (Tarea principal y más urgente del católico del final del siglo XX).

«Ay de mí si no predicase el Evangelio» (*1 Co* 9, 16). Ha estado siempre presente en la vida de la Iglesia. La Iglesia evangeliza, anuncia a Cristo que es camino, verdad y vida. Cristo único mediador entre Dios y los hombres. A pesar de las debilidades humanas, la Iglesia es incansable en este anunciar (Pertenece a su esencia).

En el mundo contemporáneo se siente una especial necesidad del Evangelio ante la perspectiva ya cercana del año 2000. Es nueva, pues pretende responder a los nuevos retos que el mundo contemporáneo plantea a la misión de la Iglesia. Es necesario un anuncio evangélico que se haga peregrino junto al hombre, que se ponga en camino con la joven generación para anunciar a un Cristo siempre joven (el mismo ayer, hoy y siempre). Ya que la verdad no deja de ser fascinante para el hombre, especialmente para los corazones jóvenes.

No hay motivos para el derrotismo. Si el mundo no es católico desde el punto de vista confesional, ciertamente está penetrado muy profundamente por el Evangelio, se puede decir que, en cierto modo, está presente en él de modo invisible el misterio de la Iglesia.

Aquí de nuevo aflora el optimismo de la fe de un Papa que, a sus 75 años, mira con esperanza al futuro. Por eso ama especialmente a la juventud y por ella le pregunta su interlocutor:

Jóvenes

19. Los jóvenes son privilegiados en la afectuosa atención del Santo Padre, que los mira como una esperanza para la nueva evangelización. ¿Es fundada esta esperanza? ¿No estaremos más bien ante la siempre renovada ilusión de que la nueva generación será mejor que la nuestra?

Y el Papa responde:

La juventud no es solamente una edad biológica, sino que es, a la vez, un *tiempo dado por la Providencia a cada hombre, como tarea, para la búsqueda,* como el joven del Evangelio, de la respuesta a los interrogantes fundamentales: el sentido de la vida, y la vocación en la misma. Esta es la característica esencial de la juventud que todo educador debe amar.

Es la etapa de la personalización de la vida humana y de la comunión: los jóvenes saben que su vida tiene sentido en la medida en que se hace don gratuito para el prójimo. Ahí tienen origen todas las vocaciones. *Tienen una vocación esencial hacia el amor,* buscan siempre la belleza del amor. Si ceden a las debilidades, imitando modelos de comportamiento mundanos, en lo profundo del corazón desean un amor hermoso y puro. Saben que nadie puede concederles un amor así fuera de Dios, por tanto están dispuestos a seguir a Cristo sin importarles los sacrificios. En todas partes, el Papa busca a los jóvenes y es buscado por ellos, pero no es a él a quien buscan, sino a Cristo «que sabe lo que hay en cada hombre» (*Jn* 2, 25), especialmente en un hombre joven.

En los jóvenes hay un inmenso potencial de bien, y de posibilidades creativas. Tenemos necesidad del entusiasmo de los jóvenes, de su alegría de vivir que refleja la alegría original que Dios tuvo al crear al hombre.

No es verdad que sea el Papa quien lleve a los jóvenes de un extremo al otro del globo. Son ellos los que lo llevan a él. Y, aunque sus años aumentan, ellos le exhortan a ser joven, no le permiten que olvide su experiencia, su descubrimiento de la juventud y la gran importancia que tiene para la vida de cada hombre.

Después viene un tema en el cual el Papa Juan Pablo II tiene la experiencia de lo vivido en los países de Europa.

El comunismo

Le dice el periodista:

20. Dios parece callar («silencio de Dios»), pero en realidad no cesa de actuar. Eso afirman los que, en los acontecimientos humanos, descubren la realización del enigmático plan de la providencia. Ud. ha insistido en que en la caída del marxismo ateo se puede descubrir el dedo de Dios... ¿?

Respuesta del Papa:

En primer lugar, ¿se puede hablar de silencio de Dios? Sí, en cierto modo, Dios calla, pues ya lo ha revelado todo, en Jesús ha dicho todo cuanto tenía que decir. Pero Dios continúa hablando en la historia del hombre, historia que él mismo conduce. Dios sigue revelándose a los corazones. Dios habla en los sacramentos, que son acciones de Dios en Cristo. *Es verdaderamente difícil hablar del silencio de Dios, se debe más bien hablar de la voluntad de sofocar su voz.*

Este deseo de sofocar la voz de Dios está bastante bien programado; muchos hacen cualquier cosa para que no se oiga su voz, y se oiga solamente la voz del hombre, que no tiene nada que ofrecer que no sea terreno, y a veces tal oferta lleva consigo la destrucción en proporciones cósmicas, ¿no es esta la trágica historia de nuestro siglo?

Sobre la caída del comunismo hay que evitar una simplificación: sería, por tanto, sencillísimo decir que ha sido la Divina Providencia la que ha hecho caer el comunismo. *El comunismo como sistema, en cierto sentido, se ha caído solo. Se ha caído como consecuencia de sus propios errores y abusos.* Ha demostrado ser una medicina más dañosa que la enfermedad misma. No ha llevado a cabo una verdadera reforma social, a pesar de haberse convertido para todo el mundo en una poderosa amenaza y en un reto. Pero se ha caído solo, por su propia debilidad interna.

Como vemos, el Papa no reclama para sí ni para la causa del Evangelio el fracaso del marxismo ateo.

Ecumenismo

21. Con respecto a la Iglesia, muchos parecen hoy rebelarse ante la pretensión de que solo en ella haya salvación. ¿Por qué, entre todas las Iglesias cristianas, tiene que ser la católica la única en poseer y enseñar la plenitud del Evangelio?

Aquí encontramos respuestas maravillosas y llenas de apertura con respecto a la unión de los cristianos.

La salvación está sola y exclusivamente en Cristo, único mediador (*1 Tm* 2, 5). De esta salvación la Iglesia, en cuanto cuerpo de Cristo, es un simple instrumento. (Cfr. LG 1). La Iglesia se presenta como «un pueblo unido bajo la unidad del Padre, del Hijo y del Espíritu». Esta vida de Dios y la vida en Dios es la salvación. El hombre se salva en la Iglesia en cuanto que es introducido en el misterio trinitario de Dios. El concilio *está lejos de proclamar ningún tipo de eclesiocentrismo, es cristocéntrico en todos sus aspectos: Cristo es el verdadero autor de la salvación, la Iglesia lo es tanto en cuanto actúa por Cristo y en Cristo.*

El Concilio habla de «pertenecer a la Iglesia» para los cristianos y de «ordenación a la Iglesia para los no cristianos que creen en Dios (LG 15, 16). Los hombres se salvan mediante la Iglesia, en la Iglesia, pero siempre gracias a Cristo. *Ámbito de salvación pueden ser también, además de la formal pertenencia, otras formas de (orientación) ordenación.* No se salva, sin embargo, aquel que, no perseverando en la caridad, permanece en el seno de la Iglesia con el «cuerpo», pero no con el corazón.

El misterio de la Iglesia es más grande que la sola estructura visible de la Iglesia y su organización. Estructura y organización sirven al misterio. La Iglesia, como Cuerpo místico de Cristo, penetra en todos y a todos comprende. Sus dimensiones espirituales, místicas, son mucho mayores de cuanto puedan demostrar todas las estadísticas sociológicas.

22. En el diálogo ecuménico, junto a resultados positivos también están presente las desilusiones (ej.: algunas decisiones de la Iglesia anglicana), ¿cuáles son sus impresiones y sus esperanzas sobre este tema?

Más fuerte que las desilusiones es el hecho mismo de haber emprendido con empeño la vía que debe llevar a los cristianos a la unidad. Al acercamos al término del segundo milenio, los cristianos han advertido con mayor viveza que las divisiones entre ellos son contrarias a la oración de Cristo en el cenáculo (*Jn* 17, 21).

Lo que nos une es mas grande de cuanto nos divide: todos creemos en el mismo Cristo; y esa fe es esencialmente el patrimonio heredado de la enseñanza de los 7 primeros concilios. Existen, pues, las bases para un diálogo, para la *ampliación del espacio de la unidad.* Los diversos modos de entender y de practicar la fe en Cristo (originados en el curso de los siglos y ante situaciones culturales y políticas distintas) pueden en ciertos casos ser *complementarios.* Es necesario desembarazarse de los estereotipos y de los hábitos que impiden descubrir la unidad ya existente.

23. ¿Por qué el Espíritu Santo ha permitido todas estas divisiones y enemistades entre los que, sin embargo, se llaman seguidores del mismo evangelio, discípulos del mismo Cristo?

Existen causas históricas bien conocidas. Sin embargo es legítimo preguntarse si no habrá también una *motivación metahistórica.*

Dos respuestas: negativa: divisiones como fruto de los pecados de los cristianos; positiva: surge de la confianza en Aquel que saca el bien incluso del mal, de las debilidades humanas: ¿no podría ser que las divisiones hayan sido también una *vía que ha conducido y conduce a la Iglesia a descubrir las múltiples riquezas contenidas en el Evangelio de Cristo y en la Redención obrada por Él?* Es necesario que el género humano alcance la unidad mediante la pluralidad, que aprenda a reunirse en la única Iglesia, también con ese pluralismo en las formas de pensar y de actuar, de culturas y de civilizaciones (Otra respuesta llena de apertura y generadora de actitudes positivas).

El Concilio Vaticano II

24. No han faltado ni faltan tampoco ahora, quienes sostienen que las puertas abiertas por el Vaticano II parecen haber servido más a los que estaban «dentro» de la Iglesia para salir de ella que para que entraran los que estaban «fuera»... ¿?

El Vaticano II ha sido un gran don para la Iglesia y para la humanidad. Fue una gran experiencia de la Iglesia, el «seminario del Espíritu Santo». Lo que el Espíritu Santo dice supone siempre una penetración más profunda en el eterno misterio, y a la vez una indicación, a los hombres que tienen que dar a conocer ese misterio al mundo contemporáneo, del camino que hay que recorrer. Con el Vaticano II tuvo comienzo la Nueva Evangelización.

Hay que interpretarlo de modo adecuado y defenderlo de interpretaciones tendenciosas. Tales interpretaciones existen y ya existían durante el Concilio mismo. En ellas se expresaban las disposiciones de ánimo favorables o contrarias a su aceptación y comprensión.

25. En ese período de la historia de la Iglesia y del mundo había necesidad de un Concilio como el Vaticano, «anómalo» por su estilo y contenidos respecto a los precedentes.

El Vaticano II se distingue por su particular estilo. No ha sido un estilo defensivo (no anatematizaciones), sino ecuménico, caracterizado por una gran apertura al diálogo, que el Papa Pablo VI calificaba como diálogo de salvación. Tal estilo y tal espíritu permanecerán también en el futuro como la verdad esencial del Concilio; no las controversias entre progresistas y conservadores, controversias políticas y no religiosas a las que algunos han querido reducir el acontecimiento conciliar.

Que el Concilio no es letra muerta lo demuestra la rica experiencia sinodal postconciliar. Del Sínodo extraordinario de 1985 surgió la iniciativa del Catecismo universal, síntesis de toda la riqueza del Magisterio posconciliar (verdadero best seller que demuestra que el mundo, cansado de ideologías, se abre a la verdad).

Y el Papa insiste:

26. Ud. no ignora que son bien pocos, entre los que siguen siendo católicos, los que ponen en duda la oportunidad de la renovación obrada en la Iglesia. Lo que se discute no es ciertamente el Vaticano II, sino algunas interpretaciones calificadas de disconformes no solo con la letra de esos documentos, sino con el espíritu mismo de los Padres conciliares.

A partir del concilio asistimos a una *renovación* que es, en primer lugar, cualitativa, aunque continúan escaseando las vocaciones, sin embargo aparecen y se desarrollan diversos movimientos de carácter religioso, orientados sobre todo a la renovación de la persona.

Sería injusto hablar solo de abandono, hay también retornos. Sobre todo, hay una transformación profundamente radical del modelo de base. El modelo tradicional, cuantitativo, se transforma en un modelo nuevo más cualitativo. Es necesario destacar, además, que la Iglesia del Vaticano II es la Iglesia de intensa colegialidad del Episcopado mundial.

El periodista se refiere a los medios de comunicación.

27. A pesar de toda voluntad eclesial de diálogo, no siempre y no para todos son bien aceptadas las palabras del Papa. En no pocos casos se comprueba su explícito rechazo, a veces violento (al menos en los Medios de Comunicación Social) cuando la Iglesia remacha su enseñanza, sobre todo en los temas morales.

Es cierto, algunos sostienen que en las cuestiones de moralidad y, en primer lugar, en las de ética sexual la Iglesia y el Papa no van de acuerdo con la tendencia dominante en el mundo contemporáneo, dirigido hacia una cada vez mayor libertad de costumbres. Puesto que el mundo se desarrolla en esta dirección surge la impresión de que la Iglesia vuelve atrás o que el mundo se aleja de la Iglesia

Esta es una opinión injusta. La Iglesia proclama la palabra del Señor oportuna e inoportunamente (2 *Tm* 4, 2-3) y trata de responder sinceramente a la pregunta ¿qué debo hacer para alcanzar la vida eterna? *La Iglesia proclama, en definitiva, la verdad del hombre,* y alejarse de esta verdad no constituye en lo absoluto una tendencia evolutiva, no puede ser considerado como una medida de progreso ético.

Esta verdad es exigente, los medios de comunicación han acostumbrado a ciertos sectores a escuchar solo lo que halaga a los oídos. Cuando la verdadera doctrina es impopular no es lícito buscar una fácil popularidad.

Escatología

28. Vida eterna, ¿todavía existe?
La vida eterna.

La escatología se ha convertido, en cierto modo, en algo extraño al hombre contemporáneo (secularización, secularismo, consumismo). A esto han contribuido también los «infiernos temporales» que han marcado nuestro siglo. Sin embargo, el hombre sigue esperando en una justicia última y definitiva.

La Iglesia no ha cesado nunca de mantener su conciencia escatológica, de llevar a los hombres a la vida eterna. Si cesara de ser escatológica, dejaría de ser fiel a la propia vocación, a la nueva Alianza sellada con ella por Dios en Jesucristo. Se ha producido un cambio de perspectiva: una escatología más cristocéntrica: no es lo que todavía debe venir, sino que está ya iniciada con la venida de Cristo con su muerte y resurrección.

Persiste el problema de la condenación: ¿Puede Dios, que ha amado tanto al hombre, permitir que este lo rechace hasta el punto de querer ser condenado a tormentos perennes? Este es un misterio verdaderamente inescrutable entre la santidad de Dios y la conciencia del hombre. El silencio de la Iglesia es la única posición óptima del cristiano.

Fe

29. ¿Para qué sirve creer? ¿Acaso no es posible vivir una vida honesta sin tener que tomar el Evangelio en serio?

La utilidad de la fe no es comparable con bien alguno, ni siquiera con los bienes de naturaleza moral. Se puede decir que la fundamental utilidad de la fe está en el hecho mismo de haber creído, y de haber confiado. La esencial utilidad de la fe consiste en el hecho de que, a través de ella, el hombre realiza el bien de su naturaleza racional y lo realiza dando su respuesta a Dios, como es su deber (hacia Dios y hacia él mismo en la búsqueda de la verdad).

Si una vida es verdaderamente recta es porque el Evangelio, no conocido o no rechazado a nivel consciente, en realidad, desarrolla ya su acción en lo profundo de la persona que busca con honesto esfuerzo la verdad y está dispuesto a aceptarla. Una tal disponibilidad es manifestación de la gracia que obra en el alma.

Solo Dios puede salvar al hombre, pero teniendo en cuenta su cooperación. El hombre «crea» con Dios el mundo y también «crea» con Dios su salvación personal (sinergismo).

Derechos humanos

30. ¿Qué es de verdad, para el Papa, la dignidad del hombre? ¿Qué son los auténticos derechos humanos? ¿Concesiones de los gobiernos o los Estados?

Aquí no se puede hablar de concesiones de Estados u organismos internacionales. *Tales instituciones expresan solo lo que Dios mismo ha inscrito en el orden creado por Él, lo que Él mismo ha inscrito en la conciencia moral, en el corazón del hombre.*

El Evangelio es la confirmación más plena de todos los derechos del hombre. El Evangelio confirma la regla divina que rige el orden moral del universo, mediante la misma Encarnación. ¿Quién es el hombre, si el Hijo asume la naturaleza humana? ¿Quién debe ser este hombre, si el Hijo paga el máximo precio por su dignidad?

El hombre se afirma a sí mismo de manera más completa

dándose. Esta es la plena verdad del hombre, una verdad que Cristo nos ha enseñado con su vida.

31. Entre los derechos «incómodos» está el derecho a la vida, tema recurrente (y en tonos dramáticos) de su Magisterio de tal manera que ha sido considerado «obsesivo».

El derecho a la vida es, para el hombre, el derecho fundamental), no hay ningún otro que afecte más de cerca la existencia misma de la persona.

En cuanto al aborto, es difícil pensar en una situación más injusta y *es de verdad difícil poder hablar de «obsesión», desde el momento en que entra en juego un fundamental imperativo de toda conciencia recta: la defensa del derecho a la vida de un ser humano inocente e inerme.* La cuestión se presenta como «derecho de la mujer a elegir con respecto a la vida en su seno: No se puede hablar de derecho a elegir cuando lo que está en juego es un evidente mal moral, cuando se trata simplemente del mandamiento ¡no matar! (no hay excepción).

Rechazo firmemente la fórmula *«pro elección»*, es necesario decidirse con valentía por la formula *«por la mujer»*, por una elección que está verdaderamente a favor de la mujer.

María

32. La devoción mariana es distintiva de la enseñanza y de la acción del Papa. Hoy también se habla de apariciones y mensajes marianos... ¿qué puede decirnos de todo esto?

«Totus Tuus» no es una simple devoción sentimental, es el signo de una realidad más profunda: reconocimiento del papel de María, Madre del Redentor, en el misterio de Cristo y de la Iglesia. *La devoción a María es profundamente cristocéntrica,* más aún, está profundamente radicada en el misterio trinitario de Dios y en los de la Encarnación y Redención.

33. Usted ha demostrado que María no es en absoluto irrelevante en lo que se refiere a la actual cuestión femenina.

El culto mariano no es solo una forma de devoción o piedad, sino también una actitud respecto a la mujer como tal. El respeto por la mujer, el asombro por el misterio de la feminidad y, en fin, el amor esponsal de Dios mismo y de Cristo son todos elementos de la fe y la vida de la Iglesia.

Esperanza

Por último, el autor pregunta al Papa sobre una frase que Jesús repite en el Santo Evangelio a sus discípulos y que constituye un enunciado de su programa como Pastor Supremo de la Iglesia. En esa frase está contenida la Esperanza que el Papa anuncia a nuestro mundo.

Si el hombre y la mujer de hoy logran liberarse de sus temores, se puede mirar al Tercer Milenio como a un umbral de la Esperanza. La pregunta del periodista es:

34. ¿Qué sentido tiene su grito inaugural ¡no tengan miedo!?

El periodista se refiere a la primera Homilía del Papa.

Debe ser leído en una dimensión muy amplia, era una exhortación dirigida a todos los hombres: ¡no tengan miedo de lo que ustedes mismos han creado, no tengan miedo tampoco de todo lo que el hombre ha producido, y que está convirtiéndose cada día más en un peligro para él! En fin, ¡no tengan miedo de ustedes mismos!

El poder de la cruz de Cristo y de su resurrección es más grande que todo el mal del que el hombre podría y debería tener miedo. Es necesario que en la conciencia resurja con fuerza la certeza de que existe alguien que tiene en sus manos el destino de este mundo que pasa y este alguien es AMOR.

El evangelio es exigente, pero lo que este alguien exige no supera jamás las posibilidades del hombre.

Y concluye el periodista:

35. ¿Tenemos que concluir que es verdaderamente injustificado tener miedo de Dios, de Jesucristo? ¿Debemos concluir que, al contrario, vale la pena «entrar en la esperanza?

El temor de Dios es principio de la sabiduría pero se trata del temor que es don del espíritu, no es el miedo del esclavo, sino temor filial, basado en el amor que expulsa todo temor.

Para liberar al hombre del miedo es necesario desearle de todo corazón que lleve y cultive en su propio corazón el verdadero temor de Dios, que es la fuerza del Evangelio, temor creador, nunca destructivo, y que genera hombres santos a quienes pertenece, en definitiva, el futuro del mundo.

Este debe ser nuestro único temor, queridos hermanos, el que sentimos al ser capaces de profanar con nuestros odios el ámbito sagrado del mundo creado por Dios. El Papa nos sitúa, en su precioso libro, de pie ante el milenio venidero con el único temor de repetir en él las profanaciones de estos dos milenios de cristianismo; pero nos hace responsables, corresponsables, capaces de confianza y de seguridad, porque Dios es amor y todo lo hizo bueno, también a nosotros mismos. El Papa Juan Pablo II nos pone frente al umbral de la Esperanza y nos invita a cruzarlo.

PALABRAS PRONUNCIADAS EN EL ACTO DE APERTURA DEL ENCUENTRO CONMEMORATIVO DEL DÉCIMO ANIVERSARIO DEL ENCUENTRO NACIONAL ECLESIAL CUBANO*

Cuando se cumplen diez años exactos de la celebración del Encuentro Nacional Eclesial Cubano, nos reunimos de nuevo los obispos de Cuba con sacerdotes, diáconos, religiosos, religiosas y laicos venidos de todas las diócesis de nuestro país. Solo que actualmente el número de diócesis ha crecido y ya son diez. Por lo tanto, también se ha visto aumentada nuestra Conferencia Episcopal. Somos ahora doce los pastores que guiamos la Iglesia que peregrina en Cuba. Alabamos al Señor y le damos gracias porque ha asistido de modo especial a la Iglesia en Cuba en este decenio.

Nos acompañan para esta importante reunión de nuestra Iglesia, en signo de comunión eclesial, el obispo de Higüey, República Dominicana, Mons. Ramón de la Rosa Carpio, quien también representa al Consejo Episcopal Latinoamericano, CELAM. Están presentes, además, hermanos cubanos residentes fuera de nuestro país tanto sacerdotes como laicos.

Entre los participantes e invitados no he mencionado al Emmo. Sr. Cardenal Carlo Furno porque su presencia entre nosotros tiene un significado más alto y entrañable. Como

---

* Iglesia de Santa Catalina de Siena, La Habana, 21-II-1996.

delegado personal, nombrado especialmente por el Papa Juan Pablo II, él preside este encuentro en representación del Santo Padre.

A través de su persona, Eminencia, antes que toda otra palabra, queremos los obispos, sacerdotes, diáconos, religiosos, religiosas y laicos de Cuba hacer llegar al Sucesor de Pedro nuestra adhesión cordial y el afecto filial de todos los católicos cubanos.

Gracias por estar entre nosotros, compartir nuestras reflexiones y animarnos con el testimonio de afecto del Santo Padre, a quien Su Eminencia representa tan dignamente ante nosotros.

En los diez años transcurridos desde la celebración del aquel primer Encuentro Eclesial, ha crecido la población cubana, pero ha crecido también la Iglesia, que ha visto multiplicarse sus diócesis y los movimientos laicales; ha aumentado también la cantidad de religiosas de diversas congregaciones que han venido a dar su aporte valioso a la evangelización de nuestro pueblo. Son, además, numerosos los sacerdotes que, viniendo de distintos países, tienden la mano a la Iglesia en Cuba en momentos de tanta urgencia pastoral. Entre ellos es de destacar la presencia de varios sacerdotes latinoamericanos que realizan su acción pastoral en nuestro país. A todas estas hermanas y a todos los hermanos sacerdotes y religiosos queremos agradecer su imprescindible colaboración con esta Iglesia que ellos sienten suya.

También se han multiplicado, en estos diez años transcurridos, las iniciativas pastorales y la Iglesia ha visto crecer el número de sus fieles, mientras se da un prometedor aumento de las vocaciones al sacerdocio y a la vida consagrada.

Los católicos cubanos hemos experimentado, con profunda gratitud al Señor, el despertar de la conciencia de nuestro pueblo a ese llamado interior que el ser humano no siempre escucha, pero que en algunos momentos de la vida personal, familiar o social, pareciera hacerse más acuciante en el corazón del hombre. En algunos, este llamamiento se hace pronto certeza de fe, en otros es sospecha y casi siempre desemboca en búsquedas. Estas se producen en un entorno humano donde, justamente, se ha empobrecido en ciertos aspectos el mundo del espíritu, y se debilita la adhesión común a los valores que, en gran medida, son sustentados por aquel.

Aparece pues, precisamente, este llamado, como un ansia de espiritualidad, como un deseo de reencontrar valores perdidos o descubrir nuevos valores que pudieran dar un sentido a la vida, sobre todo en el orden personal. Este andar pudiera resumirse o describirse como una exploración en busca de esperanza.

Muchos poetas surgen en estas épocas de la historia, algunos excelentes. Muchas sanas inquietudes abrigan los corazones juveniles, y la creatividad, a veces críptica, encuentra variados cauces de expresión. Un reflejo de todo ello lo tenemos en las publicaciones de la Iglesia Católica, donde se recoge el sentir y el pensar de algunos hermanos cubanos católicos o no.

Sin ser exhaustivo quiero mencionar la revista «*Vivarium*», de alto nivel literario y conceptual, publicada por el Centro de Estudios de la Arquidiócesis de La Habana; la revista «*Vitral*», órgano del Centro Cívico-Religioso de la Diócesis de Pinar del Río; la revista «*Palabra Nueva*», también de la Arquidiócesis de La Habana, dirigida a un público más amplio, pero cuya producción se enmarca dentro de ese modo serio y comprometido de aproximarnos a la verdad y de procurar el bien común, incluyendo, en este último, el bien inestimable de la cultura, que, además, de ser deleite y ejercicio intelectual, es oferta de posibilidades a hombres y mujeres, especialmente a los jóvenes, de ejercitar su pensamiento y habituarse a obrar en sus vidas no por impresiones, por instintos o por mimetismo, sino por medio de la interiorización, desarrollando así su capacidad, a veces dormida, de escoger entre lo bueno para decidirse por lo mejor. Otras publicaciones con características en cierto grado similares han ido apareciendo en estos años en casi todas las diócesis de Cuba: «*Iglesia en Marcha*» en Santiago de Cuba, «*Boletín Diocesano*» en Camagüey, «*Presencia*» en Matanzas, «*Amanecer*» en Santa Clara y, más recientemente, «*Fides*» en Cienfuegos y «*Nazaret Hoy*» en Holguín.

Son modestos los medios de impresión y nos faltan los recursos mínimos indispensables para producir, desde el punto de vista técnico, algo mejor. También deben mejorarse y ampliarse los contenidos de esa producción literaria y periodística y por ende informativa y formativa. Pero la aceptación de católicos y no católicos, la asiduidad y premura con que inquieren por la aparición del nuevo número, las cartas expresivas y abundantes que envían a las redacciones los lectores compensan los esfuerzos y animan a seguir venciendo los obstáculos.

Como pasa siempre en épocas de búsqueda, lo propiamente religioso ha estado muy presente. Me refiero al deseo de oración, a un gusto renovado por el culto religioso, incluso en sus aspectos ceremoniales, a un redescubrimiento de que el templo que muchos se habituaron a ver a escasos metros de sus casas es algo más que un venerable edificio histórico y que no solo alberga gente que cree y reza, sino que es recinto de paz, lugar de encuentro con el misterio del Dios desconocido y cercano, que puede traerles a sus corazones sosiego, tranquilidad y aun fortaleza para enfrentar las pruebas de la vida.

Es necesario decir que en Cuba se había hecho del ateísmo una especie de religión oficial. Pero es también imprescindible hacer otra constatación. En esta década que nos separa del ENEC, de manera progresiva, el ateísmo ha perdido esas características entre nosotros. Cada vez menos se descubre aquella muralla de separación entre creyentes y no creyentes. Esto ha constituido un gran bien para nuestro pueblo, pues el tratamiento más libre del tema religioso y la mayor libertad para expresar la fe, alivia las conciencias de extrañas represiones internas y evita, en muchos casos, la simulación o la doblez; ayuda además a la fraternidad entre todos los cubanos, pues cualquier tipo de discriminación divide a los pueblos.

Sin pretender hacer filosofía de la religión, es necesario destacar que en toda andadura religiosa está presente la tentación mágica. El Dios de Jesucristo, el que estremece las conciencias con sus exigencias de verdad y de amor, que no se contenta con ritos: «*Hipócritas, ustedes lavan la copa por fuera y en su interior están llenos de podredumbre*», este Dios es tremendo; exige un cambio de corazón: «*Si ustedes no son mejores que los escribas y los fariseos no entrarán en el Reino de Dios».*

Las exigencias éticas de la fe cristiana con respecto a la persona individual, a la familia y al comportamiento social, son de difícil aceptación: *«Quien quiera ser mi discípulo que se niegue a sí mismo, que cargue con su cruz y me siga».* Es verdad que el mismo Jesús, manso y humilde de corazón, convoca a todos los *«cansados y agobiados»* y les dice: *«yo los aliviaré».* Pero muchos solo quisieran el alivio de la fe, pero no se deciden a cargar con *«el yugo llevadero y la carga ligera»* que Jesucristo pone siempre sobre nuestros hombros.

De ahí la proclividad a lo religioso ritual despojado de compromiso personal, a la expresión a veces frenética de la fe, como una visualización del actuar de Dios que parezca asegurar al mismo tiempo una especial protección de la divinidad. Pero el riesgo de la verdadera fe religiosa es ese primitivo aseguramiento mágico, que me descifre el porvenir, que no me obligue a pensar en la historia ni a actuar en ella, sino que me ayude a escapar de ella, aunque sea por medio de ilusiones.

El Padre Félix Varela lo llamaba superstición y puede darse dentro de la Iglesia Católica, en grupos religiosos no católicos de tipo entusiasta, como algunos evangelistas, que creen hallar en su mismo estilo de reunión y de oración una suerte de meta casi total en su vida de fe. Más que todo, entre nosotros encontramos esas tendencias en las tradiciones afrocubanas casi todas sincréticas, pero que, por las razones que acabo de exponer y por su esoterismo, son explotadas como elemento folclórico y turístico. Hay ocasiones en que pareciera haberse sustituido el ateísmo de Estado, como una especie de credo oficial, por la santería cubana como religión nacional.

La fe religiosa es beneficiosa para el ser humano en la medida que comporta una transformación en su vida; pero los elementos mágicos, sea en el catolicismo, sea en el evangelismo, sea en la santería, configuran el riesgo de lo que el Padre Varela llama la superstición, con todas sus consecuencias nefastas.

No es de temer una fe religiosa que enseña a pensar para que los sentimientos estén esclarecidos y orientados según la verdad, el bien, la justicia y el amor; sí es riesgosa para los pueblos toda religiosidad que se vuelve solo rito mágico, que produce únicamente sensaciones y que no genera compromisos con la vida y con la historia.

Por esto, la Iglesia Católica ha estructurado en estos años una pastoral juvenil que tiene en cuenta la formación integral del joven y de la joven, promoviéndolos en todos los órdenes como seres humanos. Esta preocupación está también presente en la formación religiosa de los adultos que llegan a nuestras comunidades. No puede injertarse el cristianismo sobre un tronco humano débil o dañado, hay que sanearlo primero. Esta es tarea de la Iglesia en estos momentos, al acoger a tantos hermanos nuestros de cualquier edad que se acercan a la fe.

En consonancia con lo que muchos han llamado el despertar religioso del pueblo cubano, la Iglesia hizo, en el Encuentro Nacional Eclesial Cubano, una clara opción evangelizadora y el espíritu misionero ha estado presente y actuante en todas las diócesis de Cuba. Al recorrer toda nuestra isla de occidente a oriente, la Cruz del Quinto Centenario de la Evangelización, los laicos católicos cubanos, durante el período de siete años que duró ese recorrido, hicieron la experiencia de salir a evangelizar, visitando las casas, tocando a las puertas, anunciándoles a Cristo a los centenares y miles de fieles que visitaron nuestras iglesias al paso de la Cruz.

En varias diócesis, el recorrido misionero de la imagen de la Virgen de la Caridad constituyó un acontecimiento de proporciones multitudinarias. Miles de católicos salieron a las calles en muchísimos lugares para acompañar a la Virgen. Los católicos cubanos hemos comprendido en todo su alcance la expresión del Papa Juan Pablo II cuando dijo que María es la estrella de la Nueva Evangelización. Y en barrios del campo o de la ciudad, en pueblos nuevos sin templo han surgido en las casas de los cristianos verdaderas comunidades de fe y de oración.

Como se ve, las mismas posibilidades nuevas que se abren a la Iglesia para el anuncio del Evangelio llevan en sí también nuevos desafíos: ¿Cómo llegar a tantos que esperan el mensaje de Jesús y que desean participar en la vida sacramental de la Iglesia, si no tenemos el número suficiente de sacerdotes, si nuestras posibilidades de construir nuevos templos, y en algunas diócesis de levantar las ruinas de los ya existentes, son hasta ahora casi nulas? En ciertos aspectos, en nada ha variado la situación de la Iglesia con respecto a lo que expresa el Documento Final del ENEC, sobre todo en lo referente a los condicionamientos externos y de orden material, que afectan la vida y la acción de la comunidad católica.

Pero este Encuentro Conmemorativo no se celebra, sin embargo, dentro del mismo marco referencial del ENEC. La historia de la humanidad y la de nuestro país han experimentado cambios profundos en estos diez años. Quizá lo más relevante sea, en el ámbito mundial, el tipo de economía global que se impone de modo casi inexorable y que no permite la opción de aceptarla o no, sino que hace que la mayoría de los pueblos reorienten sus planes para, al menos, paliar los efectos negativos que ella puede traer consigo; pero cuidando, al mismo tiempo, no quedar fuera de su dinámica, pues ello equivaldría a una riesgosa marginación de graves consecuencias para el futuro.

Asistimos al final de un siglo y de un milenio y coincidentemente al cambio de una era. El desarrollo técnico, el acceso múltiple y libre a la información y a los sistemas informáticos determinan ya más la posibilidad concreta de desarrollo en las naciones que un número alto de ingenieros o de biólogos. De la capacidad concreta de los gobiernos para maniobrar dentro de esas nuevas coordenadas dependerá, en gran parte, el desarrollo y la felicidad de los pueblos.

Enemigos de esta posibilidad evolutiva serán la corrupción, el conservadurismo, la cerrazón ideológica, la incapacitación científica y técnica de las nuevas generaciones, el desconocimiento o el desentendimiento de esas megatendencias del nuevo mundo que nace, etc.

La Iglesia, en medio de este desafío, también global, tiene que alzar su palabra profética en cualquier lugar para recordar la primacía del hombre sobre las leyes ciegas de la economía y de la técnica, para recordar a los centros de poder mundial el deber ético de solidaridad, para invitar a los pueblos y gobiernos necesitados de ayuda al esfuerzo propio, a la adecuación a las exigencias de la modernidad en la informática, en la técnica, en el campo económico y aun en lo político, para adaptar estructuras y mentalidades al mundo nuevo que está naciendo y hacerlo con una seria preocupación ética.

Los obispos de Cuba nos hemos sentido comprometidos, por el evangelio que Cristo nos ha confiado, a levantar nuestra voz en varias ocasiones durante esta década que nos separa del ENEC, a fin de ejercer nuestra misión profética en momentos de transformaciones en nuestro país. Sabemos que la verdad en los acontecimientos históricos se alcanza con la participación de muchos. No puede haber verdades oficiales ni pueden presentarse en el quehacer propio y autónomo de la política y de la economía verdades eclesiásticas que tendrían que ser aceptadas por todos como dogmas. Pero los cubanos tenemos que aprender a escucharnos sin rechazos «a priori», para encontrar juntos caminos de verdad, de reconciliación, de solidaridad y de paz. Esa fue la propuesta de los obispos cubanos en nuestro mensaje de septiembre de 1993: «*El amor todo lo espera*».

El calor con que son recibidas las intervenciones de la Conferencia de Obispos Católicos de Cuba, el interés y la atención prestados a sus documentos, son también característicos de estos diez años de vida eclesial que nos separan del ENEC.

Junto con su misión profética, por la cual la Iglesia, inspirada en el Evangelio de Jesucristo, intenta contribuir a la búsqueda de la verdad y al bien general de nuestro pueblo, está su acción de servicio a la sociedad en espíritu de solidaridad y con la característica propia de la caridad cristiana, que es la de servir al hombre y la mujer *concretos* que sufren desnutrición, enfermedad, soledad, prisión o marginación. «*Señor, ¿cuándo te vimos hambriento y te dimos de comer, desnudo y te vestimos, enfermo o en la cárcel y te fuimos a ver? Cada vez que lo hicieron a uno de estos pobrecitos, a mí me lo hicieron.*» Este texto de San Mateo en su capítulo 25 es fundante no solo del deber de servir a quien lo necesita, sino del estilo propio de hacerlo: alcanzando al hombre mismo al modo de Jesús, en su propia miseria, como cuando al curar al leproso Cristo puso primero sus manos sobre él.

La Iglesia en Cuba ha tratado, por medio de Caritas Cubana, de crear unas estructuras de servicio solidario a nuestros hermanos. No es a conglomerados humanos a quienes se dirige nuestro actuar; no puede ser solo a instituciones a quienes sirve la Iglesia, aunque estas estén dedicadas al cuidado del enfermo, del anciano, o del que sufre. La Iglesia, que tiene el deber impuesto por su Señor de servir al pobre y al enfermo, y que ha practicado esto siempre y en todo lugar como algo que le es propio, no es una simple agencia canalizadora de fondos para ayuda; tiene que ser, también por mandato de su Señor, una Iglesia actuante junto a la cabecera del enfermo, en la celda del preso, dentro de los hogares necesitados de pan y de armonía.

El amor cristiano, si bien se muestra en obras concretas, exige una personalización que cree relaciones de afecto y hermandad entre los beneficiados y los portadores de la ayuda. El anonimato, la eficacia distributiva y computarizada, generan un paternalismo frío y funcional ajeno al amor cristiano. La acción directa, personal, crea amistad y fraternidad. De estos bienes del espíritu está muy necesitado siempre el que sufre y a los cristianos nos toca ser, por nuestra vocación de discípulos de Jesús, portadores de esos bienes. Por ello, en casi todas la parroquias de Cuba se han organizado en estos últimos años los grupos de Caritas. Por eso, las Caritas Diocesanas, por su parte, y Caritas Cubana, como organismo de la Conferencia de Obispos Católicos de Cuba, no cesan de prestar ayuda y de reclamar que el espacio propio de la Iglesia en el servicio y la solidaridad llegue a ser comprendido y facilitado cada vez más por las instancias oficiales.

No se pueden tocar todos los puntos en unas palabras iniciales que pretenden ser más bien puente que recuento. Puente que lleve a esta Iglesia joven, renovada, vivificada por nuevos miembros y confirmada en su espíritu misionero, hasta el año 2000 de la era cristiana, para recibir el tercer milenio del cristianismo con una confesión vibrante de nuestra fe en *«Jesucristo el mismo ayer, hoy y siempre»*, concretada en hechos de amor, de servicio y de reconciliación, y en diálogo con todos los que de un modo u otro son responsables de los destinos de nuestro pueblo o se interesan honestamente por nuestro futuro.

Desde el Primer Encuentro Nacional Eclesial, la Iglesia en Cuba fijó claramente su postura con respecto a los hermanos cubanos que viven fuera de nuestro país. Decía el Documento Final del ENEC que, si bien pensamos que el lugar del católico cubano está en nuestra Patria y junto a la Iglesia que anuncia en Cuba a Jesucristo Salvador, respetábamos la opción de muchos hermanos nuestros al partir del país e incluso la comprendíamos, a veces con dolor, porque en ocasiones no se les dejó en Cuba otra posibilidad para ellos y para sus familias. Hoy, que esta lenta sangría de nuestra población continúa y depende a veces del azar, de una rifa, el cambio inesperado y desgarrador de muchas vidas, repetimos el mismo llamado de amor a Cristo y a la Patria.

Sabemos que estos amores están también presentes en los cubanos que viven fuera. Sabemos que, a pesar de voces estridentes y no significativas, la comunidad cubana de Miami, especialmente su mayoría católica, se siente cercana a nuestra Iglesia y busca caminos para estrechar los lazos de amor con los cubanos de aquí.

Creo que ya se va avanzando en esta vía. El nombramiento de un Cardenal cubano por el Papa Juan Pablo II que ha constituido una confirmación del andar de nuestra Iglesia en Cuba y seguirá siendo también un factor de acercamiento y unidad entre todos los cubanos dondequiera que se encuentren.

Miramos hacia el año 2000 con esperanza. Esa esperanza no está hecha de cálculos para mejorías económicas espectaculares, ni se apoya en otros factores humanos. La esperanza cristiana está puesta en Dios, en el Señor de la historia, que conduce nuestras vidas y los acontecimientos todos de la humanidad con absoluto respeto de nuestra libertad, pero haciendo que triunfe siempre el bien: «*No teman, pequeño rebaño mío, yo he vencido al mal*».

Fiados en esta palabra de Jesucristo y confiados en la protección maternal de la Virgen de la Caridad de El Cobre, nuestra Patrona, damos inicio a los trabajos de este Encuentro

Conmemorativo del ENEC. Que el Señor bendiga abundantemente todos estos esfuerzos y a cada uno de los participantes.

PALABRAS PRONUNCIADAS
ANTES DE LA MISA PRESIDIDA POR S. S. JUAN PABLO II
EN LA PLAZA JOSÉ MARTÍ DE LA HABANA*

Querido Santo Padre:

De nuevo, el pueblo de La Habana y de las provincias vecinas, como lo hiciera hace pocos días al darle su bienvenida a Cuba, se congrega en torno al Sucesor de Pedro. En esta ocasión, para participar en una Eucaristía de domingo que será inolvidable, porque está hoy con nosotros y preside la celebración quien hace presente a Cristo el Buen Pastor ante la Iglesia universal: el Papa Juan Pablo II. Es grande el privilegio de acoger de los labios de Su Santidad la Palabra de Dios que ha venido a anunciar a los pobres, a los que sufren, trayendo a los corazones angustiados la liberación que solo Cristo puede ofrecer.

Es conmovedor que aquí, en esta plaza, testigo excepcional de nuestra historia más reciente, sea elevado en sus manos, entre cielo y tierra, ofrecido por nuestra nación y por cada uno de quienes la integran, el Cristo de la Cruz, con su cuerpo entregado por nosotros y su sangre derramada por nosotros y por la multitud. Es la misma Misa de todos los días, es en verdad el día el que es excepcional.

Desde ahora sentimos que será imposible a los que estamos aquí no amarnos como hermanos, no perdonar nuestras ofensas recíprocas, no olvidar agravios, no abrirnos a la verdad dicha con sinceridad, no poner por obra todo lo justo, bueno y noble que pueda traer la reconciliación entre todos los cubanos, la paz y la fidelidad a nuestro pueblo.

Beatísimo Padre, esta es la disponibilidad de nuestros corazones para acoger el mensaje que Su Santidad nos trae. Tenga la seguridad de que es este el sentir del obispo de esta Arquidiócesis, de los obispos auxiliares, de las personas con-

---

* La Habana, 25-I-1998.

sagradas a Dios en el Sacerdocio y en la vida religiosa, de los diáconos, del pueblo fiel, y estoy seguro que de cuantos se han congregado hoy aquí, pues todos saben que su largo viaje hasta Cuba, su presencia entre nosotros, su vitalidad incansable de estos días, son fruto de ese amor a los cubanos, que lleva, Su Santidad, en su corazón de Padre y pastor.

Y nadie acude a una cita dictada por el amor con ningún otro sentimiento que no sea al menos el de la benevolencia y la docilidad.

Nuestros corazones están dispuestos, nuestros sentidos, atentos. Enséñanos, Padre, el camino de la verdad, descúbrenos nuestros errores, aviva nuestra fe, alienta la esperanza de este pueblo de la Arquidiócesis de La Habana y de sus diócesis sufragáneas de Pinar del Río y Matanzas.

La Habana es una capital acogedora y cariñosa; los pueblos de estas provincias occidentales tienen en común no solo su modo de hablar, sino también su forma de sentir, son expresivos y cordiales.

En nombre de los pinareños, los matanceros y los habaneros, pido a Su Santidad que en esta Eucaristía, con todas sus grandes intenciones, los tenga a ellos muy presentes.

Como en la lectura evangélica de hoy, todos los ojos están fijos en ti, pero son los ojos del alma que aguardan ver la salvación de Dios que les será anunciada.

PALABRAS PRONUNCIADAS EN EL AEROPUERTO JOSÉ MARTÍ EN LA DESPEDIDA A S. S. JUAN PABLO II*

Santo Padre: con cariño y emoción lo ha recibido el pueblo de La Habana, hace apenas unos días; con entusiasmo y en clima de oración, el pueblo de Cuba ha seguido, paso a paso, su peregrinar por nuestra isla: los jóvenes en Camagüey, las familias en Santa Clara, han escuchado una vez más de sus labios que lo que no se establece sólidamente en Dios se torna mudable y peligroso para el hombre; que el amor a

---

* La Habana, 25-I-1998.

Cristo es el mayor lazo de unión entre los miembros de la familia y los hijos de un mismo pueblo. Su venerada persona, Santo Padre, ha quedado unida para siempre a nuestra historia patria, al haber coronado en Santiago de Cuba como Reina amorosa de la nación cubana a la Virgen Santísima de la Caridad de El Cobre. Inolvidables serán para cuantos participaron en la Eucaristía de la Plaza de la Revolución en La Habana sus palabras llenas de esa sabiduría que es don del Espíritu y que permanecerán junto con sus mensajes al mundo de la cultura, a los sacerdotes y otras personas consagradas, y a todos los que sufren, como un legado precioso, en el cual debemos reflexionar seriamente para que la vida de todos y cada uno de los cubanos se transforme y pueda así transformarse toda la sociedad.

Esperábamos su visita, Santidad, como la de un mensajero de verdad y esperanza. Al despedirlo puedo asegurarle que todo nuestro pueblo se ha acercado más al fulgor de la verdad y ve abrirse ante sí caminos insospechados de esperanza.

Con nostalgia le decimos adiós, pero un gozo inmenso llena al mismo tiempo nuestros corazones porque, es cierto, Santo Padre, que te vas, pero es también verdad que dejas entre nosotros algo nuevo, no experimentado nunca antes por quienes vivimos en nuestra hermosa tierra: desde nuestra pobreza y a pesar de nuestros pecados, no creo mentir si digo que has puesto en nuestros corazones un gran deseo de ser buenos.

Gracias, querido Padre y Pastor, la porción del inmenso rebaño que Cristo te confió y que vive en Cuba, siguiendo una tradición de nuestro pueblo, nunca dice adiós, porque encuentra esa palabra demasiado rotunda.

En cubano te decimos hasta luego, hasta pronto, como cristianos o como hacen los hijos con su padre, te pedimos tu bendición.

PALABRAS PRONUNCIADAS
EN LA CONVENCIÓN DE LA PRENSA CATÓLICA*

Sras. y Sres., hermanos todos:

Cuando fui invitado a esta reunión de medios de comunicación católicos, quienes tenían la gentileza de invitarme me sugerían, con una anticipación próxima al año, que en mis palabras ante este auditorio tan cualificado hiciera un recuento de la visita del Papa Juan Pablo II a Cuba, valorando su significación y sus efectos para la Iglesia en nuestro país y para todo el pueblo cubano.

Hoy, habiendo tenido la dicha de vivir la extraordinaria experiencia de fe y de haber gustado el hondo contenido humano de esa visita, puedo decir sin vacilación que el tema de mi comparecencia fue muy bien escogido por mis anfitriones, pero que, además, su selección para este encuentro se impone por la propia relevancia de aquel evento, por la repercusión en Cuba y en el ámbito internacional de ese inolvidable viaje del Sumo Pontífice a mi país y por la implicación directa de quien les habla, debido a sus responsabilidades como Cardenal Arzobispo de La Habana y al frente de la Conferencia de Obispos Católicos de Cuba, en la preparación y el desarrollo de ese histórico acontecimiento.

Con la visita del Papa Juan Pablo II a Cuba se ha producido un impacto histórico al modo de una piedra lanzada en un lago, generadora de ondas concéntricas, que no cesan de dibujar en superficie círculos cada vez más abiertos y de mover en profundidad las aguas estancadas donde parecía flotar la Isla de Cuba en estos últimos años, sobre todo en lo tocante a su relación con el mundo exterior y, en especial, con Estados Unidos, Europa y la América Latina, o sea, con ese mundo occidental en el cual Cuba está enclavada.

Esta ubicación geopolítica la hizo notar con fuerza el Santo Padre en La Habana cuando, en su homilía en la Plaza de la Revolución, al improvisar una frase en latín, dijo con énfasis que lo había hecho porque Cuba es latina y está en América Latina.

---

* Nueva Orleans, 3-VI-1998.

El Sucesor de Pedro se propuso en verdad lanzar la piedra en esas aguas de nuestra historia más reciente y lo hizo desde el primer momento de su llegada a nuestro suelo. Todos sentimos el efecto multiplicador y desinstalante de sus palabras, cuando formuló en el mismo aeropuerto de La Habana, donde acababa de ser recibido, su deseo que era a un tiempo invitación y reto: «*que el mundo se abra a Cuba, que Cuba, con sus magníficas posibilidades, se abra al mundo*».

Estaban puestas la bases de su visita a la isla grande de las Antillas. El Papa iba a ejercer su oficio de Pontífice (etimológicamente, hacedor de puentes), no solo, aunque evidentemente también, en la necesaria relación del hombre con Dios, sino además tratando de ligar entre sí a hombres y pueblos separados por concepciones políticas o ideológicas, o enemistades históricas, o barreras culturales.

¿No es este el quehacer propio del cristiano, cuya fe se simboliza siempre en la cruz con sus dos dimensiones esenciales, la vertical que se eleva hacia lo alto y la horizontal que abre sus brazos para cobijar a los hombres de un lado y de otro, convocados por el amor del que murió en el madero?

Y el Papa, a su llegada, habló en el mismo aeropuerto de esa cruz que había sido plantada en Cuba quinientos años atrás y de las raíces cristianas de la nación cubana. Venía a dirigir su mensaje no a un país extraño a la cultura de Occidente, sino donde la fe cristiana tenía un papel incluso integrador de la nacionalidad. Esto lo reafirmó de manera especial en su discurso del Aula Magna de la Universidad de La Habana, en donde rindió homenaje al Siervo de Dios Padre Félix Varela. Dijo allí el Papa refiriéndose a la cultura cubana, «*que tiene una honda raíz cristiana, lo cual es hoy una riqueza y una realidad constitutiva de la nación*».

Estas eran las aguas profundas que removió el Pontífice y no para que las ondas llegaran a otras costas, pues eran aguas de nuestro subsuelo. Como se trata de una labor en profundidad la emprendida por el Papa, es más difícil constatar sus efectos, pero estos son quizá los mayores y más importantes de su visita.

Me refiero a cuanto el Santo Padre sembró en el corazón de los cubanos, de aquellos que acudieron a las plazas por centenares de miles, de quienes se apiñaban también por millares en las calles de La Habana por donde debía pasar el Pontífice, sin que nadie los convocara, de los millones que siguieron las misas por televisión y no olvidan la mirada del Santo Padre, su bondad, la serenidad de su rostro.

Muchos comentarios en centros de trabajo, en la universidad, en las calles, coincidían al decir al día siguiente de su partida que parecía que la ciudad estaba vacía, que se extrañaba al Papa como a un familiar querido que acababa de partir. Unánime fue la sensación de paz, de alegría, de fraternidad, que disfrutó el pueblo cubano durante aquellos días. ¡Hemos vivido cinco días de fiesta!, decían muchos; pero fue una fiesta diferente, un regocijo del corazón que el cubano había celebrado en su interioridad. Uno de los hospitales de La Habana que recibe diariamente el mayor número de hechos de sangre (hasta cinco o a veces seis al día), no recibió ninguno durante los días en que el Papa estuvo en Cuba. Así nos lo escribía un médico de ese centro. Un psiquiatra constató el descenso de la ansiedad en la disminución notable del número de pacientes que acudió a su consulta en los quince días que siguieron a la llegada del Santo Padre a Cuba.

Estos elementos anecdóticos son reveladores de algo más importante y abarcador, que puedo resumir con la frase que me dijo emocionada una artista, una mujer de fina sensibilidad: después de la visita del Papa, nada vuelve a ser igual que antes, tampoco nosotros mismos.

Pero ¿no estaré apoyándome en mi exposición sobre algo tan movedizo como los sentimientos, asentados en este caso sobre un hecho que está sometido a la extraordinaria capacidad de olvidar de los seres humanos?

Si solo hubiera quedado esto de la visita del Papa a Cuba, era ya extraordinario. Pero no fue eso solamente, hay mucho más, porque la mayoría de las palabras pronunciadas por el Santo Padre no estaban dirigidas precisamente a mover sentimientos superficiales. Ahí se alzan ante nosotros, como un conjunto impresionante de pensamiento doctrinal, filosófico, social y de ética personal y política, las homilías y discursos pronunciados por Juan Pablo II en las distintas celebraciones de nuestro país. Solo su lectura atenta y su estudio sistemático nos mostrarán toda su riqueza.

El Papa estaba interesado en conocer la posibilidad del pueblo cubano para comprender ese mensaje que él le presentaba. Cuando lo acompañaba en el papamóvil desde el aeropuerto, por las avenidas de la Ciudad de La Habana, el Santo Padre, refiriéndose al discurso que acababa de pronunciar en la terminal aérea, transmitido a todo el país por la radio y la televisión, me preguntó si el pueblo habría comprendido. Al responderle que creía que sí, y haciendo gala de agudeza en una lengua que no es la suya, añadió el Papa: *¿y habrán entendido?* Le aseguré que sí, que el pueblo cubano tiene un buen nivel de instrucción y que es perspicaz para captar lo que se le dice.

No tardó el Santo Padre en descubrir por sí mismo esta capacidad del cubano. Cuando ya había celebrado las misas de Santa Clara y Camagüey, comentó conmigo admirado que: *«el pueblo cubano aplaude los conceptos»*, y después de un instante de reflexión agregó: *«eso quiere decir que entienden»*.

En efecto, el Papa, como es habitual en sus visitas pastorales, pero mucho más que en otros países, puso en Cuba una fuerza especial en sus mensajes. Y se sintió recompensado y satisfecho al ver que el pueblo cubano comprendía lo que él decía y entendía su significado.

La prueba definitiva de esta sintonía del Papa Juan Pablo II con el pueblo cubano fue la Eucaristía celebrada en la Plaza de la Revolución en La Habana. Allí improvisó, manejó con precisión la entonación y la fuerza de la frase y literalmente dialogó con la multitud, que lo interrumpió con grandes aplausos más de veinte veces.

El pueblo cubano guarda, ante todo, este recuerdo muy vivo en su mente. A las impresiones causadas en el orden de los sentimientos por la bondad y la valentía del Santo Padre, que vencía las dificultades y limitaciones que le imponen sus años, se superponía después la amplitud y profundidad de su mensaje que encontró eco en lo hondo del cubano, quien, como dijo el Santo Padre, es capaz de entender.

Esto explica por qué se han distribuido y se siguen distribuyendo en el país más de doscientas mil copias de las homilías y discursos papales en Cuba. La afluencia a los templos no cesa de aumentar después de la visita del Santo Padre. En cada iglesia y parroquia se organizan catecumenados que preparan a miles de personas para acercarse a los sacramentos, aumentan las catequesis de niños y adolescentes y los locales de las iglesias son insuficientes para acoger a las personas que llegan.

La visita del Papa Juan Pablo II y su llamado en favor de la inserción de Cuba en el mundo han allegado al país muchos visitantes oficiales de diferentes países y gobiernos, deseosos de estrechar lazos comerciales o diplomáticos con la nación antillana. Países que no tenían relaciones diplomáticas con Cuba las han reanudado y otros, como España, las han normalizado. Dentro de esta dinámica de acercamiento se destacan la visita del Primer Ministro canadiense Jean Chrétien y las medidas tomadas por el Presidente Clinton con relación a viajes directos para los cubanos desde Miami, envío de ayuda monetaria a las familias en Cuba y algunas facilidades para la compra de medicinas.

En resumen, el mundo parece moverse hacia Cuba en el tiempo posterior a la vista papal y contrasta esta actividad de los últimos cinco meses con el casi inmovilismo en lo que se refiere a visitas de importancia o acciones diplomáticas de cierto peso en los dos años anteriores. Resulta también digno de mención que todo visitante oficial declara venir a Cuba animado por el viaje del Papa a nuestro país y su llamado a romper su aislamiento.

No se logra ver esa misma intensidad, sin embargo, en la dinámica interna de la nación. Aunque cinco meses es poco tiempo para que se pueda constatar el influjo real del mensaje del Papa a los cubanos y su repercusión concreta en la vida nacional, se espera al menos descubrir en actitudes y palabras oficiales ciertos enfoques nuevos, así como un número mayor de gestos indicadores de una mentalidad más amplia y flexible para el futuro.

En general, tanto en la vida de la nación, como en lo que se refiere a las relaciones con la Iglesia, podría tenerse la impresión de que la visita del Papa a Cuba ha sido considerada como un paréntesis que se abrió y se cerró sin mayores consecuencias. En realidad puede no ser así, sobre todo en las relaciones del Estado con la Iglesia Católica, que han experimentado cierto desarrollo en los últimos tiempos, pero esto se hace menos evidente en otros campos de la vida civil.

Preocupa la imprescindible interacción recíproca de lo interno y lo externo en la vida de la nación. Así, un dinamismo en las relaciones internacionales con un mayor flujo de inversiones desde el exterior hacia Cuba puede influir positivamente en una dinamización de la sociedad cubana, pero, y esto sería lamentable, un estancamiento en la vida interna del país puede disminuir o condicionar en gran medida la esperanza y el dinamismo que desencadenó en los medios internacionales la visita del Papa.

Este es un momento excepcional de la historia contemporánea de Cuba, un momento que no debe perderse, porque no se repiten, en la historia de una nación, oportunidades de este género. Yo rezo todos los días por que ambos dinamismos puedan conjugarse y fecundarse mutuamente, así el efecto de la piedra lanzada por el Santo Padre en aquel estanque de aguas quietas producirá también la esperada reacción en cadena que «*abra a Cuba, con todas sus magníficas posibilidades, al mundo*».

Repito que cinco meses es aún poco tiempo. En el tiempo milenario de la Iglesia, no es contabilizable, en el largo tiempo de 40 años de la Revolución cubana es poco, en el tiempo del mundo actual, donde todo ocurre pronto o el momento pasa con rapidez, comienza a parecer suficiente.

Quizá la mirada de ustedes, hombres y mujeres del mundo de la noticia, sigue el ritmo acelerado que imponen las comunicaciones hoy día. El desfase con respecto al tiempo real del mundo tecnificado y más avanzado es propio de los países del llamado Tercer Mundo, en general, incluyendo a no pocos de América Latina y, sobre todo, a los países africanos. Ritmos de crecimiento económico lento, ritmos políticos no bien establecidos ni sistematizados generan una vida social más o menos apagada, que va siempre despacio. La tentación de dinamizar de un golpe ese mundo, tanto en lo económico como en lo político y social, puede violentar los ritmos de esos pueblos y producir situaciones de inestabilidad y de crisis. Por ejem-

919

plo, las políticas económicas de choque en países del Tercer Mundo, en la misma América Latina, traen miseria e inquietudes sociales; la rápida implantación de un sistema económico de mercado de tipo neoliberal en países del antiguo campo socialista, incluyendo a Rusia, sin que estas medidas fueran progresivamente asimiladas, dosificadas y reguladas, ha originado nuevos males en esos pueblos.

El Papa Juan Pablo II habló en Cuba de la gradualidad en la transformación de la sociedad. En las circunstancias presentes, esa gradualidad se hace necesaria para favorecer los cambios progresivos deseables, sin los excesos del apresuramiento, pero sin el defecto, no menos peligroso, de la lentitud o de la inercia.

El Santo Padre, en su discurso del Aula Magna de la Universidad de La Habana, expresó: «*el Padre Varela era consciente de que, en su tiempo, la independencia era un ideal todavía inalcanzable y se dedicó a formar personas, hombres de conciencia... Toda la vida del Padre Varela estuvo inspirada en una profunda espiritualidad cristiana... Eso lo llevó a creer en la fuerza de lo pequeño, en la eficacia de las semillas de la verdad, en la conveniencia de que los cambios se dieran con la debida gradualidad hacia las grandes y auténticas reformas*».

Este espíritu vareliano lo ha mantenido la Iglesia en Cuba a través de los años. Así ha sido desde antes del Encuentro Nacional Eclesial Cubano, *ENEC*, en 1986, pero sobre todo después de su realización, y en este camino ha sido confirmada por el Papa Juan Pablo II en su reciente visita. Esta paciencia de una Iglesia, que es milenaria y que se apoya en el Evangelio del amor y de la reconciliación, le ha permitido ser parte activa en una transición en las relaciones de la Iglesia y el Estado en Cuba que van desde el choque directo y la confrontación, pasando por el desconocimiento de la Iglesia como realidad sociológica, hasta la aceptación de la existencia de la Iglesia y hoy se vislumbra un reconocimiento progresivo y más amplio de su función social.

El Papa, en su discurso dirigido en La Habana a la Conferencia de Obispos de Cuba, nos instaba a «*reclamar el lugar que le corresponde a la Iglesia en el entramado social donde se desarrolla la vida del pueblo*». Y el Santo Padre animaba a los obispos a que, «*en este empeño... mantengan, tratando de incrementar su extensión y profundidad, un diálogo franco con las Instituciones del Estado y las organizaciones autónomas de la sociedad civil*».

Procurar este diálogo, ensancharlo, buscando siempre espacios más abiertos para la misión de la Iglesia, manteniendo al mismo tiempo su independencia y su identidad como comunidad de fe, alejada de toda instrumentalización política ni por parte del Estado ni por personas o entidades con programas políticos alternativos, para ser capaz de anunciar el evangelio liberador y enaltecedor de la persona humana. Ese ha sido el programa de la Iglesia Católica en Cuba.

Esta es la Iglesia que ha visto crecer en número y en calidad a sus fieles y que no cesa de experimentar pruebas crecientes de respeto, de simpatía y de confianza por parte del pueblo cubano. Esta es la Iglesia que invitó al Papa Juan Pablo II, la que preparó su visita con una misión nacional extraordinaria, la que organizó las hermosas celebraciones de Santa Clara, Camagüey, Santiago de Cuba y La Habana con una vibrante participación de nuestro pueblo.

La que ahora cosecha, emocionada y agradecida a su Señor, los frutos espirituales de esa visita y se sabe apoyada y sostenida por sus fieles y por el Sucesor de Pedro y cuantos colaboran con él en la Curia Romana. Esta Iglesia es la que en cierto modo resulta homenajeada en mi persona hoy por ustedes, queridos comunicadores cristianos, porque, con el estilo que he descrito, mis hermanos obispos de Cuba y yo hemos proclamado durante estos años la fe en Jesucristo, único Salvador, a todo el pueblo cubano.

Heraldo de la fe es quien la proclama, pero el heraldo cristiano debe ser como su Señor, de quien dijo el profeta: «*no gritará, no voceará por las calles, la caña cascada no la quebrará, el pábilo vacilante no lo apagará*» (*Is* 42, 1-2). El Heraldo de Cristo se pondrá en la escuela de su maestro: «*aprendan de mí que soy manso y humilde de corazón*». Si es este el testimonio cristiano que ustedes desean reconocer, aunque imperfectamente alcanzado, es el que me he esforzado por

---

* París, 25-XII-1998.

dar a través de todo mi ministerio sacerdotal. Como el Padre Varela, y siguiendo el pensamiento del Papa Juan Pablo II, creo en la fuerza de lo cotidiano, de lo pequeño y esto no solo para lo que toca a la misión de la Iglesia. Creo también que para resolver las dificultades de mi país valen los pasos pequeños y consistentes y que los efectos transformadores de la misión del Papa Juan Pablo II en Cuba, que alcanzan ya a la Iglesia Católica, llegarán también hasta las estructuras de la sociedad cubana. Esta es mi confianza y mi continua oración al Señor. Que Dios los bendiga.

Muchas Gracias.

PALABRAS PRONUNCIADAS EN LA ENTREGA DEL PREMIO *UCIP* A LA REVISTA ARQUIDIOCESANA «PALABRA NUEVA»

Una pequeña revista de la Arquidiócesis de La Habana, Cuba, alcanza el premio anual de la Unión Católica Internacional de Prensa. ¿Qué llevó a esta conocida y respetada organización, que agrupa a tantas publicaciones y periodistas del mundo, relacionados de un modo u otro con la Iglesia Católica, a otorgar esta distinción a nuestra modesta publicaci6n diocesana?

Porque esta revista no tiene una tirada grande, aunque su alcance real sea mucho más amplio. Además, por las limitaciones en el uso del material necesario, debidas fundamentalmente a sus costos, y por las dificultades técnicas para su impresión, la cantidad de páginas de cada número debe ser restringida.

No es una revista de expertos en determinadas materias, sino escrita, con amplia visión, por laicos y algunos sacerdotes y religiosos que tienen en común el deseo y la convicción de contribuir a la promoción humana por medio de la formación de un pensamiento humanista, de inspiración cristiana, en sus lectores. Viven todos, además, una misma realidad político-social con peculiaridades que hacen del quehacer pe-

---

* París, 25-XII-1998.

922

riodístico un oficio a ratos azaroso, pues no resulta siempre fácil ser comprendido y encontrar el lenguaje que más conviene para expresar algunas ideas que pueden parecer novedosas o contrastantes en un medio social marcado durante muchos años por una filosofía y una praxis de inspiración marxista.

En casi todas las diócesis de Cuba fueron surgiendo, en estos últimos años, unos tras otros, boletines, hojas diocesanas y aun pequeñas revistas, algunas de ellas con cierta especialización, como las publicaciones que tocan temas de bioética, o dirigen sus artículos a la familia para fortalecer su institución y animar a sus miembros a amarla y defenderla, o hablan especialmente a la juventud, a fin de despertar en los jóvenes el sentido del compromiso.

«*Palabra Nueva*» toca todos estos temas y otros más, no sistemáticamente, sino, más bien, de forma alterna y variada. Participan también en la publicación algunos no católicos que pueden escribir sobre diversos asuntos. El consejo de redacción considera siempre atentamente todos los artículos que han de publicarse, tanto de escritores cristianos como no cristianos, teniendo en cuenta la propia filosofía de la revista, que incluye, evidentemente, una ética cristiana en cuanto a la verdad y al modo de expresarla y una visión de fe del mundo, del hombre y de la historia, que lleva consigo obligadamente, por ser cristiana, la puesta en evidencia del amor al estilo de Jesús que, al decir de San Pablo, sobrepasa toda filosofía. Con esta postura deontológica y teológica, acepta la revista a sus colaboradores extraordinarios y, a través de quienes escriben habitualmente en ella, expresa su propio pensamiento.

Con esa misma actitud intenta la revista acercarse al paisaje cultural, político y social de Cuba, en el cual el aluvión ideológico de las décadas pasadas ha dejado sedimentos que hoy pueden actuar como humus donde van naciendo, creciendo y ramificándose nuevas realizaciones.

Nuestra revista, pues, no solo tiene que ver con ese mundo cambiante de la realidad nacional cubana, sino que ella misma, con las otras más de veinte publicaciones diocesanas de Cuba, es una expresión privilegiada de esos cambios que lentamente se van produciendo en nuestro país.

Aprendizaje difícil el de la posibilidad de expresarse sin hacer de ella un arma de combate, un alarido hiriente, ni un recuento amargo de lo que se ha callado por mucho tiempo. Ser fieles a la verdad sin pretender que todos acepten que esa verdad es plena, sin ser intolerantemente verídicos, o sin hablar concluyentemente desde una cima de verdades infalibles, que se tornan así piedras de choque para el diálogo, ese es uno de los más difíciles ejercicios en el necesario aprendizaje de una expresión libre y responsable del pensamiento.

Qué difícil también la adaptación del escucha a voces distintas, que parecen sonar, en ocasiones, discordantes, cuando el oído está hecho al canto llano de una melodía seguida al unísono. En esos casos, para continuar con el símil musical, pueden aceptarse a veces opiniones distintas, pero al modo de la polifonía clásica, donde las notas del acorde son diversas, pero se integran convencionalmente y según reglas precisas en un todo. Se hace, sin embargo, incomprensible un poema sinfónico contemporáneo, plagado de asonancias. Y así es la música de hoy, y así son la pintura, la poesía y la prosa actuales. Solo parece conservarse una especie de ritmo, y ese ritmo casi siempre es interior al autor, quiero decir subjetivo. Y ya sabemos que todo cuanto tiene que ver con la subjetividad se hace complejo y contribuye a ofuscar los criterios de juicio de los observadores.

Si algo debe ser premiado en esta revista *Palabra Nueva* y en las diversas publicaciones de la Iglesia en Cuba que han visto la luz en este último lustro, es el arrojo de sus escritores que hicieron de la búsqueda un entrenamiento activo. Ellos han salido al ruedo en un difícil ejercicio de equilibrio que ha ido creando, sobre el mismo terreno de la lid, las normas prácticas que deben regir este quehacer, por otra parte impostergable.

Cuando se pretende ser un instrumento de diálogo, y una publicación católica en Cuba debe siempre proponérselo, no es tan evidente que todo cuanto juzgamos verdadero se pueda decir de una vez, al mismo tiempo que lo injusto es fustigado y lo malo enjuiciado. La reflexión capaz de llevarnos a encontrar juntos los caminos de la verdad, de la justicia y de la solidaridad, que posibiliten la transformación de las conciencias y los corazones para alcanzar ese cambio hacia lo mejor que todo hombre ansía, no debe concebirse como la tarea de levantar fortines, sino de tender puentes.

Ambas estructuras necesitan la solidez de la piedra, la esbeltez de las formas, el cálculo atinado de sus componentes, pero el uno, en su mismo diseño, tiende a alzarse amenazador, mientras que el otro debe extenderse, con toda su consistencia, para enlazar dos riberas, de modo que los de un lado y los de otro puedan, aun pisando fuerte, transitar en sentidos opuestos y llegar a encontrarse con el respeto debido a modos diversos, y aun antagónicos, de pensar y de sentir.

Si salimos victoriosos de esto que he llamado ejercicio y aprendizaje en la expresión libre del pensamiento, si contribuimos a que las asonancias sean aceptadas en la sinfonía de la vida nacional cuando el artista, que eso debe ser también un escritor, sabe cómo dosificarlas e integrarlas de modo conveniente para que sirvan a un todo modernamente armónico, estaremos prestando un gran servicio no solo a la Iglesia, sino también a la nación cubana.

En la escuela del decir, los que piensan de modos diversos deben llegar a comprender que el decir con verdad y claridad no exige decir en tono alto o con voz atronadora, sino decir bien, lo cual reclama, análogamente al correcto uso prosódico, una articulación real entre verdad y vida, entre conceptos y testimonio y para un cristiano, además, entre fe transformadora de los criterios de juicio y aceptación existencial explícita de los valores evangélicos.

Si este estilo se vuelve cada vez más habitual, se convertirá en un quehacer didáctico muy útil, que aprovechará a muchos hermanos nuestros en el difícil arte de expresarse respetando las ideas del otro, al mismo tiempo que se aceptan sin molestias las ideas contrarias a las propias. No estoy proponiendo ni más ni menos que una metodología para el debate que, con las características que he señalado, debe recuperarse entre nosotros.

Este rodaje, común entre los comunicadores modernos, tiene una especial función pedagógica en nuestro medio. La proverbial intolerancia del cubano está necesitando de la duda para alcanzar seguridades nuevas. Y créanme que no escogí este prestigioso foro de la UNESCO, ubicado en el corazón de Francia, para hacer esta afirmación. No es de tan altos vuelos filosóficos esta reflexión que se apoya, más bien, en la experiencia cotidiana. Me refiero a dudas sobre esas «verdades propias» de las que nacen muchas de nuestras propias convicciones, de las cuales proceden, normalmente, nuestros actos.

Todo hombre debe ser un buscador de la verdad, pero la Verdad, siendo UNA, requiere que todos pongamos en duda nuestras pequeñas verdades. A dudas saludables me refiero, a la duda del científico, a la duda del juez que juzga sobre la inocencia o culpabilidad de un acusado, a la duda imprescindible que precede las grandes o pequeñas decisiones, para hacer de hecho la mejor opción.

De las dudas confrontadas de algunos puede surgir la seguridad de muchos. Ahora bien, el medio de confrontar lo dudoso es la expresión libre del pensamiento. A este respecto decía el Papa Juan Pablo II en su homilía de Santiago de Cuba: «*el bien de una nación debe ser fomentado y procurado por los propios ciudadanos a través de medios pacíficos y graduales*».

«*De este modo, cada persona, gozando de libertad de expresión, capacidad de iniciativa y de propuesta en el seno de la sociedad civil... podrá colaborar eficazmente en la búsqueda del bien común*».

Como siempre, Juan Pablo II establece una correlación entre derechos y deberes. Enuncia el derecho de cada hombre o mujer a la expresión libre del pensamiento, pero establece, como horizonte definido para la opinión derivada del ejercicio de ese derecho, el bien común de la sociedad, que da la orientación ética general a la actuación de quien se expresa; pero aconseja, además, el Santo Padre, en cuanto a los medios para alcanzar el fin deseado, que se actúe pacífica y gradualmente.

Este programa que el Sucesor de Pedro nos presentó a nosotros, cubanos, es válido también para todo comunicador cristiano, que debe siempre tener en cuenta el bien total de la sociedad y que no debe hacer uso de la libertad de expresión para decir lo que genera la inquietud o lo que aparece precipitado o no bien fundamentado, sino lo que fomente la paz, haciendo propuestas razonables y graduales. El Papa, al hablar en Cuba de la libertad de expresión, recordó una vez más las claves éticas del periodismo.

Señoras, señores, en nombre del consejo de redacción de la revista *Palabra Nueva,* agradezco este premio que la UCIP ha querido otorgarle. En nombre de la Iglesia en Cuba quiero también agradecer el estímulo que significa, para cada una de nuestras publicaciones diocesanas, el que una de ellas haya sido escogida para poner en evidencia el esfuerzo de tantos colaboradores anónimos en la tarea difícil de encarnar la palabra iluminadora del Evangelio y difundir las enseñanzas de la Iglesia en la nación cubana.

Palabra Nueva nació hace seis años en el seno de una comunidad humana a la cual, en el primer mes de este mismo año, el Papa Juan Pablo II expresó, desde el mismo momento de su saludo inicial en el aeropuerto de La Habana, un deseo que se ha convertido en lema: «*Que Cuba, con sus inmensas posibilidades, se abra al mundo y que el mundo se abra a Cuba*».

Creo que esa apertura de Cuba al mundo comenzó a esbozarse desde hace algunos años. Creo también que ella posibilitó la visita del Papa Juan Pablo II a nuestra Patria y que la realización feliz de esa visita debe afianzar en nuestro país esos propósitos de apertura, aun más ahora, cuando pueblos y gobiernos, haciéndose eco del llamado del Papa, han dado pasos concretos de apertura a Cuba.

Quiero ver en la aparición, perdurabilidad y acogida de nuestras publicaciones católicas un signo importante de apertura interna en Cuba y deseo que esa apertura, como lo sentimos hoy en este recinto de la UNESCO, se proyecte al mundo como un canto de esperanza.

Para terminar, permítanme dirigirme de modo particular a los comunicadores católicos de Cuba: queridos hermanos y hermanas, prosigan su quehacer como depositarios de un mandato de sus obispos y de su Dios y Señor, hagan labor de evangelizadores, sean consecuentes con sus ideales y, sobre todo, con su fe, no busquen siempre agradar, no consientan nunca a la tentación de ofender, permanezcan en la verdad, la verdad los hará libres y sientan, como perenne desafío en sus corazones, el llamado a armonizar, según el modelo del Siervo de Dios Félix Varela, la fidelidad a Dios y a la Patria. Las palabras finales son de Jesucristo: «*No teman, yo estaré con ustedes siempre, hasta el fin del mundo*». Muchas gracias.

MENSAJE DE NAVIDAD 1998*

En esta ocasión deseo llevar a todos ustedes, queridos hermanos y hermanas, el mensaje de amor y de paz que la Navidad trae a todo hombre de buena voluntad.

La celebración de la Navidad, que vuelve a ser de ahora en adelante un día festivo en Cuba, con receso laboral y escolar, tiene características propias que deben ser propuestas a la reflexión del pueblo cubano, especialmente de las nuevas generaciones, para que sepamos bien qué celebramos y cómo debe celebrarse.

Lo primero a considerar es el hecho que motiva la celebración de la Navidad. El mundo cristiano conmemora el 25 de diciembre el nacimiento de Jesucristo, el Hijo de Dios, el Redentor de los hombres. En la Sagrada Biblia, en el Evangelio según San Lucas, leemos la narración circunstanciada del nacimiento de Jesús. Escuchemos: «*En aquellos días salió un decreto del emperador César Augusto, ordenando hacer un censo del mundo entero... Y todos iban a inscribirse, cada cual según su ciudad. También José, que era de la familia de David, subió desde la ciudad de Nazaret, en Galilea, a la ciudad de David, que se llama Belén, para inscribirse con su esposa María, que estaba embarazada. Y mientras estaban allí le llegó el tiempo del parto y dio a luz a su hijo primogénito, lo envolvió en pañales y lo acostó en un pesebre, porque no había sitio para ellos en el pequeño hotel del pueblo*».

Hasta aquí el relato del evangelio. Pero ¿qué es lo que hace que el nacimiento de este niño sea celebrado durante veinte siglos por millones y millones de seres humanos? Se conmemora la fecha del nacimiento de los grandes hombres,

---

* Alocución radial al pueblo cubano con motivo de la Navidad de 1998.

por el significado que tuvo su vida para un país, una región o un sector de la humanidad. Sucede esto también en Jesús de Nazaret: su palabra estremeció a sus contemporáneos en su región de origen y en todo su país. *«Habla como quien tiene autoridad, ¿de dónde le viene a este tanta sabiduría?»*, se preguntaban sus oyentes. La autoridad de aquel maestro se probaba en su vida, en su entrega a los demás. Nadie, ni antes ni después de Él, ha hablado de amor entre los seres humanos, de la misericordia y la comprensión, del perdón y la reconciliación como lo hizo Jesús ni nadie ha sido tan misericordioso como Él. Nadie ha hablado del sacrificio y de la entrega de la vida como Jesús, que selló con su sangre derramada en la cruz toda su predicación. Y nadie después de Jesús puede hablar de amor, de misericordia o de sacrificio sin hacer referencia a Él, que no ha cesado de inspirar en estos dos mil años, los sentimientos más nobles y los más altos ideales de la humanidad. Como modelo lo tomó nuestro apóstol, José Martí, que nos dijo: *«En la cruz murió el hombre un día, hay que aprender a morir en la cruz todos los días»*.

Quien nació en descampado y fue acostado en un sitio utilizado para guardar animales es Jesucristo, el mismo que murió en la cruz, cuyo nombre se extendió pronto, junto con su mensaje de amor y de esperanza, por todo el Imperio Romano, que recorrieron sus discípulos anunciando que aquel Jesús, que había sido crucificado, estaba vivo, resucitado y es nuestro Salvador.

Esa es la fiesta que celebramos. El nacimiento de un hombre único en la historia, pobre hasta nacer en un establo y morir en un madero. A quien sus seguidores proclaman vivo y resucitado, Hijo de Dios hecho hombre. Al que millones de seres humanos han seguido, entregándole sus vidas, como Francisco de Asís, la Madre Teresa de Calcuta o el Papa Juan Pablo II, que aun los que no ponen su fe en Él lo reconocen como un ser excepcional capaz de inspirar los sentimientos más puros.

Por esto, la venida al mundo de Jesús es presentada por el Evangelio como la gran fiesta de la humanidad. Si seguimos leyendo en San Lucas el relato de su nacimiento encontramos que, en la región en que nació Jesús, *«había unos pasto-*

res que pasaban la noche al aire libre, velando por turno a su rebaño. Y un ángel del Señor se les presentó y les dijo: No teman, les traigo una buena noticia, la gran alegría para todo el pueblo, hoy, en la ciudad de David, les ha nacido un Salvador: el Mesías, el Señor. Y aquí tienen la señal: encontrarán a un niño envuelto en pañales y acostado en un pesebre». Y de pronto apareció una legión de ángeles que alababa a Dios diciendo: ¡Gloria a Dios en el cielo y, en la tierra, paz a los hombres a quienes Dios ama!».

Queridos hermanos y hermanas, el nacimiento de Jesucristo es una gran alegría para todo el pueblo, pero no es un disfrute falso, como aquellos que solo sirven para pasar un buen rato, es una alegría del corazón, que compromete en el bien lo mejor de nosotros mismos y que sembrará para siempre en nuestros corazones la nostalgia de ser mejores. Hay una palabra del mismo Jesús que debemos acoger para vivir de veras el espíritu de la Navidad. Dice el Señor: «*si ustedes no vuelven a ser como niños no entrarán en el Reino de Dios*». Tenemos que acercarnos con ojos de niño al pesebre de Belén.

¿Han contemplado ustedes alguna vez la escena del Nacimiento de Jesús teniendo a un niño asido de la mano? ¿Se han detenido alguna vez con un niño delante de un árbol de Navidad con sus luces parpadeantes? Allí, todo se vuelve posible: que la mula y el buey, con su aliento, den calor al Niño en una noche tan fría, que el Niño que está en el pesebre nos mire y sonría, que la estrella que remata el árbol de Navidad sea exactamente la misma que indicó a los reyes magos el camino de Belén. Esta es la Navidad que sembró para siempre la nostalgia en nuestras almas.

Nostalgia que es más que recuerdos placenteros de horas felices. Es añoranza de algo que puede estar perdido u oculto en un rincón del propio ser: tal vez aquella transparencia que me permitía ver más allá de lo concreto o la dulce certeza de que el bien, la sencillez y la belleza pueden darse la mano, sin dudas la seguridad de que el amor familiar da más calor y alegría que el mejor de los apartamentos... y aquellas grandes y primeras intuiciones: tengo que ser bueno, tengo que llevarme siempre bien con los demás y querer mucho a todo el mundo.

Nuestra nostalgia debe ser la de encontrarnos con que se

ha opacado aquella transparencia inicial, se ha complicado lo que fue tan simple, se nos ha endurecido el corazón y hemos perdido el camino de la ternura. Nostalgia de no ser buenos, de algo que nos falta y que, sin saberlo, tuvimos cuando el Niño del pesebre nos sonrió y la estrella del árbol navideño se encendió mil veces después de apagarse otras mil... Nostalgia de Dios, nostalgia de amor verdadero.

Queridos hermanos y hermanas: nosotros necesitamos esa nostalgia de la Navidad, necesitan nuestros niños y nuestros jóvenes tener hoy la experiencia de la Navidad para que mañana puedan sentir su nostalgia, que nos permite retornar a lo mejor de nosotros mismos y al amor infinito de Dios, para rehacer siempre el proyecto de nuestra vida y mirar confiados al futuro.

Y si pareciera que el vacío se adueña de tu alma y no hallas el método para reencontrarte contigo mismo y con Dios, escucha las palabras de Jesucristo en su Santo Evangelio, Él tiene la fórmula: «Si Ustedes no vuelven a ser como niños...». Decídete, pídele al Señor que te conduzca asido de la mano, como un niño, hasta el pesebre de Belén, hasta la luz de la estrella, y déjate llevar allí de la imprescindible nostalgia que nos devuelve a la vida.

El pasado año, el Santo Padre nos envió un hermoso mensaje de Navidad que fue publicado en la prensa y leído en la radio y en la televisión. El Papa había pedido que la Navidad fuera un día feriado en Cuba. Y así fue concedido excepcionalmente en 1997. Pero este año el gobierno cubano ha decretado que la Navidad será siempre fiesta civil.

Esto es una gran alegría para la Iglesia y para el pueblo cubano. Ahora esperamos que no sea el tintinear comercial de un Santa Claus importado el que anuncie que en Cuba hay Navidad, sino un crecimiento en la fe y en la esperanza de todo nuestro pueblo, de modo que no perdamos lo sencillo y lo íntimo y que las nuevas generaciones, al referirse a la Navidad, no hablen solo de fiestas bonitas, sino de Jesús, el Hijo de Dios que nació en Belén de Judá, que vino a compartir la suerte de los pobres, a liberar los corazones del odio y a sembrar entre los hombres y pueblos el amor. Este es el desafío que enfrenta la Iglesia en Cuba al final de este siglo y para el nuevo milenio: la nueva evangelización del pueblo cubano que, como ha dicho el Papa Juan Pablo II a los obispos de Cuba después de su viaje pastoral a nuestro país, debe ser también nueva en sus proyecciones. Así se presenta este año para la Iglesia en Cuba la fiesta de Navidad: proyectada hacia el futuro como un canto de esperanza.

En esta Navidad, ante el pesebre de Belén ofrezco mis oraciones por la felicidad y el bienestar de nuestro pueblo en este Año Nuevo que comienza, el último de este siglo y de este milenio. Rezo por los gobernantes, por quienes están solos o enfermos, por las familias separadas, por quienes sufren prisión, por quienes están necesitados de amor o de reconciliación.

Que la Paz que Jesús nos trae llegue a los corazones de todos y que la bendición de Dios todopoderoso, Padre, Hijo y Espíritu Santo descienda sobre ustedes y permanezca para siempre. «*Feliz Navidad.*»

PALABRAS PRONUNCIADAS EN LA INAUGURACIÓN DE LA II ASAMBLEA NACIONAL DE UCLAP CUBA*

Queridos escritores y escritoras católicos.

Bienvenidos a esta Arquidiócesis de La Habana, donde se celebra en esta ocasión la reunión de UCLAP-CUBA.

Ustedes están reunidos hoy aquí como comunicadores que ejercen su tarea por medio de la prensa escrita, y dos condicionantes principales sostienen su trabajo: ser comunicadores católicos y serlo en Cuba hoy. No he llamado a estos rasgos fundamentales limitantes, pues este sustantivo, que puede ser también usado como adjetivo para determinar los bordes de una acción o las fronteras de una posibilidad, lleva en sí una intencionalidad que se siente extrínseca a la acción y a sus características propias. Los límites los pone otros, las condiciones pueden, y casi siempre es así, ser reclamadas desde dentro, intrínsecamente, aunque pueden estar dadas, además, por las circunstancias.

---

* La Habana, febrero 1999.

Las condiciones comprometen siempre mi postura ética. Ser comunicador católico en la prensa escrita es un compromiso particular. La prensa escrita queda, permanece, se consulta, la guardamos con nosotros, pasa de mano en mano y suscita una ola de adhesiones, de reflexiones o de rechazos, ojalá que no de indiferencias, que pueden ser sucesivas, revisables, interpretables con el texto «coram oculos» (ante los ojos).

Ni la radio ni la televisión pueden crear el clima participativo de la prensa escrita. El olvido amenaza a otros medios, mientras que la prensa escrita es consultable, siempre puede volvernos a hablar y explicar su contenido, impidiendo el implacable desgaste de la memoria. La palabra de Dios escrita y proclamada en la Liturgia, en los grupos de reflexión y oración, se hace viva en cada nueva ocasión que es leída.

De hecho, los medios de comunicación como la radio o la televisión, aun cuando tienen su lenguaje propio, el de la imagen y el sonido, se apoyan en lo escrito y traducen lo escrito a símbolos auditivos o visuales.

La primera responsabilidad del periodista de prensa plana es la de su conciencia de perdurabilidad en su producción, la de saber que su obra será cimiento de muchas edificaciones auditivas, visuales y también escritas. Un cable, la redacción de una noticia escrita, puede recorrer hoy el mundo, siendo animadas las palabras con la entonación de la voz de un locutor radial, o adornadas con las imágenes de archivo de una Cadena Televisiva que pueden potenciar o desvirtuar un texto bueno, pero que son capaces, aún más, de hacer un uso torcido de un texto inexacto o comprometedor para una persona, o un grupo humano, determinado.

De esta conciencia bien esclarecida ante su misma profesión emanan las condiciones concretas que conforman una actitud ética en quien escribe. En vuestro caso el o la que escribe es un católico que, como en otros aspectos de su vida, matrimonial, social, eclesial, laboral, tiene una referencia y una proyección evangélica, en todo cuanto hace, mucho más en el ámbito de la difusión de una idea, de un mensaje o de una opinión. Esa es la primera condicionante.

La otra condicionante es que vuestros lectores son los

hermanos cristianos que integran la Iglesia Católica en Cuba, pero también en gran número hombres y mujeres de nuestro pueblo de cualquier edad y condición que deben descubrir siempre un hálito evangélico lo mismo en un relato que en un ensayo o en un juicio sobre la historia, en un poema o en una opinión editorial. Todo en la prensa católica cubana debe referirse de algún modo al Evangelio, o contar las maravillas de Dios cuando el Espíritu anima la vida de los hombres. Un escritor católico y un no católico pueden transitar por estos senderos al escribir en nuestras publicaciones católicas si tienen en cuenta esa matriz cristiana de todo el quehacer periodístico.

Esto quiere decir que quien escribe es un católico o alguien que respeta y promueve el sentir y el quehacer de la Iglesia Católica y tiene una visión ética que se aviene a la de un hijo de la Iglesia en cuanto a los temas tratados y en cuanto al modo y la oportunidad de tratarlos. Escribe para el pueblo cubano, al cual debe conocer con sus características propias, no solo históricas, sino actuales, con sus diversidades de opinión, haciéndose portador de un mensaje que pueda alcanzar a todos respetándolos, sin violentarlos, iluminando, sobre todo, con la palabra revelada las conciencias y caldeando los corazones con el amor de Cristo.

Escribe desde Cuba, como parte de este pueblo, pero trascendiendo con la esperanza y el amor cristianos las amarguras, las dudas, las pasividades de nuestros contemporáneos para darles no solo otra cosa, sino algo más.

No resulta fácil escribir con estos condicionamientos. Todo periodista tiene los suyos. Son condicionamientos ideológicos en la prensa oficial. Son condicionamientos de mercado, noticias de impacto, revelación escandalosa o macabra, pero bien pagada o que da dividendos al medio para el cual escribe, en algún tipo de publicación o condicionamientos éticos de talante evangélico, que son los nuestros.

Escribir sin ningún condicionamiento sería la ausencia total de moralidad. Puede ser exitoso y, de hecho, lo es para algunos, pero esa no puede ser la clave de expresión del comunicador cristiano que se funda en la verdad que nos hace libres, libres precisamente de falsos condicionamientos, libres para ponernos al servicio de Jesucristo, de su Evangelio y de nuestros hermanos.

Alta profesión la de ustedes, queridos hermanos y hermanas, alta responsabilidad de ejercitarla en Cuba para el bien de nuestro pueblo.

Que Cristo, que es la Buena Noticia del Padre, les ayude a ser portadores de esa noticia buena para nuestros hermanos en Cuba. Con este deseo, que es también súplica, y con las palabras finales de mi discurso ante la Asamblea Mundial de UCIP, donde los tuve muy presentes, quiero concluir mi saludo y animarlos a proseguir su tarea: «*queridos hermanos y hermanas, prosigan su quehacer como depositarios de un mandato de sus obispos y de su Dios y Señor, hagan labor de evangelizadores, sean consecuentes con sus ideales y sobre todo con su fe, no busquen siempre agradar, no consientan nunca a la tentación de ofender, permanezcan en la verdad, la verdad los hará libres y sientan como perenne desafío en sus corazones el llamado a armonizar, según el modelo del Siervo de Dios Felix Varela, fidelidad a Dios y a la Patria. Las palabras finales son de Jesucristo: «No teman, yo estaré con ustedes siempre, hasta el fin del mundo».*

PALABRAS PRONUNCIADAS EN LA RECEPCIÓN DEL PREMIO ANUAL DE LA FUNDACIÓN BONINO-PULEJO*

Señoras y señores.

Distinguidos miembros de la Fundación Bonino-Pulejo:

Agradezco vivamente el alto honor que me confiere esta Fundación, y lo hago con la emoción de quien sabe que este homenaje no se dirige a mi persona, sino a la Iglesia Católica que peregrina en Cuba y a la cual humildemente represento.

Digo con emoción porque, durante décadas de silencio acerca de nuestra vivencia a veces oculta, siempre serena y confiada de la fe en Cristo y de nuestra esperanza en el único Salvador, los católicos cubanos teníamos a menudo la impresión de ser olvidados por los cristianos de otras latitudes.

---

* Sicilia, 19-VI-1999.

Cuba es una isla, situada en el corazón de América. Su vocación continental fue siempre la de ser puente y lugar de encuentro de culturas y pueblos diversos, pero la realidad sociopolítica que se instauró en mi país a partir del año 1959 produjo su aislamiento del continente americano y lo hizo doblemente distante de la parte occidental de Europa, donde se gestaban el mercado común y la Unión Europea. En relación con el continente europeo se establecían y consolidaban nuevos lazos económicos, culturales y también ideológicos con los países del este de Europa que estaban bajo el influjo de la desaparecida Unión Soviética y, preferentemente, con ese mismo país.

Durante aquellos años en que se hablaba a veces de la Iglesia del silencio en Cuba, la comunidad católica cubana no permanecía, sin embargo, inactiva. La Iglesia supo estar presente en Cuba a través de todas las incidencias de la historia más reciente de nuestro país. Un buen número de católicos, entre muchos otros cubanos, dejaron el país para establecerse en otras tierras, no pocos sacerdotes y religiosas, al perder sus instituciones de estudio o de asistencia social, se trasladaron a otros países. Alrededor de un centenar y medio de sacerdotes debió abandonar el país en los primeros años de la década del 60 conminados por las autoridades que los obligaron a emigrar. Pero el pequeño resto cristiano que se quedó en Cuba echó pie en tierra con la población que también permanecía en la isla y la labor catequética, el culto renovado y fortalecido por el clima de comunión fraterna, que creaba aquella nueva espiritualidad de resto fiel, produjo un tipo de comunidad eclesial viva, vibrante en sus celebraciones, agrupada sólidamente en torno a sus pastores, quizá replegada sobre sí misma, pero fiel y orgullosa de su fidelidad.

Se tiene entonces una vivencia original de Iglesia, como aquella de los primeros siglos del cristianismo, haciendo la experiencia de vivir lo esencial en la pobreza, con un total abandono en las manos de un Dios que nunca nos deja.

La abnegación de los sacerdotes atendiendo cuatro, cinco, seis parroquias y otras comunidades eclesiales, la perseverancia valiente e incondicional de los laicos, su participación activa en la acción ministerial de la Iglesia, el testimonio de sus vidas, sea en sus familias, en su entorno social, y especialmente en sus centros de trabajo, la capacidad total de la Iglesia para vivir la nueva realidad del país sin resentimientos ni rencores, con una decisión siempre renovada de servir a la sociedad, sin reclamar privilegios, sino solo su derecho a existir, a mantener su identidad, a realizar su misión, le fueron granjeando a la Iglesia Católica un lugar de prestigio, de respeto, de simpatía en el seno de la sociedad cubana.

Cuando en 1986, después de cinco años de preparación en todas las parroquias y pequeñas comunidades de todo el país, la Iglesia realizó en La Habana el primer Encuentro Nacional Eclesial Cubano, las deliberaciones de aquella reunión, el documento surgido de la misma, las proyecciones hacia el futuro para la acción pastoral, mostraban una Iglesia que había madurado en el esfuerzo constante, donde no faltó el sufrimiento por las limitaciones reales en el desarrollo de su misión propia, a causa de estrictos y persistentes controles estatales, pero donde se hacían sentir también la alegría y el entusiasmo.

Reitero la importancia de la unidad de la Iglesia durante ese período: obispos, sacerdotes, religiosos, religiosas y laicos enfrentaron aquella difícil situación cohesionados como en una gran familia. No puede dejarse de destacar la catolicidad de la Iglesia como factor determinante para mantener su fidelidad en los momentos difíciles. La adhesión de nuestra Iglesia al Papa, su profunda comunión con la Santa Sede, favorecida por el hecho de haber mantenido Cuba y la Sede Apostólica relaciones diplomáticas que posibilitaron siempre la presencia del representante papal en La Habana, constituyó para la Iglesia en Cuba una especie de ventana abierta a la Iglesia universal, a través de la cual pudo sentir los aires nuevos del Concilio Vaticano II y recibir luz y esperanza por varios modos diversos. Así pudimos tener acceso a los documentos conciliares, a los nuevos textos litúrgicos en lengua vernácula y recibir literatura religiosa actualizada para la formación de los sacerdotes y seminaristas. En la figura del Nuncio en La Habana se ha concretado, durante todos estos años, la comunión con la Iglesia de Roma y especialmente con el

Sumo Pontífice. Esta relación, y el hecho de que nuestra Iglesia pudiera nombrar libremente a sus obispos según el modo habitual de hacerlo la Iglesia Católica Romana, sin previa consulta del gobierno cubano, sino por la decisión libre del Santo Padre, fue una ventaja bien instrumentada por la Iglesia para evitar el riesgo de pseudo-iglesias nacionales o de grupos de presión que hubieran podido surgir en su propio seno.

Es importante considerar las corrientes de pensamiento que subyacen en el tratamiento de la cuestión religiosa en Cuba en los últimos 40 años. El pensamiento liberal y el laicismo estuvieron presentes en Cuba desde el siglo XIX y se reafirmaron a causa de la intervención norteamericana de 1898 a 1902, con el consiguiente influjo predominante en la vida republicana hasta el triunfo de la revolución en 1959. A partir de ese momento es el pensamiento marxista el que intenta tomar el relevo. A todo ello se suma la modernidad secularista, cuyo influjo, nada despreciable, no cesa de crecer en Cuba, sobre todo en estas últimas décadas del siglo.

Los sistemas de pensamiento más relevantes de los siglos XIX y XX tienen la tendencia a asignar a la Iglesia y a la fe católica un papel determinado en la sociedad. Pero la Iglesia no tiene un papel que le venga atribuido por las estructuras políticas, sino una misión propia que le ha sido confiada por su fundador. Un tipo de liberalismo filosófico lleva consigo el laicismo a ultranza, el cual postula, más que la separación de la Iglesia y del Estado, la separación de la Iglesia de la sociedad. Se considera a menudo la fe religiosa, dentro de esa concepción de la vida civil, como una necesidad admitida para débiles y pobres, como «freno moral individual» que favorece la tranquilidad y el orden en la convivencia social, etc.

La Iglesia no niega su función inspiradora de una ética social, pero ella es, ante todo, depositaria y responsable de esa misma inspiración, que nace del anuncio de Jesús, hijo de Dios, a quien no puede dejar de presentar a los hombres y mujeres de todos los pueblos para darles la posibilidad de que, encontrándolo a él, transformen sus vidas y el mundo que los rodea.

La filosofía marxista originaria descalificaba el mismo

sentir religioso del hombre, considerándolo nocivo. Los seguidores de ese pensamiento, sobre todo los que en este siglo establecieron sistemas sociopolíticos inspirados en aquella filosofía, llevaron a sus consecuencias prácticas los postulados originarios de la misma y consideraron la fe religiosa y la institución eclesial como un molesto remanente de conductas atávicas, de las cuales el hombre debe ser liberado con mayor o menor paciencia, según lo aconsejen las circunstancias.

Este modo de concebir la función de la religión en la sociedad tuvo mayores dificultades para asignar «un papel a la Iglesia y a la fe cristiana». En momentos de crisis nacional, de guerra o de situaciones similares, se intentó incorporar a la Iglesia a una acción en favor de la paz o se le concedió alguna función moralizadora o de aliento psicosocial. Con gran dificultad, en algunas ocasiones con persecuciones y siempre bajo estricto control, ha podido la Iglesia reafirmar su misión dentro de esos sistemas de pensamiento y de gobierno.

Las concepciones filosóficas e ideológicas del liberalismo y del marxismo que, con respecto a la fe religiosa, se tocan en sus extremos: privatización de la fe, reducido o nulo rol social de la Iglesia, tratamiento más o menos circunstancial o permisivo de la cuestión religiosa y de la Iglesia, han dejado un sedimento de cierta envergadura en mi país.

La modernidad y el secularismo, que coexistían con el pensamiento oficial y se expanden en las últimas décadas, no traen consigo un abordaje ideológico o sociopolítico estricto de la religión o de la Iglesia, sino fijan su atención en el bienestar de individuos y grupos humanos, en la realización personal, con una confianza ilimitada en la ciencia y la técnica para resolver los problemas de la humanidad, prescindiendo en la práctica de lo religioso, que queda pragmáticamente excluido de todo proyecto de futuro.

Pero, en estos últimos años del siglo XX, en todo el mundo se ahondan las preocupaciones por los riesgos de los avances científicos y económicos, por el deterioro ecológico, por el consumismo, por la manipulación genética y el menosprecio de la vida, etc. Surge así un reclamo de responsabilidad en el hombre, para que tome seriamente en sus manos las riendas de la historia. De esa responsabilidad suya depende el futuro personal y colectivo de los habitantes de la tierra. El hombre aparece ahora en el centro de atención de pensadores, políticos y escritores, no tanto como el beneficiario y dueño absoluto de la creación para disfrutar libremente de ella y realizarse así como humano (humanismo tradicional), sino como el responsable consciente del futuro previsible de la humanidad y de la base de sustentación de la misma, que es el planeta con sus recursos, su población y el tipo de relaciones de los hombres entre sí y con la naturaleza, por solo citar algunos aspectos del problema (nuevo humanismo).

Por el buen nivel cultural medio del pueblo cubano, dentro del cual surgen las inquietudes y se suscitan las búsquedas, estas coordenadas históricas, sociopolíticas, filosóficas y religiosas formaban parte del paisaje humano que encontró el Papa Juan Pablo II en Cuba al realizar su inolvidable visita pastoral a mi país.

Halló el Santo Padre, además, una Iglesia pobre en recursos humanos y materiales, pero rica en experiencias de auténtica vida comunitaria, con un compromiso evangelizador creciente y abundante en frutos. En efecto, la Iglesia de la presencia y de la acción callada, de celebraciones hondas y sentidas que agrupaban al resto fiel en vivencias serias de comunidad cristiana, pero que permanecía, al modo del primer grupo apostólico, con las puertas cerradas por miedo; había comenzado desde el primer Encuentro Nacional Eclesial Cubano, un sostenido e interesante proceso de apertura en dos sentidos: acogiendo a quienes llegaban a la comunidad cristiana y llevando el anuncio de Cristo a los barrios y pueblos, tocando a las puertas de nuestros hermanos, estableciendo nuevos centros de encuentro y de celebración en casas de familia alejadas de las iglesias o en poblados y barrios nuevos sin templos.

Este proceso de apertura y crecimiento correspondía también a un despertar de las inquietudes existenciales y religiosas del pueblo cubano, que trajo consigo la búsqueda de raíces culturales e históricas por parte de hombres y mujeres de cierta formación humana, retorno a la fe de muchos antiguos creyentes católicos, manifestaciones más frecuentes y públicas de la religiosidad popular, necesidad de encontrar sentido a la vida en muchos jóvenes y en no pocos adultos, etc.

Este movimiento confluyente de la Iglesia hacia el pueblo y del pueblo hacia la Iglesia fue facilitado por una progresiva flexibilidad de parte del gobierno en el tratamiento de la cuestión religiosa. Desde mediados de la década de los ochenta, disminuyeron poco a poco las presiones hacia los creyentes por cuestiones de su fe. Primero fue en los centros de trabajo, después en las escuelas; la universidad abrió la casi totalidad de sus carreras a los creyentes, un trato más respetuoso del tema religioso en los medios de comunicación sustituyó ciertas expresiones y ataques de mal gusto y, por último, la constitución de la República fue reformada en sus artículos que declaraban ateo al Estado para reemplazarlos por otros donde se proclama que el Estado es laico. Gran valor de signo tuvo también la supresión de la condición de ateo para pertenecer al Partido Comunista Cubano.

En un clima, pues, de menor tensión y mayores y más frecuentes contactos de la Iglesia y las autoridades de la nación con vistas a la venida del Papa Juan Pablo II a Cuba, se dio la preparación de la visita del Santo Padre y su ulterior realización. En el íter hacia ese extraordinario evento, tuvo particular importancia la visita del presidente Fidel Castro al Papa Juan Pablo II en Roma y la acogida recibida por él de parte del Santo Padre y de la Sede Apostólica.

Se comprende que, en este ambiente que iba de menos a más en cuanto a posibilidades de la Iglesia y flexibilización del Estado en su trato a los creyentes en Cuba, el Papa Juan Pablo II, a los pocos minutos de llegar a nuestro país, hiciera un emplazamiento que contenía una idea-fuerza movilizadora de las conciencias en Cuba y en otros lugares: «que Cuba se abra con todas sus magníficas posibilidades al mundo y que el mundo se abra a Cuba».

Desde el inicio de su viaje, el Santo Padre tenía puesta su mirada en el futuro y lo hacía como mensajero de verdad y de esperanza.

Pero ¿puede justificarse esa llamada a una apertura recíproca entre Cuba y el mundo apoyándose solo en la capacidad de apertura, aún tímida, del Estado cubano hacia la Iglesia y hacia la fe religiosa en general?, porque no parecían

941

darse pasos similares en el ámbito político o de otros derechos ciudadanos. ¿No sería esta una extrapolación indebida?

Si conocemos el pensamiento del Papa Juan Pablo II con respecto al papel de la fe religiosa en el seno de la comunidad civil, su llamado no nos sorprende.

En más de una ocasión, al hablar de los derechos humanos, el Papa ha puesto la libertad de vivir y proclamar su fe como un derecho fundamental de la persona humana, considerándolo como requisito y reclamo de los demás derechos; esto se verifica, sobre todo, en los países cristianos. Cuba, situada en el corazón de América, pertenece no solo al hemisferio occidental, sino al mundo cristiano. En el aula magna de la Universidad de La Habana, el Santo Padre insistió en las raíces cristianas de la cultura cubana, aún más, el Papa diría en su homilía de la Plaza de la Revolución algo que me dijo personalmente a mí mientras recorría las calles de La Habana en automóvil, viendo las multitudes que en cada ocasión esperaban ansiosas su paso: «Cuba tiene un alma cristiana».

Para el Papa Juan Pablo II, lo que la Iglesia vive en el seno de una nación es altamente indicativo de la totalidad de la realidad sociopolítica de ese pueblo. Este modo de pensar parece ser el mismo de no pocos observadores de la situación cubana: embajadores en La Habana y sus gobiernos y muchos periodistas y analistas de diferentes medios de difusión. Por eso, el viaje de Juan Pablo II a Cuba adquiría un valor de signo que lo hacía tan esperado y seguido por millones de espectadores, oyentes y lectores de todo el mundo. Por esto también, los pasos recíprocos del gobierno y de la Iglesia, en Cuba, trascienden el ámbito exclusivamente religioso y cobran un sentido más amplio.

El Papa fue a Cuba como mensajero de la verdad y de la esperanza, pero en su visita pastoral la esperanza no era suscitada únicamente por las palabras de ánimo que el Papa profería, sino por su misma presencia, su interacción con el pueblo y con las autoridades de la nación, su mirada, sus gestos y sus silencios. El Papa en Cuba constituía una novedad total porque hacía posible los contrastes sin ruptura, la síntesis sin claudicaciones, y así, su sola presencia entre nosotros participaba del gozo de la buena nueva que Jesucristo resucitado mandó a proclamar a sus discípulos hasta los confines del mundo. Este cairós no podría dejar de tener un después diferente. Ese era el sentir de muchos. El Papa había inaugurado un tiempo de esperanza y esta esperanza justifica cualquier llamado en favor del amor, de la reconciliación, de la justicia, de la libertad, porque es tan abarcadora la esperanza cristiana como lo es su misma meta, el bien supremo, Dios. Por eso podía reclamar el Papa: «que Cuba se abra al mundo, que el mundo se abra a Cuba; que cesen las medidas económicas restrictivas impuestas desde fuera porque son injustas y éticamente inaceptables, que sean los cubanos los protagonistas de su historia, que no esperen que otros hagan por ellos lo que deben hacer ellos mismos; que no tengan miedo, que abran puertas y corazones a Cristo».

La esperanza cristiana tiene una meta que es Dios, el bien supremo, pero el Santo Padre nos dejó, además, un programa para la esperanza. Si lo cumplimos, ese tiempo de esperanza que él inauguró no cesará de ampliarse, y dentro de él se alcanzarán paso a paso metas intermedias, generadoras, a su vez, de nuevas esperanzas.

De este modo, el Papa Juan Pablo II hizo de su visita pastoral a Cuba algo más que el logro de un propósito altamente anhelado por él y por la Iglesia cubana. La estancia del Sumo Pontífice en mi país tuvo los aires de una obertura, que anuncia en su ejecución los temas que han de ser retomados y desarrollados más tarde en el curso de la puesta en escena. De ahí el seguimiento posterior de la visita papal por observadores de todo género, gobiernos, conferencias episcopales de América y de otras regiones y aun por la opinión pública internacional. De ahí también la alta responsabilidad de la Iglesia en Cuba como receptora y ejecutora del programa pastoral que nos confió el Papa y que debe llevar a los católicos cubanos al inicio del tercer milenio de la era cristiana.

Pero, normalmente, el correr del tiempo, ¿no debe aminorar el impacto del viaje papal a Cuba? Como evento histórico puntual, la visita de Juan Pablo II a mi país participa de ese dinamismo descendente, como el que opera en una trayectoria balística, al cual están sometidos todos los acontecimientos, que se van tornando poco a poco recuerdo y evocación.

Sin embargo, en su aspecto fundante de esperanza, en su programa de luces largas sobre temas esenciales a la vida de la Iglesia y del ser humano, la misión pastoral del Papa en Cuba se yergue como un cuerpo de doctrina y de acción para el tercer milenio de la era cristiana, al modo de una suerte de «encíclica a los cubanos», a la cual tendrá que volver una y otra vez la Iglesia que vive en Cuba en su caminar hacia el año 2000. La familia, la juventud, el sufrimiento, el amor a la Patria, las raíces y características de la cultura cubana, la libertad, la renovación de la sociedad, la visión cristiana del hombre y de las estructuras sociales para que exista la justicia y se respeten los derechos humanos, el papel del hombre y la mujer cubanos como primeros responsables de su destino y protagonistas de su historia, son algunos de los temas programáticos esenciales del Santo Padre que no forman un simple cuerpo teórico, sino que incluyen un proyecto dinámico y preciso para el futuro.

De la Iglesia en Cuba, de la acción de sus pastores, de la entrega generosa de sus sacerdotes, religiosos y religiosas y de la participación decidida de los laicos depende el despliegue y concreción del programa Papal que debe configurar el nuevo itinerario de la Iglesia inaugurado por el Santo Padre en su visita a mi país.

Simultáneamente a su aplicación gradual, este proyecto debe llevar consigo la esperanza, quiero decir, debe desarrollarse con talante esperanzador. Esta fue la tónica de la visita del Santo Padre a Cuba. Esa ha sido la característica del pontificado del Papa Juan Pablo II, muy acorde con el aliento y el gozo que la buena nueva debe producir en el corazón humano para que sea percibida como tal. Los obispos de Cuba debemos ser los principales portadores del «proyecto esperanza» de Juan Pablo II, que es humanista y cristiano.

Para ello, el evangelio debe ser considerado primero en su capacidad de iluminar con luz nueva y propia las diversas situaciones. De él emanan siempre las propuestas aptas para transformar la vida de hombres y pueblos. Solo recibido y aceptado en esta perspectiva pueden desplegarse todas las virtualidades y el dinamismo que contiene el mensaje de Jesús y abrirse paso en muchos corazones las respuestas que el

Espíritu Santo suscita en quienes ansían construir un mundo mejor siguiendo la invitación del Señor.

El evangelio tiene innumerables potencialidades. Una de ellas es la de contrastar la realidad presente, con sus límites, sus sombras y sus elementos positivos, con la propuesta, en todo orden superior, del mensaje de Jesús. Este procedimiento nos puede conducir al mejor análisis posible de la realidad, pues el mensaje cristiano lleva en sí enunciados que trascienden la historia presente y sus incidencias, aun las de más difícil comprensión, pero si quedamos atrapados solo en el análisis, podemos correr ciertos riesgos: caer en un profetismo desgarrador, dejarnos llevar por el desaliento paralizante o buscar falsos caminos que nos desvíen de un proyecto realmente evangélico. Esta fue la suerte corrida por algunas teologías de la liberación en Latinoamérica y por ciertas actitudes individuales que se limitaron a la denuncia y al reclamo, pero evacuando casi todo el aspecto religioso cristiano de la acción de la Iglesia. Esto dejó el camino abierto a las sectas.

En la cuarta Conferencia General del Episcopado Latinoamericano celebrada en Santo Domingo en el año 1992, los obispos de América Latina debatieron ampliamente acerca del modo de enfocar la realidad económica, social y política del continente latinoamericano, donde la pobreza y la frustración coexisten con grandes riquezas materiales, humanas y espirituales. Se consideró para ello el uso del conocido método de Ver, Juzgar y Actuar, tan empleado en este siglo y que tan buenas aportaciones ha hecho a grupos apostólicos, movimientos y organizaciones eclesiales, en general, influyendo en el desarrollo de congresos y reuniones y en la elaboración de no pocos documentos emanados de ellos. Pero esta vez no parecía satisfacer a la mayoría de los pastores latinoamericanos este método. Apuntaban que, en ocasiones, somos prolijos en los análisis que resultan casi siempre desalentadores en el Ver, que se vuelven casi siempre duros y negativos en el Juzgar, pues el mundo que nos rodea está lejos del ideal evangélico y sus reclamos, con el riesgo de que el Actuar participe del mismo desaliento con que da inicio la reflexión y pueda quedar también condicionado por factores sociológicos, con las líneas de acción a menudo supeditadas a estrategias demasiado humanas, al surgir muy desde abajo.

Los obispos proponían otra andadura, y esta fue la clave en la que se redactó el documento final. Primeramente considerar la realidad tal como es querida por Dios, iluminada por la palabra revelada y por una seria reflexión teológica. En segundo lugar analizar cuáles son los desafíos pastorales para que pueda realizarse el designio de Dios sobre esa realidad concreta, sea, por ejemplo, la familia, la juventud, la sociedad, el trabajo humano, etc.; y en tercer lugar adoptar las líneas pastorales que resulten más adecuadas según la reflexión y el análisis de los desafíos pastorales.

Este método para llevar a cabo su misión pastoral ha sido seguido por la Iglesia en Cuba, sobre todo a partir del II Encuentro Nacional Cubano en el año 1996.

La Iglesia en mi país no podría reducir su misión pastoral al análisis de la realidad político-social cubana, que puede estar distante del evangelio en muchos aspectos, ni al juicio profético sobre esa realidad. Esta misión imprescindible de la Iglesia debe estar incluida dentro de un proyecto más amplio, como es el de un plan pastoral. Aunque las posibilidades de la acción de la Iglesia están disminuidas (pensemos en el no acceso habitual a medios de comunicación ni al sistema educacional del Estado, o las dificultades en la acción social de la Iglesia o para construir nuevos templos), la Iglesia debe proponerse un plan pastoral y así lo ha hecho desde 1996, con metas y programas que incluyen una creciente presencia y acción de la Iglesia en la sociedad cubana fruto de la reflexión teológica sobre nuestro medio y del análisis de los desafíos pastorales que él nos presenta. Este plan pastoral prioriza la formación cristiana, sobre todo de los nuevos creyentes en Cristo que llegan a nuestras Iglesias, la creación y fortalecimiento de comunidades cristianas vivas y dinámicas, capaces de acoger y entusiasmar a los nuevos cristianos y de ser misioneras, portadoras del mensaje del evangelio a otros hermanos y la promoción humana por medio de la acción social de la Iglesia.

El reciente Sínodo de América se plantea como condición previa e indispensable para que se dé la transformación de hombres, comunidades y estructuras de la sociedad, que la

Iglesia propicie «el encuentro con Jesucristo vivo, camino para la conversión, la comunión y la solidaridad en América». El solo tema del sínodo constituye ya un documento claro, programático y comprometedor para los católicos del continente americano, apoya en su formulación el plan pastoral de la Iglesia en Cuba y contiene muchos elementos esenciales para la misión en nuestro país.

La Iglesia en Cuba debe llevar al hombre y a la mujer cubanos de hoy al encuentro con Jesucristo. Solo él tiene el poder de transformar sus vidas y ese es también el único medio de transformar según el querer de Cristo la familia y la sociedad entera. «El hombre es el camino de la Iglesia», nos decía el Papa Juan Pablo II en su encíclica *Redemptor Hominis.*

El Papa Juan Pablo II no hizo en Cuba análisis exhaustivos ni juicios concluyentes sobre el pasado o el presente de nuestro país, trazó un camino de libertad y responsabilidad para el futuro y nos anunció con su misma presencia y actuación que es posible al cristiano estar en medio de la sociedad con su propia identidad y actuar en la historia concreta de hombres y pueblos con el poder de Jesucristo y la fuerza del Espíritu Santo. Al final de su homilía en la Plaza de la Revolución en La Habana, el Papa improvisaba algunas palabras inspirándose en el fuerte viento que se sentía esa mañana durante la celebración de la Eucaristía. Dijo el Papa: «este viento me hace pensar en el Espíritu Santo. El Espíritu sopla donde quiere y quiere soplar en Cuba». En el Espíritu de Dios estaba la gran esperanza del Papa y en él está puesta la esperanza de la Iglesia en mi país.

Ese «no sé qué» casi inexplicable que produjo la visita del Papa en la sociedad cubana tiene mucho que ver con la esperanza que suscitó en el corazón de los cubanos. Esta esperanza no debe ser derrotada y, si bien parece haber quedado atrás el clima más positivo y abierto del año 1998, en el que algunos elementos de la política nacional cubana y, sobre todo, de la política internacional con respecto a Cuba, parecían brindar ciertos cauces inmediatos a aquella gran esperanza, y se presenta este año con perspectivas poco alentadoras a este respecto, no debemos permitir que se clausure la puerta abierta por el Papa Juan Pablo II a la esperanza con su visita pastoral a Cuba. Para nosotros, pastores de la Iglesia en Cuba, esto sería una imposible claudicación; para los hombres y mujeres de fe en nuestro país sería un contrasentido de cara al tercer milenio de la era cristiana.

La Iglesia en Cuba no puede detenerse ante los signos negativos que intentan oscurecer un futuro mejor. Nuestra misión debe llevar a todos los cubanos, sean hombres de gobierno o de pueblo, creyentes o no creyentes, la esperanza que el Papa Juan Pablo II sembró a su paso entre nosotros. El clima de distensión, de serenidad, de mayor tolerancia, que siguió a la visita del Santo Padre en nuestro país debe prevalecer a pesar de las crisis y dificultades de cualquier orden. Justamente, este clima se convierte en el más poderoso factor para superar lo adverso.

Este es el más difícil y apasionante quehacer de un pastor en Cuba.

Pido sus oraciones por los obispos cubanos y para que nuestro plan pastoral hacia el 2000 tenga éxito. No olviden tampoco en su oración al pueblo cubano.

Muchas gracias.

CONFERENCIA PRONUNCIADA PARA EL GRUPO Y.P.O.*

Un saludo a Standing Ovations con mi gratitud por invitarme a presentarles el panorama de la Iglesia en Cuba después de la visita del Papa Juan Pablo II y de cara al año 2000. Hagamos un poco de historia.

Durante aquellos años en que se hablaba a veces de la Iglesia del silencio en Cuba, la comunidad católica cubana no permanecía, sin embargo, inactiva. La Iglesia supo estar presente en Cuba a través de todas las incidencias de la historia más reciente de nuestro país. Un buen número de católicos, entre muchos otros cubanos, dejaron el país para establecerse en otras tierras. No pocos sacerdotes y religiosas, al perder sus instituciones de estudio o de asistencia social, se trasladaron a otros países. Alrededor de un centenar y medio

---

* Roma, 22-VI-1999.

de sacerdotes debió abandonar el país en los primeros años de la década del 60, conminados por las autoridades que los obligaron a emigrar. Pero el pequeño resto cristiano que se quedó en Cuba echó pie en tierra con la población que también permanecía en la isla. La labor catequética, el culto renovado y fortalecido por el clima de comunión fraterna que creaba aquella nueva espiritualidad de resto fiel produjo un tipo de comunidad eclesial viva, vibrante en sus celebraciones, agrupada sólidamente en torno a sus pastores, quizá replegada sobre sí misma, pero fiel y orgullosa de su fidelidad.

Se tiene entonces una vivencia original de Iglesia, como aquella de los primeros siglos del cristianismo, haciendo la experiencia de vivir lo esencial en la pobreza, con un total abandono en las manos de un Dios que nunca nos deja.

La abnegación de los sacerdotes, atendiendo cuatro, cinco, seis parroquias y otras comunidades eclesiales, la perseverancia valiente e incondicional de los laicos, su participación activa en la acción ministerial de la Iglesia, el testimonio de sus vidas, sea en sus familias, en su entorno social y especialmente en sus centros de trabajo, la capacidad total de la Iglesia para vivir la nueva realidad del país sin resentimientos ni rencores, con una decisión siempre renovada de servir a la sociedad, sin reclamar privilegios, sino solo su derecho a existir, a mantener su identidad, a realizar su misión, le fueron granjeando a la Iglesia Católica un lugar de prestigio, de respeto, de simpatía en el seno de la sociedad cubana.

Cuando en 1986, después de cinco años de preparación en todas las parroquias y pequeñas comunidades de todo el país, la Iglesia realizó en La Habana el primer Encuentro Nacional Eclesial Cubano, las deliberaciones de aquella reunión, el documento surgido de la misma y las proyecciones hacia el futuro para la acción pastoral mostraban una Iglesia que había madurado en el esfuerzo constante, donde no faltó el sufrimiento por las limitaciones reales en el desarrollo de su misión propia, a causa de estrictos y persistentes controles estatales, pero donde se hacían sentir también la alegría y el entusiasmo.

Reitero la importancia de la unidad de la Iglesia durante ese período: obispos, sacerdotes, religiosos, religiosas y laicos enfrentaron aquella difícil situación cohesionados como en una gran familia. No puede dejarse de destacar la catolicidad de la Iglesia como factor determinante para mantener su fidelidad en los momentos difíciles. La adhesión de nuestra Iglesia al Papa, su profunda comunión con la Santa Sede, favorecida por el hecho de haber mantenido Cuba y la Sede Apostólica relaciones diplomáticas que posibilitaron siempre la presencia del representante Papal en La Habana, constituyó para la Iglesia en Cuba una especie de ventana abierta a la Iglesia universal. A través de ella pudo sentir los aires nuevos del Concilio Vaticano II y recibir luz y esperanza por varios modos diversos. Así pudimos tener acceso a los documentos conciliares, a los nuevos textos litúrgicos en lengua vernácula y recibir literatura religiosa actualizada para la formación de los sacerdotes y seminaristas. En la figura del Nuncio en La Habana se ha concretado, durante todos estos años, la comunión con la Iglesia de Roma y especialmente con el Sumo Pontífice. Esta relación, y el hecho de que nuestra Iglesia pudiera nombrar libremente a sus obispos, según el modo habitual de hacerlo la Iglesia Católica Romana, sin previa consulta al gobierno cubano, sino por la decisión libre del Santo Padre, fue una ventaja innegable para la Iglesia a fin de evitar el riesgo de seudoiglesias nacionales o de grupos de presión que hubieran podido surgir en su propio seno.

Es importante considerar las corrientes de pensamiento que subyacen en el tratamiento de la cuestión religiosa en Cuba en los últimos 40 años. El pensamiento liberal y el laicismo estuvieron presentes en Cuba desde el siglo XIX y se reafirmaron a causa de la intervención norteamericana de 1898 a 1902, con el consiguiente influjo predominante en la vida republicana hasta el triunfo de la revolución en 1959. A partir de ese momento es el pensamiento marxista el que intenta tomar el relevo. A todo ello se suma la modernidad secularista, cuyo influjo, nada despreciable, no cesa de crecer en Cuba, sobre todo en estas últimas décadas del siglo.

Los sistemas de pensamiento más relevantes de los siglos XIX y XX tienen la tendencia a asignar a la Iglesia y a la fe católica un papel determinado en la sociedad. Pero la Iglesia no tiene un papel que le venga atribuido por las estructuras políticas, sino una misión propia que le ha sido confiada por su fundador. Un tipo de liberalismo filosófico lleva consigo el laicismo a ultranza, el cual postula, más que la separación de la Iglesia y del Estado, la separación de la Iglesia de la sociedad. Se considera a menudo la fe religiosa, dentro de esa concepción de la vida civil, como una necesidad admitida para débiles y pobres, como «freno moral individual» que favorece la tranquilidad y el orden en la convivencia social, etc.

La Iglesia no niega su función inspiradora de una ética social, pero ella es ante todo depositaria y responsable de esa misma inspiración, que nace del anuncio de Jesús, hijo de Dios, a quien no puede dejar de presentar a los hombres y mujeres de todos los pueblos para darles la posibilidad de que, encontrándolo a él, transformen sus vidas y el mundo que los rodea.

La filosofía marxista originaria descalificaba el mismo sentir religioso del hombre, considerándolo nocivo. Los seguidores de ese pensamiento, sobre todo los que en este siglo establecieron sistemas sociopolíticos inspirados en aquella filosofía, llevaron a sus consecuencias prácticas los postulados originarios de la misma y consideraron la fe religiosa y la institución eclesial como un molesto remanente de conductas atávicas, de las cuales el hombre debe ser liberado con mayor o menor paciencia, según lo aconsejen las circunstancias. Este modo de concebir la religión tuvo mayores dificultades para asignar «un papel a la Iglesia y a la fe cristiana», según la concepción hegeliana del Estado. En momentos de crisis nacional, de guerra o de situaciones similares, se intentó incorporar a la Iglesia en una acción en favor de la paz o se le concedió alguna función moralizadora o de aliento psicosocial. Por lo tanto, esto no es más que un intento de ubicarla en el proyecto común. Con gran dificultad, en algunas ocasiones con persecuciones y siempre bajo estricto control, ha podido la Iglesia reafirmar su misión dentro de esos sistemas de pensamiento y de gobierno, que no es otro que el anuncio del reinado de Jesucristo.

Las concepciones filosóficas e ideológicas del liberalismo y del marxismo que, con respecto a la fe religiosa, se tocan en sus extremos: privatización de la fe, reducido o nulo rol social de la Iglesia, tratamiento más o menos circunstancial o permisivo de la cuestión religiosa y de la Iglesia, han dejado un sedimento de cierta envergadura en mi país.

La modernidad y el secularismo, que han coexistido por ósmosis en un mundo globalizado con el pensamiento oficial y se expanden en las últimas décadas, no traen consigo un abordaje ideológico o sociopolítico estricto de la religión o de la Iglesia, sino fijan su atención en el bienestar de individuos y grupos humanos, en la realización personal, con una confianza ilimitada en la ciencia y la técnica para resolver los problemas de la humanidad, prescindiendo en la práctica de lo religioso, que queda pragmáticamente excluido de todo proyecto de futuro.

Pero, en estos últimos años del siglo XX, en todo el mundo se ahondan las preocupaciones por los riesgos de los avances científicos y económicos, por el deterioro ecológico, por el consumismo, por la manipulación genética y el menosprecio de la vida, etc. Surge así un reclamo de responsabilidad en el hombre, para que tome seriamente en sus manos las riendas de la historia. De esa responsabilidad suya depende el futuro personal y colectivo de los habitantes de la tierra. El hombre aparece ahora en el centro de atención de pensadores, políticos y escritores, no tanto como el beneficiario y dueño absoluto de la creación para disfrutar libremente de ella y realizarse así como humano (humanismo tradicional), sino como el responsable consciente del futuro previsible de la humanidad y de la base de sustentación de la misma, que es el planeta con sus recursos, su población y el tipo de relaciones de los hombres entre sí y con la naturaleza, por solo citar algunos aspectos del problema (nuevo humanismo).

Por el buen nivel cultural medio del pueblo cubano, dentro del cual surgen las inquietudes y se suscitan las búsquedas, estas coordenadas históricas, sociopolíticas, filosóficas y religiosas formaban parte del paisaje humano que encontró el Papa Juan Pablo II en Cuba al realizar su inolvidable visita pastoral a mi país.

Halló el Santo Padre, además, una Iglesia pobre en recursos humanos y materiales, pero rica en experiencias de auténtica vida comunitaria, con un compromiso evangelizador creciente y abundante en frutos. En efecto, la Iglesia de la presencia y de la acción callada, de celebraciones hondas y sentidas que agrupaban al resto fiel en vivencias serias de comunidad cristiana, pero que permanecía, al modo del primer grupo apostólico, con las puertas cerradas por miedo, había comenzado, desde el primer Encuentro Nacional Eclesial Cubano en 1986, un sostenido e interesante proceso de apertura en dos sentidos: acogiendo a quienes llegaban a la comunidad cristiana y llevando el anuncio de Cristo a los barrios y pueblos, tocando a las puertas de nuestros hermanos, estableciendo nuevos centros de encuentro y de celebración en casas de familia alejadas de las iglesias o en poblados y barrios nuevos sin templos.

Este proceso de apertura y crecimiento correspondía también a un despertar de las inquietudes existenciales y religiosas del pueblo cubano, que trajo consigo la búsqueda de raíces culturales e históricas por parte de hombres y mujeres de cierta formación humana, retorno a la fe de muchos antiguos creyentes católicos, manifestaciones más frecuentes y públicas de la religiosidad popular, necesidad de encontrar sentido a la vida en muchos jóvenes y en no pocos adultos, etc.

Este movimiento confluyente de la Iglesia hacia el pueblo y del pueblo hacia la Iglesia fue facilitado por una progresiva flexibilidad de parte del gobierno en el tratamiento de la cuestión religiosa. Desde mediados de la década de los ochenta, disminuyeron poco a poco las presiones hacia los creyentes por cuestiones de su fe. Primero fue en los centros de trabajo, después en las escuelas; la universidad abrió la casi totalidad de sus carreras a los creyentes, un trato más respetuoso del tema religioso en los medios de comunicación sustituyó ciertas expresiones y ataques de mal gusto y, por último, la Constitución de la República fue reformada en sus artículos que declaraban ateo al Estado para reemplazarlos por otros donde se proclama que el Estado es laico. Gran valor de signo tuvo también la supresión de la condición de ateo para pertenecer al Partido Comunista Cubano.

En un clima, pues, de menor tensión y mayores y más frecuentes contactos de la Iglesia y las autoridades de la nación con vistas a la venida del Papa Juan Pablo II a Cuba, se dio la preparación de la visita del Santo Padre y su ulterior realización. En el íter hacia ese extraordinario evento, tuvo particular importancia la visita del presidente Fidel Castro al Papa Juan Pablo II en Roma y la acogida recibida por él de parte del Santo Padre y de la Sede Apostólica.

Se comprende que en este ambiente, que iba de menos a más en cuanto a posibilidades de la Iglesia y flexibilización del Estado en su trato a los creyentes en Cuba, el Papa Juan Pablo II a los pocos minutos de llegar a nuestro país, hiciera un emplazamiento que contenía una idea-fuerza movilizadora de las conciencias en Cuba y en otros lugares: «que Cuba se abra con todas sus magníficas posibilidades al mundo y que el mundo se abra a Cuba».

Desde el inicio de su viaje, el Santo Padre tenía puesta su mirada en el futuro y lo hacía como mensajero de verdad y de esperanza.

Pero ¿puede justificarse esa llamada a una apertura recíproca entre Cuba y el mundo, apoyándose solo en la capacidad de apertura, aún tímida, del Estado cubano hacia la Iglesia y hacia la fe religiosa en general?, porque no parecían darse pasos similares en el ámbito político o de otros derechos ciudadanos. ¿No sería esta una extrapolación indebida?

Si conocemos el pensamiento del Papa Juan Pablo II con respecto al papel de la fe religiosa en el seno de la comunidad civil, su llamado no nos sorprende.

En más de una ocasión, al hablar de los derechos humanos, el Papa ha puesto la libertad de vivir y proclamar su fe como un derecho fundamental de la persona humana, considerándolo como requisito y reclamo de los demás derechos; esto se verifica, sobre todo, en los países cristianos. Cuba, situada en el corazón de América, pertenece no solo al hemisferio occidental, sino al mundo cristiano. En el aula magna de la universidad de La Habana, el Santo Padre insistió en las raíces cristianas de la cultura cubana, aún más, el Papa diría en su homilía de la Plaza de la Revolución algo que me dijo personalmente a mí mientras recorría las calles de La Habana en automóvil, viendo las multitudes que en cada ocasión esperaban ansiosas su paso: «Cuba tiene un alma cristiana».

Para el Papa Juan Pablo II, lo que la Iglesia vive en el seno de una nación es altamente indicativo de la totalidad de la realidad sociopolítica de ese pueblo. Este modo de pensar parece ser el mismo de no pocos observadores de la situación cubana: embajadores en La Habana y sus gobiernos y muchos periodistas y analistas de diferentes medios de difusión. Por eso, el viaje de Juan Pablo II a Cuba adquiría un valor de signo que lo hacía tan esperado y seguido por millones de espectadores, oyentes y lectores de todo el mundo. Por esto también, los pasos recíprocos del gobierno y de la Iglesia, en Cuba, trascienden el ámbito exclusivamente religioso y cobran un sentido más amplio.

El Papa fue a Cuba como mensajero de la verdad y de la esperanza, pero en su visita pastoral la esperanza no era suscitada únicamente por las palabras de ánimo que el Papa profería, sino por su misma presencia, su interacción con el pueblo y con las autoridades de la nación, su mirada, sus gestos y sus silencios. El Papa en Cuba constituía una novedad total porque hacía posible los contrastes sin ruptura, la síntesis sin claudicaciones, y así, su sola presencia entre nosotros participaba del gozo de la buena nueva que Jesucristo resucitado mandó a proclamar a sus discípulos hasta los confines del mundo. Este Kairós no podría dejar de tener un después diferente. Ese era el sentir de muchos. El Papa había inaugurado un tiempo de esperanza y esta esperanza justifica cualquier llamado en favor del amor, de la reconciliación, de la justicia, de la libertad, porque es tan abarcadora la esperanza cristiana como lo es su misma meta, el bien supremo, Dios. Por eso podía reclamar el Papa: «que Cuba se abra al mundo, que el mundo se abra a Cuba; que cesen las medidas económicas restrictivas impuestas desde fuera porque son injustas y éticamente inaceptables, que sean los cubanos los protagonistas de su historia, que no esperen que otros hagan por ellos lo que deben hacer ellos mismos; que no tengan miedo, que abran puertas y corazones a Cristo».

La esperanza cristiana tiene una meta que es Dios, el bien supremo, pero el Santo Padre nos dejó, además, un programa para la esperanza. Si lo cumplimos, ese tiempo de esperanza que él inauguró no cesará de ampliarse, y dentro de él se alcanzarán paso a paso metas intermedias, generadoras, a su vez, de nuevas esperanzas.

De este modo, el Papa Juan Pablo II hizo de su visita pastoral a Cuba algo más que el logro de un propósito largamente anhelado por él y por la Iglesia cubana. La estancia del Sumo Pontífice en mi país tuvo los aires de una obertura, que anuncia en su ejecución los temas que han de ser retomados y desarrollados más tarde en el curso de la puesta en escena. De ahí el seguimiento posterior de la visita papal por observadores de todo género, gobiernos, conferencias episcopales de América y de otras regiones y aun por la opinión pública internacional. De ahí también la alta responsabilidad de la Iglesia en Cuba como receptora y ejecutora del programa pastoral que nos confió el Papa y que deben cumplir los católicos cubanos al inicio del tercer milenio de la era cristiana.

Pero, normalmente, el correr del tiempo, ¿no debe aminorar el impacto del viaje Papal a Cuba? Como evento histórico puntual, la visita de Juan Pablo II a mi país participa de ese dinamismo descendente, como el que opera en una trayectoria balística, al cual están sometidos todos los acontecimientos, que se van tornando poco a poco recuerdo y evocación.

Sin embargo, en su aspecto fundante de esperanza, en su programa de luces largas sobre temas esenciales a la vida de la Iglesia y del ser humano, la misión pastoral del Papa en Cuba se yergue como un cuerpo de doctrina y de acción para el tercer milenio de la era cristiana, al modo de una suerte de «encíclica a los cubanos», a la cual tendrá que volver una y otra vez la Iglesia que vive en Cuba en su quehacer pastoral del 3er milenio. La familia, la juventud, el sufrimiento, el amor a la Patria, las raíces y características de la cultura cubana, la libertad, la renovación de la sociedad, la visión cristiana del hombre y de las estructuras sociales para que exista la justicia y se respeten los derechos humanos, el papel del hombre y la mujer cubanos como primeros responsables de su destino y protagonistas de su historia, son algunos de los temas programáticos esenciales del Santo Padre que no forman un simple cuerpo teórico, sino que incluyen un proyecto dinámico y preciso para el futuro.

De la Iglesia en Cuba, de la acción de sus pastores, de la

entrega generosa de sus sacerdotes, religiosos y religiosas y de la participación decidida de los laicos depende el despliegue y concreción del programa papal que debe configurar el nuevo itinerario de la Iglesia inaugurado por el Santo Padre en su visita a mi país.

Simultáneamente a su aplicación gradual, este proyecto debe llevar consigo la esperanza, quiero decir, debe desarrollarse con talante esperanzador. Esta fue la tónica de la visita del Santo Padre a Cuba. Esa ha sido la característica del pontificado del Papa Juan Pablo II, muy acorde con el aliento y el gozo que la buena nueva debe producir en el corazón humano para que sea percibida como tal. Los obispos de Cuba debemos ser los principales portadores del «proyecto esperanza» de Juan Pablo II, que es humanista y cristiano.

Para ello, el evangelio debe ser considerado primero en su capacidad de iluminar con luz nueva y propia las diversas situaciones. De él emanan siempre las propuestas aptas para transformar la vida de hombres y pueblos. Solo recibido y aceptado en esta perspectiva pueden desplegarse todas las virtualidades y el dinamismo que contiene el mensaje de Jesús y abrirse paso en muchos corazones las respuestas que el Espíritu Santo suscita en quienes ansían construir un mundo mejor siguiendo la invitación del Señor.

El evangelio tiene innumerables potencialidades. Una de ellas es la de contrastar la realidad presente, con sus límites, sus sombras y sus elementos positivos, con la propuesta, en todo orden superior, del mensaje de Jesús. Este procedimiento nos puede conducir al mejor análisis posible de la realidad, pues el mensaje cristiano lleva en sí enunciados que trascienden la historia presente y sus incidencias, aun las de más difícil comprensión, pero si quedamos atrapados solo en el análisis, podemos correr ciertos riesgos: caer en un profetismo desgarrador, dejarnos llevar por el desaliento paralizante o buscar falsos caminos que nos desvíen de un proyecto realmente evangélico. Esta fue la suerte corrida por algunas teologías de la liberación en Latinoamérica y por ciertas actitudes individuales que se limitaron a la denuncia y al reclamo, pero evacuando casi todo el aspecto religioso cristiano de la acción de la Iglesia. Esto dejó el camino abierto a las sectas.

En la cuarta Conferencia General del Episcopado Latino-americano celebrada en Santo Domingo en el año 1992, los obispos de América Latina debatieron ampliamente acerca del modo de enfocar la realidad económica, social y política del continente latinoamericano, donde la pobreza y la frustración coexisten con grandes riquezas materiales, humanas y espirituales. Se consideró para ello el uso del conocido método de Ver, Juzgar y Actuar, tan empleado en este siglo y que tan buenas aportaciones ha hecho a grupos apostólicos, movimientos y organizaciones eclesiales en general, influyendo en el desarrollo de congresos y reuniones y en la elaboración de no pocos documentos emanados de ellos. Pero esta vez no parecía satisfacer a la mayoría de los pastores latinoamericanos este método. Apuntaban que, en ocasiones, somos prolijos en los análisis que resultan casi siempre desalentadores en el Ver, que se vuelven casi siempre duros y negativos en el Juzgar que es cuando se contrasta la santidad con la Palabra de Dios, pues el mundo que nos rodea está lejos del ideal evangélico y sus reclamos, con el riesgo de que el Actuar participe del mismo desaliento con que da inicio la reflexión y pueda quedar también condicionado por factores sociológicos, con las líneas de acción a menudo supeditadas a estrategias demasiado humanas, al surgir muy desde abajo.

Los obispos proponían otra andadura, y esta fue la clave en la que se redactó el documento final. Primeramente, considerar la realidad tal como es querida por Dios, iluminada por la palabra revelada y por una seria reflexión teológica. En segundo lugar, analizar cuáles son los desafíos pastorales para que pueda realizarse el designio de Dios sobre esa realidad concreta, sea, por ejemplo, la familia, la juventud, la sociedad, el trabajo humano, etc.; y en tercer lugar, adoptar las líneas pastorales que resulten más adecuadas según la reflexión y el análisis de los desafíos pastorales.

Este método para llevar a cabo su misión pastoral ha sido seguido por la Iglesia en Cuba, sobre todo, a partir del II Encuentro Nacional Cubano en el año 1996.

La Iglesia en mi país no podría reducir su misión pastoral al análisis de la realidad político-social cubana, que puede estar distante del evangelio en muchos aspectos, ni al juicio profético sobre esa realidad. Esta misión imprescindible de la Iglesia debe estar incluida dentro de un proyecto más amplio, como es el de un plan pastoral. Aunque las posibilidades de la acción de la Iglesia están disminuidas (pensemos en el no acceso habitual a medios de comunicación ni al sistema educacional del Estado o las dificultades en la acción social de la Iglesia o para construir nuevos templos), la Iglesia debe proponerse un plan pastoral y así lo ha hecho desde 1996, con metas y programas que incluyen una creciente presencia y acción de la Iglesia en la sociedad cubana, fruto de la reflexión teológica sobre nuestro medio y del análisis de los desafíos pastorales que él nos presenta. Este plan pastoral prioriza la formación cristiana, sobre todo, de los nuevos creyentes en Cristo que llegan a nuestras iglesias, la creación y fortalecimiento de comunidades cristianas vivas y dinámicas, capaces de acoger y entusiasmar a los nuevos cristianos y de ser misioneras, portadoras del mensaje del evangelio a otros hermanos, y la promoción humana por medio de la acción social de la Iglesia.

El Sínodo de América se plantea, como condición previa e indispensable para que se dé la transformación de hombres, comunidades y estructuras de la sociedad, que la Iglesia propicie «el encuentro con Jesucristo vivo, camino para la conversión, la comunión y la solidaridad en América». El solo tema del Sínodo constituye ya un documento claro, programático y comprometedor para los católicos del continente americano, apoya en su formulación el plan pastoral de la Iglesia en Cuba y contiene muchos elementos esenciales para la misión en nuestro país.

La Iglesia en Cuba debe llevar al hombre y a la mujer cubanos de hoy al encuentro con Jesucristo. Solo él tiene el poder de transformar sus vidas y ese es también el único medio de transformar, según el querer de Cristo, la familia y la sociedad entera. «El hombre es el camino de la Iglesia», nos decía el Papa Juan Pablo II en su encíclica *Redemptor Hominis*.

El Papa Juan Pablo II no hizo en Cuba análisis exhaustivos ni emitió juicios concluyentes sobre el pasado o el presente de nuestro país, trazó un camino de libertad y responsabilidad para el futuro y nos anunció con su misma presencia y actuación que es posible al cristiano estar en medio de la sociedad con su propia identidad y actuar en la historia concreta de hombres y pueblos con el poder de Jesucristo y la fuerza del Espíritu Santo. Al final de su homilía en la Plaza de la Revolución en La Habana, el Papa improvisaba algunas palabras inspirándose en el fuerte viento que se sentía esa mañana durante la celebración de la Eucaristía. Dijo el Papa: «Este viento me hace pensar en el Espíritu Santo. El Espíritu sopla donde quiere y quiere soplar en Cuba». En el Espíritu de Dios estaba la gran esperanza del Papa y en él está puesta la esperanza de la Iglesia en mi país.

Ese «no sé qué» casi inexplicable que produjo la visita del Papa en la sociedad cubana tiene mucho que ver con la esperanza que suscitó en el corazón de los cubanos. Esta esperanza no debe ser derrotada y, si bien parece haber quedado atrás el clima más positivo y abierto del año 1998, en el que algunos elementos de la política nacional cubana y sobre todo de la política internacional con respecto a Cuba, parecían brindar ciertos cauces inmediatos a aquella gran esperanza, y se desarrolla al momento presente con perspectivas poco alentadoras, no debemos permitir que se clausure la puerta abierta por el Papa Juan Pablo II a la esperanza con su visita pastoral a Cuba. Para nosotros, pastores de la Iglesia en Cuba, esto sería una imposible claudicación; para los hombres y mujeres de fe en nuestro país sería un contrasentido en el inicio del tercer milenio de la era cristiana.

La Iglesia en Cuba no puede detenerse ante los signos negativos que intentan oscurecer un futuro mejor. Nuestra misión debe llevar a todos los cubanos, sean hombres de gobierno o de pueblo, creyentes o no creyentes, la esperanza que el Papa Juan Pablo II sembró a su paso entre nosotros. El clima de distensión, de serenidad, de mayor tolerancia, que siguió a la visita del Santo Padre en nuestro país debe prevalecer a pesar de las crisis y dificultades de cualquier orden. Justamente, este clima se convierte en el más poderoso factor para superar lo adverso.

Este es el más difícil y apasionante quehacer de un pastor en Cuba.

Pido sus oraciones por los obispos cubanos y para que

nuestro plan pastoral hasta el 2009 tenga éxito. No olviden tampoco en su oración al pueblo cubano.

Muchas gracias.

PALABRAS PRONUNCIADAS EN LA RECEPCIÓN DEL DOCTORADO HONORIS CAUSA POR LA UNIVERSIDAD DE SAN FRANCISCO*

Estimado Padre rector, estimados profesores.

Queridos hermanos y hermanas.

Agradezco vivamente el alto honor que me confiere esta Universidad de San Francisco, y lo hago con la emoción de quien sabe que este homenaje no se dirige a mi persona, sino a la Iglesia Católica que peregrina en Cuba y a la cual humildemente represento.

Digo con emoción porque, durante décadas de silencio acerca de nuestra vivencia a veces oculta, siempre serena y confiada, de la fe en Cristo y de nuestra esperanza en el único Salvador, los católicos cubanos teníamos a menudo la impresión de ser olvidados por los cristianos de otras latitudes. Cuba es una isla, situada en el corazón de América. Su vocación continental fue siempre la de ser puente y lugar de encuentro de culturas y pueblos diversos, pero la realidad sociopolítica que se instauró en mi país, a partir del año 1959, produjo su aislamiento del continente americano y lo hizo doblemente distante de la parte occidental de Europa, donde se gestaban el mercado común y la Unión Europea. En relación con el continente europeo se establecían y consolidaban nuevos lazos económicos, culturales y también ideológicos con los países del este de Europa que estaban bajo el influjo de la desaparecida Unión Soviética y, preferentemente, con ese mismo país.

Durante aquellos años en que se hablaba a veces de la Iglesia del silencio en Cuba, la comunidad católica cubana no permanecía, sin embargo, inactiva. La Iglesia supo estar presente en Cuba a través de todas las incidencias de la historia más reciente de nuestro país. Un buen número de católicos,

---

* San Francisco, California, 19-X-1999.

entre muchos otros cubanos, dejaron el país para establecerse en otras tierras. No pocos sacerdotes y religiosas, al perder sus instituciones de estudio o de asistencia social, se trasladaron a otros países. Alrededor de un centenar y medio de sacerdotes debió abandonar el país en los primeros años de la década del 60, conminados por las autoridades que los obligaron a emigrar. Pero el pequeño resto cristiano que se quedó en Cuba echó pie en tierra con la población que también permanecía en la isla. La labor catequética, el culto renovado y fortalecido por el clima de comunión fraterna que creaba aquella nueva espiritualidad de resto fiel produjo un tipo de comunidad eclesial viva, vibrante en sus celebraciones, agrupada sólidamente en torno a sus pastores, quizá replegada sobre sí misma, pero fiel y orgullosa de su fidelidad.

Se tiene entonces una vivencia original de Iglesia, como aquella de los primeros siglos del cristianismo, haciendo la experiencia de vivir lo esencial en la pobreza, con un total abandono en las manos de un Dios que nunca nos deja.

La abnegación de los sacerdotes, atendiendo cuatro, cinco, seis parroquias y otras comunidades eclesiales, la perseverancia valiente e incondicional de los laicos, su participación activa en la acción ministerial de la Iglesia, el testimonio de sus vidas, sea en sus familias, en su entorno social y especialmente en sus centros de trabajo, la capacidad total de la Iglesia para vivir la nueva realidad del país sin resentimientos ni rencores, con una decisión siempre renovada de servir a la sociedad, sin reclamar privilegios, sino solo su derecho a existir, a mantener su identidad, a realizar su misión, le fueron granjeando a la Iglesia Católica un lugar de prestigio, de respeto, de simpatía en el seno de la sociedad cubana.

Cuando en 1986, después de cinco años de preparación en todas las parroquias y pequeñas comunidades de todo el país, la Iglesia realizó en La Habana el primer Encuentro Nacional Eclesial Cubano, las deliberaciones de aquella reunión, el documento surgido de la misma y las proyecciones hacia el futuro para la acción pastoral mostraban una Iglesia que había madurado en el esfuerzo constante, donde no faltó el sufrimiento por las limitaciones reales en el desarrollo de su misión propia, a causa de estrictos y persistentes controles estatales, pero donde se hacían sentir también la alegría y el entusiasmo.

Reitero la importancia de la unidad de la Iglesia durante ese período: obispos, sacerdotes, religiosos, religiosas y laicos enfrentaron aquella difícil situación cohesionados como en una gran familia. No puede dejarse de destacar la catolicidad de la Iglesia como factor determinante para mantener su fidelidad en los momentos difíciles. La adhesión de nuestra Iglesia al Papa, su profunda comunión con la Santa Sede, favorecida por el hecho de haber mantenido Cuba y la Sede Apostólica relaciones diplomáticas que posibilitaron siempre la presencia del representante papal en La Habana, constituyó para la Iglesia en Cuba una especie de ventana abierta a la Iglesia universal. A través de ella pudo sentir los aires nuevos del Concilio Vaticano II y recibir luz y esperanza por varios modos diversos. Así pudimos tener acceso a los documentos conciliares, a los nuevos textos litúrgicos en lengua vernácula y recibir literatura religiosa actualizada para la formación de los sacerdotes y seminaristas. En la figura del Nuncio en La Habana se ha concretado durante todos estos años la comunión con la Iglesia de Roma y, especialmente, con el Sumo Pontífice. Esta relación, y el hecho de que nuestra Iglesia pudiera nombrar libremente a sus obispos, según el modo habitual de hacerlo la Iglesia Católica Romana, sin previa consulta al gobierno cubano, sino por la decisión libre del Santo Padre, fue una ventaja innegable para la Iglesia a fin de evitar el riesgo de seudoiglesias nacionales o de grupos de presión que hubieran podido surgir en su propio seno.

Es importante considerar las corrientes de pensamiento que subyacen en el tratamiento de la cuestión religiosa en Cuba en los últimos 40 años. El pensamiento liberal y el laicismo estuvieron presentes en Cuba desde el siglo XIX y se reafirmaron a causa de la intervención norteamericana de 1898 a 1902, con el consiguiente influjo predominante en la vida republicana hasta el triunfo de la revolución en 1959. A partir de ese momento es el pensamiento marxista el que intenta tomar el relevo. A todo ello se suma la modernidad secularista, cuyo influjo, nada despreciable, no cesa de crecer en Cuba, sobre todo en estas últimas décadas del siglo.

Los sistemas de pensamiento más relevantes de los siglos xix y xx tienen la tendencia a asignar a la Iglesia y a la fe católica un papel determinado en la sociedad. Pero la Iglesia no tiene un papel que le venga atribuido por las estructuras políticas, sino una misión propia que le ha sido confiada por su fundador. Un tipo de liberalismo filosófico lleva consigo el laicismo a ultranza, el cual postula, más que la separación de la Iglesia y del Estado, la separación de la Iglesia de la sociedad. Se considera a menudo la fe religiosa, dentro de esa concepción de la vida civil, como una necesidad admitida para débiles y pobres, como «freno moral individual» que favorece la tranquilidad y el orden en la convivencia social, etc.

La Iglesia no niega su función inspiradora de una ética social, pero ella es, ante todo, depositaria y responsable de esa misma inspiración, que nace del anuncio de Jesús, hijo de Dios, a quien no puede dejar de presentar a los hombres y mujeres de todos los pueblos para darles la posibilidad de que, encontrándolo a él, transformen sus vidas y el mundo que los rodea.

La filosofía marxista originaria descalificaba el mismo sentir religioso del hombre, considerándolo nocivo. Los seguidores de ese pensamiento, sobre todo los que en este siglo establecieron sistemas sociopolíticos inspirados en aquella filosofía, llevaron a sus consecuencias prácticas los postulados originarios de la misma y consideraron la fe religiosa y la institución eclesial como un molesto remanente de conductas atávicas, de las cuales el hombre debe ser liberado con mayor o menor paciencia, según lo aconsejen las circunstancias.

Este modo de concebir la función de la religión en la sociedad tuvo mayores dificultades para asignar «un papel a la Iglesia y a la fe cristiana». En momentos de crisis nacional, de guerra o de situaciones similares, se intentó incorporar a la Iglesia a una acción en favor de la paz o se le concedió alguna función moralizadora o de aliento psicosocial. Con gran dificultad, en algunas ocasiones con persecuciones y siempre bajo estricto control, ha podido la Iglesia reafirmar su misión dentro de esos sistemas de pensamiento y de gobierno.

Las concepciones filosóficas e ideológicas del liberalismo y del marxismo que, con respecto a la fe religiosa, se tocan en sus extremos: privatización de la fe, reducido o nulo rol social de la Iglesia, tratamiento más o menos circunstancial o permisivo de la cuestión religiosa y de la Iglesia, han dejado un sedimento de cierta envergadura en mi país.

La modernidad y el secularismo, que coexistían con el pensamiento oficial y se expanden en las últimas décadas, no traen consigo un abordaje ideológico o sociopolítico estricto de la religión o de la Iglesia, sino fijan su atención en el bienestar de individuos y grupos humanos, en la realización personal, con una confianza ilimitada en la ciencia y la técnica para resolver los problemas de la humanidad, prescindiendo en la práctica de lo religioso, que queda pragmáticamente excluido de todo proyecto de futuro.

Pero, en estos últimos años del siglo XX, en todo el mundo se ahondan las preocupaciones por los riesgos de los avances científicos y económicos, por el deterioro ecológico, por el consumismo, por la manipulación genética y el menosprecio de la vida, etc. Surge así un reclamo de responsabilidad en el hombre, para que tome seriamente en sus manos las riendas de la historia. De esa responsabilidad suya depende el futuro personal y colectivo de los habitantes de la tierra. El hombre aparece ahora en el centro de atención de pensadores, políticos y escritores, no tanto como el beneficiario y dueño absoluto de la creación para disfrutar libremente de ella y realizarse así como humano (humanismo tradicional), sino como el responsable consciente del futuro previsible de la humanidad y de la base de sustentación de la misma, que es el planeta con sus recursos, su población y el tipo de relaciones de los hombres entre sí y con la naturaleza, por solo citar algunos aspectos del problema (nuevo humanismo).

Por el buen nivel cultural medio del pueblo cubano, dentro del cual surgen las inquietudes y se suscitan las búsquedas, estas coordenadas históricas, sociopolíticas, filosóficas y religiosas formaban parte del paisaje humano que encontró el Papa Juan Pablo II en Cuba al realizar su inolvidable visita pastoral a mi país.

Halló el Santo Padre, además, una Iglesia pobre en recursos humanos y materiales, pero rica en experiencias de auténtica vida comunitaria, con un compromiso evangelizador creciente y abundante en frutos. En efecto, la Iglesia de la presencia y de la acción callada, de celebraciones hondas y sentidas que agrupaban al resto fiel en vivencias serias de comunidad cristiana, pero que permanecía, al modo del primer grupo apostólico, con las puertas cerradas por miedo, había comenzado, desde el primer Encuentro Nacional Eclesial Cubano, un sostenido e interesante proceso de apertura en dos sentidos: acogiendo a quienes llegaban a la comunidad cristiana y llevando el anuncio de Cristo a los barrios y pueblos, tocando a las puertas de nuestros hermanos, estableciendo nuevos centros de encuentro y de celebración en casas de familia alejadas de las iglesias o en poblados y barrios nuevos sin templos.

Este proceso de apertura y crecimiento correspondía también a un despertar de las inquietudes existenciales y religiosas del pueblo cubano, que trajo consigo la búsqueda de raíces culturales e históricas por parte de hombres y mujeres de cierta formación humana, retorno a la fe de muchos antiguos creyentes católicos, manifestaciones más frecuentes y públicas de la religiosidad popular, necesidad de encontrar sentido a la vida en muchos jóvenes y en no pocos adultos, etc.

Este movimiento confluyente de la Iglesia hacia el pueblo y del pueblo hacia la Iglesia fue facilitado por una progresiva flexibilidad de parte del gobierno en el tratamiento de la cuestión religiosa. Desde mediados de la década de los ochenta, disminuyeron poco a poco las presiones hacia los creyentes por cuestiones de su fe. Primero fue en los centros de trabajo, después en las escuelas; la universidad abrió la casi totalidad de sus carreras a los creyentes, un trato más respetuoso del tema religioso en los medios de comunicación sustituyó ciertas expresiones y ataques de mal gusto y, por último, la Constitución de la República fue reformada en sus artículos que declaraban ateo al Estado para reemplazarlos por otros donde se proclama que el Estado es laico. Gran valor de signo tuvo también la supresión de la condición de ateo para pertenecer al Partido Comunista Cubano.

En un clima, pues, de menor tensión y mayores y más frecuentes contactos de la Iglesia y las autoridades de la nación con vistas a la venida del Papa Juan Pablo II a Cuba, se dio la preparación de la visita del Santo Padre y su ulterior realización. En el íter hacia ese extraordinario evento, tuvo particular importancia la visita del presidente Fidel Castro al Papa Juan Pablo II en Roma y la acogida recibida por él de parte del Santo Padre y de la Sede Apostólica.

Se comprende que en este ambiente, que iba de menos a más en cuanto a posibilidades de la Iglesia y flexibilización del Estado en su trato a los creyentes en Cuba, el Papa Juan Pablo II a los pocos minutos de llegar a nuestro país, hiciera un emplazamiento que contenía una idea-fuerza movilizadora de las conciencias en Cuba y en otros lugares: «que Cuba se abra con todas sus magníficas posibilidades al mundo y que el mundo se abra a Cuba».

Desde el inicio de su viaje, el Santo Padre tenía puesta su mirada en el futuro y lo hacía como mensajero de verdad y de esperanza.

Pero ¿puede justificarse esa llamada a una apertura recíproca entre Cuba y el mundo, apoyándose solo en la capacidad de apertura, aún tímida, del Estado cubano hacia la Iglesia y hacia la fe religiosa en general?, porque no parecían darse pasos similares en el ámbito político o de otros derechos ciudadanos. ¿No sería esta una extrapolación indebida?

Si conocemos el pensamiento del Papa Juan Pablo II con respecto al papel de la fe religiosa en el seno de la comunidad civil, su llamado no nos sorprende.

En más de una ocasión, al hablar de los derechos humanos, el Papa ha puesto la libertad de vivir y proclamar su fe como un derecho fundamental de la persona humana, considerándolo como requisito y reclamo de los demás derechos; esto se verifica, sobre todo, en los países cristianos. Cuba, situada en el corazón de América, pertenece no solo al hemisferio occidental, sino al mundo cristiano. En el Aula Magna de la universidad de La Habana, el Santo Padre insistió en las raíces cristianas de la cultura cubana, aún más, el Papa diría en su homilía de la Plaza de la Revolución algo que me dijo personalmente a mí mientras recorría las calles de La Habana en automóvil, viendo las multitudes que en cada ocasión esperaban ansiosas su paso: «Cuba tiene un alma cristiana».

Para el Papa Juan Pablo II, lo que la Iglesia vive en el seno de una nación es altamente indicativo de la totalidad de la realidad sociopolítica de ese pueblo. Este modo de pensar parece ser el mismo de no pocos observadores de la situación cubana: embajadores en La Habana y sus gobiernos y muchos periodistas y analistas de diferentes medios de difusión. Por eso, el viaje de Juan Pablo II a Cuba adquiría un valor de signo que lo hacía tan esperado y seguido por millones de espectadores, oyentes y lectores de todo el mundo. Por esto también, los pasos recíprocos del gobierno y de la Iglesia, en Cuba, trascienden el ámbito exclusivamente religioso y cobran un sentido más amplio.

El Papa fue a Cuba como mensajero de la verdad y de la esperanza, pero, en su visita pastoral, la esperanza no era suscitada únicamente por las palabras de ánimo que el Papa profería, sino por su misma presencia, su interacción con el pueblo y con las autoridades de la nación, su mirada, sus gestos y sus silencios. El Papa en Cuba constituía una novedad total porque hacía posible los contrastes sin ruptura, la síntesis sin claudicaciones, y así, su sola presencia entre nosotros participaba del gozo de la buena nueva que Jesucristo resucitado mandó a proclamar a sus discípulos hasta los confines del mundo. Este Kairós no podría dejar de tener un después diferente. Ese era el sentir de muchos. El Papa había inaugurado un tiempo de esperanza y esta esperanza justifica cualquier llamado en favor del amor, de la reconciliación, de la justicia, de la libertad, porque es tan abarcadora la esperanza cristiana como lo es su misma meta, el bien supremo, Dios. Por eso podía reclamar el Papa: «que Cuba se abra al mundo, que el mundo se abra a Cuba; que cesen las medidas económicas restrictivas impuestas desde fuera porque son injustas y éticamente inaceptables, que sean los cubanos los protagonistas de su historia, que no esperen que otros hagan por ellos lo que deben hacer ellos mismos; que no tengan miedo, que abran puertas y corazones a Cristo».

La esperanza cristiana tiene una meta que es Dios, el bien supremo, pero el Santo Padre nos dejó, además, un programa para la esperanza. Si lo cumplimos, ese tiempo de esperanza que él inauguró no cesará de ampliarse, y dentro de él se alcanzarán paso a paso metas intermedias, generadoras, a su vez, de nuevas esperanzas.

De este modo, el Papa Juan Pablo II hizo de su visita pastoral a Cuba algo más que el logro de un propósito altamente anhelado por él y por la Iglesia cubana. La estancia del Sumo Pontífice en mi país tuvo los aires de una obertura, que anuncia en su ejecución los temas que han de ser retomados y desarrollados más tarde en el curso de la puesta en escena. De ahí el seguimiento posterior de la visita papal por observadores de todo género, gobiernos, conferencias episcopales de América y de otras regiones y aun por la opinión pública internacional. De ahí también la alta responsabilidad de la Iglesia en Cuba como receptora y ejecutora del programa pastoral que nos confió el Papa y que debe llevar a los católicos cubanos al inicio del tercer milenio de la era cristiana.

Pero, normalmente, el correr del tiempo, ¿no debe aminorar el impacto del viaje Papal a Cuba? Como evento histórico puntual, la visita de Juan Pablo II a mi país participa de ese dinamismo descendente, como el que opera en una trayectoria balística, al cual están sometidos todos los acontecimientos, que se van tornando poco a poco recuerdo y evocación.

Sin embargo, en su aspecto fundante de esperanza, en su programa de luces largas sobre temas esenciales a la vida de la Iglesia y del ser humano, la misión pastoral del Papa en Cuba se yergue como un cuerpo de doctrina y de acción para el tercer milenio de la era cristiana, al modo de una suerte de «encíclica a los cubanos», a la cual tendrá que volver una y otra vez la Iglesia que vive en Cuba en su caminar hacia el año 2000. La familia, la juventud, el sufrimiento, el amor a la Patria, las raíces y características de la cultura cubana, la libertad, la renovación de la sociedad, la visión cristiana del hombre y de las estructuras sociales para que exista la justicia y se respeten los derechos humanos, el papel del hombre y la mujer cubanos como primeros responsables de su destino y protagonistas de su historia, son algunos de los temas programáticos esenciales del Santo Padre que no forman un simple cuerpo teórico, sino que incluyen un proyecto dinámico y preciso para el futuro.

De la Iglesia en Cuba, de la acción de sus pastores, de la

entrega generosa de sus sacerdotes, religiosos y religiosas y de la participación decidida de los laicos depende el despliegue y concreción del programa papal que debe configurar el nuevo itinerario de la Iglesia inaugurado por el Santo Padre en su visita a mi país.

Simultáneamente a su aplicación gradual, este proyecto debe llevar consigo la esperanza, quiero decir, debe desarrollarse con talante esperanzador. Esta fue la tónica de la visita del Santo Padre a Cuba. Esa ha sido la característica del pontificado del Papa Juan Pablo II, muy acorde con el aliento y el gozo que la buena nueva debe producir en el corazón humano para que sea percibida como tal. Los obispos de Cuba debemos ser los principales portadores del «proyecto esperanza» de Juan Pablo II, que es humanista y cristiano.

Para ello, el evangelio debe ser considerado, primero, en su capacidad de iluminar con luz nueva y propia las diversas situaciones. De él emanan siempre las propuestas aptas para transformar la vida de hombres y pueblos. Solo recibido y aceptado en esta perspectiva pueden desplegarse todas las virtualidades y el dinamismo que contiene el mensaje de Jesús y abrirse paso en muchos corazones las respuestas que el Espíritu Santo suscita en quienes ansían construir un mundo mejor siguiendo la invitación del Señor.

El evangelio tiene innumerables potencialidades. Una de ellas es la de contrastar la realidad presente, con sus límites, sus sombras y sus elementos positivos, con la propuesta, en todo orden superior, del mensaje de Jesús. Este procedimiento nos puede conducir al mejor análisis posible de la realidad, pues el mensaje cristiano lleva en sí enunciados que trascienden la historia presente y sus incidencias, aun las de más difícil comprensión, pero si quedamos atrapados solo en el análisis, podemos correr ciertos riesgos: caer en un profetismo desgarrador, dejarnos llevar por el desaliento paralizante o buscar falsos caminos que nos desvíen de un proyecto realmente evangélico. Esta fue la suerte corrida por algunas teologías de la liberación en Latinoamérica y por ciertas actitudes individuales que se limitaron a la denuncia y al reclamo, pero evacuando casi todo el aspecto religioso cristiano de la acción de la Iglesia. Esto dejó el camino abierto a las sectas.

En la cuarta Conferencia General del Episcopado Latino-americano celebrada en Santo Domingo en el año 1992, los obispos de América Latina debatieron ampliamente acerca del modo de enfocar la realidad económica, social y política del continente latinoamericano, donde la pobreza y la frustración coexisten con grandes riquezas materiales, humanas y espirituales. Se consideró para ello el uso del conocido método de Ver, Juzgar y Actuar, tan empleado en este siglo y que tan buenas aportaciones ha hecho a grupos apostólicos, movimientos y organizaciones eclesiales en general, influyendo en el desarrollo de congresos y reuniones y en la elaboración de no pocos documentos emanados de ellos. Pero esta vez no parecía satisfacer a la mayoría de los pastores latinoamericanos este método. Apuntaban que, en ocasiones, somos prolijos en los análisis que resultan casi siempre desalentadores en el Ver, que se vuelven casi siempre duros y negativos en el Juzgar, pues el mundo que nos rodea está lejos del ideal evangélico y sus reclamos, con el riesgo de que el Actuar participe del mismo desaliento con que da inicio la reflexión y pueda quedar también condicionado por factores sociológicos, con las líneas de acción a menudo supeditadas a estrategias demasiado humanas, al surgir muy desde abajo.

Los obispos proponían otra andadura, y esta fue la clave en la que se redactó el documento final. Primeramente, considerar la realidad tal como es querida por Dios, iluminada por la palabra revelada y por una seria reflexión teológica. En segundo lugar, analizar cuáles son los desafíos pastorales para que pueda realizarse el designio de Dios sobre esa realidad concreta, sea, por ejemplo, la familia, la juventud, la sociedad, el trabajo humano, etc.; y en tercer lugar, adoptar las líneas pastorales que resulten más adecuadas según la reflexión y el análisis de los desafíos pastorales.

Este método para llevar a cabo su misión pastoral ha sido seguido por la Iglesia en Cuba, sobre todo, a partir del II Encuentro Nacional Cubano en el año 1996.

La Iglesia en mi país no podría reducir su misión pastoral al análisis de la realidad político-social cubana, que puede estar distante del evangelio en muchos aspectos, ni al juicio profético sobre esa realidad. Esta misión imprescindible de la Iglesia debe estar incluida dentro de un proyecto más amplio, como es el de un plan pastoral. Aunque las posibilidades de la acción de la Iglesia están disminuidas (pensemos en el no acceso habitual a medios de comunicación ni al sistema educacional del Estado o las dificultades en la acción social de la Iglesia o para construir nuevos templos), la Iglesia debe proponerse un plan pastoral y así lo ha hecho desde 1996, con metas y programas que incluyen una creciente presencia y acción de la Iglesia en la sociedad cubana, fruto de la reflexión teológica sobre nuestro medio y del análisis de los desafíos pastorales que él nos presenta. Este plan pastoral prioriza la formación cristiana, sobre todo, de los nuevos creyentes en Cristo que llegan a nuestras iglesias, la creación y fortalecimiento de comunidades cristianas vivas y dinámicas, capaces de acoger y entusiasmar a los nuevos cristianos y de ser misioneras, portadoras del mensaje del evangelio a otros hermanos, y la promoción humana por medio de la acción social de la Iglesia.

El reciente Sínodo de América se plantea, como condición previa e indispensable para que se dé la transformación de hombres, comunidades y estructuras de la sociedad, que la Iglesia propicie «el encuentro con Jesucristo vivo, camino para la conversión, la comunión y la solidaridad en América». El solo tema del Sínodo constituye ya un documento claro, programático y comprometedor para los católicos del continente americano, apoya en su formulación el plan pastoral de la Iglesia en Cuba y contiene muchos elementos esenciales para la misión en nuestro país.

La Iglesia en Cuba debe llevar al hombre y a la mujer cubanos de hoy al encuentro con Jesucristo. Solo él tiene el poder de transformar sus vidas y ése es también el único medio de transformar, según el querer de Cristo, la familia y la sociedad entera. «El hombre es el camino de la Iglesia», nos decía el Papa Juan Pablo II en su encíclica *Redemptor Hominis*.

El Papa Juan Pablo II no hizo en Cuba análisis exhaustivos ni juicios concluyentes sobre el pasado o el presente de nuestro país, trazó un camino de libertad y responsabilidad para el futuro y nos anunció con su misma presencia y actuación que es posible al cristiano estar en medio de la sociedad con su propia identidad y actuar en la historia concreta de hombres y pueblos con el poder de Jesucristo y la fuerza del Espíritu Santo. Al final de su homilía en la Plaza de la Revolución en La Habana, el Papa improvisaba algunas palabras inspirándose en el fuerte viento que se sentía esa mañana durante la celebración de la Eucaristía. Dijo el Papa: «este viento me hace pensar en el Espíritu Santo. El Espíritu sopla donde quiere y quiere soplar en Cuba». En el Espíritu de Dios estaba la gran esperanza del Papa y en él está puesta la esperanza de la Iglesia en mi país.

Ese «no sé qué» casi inexplicable que produjo la visita del Papa en la sociedad cubana tiene mucho que ver con la esperanza que suscitó en el corazón de los cubanos. Esta esperanza no debe ser derrotada y, si bien parece haber quedado atrás el clima más positivo y abierto del año 1998, en el que algunos elementos de la política nacional cubana y sobre todo de la política internacional con respecto a Cuba, parecían brindar ciertos cauces inmediatos a aquella gran esperanza, y se desarrolla este año con perspectivas poco alentadoras a este respecto, no debemos permitir que se clausure la puerta abierta por el Papa Juan Pablo II a la esperanza con su visita pastoral a Cuba. Para nosotros, pastores de la Iglesia en Cuba, esto sería una imposible claudicación; para los hombres y mujeres de fe en nuestro país sería un contrasentido de cara al tercer milenio de la era cristiana.

La Iglesia en Cuba no puede detenerse ante los signos negativos que intentan oscurecer un futuro mejor. Nuestra misión debe llevar a todos los cubanos, sean hombres de gobierno o de pueblo, creyentes o no creyentes, la esperanza que el Papa Juan Pablo II sembró a su paso entre nosotros. El clima de distensión, de serenidad, de mayor tolerancia, que siguió a la visita del Santo Padre en nuestro país debe prevalecer a pesar de las crisis y dificultades de cualquier orden. Justamente, este clima se convierte en el más poderoso factor para superar lo adverso.

Este es el más difícil y apasionante quehacer de un pastor en Cuba.

Pido sus oraciones por los obispos cubanos y para que

nuestro plan pastoral hacia el 2000 tenga éxito. No olviden tampoco en su oración al pueblo cubano.

Muchas gracias.

PALABRAS PRONUNCIADAS EN LA APERTURA DEL SIMPOSIO «LA EXHORTACIÓN APOSTÓLICA «ECCLESIA IN AMERICA». IMPLICACIONES ANTROPOLÓGICAS, ECONÓMICAS Y SOCIALES PARA CUBA»*

Excmo. Mons. Jean Louis Tauran,
Excelencias,
Señoras y Señores,
Hermanos todos:

Se inaugura este Simposio sobre la Exhortación Apostólica «Ecclesia in America» y sus implicaciones antropológicas, económicas y sociales para Cuba, con la Conferencia Magistral que será dictada por Su Excelencia Reverendísima Mons. Jean Louis Tauran, Secretario de la Santa Sede para las Relaciones con los Estados.

Es la segunda vez que Mons. Tauran visita nuestro país. La primera ocasión fue en el año 1996, poco antes del anuncio de la visita del Papa Juan Pablo II a Cuba. Ahora, casi dos años después de aquella visita pastoral del Santo Padre, acontecimiento que sigue vivo y presente en el corazón del pueblo cubano y en el quehacer de la Iglesia en Cuba, Su Excelencia nos honra de nuevo con su presencia, para dar inicio a un Simposio que se propone una reflexión seria y amplia sobre un documento del Magisterio Pontificio que nos atañe particularmente: la Exhortación Apostólica «Ecclesia in America». En ella, el Santo Padre recoge el sentir de los Obispos del continente americano, reunidos representativamente en Roma durante un Sínodo Especial, desde todas las naciones de Norte, Centro, Suramérica y el Caribe.

La Iglesia en Cuba, a las puertas del Tercer Milenio, mira esperanzada hacia el nuevo siglo y milenio, consciente de su misión evangelizadora que le ha sido confiada por Jesucristo

---

* La Habana, 1-XII-1999.

para llevarla a cabo en el mundo entero. Sabe también la Iglesia que el anuncio del Evangelio lleva consigo un compromiso de servicio, de amor universal, con preferencia al pobre y al que sufre, y que las estructuras sociales y económicas injustas o imperfectas encuentran en el Evangelio una instancia crítica y unas propuestas iluminadoras.

La Iglesia, que es la comunidad de los seguidores de Jesús, pastores y fieles, depositaria de la Palabra del Señor, no puede dejar de anunciarla en todo tiempo y lugar y no tiene ningún otro propósito que servir a los hombres y a los pueblos por los caminos del amor fraterno, que constituye el eje central del mensaje de Jesús, y del cual fluyen siempre actitudes y realizaciones positivas: la disponibilidad de colaborar en toda obra buena, la reconciliación entre hombres y pueblos, la paz.

Es este amor cristiano el que anima nuestras reflexiones de estos días. Para conducirlas y propiciarlas hemos invitado a distinguidas personalidades: a Mons. Miguel Irízar, Obispo del Callao; al Excmo. Sr. Guillermo León Escobar, Embajador de Colombia ante la Santa Sede; al Profesor Andrea Riccardi, Fundador de la Comunidad de San Egidio; al Dr. Ricardo Arias Calderón de Panamá; al Ing. Alfonso Romo de México; a los Doctores Helen Álvarez y Pedro Monreal de Estados Unidos y Cuba, respectivamente; al R.P. Segundo Galilea de Chile. Siéntanse todos bienvenidos y entre hermanos.

Tengo ahora el honor de introducir a S.E.R. Mons. Jean Louis Tauran, quien inaugura, con su Conferencia Magistral, este Simposio.

PALABRAS DE APERTURA DEL AÑO SANTO JUBILAR*

A todos los sacerdotes, religiosos, religiosas, diáconos y fieles laicos de esta querida aquidiócesis de La Habana.
Queridos hermanos y hermanas:
Cuando la Iglesia, llena de júbilo, celebra el nacimiento de Jesucristo, Nuestro Dios y Señor, iniciando en este día so-

---

* Catedral de La Habana, 25-XII-1988.

lemne el Año Santo Jubilar, para festejar los 2.000 años de la venida al mundo de nuestro Redentor, tengo la honda alegría de anunciarles que, en nuestra Arquidiócesis de La Habana, el Año Santo estará especialmente consagrado a honrar a Jesucristo presente en el Santísimo Sacramento del altar.

Será un tiempo de gracia para renovar nuestras parroquias y todas nuestras comunidades, que harán de todo este año una gran jornada de preparación para la realización del Congreso Eucarístico que se celebrará en la ciudad de La Habana los días 8, 9 y 10 de diciembre del año 2000. Este Congreso será un momento cumbre de la conmemoración del bimilenario del nacimiento de Jesús el Señor y proclamo ahora solemnemente su celebración con emoción y esperanza. Acogemos así un especial deseo del Papa Juan Pablo II para este año jubilar. Al celebrar el misterio de nuestra fe, cuando el pan se convierte en el cuerpo de Cristo y el vino en su sangre, adorando a Jesucristo presente en este augusto sacramento, conmemoraremos del mejor modo posible los 2.000 años de su nacimiento.

En su presencia eucarística, Jesús cumple hoy para nosotros la promesa que hizo a los apóstoles: «*Yo estaré con ustedes siempre hasta el fin del mundo*». Este será el lema inspirador de nuestro Congreso, porque de hecho el Cristo que nació hace casi 2000 años en Belén se ha quedado definitivamente con nosotros: es el Cristo vivo de nuestra mesa de comunión y de nuestros sagrarios.

A la Virgen Inmaculada, en cuyo seno se hizo carne la Palabra eterna de Dios, encomiendo la celebración del Congreso Eucarístico de La Habana, que se iniciará precisamente en la solemnidad de la Inmaculada Concepción de María, el 8 de diciembre del próximo año 2000.

Que Ella, la Virgen Purísima, perfecta acogedora del Verbo que se hizo carne en su seno bendito, los anime a todos, queridos hijos, sacerdotes, diáconos, religiosos, religiosas y fieles laicos, a acoger con gozo y devoción la celebración de este Congreso que llenará a la Iglesia de vida nueva.

Así lo suplico a María Santísima, mientras imploro de Dios, para todos, su bendición en esta Navidad y en el año nuevo ya próximo.

PALABRAS DEL SEÑOR CARDENAL
JAIME ORTEGA ALAMINO,
PARA LA REVISTA «SIMIENTE»*

Conocí a Monseñor Fernando Prego cuando él era párroco de Alquízar y acababa yo de ser ordenado sacerdote. Fui nombrado vicario cooperador en Cárdenas y el Padre Naranjo, que era entonces el párroco, me invitó a visitar Alquízar y seguir viaje después, con el Padre Prego, hasta la diócesis de Pinar del Río, a la parroquia de San Juan y Martínez, donde Monseñor Siro era en ese momento párroco. El Padre Siro y el Padre Prego eran grandes amigos desde el Seminario.

Desde que llegué a Alquízar me impresionó la extraordinaria simpatía de aquel cura grande de cuerpo y alma. Conocimos allí la vitalidad de su parroquia, su grupo de jóvenes y el inmenso trabajo que desplegaba no solo allí, sino en otras parroquias que tenía confiadas a su cuidado pastoral. Siempre, años más tarde, me acordaba de aquella deliciosa reunión en San Juan y Martínez, alrededor de una sabrosa mesa pinareña que nos preparó la buena mamá del Padre Siro y recordaba sobre todo estos ratos felices sentado alrededor de otra mesa, colmada de papeles y de preocupaciones, donde Cristo Buen Pastor quiso reunirnos muchas veces a Monseñor Prego, a Monseñor Siro y a mí convertidos los tres en obispos de esta Iglesia que peregrina en Cuba.

Pero si los platos criollos eran sustituidos ahora por papeles, la simpatía de Mons. Prego no había sufrido variación ninguna. Simpatía inteligente y bien encauzada, que sabía manejar admirablemente en situaciones de tensión, diciendo con sensatez y sentido común qué es lo posible, lo justo y preciso en un momento de la vida de la Iglesia.

Como miembro de la Conferencia Episcopal y como presidente de la misma por varios períodos, siempre aprecié la claridad y la moderación de Mons. Prego, su actitud de pastor que ante todo guardaba el rebaño, aunque fuera con un alto costo personal. Así lo fue hasta en su testamento espiritual: no pretendió nunca deslumbrar, sino cuidar bien del re-

---

* Santa Clara, febrero 1999.

baño que el Señor le había confiado. Celoso en la guía de su Iglesia diocesana mantuvo su solicitud pastoral hacia toda la Iglesia que peregrina en Cuba.

Su estado de salud no logró arrancarle nunca su pasión por su ministerio pastoral, disimulaba sus males, y, si era necesario por el Reino de Dios, no dudaba en exhibirlos, así con humildad y entrega guió hasta el último suspiro al pueblo de Dios en Villa Clara. Su pueblo correspondió con amor al amor que su Pastor le profesaba. Cuando venía a La Habana, siendo él un habanero que dejó una estela de cariño en sus antiguas parroquias de esta diócesis, me decía: cuando llevo uno o dos días aquí me entran deseos de ir para Santa Clara y cuando estoy llegando allá siempre siento alegría. Esa alegría es ahora plena para ti, querido Padre Prego, en la Casa del Padre. Desde allí ya sin nostalgia, puedes mirar a tu diócesis de Santa Clara y a la Iglesia toda de Cuba y pedir para tus hermanos obispos a Cristo, Buen Pastor, sensatez, paciencia y alegría en la conducción del rebaño que Él nos confió.

PALABRAS PRONUNCIADAS
ANTE LA IMAGEN DEL CRISTO
DE LA HABANA*

Al amanecer del año 2000 de esta Era que se inició con tu nacimiento, venimos a Ti, Jesucristo, origen de la vida y consumación de la historia.

¿Qué sería de nosotros sin Ti, que eres el Camino, la Verdad y la Vida?

¿Qué sería de la historia de los hombres si en la tierra no se hubiera escuchado esa palabra tuya: «*Perdónalos, Padre, porque no saben lo que hacen?*». ¿Qué hubiéramos hecho entonces nosotros, los pecadores? ¿A quién iríamos cuando nos sentimos agotados y ansiosos, si no supiéramos que Tú pensabas ya en nosotros cuando decías: «*Vengan a mí todos los que están cansados y agobiados que yo los aliviaré?*».

¿Cómo enfrentaríamos las amenazas ciertas de los males

---

* La Habana, 1-I-2000.

físicos y morales que afectan al mundo, si no nos hubieras dicho serenamente: «*No teman, pequeño rebaño mío, yo he vencido al mal*»?

Si no te conociéramos a Ti, el único hombre de la historia humana a quien se le «ha dado todo poder en el cielo y en la tierra», porque «Tú eres el Cristo, el Hijo de Dios vivo», ¿a quién iríamos, Señor?, porque «solo tú tienes palabras de vida eterna».

¿Qué sería de los sencillos, de los humildes, de la buena gente, si tú no hubieras dejado un testamento perennemente intranquilizador para los ricos, los poderosos, los soberbios y los violentos, pero lleno de aliento para los pobres, cuando proclamaste... que son «*dichosos porque de ellos es el Reino de los cielos*» y dijiste también que «*serán dichosos los mansos porque se adueñarán de la tierra... y los limpios de corazón porque verán a Dios*».

¿Qué sería del mundo sin el pesebre de Belén, sin la ternura del Niño-Dios en los brazos de María, sin el canto de los ángeles, sin una estrella en el cielo para alumbrar a los que buscan?

¿Qué sería del hombre sin tu Cruz?, ¿dónde fijarían sus ojos los tristes, los que viven solos y sin afectos, la caravana de pueblos hambrientos que no esperan nada de los que tienen el poder económico y fabrican el dinero, los enfermos de SIDA y otros hasta ahora incurables? ¿Quién sino Tú podrías colmar a quienes tienen una vida rota y vacía, a los que están hastiados de placeres y faltos de amor, a los presos, a los que son prisioneros de sus sentimientos, de sus odios, de sus caprichos y ambiciones y necesitan ser liberados para que la bondad pueda llenar sus corazones, a los que se sienten traicionados u oprimidos y buscan la transparencia de un amigo que nunca falla?

¿Quién puede salvarlos a todos ellos y a nosotros, sino Tú, Jesús de Nazaret, el Salvador?

¿Qué sería de esa hermosa ciudad que está a tus pies, si quienes la habitaron hace cien o doscientos años y los que viven en ella hoy solo hubieran nacido para engrosar el cotidiano cortejo de muerte que termina en un mausoleo fabuloso o en una fosa común?

¿Qué sería la vida de ellos y de nosotros sin tu Resurrección, que es tu triunfo sobre el viejo y último enemigo del hombre: la muerte? Porque Tú has cumplido para todos tu promesa: *«Yo soy la resurrección y la vida, el que cree en mí, aunque haya muerto, vivirá y todo el que vive y cree en mí no morirá para siempre».*

Señor Jesús, para imaginar ese mundo sin Ti, no hay que hacer ningún esfuerzo de abstracción de tiempo o de lugar, basta penetrar discretamente en la vida de muchos hermanos nuestros, de los que habitan en las monótonas casas de Alamar o en los solares abigarrados y oscuros de Centro-Habana, o en las residencias lindas de Miramar, o aún más al oeste. La oscuridad no es solo patrimonio de esa casa-entre-dos de La Habana Vieja, con su bombillo eléctrico siempre encendido; está también en las terrazas soleadas de los repartos buenos, a donde todos quisieran permutar; porque dicha oscuridad anida en los corazones de muchos que no te conocen a Ti, Cristo, ni te han oído decir: *«Yo soy la Luz del mundo, quien me sigue a mí nunca andará en tinieblas».*

JESUCRISTO, Luz del mundo, Dios con nosotros, Redentor nuestro, Vencedor de la muerte, Señor de la vida, a Ti te consagramos la Ciudad y la Arquidiócesis de La Habana en este primer día del año 2000, Año Santo Jubilar. Como contemplaste un día, lleno de compasión, desde lo alto, la ciudad Santa de Jerusalén y lloraste por ella, porque no había conocido el tiempo de tu venida; apiádate de cuantos viven en nuestra ciudad y en nuestra Arquidiócesis y bendícelos con amor misericordioso, porque muchos de ellos no te conocen pero te necesitan.

Como quisiste reunir a todos los habitantes de Jerusalén al modo de la gallina que cubre a sus polluelos, congrega en torno a tu corazón a nuestro pueblo e infúndeles tu amor y tu luz.

Danos a todos nosotros, Arzobispo y Obispos Auxiliares, sacerdotes, diáconos, personas consagradas y fieles laicos, el Espíritu Santo, para ser en medio de nuestro pueblo testigos de la Luz, anunciadores felices de tu Reino de amor y de Justicia, comunicadores fieles de la buena noticia que, sin saberlo, esperan: Que Tú, Jesucristo, eres el Hijo de Dios, que en Ti está la salvación.

Que no se cumpla en el futuro lo que hace cuarenta años dijo nuestro gran escritor Fernando Ortiz: «Allí, desde la entrada de la Bahía, los contempla un nuevo testigo, recién llegado, hecho de mármol extranjero, que mira con tristeza hacia un pueblo que nunca ha conocido su Evangelio».

Tu estatua es de mármol, Señor, pero Tú eres la palabra hecha carne y Tú estás vivo entre nosotros. De nosotros, tus seguidores, depende que cada día tu mirada sea menos triste, porque hagamos llegar, cada día, hasta nuestros hermanos la Buena Noticia de la Verdad y de la Vida que Tú les traes. Esos son nuestros propósitos para el Año Santo Jubilar y te los presentamos para que Tú los bendigas.

Gloria a Ti, Jesucristo, el mismo ayer, hoy y siempre, que estarás con nosotros hasta el fin del mundo, que eres desde siempre y vives para siempre con el Padre y el Espíritu Santo, Dios por los siglos de los siglos, Amén.

DISCURSO PRONUNCIADO
AL SER NOMBRADO DOCTOR *HONORIS CAUSA*
POR EL BOSTON COLLEGE*

La Iglesia en Cuba ante el Tercer Milenio

Estamos finalizando un milenio en cuyos últimos siglos la Humanidad ha llevado a cabo un retroceso hacia la era pre-cristiana, cuando parecía estar convencida de avanzar hacia el progreso de la Historia. Desde mediados del siglo pasado hasta la década de 1960 en el siglo XX, una verdadera intoxicación de ciencia y tecnología fue el medio cultural utilizado por una serie de hombres que tenían como denominador común hablar de un modo que solo corresponde a Dios. A los seres humanos se le atribuían facultades que los hacían absolutos. Los hombres fueron divinizados en utopías, en ideologías, en diversos sistemas de pensamiento. No importaba qué fuera individualmente, como especie o socialmente. El gran

___
* Boston, 22-V-2000.

drama de nuestro tiempo ha sido poner a los individuos y a la gente en el dilema de escoger entre Dios o los hombres. Este período de la historia ha venido a llamarse Modernidad. Y al período que vino después, y en el que parece ser que todavía seguimos viviendo, se le ha dado el nombre de era posmoderna. En la Modernidad, Dios no era necesario; en nuestros días, frente al cambio de siglo, hay un deseo de Dios. En Cuba hemos vivido y seguimos viviendo a través de este doloroso y saludable tránsito.

Aquellos de nosotros que hemos vivido bastantes años hemos podido presenciar esto con una mezcla de admiración y sorpresa; los de la nueva generación lo contemplan con temor, porque las etapas no se suceden una a otra en fechas concretas, sino que se superponen o emergen simultáneamente a las corrientes de pensamiento predominantes. Por tanto, ni la Edad Media fue tan creyente ni los tiempos modernos son tan ateos, porque los hombres y las mujeres son los mismos y, por tanto, siempre se hacen las mismas preguntas, y sufren, y necesitan amar y ser amados y mirar por su seguridad y pedir consuelo para sus miserias. Cuando el frenesí de la vida se va, entonces el hombre se da cuenta una vez más de que todos somos de barro, modelados por un Dios, y como dijo el profeta: «Puede un vaso volverse contra el alfarero y decir: ¿por qué me has hecho así?». Este es el momento de dejar que Dios salga a su encuentro.

El primer paso que se da es el de la búsqueda de Dios, y eso es bueno. En una búsqueda siempre existe la posibilidad de perderse en el camino, pero también de correr hacia la verdad que está frente a nuestros ojos. Unos cuantos filósofos de la Antigüedad eran muy contrarios al cristianismo, como Porfirio. Pero a través de él, desde la vacuna que este pensador supuso para su alma, San Agustín descubrió la única verdad salvadora en Jesucristo. Y nosotros podemos encontrar a Jesucristo en cualquier momento, y en cualquier lugar. Jesucristo es la Palabra definitiva de Dios para el ser humano, una Palabra que se hizo carne y acampó entre nosotros, la respuesta a todas las preguntas que los antiguos, hombres modernos y posmodernos, pudieron realizar. Esta es la Palabra que la Iglesia tiene que pronunciar en Cuba constantemente. Acampar es montar una tienda en cualquier lugar. Y Dios se hace más fácil de encontrar en Cristo.

Los hombres y mujeres pueden encontrar a Dios porque, hace 2.000 años, Dios envió su Palabra, y la hizo carne y acampó entre nosotros. El pecado oscurece la visión de la fe en Dios. La terrible naturaleza del pecado está dramáticamente presentada en la historia bíblica de la creación. Antes de que el ser humano pecase, Dios paseaba por el jardín del Edén y, al atardecer, los seres humanos iban hacia él de modo natural. Después del pecado, fueron expulsados del Paraíso, del jardín donde se encontraban con Dios, y nunca jamás pudieron volver a compartir regularmente con Él lo que compartían. Y un anhelo de Dios quedó para siempre en el corazón del hombre.

Algunos pensadores de la época moderna se entusiasmaron por este anhelo que, curiosamente, nos afecta a todos, e intentaron alcanzar a Dios por sus propios medios, a través de sus propios razonamientos. Esto no es más que el prototipo de hombre pretencioso, que pretende llegar a Dios a través de sus propios medios. Lo que ellos, o muchos de ellos considerados modernos, nunca pudieron concebir fue el camino descendente de Dios: «*Y el Verbo se hizo carne, y habitó entre nosotros... Él era el Mundo, y el Mundo no le conoció. Él llegó a los suyos, y los suyos no le recibieron*».

En este período que se abre hoy ante nosotros –que se abre con la memoria de un pasado tan rico como miserable, y al mismo tiempo lleno de esperanzas e incertidumbres–, tenemos que considerar el tiempo que ha pasado desde la venida de Cristo hasta este momento concreto de la historia. Tenemos que pensar en ello como hijos de la Madre Iglesia que guardan en su bimilenaria memoria las incidencias del exultante y magnificente camino de la condición humana, exactamente igual que la Virgen María guardó en su corazón todo lo que Dios hizo a través de Cristo. Tenemos que descubrir, por encima de todas las cosas, lo que Dios ha querido decirnos en estos dos mil años de amor y violencia que nos separan de la hora bendita en la que los ángeles cantaron «*Paz en la tierra a los hombres de buena voluntad!*».

La memoria viva que la Iglesia ofrece al género humano

en el nuevo milenio es la de su Señor, nacido en la pobreza de un pesebre, adorado por los pastores, y cantado por los ángeles. Un Señor que comparte todas nuestras cosas, excepto el pecado, y que murió por nosotros en la Cruz. Resucitado y glorioso, está vivo y presente entre nosotros, y siempre será así, hasta el fin del mundo. Fue concebido, y su nombre significa «aquel que salva». Viene a salvar este designio perpetuo de alegría que el amor de Dios ha concebido para el ser humano y que le salva del sinsentido y del vacío. Porque por Él podemos volvernos hacia Dios y, bajo la acción del Espíritu Santo que Él mismo nos ha dado, podemos llamarlo «Padre». Y ya no somos más esclavos, sino hijos. Esta es la memoria viva y luminosa que guarda la Iglesia y que debe anunciar a los hombres a las puertas del nuevo milenio.

La fe cristiana lleva consigo este mensaje de salvación para cada individuo concreto, es decir, para cada persona nacida en una familia, y que está envuelta en su mundo de trabajo, estudio, deporte, ocio o cultura; un ciudadano de un país concreto, con sus responsabilidades históricas, y que además tiene –esto es fundamental– un destino eterno. La Iglesia no puede ser, por tanto, una alternativa social para la comunidad humana.

En las sociedades con un estatismo fuerte, o donde el individualismo o el exacerbado nacionalismo han cobrado importancia, la tentación se puede erigir para muchos en considerar a la Iglesia precisamente como una alternativa social. Pero la Iglesia, históricamente, nació de la oración de Cristo por el Reino de Dios y por su Resurrección, y Dios la hace presente para aquellos que reciben su Palabra y los que, mediante el Espíritu Santo, viven y anuncian esta Palabra. En todos sus planes e iniciativas, la Iglesia nos remite a Jesucristo, como Jesucristo nos remite al Padre. La Iglesia no puede ser equiparada a ningún estado o asociación intermediaria. Todo lo que la Iglesia puede ofrecer a la historia y a la sociedad en concreto, allá donde va, viene de la Revelación de Dios. La Iglesia recibió una misión, un encargo de Dios a través de Jesucristo, que es su origen histórico como fundación y fundamento sobre el que erigirse: «*Él es la piedra re-*

chazada por vosotros, los constructores, que ha venido a ser piedra angular» (*Hch* 4, 11).

La posibilidad de la Iglesia de ofrecer frutos genuinos, algo nuevo para la sociedad, está en su tenacidad para hacer a Jesucristo inolvidable, en hacer a los hombres y las mujeres de cada época y cada lugar sentirse cercanos a Él. Esto puede causar sorpresa y fascinación en todos aquellos que lo descubren. De este modo, podrán estar ante el sufriente y sereno rostro de Cristo crucificado y ver cómo se inunda de luz en la mañana de la Resurrección.

Así es como la Iglesia se entiende a sí misma, desde la memoria de Jesús y su mensaje, desde su irradiación. Se entiende a sí misma siempre movida por el Espíritu Santo que Jesús envía para cumplir su promesa. Y toma también en su seno a los Sacramentos, permitiendo así actuar y hacerse presente a la gracia de Cristo.

La Iglesia, por tanto, se entiende a sí misma como enviada por Dios y en total conformidad con el plan de Dios.

Pero ocurre que, al mismo tiempo, es requerida, como lo fue su Maestro, por las angustias y esperanzas de los hombres. La Iglesia vivirá siempre en una tensión entre estas dos demandas: una absoluta lealtad hacia lo que es y hacia lo que debe seguir siendo, de acuerdo con la voluntad de Dios, y la lealtad hacia el clamor de la condición humana que le pide certezas, consuelo, esperanzas e, incluso, satisfacción de las necesidades vitales. La Iglesia siempre vive entre la grandeza y la debilidad de estas dos realidades.

Esta tensión entre la leal responsabilidad hacia Dios y la no menos leal responsabilidad hacia los seres humanos ha podido ver, en los últimos siglos de la historia, una comunidad cristiana tentada por dos nociones que tienden a convertirse en absolutas. Una, dedicarse solamente a Dios, solo a la Palabra de Dios, solo al culto. Históricamente, la Iglesia se ha visto forzada a tomar esta opción durante varios períodos de su existencia. Este fue el caso de Cuba en un pasado no muy lejano. Es una especie de tentación teológica. Y luego hay otra tentación opuesta: una tentación antropológica: la de dedicarnos solamente a los hombres y mujeres, a atender sus problemas, situarlos en un lugar autónomo, con la libertad como valor absoluto. Curiosamente, esta última opción frecuentemente se lleva a cabo con una enfática acción formativa, cultural y profética, dejando de lado la acción sanadora sobre la gente que sufre y soporta situaciones de verdadera pobreza. Esta acción misericordiosa siempre encuentra un lugar y un tiempo para reconstruir personas y sociedades, pero desafortunadamente está abocada a declinar y desaparecer.

La Iglesia, de todos modos, se mantendrá siempre a cierta distancia de lo que hombres y mujeres, movidos por el deseo de efectividad, un deseo de dominación o urgencia, le piden. Esto no se debe a una carencia de dedicación, a una incapacidad para adaptarse a los tiempos o a una ignorancia de las angustias de la condición humana. Se debe simplemente a que el paso del mundo no es el de la Iglesia. Todos los verdaderos caminos del Evangelio incluyen una amplitud de miras y una proyección. El paradigma es la parábola de Jesús del sembrador que debe sembrar la semilla con paciencia. El modelo para nosotros, los cubanos, es el Siervo de Dios Félix Varela, ilustre sacerdote y santo, que vivió parte de su ministerio en los Estados Unidos, con su paciente siembra de valores evangélicos.

Es evidente que hay otra distancia siempre infranqueable entre el tiempo que vive la Iglesia y los hombres y mujeres que viven en ese tiempo: el modo de acercarse a Dios, el único acercamiento necesario, nuestro futuro absoluto.

El gran desafío para la Iglesia no está solo en ser aceptada por las estructuras políticas y sociales siendo tal y como es. Es también ser aceptada como sacramento de Cristo en el mundo. Renunciando, como lo hizo el Señor, a la efectividad que la totalidad del criterio mundial y sus proyectos esperan para ella.

Cuando la comunidad cristiana, la Iglesia, ha sido rechazada por la sociedad, ella ha intentado legitimarse a sí misma colaborando en aspectos valorados por la sociedad. Es cierto que con su vida, con sus buenas obras, la Iglesia tiene que mostrar una afirmación de la fe que la anima. Pero no tiene que buscar la aprobación de los ciudadanos, una aprobación que le garantice un crédito para el presente, o el futuro, o, en los lugares donde hay alternancia de poder, una aprobación por parte de unos o de otros. Es un error olvidar la contribución específica de la Iglesia, e intentar ganar crédito mediante la efectividad de sus acciones en áreas en las que parece que intenta suplantar a la sociedad en sus propios dominios. La Iglesia puede ser llamada de diferentes maneras a ser una alternativa temporal para resolver los problemas de este mundo. Estar de acuerdo con esto significaría anular ella misma la misión que Cristo le ha confiado.

Ahora, por el amor de Dios, la Iglesia sabe que tiene el deber de sembrar el amor, del que Cristo le ha hecho depositaria, en medio de la sociedad. Tiene que pronunciar palabras y levantar signos a favor del establecimiento de una comunidad humana donde reine la armonía, donde los insultos son derrotados por la reconciliación de unos con otros, donde la colaboración entre cristianos de distinto signo, creyentes de otras religiones y no creyentes, se vea apoyada por el bien común. E incluso actuando de esta manera, sus proposiciones crearán al mismo tiempo un contraste entre la nobleza de la palabra de Dios y la acción santificadora del Espíritu Santo en una mano, y los pecados de los hombres en la otra.

Concretamente, para este nuevo siglo y este nuevo milenio, ¿qué puede ofrecer la Iglesia al mundo, qué puede ofrecer la Iglesia a Cuba?

Cada religión seria quiere ofrecer a los hombres y mujeres un mensaje que dé significado a sus vidas, haciendo que vean la historia de los hombres no como algo perdido o erróneo, sino salvado. También, junto a esta historia, quiere estimular un comportamiento moral responsable, y una coexistencia humana digna y armónica y un sentido de comunidad.

Basando enteramente este programa en Cristo, el Hijo Encarnado de Dios y Salvador del Mundo está en la naturaleza de la cristiandad. Todo ha sido creado a su imagen y la naturaleza es consumada en Cristo.

Lo que la Iglesia de Cuba puede ofrecer, en este siglo que está a punto de comenzar, tiene que llevarse a cabo en tres áreas distintas: la estructura y fortalecimiento de la vida de los individuos, el orden moral y la coexistencia social. La cristiandad puede llevar a cabo una importante contribución a la sociedad civil en cualquier lugar del mundo, y también en Cuba.

1) El fortalecimiento de los individuos. Cuando los seres humanos sean conscientes de su dignidad como hombres y mujeres, y encuentren la felicidad en la vida sabiendo que hay un Dios que les quiere, y ellos crean en un Dios hecho carne y, por tanto, en su divina dignidad, los hombres y mujeres, reconciliados con la historia y consigo mismos, resurgirán. Estos hombres y mujeres no pueden más que enriquecer las sociedades en las que viven y, al mismo tiempo, fortalecer sus propias vidas.

2) También es necesario fortalecer el orden moral. La amoralidad y la desmoralización son peores que la inmoralidad. Esta carencia de un referente moral concierne a cada hombre y a cada mujer en una brújula sin norte. Por esto, los valores, los deberes, los ideales básicos ya no son reconocidos y la vida se reduce al nivel sensorial, donde solo importan los placeres. La sociedad corre el peligro de caer en la depresión y la revulsión.

La Iglesia, en cualquier modo, no se presenta ante la sociedad solo como una instancia moral, sino que más bien da a los seres humanos una base privilegiada de moralidad, que es la persona de Jesús y su mensaje. Encontrando a Jesucristo, se transforma la vida. Los valores propuestos por la palabra de Dios están basados en un alto comportamiento ético.

3) Es también necesario fortalecer la coexistencia comunitaria teniendo en cuenta a cada uno. Los hombres y las mujeres que forman parte de un mismo pueblo necesitan vivir juntos pacíficamente, con amor y con un sentimiento de benevolencia y solidaridad entre ellos. A esta solidaridad, nosotros los cristianos la llamamos fraternidad, porque todos somos hermanos y hermanas, hijos de un mismo Padre. Para alcanzar el objetivo de la coexistencia pacífica, basada en el amor hacia nuestro prójimo, habrá que asumir ciertos criterios que acepten y promuevan la reconciliación entre aquellos que, llevados por el resentimiento, se encuentran ahora enfrentados.

Por último, la Iglesia ofrece, como una riqueza que le pertenece y que desea compartir con todos los hombres y mujeres de todos los tiempos, una gran familia con una larga historia de siglos. Esta historia va más allá de los tiempos y de las guerras, persecuciones y situaciones críticas, y permite una verdadera hermandad espiritual, que se consigue a través de la oración y del acuerdo en muchos aspectos de la cultura. En este Año Santo, muchos católicos, sean cubanos o no, necesitan imponerse la tarea de reconsiderar su conversión a Cristo para vivir verdaderamente la presencia renovadora de Jesús entre nosotros.

Las propuestas que la Iglesia ha hecho a Cuba no son para mañana, ni para el año 2000. Son proyectos a largo plazo hacia los cuales han de ser llevadas las jóvenes generaciones. Es un proyecto más difícil de llevar a cabo que aquellos propuestos a corto plazo por los estados, los políticos, los grupos o las empresas, o incluso por los de la propia Iglesia, como, por ejemplo, qué se va a hacer durante el Jubileo del Año Santo. La acción de la Iglesia en la historia no se puede medir por su efectividad u otros parámetros similares incapaces de calibrar la misión que Cristo le ha confiado y los frutos que ha conseguido.

Para dar un sentido a la vida y a la historia, para hacer a los hombres conscientes de que los males y sufrimientos de este mundo no tendrán la última palabra –porque «tanto amó Dios al mundo que envió a un Hijo para salvarlo... así, todos lo que crean en ÉL serán salvos»– y que, sembrando el amor y la reconciliación entre las estructuras de la sociedad por una coexistencia pacífica de todos en una solidaridad que será fraternidad, están estas propuestas que tendrán que tener necesariamente un impacto positivo y verdadero en la sociedad. Pero este impacto tiene que ir poco a poco, sin la efectividad cuantitativa de los eslóganes y objetivos marcados. Porque las motivaciones espirituales en las que están basadas estas propuestas, simultáneamente elevan a una implementación metodológica diferente, desde que estas tienen en cuenta los contenidos del mensaje junto a la libertad humana. Para la Iglesia, el respeto por las mujeres y los hombres y el respeto por el honor de Dios van inextricablemente unidos.

En el misterio de Dios hecho carne en Cristo, la religión cristiana contiene esta conciliación entre lo que es humano y lo que es divino, que integra y vence cualquier otro tipo de tensión. Un autor moderno ha dicho que la encarnación de Dios en Cristo implica «un fortalecimiento infinito de la autoconfianza del ser humano», la religión cristiana otorga al mundo esta contribución fundamental porque –y ahora cito a Karl Barth– *«una vez asumes que Dios se hizo hombre, una persona ya no puede hablar o actuar más de modo inhumano».*

Para dar vida a este mensaje, la Iglesia no solo requiere espacio y libertad, sino respeto y aprecio sincero por la naturaleza de su misión. Es cierto que muchas veces un proyecto humanista de altura trae consigo un criticismo hacia situaciones que, paradójicamente, parecen deshumanizadoras. Esta es otra contribución de la Iglesia al mundo, que puede ser aceptada como camino hacia el perfeccionamiento de los hombres y las mujeres, y de la sociedad como un todo. Hay que tener en cuenta también el hecho de que la gran innovación del conocimiento cristiano en la era moderna es el reconocimiento de que los métodos son sagrados igual que los contenidos, y que la verdad, incluso la verdad de Dios, no será impuesta sobre los seres humanos.

El criticismo solo es creíble y genuino si existe una atención a la metodología cristiana, si está basado en una consideración estricta e históricamente practicable. Por eso, este criticismo no tiene nada que hacer si se aleja de alguien que juzgue desde arriba. La Iglesia no urge ni esgrime insolentemente argumentos contra el mundo, la sociedad o las estructuras políticas. Sugiere valores y bases según su fe, pero no como alguien que habla desde fuera del peligro, o sin responsabilidad, sino como alguien que sigue la ley de la encarnación, cerca de la sociedad y como activo participante en ella.

De cualquier modo, y siempre atento a todos los deseos de la palabra de Dios y a los contenidos del mensaje y la metodología para su transmisión, el mensaje de Jesucristo es desestabilizador. Y lo es también para nosotros, obispos, sacerdotes, consagrados y laicos. Nos arranca de nuestra seguridad y nuestro bienestar y nos lleva una vez más frente a la exaltadora y comprometida Verdad de un Dios que se redujo a sí mismo a la nada al hacerse hombre por nosotros, aceptando el sacrificio de la Cruz. Los anuncios de Cristo de su padecimiento por nosotros nos invitan a reflexionar y mejorar, y no nos deben causar rechazo alguno, sino consideración. Sin el sufrimiento de su entrega no hay nueva vida, sin la Cruz de Cristo, no hay Resurrección.

Conmemoramos dos mil años del nacimiento de Cristo, un evento único en su realidad histórica y en su proyección, y debemos conmemorarlo tomando muy en serio sus implicaciones; así, el Jubileo significará verdaderamente el comienzo de una nueva época para el ser humano, y también para Cuba. Nos queda dar una respuesta a la iniciativa de Dios que «*por todos los hombres y por nuestra salvación bajó del Cielo, y por obra del Espíritu Santo se encarnó de María, la Virgen, y se hizo hombre*».

En este Año Santo Jubilar del tercer milenio de la Era Cristiana, la Iglesia de Cuba, en su propio nombre y en el de la misión de Cristo que le ha sido encomendada, debe repetir a su pueblo, ansioso de bienes espirituales, lo que Pedro dijo al cojo que estaba en la puerta del templo que llaman «la Hermosa»: «*No tengo oro ni plata, pero lo que tengo te lo doy: en el nombre de Dios, levántate y anda*» (*Hch* 3, 6).

CONFERENCIA PRONUNCIADA
EN EL SEMINARIO INTERNACIONAL
IGLESIA Y SOCIEDAD EN LA CUBA ACTUAL*

Distinguidos participantes:

Queridos hermanos:

Estas palabras mías quieren ser, ante todo, de gratitud por la invitación que dirigió a esta delegación de Cuba el Sr. Obispo de Eichstätt, S.E.R. Walter Mix. Me siento honrado de participar en este encuentro que pretende un acercamiento a la realidad cubana, sobre todo a la presencia de la Iglesia en esa realidad, así como a sus posibilidades de acción pastoral y social.

---

* Eichstätt (Alemania), 12-X-2000.

Veo en esta presencia nuestra aquí una oportunidad singular para la Iglesia de La Habana y descubro en ello el influjo positivo del viaje pastoral del Papa Juan Pablo II a Cuba. No me parece estar equivocado cuando digo que también en Alemania la visita del Papa a Cuba suscitó un interés particular. Los ojos de muchos hombres y mujeres del mundo se volvieron hacia Cuba aquel mes de enero de 1998, cuando el Papa, al llegar al Aeropuerto Internacional de La Habana, en su discurso de saludo a las autoridades y a la Iglesia en mi Patria, se dirigió al propio país que visitaba y al mundo entero con unas palabras que se convirtieron en la divisa de su visita a nuestra tierra: «*Que Cuba se abra al mundo, que el mundo se abra a Cuba*». Todos, tanto los cubanos como los hombres y mujeres de otras latitudes, que de algún modo, sea por televisión, sea siguiendo en la prensa o por medio de Internet la visita papal, descubrían la intención del Santo Padre de situar a Cuba en la realidad del mundo actual en una posición de recíproca apertura, se sentían implicados y deseosos de corresponder a aquel llamado del Pontífice.

La visita del Papa había suscitado una gran expectativa. No solo la autoridad moral del Papa Juan Pablo II y la figura política de Fidel Castro se encontrarían frente a frente, en diálogo privado y, en cierto modo, público; sino dos concepciones del mundo, de los caminos para el desarrollo de los pueblos, del hombre, se hallarían cara a cara. La visión del mundo imperante en Cuba se vería contrastada de algún modo con otros modelos o enfoques por el Papa Juan Pablo II, oriundo él mismo de Polonia, uno de los antiguos países de Europa del Este, que estuvo en la órbita de la Unión Soviética.

Con un pensamiento filosófico-social muy claro y definido respecto a los sistemas políticos del mundo actual, Juan Pablo II había hecho revivir la Doctrina Social de la Iglesia, enriqueciéndola con documentos y declaraciones de mucho relieve. Su visita a Cuba lo llevaba ahora a un país que había intentado una experiencia sociopolítica y económica singular bajo el influjo del pensamiento marxista y que mantuvo una estrecha relación política y económica con los antiguos países que se organizaron según esa filosofía.

La ubicación geográfica de nuestra isla en el corazón de América, cercana a los Estados Unidos, distante de aquellos países de Europa que habían colaborado con Cuba, que tuvieron además cierto peso modélico y pragmático en su forma de implantar aquel sistema en el país, aportaba un elemento también novedoso a aquella experiencia.

Pero hay un factor que no debe olvidarse. No solamente la figura del Papa y la figura de Fidel Castro se encontrarían cara a cara, también tendrían que encontrarse la Iglesia Católica, a la cual el Papa representaba, y un pueblo y un gobierno que parecían haber tomado un camino distinto y aun distante de los que propone la fe religiosa.

Aquí aparecía en escena un elemento con el cual había que contar: el Papa no visitaba un país islámico o budista, de África o del lejano Oriente, sino un país del mundo occidental, tradicionalmente cristiano, colonizado por España, donde quedó la huella cultural de su presencia de siglos, que comparte muchos elementos comunes con el resto de los pueblos de América Latina, entre ellos, la religión católica.

En medio de ese pueblo, no sin sorpresa para muchos, estaba la Iglesia Católica de Cuba, presente y viva, que emergía en la ocasión de la visita del Papa como una realidad hasta entonces ignorada o desconocida y que ahora se mostraba ante el mundo acogiendo al Santo Padre. Era la Iglesia en Cuba la que había organizado con esmero las grandes celebraciones del Sumo Pontífice, animando con entusiasmo la participación del pueblo y dando así pruebas de haber vivido y no solamente sobrevivido durante aquellos años de silencio o de desconocimiento de su existencia y de su misión, realizada en fidelidad al Evangelio. Y todo se hacía ahora evidente ante los ojos de millones de televidentes o, para otros muchos, a través de los diversos medios de comunicación.

Lo que subyace a la visita Papal a nuestro país y la hizo tan interesante para millones de seres humanos en todo el mundo es ese cierto grado de conflictividad que la rodea. De ella no está ausente la comunidad católica que vive en Cuba, transformada durante aquellos días de la presencia de Juan Pablo II en nuestro suelo, en objeto de atención particular, justamente porque si se percibía cierta situación conflictual, que precedió históricamente la llegada del Santo Padre a Cuba, la Iglesia que él guía como Pastor Universal, ahora viva y presente, tenía que haber participado con toda seguridad durante los años que van del 59 al 98 en esa situación de conflicto.

Ciertos comentarios apresurados referentes a la presencia de la fe religiosa en Cuba, que se produjeron después de la visita papal, consideraban que todo conflicto había sido superado, al ver las imágenes de las celebraciones públicas por la televisión, los desplazamientos del Papa y el entusiasmo que suscitaba su visita. Surgió entonces un optimismo fácil que desdibujaba los contornos de la realidad cubana en cuanto a la vivencia de la fe religiosa en nuestro pueblo. La aproximación a la realidad de nuestro país y a la presencia de la fe religiosa en ella no puede hacerse con apresuramiento, pues se trata de comprender y aquilatar una situación compleja y de difícil abordaje.

La otra aproximación insuficiente, sobre todo para los europeos, es la de considerar a Cuba socialista simplemente como uno de los países de Europa central antes de la caída del muro. Esto puede ser tentador, especialmente en Alemania, considerando la situación de su parte oriental antes de los acontecimientos de 1989. Pero hay diferencias, que es imprescindible hacer notar: en Cuba no había un pacto militar con los países de Europa Central ni con la Unión Soviética. No había tropas soviéticas ocupando el país, el cambio del sistema político y social de Cuba se produjo por un movimiento interno y no como resultado de pactos entre grandes potencias y la duración del nuevo modelo de organización política y social no se produce por la ocupación de ejércitos extranjeros.

Cuba tiene una cultura diferente y, sobre todo, una historia anterior al cambio sociopolítico de 1959 que pesa mucho en la etapa posterior a esa fecha.

En cuanto a la Iglesia, si bien en algunos aspectos del tratamiento de la cuestión religiosa se han seguido en Cuba los modelos de la desaparecida Unión Soviética y de los antiguos países socialistas de Europa central, hay también algunas diferencias: la Iglesia ha gozado de total independencia en el nombramiento de sus obispos, sin verse forzada a presentar sus nombres a las autoridades del país para que sean aprobados por ellas. El Papa ha designado siempre directamente a los obispos cubanos. Lo mismo podemos decir de nombramientos de párrocos o de cualquier tipo de disposición eclesiástica, tanto en las diócesis como en las órdenes o congregaciones masculinas o femeninas. Nunca fue necesaria la aceptación de un párroco, ni del traslado de alguno de ellos, por parte del gobierno. En todo momento ha sido posible la movilidad interna y externa de los obispos, que siempre han podido visitar sus diócesis, reunirse entre ellos o viajar a Roma, a América Latina o a otras partes del mundo para sus reuniones. La Iglesia y el Clero no han dependido económicamente del gobierno.

Hubo en los años 60 y 61, como es conocido, un choque entre la Iglesia y el nuevo sistema que se abría paso en Cuba en esos años. Fueron momentos de alta tensión político, de ánimos exaltados, se introducían cambios sociales importantes como la Reforma Agraria que la Iglesia apoyaba, pero al mismo tiempo aparecían los elementos filosóficos e ideológicos del marxismo y los obispos expresaron su temor a la implantación en Cuba de un sistema de tipo comunista como los que existían en Europa del Este. Esto trajo la consiguiente reacción del gobierno, se produjo una situación de crisis. Más tarde, las escuelas católicas, junto con las demás escuelas privadas, fueron nacionalizadas. En ellas estudiaban unos 100 000 alumnos de enseñanza primaria, secundaria y universitaria. También las Universidades Católicas fueron nacionalizadas. Partieron entonces de Cuba muchos religiosos y religiosas dedicados a la educación. Unos 135 sacerdotes debieron abandonar el país conminados por las autoridades, la Iglesia perdió el acceso a los medios de comunicación y con la disminución del personal religioso, que de un modo u otro había dejado el país, la acción pastoral quedó reducida a los templos, muy mal atendidos, además, por sacerdotes que tenían tres, cuatro, cinco y hasta diez parroquias. La Iglesia, con la colaboración de un laicado muy comprometido y fiel, trató de hacer frente a aquella situación y continuó su labor evangelizadora con los medios de que disponía. Así pudo sobreponerse a aquel primer momento de crisis, para adentrarse un poco más tarde en una etapa de tolerancia limitada, en la cual trató de existir, permanecer y dar un testimonio de sinceridad, de pobreza, de entrega y de amor al pueblo.

Sin embargo, es necesario analizar los elementos que conducen hasta la realidad nueva que surge en Cuba a partir de 1959 (año del triunfo de Fidel Castro) con sus implicaciones para Cuba y para la Iglesia. Ya hablé anteriormente del peso que tenía la historia de Cuba en todo este proceso. Cuba fue la última colonia de España. Su condición insular hacía muy difícil que se sumara a las rebeliones que tenían lugar en la América Central y del Sur desde los comienzos del siglo XIX. Todos los países de América Latina se habían hecho independientes menos la isla de Cuba y la de Puerto Rico y cuando el proceso de independencia de las colonias españolas en América había concluido en el año 1830, para Cuba habría que esperar a los finales del siglo XIX, pasando por dos guerras, una de diez años que va desde 1868 a 1878 y otra más breve de 1895 a 1898, que terminó con una intervención norteamericana. Ese largo período creó en Cuba una mentalidad que dividió esencialmente a los cubanos criollos en quienes estaban a favor de una revolución para liberarse de España y los que propugnaban un proceso de autonomía progresiva para llegar al mismo fin. Desde esa época interviene una tercera posición que tiene que ver con la cercanía de la que, ya desde aquella época, era una de las grandes potencias del mundo: los Estados Unidos de Norteamérica. Esta postura se llamó «anexionista», pues consistía en desear para Cuba que se convirtiera en parte de la Unión Norteamericana. Desde antes de su independencia y a causa de la cercanía geográfica, con su consiguiente influjo geopolítico, el factor «Estados Unidos» tiene un peso decisivo para Cuba.

La Revolución

El término revolución es usado desde muy temprano en Cuba siguiendo las ideas ilustradas provenientes de Francia, en consonancia con todo el proceso emancipador de América Latina, de tal modo que el Padre del pensamiento nacional cubano, que es el Presbítero Félix Varela, cuya causa de beatificación está en curso y ha sido declarado Siervo de Dios, (1788 a 1853) habla ya en el año 1824 en la publicación «El Habanero», en un artículo titulado «Fragilidad de la Isla de Cuba», de la necesidad de la revolución en Cuba para que no se produjera una desgracia mayor. Es muy curiosa la acepción de revolución que en Varela se evidencia como cambio radical y rápido que, según él, evitaría los males mayores de una guerra: «*Yo opino que la revolución o, mejor dicho, el cambio político de la isla de Cuba es inevitable. Bajo este supuesto, para sacar todas las ventajas posibles y minorar los males, debe anticiparse...*» «*¡Ah! Esa sangre es la que yo quiero impedir que se derrame; estos bienes son los que yo quiero ver afianzados, esa paz es la que yo anhelo porque es simiente. Deseando que se anticipe la revolución, solo intento contribuir a evitar sus mules*» (Félix Varela, *Escritos Políticos*). La revolución se convierte así, desde principios del siglo XIX, en un proyecto que de un modo u otro los cubanos de pensamiento avanzado consideran en su mayoría como el modo apropiado para llevar a cabo la independencia de Cuba de España. Este proyecto triunfó ampliamente sobre las ideas autonomistas y anexionistas.

Después de muchas conspiraciones y de las dos guerras ya citadas, se produce la primera intervención norteamericana que dura cuatro años, de 1898 a 1902, frustrando en cierto modo la revolución que había sido inspirada y organizada por José Martí. Con los norteamericanos llegó a Cuba el laicismo de corte liberal, el protestantismo y se extendió la masonería.

El pensamiento independentista cubano se había forjado en el Seminario San Carlos y San Ambrosio de La Habana, que fue, además de centro de formación sacerdotal, un colegio abierto a laicos que siguieron allí estudios filosóficos, teológicos y de derecho, al punto de ser llamado este Seminario la cuna de la nacionalidad cubana. Después de 1842, este Seminario fue cerrado a los laicos y un poco más tarde a los mismos candidatos cubanos al sacerdocio.

Todos estos ingredientes: pensamiento de la Ilustración, laicismo liberal de tipo europeo o norteamericano, más las desventajas que arrastraba consigo la Iglesia del período colonial, sojuzgada por la corona española mediante el Patronato Regio, que permitía a los Reyes de España decidir el nombramientos de los obispos y se encargaba del mantenimiento de la Iglesia y del clero, que había cerrado prácticamente el Seminario a los cubanos que deseaban ser sacerdotes; se adicionaron desfavorablemente para la Iglesia Católica en Cuba, que entró con muchas desventajas en la República inaugurada en 1902. La Iglesia Católica en Cuba, sin embargo, logró una rápida y creciente recuperación.

Pero en los hombres de pensamiento del período republicano se abría paso un sentir: el sueño de la revolución se había frustrado, había sido traicionado y seguía manteniéndose como proyecto que tendría que realizarse definitivamente alguna vez. Y así todas las revueltas, insubordinaciones populares y aún golpes de estado ocurridos en los primeros cincuenta años del siglo XX fueron llamados cada uno de ellos con el nombre de «revolución».

Muy especialmente desde el ataque al cuartel Moncada por Fidel Castro y un grupo de hombres con el fin de derrocar la dictadura de Fulgencio Batista en 1953, pasando por el triunfo de las fuerzas populares el primero de enero de 1959 hasta nuestros días, Cuba ha estado bajo el signo de una palabra con un contenido muy especial: Revolución.

Al acercarse el año 1968, centenario del inicio de la primera guerra de independencia de Cuba, surgieron algunas vacilaciones acerca de la autenticidad de aquella guerra y de la conveniencia o no de celebrar aquel centenario, pues esa contienda había sido iniciada por grandes propietarios de tierra, hubo en ella intereses económicos además de los patrióticos y había otras sombras, como la mentalidad «burguesa» de sus jefes, etc., que parecían no justificar su celebración. Fidel Castro zanjó la discusión con una sentencia: «*nosotros entonces hubiéramos sido como ellos, ellos hoy serían como nosotros*». La revolución sería definida desde entonces como un proceso único de «cien años de lucha». Hoy se sigue considerando así con algunos años más.

Revolución en Cuba es, pues, nacionalidad, futuro, independencia. El hecho que divide la historia de Cuba en el siglo XX en dos mitades está condensado en una frase: el triunfo de la revolución, pues se considera que en 1959 se alcanzó, por fin, la auténtica posibilidad de realizar el soñado proyecto de la revolución tantas veces frustrado. La revolución cubana se percibe a sí misma hasta hoy como una revolución que se halla siempre en estado de realización.

Varias generaciones de cubanos han nacido, vivido y desaparecido bajo el signo «Revolución». El Padre Pastor González, ilustre sacerdote, hombre de letras y antes de ser sacerdote hombre político, decía en los años setenta, poco antes de su muerte: «*¿qué cubano diría que no es revolucionario?*».

El movimiento revolucionario del 59 se incorporó al movimiento comunista mundial a partir de 1961, Cuba quedó, con altas y bajas según los diversos períodos de esa historia de más de tres décadas, bajo el influjo de la desaparecida Unión Soviética, que junto con los países de Europa Oriental establecieron lazos económicos, culturales y políticos con nuestro país. Pero esto no ocurrió por ocupación extranjera o como consecuencia de los avatares de una guerra mundial y del subsiguiente reparto del mundo entre las potencias triunfantes, sino por la incorporación de un proceso propio, heredero de más de un siglo de luchas, a una corriente ideológico-política que podía ser, además, una alternativa al dominio de los Estados Unidos de América, a los sistemas político-económicos del mundo occidental y al capitalismo. La preexistencia de la revolución cubana al proyecto marxista, con eso que podemos llamar «personalidad» propia, permiten que todo cubano pueda identificarse como revolucionario aunque no sea comunista. Existe y ha existido siempre una neta distinción en Cuba entre ser revolucionario y ser comunista. En el hablar común, cualquiera puede expresar su condición de no comunista, pero no ser revolucionario entraña una grave deficiencia en la condición misma de ciudadano.

En los momentos más difíciles para los católicos cubanos, años 60 y 70, cuando se cometía alguna discriminación contra los cristianos, especialmente los jóvenes en sus centros de estudios y de trabajo, ellos siempre reclamaban sus derechos a partir de su condición de revolucionarios: «yo *soy cristiano, pero soy revolucionario*», «*yo no soy comunista, pero soy revolucionario*». Esta fue considerada siempre una buena introducción para el alegato que vendría después. «Revolución» ha sido el lugar de encuentro en medio de las crisis. En Cuba se habla de la obra de la Revolución, de la necesidad de defender las conquistas de la revolución. La revolución exige cualquier sacrificio, el servicio desinteresado al prójimo, el don de la vida si fuera necesario, reclama el tiempo de la gente, aun el tiempo libre, en fin, desea que todas las motivaciones provengan de ella, que todos los éxitos puedan atribuirse a ella y que todos los fracasos sean considerados como una falta de espíritu revolucionario. Pero ¿no será esto ir demasiado lejos?

Y aquí se genera el verdadero y profundo conflicto entre la Revolución y la Iglesia, que no es un conjunto de problemas precisos a resolver entre la Iglesia y el Estado. Se trata del sustrato, si se quiere filosófico o antropológico, de un conflicto que se presenta a veces en sus concreciones externas con otros matices. Esta situación de conflicto fue anterior a la Constitución de 1976 que declarara el ateísmo de Estado y aun anterior a que se estableciera el Partido Comunista de Cuba con la exigencia para sus miembros de la profesión de ateísmo (1965). Esta situación perdura después que estas exigencias de ateísmo fueran abolidas en 1992 de la Constitución, como de los estatutos del Partido Comunista Cubano en 1991. Las causas del conflicto hay que buscarlas también, pues, en los antecedentes históricos, políticos, filosóficos y de otro orden enumerados anteriormente, que pasaron a integrar el pensar y el sentir nacional cubanos en mayor o menor grado y se incorporaron a la ideología revolucionaria.

El hombre es el objeto de la Iglesia en su evangelización, en su servicio concreto al mundo. El hombre es también objeto de atención por parte de la Revolución que se ha hecho para el bien del hombre. ¿Pueden compartir la Iglesia y la Revolución un objeto común en el hombre, que es por otra parte sujeto libre y responsable? ¿Pueden reclamar la Revolución y la Iglesia para sí el corazón del hombre, tienen derecho a esto? Nosotros, seguidores de Jesucristo, sabemos que, más que una pretensión de la Iglesia es una pretensión de Jesucristo el querer para sí la adhesión total del hombre y la entrega de su vida a Él: «*quien ama a su padre o a su madre más que a mí no es digno de mí*» (*Mt* 10, 37), «*quien quiera ser mi discípulo que se niegue a sí mismo, que cargue con su cruz y me siga*» (*Lc* 14, 27). Nuestra fe nos dice que solo el Crucificado Resucitado puede tener esta pretensión, porque Él es el enviado de Dios, el Salvador, el Señor, un único Dios con el Padre. Pero sabemos también que entregar el corazón a Cristo es volcarse al servicio del hombre. Ser todo de Cristo no aliena al hombre, sino todo lo contrario. ¿Pueden comprender esto quienes están imbuidos de otras ideas?

Toda religión reclama en el hombre un espacio para Dios, pero ninguna lo hace con la integralidad y la radicalidad que la religión cristiana, porque en Jesucristo Dios se hizo hombre y planta su Reino de amor, de verdad y de justicia en el corazón humano: «*quien no come mi carne y no bebe mi sangre no tendrá vida en sí mismo*» (*Jn* 6, 53), dice Jesús, y no podemos olvidar que carne y sangre significan complexivamente persona en hebreo. Quiere decir Jesús que quien no se alimenta de su persona está sin vida. Hay que vivir de las enseñanzas de Jesús, transformar la mente y el corazón a su modo, amar y servir al estilo de Él. Recordemos que, cuando Jesús dijo estas cosas, el Evangelista San Juan narra que muchos lo abandonaron. El mensaje de Jesús nos lleva a todos a un cierto conflicto existencial. Hay que optar por Él o contra Él.

Por eso, el conflicto religión-revolución no empieza a gestarse con el triunfo revolucionario de 1959, sino que estuvo presente en forma progresiva, con distintos niveles de intensidad, desde mediados del siglo XIX. Tampoco es exclusivo de Cuba, sino que lo hallamos ya, planteado en otros términos: religión-imperio, en el cristianismo naciente en el seno del Imperio Romano. Se desarrolla el tema del conflicto de la fe cristiana con las estructuras de la sociedad en el pensamiento filosófico de la modernidad, deja ver su influjo en la Revolución Francesa, está vivo hoy en el mundo laico italiano, perdura en la España posfranquista y ha estado muy presente en el caudillismo liberal que dirigió las nuevas repúblicas de América Latina. Se le puede detectar también en la drástica

1001

separación de la Iglesia y el Estado propia del laicismo norte-americano.

Siempre encontrarán los Estados otras razones para frenar o aminorar la acción de la Iglesia: los bienes del clero, la postura político inaceptable de las instituciones de la Iglesia, la necesidad de la unidad nacional, actitudes culpables de ciertos hombres de Iglesia, poca disponibilidad de la Iglesia para colaborar sea al orden, sea al cambio social, etc. Estos son, casi siempre, los pretextos para actuaciones que pueden resultar más o menos punitivas o de control de la Iglesia, pero lo que subyace como causa profunda y real es una especie de celo por obtener la exclusividad del corazón humano y una adhesión a los ideales oficialmente propuestos sin ninguna otra mediación. Esto pasa a ser como un elemento «religioso» dentro del pensamiento revolucionario y este aspecto hace más difícil la comprensión del rol de la Iglesia y de su misión. No olvidemos que las guerras de religión son las más largas y penosas.

Por su parte es necesario que la Iglesia se despoje de toda pretensión político, aunque debe quedar bien sentado que la defensa del pobre y sus derechos, la lucha por la justicia y la paz, el servicio caritativo a los necesitados, el combate contra el aborto y la pena de muerte y otras tareas éticas que manan del mismo compromiso evangélico, no son de esas acciones políticos a las cuales pueda sustraerse la Iglesia.

El Estado revolucionario debe renunciar a toda pretensión «religiosa» de reservarse para sí el corazón del hombre. aquí, siguiendo el lenguaje bíblico, corazón quiere decir interioridad. Debe haber en el ser humano espacio para sus tareas sociales y políticas, espacio para la familia y los amigos y, sobre todo, espacio para Dios. No solo un ideal político revolucionario puede motivar la lucha por la justicia y el bien común, también puede hacerlo la fe cristiana y esto no debe resultar competitivo.

Una carga de elementos emotivos puede hacer más difícil la superación de esas situaciones. Por ejemplo, en un pueblo pequeño, la Iglesia Católica puede resultar el único elemento contrastante de la realidad social. Ofrece otras motivaciones, otras razones para la alegría: la Navidad, la Pascua; otras certezas: el poder de Dios, la gracia divina; tiene otra metodología: la invitación al amor, la misericordia. Todo esto puede incitar en otras estructuras no religiosas de la sociedad los deseos de ganar, de superar, de lograr un entusiasmo, una serenidad o una perseverancia similares a los de los cristianos. Pero las actitudes religiosas son de otra índole. Nada ni nadie puede ocupar el espacio interior que la fe religiosa llena, lo más que puede lograrse es desviar al hombre de esas inquietudes distrayéndolo, ocupando su tiempo, pero dejando un vacío en ese espacio interior que otras cosas jamás podrán llenar.

Es más difícil que la Iglesia se desnaturalice para adoptar actitudes y comportamientos ajenos a su propio modo de ser, pero puede darse el caso que instituciones o grupos civiles asuman comportamientos cuasirreligiosos, incluyendo un cierto ritual laico, sin que lleguen a alcanzar plenamente su cometido, porque hay ahí una simple superposición de planos sin capacidad de remplazo.

Hablando con claridad. Si se logra que la Iglesia y la Revolución tengan su campo propio en el corazón humano y en la sociedad y esos dominios se respetan, es posible superar la conflictividad que ha llevado consigo la relación entre la Revolución cubana y la Iglesia Católica en Cuba. Esto no se ha alcanzado aún hoy, incluso después de la visita del Papa, aunque pasos de cierta importancia se han dado ya.

¿Por qué he iniciado este encuentro hablando de lo conflictivo? Porque es la clave para que se entienda todo lo demás que debe seguir después: el papel del laico católico en la sociedad cubana, las posibilidades de la Iglesia en Cuba para su acción social y lo que la Iglesia Católica y el Evangelio de Nuestro Señor Jesucristo pueden y podrían aportar a Cuba ahora y en el futuro en orden a la reconciliación y a otros muchos bienes.

La palabra conflictividad, en el contexto en que la he empleado, no significa persecución ni ruptura, sino una condición que ha acompañado los «cien años de lucha» de la revolución cubana con relación a la Iglesia y que ha cobrado matices más acentuados y característicos en estos últimos cuarenta años. Es una conflictividad que no es la del materialismo dialéctico frente a la fe religiosa o la de un Estado ateo frente a la Iglesia, sino la misma conflictividad que Jesús anuncia a sus discípulos en el evangelio, encarnada en un medio social con sus propias características: «*ustedes están en el mundo, pero no son del mundo, yo no pido al Padre que los saque del mundo, sino que los libre del mal*» (Jn 15, 19).

En la medida en que, aun sin comprender, se respete que hay algo del hombre que no es de este mundo, es decir, en palabras de Juan Pablo II, «la apertura del hombre a la trascendencia», y en cuanto que no hagamos los cristianos un uso indebido del derecho inalienable de abrirnos a Dios, es posible una reconciliación no solo entre personas, sino dentro de las estructuras de una sociedad plural, donde tiene su lugar la Iglesia, con su función educadora y social que mana de su adhesión a Jesucristo.

Desde la fe miro al futuro con esperanza y pienso que esto es posible.

CONFERENCIA PRONUNCIADA EN LA CUARESMA 2001 «EL BIEN Y EL MAL»*

El título de esta primera conferencia de Cuaresma, «La Cruz nos descubre el bien y el mal», necesita explicarse. Porque nosotros descubrimos el bien, que encontramos a nuestro alrededor en todo aquello que enriquece nuestra vida, que la hace agradable, que favorece nuestro desarrollo personal y descubrimos el mal en todo lo que es contrario a nuestro crecimiento moral y espiritual, en todo aquello que se interpone en el camino de nuestra vida hacia el progreso, el bienestar, en fin, todo lo que puede amenazar nuestra existencia física, o nuestra estabilidad o satisfacción espiritual.

De hecho, el bien y el mal no son dos realidades concretas que se encuentran en algún lugar y que nosotros tendríamos que descubrir como algo oculto, sino que bien y mal son dos conceptos que tienen que ver con nuestras propias personas, con lo que yo experimento como positivo, agradable, favora-

---

* Catedral de La Habana, 7-III-2001.

ble a mí o como negativo, repugnante, amenazador para mi vida. El bien total del hombre hacia el cual él tiende como a un fin es, según Santo Tomás de Aquino, la felicidad, pero él entendía esa felicidad como plenamente alcanzada, más allá de los sufrimientos de la vida y más allá de la muerte: Como el hombre fue creado para esa felicidad eterna, siempre está en busca de la felicidad en su vida. Pero, aun así, la felicidad no es un evento, no es una etapa del tiempo de la vida, no se halla en un lugar determinado, es un estado psicológico de complacencia, de agrado, de aceptación del curso de los acontecimientos, que produce satisfacción, gozo. Este estado puede darse en situaciones muy contradictorias y aun difíciles, porque, repito una vez más, depende mucho de la apreciación que hagamos los humanos del bien y del bien total del hombre que es la felicidad del encuentro definitivo con Dios.

En la filosofía moderna, para captar lo que es el bien como bien propio de cada uno, se ha incluido el concepto de valor. Una correcta filosofía de los valores añade, a la objetividad del bien, la apreciación que del mismo podamos tener nosotros. Me explico. Toda sana concepción de la vida debe hacer coincidir el bien con aquello que conviene plenamente a la naturaleza humana, por ejemplo, la salud, el amor, la capacidad creativa, el trabajo por el bienestar propio y por el de los semejantes, procurándoles a ellos una participación en mis bienes, favorecer la vida, el crecimiento espiritual del hombre, su desarrollo. Todo esto es propio de la naturaleza humana, es decir, del hombre dotado de razón y de libertad.

Pero ¿por qué un joven delincuente se dedica al tráfico de drogas? ¿Por qué alguien busca afanosamente un modo cómodo de vida, sin esfuerzo, por caminos de ilegalidad o de violencia? Puede haber muchas razones psicológicas, de educación familiar o escolar insuficiente, puede haber también el contagio social que lleva por el mal camino, pero en el punto de partida de la actuación de estos hombres jóvenes quizá no hubo la consideración del bien propio y del bien común como un valor, es decir, como algo por lo cual merece la pena esforzarse y luchar. Puede ser que el dinero en abundancia o fácilmente adquirido se haya convertido para esos jóvenes desde su juventud, y aun desde su niñez, subjetivamente, en un valor al cual se sacrifican muchos otros bienes, considerando que ese es el principal.

Por lo tanto, el bien puede intuirse, conocerse teóricamente, pero no llegar a ser apreciado como valor y, en este sentido, podemos decir que el ser humano en muchas ocasiones no descubre el bien donde realmente este se encuentra.

Más complicada aún es la relación del hombre con el mal. El mal tiene mil rostros todos horribles y amenazadores para el ser humano. El mal es incomprensible para el no creyente y para el creyente, hay una asociación forzosa entre el mal y el dolor. El dolor es la experiencia que los humanos tenemos del mal. Porque el mal no es una «cosa» que simplemente sucede o que está delante de nosotros, sino que es la aparición de una traba o de un obstáculo entre el deseo instintivo de vivir y de vivir en plenitud, y la posibilidad de su realización. Lo que se llama dolor es la experiencia humana de la impotencia de superar los obstáculos, la necesidad de someternos al mal. Por eso decimos que sentimos dolor a causa de una herida en una pierna o dolor por la muerte de un ser querido. En nuestra vida, nuestro deseo de vivir fracasa con frecuencia con la enfermedad, con la pérdida de personas queridas, por diversas circunstancias, por destrucciones, catástrofes, violencias y, al final, por nuestra propia muerte. El mal es como la negación del deseo de vivir, una frustración de ese mismo deseo. ¿Ante todo esto puede decirse que tiene sentido el vivir?, incluso, ¿tendría sentido el desear la vida?

El mal solo se da a partir de una dimensión propia del hombre: la libertad. Un movimiento sísmico espantoso observado por un telescopio de gran potencia en un planeta deshabitado, que ha cambiado la altura de sus montañas y su antigua configuración cartográfica, no es un mal, es un reacomodo de ciertas fuerzas telúricas presentes en aquel planeta que pueden servir también para estudiar el desarrollo del planeta Tierra. Pero un sismo ocurrido en Suramérica o en Asia, en una zona densamente poblada con centenares de muertos es un mal terrible. Solo en relación con el hombre libre y deseoso de vida se experimenta el mal. Solo el hombre se pregunta por el sentido del mal en la vida y por el sentido de la misma vida sometida al mal. Un animal padece, pero no sabe que padece, no se pregunta hasta cuándo sufrirá, ni por qué sufre.

Es así como el mal y el consecuente dolor que acarrea se torna escándalo, problema, interrogante sobre el sentido mismo de la existencia. Porque la pregunta no atañe al mal en sí mismo, sino a la relación del hombre con el sentido de su vida y esto nos pone al creyente y al no creyente ante Dios. Un antiguo escritor, Lactancio, escribía en estos términos: «o Dios quiere eliminar el mal y no lo puede, o bien puede eliminarlo y no quiere, o bien ni quiere ni puede, o bien lo quiere y lo puede». Como se ve, desde la antigüedad, nadie trata de explicar el bien y el dolor, ni de mostrar tampoco, aun menos, su sensatez; sino de encontrar un sentido para el hombre que se ve atacado o torturado por el mal, por el dolor. Nadie puede «comprender el mal»; será una gracia extraordinaria llegar a comprender qué sentido tiene la existencia humana marcada por el mal y por el dolor. El mal y el dolor que lo acompaña asumen formas muy variadas, a nivel individual puede ser físico, psíquico o moral; a nivel social puede haber guerras, genocidios, violencias, etc., y a nivel cósmico: terremotos, inundaciones, volcanes, huracanes, etc. No existe el mal en abstracto, sino siempre en relación con nosotros, situado siempre frente a nosotros.

En la Biblia, el libro de Job nos habla de los sufrimientos atroces de un hombre que se lamenta de este modo con sus amigos: «¿Hasta cuándo atormentarán ustedes mi alma y me acribillarán con palabras?» (*Jb* 19, 2). Esos amigos de Job trataban de buscar razones para el sufrimiento que aquejaba al pobre hombre. Esas razones pueden ser fundamentalmente de dos géneros: primero, tú sufres porque has obrado mal en la vida y ahora Dios te castiga; segundo, tú sufres porque Dios, como tú eres bueno, te prueba para ver tu aguante. Realmente, las palabras que dice Job a sus amigos concuerdan con la situación de cada uno de nosotros cuando está en medio del sufrimiento: no queremos oír explicaciones de por qué sufrimos, esperamos más bien encontrar un sentido al mal que padecemos y al sufrimiento que él nos trae. Ante el mal y en relación a Dios:

— Podemos rebelarnos.

— Podemos resignarnos: (¿qué vamos a hacer?, tengo que aceptar y pasar por esto).

— Podemos rendirnos ante Dios: Señor, solo Tú sabes...

Si abrimos la Biblia, desde sus comienzos veremos que el mal no proviene de un gesto creador de Dios. Al final del acto creador, cuando Dios contempló el cielo, la tierra, los árboles, los animales, el hombre, dice el libro del Génesis (*Gn* 1, 31): «Vio Dios todo lo que había hecho y he aquí que era muy bueno». En la cumbre de esta creación está el hombre, creado por Dios a su imagen y semejanza, como un ser capaz de abrirse al mundo, de encontrarse con Dios, de actuar sobre la naturaleza y someterla, el hombre puesto en medio de la creación es lo que le da sentido a todo lo creado. En medio del Jardín del Edén está un ser abierto al dialogo con Dios, pero también expuesto a la posibilidad del mal, esto es, del rechazo de Dios y de los hermanos.

En medio de aquel jardín de delicias donde el hombre y la mujer han sido puestos por Dios hay un árbol, de cuyo fruto no deben probar ni uno ni otro, es llamado curiosamente el árbol del bien y del mal. ¿Qué significa simbólicamente este árbol al cual el hombre no debe acercarse para probar sus frutos? Ese árbol es, precisamente, como el único límite que Dios pone a la libertad del hombre. El ser humano puede escoger entre todos los bienes de aquel jardín que ha recibido de Dios como regalo, podrá ejercer su libertad para elegir entre muchos bienes, pero no debe elegir nunca el mal y no debe escudriñar buscando los límites del bien. Mejor no toca esa línea tan débil que puede quebrarse. Aparece en ese momento en el relato bíblico el tentador, el maligno, el que le sugiere a la mujer que ella y el hombre coman del fruto del árbol para que se hagan dioses al saberlo todo. Cuando el hombre se pretende un dios, topa con el mal, trastorna el orden del mundo, sufre y hace sufrir.

En el relato bíblico, el mal tiene forma de serpiente, por su manera silenciosa y astuta de introducirse en el querer del hombre. ¿Será el poder antidivino del mal una realidad personal? ¿Será el diablo una persona, es decir, tendrá un ser personal? Dice muy claramente el Cardenal Ratzinger: «Cuando se pregunta si el diablo es una persona, habría que responder justamente que él es la no persona, la disgregación, la disolución del ser persona; y por eso constituye su peculiaridad el hecho de presentarse sin rostro, el hecho de que lo desconocible sea su verdadera y propia fuerza». El diablo es, por tanto, una realidad contradictoria, de él no sabemos casi nada, pero podemos descubrirlo por sus efectos y estamos capacitados para luchar contra sus insidias.

Sería un error que un cristiano creyera que el diablo es un dios del mal. No existen el dios del bien y el dios del mal, esta fue una antigua religión de los persas que tuvo también sus manifestaciones en los inicios del cristianismo en una secta llamada Maniquea, que consideraba el mundo sometido a dos poderes enfrentados, el poder del bien, que pudiéramos llamar Dios, y el poder del mal, que pudiéramos llamar el diablo. Pero la Biblia no admitió nunca ninguna forma de dualismo metafísico. En el mundo físico encontramos unas realidades contradictorias de la realidad conocida y estudiada tradicionalmente por la ciencia. Así la antimateria, cuya constitución es totalmente diversa de la materia. Existen en el espacio sideral los grandes huecos negros que no son ni estrellas ni planetas, sino justamente ausencia, vacío, hueco, son como grandes agujeros que pueden absorber y tragar toda materia que se acerca. Estos huecos negros no se conocen porque brillan, porque tengan una masa material, porque emitan rayos de luz, sino por los efectos que producen a su alrededor engullendo todo lo que se acerca a ellos. Esto parece ser la nada, la ausencia de luz y de masa. Es como una negación de todo lo demás que existe.

Lo antidivino es algo de un género análogo, puede ser al mismo tiempo uno y muchos, anónimo y amorfo e impersonal.

Cristo, con su muerte en la Cruz, y con su Resurrección, hace valer su dominio absoluto sobre todas las potencias malignas. A nosotros, cristianos, nos interesa saber más sobre el vencedor, que es Cristo, que sobre las oscuras potencias derrotadas por Él, que no tendrán nunca ningún peso definitivo en la trama de la historia de los hombres.

Jesús no hizo discursos sobre el mal y el dolor, pero sufrió personalmente hasta morir en una cruz, a pesar de que nadie «podía acusarlo a Él de un pecado». En el Nuevo Testamento, el mal se concentra en la pasión y muerte de Jesús, cuya historia, desde el comienzo de su vida pública, es de sufrimientos, de rechazos, de humillaciones y de burlas, hasta el extremo de que muchos autores opinan que los evangelios son el relato de la pasión de Jesús con un preámbulo largo donde se ve su camino hacia el sufrimiento y un epílogo más breve donde se narra el triunfo definitivo de Jesús sobre el mal y la muerte. El Evangelio de San Marcos resume en una frase todo el dolor que debía sufrir Jesús: «el Hijo del Hombre tenía que padecer mucho» (*Mc* 8, 31). Jesús, que sufre y es condenado a muerte, se presenta ante nosotros como aquel en quien puede reconocerse todo ser humano: «¡He aquí al hombre!» (*Jn* 19, 5), no comprendía Pilato la amplitud extraordinaria de la frase que decía al presentar a Cristo golpeado y ultrajado delante de su pueblo. Sí, he ahí lo que somos cada uno de nosotros, humanos, sometidos al sufrimiento y a la muerte.

Dice San Pablo: «el lenguaje de la cruz es una locura para los que se pierden; pero para nosotros que nos salvamos es poder de Dios... nosotros anunciamos a Cristo crucificado, escándalo para los judíos y locura para los paganos» (*1 Co* 1, 18-23). Esa es la respuesta de Dios al dolor del hombre, a los sufrimientos que el mal causa al hombre, la pasión y muerte de su Hijo: Dios se dejó golpear, herir y someter al dolor para vencerlo. Su respuesta al dolor humano es la «compasión», la solidaridad en el dolor. Es así como la cruz de Cristo nos descubre el bien y el mal, no nos explica el sufrir, el dolor, la frustración continua del hombre que busca el bien y la felicidad sin encontrarlos. La Cruz no emplea argumentos y palabras para decirnos un por qué, sino nos descubre el sentido que puede tener el mal, el sufrimiento, el dolor en la vida humana, nos descubre el para qué. Cristo hizo su ofrenda por amor porque: «Nadie tiene mayor amor que el que da su vida por sus amigos». El Cristo que sufre por amor nos revela el rostro de Dios, del verdadero Dios que es misericordioso. Él nos revela así el bien supremo. Jesús se encara con la muerte y la vence porque hace una ofrenda de su vida y nos enseña a morir sin miedo poniendo nuestro espíritu en manos del Padre. Liberarnos del miedo a la muerte, que es la mayor esclavitud del hombre, es la gran liberación que se opera en la cruz, y así lo que aparece como un mal terrible infligido por los hombres malos, haciendo uso de malas artes, se convierte en un bien superior, en el supremo Bien de abrirnos Cristo las puertas del cielo y de entrar victorioso en él para prepararnos una morada.

En el Jardín del Edén, la serpiente, el mal, el tentador de mil rostros apareció enredado en el tronco del árbol del bien y del mal y pareció que vencía al hombre y a la mujer que, abusando de su libertad, desobedecieron a Dios y cometieron pecado.

Pero del tronco del árbol de la cruz, plantado en la cima del Calvario, colgó gloriosamente Jesucristo y desde allí Él fue el vencedor del pecado, del mal y de la muerte. Leamos cómo canta esta victoria el Misal Romano en el Prefacio de la Exaltación de la Santa Cruz.

En verdad es justo y necesario,
es nuestro deber y salvación
darte gracias siempre y en todo lugar,
Señor, Padre Santo, Dios todopoderoso y eterno.
Porque has puesto la salvación del género humano
en el árbol de la cruz,
para que, de donde tuvo origen la muerte,
de allí surgiera la vida;
y el que en un árbol venció, fuera en un árbol vencido,
por Cristo Señor nuestro.

Cada uno de nosotros tiene que vencer con Cristo el mal y el pecado, cada uno de nosotros debe encontrar en la ofrenda de Cristo en la Cruz un sentido a su vivir, a su sufrir y a la misma muerte. Tenemos que mirar a aquel que ha sido traspasado. En Él no encontraremos respuestas a nuestros pretenciosos «porqués» del hombre del paraíso que se quiere hacer Dios, sino que descubriremos el humilde «para qué», que nos mostró el Dios que padece por nosotros en la Cruz hecho hombre y que nos hace rendirnos por amor ante la inmensidad y el misterio de tanto amor.

La Cruz nos descubre el supremo Bien y nos muestra que el mal se vence con el amor y que el dolor se transforma en ofrenda. En la Cruz de Cristo está el único y verdadero sentido de la vida.

CONFERENCIA PRONUNCIADA EN LA CUARESMA DEL 2001
«LA JUSTICIA Y LA MISERICORDIA»*

En la cultura contemporánea, el término justicia es muy empleado, con diversas acepciones según el medio ideológico y cultural en que se use. Está presente, sobre todo, en el lenguaje jurídico, político y ético con significados diferentes.

En el plano jurídico, la noción de justicia más difundida es la que elaboró el antiguo derecho romano (formulada por Ulpiano): «Justicia es la voluntad constante y perpetua de dar a cada uno lo suyo». ¿Qué es lo suyo? Lo suyo es el conjunto de derechos que tiene una persona. Pero la determinación de esos derechos depende de las opciones ideológicas, políticas y sociales de un medio determinado. Por ejemplo, los derechos que pueda tener una mujer musulmana en Arabia Saudita no son los mismos que puede tener una mujer inglesa o japonesa. Cada sociedad, con su ideología, privilegia algunos derechos y deja en la sombra otros.

En el plano ético religioso, si seguimos a Santo Tomás de Aquino, la justicia es una virtud que él define como: «el hábito según el cual alguien con una voluntad constante y perpetua le da a cada uno lo suyo». Se ve que Santo Tomás sigue más o menos la definición de Ulpiano, pero dándole una característica de virtud que debe cultivar personalmente cada cristiano. Santo Tomás, al decir que la justicia debe constituir un modo de ser, un hábito en el cristiano, la sitúa como una primera exigencia de la caridad, del amor al prójimo. Al menos dar a cada uno lo que le corresponde debe ser el primer paso de todo amor concreto a los semejantes. Pero, además, esta definición de justicia no hace ninguna referencia a Jesucristo porque en el Evangelio hay una falta de reglas sobre los derechos de justi-

---

* Catedral de La Habana, 14-III-2001.

cia; más bien encontramos allí enunciados sobre los deberes del hombre, no sobre sus derechos. Da así la impresión de ser una expresión más jurídica que cristológica.

En el mundo occidental, los derechos jurídicos surgidos en él han tenido un tratamiento del tema de la justicia a partir de este concepto del antiguo derecho romano, pero debemos preguntarnos en la Biblia qué se entiende por justicia.

En el Antiguo Testamento, la justicia designa no un comportamiento adecuado a una norma jurídica como esta de dar a cada uno lo suyo, sino como un modo de relacionarse con la comunidad; indica una actitud leal y constructiva respecto a la comunidad. Indica también un estado de bonanza comunitario en el que el individuo se encuentra viviendo dentro de una red de relaciones públicas armoniosas y saludables. Muchos estudiosos modernos de la Biblia piensan que esta actitud podría traducirse hoy por «solidaridad con la comunidad». Se trata, pues, de un término vinculado siempre a la idea de relaciones sociales armoniosas que dan origen a un bienestar. Comparando esto con la definición de Santo Tomás, podemos decir que no interesa tanto en la Biblia la voluntad de dar a cada uno lo suyo, sino el hecho de considerar comunitariamente a cada uno como debe ser considerado. Es un concepto más objetivo y, por tanto, menos subjetivo.

Tomemos como ejemplo en el Libro del Génesis aquella especie de regateo de Abraham con Dios sobre los justos de Sodoma y Gomorra. Si se lee el capítulo 18 del Génesis, del número 22 en adelante, tenemos la imagen de un verdadero proceso judicial: Dios es el acusador y el juez, la ciudad de Sodoma es la acusada y Abraham es el abogado defensor. El problema consistía en encontrar cincuenta, cuarenta y cinco, cuarenta, treinta, veinte o diez justos entre los habitantes de Sodoma, porque Dios anuncia que va a destruir la ciudad por sus miserias y pecados y Abraham hace la defensa de la ciudad a partir del pequeño número de justos que pudiera haber en ella. Abraham le dijo a Dios: «*¿es que vas a destruir al justo con el culpable, supongamos que hay en la ciudad cincuenta justos, los destruirás en vez de perdonar al lugar por los cincuenta justos que hay en él?*» (*Gn* 18, 24), el Señor contestó que no y Abraham comenzó a rebajar la cuenta de cincuenta a cuarenta y cinco, a cuarenta, treinta, veinte o diez y siempre la respuesta del Señor era la misma: *No la destruiré si encuentro en ella diez justos*. Para comprender este párrafo del Libro del Génesis es necesario preguntarse: ¿Quién es «justo» en un proceso? ¿Cómo establecer el criterio de la justicia? ¿Qué es la justicia? Hemos dicho que justicia para los hebreos era como una fidelidad comunitaria, algo parecido a lo que hoy llamamos «solidaridad en vista del bienestar de todos». Los justos, pues, que Dios buscaba en Sodoma eran los hombres capaces de solidaridad, de preocuparse por la ciudad, de no ser egoístas, ni violentos con su prójimo, de compartir con los demás; solo diez hombres como estos bastarían para salvar la ciudad. La corrupción de la ciudad era que no había nadie que fuera realmente solidario, preocupado por los otros, sino que se había llenado de egoístas, de hombres violentos; los justos que Dios busca incluso en Sodoma y Gomorra son hombres solidarios de los demás, capaces de edificar la comunidad renunciando a la violencia, y no solo a la violencia sexual, que ha sido como el único pecado de Sodoma que es recordado por la literatura y la tradición posterior.

Por eso, en la definición del Derecho Romano, seguida muy de cerca por Santo Tomás, parece no haber referencias a Jesucristo, porque la justicia que presenta Cristo en el Evangelio está dada por su mandato de vestir al desnudo, de alimentar al hambriento, de dar de beber al sediento, de amar al enemigo, de rezar por el que te persigue. Jesús crea una red solidaria en la comunidad y trae a los hombres una justicia superior, que arranca el egoísmo de su corazón: «*Quien quiera ser mi discípulo que se niegue a sí mismo*». Es en los siglos más recientes cuando se ha comprendido esta proyección social de la justicia y, dentro de la teología católica, se da cada vez más un espacio mayor a la justicia social. Es desde hace más de un siglo, aproximadamente, que va elaborándose una doctrina social de la Iglesia que habla de esa justicia. Es por esto que el Papa Juan Pablo II, ante el fenómeno de la globalización, ha hablado de una globalización de la solidaridad; porque eso es lo justo para un mundo donde predominan los pobres, los hambrientos, los miserables: que todos se ocupen de todos.

Carlos Marx, el fundador del marxismo, era de origen judío y su concepto de justicia está impregnado de esta visión de la justicia como solidaridad, como una red de relaciones óptimas entre los hombres para producir el bienestar.

Como cuerpo de Cristo, la comunidad cristiana debe vivir unas estructuras de relaciones nuevas entre los cristianos y de los cristianos con el resto de la humanidad. Vale la pena citar en la Carta a los Romanos (12, 9-21) la descripción concreta que hace San Pablo de la fisonomía de la comunidad cristiana en la que reina la justicia que Cristo ha venido a traer a esta tierra y que quiere que se extienda a toda la sociedad. Escuchemos la descripción de Pablo: *«Que el amor de ustedes sea sincero. Odien el mal y abracen el bien. Ámense de corazón unos a otros como buenos hermanos, que cada uno ame a los demás más que a sí mismos. No se echen atrás en el trabajo, tengan buen ánimo, sirvan al Señor, alegres en la esperanza, pacientes en los sufrimientos, constantes en la oración; socorran las necesidades de los creyentes, practiquen la hospitalidad. Bendigan a los que los persiguen; bendigan, y no maldigan. Alégrense con los que se alegran, lloren con los que lloran. Vivan en armonía unos con otros. No sean orgullosos, pónganse al nivel de la gente sencilla. No devuelvan a nadie mal por bien. Procuren hacer el bien ante todos los hombres. En cuanto de ustedes depende, hagan todo lo posible por vivir en paz con todo el mundo. Queridos míos, no se tomen la justicia por su mano, dejen que sea Dios el que castigue, como dice la escritura: «Yo haré justicia, yo daré a cada cual su merecido». También dice: «si tu enemigo tiene hambre, dale de comer; si tiene sed, dale de beber; que si haces esto, harás que se sonroje. No te dejes vencer por el mal, al contrario, vence el mal con el bien».*

Debemos fijarnos lo lejos que estamos de la definición de justicia que dimos al principio, dar a cada uno lo suyo, aquí es mucho más, es casi imposible para el cristiano que la justicia no se codee con el amor, no vaya de brazos con él. Si no es así, habrá algo de frío, duro y seco en la justicia. A una madre cuyo hijo es condenado a muerte no podemos consolarla diciendo que se está haciendo justicia en su hijo, hemos de escucharla, de sostenerla y veremos que siempre ella descubre una parte buena en su hijo y en su corazón hay un dolor que la justicia lejos de calmar, cuando es excesiva, lo acrecienta. También hay el axioma del derecho antiguo que dice: «El derecho supremo es una injuria suprema». Ser justos, practicar la justicia es un mínimo indispensable, pero toda justicia ha de estar coronada y precedida por el amor.

Cuando Jesús salió a predicar y recorría caminos y pueblos, comenzó a ser acusado por los fariseos, por los notables del pueblo, de violar la Ley, de obrar no según la justicia. El pasaje más hermoso para ilustrar esto es el del perdón de Jesús a la mujer adúltera acusada por un grupo de hombres que querían cumplir la justicia y apedrearla, y el Señor los emplazó, poniéndolos a todos ante su conciencia, para que el que no tuviera pecado lanzara la primera piedra. Jesucristo usó de la misericordia con aquella mujer, como lo hizo con algunos enfermos o paralíticos que curó el sábado, el día en que la Ley prohibía hacer cualquier cosa. Los contemporáneos de Jesús, los hombres de su pueblo y nación, enfrentan a Jesús a causa de la misericordia que él usa y en nombre de la justicia. «Cristo confiere un significado definitivo a toda la tradición del Antiguo Testamento de la misericordia divina. No solo habla de ella y la explica utilizando semejanzas y parábolas, sino que, además, y ante todo, él mismo la encarna y personifica. Él mismo es, en cierto sentido, la misericordia» (D.I.M. # 2). Pero vemos que la mentalidad de los contemporáneos de Jesús, y aún más, las de nuestros contemporáneos, parece oponerse a las acciones del Dios de la Misericordia y tienden, además, a apartar de la vida y arrancar del corazón humano la idea misma de la misericordia. La palabra misericordia parece producir molestia en muchos hombres de hoy, el ser humano es tan poderoso, conoce tanto el universo y ha avanzado tanto en la técnica que se cree a veces tan poderoso como un pequeño Dios, pero al mismo tiempo hay tanta miseria en el mundo de hoy, hay tantas amenazas para el futuro, hay tanta inseguridad y apatía en la gente como nunca antes lo hubo en la historia de la humanidad.

La palabra misericordia fue suprimida del diccionario ruso durante más de sesenta años. Fue Gorbachov quien dijo que había que restituir esa palabra al diccionario. Una de las primeras películas rusas después de la Perestroica se llamó «Misericordia», de Tarkowsky. Se ha llegado a pensar que la misericordia humilla al hombre, que es un sentimiento dañino, nocivo, que basta, que halla una justicia que trate a todos con igualdad y que esto creará de por sí un mundo nuevo y transformado.

Dice el Papa Juan Pablo II en su Encíclica *Dives in Misericordia*: «*Revelada en Cristo la verdad acerca de Dios como "Padre de la misericordia", nos permite verlo especialmente cercano al hombre, sobre todo cuando sufre, cuando está amenazado en el núcleo mismo de su existencia y de su dignidad. Debido a esto, en la situación actual de la Iglesia y del mundo, muchos hombres y muchos ambientes guiados por un vivo sentido de fe se dirigen, casi espontáneamente, a la misericordia de Dios*».

Nosotros necesitamos la misericordia de Dios Padre, y es también necesario que nosotros miremos con misericordia a los hermanos. «*Sean misericordiosos como el Padre es misericordioso*». También nosotros tenemos derecho a esperar la misericordia de los demás hacia nosotros.

Un mundo duro, frío, calculador, solo exige derechos, olvidando cumplir deberes, solo reclama justicia, olvidando que debe ser temperada la justicia con la misericordia. Cristo exigía a los suyos que se dejaran guiar al mismo tiempo en su vida por el amor que procura hacer la justicia y la misericordia. Ese es el núcleo del mensaje cristiano y constituye lo fundamental de la ética que brota del Evangelio.

La misericordia es expresada de muchos modos en los libros del Antiguo Testamento. Vimos cómo en el Antiguo Testamento la justicia era una virtud muy comunitaria en el hombre, de tal modo que incluía un sentido de amor hacia los otros para alcanzar todos juntos el bien común. Por lo tanto, en el Antiguo Testamento, la misericordia difiere de la justicia pero no se opone a ella.

Hay términos en el Antiguo Testamento que se refieren a la misericordia divina que denotan el amor de la madre hacia su hijo: Desde la unidad que liga la madre con el niño brota una relación particular con él, un amor totalmente gratuito, sin ningún mérito por parte del pequeño, ese amor tierno constituye para la madre una exigencia del corazón. Este amor engendra un conjunto de sentimientos como la bondad, la ternura, la paciencia, la comprensión y la disposición a perdonar. Así leemos en el profeta Isaías: «¿*Puede acaso una mujer olvidarse de su hijo pequeñito, no compadecerse del hijo de sus entrañas? Pues aunque ella se olvidara, yo no te olvidaría*» (*Is* 49, 15). Nosotros en español podemos traducir todos esos sentimientos con una frase: Amor entrañable, es decir, amor como el de la madre para el hijo de sus entrañas. Así es el amor misericordioso de Dios para con nosotros.

La gran parábola de la misericordia se halla en el Evangelio de San Lucas, cuando Jesús narra la historia de un padre, uno de cuyos hijos se va, pidiéndole la herencia, la malgasta y retorna después maltrecho. El padre sale a abrazarlo, lo colma de besos, manda preparar una fiesta, a vestirlo de limpio, quiere ponerle un anillo en sus manos y que maten para el banquete un ternero cebado. Pero en el abrazo que el padre le da al hijo no solamente lo acoge sentimentalmente, sino que, a través de su amor misericordioso, le devuelve a su hijo la dignidad de ser miembro de su familia, de ser de aquella casa, de ser hijo suyo. Aquí la misericordia lleva a una justicia superior. No solo es darle algo con buen corazón al pobre desvalido, sino restituirlo en su dignidad. Se ve claramente en esta parábola cómo misericordia y justicia no se oponen, se complementan y la justicia, para que llegue a producirse plenamente, necesita de la misericordia.

La misericordia se revela especialmente en la Cruz y en la Resurrección de Jesús. Los acontecimientos del Viernes Santo y, aun antes, la oración en Getsemaní, introducen en todo el curso de la revelación del amor y de la misericordia, en la misión de Cristo, un cambio fundamental. El que «pasó haciendo el bien y sanando», «curando toda clase de dolencias y enfermedades», él mismo parece merecer ahora la más grande misericordia y todos pensamos que debió haberse apelado a la misericordia cuando fue arrestado, ultrajado, flagelado, coronado de espinas; cuando es clavado en la Cruz y expira entre terribles tormentos, gracias a la «justicia» humana. El Hijo de Dios, cuyo aspecto doloroso está reclamando misericordia es condenado por la justicia de los hombres, por un juicio inicuo. Aquí la falsa justicia sí se enfrenta a la misericordia.

La justicia verdadera se funda en el amor y fluye de él y tiende hacia él. En la pasión y muerte de Cristo se manifiesta la justicia absoluta, porque Cristo sufre la Pasión y la Cruz a causa de los pecados de la humanidad. Es como si hubiera un «exceso de justicia» cuando los pecados del hombre son «compensados por la entrega del hombre Dios en la Cruz». Y esa justicia nace del amor del Padre y del Hijo.

El misterio de la muerte y la Resurrección de Cristo es el punto más alto de la revelación de la misericordia de Dios que restablece al mismo tiempo la justicia en el sentido de esa fraternidad superior y esa solidaridad única que Dios quiere desde siempre para el ser humano. Cristo que sufre en la Cruz habla de manera universal al hombre, no solamente al creyente. «*La Cruz de Cristo, sobre la cual el Hijo, consustancial al Padre, hace plena justicia a Dios, es también una revelación radical de la misericordia, es decir, del amor que sale del encuentro de lo que es la raíz misma del mal en la historia del hombre. Al encuentro del pecado y de la muerte*» (D.M. 8A). «*La Cruz es la inclinación más profunda de la divinidad hacia el hombre... la Cruz es como un toque del amor eterno sobre las heridas más dolorosas de la existencia terrena del hombre, es el cumplimiento, hasta el final, del programa mesiánico de Cristo*» (D.M. 8B); y este programa fue un gran acto de misericordia desde el inicio de su predicación en Nazaret hasta su inmolación en el Calvario.

Es así como, frente a la Cruz de Cristo, descubrimos la justicia verdadera; la que sobrepasa el simple «*dar a cada uno lo suyo*» para dárnoslo todo a nosotros, que nada merecemos, por amor. Así lo expresa el prefacio I de la Pasión del Señor. Este acto de sublime justicia es, al mismo tiempo, la prueba de la infinita misericordia de Dios:

En verdad es justo y necesario,
es nuestro deber y salvación
darte gracias
siempre y en todo lugar,
Señor, Padre Santo,
Dios todopoderoso y eterno.

*Porque en la pasión salvadora de tu Hijo
el universo aprende a proclamar tu grandeza
y, por la fuerza de la cruz,
el mundo es juzgado como reo
y el Crucificado exaltado como juez poderoso.*

PALABRAS PRONUNCIADAS EN LA REUNIÓN PLENARIA DE LA PONTIFICIA COMISIÓN PARA AMÉRICA LATINA*

En la Exhortación Apostólica del Papa Juan Pablo II «*Ecclesia in América*», el Santo Padre se refiere a la «*existencia de una deuda externa que asfixia a muchos pueblos del continente americano*» y la considera «*un problema complejo*». Sigue diciendo el Santo Padre en el número 55 de la Exhortación: «*Aun sin entrar en sus numerosos aspectos, la Iglesia en su solicitud pastoral no puede ignorar este problema, ya que afecta la vida de tantas personas. Por eso, diversas Conferencias Episcopales de América, conscientes de su gravedad, han organizado estudios sobre el mismo y publicado documentos para buscar soluciones eficaces¹. Yo he expresado también varias veces mi preocupación por esta situación, que en algunos casos se ha hecho insostenible. En la perspectiva del ya próximo Gran Jubileo del año 2000 y recordando el sentido social que los Jubileos tenían en el Antiguo Testamento, escribí: «Así, en el espíritu del Libro del Levítico (25, 8-12), los cristianos deberán hacerse voz de todos los pobres del mundo, proponiendo el Jubileo como un tiempo oportuno para pensar, entre otras cosas, en una notable reducción, si no en una total condonación, de la deuda internacional que grava sobre el destino de muchas naciones*»².

El pago de los intereses de la deuda externa es un grave obstáculo con el que topan muchos pueblos latinoamericanos, excluidos y empobrecidos, en el sistema económico internacional. Esa deuda condiciona su estabilidad económica y polí-

---

* Roma, 20-23-III-2001.
¹ Cf. Propositio 75
² Carta ap. *Tertio millennio adveniente* (10 de noviembre de 1994), 51: AAS 87 (1995), 36.

tica, afectando directa y negativamente las condiciones de vida de los grupos sociales más débiles e indefensos.

Cómo se generó el endeudamiento

Aunque la «crisis de la deuda» sale a la luz pública cuando, en 1982, México anuncia la suspensión del pago de su deuda externa, el origen de la misma se gesta en los inicios de los años setenta. En 1973, la Organización de Países Exportadores de Petróleo (OPEP) decide multiplicar por cuatro el precio del crudo. En consecuencia, estos países exportadores se encontraron de golpe con enormes cantidades adicionales de dinero que no podían ser absorbidas por las economías locales; y así decidieron invertir ese capital en bancos internacionales creando lo que llamaron «petrodólares». Esos bancos, al no poder colocar el capital en el primer mundo, vuelven sus ojos al llamado Tercer Mundo, prestando a los países latinoamericanos, necesitados de inversión para la construcción social y económica. El bajo interés fomentó el aumento de préstamos, concedidos y empleados en ocasiones de manera poco responsable, sea por parte de los acreedores, que no exigieron suficientes garantías de viabilidad, como por parte de los receptores, gobiernos, algunos de ellos no democráticos, que invirtieron los recursos en gastos militares o superfluos y, en ocasiones, nada prioritarios para el desarrollo social del país. La desastrosa política en la concesión y gestión de los créditos hizo que, en la mayoría de los casos, dichos créditos no repercutieran en el desarrollo económico y social de los países endeudados, particularmente en la atención a las necesidades de la gente más pobre. Como resultado, estos países latinoamericanos quedaron endeudados con créditos de los cuales las mayorías empobrecidas no se beneficiaron. A principios de los años ochenta, la administración norteamericana decidió modificar su política económica, elevó los tipos de interés para financiar su creciente «déficit» público, y los pueblos más pobres quedaron ahogados por el pago de los intereses que debían hacer en dólares, cuando a la vez decayeron sus exportaciones de materias primas en el mercado internacional. En 1996, los países del Sur debían al Norte más de dos billones de dólares, casi el doble de diez años antes. Varios de estos países han pagado ya su deuda original más de una vez.

El pago de la deuda va contra la vida de estos pueblos

Las consecuencias de este endeudamiento son nefastas para la supervivencia de estos pueblos pobres. Según el Programa de las Naciones Unidas para el Desarrollo –«Informe sobre el Desarrollo humano»–, los países más pobres altamente endeudados presentan tasas de mortalidad, analfabetismo y desnutrición más altas que otros países en desarrollo. Si el dinero de la deuda se invirtiera en desarrollo humano, más de tres millones de niños podrían superar los cinco años de edad y se evitarían más de un millón de casos de malnutrición. Por otra parte, el fuerte endeudamiento conlleva un alto riesgo para el capital financiero a la hora de invertir en esos países pobres, que así quedan excluidos de los mercados internacionales. Las instituciones financieras, como son el FMI y el Banco Mundial, gobernados y dirigidos por los países ricos, obligan a estos pueblos para sanear sus economías, según concepciones neoliberales, a aceptar políticas de ajuste estructural que significan recorte de gastos sociales (salud, educación, bienestar...) y a admitir la explotación muchas veces desconsiderada e indiscriminada de sus recursos naturales como son la madera, minerales o el único producto agrícola que tienen.

A este estado de cosas se añade el comportamiento actual de la finanza internacional. Normalmente, la función de la finanza internacional es hacer prestaciones para que funcione el comercio internacional entre los países, así como para inversiones directas en el extranjero. Inversiones no solo para comprar una empresa, sino también para aumentar su capacidad de producir más riquezas. Cuando la finanza se dedica a esos objetivos, cumple buen papel. Pero actualmente menos del 2% de las transacciones financieras son de este tipo. La mayoría son movimientos hábiles del capital, especulando para hallar la forma de ganar más dinero, sin producir más riqueza, sino apropiándose de la ya existente. Los pueblos endeudados y desesperados son presa fácil de esa especulación.

¿Cómo se hace esa especulación? Sobre los mercados de capitales se efectúan multitud de transacciones, es decir, de cambios de un título por otro, de una obligación por otra, etcétera, en función de las tasas de interés de los bancos centrales o del precio de las monedas. La inestabilidad monetaria se ha hecho casi habitual, y las tecnologías de información permiten hacer las transacciones de modo espontáneo y rápido, así el movimiento del capital financiero se ha convertido en una verdadera locura. Este movimiento no crea nuevas riquezas, sino que absorbe las ya existentes, la economía financiera se ha convertido en una economía depredadora. Lógicamente, mientras los especuladores sin escrúpulos ganan, alguien pierde: los débiles e indefensos. Las riquezas se concentran cada vez más en manos de menos, y mientras los ricos se hacen más ricos, los pobres se empobrecen más.

Valoración desde la fe cristiana

Desde la perspectiva ética, los intentos de resolver la deuda externa hasta el momento pueden considerarse, por lo menos, insuficientes e inadecuados. La desproporción del poder entre acreedores y deudores, la imposición de condiciones económicas iguales a los países, la adopción de medidas que tienen por objetivo garantizar el pago de la deuda, la falta de generosidad por parte de los gobiernos acreedores y la escasa preocupación de muchas administraciones del Sur por las condiciones de vida de la población más pobre de sus propios países son elementos para considerar que, desde el punto de vista moral, exigen un nuevo enfoque.

El «sordo clamor de los pobres», al que fueron tan sensibles los obispos latinoamericanos en la Conferencia de Medellín, sigue llegando al corazón de los cristianos que, alcanzados por la compasión del Padre, se preocupan de erradicar la pobreza que deshumaniza. La buena noticia sobre Dios, que quiere «la vida en abundancia para todos» (*Jn* 10, 10), choca de frente con el pago de la deuda externa, tal como lo exigen los acreedores, pues hace imposible la supervivencia digna de los países pobres. Así lo denunció la IV Conferencia General del Episcopado Latinoamericano: «El problema de la deuda externa no es solo ni principalmente económico, sino humano, porque lleva a un empobrecimiento cada vez mayor, e impide el desarrollo y retarda la promoción de los pobres»[3]. En la Exhortación Apostólica «Ecclesia in América», el Papa Juan Pablo II insiste en que se busquen soluciones al problema de la deuda: *Reitero mi deseo, hecho propio por los Padres sinodales, de que el Pontificio Consejo «Justicia y Paz», junto con otros organismos competentes, como es la sección para las Relaciones con los Estados de la Secretaría de Estado, «busque, en el estudio y el diálogo con representantes del Primer Mundo y con responsables del Banco Mundial y del Fondo Monetario Internacional, vías de solución para el problema de la deuda externa y normas que impidan la repetición de tales situaciones con ocasión de futuros préstamos»[4]. Al nivel más alto posible, sería oportuno que «expertos en economía y cuestiones monetarias, de fama internacional, procedieran a un análisis crítico del orden económico mundial, en sus aspectos positivos y negativos, de modo que se corrija el orden actual, y propongan un sistema y mecanismos capaces de promover el desarrollo integral y solidario de las personas y los pueblos»[5].*

Aunque las deudas en principio deben ser pagadas, en el caso de la deuda externa es por lo menos dudoso que el pago de la misma sea justo. No solo porque se hace sacrificando la vida y dignidad de las personas y de los pueblos indefensos, sino también porque en la mayoría de los casos los pobres, el pueblo sencillo, no se beneficiaron con los créditos concedidos, y por otra parte, sin contar con esos pueblos económicamente más débiles, los países ricos subieron sin más los intereses. Con razón, los obispos latinoamericanos reunidos en Santo Domingo se preguntaron por la validez de la deuda externa *«cuando el pago peligra seriamente la sobrevivencia de los pueblos, cuando la misma población no ha sido consultada*

---

[3] C.II, «La promoción humana», n. 197.
[4] Propositio 75.
[5] Ibíd.

antes de contraer la deuda, y cuando esta ha sido usada para fines no siempre lícitos»[6].

Y, desde luego, esa dependencia inhumana y la exclusión en que los pueblos más pobres se ven sumergidos por la deuda externa tendrán las apariencias de «justicia legal»; pero esta justicia no soporta «la nueva justicia» del evangelio (*Mt* 5, 20). La parábola de aquel hombre sin entrañas, que acosa para que el pobre deudor le pague aun a costa de su propia vida, deja bien claro que esa justicia legal puede ser injusta. En el fondo es lo que viene a decir la movilización internacional contra el pago de la deuda externa, protagonizada por muchos grupos de creyentes y no creyentes. Desde hace años, esta lucha por superar los males de la deuda externa ha sido una constante preocupación del CELAM.

Ya en la encíclica «*Centesimus annus*», Juan Pablo II insistía: «*Es necesario encontrar modalidades de reducción, dilación o extinción de la deuda, compatibles con el derecho fundamental de los pueblos a la subsistencia y el progreso*»[7]. En 1994, evocando el sentido bíblico del año jubilar, el Papa va más allá: «*Los cristianos deberán hacerse voz de todos los pobres del mundo, proponiéndoles el Jubileo como un tiempo oportuno para pensar, entre otras cosas, en una notable reducción, si no en una total condonación, de la deuda internacional que grava sobre el destino de muchas naciones*»[8].

Hacia un pronunciamiento sin ambigüedades

«Condonación» significa remisión, cancelación, olvido. Pero evitemos equívocos. Este olvido de la deuda externa no debe interpretarse como un gesto de conmiseración, sino como un reconocimiento implícito de que el pago de esa deuda no es justo, porque se ha contraído con mediaciones y mecanismos injustos. Es importante destacarlo por una razón muy sencilla: si la remisión de la deuda externa se ve como un gesto de generosidad por parte de los pueblos eco-

---

[6] IV Conferencia del Episcopado Latinoamericano, II, n. 197.
[7] N. 35.
[8] Carta Apostólica *Tertio millennio adveniente*, n. 51.

nómicamente más poderosos, los pueblos más pobres, a quienes se habría perdonado esa deuda, perderían credibilidad y nunca más podrían participar de igual a igual en el concierto universal de los pueblos. En el fondo, el tema de la deuda externa, tal como está planteado, cuestiona la validez del actual orden económico internacional; el FMI y el Banco Mundial, dirigidos y controlados por los países acreedores, son los organismos que determinan lo que se debe perdonar o lo que deben pagar los países pobres, sin que ellos tengan voz ni voto. Si queremos construir la Paz y promover la verdadera justicia, seamos conscientes de lo que Juan Pablo II dice en la Encíclica *«Centessimus annus»: «No se trata de dar solamente lo superfluo a quien está necesitado, sino de ayudar a pueblos enteros –excluidos o marginados– a que entren en el círculo del desarrollo económico y humano. Esto será posible no solo utilizando lo superfluo que nuestro mundo produce en abundancia, sino cambiando sobre todo los estilos de vida, los modelos de producción y consumo, las estructuras consolidadas de poder que rigen hoy la sociedad»*[9].

CONFERENCIA PRONUNCIADA EN LA CUARESMA DEL 2001 «EL PECADO Y LA SANTIDAD»*

Hoy nos parece más fácil, en este camino que recorremos hacia la Pascua, considerar el pecado y la santidad situándonos frente a la cruz del Redentor. De ella, como alzado entre cielo y tierra, cuelga el Santo de los Santos, el que muere perdonando y entregando su espíritu en manos del Padre. Alrededor del patíbulo infame están las turbas azuzadas tanto por las autoridades religiosas como por los notables del pueblo y los gobernantes civiles y militares, que vociferan y piden la muerte del justo y la libertad de un salteador de caminos. Repito que parece fácil descubrir de qué lado está la santidad y de qué lado está el pecado. La santidad está en el crucificado y el pecado en sus verdugos. Pero este aparente-

---

9 Mensaje..., n. 17. Remitiendo a la Encíclica *Centesimus annus*, n. 58.
* Catedral de La Habana, 28-III-2001.

mente fácil discernimiento objetivo, histórico, se vuelve complicado y difícil cuando se trata de nosotros mismos. ¿Dónde está el pecado? ¿Es posible la santidad en nosotros? ¿Quiénes son los pecadores y quiénes son hoy los santos?

Escuchemos lo que decía el Papa Pío XII en un mensaje radiofónico difundido el 26 de octubre de 1946: «*quizá el mayor pecado del mundo de hoy consista en el hecho de que los hombres han empezado a perder el sentido del pecado*». Cincuenta años más tarde, esta constatación parece todavía más evidente y preocupante.

El pecado solo puede comprenderse de cara a Dios, su inmensidad y su amor. Si el hombre de hoy pierde la noción del pecado es porque la noción de Dios se ha oscurecido también en su mente y en su corazón. Palabras como contrición, arrepentimiento, dolor de los pecados parecen ajenas a la cultura actual. Cuando tratamos de establecer la gravedad del pecado (mortal o venial), de la pena en que se incurre (purgatorio o infierno), de la calidad de la contrición (perfecta o imperfecta), hay un total desconocimiento de esas categorías y aun se manifiesta repugnancia hacia todo lo que signifique penitencia o satisfacción, son muchas las causas de esta crisis.

Nunca más que hoy el hombre ha hablado de libertad y reclama libertad, pero al mismo tiempo nunca como hoy el hombre ha tenido menos libertad y esto lo constata la misma reflexión científica actual. El ser humano hoy está más condicionado por la propaganda, por las ideologías, por las urgencias de las cosas materiales, por los tranquilizantes que toma, por los estados depresivos y ansiosos debido a los múltiples conflictos familiares o sociales. Hoy, el ser humano tiene más temor que nunca a ser robado, asaltado, agredido, encarcelado, multado, etc. Curiosamente, el hombre es tan poco libre, que rechaza cualquier cosa que sienta que le pueda quitar otro poco más de libertad. Por eso no se comprometen el hombre y la mujer de hoy en matrimonio, tienen miedo de entregar su libertad el uno al otro para toda la vida.

También experimenta miedo el ser humano a entregar su corazón a Dios, a abrirle una cuenta en blanco. De ahí la disminución de las vocaciones a la vida sacerdotal o religiosa. Extrañamente, para cometer pecado hay que ser libre, para arrepentirse hay que ser libre y para comenzar una vida nueva hay que ser libre.

Solo Dios puede liberar al hombre, pero el hombre no percibe a Dios como un liberador, no lo conoce desde este ángulo, lo recuerda más bien como juez, como el que impone leyes y castigos a los que las violan.

Sin embargo, si bien el hombre no descubre cuándo peca, ni cuál es la gravedad del pecado, el sentimiento de culpabilidad no ha dejado de crecer en los últimos tiempos de la historia de la humanidad. Hoy, el número de los que acuden a las consultas psicológicas o psiquiátricas es infinitamente mayor que el de los que acuden al sacerdote para que los atiendan en confesión o en dirección espiritual. Pero la culpabilidad no es el arrepentimiento o dolor por haber pecado, es un sentimiento malo de responsabilidad perversa que puede venir de factores psicológicos, de traumas infantiles, de relaciones familiares inadecuadas, del trato de los maestros en la escuela, de la opinión que la persona ha recogido sobre ella en su vida, etc. Paradójicamente, cuando alguien llega a reconocer su pecado, cuando es capaz de dejarse liberar por Dios y actuar como un hombre libre que se responsabiliza con el mal que ha hecho, descubre enseguida que los sentimientos de culpa son de orden psicológico y enfermizo y que deben tratarse en otro plano y se capacita para luchar contra ellos. La gran maravilla de la revelación de Dios en el Antiguo y en el Nuevo Testamento es que el pecado, en su misma maldad, puede abrirnos a la esperanza, porque Dios *perdona* nuestros pecados.

El pecado no es una ofensa a Dios en el sentido mismo en que yo puedo ofender a otra persona. Dios está muy por encima de nosotros para que le alcance una ofensa de un ser pobre y miserable como somos cada uno de nosotros, la ofensa a Dios está en echar a perder su imagen en nosotros mismos, en dañar lo que Él ama. Dios nos ama y, por el pecado, nosotros actuamos como si destruyéramos la obra de amor que Dios ha hecho en nosotros. Dios ama al prójimo y, al maltratar al prójimo, maltratamos la obra de amor que Dios ha hecho en cada ser humano. He ahí nuestra ofensa.

El pecado es, más bien, ruptura de una amistad. Habría

que leer entero el capítulo de aquel pecado que representa todos los pecados y que aparece como el primero en la Biblia: el pecado de Adán y Eva.

Había una amistad de Dios con el hombre y la mujer y lo dice en frase ingenua y poética el autor: *cada tarde, Dios se paseaba en la brisa del atardecer junto con el hombre y la mujer en el jardín.* Después del pecado, el hombre y la mujer se esconden de Dios, saben que no han sido fieles a la amistad de Él, que no han cumplido el deseo que, para protegerlos del mal, Dios les había comunicado, y no es Dios quien los aleja de Él, son ellos los que se alejan de Dios. Les recomiendo que lean esos primeros capítulos del Génesis donde se narran la creación y el pecado, los reflexionen, los recen para que comprendan realmente qué es pecar, es romper una amistad, separarnos, alejarnos de Dios, quedarnos en nuestro mundo con nuestros caprichos y perder esa intimidad que nos hace encontrar cada día a nuestro Creador y Padre que, sin embargo, nos sigue amando y buscando con el deseo de perdonarnos.

El pastor que salió a buscar la oveja perdida, el que cuando la encuentra se la carga sobre los hombros y dice a todo el mundo su alegría por haberla encontrado, es el Hijo Eterno del Padre, enviado por Él, que no se cansa de amarnos y buscarnos para introducirnos en su amistad, que nos recibe como al hijo pródigo que retorna a la casa paterna. Por esto, Jesús no habla del pecado como tema aparte, Él sale a encontrar al pecador, se sienta a comer con ellos porque *«no necesitan médicos los sanos, sino los enfermos».* Nunca despide airado a un pecador. Lo pone frente a su pecado como hizo con la mujer adúltera, a quien defendió de la acusación de los que se consideraban sin culpa y la animó a que no pecara más. Esa escena es el modelo perfecto de lo que debe ser la confesión de un cristiano y del ministerio que ejerce el sacerdote cuando escucha al penitente arrepentido.

Jesús mandó a sus discípulos a perdonar los pecados. La Iglesia, cuando habla del pecado, no habla ni debe hablar del juez que castiga, del horror del pecado en el corazón humano, pensemos que ya el hombre se siente abrumado y estremecido por la culpa. La Iglesia habla de la liberación obrada por Cristo, invita al hombre y a la mujer a venir a buscar esa liberación en el sacramento del perdón.

La Iglesia proclama la misericordia y el amor de un Dios que tanto nos amó que envió a su Hijo, y el Hijo crucificado desde lo alto del madero perdonó a todos los que lo torturaban diciendo al Padre que ellos no sabían lo que hacían. Cuando el hombre pecador se enfrenta a la santidad de Dios no queda fulminado por un rayo divino que lo aniquila, sino que recibe toda la fuerza del amor, toda la gracia de la misericordia para que pueda arrepentirse y entonces queda libre por el perdón y restituido a la esperanza. Para esto, el ser humano debe conocer la maldad del pecado, debe evitarlo, debe ser realmente libre, debe estar seguro de tener para esto la fuerza divina, el don del espíritu que Jesús prometió a los suyos y debe aprender que en el perdón está la esperanza y la posibilidad de destruir las culpabilidades malsanas que lo acompañan en su vida.

Es un gran error excusar todos los pecados concediendo que el hombre está condicionado, es ignorante, tiene muchos problemas, que el mundo de hoy no tiene noción del pecado, que más bien hay que darle poca importancia a las acciones del ser humano objetivamente malas, etc., porque así infantilizamos al hombre y la mujer adultos, los hacemos incapaces de acceder a la verdadera libertad de los hijos de Dios, se vuelven seres privados de responsabilidad, crece su angustia por culpas falsas y verdaderas, por complejos y traumas, y las personas viven angustiadas, encerradas en sí mismas, sin descubrir la maravilla del perdón y de la esperanza.

En la fe de la Iglesia primitiva, el don del Espíritu Santo estaba íntimamente unido con el perdón de los pecados. Así lo vemos en el libro de los Hechos de los Apóstoles, donde Pedro dice: «*Arrepiéntanse, bautícense cada uno invocando el nombre de Jesucristo, para que se les perdonen los pecados, y recibirán el don del Espíritu Santo. Pues la promesa vale para ustedes y sus hijos y para los lejanos a quienes llama el Señor Nuestro Dios*» (*Hch* 2, 38-39).

La santidad

La idea de santidad está presente en todas las religiones de modos diversos. Casi siempre es como una misteriosa potencia que está relacionada con el mundo divino y que es también inherente a personas, instituciones y objetos particulares. Todo lo que es santo debe estar separado, no se debe tocar, hay como una energía peligrosa en lo santo. En las tradiciones religiosas africanas de Cuba, cuando alguien se hace Iyawó se viste de blanco que es el color de la pureza en la tradición cristiana (y no olvidemos que hay muchos elementos del cristianismo mezclados con esta religiosidad), pero esa persona no toca a nadie ni se deja tocar por nadie. Será una persona separada. Tendrá como una energía especial. Sin embargo, podrá tocar al sacerdote católico, dejarse tocar por él, pedirle su bendición, etc., porque el sacerdote católico tiene aún una «energía superior», «una consagración superior».

En la Biblia, en el Antiguo Testamento, el término «santo» solo se aplica absolutamente al Señor Dios del Universo: Santo, Santo, Santo es el Señor (*Is* 6, 3). Esto significa que la santidad constituye lo propio del ser de Dios. Esta santidad se manifiesta en la tierra como «gloria». Así, la gloria es como el resplandor de la santidad de Dios. En su amor de padre, que libra a su pueblo de la esclavitud de Egipto, Dios se cubre de gloria.

En los profetas, la santidad de Dios se revela a través de la imagen del esposo que perdona a la esposa (el pueblo infiel). Así aparece la santidad divina como la fuente de la misericordia perenne que transforma y renueva la vida del pueblo de Dios.

En los evangelios, Dios es el «*Padre Santo*» (*Jn* 17, 11) que revela su santidad, su gloria, en la Cruz y en la resurrección de su propio Hijo. Para el evangelista San Juan, la santidad de Dios se manifiesta plenamente en la exaltación del Hijo, es decir, en su muerte y resurrección. La gloria de Dios llena toda la tierra porque Jesús, «*levantado en lo alto, lo atrae todo hacia sí*» (*Jn* 12, 32).

Así aparece la santidad de Dios profundamente unida a su inmenso amor, como el que se revela en Jesús, que da su propia vida para que todos tengan vida en abundancia.

Los cristianos están llamados a ser santos como el Padre Celestial es Santo. A eso se refiere la primera petición enseñada por Jesús cuando nos dijo cómo dirigirnos al Padre. Después de decir *Padre nuestro que estás en el cielo*, lo primero que pedimos es: «*santificado sea tu nombre*». Lo que esto significa es que la santidad de Dios nos sea comunicada a nosotros, los hombres y mujeres, haciéndonos participar de su amor, de su vida, de su Espíritu, a fin de que el nombre de Dios sea santificado en nosotros con nuestro modo de vivir.

En el Nuevo Testamento, la santidad de Dios pertenece de modo total a Jesús, Él es Santo por ser, solo Él, Hijo de Dios (*Lc* 1, 35), por eso participa de la vida del Padre. Siendo «*el Santo de Dios*» posee el Espíritu de Dios y da este Espíritu para que nosotros podamos vencer las potencias del mal. Aplicamos el adjetivo santo al Espíritu para subrayar justamente que es Él, el Espíritu Santo, quien realiza la santidad divina en nosotros, puesto que nos comunica la vida del Padre Santo y del Hijo Santo.

Dice San Pablo en su Carta a los Romanos que «*el amor de Dios se derrama en el corazón de los creyentes con el Espíritu Santo que se nos ha dado*» (*Rm* 5, 5).

Jesús, con su resurrección, participa plenamente de la vida y de la santidad de Dios; pero del mismo modo, también los bautizados son santos por participar de la resurrección de Cristo, tienen el Espíritu Santo que los hace templos de Dios. La santidad constituye así el fundamento y el punto de partida del compromiso moral del bautizado: él debe manifestar esa vida nueva de la resurrección en toda su existencia, en la cotidianidad de su trabajo, y tratar de transformar al mundo con esta energía vivificadora. Por eso, la moral del cristiano es moral de la nueva alianza, de la resurrección, del Espíritu. Solo así es posible actuar evangélicamente; para el cristiano no se trata de cumplir una serie de normas legales y éticas, muchas de las cuales parecen imposibles; sino vivir confiado en que lo que es imposible para el hombre lo realiza Dios con el poder de su Espíritu.

Esa es nuestra condición en el mundo: ya santos y todavía no santos. Dejándose guiar por el Espíritu Santo el cristiano, creciendo en la fe, tiende cada vez más a la perfección y va realizando el proyecto que Cristo le presentó de ser santo como el Padre Celestial es Santo. El Papa Juan Pablo II no cesa de invitar a todos los hombres y mujeres cristianos a la santidad. El Año Santo fue un llamado para que todos creyéramos que es posible ser santos. Por eso fueron beatificados y canonizados tantos hombres y mujeres, religiosos, sacerdotes, mártires, laicos, para anunciar al mundo que el proyecto de santidad de Jesús es posible y es también para hoy.

El Concilio Vaticano II expuso claramente la doctrina de que la santidad cristiana consiste en la unión con Cristo, Verbo encarnado y Redentor nuestro. Por ello, todos los miembros de la Iglesia, tanto si pertenecen a la jerarquía como si son dirigidos por esta, están llamados a la santidad, según las palabras del apóstol: «*Ahora bien, esta es la voluntad de Dios: la santificación de ustedes*».

Al analizar este texto se advierte, ante todo, que la obligación moral de tender a la santidad es común a todos los miembros de la Iglesia.

Hay una sola santidad, pues, pero debe ser cultivada según la vocación de cada uno: los casados como casados, los consagrados como tales, el sacerdote, el obispo, según su condición.

No debemos limitarnos a considerar la santidad como una cuestión puramente individual. Todos los que estamos en la Iglesia debemos aspirar a una vida de santidad y esto se debe a que participamos de la vida, de las aspiraciones y del dinamismo de la misma Iglesia, que es Santa. Así la comunidad cristiana debe vivir la santidad en común, con un amor activo y unificador, sosteniéndose unos a otros mutuamente, uniéndose para alabar al Señor y para el bien de la comunidad humana donde viven.

Pero, como la Iglesia es Una y la forman todos aquellos que son de Cristo, es evidente que abarca no solo a los seres humanos que viven en este mundo, sino también a aquellos que en el purgatorio se preparan para su ingreso en la gloria y, con mayor razón aún, a todos los bienaventurados, o sea, aquellos que, después de haber vivido cristianamente y haber aceptado santamente la muerte, participan ya de la gloria del Señor. No debemos olvidar, pues, que la Iglesia es una realidad mayor que esa parte suya que trabaja, gime y sufre aquí en la tierra; podríamos decir que su parte más viva es la que reina ya con Cristo en el cielo. Esto lo ha vivido la Iglesia desde sus comienzos como una de las cosas más connaturales y queridas para ella y ha proclamado «santos» desde sus orígenes a algunos fieles que, por excelencia, han seguido hasta el fondo los llamados del Señor y se encuentran ahora unidos a Él de forma particularmente íntima y destacada en la gloria.

Escuchemos lo que nos enseña el Concilio Vaticano II en la Constitución *Lumen Gentium s*obre la Iglesia, con respecto a la santidad y el culto a los santos: «La Iglesia de los peregrinantes, reconociendo perfectamente esta comunión de todo el cuerpo místico de Jesucristo, desde los primeros tiempos de la religión cristiana cultivó con gran piedad la memoria de los difuntos... la Iglesia siempre ha creído que los apóstoles y mártires de Cristo, al dar pleno testimonio de su fe y de su caridad con la efusión de su sangre, están estrechamente unidos a nosotros en Cristo, y por ello los ha venerado con particular afecto, junto con la Santísima Virgen María y los Santos Ángeles... a ellos se añadieron en poco tiempo otros que habían imitado más de cerca la virginidad y pobreza de Cristo; y, por último, aquellos otros cuyo especial ejercicio de las virtudes cristianas y de los carismas divinos los hacía merecedores de la piadosa devoción e imitación por parte de los fieles» (LG 50). Y añade en el mismo número el Concilio Vaticano II: «Es, por lo tanto, sumamente justo que amemos a estos amigos y coherederos de Jesucristo y también hermanos nuestros a la vez que insignes bienhechores y que por ellos demos las debidas gracias a Dios, les dirijamos súplicas y oraciones, recurriendo a sus plegarias y a su poderosa ayuda para impetrar gracias de Dios mediante su hijo Jesucristo Nuestro Señor que es nuestro único redentor y salvador. Efectivamente, todo nuestro testimonio de amor a los santos tiende y termina por su naturaleza en Cristo, que es «la corona de todos los santos y a través de él en Dios que es admirable en sus santos y es glorificado en ellos».

La santidad no es, pues, algo raro o extraño. Nosotros hemos convivido con santos. En esta misma Catedral, durante más de veinte años, fue párroco el Padre Jerónimo Usera, fundador de las Hermanas del Amor de Dios y hombre lleno de amor a los pobres y marginados.

Esperamos que pronto la Iglesia lo proponga a todos los católicos del mundo como modelo de vida santa y lo mismo podemos decir del Padre Félix Varela, que enseñó junto a esta Catedral en el Seminario San Carlos, que amó a Cuba y deseó verla transformada por las virtudes de sus hijos, pero dijo que *no hay Patria sin virtud ni virtud sin religión* y vivió y murió pobre y sirviendo a los más desvalidos.

Hombres y mujeres santos han caminado y caminan hoy por las calles de nuestra ciudad y muchos otros pecadores, que se hacen notar más, pero que están llamados también por Dios a cambiar de vida y a ser santos. La Cruz de Cristo nos descubre el amor inmenso de Dios a nosotros que nos entregó a su Hijo. Con ese mismo amor son perdonados nuestros pecados y nos hacemos capaces de emprender el camino de la santidad.

CONFERENCIA PRONUNCIADA EN LA CUARESMA DEL 2001
«LA FUERZA DEL AMOR FRENTE AL ODIO»*

La cruz de Cristo nos descubre la fuerza del amor frente al odio.

Ya se acerca la fiesta de la Pascua para la cual nos hemos ido preparando durante toda esta Cuaresma. Muchos han estado presentes cada miércoles en estas conferencias. Muchos participaron del retiro de la comunidad el pasado domingo y se abre paso entre nosotros una verdad que cada año debe iluminar nuestras mentes y caldear nuestros corazones: *la cruz de Cristo es el triunfo del Redentor sobre el mal* y es por eso su glorificación y nuestra fiesta, porque por la Cruz se abrieron para nosotros las puertas que nos hacen pasar de este mundo al Padre.

Hoy, ya más cercana la fiesta de la Pascua, debemos mirar hacia la motivación profunda que impulsaba a Jesús a su

---

* Catedral de La Habana, 4-IV-2001.

acto de sacrificio supremo: *el amor.* La fiesta de la Pascua es el triunfo total y definitivo del amor.

Todo lo que Dios ha obrado lo ha hecho por amor. La creación es un acto de amor de Dios... y vio que todo era bueno. Podemos decir que toda la Biblia es un canto del amor de Dios a los hombres y una espera paciente por parte de Dios de que los hombres le retornen ese amor.

Pero existe también en nuestro mundo, a veces no fuera de nosotros totalmente, el odio. El odio es un movimiento de la capacidad apetitiva del ser humano que lo pone en un estado de violenta aversión contra una persona o un objeto cualquiera. El odio no es como el miedo, que tiende a alejarnos de aquello que tememos, el odio pretende una acción positiva contra aquello que desprecia, es decir, lo propio del odio es tener como objeto primario el deseo del mal del otro. De este modo se opone directamente al amor, que, como dice Santo Tomás, es el deseo del bien del otro.

La psicología considera el odio como una aversión originada por una mala disposición interna y, en su forma más violenta, como una aversión originada por la oposición entre el instinto de muerte y el instinto de conservación (Sigmund Freud).

El odio se diferencia del simple rencor o de la antipatía, porque uno u otra no lleva consigo la violencia ni busca necesariamente el deseo del mal del otro, se puede, de hecho, sentir repugnancia en tratar a una persona sin que por eso se le desee el mal.

Debo hacer una consideración hispánica y propiamente cubana de las palabras *amor y odio.* Al menos entre los cubanos, amor es una palabra que tiene una carga muy fuerte e igualmente odio. En la literatura norteamericana, como en los filmes de ese país, ustedes habrán tenido, como yo, la experiencia de ver que se dice con más facilidad te amo o te odio que lo que es común en nuestra lengua, en nuestra cultura cubana. A veces, en un filme norteamericano vemos a un niño al cual su madre reprende y este le dice: I hate you (te odio). No se acude con tanta facilidad en el español empleado en Cuba al verbo odiar, porque lo consideramos siempre muy fuerte y tenemos conciencia de que el odio incluye el deseo de mal al otro.

De otro lado, el uso de la palabra querer entre nosotros está muy extendido y se habla de un amigo, de una vecina, de un antiguo compañero de estudio, a quien «yo quiero mucho». Amar lo reservamos para los grandes amores de la vida: el amor de la esposa y del esposo, el amor de madre, el amor de padre, el amor a Dios, y ese amor al prójimo que sabemos que viene del mandato divino.

Podemos concluir de esta pequeña reflexión que nosotros en Cuba tomamos en serio el odio y el amor, de forma que es frecuente que a la pregunta que uno hace a una persona que siente aversión hacia otra: ¿Lo odias?, la respuesta normalmente sea: –no, yo no le deseo ningún mal. Esto quiere decir que el cubano capta exactamente bien la profundidad y la seriedad del sentimiento de odio como del sentimiento de amor.

El origen natural del odio debe buscarse, generalmente, en la envidia o en el celo por el bien de otro. La envidia hace parecer a quien la padece que el bien del prójimo es un mal para él, porque le quita algo: prestigio, simpatías, posibilidades sociales, etc. Esto primero le produce tristeza y esa tristeza puede llevarlo al odio. Del mismo modo que tenemos tendencia a amar aquello que nos agrada, hay una tendencia a odiar aquello que nos desagrada, por eso no es bueno dejarse llevar por los sentimientos de antipatía: «me cae mal», «no lo soporto», porque pueden llevarnos más lejos.

Cuando el odio alcanza el máximo de la malicia es llamado odio diabólico. Puede darse el odio aun contra Dios. Hemos dicho que Dios es la misma bondad, pero hay quien no capta esa bondad de Dios, porque en su vida ha habido penas muy hondas, dificultades que marcaron su existencia o la de seres muy queridos y puede llegarse por este camino no solo a la blasfemia, sino a la enemistad con Dios, a llegar a odiar la misma existencia de Dios. Esto se diferencia del ateísmo, que es simplemente la actitud de aquella persona que no cree que exista Dios o que, ante realidades desconcertantes o inexplicables en su vida o en la historia, niega que pueda haber un Dios.

En momentos de grandes convulsiones políticas y sociales, como la Revolución Francesa, la Revolución Española y la Guerra Civil, como la Revolución Rusa y en menor grado durante el proceso de los comienzos de la Revolución Cubana, cuando una mayoría del pueblo se siente creyente, antes de que aparezca un tipo de ateísmo más calculado e ilustrado, aparece ese cierto odio de Dios o de lo sagrado o de los templos o de todo lo que tiene que ver con la religión, si se siente que la fe religiosa puede impedir los grandes objetivos que se propone un movimiento revolucionario determinado.

Y en esas circunstancias puede verse en forma súbita y, a veces, desenfrenada el odio de Dios: miles de sacerdotes, religiosas, seminaristas, obispos fueron martirizados en España, miles y miles de monjes, monjas, sacerdotes, seminaristas también sufrieron el martirio en Rusia, y cuántos también religiosos, religiosas, sacerdotes, llevados a la guillotina durante la Revolución Francesa y, en esas revoluciones, templos quemados y obras de arte preciosas totalmente arruinadas por el fuego o destruidas.

A veces pensamos que psicológicamente el odio ciega. Y nadie se atrevería a juzgar la responsabilidad completa de muchos de los que intervienen en esas acciones. Pero el misterio del mal en esos momentos parece que actúa y hay acciones incomprensibles que solo encontrarían explicación en lo que pudiéramos llamar el odio de Dios.

Existe también el odio al prójimo. Puede ser un odio personal, un odio de familias, de grupos humanos. Puede atizarse el odio de clases entre ricos y pobres, entre ignorantes y personas cultivadas, entre una raza y otra, entre una nación y otra. Y también puede darse el odio a sí mismo que consiste en el desprecio que una persona se profesa por situaciones psicológicas en las cuales se ve sumergido a causa de males propios o infligidos por otro que lo hacen considerarse un ser despreciable. Esta situación puede llevar al suicidio. Estos tres odios: a Dios, al prójimo y a sí mismo aparecen rechazados en la Biblia como graves pecados.

El Antiguo Testamento, en el Libro del Éxodo, al revelarnos los mandamientos de Dios, pone como primer mandamiento y fundamental *el amor a Dios sobre todas las cosas.*

En la primera carta de San Juan (4, 20) leemos que: *«quien dice que ama a Dios y odia a su hermano es un menti-*

roso». Y el mismo San Juan afirmará en su primera carta: «*Quien vive en el odio es un homicida*» (*Jn* 3, 15).

Con respecto a sus discípulos, Jesús dirá que tendrán que padecer el odio del mundo: «*Yo les he dado a ustedes tu palabra, Padre, y el mundo los ha odiado porque ellos no son del mundo, como yo no soy del mundo*» (*Jn* 17, 14). De este odio que los cristianos recibiríamos del mundo hemos estado advertidos de antemano: *seremos odiados como el mismo Cristo ha sido odiado*. Pero debemos tener cuidado, los cristianos podemos provocar el desprecio, la aversión y, a veces, el odio de los hombres, precisamente no por guardar la palabra de Cristo, no por vivir como cristianos, sino por vivir olvidados de su Evangelio.

En su lecho de muerte, un sacerdote de 85 años, al cual visitaba por última o por penúltima vez, me decía con profunda sabiduría: «*Hay tres fuerzas que mueven al mundo: la envidia, la ambición y el amor*». Yo creo que esas fuerzas donde se mezclan el mal y el bien no están solamente distribuidas por sectores de la sociedad, porque esta no sería una consideración realista, están presentes en nuestro propio corazón. Y agregó aquel experimentado y buen pastor de almas: «*Si se quita el amor, solo quedan la ambición y la envidia*». Mi reflexión inmediata al dejar la habitación de aquel buen sacerdote fue: *solo puede quedar el amor, todo lo demás hay que quitarlo*. Y a esto vino Jesús. Y para esto estamos nosotros sacerdotes en el mundo, para que solo el amor sea la fuerza que mueva la tierra. Para eso, Cristo subió al madero de la Cruz, para vencer el odio con el amor. Y esa es la tarea de todos los que integran la Iglesia de cara a nuestro mundo tan necesitado de amor.

Ciertamente, el amor es una realidad divina: ¡Dios es amor! El ser humano recibe como una chispa de este fuego celestial y alcanza de verdad el objetivo de su existencia si consigue que no se apague nunca la llama de su amor. El amor es un elemento primario de la vida, el aspecto dominante que caracteriza a Dios y al hombre. La Biblia es un cántico del amor de Dios a sus criaturas, en los Libros Sapienciales el amor aparece como fuente de felicidad: «*Más vale una ración de verdura con amor que buey cebado con odio*» (*Pr* 15, 17).

Es verdad que puede haber amores egoístas, amor de esposo o de esposa egoísta, amor de padre o de madre con respecto a sus hijos marcado por el egoísmo. Es verdad que puede haber amores malos, pecaminosos, y en la Sagrada Escritura aparecen algunos de ellos: el amor de David por Betsabé. Hay amores simplemente eróticos, que llevan al sabio de Israel a exhortar, sobre todo al hombre, a evitar los riesgos de caer en esos vicios; pero la Biblia reserva un primer plano para el amor dentro de la familia: Entre ellos aparece el noviazgo como tiempo de amor, marcado por el despuntar de este sentimiento y por la apertura del corazón a la persona amada. Por ejemplo, en el corazón de Jacob se encendió un fuerte y grande amor a Raquel y para poder casarse con ella se puso al servicio del padre de ella durante siete años «que le parecieron unos días», pues tan grande era el amor que le tenía (*Gn* 29, 17-20). Los sabios de Israel exhortan a amar profunda e intensamente a la propia mujer para ser feliz: «goza de la vida con la mujer que amas» (*Qo* 9, 9). Y dice el Libro de los Proverbios: «¿Por qué, hijo mío, desear a una extraña y abrazar el seno de una desconocida?» (*Pr* 5, 18-20). Y la Sagrada Escritura está también llena de ejemplos de amor de los padres a los hijos.

Podemos decir que la Biblia, además de ser el canto del amor de Dios por sus criaturas, es también un canto al amor humano: al amor de los novios, de los esposos, de los hijos, de los amigos. Basta leer los pasajes de la profunda amistad de David y Jonathan para darnos cuenta de que el amor humano nos es revelado por Dios en la Biblia como el camino para que el ser humano se realice y sea feliz. Si la Biblia nos presenta de manera tan amplia y significativa el amor humano, en ella tenemos sobre todo un llamado al corazón del hombre para que ame a su Dios.

Quien viene a tocar particularmente a nuestra puerta para que le abramos, para poder entrar y estar con nosotros es Jesús de Nazaret. Él es el enviado por Dios Padre para hacernos saber cuánto Dios nos ama.

Jesús invitó a los discípulos a una vida de amor fuerte y concreto, semejante a su propia vida, Jesús supo cultivar la amistad con sus discípulos y en la noche antes de padecer, en su última cena, les dice: «*Les doy un mandamiento nuevo, que se amen unos a otros como yo los he amado... en esto reconocerán todos que ustedes son mis discípulos, en que se aman unos a otros*» (*Jn* 13, 34). Este es el mandamiento nuevo, pues nunca se había exigido nada así antes de la venida de Jesucristo, que les está pidiendo que se quieran hasta el don de la vida como lo hará Él pocas horas después de aquella cena. Por eso, San Juan en su primera carta se hace eco de la enseñanza de Cristo: «*Este es el mensaje que han oído desde el principio, que nos amemos los unos a los otros*» (*1 Jn* 3, 11). Pero solo el Espíritu Santo puede hacer que se obtenga la victoria sobre el egoísmo y que triunfe el amor. Efectivamente, «*el amor de Dios ha sido derramado en nuestros corazones por medio del Espíritu Santo que se nos ha dado*» (*Rm* 5, 5).

El cristiano para vivir en el amor debe dejarse llevar por el Espíritu Santo y mirar continuamente a Cristo, porque Él con su persona y su obra es la revelación plena del amor del Padre al mundo: «Porque tanto amó Dios al mundo, que le dio a su Hijo Único» (*Jn* 3, 16). San Pablo declara que el signo supremo del amor de Dios para con nosotros pecadores, se encuentra en la muerte de Cristo en la cruz: «*Dios mostró su amor para con nosotros en que, siendo aún pecadores, Cristo murió por nosotros*» (*Rm* 5, 8). El padre nos ha amado tanto que no se reservó a su Hijo, sino que lo entregó en sacrificio por todos nosotros. Cristo crucificado, sabiduría de Dios, es, por lo tanto, la concreción total y perfecta del amor que el padre tiene a su Iglesia. El hijo de Dios amó a todos los hombres y murió para salvar a todos, pero tiene un amor único, un amor de esposo por su Iglesia, su esposa, formada por todos aquellos que acogen su palabra. Leemos en el evangelio de Juan: «*antes de la fiesta de la Pascua, sabiendo que le había llegado la hora... Jesús, que había amado a los suyos que estaban en el mundo, los amó hasta el fin*» (13, 1). San Pablo lo relata así en su Carta a los Efesios: «*Cristo amó a la Iglesia y se entregó a sí mismo por ella, a fin de santificarla por medio del agua del bautismo y de la palabra*» (5, 25).

Ninguna adversidad ni ninguna fuerza enemiga podrán separar a la Iglesia del amor de su esposo: «¿Quién podrá separarnos del amor de Cristo? ¿La tribulación, la angustia, la

persecución, el hambre, la desnudez, el peligro, la espada?...
Pero en todas estas cosas salimos triunfadores por medio de
aquel que nos amó» (*Rm* 8, 35 al 37).

Este amor tan ardiente y tan fuerte del Señor Jesús, concretado en el sacrificio de la cruz, es la fuerza dinámica, la
gran energía de la vida de la comunidad cristiana: «*Porque el
amor de Cristo nos apremia, pensando que, si uno murió por
todos, todos murieron con Él y murió por todos para que los
que viven no vivan para sí, sino para quien murió y resucitó
por ellos*» (*2 Co* 5, 14 s).

«Apenas se puede encontrar un hombre capaz de dar la
vida por otro hombre bueno, pero lo grande del amor de Dios
por nosotros es que, siendo pecadores, Cristo dio su vida para
salvarnos», nos dice San Pablo en su Carta a los Romanos.

La Cruz desvanece todo lo que no sea amor; delante de la
Cruz de Cristo, los gritos de odio de sus verdugos se vuelven
alaridos salvajes y sus gestos, muecas macabras. El rostro horrible del odio queda al descubierto ante la paciencia y la dignidad de Aquel que nos ama hasta el extremo. Y el «*perdónalos,
Padre, porque no saben lo que hacen*» desarma la maquinaria
del odio, produce la conversión del buen ladrón y hace que el
centurión romano sea el primero en proclamar al mundo la
buena noticia que lo salva: «*En verdad, este es Hijo de Dios*».

Por eso, en el sermón de la montaña, Jesús había dejado a
sus seguidores, y a la multitud de hombres y mujeres que
vendrían después hasta el fin del mundo, un código difícil y
desconcertante que era el desglose de su mandamiento
nuevo: «*amen a sus enemigos, recen por quienes los persiguen,
porque si ustedes aman a los que los aman, ¿qué mérito tienen?... al que te pide la túnica dale también el manto, al que te
solicita para que camines una milla con él, camina dos, al que
te pegue en una mejilla preséntale la otra*»... Para vivir este
amor de locos *es* necesario haberse rendido ante la locura de
la Cruz. Solo de rodillas ante ella descubrimos lo absurdo del
odio, la distancia abismal que lo separa del amor, que lo derrota siempre bajando las armas, rompiendo su cadena de
venganza por medio del perdón, declarándolo ajeno y extraño en nuestro mundo nuevo donde el amor es la única
fuerza que mueve nuestra vida.

En la próxima fiesta de la Pascua celebremos con un corazón renovado el triunfo definitivo del amor sobre el odio y sobre todo mal.

CONFERENCIA PRONUNCIADA EN LAS SESIONES DEL ENCUENTRO DE PRESIDENTES DE COMISIONES DE CULTURA DE LAS CONFERENCIAS EPISCOPALES DE AMÉRICA* «LA TRANSMISIÓN DE LA FE EN EL MATERIALISMO CULTURAL»

El título de la exposición que se me ha pedido: «La transmisión de la fe en el materialismo cultural» postula, ante todo, algunas precisiones sobre el término materialismo y exige, además, una aclaración previa sobre la condición de observador participante, inherente a quien presenta este trabajo.

Comienzo por las precisiones semánticas: materialismo es un término plurisignificante que tiene, sin embargo, en sus diversas acepciones, una carga común de ignorancia, rechazo o no consideración metodológica en el estudio del cosmos de cualquier otra realidad que no sea la materia.

Este último aspecto, o sea, prescindir de una causalidad creadora fuera de la materia, a veces, como hipótesis de trabajo científico o, a veces, como decisión tomada por el investigador a partir de posturas filosóficas personales previas al estudio que hace de la realidad material, se ha dado y se da, sobre todo, en el estudio de la naturaleza y específicamente en el campo de la biología y de la psicología. El desarrollo de la ciencia actual, sin embargo, al descubrir la suma complejidad de las moléculas, irreducibles a fórmulas matemáticas, ha hecho que desde las ciencias exactas surjan hoy objeciones a los enunciados materialistas, sobre todo en biología y en las ciencias del hombre, pero el materialismo en el campo científico tiene historia y se mantiene en pie.

Para que el mismo pueda afectar la cultura, o sea, la manera de ser y de vivir de los pueblos, debe producirse una difusión vulgarizadora que, a veces, tiene un efecto devastador, al simplificarse los términos en aras de la comprensión por

---

* Puebla de los Ángeles, México, 5-7-VI-2001.

parte de los más sencillos o al manipularse los datos del materialismo llamado científico por sistemas de pensamiento o ideologías para apoyar sus propias tesis.

Algunos descubrimientos científicos ocurridos en los últimos siglos, aun sin pretender negar la existencia de un ser trascendente, produjeron en los seres humanos impactos culturales de postración o de reacción ante sus enunciados. En su obra «Galileo Galilei», Berthol Brecht pone en boca de un joven monje, que discute con un científico acerca de la rotación de la Tierra, un argumento con el cual el religioso trata de proteger al pueblo sencillo de los efectos que pudiera tener sobre «los rudos» ese descubrimiento: no niega él que pueda ser cierto que la Tierra gire alrededor del Sol y cada 24 horas sobre su eje, pero exclama con profunda preocupación y angustia: ¿qué será de mis padres, pobres campesinos, que cada mañana dan gracias a Dios por el Sol que Él les hace alumbrar y cada atardecer rezan confiados a Dios que los ha estado mirando a ellos todo el día?

Sí, de hecho, ellos y cada uno de los hombres y mujeres creyentes se han sentido centro de la creación. Dios había dispuesto las cosas para ellos. El hombre, viajando por el espacio en esa gran piedra redonda que no cesa de dar vueltas, siente que pierde su lugar, piensa que nunca está ya más en el mismo sitio y, al mismo tiempo, se imagina que Dios ya no lo ve, o lo experimenta menos atento a él o más lejano. La reubicación de sí mismo en su entorno toma, a veces, varias generaciones para quedar incorporada a la mentalidad de los pueblos y, en muchos casos, no llega a producirse plenamente. Los descubrimientos científicos nos plantean, así, en algunos casos, un cambio en el conocimiento del mismo hombre, de su lugar en el mundo y de sus relaciones con Dios. Pero este no será el tema al cual he de referirme específicamente.

Además de ese materialismo que llamaremos convencionalmente «teórico», está el materialismo práctico, al cual hace alusión tantas veces el Papa Juan Pablo II. Consiste en una postura ante la vida, y sobre todo ante los bienes materiales, que prescinde de Dios y de cualquier ética trascendente, aunque no se niegue la misma existencia del Creador y se le mencione y se le dé algún culto.

En esta ocasión no voy a tratar tampoco, de modo particular, de ese materialismo práctico. Y aquí aparece mi condición de observador implicado, pues no he intentado un estudio sociológico de amplio alcance sobre el materialismo, en general, basado en datos y encuestas para desarrollar este tema, sino lo he apoyado en datos empíricos limitados a mi país. Se trata, ante todo, de la experiencia personal de un ministerio sacerdotal vivido durante 37 años en un país con un sistema socialista de inspiración marxista-leninista, cuya filosofía propugna y difunde el materialismo. He hecho sobre todo alusión al materialismo teórico en el campo de la ciencia, pues a él apela siempre el materialismo marxista.

No niego que en Cuba existiera, antes del inicio de la revolución de 1959, un materialismo práctico, lo había y muy extendido, seguramente más que en cualquier otro país de América Latina. El Papa Pío XII, en el mensaje enviado a los cubanos con motivo del Primer Congreso Eucarístico Nacional de La Habana en el año de 1947, al mismo tiempo que nos ponía en guardia frente a la amenaza de un materialismo explícito e ideológicamente inducido, nos reprochaba nuestro insensible deslizamiento en el materialismo práctico. Lo hacía con estas palabras: «... Nuestra Señora de la Caridad de El Cobre, por su intercesión y por las oraciones y enseñanzas de este Congreso, os conceda veros libres de la plaga universal, pues aunque los efectos del materialismo neopagano han mostrado de manera elocuente al mundo de qué cosa es capaz el hombre cuando piensa que solamente es materia, sin embargo, estamos, por desgracia, muy lejos de tener la impresión de que la lección haya sido aprovechada, y nos invade el temor de que a un materialismo no quiera suceder otro no menos fatal y pernicioso». Daba por descontado, pues, el Papa Pío XII al advertirnos de los riesgos de otro materialismo que podría invadirnos, la existencia de ese materialismo neopagano en nuestra nación y nuestra incapacidad para detectarlo, y así era realmente.

Como si se cumpliera aquella advertencia del Pontífice, en Cuba irrumpió el materialismo de factura marxista poco tiempo después de la revolución de 1959. Irrumpir es, de hecho, lo propio de una revolución y de las acciones, emociones e ideas que la acompañan y que contribuyen a gestarla.

Y esta es la primera característica de ese materialismo al que me voy a referir: que irrumpe, que llega de pronto. El materialismo práctico se instaura poco a poco, *sensim sine sensu*, y va alcanzando paso a paso cotas más altas en el pensar y en el sentir de los pueblos. Ante esta penetración subrepticia, la fe religiosa puede estar en desventaja con respecto a la llamada de alerta que conlleva una invasión súbita del materialismo sostenido por una ideología, que se presenta como la explicación total de cuanto existe y cuya prontitud en manifestarse hace reaccionar a los creyentes.

Fijemos nuestra atención en este materialismo que se pretende, además, científico. Es él quien carga, en el marxismo-leninismo, con la sustentación filosófica del ateísmo oficial, de una ética naturalista y de una explicación de la realidad evolutiva del cosmos y de la historia a partir de leyes que hacen de la necesidad una constante, sin dejar prácticamente espacio a la libertad y a la subjetividad. Aquí está la desventaja de la fe religiosa frente a él. El materialismo práctico, aunque pueda llegar a los mismos fines que el materialismo marxista, no está integrado dentro de una ideología y, normalmente, no está sostenido e impulsado por un poder político que, más que proponerlo, lo impone, como sucede con el materialismo inducido por los poderes del Estado, que debe conformar la vida de todos los ciudadanos, sin que quede apenas espacio para lo puramente personal-individual, sino en una medida muy escasa.

La fe cristiana, por su parte, suscita hombres realmente personalizados, capaces de llegar a un encuentro con Cristo vivo y responderle al Señor que los llama con la entrega de su vida. En esta batalla por el hombre está el verdadero e inevitable enfrentamiento de la fe cristiana y del materialismo marxista.

El materialismo ideológico entra en mi país con la fuerza de una revolución política y social triunfante, con el ímpetu de la juventud de sus líderes, también con su inexperiencia, y encontró a sus maestros en viejos marxistas del pequeño Partido Socialista Popular (comunista), varios de ellos intelectuales destacados, líderes sindicales con buena instrucción marxista y otros. Fueron sus alumnos una pléyade de jóvenes adeptos que identificaron necesariamente, casi sin posibilidades de discernimiento, el proceso de cambios sociales con el materialismo dialéctico que la ideología marxista-leninista les proponía.

Pocos años más tarde, muchos de esos jóvenes se formaron en universidades de la desaparecida Unión Soviética en filosofía marxista y pasaron a ser en Cuba los directores de escuelas de formación de cuadros para el Partido Comunista Cubano y a ocupar otros cargos de relevancia.

La creencia de que este materialismo que todo lo explica, también el cambio social, debe llegar a todos para que, conociéndolo, se acelere ese cambio, se convierte en propaganda hablada, escrita, radial, televisiva, lo penetra todo y concibe al hombre nuevo que debe surgir como un hombre materialista. Para ello se trata de suplantar los patrones culturales aceptados por otros diferentes.

En medio del desconcierto inicial o la sorpresa ante nuevas propuestas sobre la vida, el trabajo, el papel del hombre y la mujer en la sociedad, la relación del hombre con los bienes materiales, la función del estado, etc., el creyente descubre, primero, el silencio sobre la religión, después, el ataque a aquellos creyentes que vacilan o no se incorporan al nuevo movimiento de cambio social. El clero es culpabilizado en ese momento. En esa primera etapa no se argumenta en contra de las creencias religiosas, sino que son enjuiciadas las actitudes de algunos creyentes.

Más tarde, al institucionalizarse el sistema, vendrá una difusión más explícita del materialismo que estará presente, por ejemplo, en los programas escolares desde la primaria hasta la universidad, no como asignatura específica, sino insertada en las diversas disciplinas, sea de manera expresa como en la Historia, la Lengua Española, la Economía Política, la Sociología o la Filosofía, sea apoyando en las leyes del materialismo todo el discurrir científico: en Biología, en Psicología, en la Física, en la Química y aun en las Matemáticas.

Pongamos, por ejemplo, la afirmación en los textos de estudio de que los procesos aeróbicos y anaeróbicos son una prueba del cumplimiento de las leyes del materialismo dialéctico en el acontecer biológico. Análogamente se introduce también el tema religioso en todo el trabajo docente con una consideración negativa. Así se presenta como una evidencia que la materia existe desde siempre y se le dan a ella los atributos propios de Dios; no existe, pues, un Creador. Y al producirse esta negación de Dios se pasa enseguida a calificar las creencias religiosas como rezagos del pasado, de los que hay que liberarse, porque el hombre del futuro, el hombre nuevo, será materialista y no habrá sitio en el mundo para la idea de Dios.

Es de imaginar la angustia de los maestros cristianos, constreñidos por los programas de estudio a mencionar, al menos, esas indicaciones requeridas en cualquier disciplina. Muchos dejaron el magisterio y buscaron otros trabajos, otros fueron ubicados por los mismos organismos educacionales en tareas diversas.

Como en la educación, también se hace presente esta visión del mundo en los medios de comunicación, en los consejos de los psicólogos y en los tratamientos psiquiátricos, en el trabajo ideológico de las organizaciones juveniles, sindicales, de mujeres, etc. No olvidemos que el Estado tiene todos los medios para hacer esto, que la Iglesia se queda sin ningún acceso a los medios de comunicación ni a la educación, pierde sus escuelas y solo tendrá sus templos para impartir la catequesis de niños, jóvenes y adultos.

Se van difundiendo así en torno al fenómeno religioso posturas de vacilación, duda y, sobre todo, temor. Porque desde el inicio hay una carga política, ajena a todo partidismo, en el quehacer evangelizador de la Iglesia. Me explico: el Estado pretende que para alcanzar sus fines de transformar la sociedad es necesario que el hombre, entre otras cosas, se libere de atavismos religiosos. Permite que los creyentes sigan acudiendo a los cultos de su Iglesia, pero piensa que las ideas religiosas morirán con la vieja generación. De ahí que se trate de evitar la incorporación de niños y jóvenes a la comunidad cristiana por medios directos o indirectos. Y así, nuestras mayores dificultades pastorales las hemos tenido en las catequesis de niños, adolescentes y jóvenes.

Estaba bien claro que los sacerdotes no predicaban en contra de los poderes del Estado, que no tomaban posturas de corte opositor, pero en la Iglesia se hablaba de Dios y del Dios de Jesucristo, y nosotros sabemos bien, como lo afirmó tan oportunamente el Concilio Vaticano II, que «Jesucristo le revela el hombre al mismo hombre». Ya dije con anterioridad que lo que nos oponía necesariamente al proyecto materialista era nuestra batalla por el hombre. No podemos explicar el enfrentamiento entre marxistas y cristianos porque estos últimos afirmen que hay un Dios y los primeros lo nieguen. El conflicto raigal proviene de que nuestro Dios se hizo hombre y con su encarnación le da al hombre una medida sublime de su dignidad y de sus posibilidades.

Quien encuentra a Jesús transforma su vida. «Ustedes serán mis discípulos, conocerán la verdad y la verdad los hará libres» (*Jn* 8, 32). Este hombre, consciente de ser amado, perdonado y exaltado por Jesucristo, no será jamás un humano atrapado entre las leyes ciegas de la materia, no se resigna nunca a actuar como una parte más de un todo indiferenciado. Este hombre es distinto, se sabe persona, capaz de decisiones y de proyectos propios. Y este ejemplar humano es exactamente lo opuesto al hombre que entra en ese único proyecto colectivo de una ideología que, al negar toda trascendencia, impide que el hombre se trascienda a sí mismo. El hombre cristiano, pues, no sirve para el proyecto que persigue el sistema.

En una etapa del proceso que se ha vivido en mi país en los últimos cuarenta años era muy fuerte la convicción y el propósito de lograr un hombre con ciertas características que se consideraban las verdaderamente aptas para el nuevo ejemplar humano diseñado por la filosofía oficial, y la fe cristiana, por sí misma, le descubre al hombre un modelo totalmente diverso. Por esto afirmé antes que la evangelización, por sí misma, se convierte en una fuente de conflicto, se torna, en verdad, políticamente conflictiva.

Permítanme que traiga a colación aquí un pasaje de la novela de Arthur Koestler «*El cero y el infinito*».

En él se trata de un alto dirigente del Partido que ha caído en desgracia y está en prisión, su nombre es Rubachoff y corre el riesgo de ser sentenciado a muerte. Una noche, en su estrecho cubículo, agotado por los días de reclusión y los largos interrogatorios, echado en su camastro, contemplaba el cielo estrellado a través de los barrotes de la pequeña ventana de su celda, muy pegada al techo y se sintió sumergido, de pronto, ante la inmensidad del paisaje sideral, en una maravillosa sensación que él había llamado siempre «oceánica», experimentada desde años atrás otras veces. Como en aquellas ocasiones anteriores, se disponía ya a rechazarla, movido por un reflejo ideológico adquirido que la calificaba como una perniciosa «sensación burguesa». Pero enseguida se dio cuenta de que ya estaba encerrado y probablemente en camino hacia la muerte y se dejó llevar por aquella sensación. Nada ni nadie se lo impedía ahora. Rubachoff, preso, pudo abrirse totalmente al infinito. En ese instante había sido libre, quizá por vez primera en su vida.

Piensen ustedes que el quehacer de la Iglesia en cualquier lugar, pero más aún en un medio cultural penetrado por el materialismo, es cumplir su ineludible tarea evangelizadora que lleva consigo despertar muchos Rubachoff interiormente cautivos, que se prohíben a sí mismos abrirse al infinito, aferrándose, condicionados por una ideología, a una realidad material insuficiente que es como una prisión para el espíritu.

En el anuncio de Jesucristo, el hijo de Dios hecho hombre por nosotros, que nos amó hasta el extremo y se entregó en la Cruz, liberándonos del pecado y de la muerte por su resurrección y que envía a nuestros corazones su Espíritu para que con amor de hijos podamos invocar al Padre, está el mensaje que trae al hombre una apertura sin límites al mundo del espíritu, que lo rescata de su encierro y lo salva.

Tanto más limpio y claro de toda añadidura o atenuación contemporizadora debe ser el anuncio de Jesucristo, cuanto más cerrado y hostil al mundo del espíritu aparece el ambiente.

No se logra una supervivencia de la fe en los antiguos cristianos ni la adhesión a ella de nuevos creyentes, sino todo lo contrario, aproximando el Jesús histórico a modelos de liberadores sociales, ni haciendo de la Biblia, sobre todo del Nuevo Testamento, una relectura acorde con las metas intramundanas que el materialismo ideológico se propone, o convirtiendo la liturgia de la Iglesia solo en una asamblea de propuestas, oraciones y propósitos que muevan al cristiano a la participación social, evacuando al máximo el aspecto mistérico y todo esto en aras de una mayor aceptación de la fe religiosa por parte de quienes se sienten interpelados de diversos modos por la ideología materialista.

Los Rubachoffs son muchos y otros muchos los que no quieren llegar a serlo y todos tienen sed de algo más. La Iglesia es la ventana abierta al infinito en medio de la celda del espíritu a la que quedan circunscritos tantos hombres y mujeres que viven como ahogados en la materia. Cualquier otra cosa que no fuera abrir al hombre esta posibilidad sería estrategia humana o falta de fe, con muchos riesgos de llegar a compromisos peligrosos o a la traición.

Se puede decir, pues, que este proceso que se da en la implantación de una ideología materialista, consta de tres momentos: 1) irrupción, 2) vacilación, temor o dudas y 3) vacío de los corazones, porque, normalmente, es esto lo que sobreviene a quienes en mayor o menor grado quedaron envueltos o afectados por el materialismo.

¿Cuál debe ser la línea evangelizadora que la Iglesia sigue en cada una de esas etapas?

1º Ante la irrupción materialista que provoca un impacto en los creyentes, la Iglesia debe, en su evangelización, mantener sin acomodamientos y con toda claridad la pureza del anuncio evangélico: La figura de Jesucristo no puede reducirse a la de un Promotor de la justicia social y de la solidaridad o a la de un eximio defensor de los pobres. Él es el Salvador, el que libera al hombre del pecado y de la muerte, el que sacia el hambre de amor y de eternidad que todo ser humano lleva consigo y que no debe permanecer sofocada por afanes o preocupaciones materiales, sino, más bien, tiene que ser despertada por nuestra predicación y nuestra enseñanza.

2º En la vacilación, el temor o las dudas, hay que sostener a los débiles, apoyar a los decididos, tener una gran capacidad de comprensión, sin desánimo, para con cada uno de quienes están afectados por uno u otro estado de espíritu y los sacerdotes, religiosos y religiosas tienen que cerrar filas alrededor de sus pastores con todos los que integran el pequeño resto fiel. Más tarde tendremos ocasión de constatar sorprendidos lo psicológicamente profundos que eran muchos miedos, lo falso de muchos abandonos de la fe que fueron en su mayoría disimulo, y sobre todo cómo el Espíritu de Jesucristo, el Espíritu Santo, siguió actuando en los corazones de todos.

3° El vacío de los corazones va llegando poco a poco. «Señor, creaste nuestro corazón para ti y estará inquieto mientras no descanse en ti». La frase proverbial de San Agustín se convierte para nosotros, sacerdotes que desarrollamos nuestro ministerio en un medio materialista, en regla general comprobada en el confesonario, en encuentros casuales, en estaciones de trenes, en los cementerios, en los teatros, en una reunión de amigos. Y los laicos cristianos lo descubren a cada paso en sus trabajos, y en los ambientes donde viven.

Esta tercera etapa de la evangelización es la del gran acompañamiento por el camino de Emaús.

Porque el quehacer evangelizador de la Iglesia en una cultura materialista se convertirá, sobre todo a partir de un momento, en un andar por el camino de Emaús, acompañando a los que van desconsolados y tristes porque abrigaron esperanzas en un mesianismo que se les presentó como capaz de transformar este mundo, pero los ha dejado decepcionados. A ellos hay que reinterpretarles la realidad a la luz de la Palabra revelada, sin caer en la tentación de hacer lo contrario. Y, comenzando desde la Ley y los Profetas hasta Jesucristo, hacerles descubrir a nuestros hermanos lo misteriosamente necesario que es pasar por la Cruz para alcanzar la vida plena. Así llegaremos con ellos, después, hasta la mesa eucarística, para que quienes recorran este camino tengan el gozo de reconocer a Jesús en la fracción del pan y con ardor de corazones sientan el deseo de quedarse para siempre con el Señor.

Con los más adultos habremos recorrido tal vez las tres etapas del itinerario materialista, con los de mediana edad las dos últimas y a la adolescencia y la juventud las abordamos ya en la etapa del vacío, cuando el materialismo, con varias décadas de implantación, ha padecido un desgaste.

No debe ignorarse que en todo momento el materialismo práctico ha estado actuando progresivamente y, en la última década del siglo, marcada por la globalización creciente, aún más.

Esto puede hacer pasar insensiblemente a las nuevas generaciones en Cuba del materialismo marxista al materialismo práctico en un proceso exactamente inverso al que nos pronosticara el Papa Pío XII más de cincuenta años atrás.

A la Iglesia le corresponde en un medio cultural materialista, dentro de un Estado ideológicamente inductor de esa visión del mundo, mantener una fidelidad absoluta al mensaje íntegro de Jesucristo, fortalecer la unidad de la Iglesia alrededor de sus pastores y del Papa y llevar a cabo pacientemente, bien fundada en la esperanza, el acompañamiento pastoral personal y comunitario de todos: creyentes, ateos, laicos cristianos comprometidos o débiles, y esto sin exclusiones, poniendo en evidencia el amor de Cristo, Buen Pastor, que da su vida por las ovejas.

Los métodos pastorales, las dinámicas a seguir, serán coyunturales y no son objeto de esta reflexión, porque no constituyen el problema medular que enfrenta la Iglesia en un medio cultural materialista. De por sí, en un medio como ese, los métodos pastorales estarán condicionados por las disposiciones oficiales: no acceso a los medios de comunicación social, ningún tipo de incidencia en el campo educacional, no utilización de lugares abiertos, no autorización para construir nuevas iglesias, etc., pero el amor cristiano y la acción del Espíritu son incontrolables si la Iglesia es fiel, mantiene su identidad y permanece unida, pues en estas situaciones se aguza la creatividad de los creyentes, que son capaces de hallar métodos posibles y novedosos para que la Iglesia cumpla su misión.

La primera comunidad descrita por el libro de los Hechos de los Apóstoles nos sirve de inspiración en esos empeños y, en ocasiones, el Señor nos premia, inmerecidamente, con verdaderos milagros, de modo que experimentamos maravillados cómo el materialismo es siempre vencido por una vida en el Espíritu. Y esto es válido frente a todo tipo de pretensión materialista. Ha llegado el tiempo de plantearnos muy en serio lo que el Papa Juan Pablo II llama en su Exhortación Apostólica «*Novo Millennio Inneunte*» una pastoral de santidad de cara al desafío materialista neopagano del siglo que comienza.

Al desmoronarse el comunismo en Europa oriental, muchos de los países que estuvieron sometidos al materialismo marxista no encontraron ninguna otra alternativa en el mundo occidental cristiano sino la de un materialismo práctico. Esto es desolador. Todos estamos convocados, pues, por el clamor de hombres y pueblos, por el llamado que nos hace el Santo Padre y por Jesucristo vivo, vencedor del mal, a dar a nuestro mundo asfixiado por el materialismo la única respuesta válida y generadora de esperanza: la de nuestra Fe vivida en santidad.

PALABRAS PRONUNCIADAS DURANTE LA CEREMONIA EN LA CUAL LE FUE OTORGADO EL DOCTORADO *HONORIS CAUSA* DE LA UNIVERSIDAD POPULAR AUTÓNOMA DEL ESTADO DE PUEBLA «IGLESIA EN CUBA, FE CRISTIANA Y SOCIEDAD»*

Por Dios o por el hombre

Ha concluido un milenio en cuyos últimos siglos, el hombre comenzó un verdadero retorno a la era precristiana, al mismo tiempo que parecía convencido de estar avanzando por caminos novedosos en la historia. No debe creerse que el desarrollo científico técnico equivale a crecimiento humano. Desde mediados del siglo pasado hasta los años sesenta del siglo XX, una verdadera embriaguez de ciencia y técnica fue el caldo de cultivo de un pensamiento sobre el hombre que tuvo como denominador común el decir del hombre lo que le conviene únicamente a Dios. Al ser humano se le concedieron atributos que lo absolutizaron. El hombre fue endiosado en utopías, en ideologías, en diversos sistemas de pensamiento. No importa que lo fuera individualmente, como especie o socialmente. El gran drama de este tiempo fue poner

_____

* Puebla, México, 5-VI-2001.

a los hombres y a los pueblos ante el dilema de optar por Dios o por el hombre, sobre todo cuando las ideologías conquistaron el poder político y forzaron esa opción.

Transición

A ese período de la historia que se ha convenido en llamar modernidad le ha sucedido otro, en el cual parece que vivimos hoy, al que se le da el nombre de posmodernidad. En la modernidad, Dios sobraba, en esta época presente, en este comienzo de siglo, falta Dios. Este tránsito doloroso y saludable lo hemos vivido y lo estamos viviendo en Cuba donde la opción por Dios o contra Dios fue políticamente reclamada, e inducida desfavorablemente para la fe, por el ateísmo de factura marxista, que se convirtió constitucionalmente en el credo oficial del Estado. Pero un cambio en el pensar y en el sentir del pueblo comienza a darse poco a poco.

Los que tenemos algunos años asistimos con admiración y sorpresa a esa transformación de mentalidad que se produce desde finales del siglo XX, no sin desconcierto por parte de quienes la experimentan, pues las etapas de la historia no se suceden unas a otras, más bien se superponen, se gestan con simultaneidad a las corrientes dominantes de pensamiento. Cuando pasa el frenesí de una época, muchos vuelven a darse cuenta de que somos barro, hechura de la mano de un Dios que nos ha modelado y el hombre comienza a hacerse entonces la misma pregunta que el profeta: «¿*Puede una vasija volverse hacia su Hacedor para decirle: por qué me has hecho así?*» (Cf. *Is* 29, 16).

Búsqueda de Dios

Se inicia entonces, entre los hombres y mujeres de esa época, la búsqueda de algo fuera de ellos mismos que los rescate del vacío. En la Antigüedad, pocos filósofos fueron tan contrarios al cristianismo como Porfirio. Pero San Agustín, a través de él, del vacío que ese pensador experimentó en su alma, descubrió que la única verdad que salva es Jesucristo. Es también, por esas razones, este período un tiempo de contrastes y de saltos en el vacío buscando el verdadero Absoluto. En la búsqueda de la trascendencia por parte del hombre, el pecado oscurece la visión de la fe en Dios. Las consecuencias terribles del pecado están dramáticamente representadas en el relato bíblico de la creación. Antes del pecado del hombre, Dios se paseaba por el jardín del paraíso al atardecer y el hombre se encontraba naturalmente con Él. Después del pecado, el hombre fue sacado del paraíso, de aquel jardín donde se encontraba con Dios, y ya no pudo compartir más con Él habitualmente. Una nostalgia de Dios quedaría para siempre en el corazón humano.

Varios pensadores modernos, como lo hicieron también antiguos filósofos, llevados por esa nostalgia que extrañamente nos asalta a todos, trataron de llegar hasta Dios solo con sus propias fuerzas, con sus propios razonamientos. Esto no es más que otro tipo de pretensión del hombre: la de ascender por sí mismo hasta el Creador. No es inútil el camino de la razón, es también necesario, pero lo que no pudieron muchos de esos pensadores fue concebir o aceptar el camino descendente de Dios, tal y como nos lo presenta el prólogo del Evangelio de Juan: «*la Palabra se hizo carne y acampó entre nosotros... al mundo vino y en el mundo estaba; el mundo no lo conoció. Vino a los suyos y los suyos no lo recibieron, pero a cuantos lo recibieron les da poder para ser hijos de Dios, si creen en su nombre*». Del que sale a buscar al que llega a rendirse ante Dios que viene a nosotros hay un largo trecho espiritual que recorren hoy muchos hermanos nuestros en Cuba.

Reflexión y anuncio

Ante la etapa que se nos abre por delante con el nuevo milenio, cargada de memorias de un pasado rico y miserable y preñada a la vez de esperanzas e incertidumbres, debemos mirar el tiempo transcurrido desde la venida de Cristo hasta esta hora de la historia como hijos de la Iglesia Madre, que guarda en su memoria bimilenaria las incidencias del camino titubeante y grandioso de la humanidad, al modo de la Virgen María, «*que conservaba todas aquellas cosas meditándolas en su corazón*» (*Lc* 2, 19).

Esa memoria viva, la Iglesia tiene que brindarla a la humanidad del nuevo milenio: es la del Señor, nacido en la pobreza del pesebre, contemplado por los pastores, cantado por los ángeles, que compartió todo lo nuestro menos el pecado y que murió por nosotros en la Cruz. Resucitado y glorioso está vivo y presente en medio de su pueblo y lo estará siempre, hasta el fin del mundo. Su nombre es Jesús, como lo había llamado el ángel antes de su concepción y significa: «*el que salva*».

Iglesia encarnada

La fe cristiana lleva consigo este mensaje de salvación al hombre concreto, es decir, a una persona que ha nacido en una familia, que integra otros grupos de trabajo, de estudio, deportivos, de entretenimiento, de desarrollo cultural; que es ciudadano de un país determinado, y que se halla favorecido o afectado por las ideas que conforman el pensamiento de una época, que tiene responsabilidades históricas y, además, lo que es fundamental, un destino eterno. Esto quiere decir que la Iglesia en Cuba debe llevar su mensaje salvador al hombre cubano concreto que vive en un sistema político con características propias y con una organización de la sociedad que tiene las peculiaridades del colectivismo socialista. Esta es la Ley de la Encarnación.

En el Encuentro Nacional Eclesial Cubano celebrado en 1986, la Iglesia resumió su acción en Cuba en tres calificativos que debían identificar a la comunidad católica en nuestro país: la Iglesia debe ser orante, encarnada, evangelizadora. El desafío mayor ha sido y es que la Iglesia se encarne en nuestra realidad, porque en sociedades de un fuerte estatismo, o donde el individualismo o el nacionalismo exacerbado se han enseñoreado, puede existir en algunos, o en muchos, la tentación de considerar a la Iglesia como una sociedad alternativa, y los mismos cristianos no comprenden cómo la Iglesia puede encarnarse en tal realidad. Por su parte, los que detentan el poder miran a la Iglesia como un ente extraño a la sociedad. Terrible coincidencia que vuelve a probar cómo los extremos se tocan.

La Iglesia nace de Dios

La Iglesia, históricamente, nace de la predicación de Jesús sobre el reino de Dios y de la resurrección de Jesucristo, por la cual Dios lo constituye siempre presente en medio de los que acogen su palabra y a estos les envía el Espíritu Santo para que sean capaces de vivir y de anunciar esa palabra. En todo su ser y su quehacer, la Iglesia nos remite a Jesucristo, como Jesucristo nos remite al Padre. No puede, por tanto, homologarse la Iglesia a ningún Estado, ni a ninguna asociación intermedia. Todo lo que la Iglesia pueda aportar a la historia y a la sociedad concreta donde ella se encarna, viene de la revelación de Dios; ella ha recibido una misión de parte de Dios Padre por medio de Cristo, un encargo del mismo Cristo Salvador que es su origen histórico como fundador y como roca de cimentación sobre la cual se asienta: *«la piedra desechada por los arquitectos es ahora la piedra angular»* (*Hch* 4, 11).

De este modo se comprende la Iglesia a sí misma, desde la memoria de Jesús con su mensaje, con la irradiación de su persona. Se comprende a sí misma movida siempre por el Espíritu Santo, que, en cumplimiento de su promesa, Jesús le ha dado. Ella guarda, además, en su seno los sacramentos, que permiten que la gracia de Cristo se haga hoy presente y actuante. Por tanto, la Iglesia se sabe enviada por Dios y en total acatamiento del plan de Dios.

La Iglesia, interpelada por los hombres

Pero he aquí que está solicitada, requerida al mismo tiempo, como lo estuvo su Maestro y Señor, por las angustias y las esperanzas de los hombres (G.S.I. 1). La Iglesia vivirá siempre en la tensión de estos dos reclamos: una absoluta fidelidad a lo que ella es y debe seguir siendo según el querer de Dios y una fidelidad al clamor de la humanidad en busca de certezas, de consuelo, de esperanza, de respeto a sus derechos y aun de satisfacción de sus necesidades vitales.

Grandeza y debilidad de la Misión de la Iglesia

La Iglesia vive siempre entre la grandeza y la debilidad de su misión, pero también entre la grandeza y la debilidad del clamor de los hombres. Hay grandeza en su misión por ser depositaria de los dones de la salvación y hay debilidad en el cumplimiento de esa misión por la falta de santidad de quienes integran el pueblo de Dios y porque la transformación del mundo por el amor de Cristo solo se produce si el hombre libre accede a vivir en plenitud ese amor. Hay grandeza en el clamor de los hombres, creyentes o no, que ponen su confianza en la Iglesia, pero hay debilidad en ese mismo clamor por el contenido de lo que esperan de una Iglesia que no tiene fuerza ni poder, porque el reino que ella anuncia no es de este mundo.

Esta tensión entre la fiel acogida a Dios y la no menos fiel atención al hombre ha visto, en la historia de estos últimos siglos, a la comunidad cristiana tentada por estas dos concepciones absolutizantes: una, dedicarnos solo a Dios, solo al evangelio, solo al culto. Algunos lo hicieron así en un pasado más o menos remoto. De otro lado, históricamente, la Iglesia se ha visto en períodos de su historia forzada a esta opción. Así nos ocurrió en Cuba en el pasado reciente, cuando fuimos constreñidos por coordenadas ideológicas y políticas que limitaban nuestra presencia en la sociedad. Pero cuando esta es una opción libre de la Iglesia, es decir, replegarse sobre sí misma y dedicarse solo al culto, se trata de una especie de tentación teológica. Está la tentación opuesta, de naturaleza antropológica: dedicarnos sobre todo al hombre, a sus problemas, poniendo en lugar central su autonomía, teniendo la libertad como un absoluto.

Curiosamente, a esta última opción corresponde a menudo una acción formativa, cultural y profética acentuada al máximo, dejando a un lado la acción curativa del hombre dañado por las situaciones pobremente humanas que ha vivido; me refiero a esa acción misericordiosa que siempre halla espacio y momento para reconstruir al hombre y a la misma sociedad, pues en ella encontramos, a veces, grandes ideales, pero lamentablemente asociados a decadencias y desesperanzas. Esta tarea de acompañamiento y sostén del hombre en dificultades no la ha descuidado la Iglesia en Cuba y se ha hecho más notable en la última década del siglo que acaba de concluir.

Distancia inevitable entre la Iglesia y el mundo

La Iglesia, sin embargo, estará siempre a distancia con respecto a lo que los hombres, movidos por el deseo de eficacia, la voluntad de dominación o las ideologías, reclaman de ella. Esto no se debe a falta de entrega o a incapacidad para adaptarse a los tiempos que corren o a que ignore las angustias de los hombres. Simplemente, los ritmos de la historia de los hombres no corresponden a los tiempos de Dios, a los cuales debe estar atenta la Iglesia.

Toda andadura realmente evangélica incluye una mirada y un proyecto a largo plazo. El paradigma es el sembrador de la parábola de Jesús, que sale a sembrar pacientemente la semilla. El modelo para nosotros, cubanos, es el Siervo de Dios Presbítero Félix Varela, sacerdote ilustre y santo, que vivió exiliado en Estados Unidos, entregado a una siembra paciente de valores evangélicos, tratando de preparar así la conciencia de los cubanos para que alcanzaran un día la independencia de su Patria que él no pudo contemplar desde este mundo.

Es evidente que hay otra distancia siempre insalvable respecto del tiempo que le toca vivir a la Iglesia o de los hombres que viven en ese tiempo: es la santidad de Dios, el único necesario, que es nuestro futuro absoluto y a quien debemos acercarnos siempre más.

En la Exhortación Apostólica «*Novo Millennio Ineunte*», el Papa propone que se estructure una pastoral de santidad, que lleve a toda la Iglesia a una mayor cercanía a Dios. La distancia entre el mundo y Dios está vivamente presentada en el Evangelio de Juan: «*Ustedes están en el mundo, pero no son del mundo*».

Iglesia y Fe no deben procurar legitimarse socialmente

El gran desafío para la Iglesia no es solo ser aceptada por las estructuras sociales y políticas siendo como ella es, sino también aceptarse a sí misma como sacramento de Cristo en el mundo, renunciando, como lo hizo su Señor, a la eficacia que se espera de ella desde criterios o proyectos totalmente terrenales. *«Jesús, sabiendo que querían hacerlo rey, se fue a otro lugar»* (*Jn* 6, 15).

Cuando la comunidad cristiana, la Iglesia, ha sido rechazada por la sociedad o por los gobiernos, puede intentar legitimarse a sí misma colaborando en las cosas que la sociedad valora. Es verdad que la Iglesia tiene que dar con su vida, con sus obras buenas, testimonio de la fe que la anima; pero no debe buscar carta de ciudadanía ni aprobaciones que le otorguen créditos en el presente o en el futuro y, en los sitios donde hay alternancia de poder, ni en un partido ni en otro; porque es un error olvidar la aportación específica de la Iglesia, creyendo ganar crédito por la eficacia de sus contribuciones en dominios donde pueda aparecer que entra en el campo propio de la sociedad o de la política. Este terreno es el propio de los laicos cristianos, como lo reafirma el Papa Juan Pablo II en la Exhortación Apostólica *Novo Millennio Ineunte,* citando el Concilio Ecuménico Vaticano II (AA, 2): *En particular, es necesario descubrir cada vez mejor la vocación propia de los laicos, llamados como tales a «buscar el reino de Dios ocupándose de las realidades temporales y ordenándolas según Dios» y a llevar a cabo «en la Iglesia y en el mundo la parte que les corresponde (...) con su empeño por evangelizar y santificar a los hombres» N.M.I.* 46.

La Iglesia puede ser, pues, solicitada de variados modos para constituirse en alternativa temporal, en orden a resolver los problemas de este mundo. Consentir a esto constituiría un vaciamiento interno de la misión que Cristo le ha confiado.

La fe de la Iglesia proclama el amor de Cristo

Ahora bien, desde el querer de Dios, la Iglesia sabe que tiene el deber de sembrar el amor, del que Cristo la ha hecho depositaria en el seno de la sociedad. Tiene también que decir palabras y alzar signos que favorezcan el establecimiento de una comunidad humana donde reine la concordia, se superen los agravios por la reconciliación entre todos, se auspicie la colaboración entre cristianos de distintas confesiones, con hombres de otra religión y con no creyentes, en orden al bien común.

Esta misión inspiradora e iluminadora asumida a partir del evangelio opera en la raíz de los males y pone a los hombres y pueblos frente a su responsabilidad ética de encarar las dificultades. Aun obrando así, las propuestas de la Iglesia crearán, al mismo tiempo, un contraste entre la novedad del evangelio y la acción santificadora del Espíritu de Dios, por un lado, y el pecado del hombre, por otro. Ahí se halla su acción profética expresada al más alto grado.

Desafíos a la Fe cristiana y a la Iglesia

En nuestro país, la Iglesia ha vivido muy agudamente esta dialéctica Dios-mundo, misión cultural-misión profética, Iglesia fiel a su misión-Iglesia fiel al clamor de los hombres. Estas tensiones han sido potenciadas por el medio difícil y, a veces, hostil donde ha debido realizar su misión, viéndose obligada a sortear siempre la tentación de buscar créditos para el presente o para el futuro tanto ante el poder político como ante quienes disienten de él dentro o fuera de Cuba. Camino difícil es y ha sido este: decir la verdad sin desafiar, perdonar sin olvidar, confiar solo en Dios cuando todos los cálculos humanos nos llevarían a la depresión o a la fuga.

Los cristianos cubanos han vivido y viven de la fe en su Señor. La Iglesia ha experimentado existencialmente en nuestro país que su misión no es otra que la de propiciar y fortalecer esa fe.

Aportes de la Iglesia a la sociedad en Cuba

Los aportes que la Iglesia puede hacer a Cuba en el nuevo milenio que está iniciándose van, pues, en el sentido de su propia misión. Toda religión seria quiere ofrecer al hombre un tipo de mensaje que le dé sentido a su vida personal, que le haga mirar la historia de la humanidad no como una historia perdida o fracasada, sino salvada, y en el seno de esa historia, propiciar un comportamiento ético responsable y una convivencia humana digna y armónica con sentido comunitario.

Nosotros, cristianos, fundamos este programa en Cristo, Hijo Encarnado de Dios y Salvador del mundo. La aportación de la Iglesia en Cuba en este siglo debe hacerse, pues, en tres campos principales: en la estructuración y fortalecimiento de la vida personal, del orden moral y de la convivencia social. El cristianismo puede hacer ese aporte valiosísimo a la sociedad civil en cualquier parte del mundo, también en Cuba.

1. Vida personal

Por el fortalecimiento de la vida personal. Cuando el ser humano se hace consciente de su grandeza que le viene de haber sido creado por Dios a su imagen y semejanza, encuentra la alegría de vivir, pues sabe, además, que ese Dios lo ama y al creer en el Dios hecho hombre, Jesucristo, descubre la dignidad divina del hombre. Nace así un hombre positivo, reconciliado consigo mismo y con la historia, que no puede sino enriquecer la sociedad donde vive al mismo tiempo que fortalece su vida personal.

2. Orden Moral

Es necesario fortalecer también el orden moral. Las ausencias de referencia moral indican que cada hombre o mujer es una brújula sin norte. De este modo no se sabe ya cuáles son los valores ni los deberes ni los ideales básicos y la vida se rebaja al plano sensorial, solo se buscan placeres. La sociedad puede caer entonces en la depresión y el hastío. La inmoralidad y, aún más, la amoralidad producen la desmoralización del ser humano.

La Iglesia no se presenta en medio de la sociedad únicamente como una instancia moral, más bien ella le da al ser humano un fundamento privilegiado de la moralidad, que es la persona de Jesucristo y su mensaje. Quien lo encuentra a Él transforma su vida; los valores que propone el evangelio fundan un elevado comportamiento ético.

3. Vida comunitaria

Es necesario, además, establecer una convivencia comunitaria que tenga en cuenta a todos. Los hombres y mujeres que integran un mismo pueblo deben vivir unidos en el amor. Hay que saber despertar sentimientos de benevolencia y solidaridad entre todos. Para nosotros, cristianos, la solidaridad se llama fraternidad, pues todos somos hermanos, hijos de un mismo Padre. Para que muchos en nuestro pueblo puedan alcanzar la meta de una convivencia verdaderamente comunitaria, fundada en el amor, será necesario asumir también criterios que valoren y promuevan la reconciliación entre los que se hallan distanciados, enfrentados, cargados de rencores dentro y fuera de Cuba.

La Iglesia ofrece, más que todo, como riqueza que le es propia y que desea compartir con los hombres de todo tiempo y lugar, su vida misma, la de una gran Familia con una larga historia de muchos siglos, que ha pasado por épocas de luchas y persecuciones, que ha vivido situaciones críticas y las ha superado en el amor, que fomenta una verdadera fraternidad espiritual por la oración, que mira con esperanza hacia el futuro. El hombre y la mujer que participan en la vida de la Iglesia se tornan más libres, más enteros ante las pruebas y son capaces de superar las preocupaciones por sus necesidades inmediatas y otras angustias del tiempo presente.

Metodología de la Fe

Las propuestas que hace la Iglesia al pueblo cubano no son para mañana, son proyectos para los cuales hay que preparar a las generaciones jóvenes, de más difícil realización que los programas a corto plazo que establecen los estados, partidos políticos, grupos intermedios o empresas, pues no puede medirse la acción de la Iglesia por la eficacia u otros parámetros similares que son incapaces de calibrar la misión que Jesucristo le ha confiado y la acción del Espíritu Santo en los corazones.

Las motivaciones espirituales en que se fundan esas propuestas reclaman una metodología distinta en cuanto al modo de obrar, pues este tiene en cuenta no solo el contenido del mensaje, sino también la libertad del hombre. La Iglesia propone su mensaje con absoluto respeto al hombre libre que puede acogerlo o no y en mayor o menor grado.

Reconocimiento de la misión de la Iglesia por los hombres y por la sociedad

Para hacer vida este mensaje, la Iglesia necesita no solo espacio y libertad, sino que la naturaleza de su misión sea respetada y valorada justamente. Es verdad que, en muchas ocasiones, un proyecto humanista de tan altos contenidos lleva consigo una crítica de las situaciones, que, por contraste, resultan deshumanizantes. Este es otro aporte de la Iglesia al mundo, que puede ser aceptado como un camino de perfeccionamiento del hombre y de la sociedad, pero que puede ser rechazado desde posiciones de incomprensión, de suficiencia o de orgullo.

Debemos tener siempre en cuenta que la conciencia cristiana en la hora actual tiene una especial sensibilidad para reconocer que los métodos son tan sagrados como los contenidos y que la verdad, aun la verdad de Dios, no se impone al hombre. Esta sensibilidad no impide que deje de proponerse la verdad, aunque haya rechazo o no aceptación.

La Iglesia, según esta metodología, no exhorta ni esgrime con insolencia argumentos contra el mundo, la sociedad o las estructuras políticas. Propone valores y los fundamenta en su propia fe, pero no como quien habla desde arriba o desde fuera del peligro o sin responsabilidad alguna, sino desde dentro de la sociedad, reclamando al mismo tiempo ser participante activa en la misma.

El evangelio es desestabilizante

Aun así, aun cuidando todos los requisitos evangélicos en el contenido del mensaje y en la forma de trasmitirlo, el evangelio de Jesús es desestabilizante, y lo es para nosotros mismos: obispos, sacerdotes, personas consagradas o laicos cristianos comprometidos. Nos saca de nuestras seguridades y comodidades y nos pone una y otra vez frente a la Verdad exaltante y comprometedora de un Dios que se anonadó y se hizo hombre por nosotros aceptando el riesgo cierto de la Cruz.

Los señalamientos válidos y a veces dolorosos que nos hace el mismo Jesús en su evangelio invitan a todos los hombres a la reflexión y al mejoramiento y no deben producir por sí mismos un rechazo airado, sino una consideración atenta. Esto, a veces, no es fácil de aceptar por la misma comunidad cristiana, será más difícil aún que lo acepten las estructuras sociales y políticas, sobre todo cuando los sistemas de pensamiento que las animan son distantes del cristianismo. Pero, aun así, la Iglesia debe cumplir su misión. Sin las penalidades del parto no hay vida nueva, sin la Cruz de Cristo no hay resurrección.

La Cruz: último criterio de verdad

Al misterio de la Cruz, de la cual brota la vida, debe remitirse siempre la Iglesia como criterio cierto de autenticidad en su quehacer y de verdad en su ser.

En la encrucijada, que no es sino caminos que se encuentran atravesándose en forma de Cruz, se ha hallado la fe cristiana en Cuba en estas últimas décadas. Esa Cruz en el camino de la Iglesia ha sido purificadora y fuente de vida. No olvidemos nunca que el pecado de los cristianos en 2.000 años de historia tiene un peso en la cuota de incomprensión y rechazo de la fe cristiana.

Animados por el llamado que nos ha hecho el Papa Juan Pablo II en el reciente Jubileo y, movidos por su ejemplo, aprendamos también a pedir perdón con la mirada puesta en el futuro y a experimentar esa urgencia de santidad necesaria para que el servicio pastoral de la Iglesia, que se lleva a cabo por medio de todos sus hijos: obispos, sacerdotes, religiosos y laicos, llegue de veras a cada hombre y a todos los pueblos, mostrándoles el Cristo verdadero que ellos esperan ver.

En su obra «*La Entraña del Cristianismo*», el teólogo Olegario González de Cardedal dice con acierto: «*La mi-*

sión de la Iglesia es hacer inolvidable a Jesucristo». Y otro gran teólogo del siglo XX, Karl Barth, reflexiona de este modo: *«Una vez que el hombre sabe que en Jesucristo Dios se hizo hombre, no puede ser nunca más inhumano».* Este es el gran servicio que la Iglesia y la fe cristiana tienen que brindar a la sociedad.

Nada ni nadie debe, pues, pedir a la Iglesia una misión distinta a esta, ni pretender, por el control o el ejercicio severo del poder, apartarla de esta misión. *¿Quién podrá apartarnos del amor de Cristo?: ¿la aflicción?, ¿la angustia?, ¿la persecución?, ¿el hambre?, ¿la desnudez?, ¿el peligro?, ¿la espada?, como dice la Escritura: «Por tu causa nos degüellan cada día, nos tratan como a ovejas de matanza». Pero en todo esto vencemos fácilmente por Aquel que nos ha amado. Pues estoy convencido de que ni muerte, ni vida, ni ángeles, ni principados, ni presente, ni futuro, ni potencias, ni altura, ni profundidad, ni criatura alguna podrá apartarnos del amor de Dios manifestado en Cristo Jesús, Señor nuestro (Rm 8, 35-39).*

CONFERENCIA PRONUNCIADA EN EL INSTITUTO INTERAMERICANO DE DERECHOS HUMANOS «LA EDUCACIÓN EN LOS DERECHOS HUMANOS SEGÚN LA DOCTRINA SOCIAL DE LA IGLESIA»*

En su quehacer, que es como prolongación en el tiempo y en todo el mundo de la misión de Jesucristo, su Señor, la Iglesia tiene, entre otras tareas, el deber de enseñar, ¿No fue Jesús llamado Maestro? Educa la Iglesia desde la niñez a los cristianos para que descubran el amor de Dios hacia cada uno de nosotros, de modo que correspondamos a Él, y para que aprenda el cristiano a amar a su prójimo según el modelo que tenemos en Jesús. El mismo resume toda la ley de Dios en el doble mandamiento de amar a Dios sobre todas las cosas y al prójimo como a sí mismo. Deben desarrollarse, pues, en el cristiano, las actitudes propias del que reverencia a Dios con todas las acciones de su vida y, al mismo tiempo, las de

---

* San José de Costa Rica, 25-X-2001.

quien sabe tratar al otro respetándolo y favoreciéndolo por medio de la justicia, además de tener hacia él los sentimientos de benevolencia propios del amor cristiano.

El lazo indisoluble que en la religión cristiana une el amor a Dios y al prójimo hace que la enseñanza de la Iglesia no se limite a las relaciones del ser humano con su Creador, sino que abarque sus relaciones con el prójimo, considerado individualmente, o viviendo en sociedad, integrado en diversos conglomerados humanos. Es un deber, pues, connatural a la Iglesia, la educación del ser humano en el trato a los otros seres humanos y esto incluye, evidentemente, la educación en el respeto de los derechos del hombre. Este aspecto pide una consideración atenta sobre la justicia que es correlativa al derecho y perfila sus exigencias y sus límites.

Es bueno atender primero a las motivaciones específicas que nos animan a intentar un acercamiento al tema de la justicia. En el cristiano, su compromiso con la justicia se afianza en las bienaventuranzas de Jesús. Esta es la carta magna del reino de Dios que Cristo viene a plantar en el corazón del mundo. Nos la presenta el Evangelio de San Mateo (5, 1-11). Nueve enunciados proclaman en primer término, y paradójicamente, la dicha de quienes son pobres, están afligidos o han sido desposeídos. Es, ante todo, el hombre sufriente, el que padece la violencia o la humillación, el ciudadano de avanzada en el reino de Dios. Después son declarados dichosos los que, de un modo u otro, aportan bondad para construir o enriquecer ese reino. Dos de las bienaventuranzas se refieren explícitamente a la justicia: «Dichosos los que tienen hambre y sed de justicia, porque se saciarán». Hambre y sed son metáforas frecuentes de deseos intensos. Pero, como si no fuera suficiente el deseo, Jesús añade después: «Dichosos los perseguidos por causa de la justicia, porque el reinado de Dios les pertenece». O sea, dichoso es, además, quien no solo ansía la justicia, sino que se compromete con ella, para establecerla en el mundo, aunque sufra por ello persecución.

Comienza ya a esbozarse lo específico de la doctrina social católica sobre los derechos del hombre. Para educar en los derechos humanos no parte únicamente la Doctrina Social de la Iglesia de las clásicas proclamaciones de derechos de finales del siglo XVIII, ni la declaración de derechos humanos de las Naciones Unidas en 1948, sino, remontándonos más atrás en el tiempo, nos inspiramos en el mensaje iluminador sobre el hombre del evangelio de Jesucristo, que da continuidad a una larga tradición histórica del pueblo hebreo con relación a la justicia y el derecho.

En el primer libro de Isaías (9, 2-7), la aspiración al bien social, propia de un mundo equitativo donde todos serán felices, se nos presenta así en género profético: Serán quebrantados los opresores, «la bota que pisa con estrépito y la túnica empapada en sangre serán combustible, pasto del fuego». Isaías anuncia entonces al Mesías que establecerá un orden nuevo: «Porque un niño nos ha nacido, un hijo se nos ha dado» y entre sus títulos el profeta lo proclama: « Príncipe de la Paz», y pasa enseguida a describir su misión: «viene para «dilatar el principado con una paz sin límites... para sostenerlo y consolidarlo con la justicia y el derecho».

Setecientos años antes de Cristo, cuando Isaías anunciaba la implantación de la justicia y el derecho, no lo hacía pensando en una justicia concebida al estilo del antiguo derecho romano como «la constante y perpetua voluntad de darle a cada uno lo suyo» (definición clásica de Ulpiano). Aquí «lo suyo de cada uno» significa un conjunto de derechos humanos. Santo Tomás de Aquino, guardando el concepto del viejo derecho, ponía aún más el acento en el aspecto subjetivo de la justicia: «es el hábito según el cual alguien, con voluntad constante y perpetua, concede su derecho a cada uno». Así, la justicia es considerada virtud, que en el cristiano estará animada desde dentro por la gracia de Dios y será la primera exigencia de la caridad, del amor al prójimo. Pero esta definición es más jurídica que cristológica, porque en los evangelios no hay reglas sobre los derechos de justicia. Siguen los Evangelios y el Nuevo Testamento, en general, la tradición del Antiguo, no hay ruptura entre ambos. Recordemos la afirmación de Jesús: «Yo no he venido a abolir la ley, sino a darle plenitud» (*Mt* 5, 17), y las leyes del Antiguo Testamento estaban todas dictadas por Dios. Entre todos los pueblos del Oriente Medio, solo los hebreos tenían una clara conciencia de que sus leyes no eran dictadas por el rey, sino por Dios mismo, de modo que el mismo rey quedaba sometido a esa ley divina. De ahí la acción de los profetas de cara a las infidelidades del rey.

Los Jueces, primero, y los Reyes, después, tenían el poder para juzgar de acuerdo a una ley divina, pero esta ley, además, no enunciaba derechos, sino deberes que engendraban derechos en el otro. Por todo esto, la justicia en el Antiguo Testamento puede traducirse como «fidelidad y lealtad hacia la comunidad», como «solidaridad con la comunidad», y así, ser justo no se mide por una norma abstracta y absoluta con acento en lo subjetivo como es la «voluntad de dar a cada uno lo suyo», sino por las exigencias concretas de comunión con Dios, cumpliendo su ley, para vivir en comunión con los demás. Por esta razón, la justicia se manifiesta, ante todo, en la actuación social del individuo. Es así como la justicia produce paz y son inseparables una de otra: «La justicia y la paz se besan» (*Sal* 85, 11).

Contemporáneamente al anuncio profético y esperanzador de Isaías, aparecen codificados en su forma definitiva los preceptos de justicia en el libro del Deuteronomio. La revelación de Dios se hace sublime en el código deuteronómico. No hay en ningún pueblo del Oriente Medio, ni en Egipto, ni en Mesopotamia, ni antes ni después, una literatura preceptual de una calidad humana tan elevada como la deuteronomista. El Deuteronomio es uno de los libros de la Biblia más sensibles al prójimo y más rico en humanidad. Hay en él una atención muy especial al pobre: «Si hay entre los tuyos un pobre, un hermano tuyo... no endurezcas el corazón, ni cierres la mano a tu hermano pobre...» (*Dt* 15, 7ss). Se da también un compromiso social en defensa del obrero. «No explotarás al jornalero pobre y necesitado, sea hermano tuyo o emigrante... cada jornada le darás su jornal, antes que el sol se ponga, porque pasa necesidad y está pendiente del salario» (*Dt* 24, 14-15). Hay una consideración sorprendente sobre el destino de los bienes de la tierra, haciendo notar que el hombre no es un dueño absoluto, sino un beneficiario que disfruta comunitariamente de esos bienes: «Si entras en la viña de tu prójimo come hasta hartarte, pero no metas nada en la cesta. Si entras en las mieses de tu prójimo, coge espigas con la mano, pero no metas la hoz en la mies de tu prójimo» (*Dt* 23, 25-26). Hay un empeño en evitar males incluso eventuales al prójimo: «Si construyes una casa nueva pondrás un pretil (baranda) a la azotea, y así no harás a tu casa responsable de sangre, si alguno se cayera de ella» (*Dt* 22, 8). «Si ves el buey o la oveja de tu hermano extraviados no te desentiendas: se los devolverás a tu hermano» (*Dt* 22, 1). Con palabras del Deuteronomio respondió Jesús al demonio que le presentaba tentaciones religiosas, sociales y políticas: «No solo de pan vive el hombre, sino de todo lo que sale de la boca de Dios». Jesús y todo el Nuevo Testamento se complacen en el Deuteronomio y siguen su estilo, superándolo.

En materia de justicia y derecho es esto lo que pensaba Isaías al anunciarnos el nacimiento del Mesías. El Nuevo Testamento no contiene ningún tipo de codificación jurídica, pero sí hay un espíritu nuevo para que nazca y crezca la justicia y el derecho y esto es lo que la Iglesia y el cristianismo tienen como aportación específica al mundo desde sus orígenes. Sin tener aún ese nombre, los elementos de la doctrina social de la Iglesia se hallan presentes en el pensamiento y la praxis del cristianismo desde sus inicios, asentados sobre aquel trasfondo bíblico y neotestamentario donde aparece el hombre creado por Dios, que lleva en su ser la imagen del Creador. Es esa la dignidad intrínseca del ser humano, enaltecido sin medida por Jesucristo, el Hijo de Dios hecho hombre, que entregó su vida en la Cruz por rescatar, por liberar, por redimir al hombre. Si tanto vale el ser humano para Dios, con cuánto respeto y alta consideración debemos mirar al otro. Solo en la religión cristiana resulta exaltada la dignidad del hombre hasta cotas tan altas. Por otra parte, la visión judeocristiana de la justicia incluye la proyección social del hombre, que no es considerado «in abstracto», ni replegado en un individualismo que lo distancia de la comunidad humana.

A la luz de estos antecedentes, se comprende la inhibición, y aun el mismo rechazo de la Iglesia ante la proclamación de los derechos del hombre en la Revolución Francesa de 1789, e incluso antes, en la Revolución Norteamericana (1776). Se apoyaban ambas en una concepción del hombre nacida del pensamiento iluminista, que contrastado con el pensamiento cristiano parecía desdibujar aquella dignidad divina del hombre y, por tanto, el papel del Creador en relación con el ser humano. Reclama la declaración de 1789 varios derechos válidos, pero referidos al hombre individual en detrimento del aspecto comunitario y social del ser humano. Un enunciado de derechos sin un correlativo enunciado de deberes de justicia era extraño al pensamiento cristiano y, por otra parte, esta declaración de derechos parecía un comienzo absoluto y universal, mas la existencia de una tradición bíblica y eclesial de muchos siglos no parecía justificarlo así. Aun la Declaración de Derechos Humanos de las Naciones Unidas (de 1948) no encontró en el Papa Pío XII ninguna mención en sus mensajes y escritos, pues, además, la formulación de los derechos humanos ha estado, lamentablemente hasta hoy, en dependencia de las ideologías o de los sistemas políticos que la sustentan. Sin embargo, en sus mensajes de Navidad de 1942 y 1944, Pío XII destaca «la supremacía de la persona frente al Estado», y declara que: «el origen y el fin esencial de la vida social ha de ser la conservación, el desarrollo y el perfeccionamiento de la persona humana», mientras que la finalidad del Estado es «la realización de aquellas condiciones externas que son necesarias al conjunto de los ciudadanos para el desarrollo de sus cualidades» (Doctrina Pontificia. Documentos Jurídicos, Madrid, 1960, pág. 179). Tenía el Papa ante sí el recuerdo reciente de los regímenes nazifascistas y la implantación del comunismo en Europa central. Añadía, además, Pío XII que «la meta de toda política es luchar por la dignidad de la persona humana y la consecución de sus fines» (pág. 180); y recoge una serie de derechos naturales que expresan la dignidad de la persona humana.

La Iglesia introdujo después en su vocabulario el tema de los derechos del hombre desde el Papa Juan XXIII y los citan a menudo Pablo VI y Juan Pablo II, pero el contenido total, la motivación y el origen de esos derechos difieren de los enunciados de las grandes declaraciones de los siglos XVIII, XIX y XX. El relativismo lastra en mayor o menor grado el pensamiento moderno y posmoderno, y solo una búsqueda de la verdad hará posible que las relaciones entre hombres y pueblos se funden en una justicia y en un derecho verdaderos para que pueda surgir la paz.

Ser hoy un luchador por los derechos del hombre exige también una lucha por la verdad y por el derecho que tiene el hombre de buscarla y de acceder a ella. La encíclica de Juan Pablo II «*Veritatis Splendor*» debe ser tan estudiada por quienes trabajan por la justicia como las encíclicas sociales.

El giro completo de la doctrina de la Iglesia respecto a la referencia en su acepción común del tema de los derechos humanos según la declaración de 1948 lo da Juan XXIII en la encíclica «*Pacem in Terris*», publicada poco antes de su muerte y en los inicios del Concilio Vaticano II. En ese importante documento considera el Papa la declaración de 1948 como «un primer paso e introducción hacia la organización jurídico-política de la comunidad mundial, ya que en ella solemnemente se reconoce la dignidad de la persona humana, de todos los hombres y se afirman los derechos que todos tienen a buscar libremente la verdad, a observar las normas morales, a ejercer los deberes de justicia, a exigir una vida digna del hombre y otros derechos que están vinculados con ella». Estos derechos son «universales, inviolables e inalienables» (n. 144).

La *Pacem in Terris* vuelve a afirmar una vez más el principio fundamental: «en toda humana convivencia bien organizada hay que colocar como principio que todo ser humano es persona, es decir, una naturaleza dotada de inteligencia y de voluntad libre y que, por tanto, de esa misma naturaleza nacen al mismo tiempo derechos y deberes, que al ser universales e inviolables son también absolutamente inalienables» (n. 9). Entre esos derechos cita el Papa «el derecho que todo hombre tiene de honrar a Dios según el dictamen de la libre conciencia y proclamar su religión privada y públicamente» y en los números 12, 18, 23, 27 cita otros derechos más, y sentencia convencidamente el Papa Juan XIII que «se considera realizado el bien común cuando se han salvado los derechos y deberes de la persona humana» (n. 60).

El Concilio Vaticano II recupera la rica y secular doctrina teológico-jurídica de la Iglesia, empleando un lenguaje de acuerdo a la cultura moderna, que encontramos especialmente en la constitución pastoral sobre la Iglesia en el mundo actual «*Gaudium et Spes*». En ella se lee:

La Iglesia «ardientemente desea estar al servicio de todos, bajo cualquier régimen político que reconozca los derechos fundamentales de la persona y de la familia, y los imperativos del bien común» (GS, 42). El Concilio proclama solemnemente la concordancia del evangelio con los derechos humanos: «la Iglesia, en virtud del evangelio que se le ha confiado, proclama los derechos del hombre, y reconoce y estima en mucho el dinamismo de la época actual que está promoviendo en todas partes tales derechos» (GS, 62). Encontramos en esta constitución una novedosa formulación del bien común: «consiste sobre todo en los derechos y deberes de la persona humana» (GS, 6). Recordemos que ya la *Pacem in Terris,* cuando acepta la declaración de 1948, acota que no solo hay que hablar de «derechos», sino también de «deberes». El Concilio, retomando la más pura tradición cristiana, apunta otros aspectos: 1) los derechos humanos se apoyan en la condición de la persona como imagen de Dios; 2) los derechos en el ámbito de la economía son puestos en evidencia: «resulta escandaloso el hecho de las excesivas desigualdades económicas y sociales que se dan entre los miembros o entre los pueblos de una misma familia humana (GS, 29); 3) la declaración sobre la libertad religiosa es considerada fundamental: no se puede forzar a nadie a obrar contra su conciencia; ni tampoco se le puede impedir que obre según ella, principalmente en materia religiosas (n. 3).

Pablo VI hace continuas referencias a los Derechos Humanos. Su encíclica «*Populorum Progressio*», 26 de marzo de 1967, propone acertadamente el derecho de los pueblos a su propio desarrollo. Juan Pablo II en la «*Redemptor hominis*» tiene palabras de elogio hacia el magnífico esfuerzo en las organizaciones de Naciones Unidas que ha conducido a «definir y establecer los derechos objetivos e inviolables del hombre» (n. 17).

En el interior de la Organización de Estados Americanos (OEA) surgió la Comisión Interamericana de Derechos Humanos, creada en 1959. La actividad de esta Comisión fue confirmada en la Conferencia Latinoamericana de San José de Costa Rica el 7 de abril de 1970. Pero hay, además, en el ámbito cristiano, desde nuestra mejor tradición del siglo XVI y hasta las conferencias generales del Consejo Episcopal Latinoamericano (CELAM), un amplio material sobre derechos humanos. Esta tradición está enraizada en la teología más humanista del siglo XVI, que fue concretada por auténticos profetas como Bartolomé de las Casas, quien, precisamente en Cuba, celebrando en 1514 la fiesta de Pentecostés, fue impactado por las palabras del libro del Eclesiástico, 34, 29: «como quien inmola al hijo a la vista de sus padres así el que ofrece sacrificios de lo robado a los pobres».

Frente al colonialismo surgió en el siglo XVI una corriente defensora de las personas y de los pueblos como sujetos. Con ocasión del descubrimiento del Nuevo Mundo, se desarrolló un pensamiento sobre los derechos humanos. Ya en el «cedulario» se recoge una carta de la Reina Isabel en 1503 que manda: «Sepades que el Rey mi Señor y yo... hovimos mandado por nuestra carta que personas algunas de los que por mandato fuesen a dichas islas y tierras firmes no fuese osado de prender ni cautivar a ninguna ni alguna persona ni personas de los indios de las dichas islas a tierra firme de dicho mar para los traer a estos mis reinos ni para llevar a otras partes algunas, ni las ficiesen otro ningún mal o daño en sus personas, ni en sus bienes, so ciertas penas, en la dicha nuestra carta contenidas». Las leyes de Indias de 1542, aunque muchas veces incumplidas, constituyen un preclaro documento sobre los derechos humanos.

En el fondo estaba la teología humanista de Francisco de Vitoria y de la Escuela Salmantina que, siguiendo la inspiración de Tomás de Aquino, entendían que la persona humana es imagen de Dios. Las «Relecciones» de Vitoria sobre los indios son auténticas declaraciones de derechos humanos: «los hombres no nacen esclavos, sino libres, por derecho natural los hombres son libres»; «antes de la llegada de los españoles, los indios eran verdaderamente dueños tanto en el orden público como en el privado». Inspirados por estas doctrinas, los dominicos Pedro de Córdoba, Antonio de Montesinos, Bartolomé de las Casas fueron los profetas que anunciaron que los derechos humanos tienen algo de divino: «¿Estos no son hombres?», «¿No tienen almas racionales?», «¿No están ustedes obligados a amarles como a ustedes mismos?». Este sermón de Montesinos en Adviento de 1511 en la isla de la Española señala el fundamento decisivo de los derechos humanos: la dignidad inviolable de la persona como imagen de Dios.

En la enseñanza de Francisco de Vitoria, que trataron de concretar los dominicos en la isla de la Española y en Cuba, había tres vertientes importantes: 1) la dignidad de la persona humana; 2) el derecho de los pueblos a ser ellos mismos con su propia cultura; 3) el destino universal de los bienes de la creación que deben sostener a los seres humanos en sus necesidades.

Esas tres vertientes son destacadas por la doctrina de la Iglesia en el siglo XX sobre los derechos humanos cuando insiste en la centralidad de la persona humana: «el profundo estupor ante la dignidad del hombre se llama Evangelio» (Juan Pablo II, RH, 10); cuando se refiere al derecho a la propia cultura al hablar de la misión evangelizadora de la Iglesia (Decreto *Ad gentes;* EN.) y cuando relativiza el derecho de «propiedad privada» (Enc. SRS).

En los documentos del CELAM emanados de las cuatro conferencias generales del episcopado latinoamericano, los obispos de esta parte del mundo, siguiendo la invitación del Concilio, han leído la realidad de nuestros pueblos y elaboraron los documentos conocidos por el nombre de las ciudades donde se han celebrado esas conferencias: Medellín, Puebla y Santo Domingo, que contienen puntos de sumo interés en la defensa de los derechos humanos. La dignidad de las personas es un tema que se repite en Medellín, Puebla y Santo Domingo, el derecho de los pobres y el destino de la propiedad privada, que no es considerada ya un derecho absoluto, pues pesa sobre ella una hipoteca social, está tratado ampliamente en el documento de Medellín sobre la pobreza y sobre la justicia. El derecho a la autodeterminación de los pueblos con sus propias culturas frente a la dependencia económica o cultural es abordado en los documentos de Puebla y Santo Domingo.

Sobre la educación de los derechos humanos, Puebla (1014-1038) señala, entre varias características de la educación evangelizadora, algunas que parecen importantes en relación al tema que tratamos:

1) «Convertir al educando en sujeto, no solo de su propio desarrollo, sino también al servicio de la comunidad» (n. 1014).

2) «Que sea capaz de resistir al relativismo debilitante y vivir coherentemente las exigencias del bautismo» (n. 1032).

3) Debe proporcionarse «una educación cívica y política inspirada en la enseñanza social de la Iglesia» (n. 1033).

En el ámbito específico de los derechos humanos, Juan Pablo II propuso en 1999 a los guías religiosos del mundo un programa comprometedor: «la tarea que debemos cumplir consiste en promover una cultura de diálogo. Individualmente y todos juntos debemos demostrar que la creencia religiosa se inspira en la paz, fomenta la solidaridad, impulsa la justicia y sostiene la libertad» (discurso durante el encuentro con los líderes de diversas religiones, 28 de octubre de 1999, n. 3, L'Osservatore Romano, edición en lengua española, 5 de noviembre del 99).

Es conveniente hacer notar cómo, en la educación para llevar a cabo ese programa, se supone una jerarquía de valores en cuatro áreas: valoración de la persona, correcto uso de las riquezas, conducta social no individualista sino solidaria y ejercicio del poder como servicio. Mientras no se cultive a fondo y con claridad esa dimensión axiológica que la Iglesia propone dar al hombre desde el evangelio, no habrá tampoco garantías para una educación auténtica en los derechos humanos.

En su visita a Cuba, el Papa Juan Pablo II se refirió a la educación integral que debe brindar la Iglesia y en su contenido hay una alusión precisa a la formación de los jóvenes en el ámbito de los derechos humanos. Dijo así el Papa: «El mejor legado que se puede hacer a las generaciones futuras es la transmisión de los valores superiores del espíritu. No se trata solo de salvaguardar algunos de ellos, sino de favorecer una educación ética y cívica que ayude a asumir nuevos valores, a reconstruir el propio carácter y el alma social sobre la base de una educación para la libertad, la justicia social y la responsabilidad» (mensaje de Juan Pablo II a los jóvenes cubanos, 23 de enero de 1998, n. 4).

Como se ve, la Doctrina Social de la Iglesia sobre los derechos humanos, que se afianza en el acervo bíblico y eclesial de muchos siglos de reflexión y de praxis, en el magisterio antiguo y reciente de la Iglesia, ha asumido el lenguaje y lo mejor del sentir de hombres y pueblos sobre los derechos del hombre y los ha integrado en una síntesis en nada reductiva, sino, al contrario, potenciadora de los derechos humanos, al conferirle motivaciones muy altas a la lucha por su implantación y desarrollo, como es la elevada consideración de la dignidad del hombre, creado a imagen de Dios y enaltecido por Jesucristo.

Codo a codo con muchos hombres de buena voluntad en diversas latitudes: en nuestra América Latina, en África, en Asia, muchos cristianos, sacerdotes, catequistas, laicos comprometidos han dado y dan su vida de un modo u otro en esa lucha por los derechos de la persona humana que está muy lejos de alcanzar sus objetivos a nivel mundial. El derecho a la vida, el primero y fundamental de todos los derechos del hombre, se ve obstaculizado por la falta de solidaridad, las guerras y otros males que producen el hambre y la desnutrición de centenares de millones de seres humanos, muchos de ellos niños y adolescentes en países pobres. Se oscurece también la cultura de la vida por la eutanasia y las prácticas abortistas aceptadas en países ricos. En estos últimos casos, las legislaciones se basan en el «derecho a decidir». Es de temer que, si se sigue apelando al derecho para obrar torcidamente, estaremos navegando con riesgo en una corriente relativista que puede arrastrar consigo otros excesos y minar en su esencia la causa de los derechos humanos.

Bien saben ustedes en esta sede del IDH que no todos los estados pertenecientes a la ONU se adhieren a todas las convenciones que se refieren a los derechos humanos. Algunos lo hacen con reservas o selectivamente.

Cuando existían los estados del socialismo real en Europa, mantenían, según su ideología, que los derechos humanos, en cuanto estaban recogidos en sus Constituciones, afectan a los ciudadanos de un Estado determinado. Estos son esencialmente derechos sociales y económicos recogidos dentro de su cuadro ideológico y social. Los derechos humanos en sentido universal eran aceptados por esos estados a través de las convenciones de la ONU interpretadas de modo que no tuvieran consecuencias directas para los propios ciudadanos. Según F. Compagnoni, esta es una tendencia que en la praxis los estados, socialistas o no, tratan más o menos de desarrollar. He hecho esta referencia porque, si bien desaparecieron los países del socialismo real en Europa central, en mi país se sigue aún aquel modelo inspirado en una ideología de similares raíces. Seguramente por esto, el Papa Juan Pablo II, en su discurso a los obispos cubanos en nuestra visita a la sede de Pedro, nos dijo:

En todo el mundo los derechos humanos son un proyecto aún no perfectamente llevado a la práctica, pero no por eso se debe renunciar al propósito decidido y serio de respetarlos, pues provienen de la especial dignidad del hombre, como ser creado por Dios a su imagen y semejanza (cf. *Gn* 1, 26). Cuando la Iglesia se ocupa de la dignidad de la persona y de sus derechos inalienables, no hace más que velar para que el hombre no sea dañado o degradado en ninguno de sus derechos por otros hombres, por sus autoridades o por autoridades ajenas. Así lo reclama la justicia que la Iglesia promueve en las relaciones entre los hombres y los pueblos. En nombre de esa justicia dije claramente en su país que las medidas económicas restrictivas impuestas desde el exterior eran «injustas y éticamente inaceptables» (Discurso de despedida 25.1.1998, 4). Y lo siguen siendo aún. Pero con esa misma claridad quiero recordar que el hombre ha sido creado libre y, al defender esa libertad, la Iglesia lo hace en nombre de Jesús, que vino a liberar la persona de toda clase de opresión.

Sí, aunque no se cumplan casi en ningún lugar, tenemos todos que reafirmar una clara definición de los derechos del hombre que esté liberada de toda carga ideológica, influjo político o poder hegemónico. En esta era global debemos hablar un lenguaje de humanidad, que solo será comprensible si expresa en sus términos la verdad. El trasfondo político-ideológico, de intereses económicos y de poder, hacen hoy más difícil la educación de los pueblos en los derechos humanos. Pero no podemos arredrarnos ante lo difícil de la tarea. En este empeño, que tiene como parte esencial la educación en los derechos humanos de las nuevas generaciones, está seriamente comprometida la Iglesia.

En ello también ha trabajado por veinte años este Instituto Interamericano de Derechos Humanos que me honro en visitar y al cual agradezco hondamente su invitación y su larga y probada trayectoria a favor de los Derechos Humanos en América Latina.

Muchas gracias.

CONFERENCIA PRONUNCIADA EN EL CENTRO
FRAY BARTOLOMÉ DE LAS CASAS
«ACOGER E IMPULSAR LO QUE QUIERE NACER, NAVIDAD»*

Queridos hermanos y hermanas:

Estamos a las puertas de la Navidad. En el mensaje que, con esta ocasión, los Obispos de Cuba hemos dirigido a los católicos cubanos y a todo nuestro pueblo, nos preguntamos si es posible celebrar con alegría esta Navidad, la primera del milenio, marcada por acontecimientos terribles, tanto en el plano internacional: el ataque a las Torres Gemelas y la guerra subsiguiente, con la cadena de desgracias que un conflicto de esa naturaleza genera, como en nuestra nación, donde sentimos los efectos colaterales del momento trágico que vive el mundo, comenzando por esa especie de terror difuso que embarga a los pueblos. No olvidemos que ese es el objetivo principal del terrorismo: sembrar el miedo.

El miedo paraliza, los hombres temen desplazarse, disminuyen los intercambios comerciales ante la contracción económica en la cual parece adentrarse el mundo entero, siguiendo la recesión de Estados Unidos, que arrastra consigo toda la dinámica económica mundial. Disminuye por tanto el flujo de turistas y eso afecta la economía de nuestro país. Además el ciclón de gran intensidad que azotó la región occidental y central de nuestro territorio produjo grandes pérdidas materiales y afectó gravemente la producción agrícola en zonas de gran productividad.

---

* La Habana, Convento de San Juan de Letrán, 20-XII-2001.

La respuesta que los Obispos de Cuba hemos dado al interrogante que nos planteábamos nosotros mismos, sobre la alegría navideña, acogiendo en parte el sentir de nuestro pueblo, reafirmaba la convicción de que la Navidad debe ser celebrada este año aun con más disposición e incluso con alegría. Decíamos los Obispos en nuestro mensaje que la alegría nuestra se fundaba en la palabra profética que escuchamos precisamente en las lecturas bíblicas de la noche de Navidad: nuestro gozo debe ser grande *«porque nos ha nacido un niño, un hijo se nos ha dado»*.

En ninguna época de la historia pasada, en ningún pueblo de la tierra, ni en los montañeses de los Alpes, ni en las gentes de las grandes llanuras africanas, ni entre los aborígenes de la América precolombina habría que explicar la alegría que proviene del nacimiento de un niño, porque naturalmente, espontáneamente, para todos los pueblos en todas las latitudes y culturas, el nacimiento de un niño ha producido alegría. Es sintomático que hoy, esta noche, aquí o en cualquier parte del mundo, sea necesario recordar al ser humano que el nacimiento de un hombre produce y debe producir alegría.

Produce inquietud en China el nacimiento de un niño y aún más de una niña, sobre todo cuando ya se tiene un hijo que es la cifra tope declarada por el gobierno para que las familias se conformen en núcleos de solo tres. La gran mayoría desea tener otro hijo y, en ocasiones, lo intenta a escondidas y el nacimiento de un niño produce inquietud en el país más poblado de la tierra. Porque hay responsabilidad penal por el niño recién nacido que supera el número mínimo establecido.

Hoy se le teme en muchos casos a la vida que surge en el seno materno. La mentalidad de los países desarrollados se ha ido habituando a un concepto de la maternidad, según el cual la salud de la madre está en riesgo, el nuevo ser que vendrá al mundo es analizado, observado, previniendo las futuras implicaciones biológicas que pueda traer consigo. El recurso al aborto por situaciones de malformación, aunque sean dudosas, leves o impredecibles, es fácilmente recomendado y aceptado por las madres y las familias. En muchas regiones de la tierra es estadísticamente tan frecuente o más frecuente aún que la vida emergente termine en la muerte que en la aparición de un nuevo ser humano sobre el planeta.

No parece haber obstáculo de conciencia para este modo de proceder en grandes sectores de la humanidad y las legislaciones sobre el aborto se han hecho tan permisivas que solo basta la angustia o la renuencia de la madre a aceptar el nuevo hijo, para que se conceda el beneplácito por parte de quienes tienen las responsabilidades del cuidado de la salud y de la vida y se realice la interrupción del proceso natural de gestación.

Este no es más que uno de los factores que confluyen en una cultura de la muerte que tiene sus expresiones también en la mentalidad popular que reclama, por ejemplo, castigar con la muerte los delitos que parecen graves o que lo son: violaciones, homicidios, etc. Es fácilmente constatable cómo reacciona una parte notable del pueblo, proponiendo como solución a un problema social grave que implique daños para la vida de otra persona por parte de un delincuente, que este sea condenado a muerte. La muerte debe ser el remedio para la muerte.

En muchos países se aboga por la eutanasia, es decir, por la supresión de la vida de aquellos que sufren a causa de una enfermedad y que desean acabar con sus padecimientos. Sorpresivamente hace algo más de un mes, una mujer en Inglaterra obtuvo un fallo negativo de una corte al recurrir a ella para que autorizara a su marido a matarla, por el sufrimiento que padecía a causa de una enfermedad. El remedio para el sufrimiento, para el dolor, es la muerte.

En los entretenimientos, cines, vídeos, series de TV, hay gran cantidad de muertes por crímenes, por accidentes increíbles, por guerras, por actos criminales cometidos por delincuentes, por grandes catástrofes naturales o por situaciones imaginarias que podrían producirse por incursiones desde otro planeta en la tierra, por cataclismos siderales, etc. Con juguetes de matar en sus manos crecen los niños en todos los países del mundo. En una ocasión en que dije que no debían tener los niños juguetes bélicos: pistolas, ametralladoras que vomitan fuego, y otros de ese estilo, un padre de familia me respondió que era necesario que el niño se habituara a que tiene que defender a su país. Con la muerte se defiende el país.

Muerte para proteger la salud de la madre, para librarla de su angustia, muerte para evitar que crezca la población mundial y los nuevos nacidos nos quiten lo que tenemos los que vivimos hoy sobre el planeta, muerte para reprimir al delincuente en la sociedad y proteger así el orden establecido, muerte para eliminar el dolor y el sufrimiento, muerte para entretenernos, muerte para defender la patria. Estamos inmersos en una cultura de muerte, y, sin quererlo, nuestros pensamientos se hacen sombríos y, sin percatarnos de ello, el tejido social pierde vitalidad porque está penetrado del poder nihilista de una muerte considerada como remedio y fin de todos los males.

Tememos a la vida que viene a compartir nuestra historia. Al procurar y proteger egoístamente nuestra vida, hacemos que el balance generacional se altere como sucede ya hoy en Cuba: crece el número de personas adultas, el número de ancianos se hace cada día mayor, y una población joven más reducida tendrá que llevar sobre sus hombros el peso de un número creciente de ancianos. La psicología social se altera cuando no hay un talante juvenil en todo el quehacer comunitario y predomina la edad adulta, el ritmo de la vida se hace aún más pesado, el relevo generacional se logra con mayor lentitud. La emigración añade en Cuba un elemento agravante a esta situación, porque normalmente emigra el sector más joven de la población y son los ancianos o personas de edad adulta los que quedan detrás.

¿Comprenden ustedes cómo resulta difícil, por ser tan contrastante con la mentalidad ambiente, anunciar a nuestro pueblo la alegría que proviene del nacimiento de un niño? Un niño es siempre promesa de vida, es el humano necesariamente abierto hacia el futuro. Quienes lo rodean y acompañan hacen la experiencia de una vida creciente y renuevan su propia juventud. Por eso, el Hijo de Dios vino como niño, creció en el hogar de Nazaret, y se proyectó en plena juventud como aquel que cumplía en su persona todas las promesas que había traído consigo. En otras épocas de la historia resultaba fácil el anuncio de la Navidad con su promesa de vida que nos sonríe en un niño. En esta para nosotros en Cuba debemos comenzar por reafirmar la vida que trae todo hombre que viene a este mundo, su valor, su sacralidad, su promesa de esperanza. Solo si apostamos por la vida somos capaces de comprender que, cuando la vida se manifiesta en plenitud en Jesús de Nazaret, la humanidad toda alcanza la plena alegría.

Piensen que esa mentalidad envejecida, de muerte, es compartida por muchos en el pueblo cubano, sean creyentes, católicos, no creyentes, marxistas, revolucionarios o indiferentes a la revolución. Es una mentalidad extendida a amplios sectores. Quienes tienen un pensamiento diverso con respecto a la vida, su pujanza, su capacidad de vencer dentro de las actuales coordenadas históricas, superando todos los obstáculos, son una minoría. Dentro de esa minoría tenemos que contarnos los católicos. En verdad, para nosotros, cristianos en el seno de nuestro pueblo, la línea divisoria no pasa entre opciones ideológicas diversas con respecto a la política o a aspiraciones concretas para la sociedad en el futuro; con respecto a una economía colectivista o de libre empresa; sino entre una mentalidad cerrada a la expresión plena de la vida y otra que confía en el triunfo total de la vida. El anuncio del Evangelio en Cuba tiene que hacerse a partir de esa realidad minoritaria, no frente a un mundo políticamente homogéneo contrario o indiferente a la religión, sino de cara a ese mundo mayoritario pero ciertamente diverso en cuanto a opciones religiosas, políticas y sociales, aunque radicalmente homogéneo en cuanto a una concepción del mundo y de la vida que no es evangélica, sino pragmática, materialista.

El problema queda planteado como lo hace el Evangelio de San Juan para todos los pueblos y para todos los tiempos: *la luz brilla en las tinieblas.* En su prólogo, el evangelista presenta al niño que ha nacido en Belén no como lo hacen Lucas y Mateo. El primero describe la escena del pesebre: José y María con el Niño Jesús y el canto de los ángeles en la noche de Navidad. Su relato nos entra por los ojos, por los oídos, por los sentidos todos y experimentamos la cercanía del pequeño recostado en un pesebre y envuelto en pañales. En la escena tan bien descrita nos parece caminar con los pastores, llegar a la gruta y contemplar al niño y participar del gozo de

José y de María que solo puede ser compartido en el silencio profundo de aquella noche. Mateo hace venir a unos magos del Oriente siguiendo una estrella y postrándose a ofrecer sus regalos al niño que está con María su madre. Nosotros reproducimos mil veces esta escena narrada por Lucas y Mateo que se hace siempre nueva en cada Navidad, en cada una de nuestras iglesias.

Pero Juan comienza donde parece terminar el camino de los pastores y de los magos, cuando en el silencio de aquella noche, la más larga del año, descubre el misterio que nos envuelve a todos y nos lo expresa maravillosamente en su Evangelio.

Pero antes de dejar que Juan hable en su Evangelio escuchemos lo que nos dice en su primera Carta, después de haber conocido a Jesús de cerca y haber estado como ningún otro discípulo junto a Él. Es su comprensión de Dios que él condensa en una sola frase: «*Dios es amor*». Sí, la palabra que define a Dios es *amor*, Dios se expresa por una palabra eterna: amor. Ahora sí podemos escuchar a Juan narrándonos cómo esa Palabra llegó hasta nosotros:

«*En el principio ya existía la Palabra, y la Palabra estaba en Dios, y la Palabra era Dios. La Palabra en el principio estaba en Dios.*

En la Palabra había vida, y la vida era la luz de los hombres. La luz brilla en la tiniebla y la tiniebla no la recibió.

La Palabra era la luz verdadera, que alumbra a todo hombre. Al mundo vino y en el mundo estaba; el mundo se hizo por medio de ella, y el mundo no la conoció. Vino a su casa, y los suyos no la recibieron.

Y la Palabra se hizo carne, y acampó entre nosotros, y hemos contemplado su gloria: gloria propia del Hijo único del Padre, lleno de gracia y de verdad».

Sí, el problema está planteado entre el mundo y Dios, el mundo creado por Él y que está en tinieblas y Dios, que tanto amó al mundo que envió su Palabra, su Hijo, hecho carne para habitar entre nosotros. Como ustedes ven, el dilema es un desafío para todos nosotros, para todos los pueblos y es entre la luz y las tinieblas, no es entre el neoliberalismo y el neosocialismo o entre globalización y antiglobalización, sino entre la Palabra de vida y las tinieblas de muerte, entre el mundo sin Dios y Jesucristo.

La gran pregunta que debemos ponernos es si en medio de las tinieblas está realmente brillando la luz de Cristo, si algo luminoso y nuevo está naciendo al concluir este año 2001, si, en medio de esta cultura de muerte y de un mundo envejecido en edad y en pensamiento aquí entre nosotros, se ve nacer con la Palabra hecha carne algo realmente nuevo.

La respuesta solo puede ser hallada si nos ponemos de rodillas ante el misterio, como Juan, y sabemos ver en Jesús pobre y pequeño la Luz del mundo y nos dejamos iluminar por esa luz.

«Si tu ojo está sano entonces tendrás luz, dijo Jesús, si tu ojo está enfermo, permaneces a oscuras» (Mt 6, 22-23).

Pero si, aun a pesar de mi esfuerzo y a causa de mis defectos y pecados, permanezco en tinieblas, si mis ojos están enfermos, puedo gritar como el ciego de nacimiento a Jesús: *«Hijo de David, ten compasión de mí, que yo vea»*. Y el Señor pondrá las manos sobre mis ojos, sobre tus ojos, y tú vas a proclamar el milagro de tu vida transformada ante el mundo que se interrogará: ¿pero este no es el que antes se sentía cansado y pensaba de un modo diferente? Y tu respuesta no podrá ser otra que la propia verdad de lo acontecido: *«yo antes estaba ciego y ahora veo»*.

Es ahí donde encontramos lo nuevo que nace: en las vidas transformadas por la luz de la fe. Es en el campo raso de la fe donde brillan luces de esperanza. Es al descampado donde cantan los ángeles y se escuchan buenas noticias. Entonces descubrimos que con Cristo algo nuevo comenzó en el mundo, algo nuevo está naciendo siempre.

En este campo espacioso de la fe vino el Papa Juan Pablo II a sembrar esperanza en Cuba. Quienes tienen ojos sanos o han sido curados por Cristo, ven cómo la luz se abre paso en medio de las tinieblas. Lo nuevo no son estructuras nuevas o renovadas en el orden político o social, ni nuevos desarrollos económicos portadores de mayor bienestar, ni siquiera el justo reconocimiento del papel de la Iglesia en el servicio a los necesitados, en la educación de las nuevas generaciones o en la formación en valores. Lo nuevo está en intentar hacer todo esto aun sin reconocimiento y con medios muy humildes. Lo nuevo está en las nuevas actitudes, en el despertar de las conciencias, en la comprensión de muchos del verdadero papel de la Iglesia: llevar al mundo siempre y en toda circunstancia la luz de Cristo. Pero esta luz debe brillar en cada corazón humano para que todo esto sea cierto. Nuevas estructuras pueden suceder a viejas estructuras pero el mundo puede seguir en tinieblas si primero los hombres no se convierten en hijos de la Luz.

¡Cuántas cosas pequeñas y al mismo tiempo grandes conoce el Pastor de una diócesis como La Habana que indican que algo nuevo nace!

Hace poco, un joven me traía una copia de su título con una especialidad en medicina. Me había oído predicar en alguna iglesia que el joven tenía que adueñarse de su propio ser, no dejarse llevar por la corriente, hacer un proyecto personal de vida. En ese momento, él estudiaba con desgano la medicina, pensaba dejar de estudiar, quizá irse de Cuba, pero decidió tomar su vida en sus manos, terminó su carrera, hizo su especialidad, se casó, me dijo entre otras cosas: lo principal es escuchar al paciente, hablar con él, animarlo; vi que se siente contento, bien ubicado en su vocación de servir.

Me parece que este es un hijo de la luz, no tan cercano a nosotros en los afectos y en la proximidad como otros que no han actuado así. Creo que pueden aplicarse a él las palabras de Jesús; «*No estás lejos del Reino de Dios*».

Me parece también que hay indicios de algo nuevo que nace cuando siete jóvenes del MECU (Movimiento Estudiantil Católico Universitario), estudiantes ellos mismos de la Universidad, repasan cada domingo gratuitamente a más de sesenta estudiantes del Pre que se preparan para el ingreso en la Universidad, desde las dos de la tarde hasta las ocho de la noche.

Hay signos de vida y de esperanza cuando se pide ayuda para tender una mano desde la pobreza a los matanceros afectados por el ciclón y responden las comunidades de La Habana tan generosamente que pudimos entregar a la Diócesis de Matanzas 200.000 pesos y cinco camiones de ropas, zapatos y alimentos para las personas afectadas por el huracán.

Algo nuevo nace cuando 150 jóvenes alcohólicos de Centro Habana y Habana Vieja se reunían el pasado domingo para celebrar los pasos que van dando en el camino de la sobriedad. Algo nuevo nace cuando grupos de madres solteras se hacen artesanas, aprenden un oficio, encuentran un empleo y se les ayuda a cuidar a sus niños que ellas decidieron no abortar, descubriendo, además, el valor de la vida y su propia dignidad.

Brilla la luz en las tinieblas cuando muchos laicos piden seguir estudios filosóficos y teológicos, deseosos de conocer mejor el pensamiento cristiano, cuando el pasado año, como viene ocurriendo cada año en esta Arquidiócesis de La Habana, 1.500 jóvenes y adultos recibieron las aguas del Bautismo, después de más de un año de catecumenado. Hay signos del triunfo de la vida cuando grupos de muchachos y muchachas hacen al Señor promesa de virginidad hasta el matrimonio en un medio donde el sexo es tratado como un juguete, cuando se descubre en las nuevas generaciones un aprecio creciente al valor de la familia.

Quizá dirán ustedes:

¡Qué poco es todo esto en comparación con el pensar y el sentir de la mayoría!

No olviden el grano de mostaza, el puñado de levadura en la masa y que el cristiano es sal de la tierra y luz del mundo, sal en pequeña cantidad que da sabor a cantidades grandes, luz que penetra las tinieblas. El cristianismo no es fenómeno de masas, porque no se dirige primeramente a la masa, sino a cada hombre. Pero llega a transformar la masa como la sal, como la levadura, desde dentro. Solo un grupo de hombres y mujeres transformados pueden obrar la transformación del mundo.

Por eso las acciones y respuestas individuales, de grupo, comunitarias, a las que me he referido son indicadoras de que desde hace algún tiempo, pero sobre todo después de la visita del Papa, algo nuevo está naciendo entre nosotros. La Esperanza sembrada por el Santo Padre en los corazones está viva. Y esta Navidad podemos celebrar con alegría a Jesús-Niño, si nuestra esperanza está de veras purificada de cualquier otra espera.

Porque nuestros ojos pueden ser sanos y la luz divina de la fe puede alumbrar nuestros corazones, pero estar a la espera de algo más por parte de Dios, esperar de la Iglesia, del Papa, de los Obispos algo más acorde con la esperanza que yo me he forjado según ciertos criterios, que pueden incluso apoyarse en mi misma fe religiosa.

Para comprender esto vayamos al Evangelio a encontrarnos con otro Juan, Juan el Bautista. Él centró la esperanza del pueblo en un Mesías que vendría a restablecer, con poder y gloria, el Reino de Israel; el Bautista tenía convicciones serias, fundadas en los grandes profetas como Isaías y Jeremías de que cuando viniera el Mesías todo iba a cambiar. Recordemos el texto de Isaías donde se hace hablar por anticipado al Mesías que dice: «*El Espíritu del Señor está sobre mí...Él me ha enviado para dar la libertad a los cautivos, a los oprimidos la liberación*».

Juan había preparado a la gente para recibir al Mesías con su estilo atronador, diciendo que ya el hacha estaba a la raíz y que el árbol que no sirviera sería talado. Así anunció a Jesús y lo presentó a sus propios discípulos, como el Cordero de Dios que quita el pecado del mundo. Dijo que Jesús era más que él, que él no era sino una voz que clamaba para que se le prepararan caminos a Jesús. Y ahora Juan está en la cárcel por anunciar su venida. Y el Mesías que venía a rescatar a los cautivos, ¿no lo podía sacar a él de la cárcel? Él esperaba un Mesías que formara un movimiento contundente en torno a sí, capaz de estremecer las estructuras de pecado de su pueblo y de sus jefes y cambiarlas en un nuevo orden. Pero este predicador, su pariente, habla de amor, de misericordia, de mansedumbre; lo cual no está mal, pero a Juan según su mentalidad le parecía que hacía falta quizá otra cosa y duda, vacila y, cuando sus discípulos lo van a ver en la cárcel, los manda a preguntarle a Jesús si es él el Mesías o hay que esperar a otro. A Jesús llegó el recado de Juan y le envió al Bautista otro recado: «*díganle a Juan que los ciegos ven, que los sordos oyen, que los cojos andan y que a los pobres se les anuncia la Buena Noticia*». Jesús respondía con otro texto del mismo Isaías, pero añadió: «*y dichoso quien no se sienta defraudado por mí*». Esta es como una octava bienaventuranza... ¡Qué pequeños indicios: cojos, sordos, ciegos sanados en medio del sufrimiento y la opresión del país ocupado por el imperio romano...! ¡Qué camino tan desconcertante! Pero este modo de proceder no significaba para el Cordero de Dios comodidad o seguridad. Quien habló y vivió así murió cruelmente crucificado.

La esperanza cristiana tiene que integrar el estilo de lo pequeño, del tú a tú, el testimonio callado de la vida, el servicio brindado por amor y el perdón al cual nos inició Jesucristo, so pena de desilusión. La esperanza cristiana, purificada de cualquier espera terrena, se nutre de la fe, se alimenta en el amor y se proyecta hacia su futuro absoluto: *Jesucristo*.

Es así como descubrimos los cristianos, gozosamente, que en esta Navidad, para Cuba, algo nuevo está naciendo.

ÍNDICE TEMÁTICO

ÍNDICE GENERAL

ÍNDICE

ÍNDICE

ÍNDICE

ÍNDICE

ÍNDICE

ÍNDICE

ÍNDICE